Rumunia

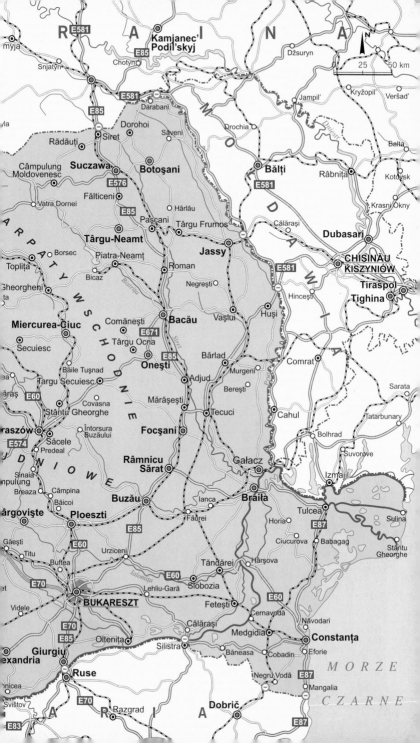

Rumuńskie Ateneum w Bukareszcie wzorowano na greckiej świątyni Ateny

Malowniczy zaułek w stolicy Rumunii

Pomnik Michała Walecznego w Krajowej

Skalna pustelnia w górach Ivanetu

Parlament w Bukareszcie jest największą po amerykańskim Pentagonie budowlą na świecie

Jedna ze ścian solnych płaskowyżu Meledic

Centrum uzdrowiska Băile Herculane

Zapora na jeziorze Vidraru w dolinie rzeki Ardżesz

Średniowieczna cerkiew w Curtea de Argrs

Mănăstirea Hurez to jeden z najcenniejszych średniowiecznych zabytków Wołoszczyzny, wpisany na Listę Światowego Dziedzictwa Kulturalnego i Przyrodniczego UNESCO

Klasztor Cozia wzniesiono w 1388 r. nad rzeką Alutą

Oryginalna ekspozycja w okolicach klasztorów Hurezu, Bistriţa i Arnota

Ogromny pomnik Tropaeum Traiani w Adamclisi jest repliką
budowli wzniesionej na cześć cesarza Trajana

Turystyczną atrakcją Histrii są wykopaliska archeologiczne

Pomnik Owidiusza w centrum Konstancy

W rejonie Dobrudży i Delty Dunaju można podpatrzeć wygrzewające się na słońcu żółwie

Malownicze położenie, ciekawa architektura i cenne freski w cerkwi sprawiają, że monastyr Suceviţa odwiedzają co roku tysiące turystów

Naturalny wyziew gazu ziemnego w rezerwacie „Żywy ogień" (Focul Viu)

Ogromny neogotycki Pałac Kultury w Jassy wzniesiono w samym sercu dawnego średniowiecznego grodu w latach 1906–1925

Mnich wzywający na nabożeństwo do klasztoru Râşca

Ceramika z Marginei zdobiona jest ciekawymi geometrycznymi wzorami

W skansenie na obrzeżach Syhotu Marmaroskiego można obejrzeć co najmniej 40 zabytkowych domostw

XV- i XVI-wieczne mołdawskie klasztory o zewnętrznych ścianach pokrytych freskami przywołują fascynującą historię krainy położonej wśród urokliwych pagórków

Secesyjny pasaż w hotelu *Czarny Lew* w Oradei

W dzielnicy Lipovej – Şoimoş – wznoszą się imponujące ruiny zamku z II połowy XIII w.

Połyskujące w słońcu rybackie sieci w okolicach Żelaznej Bramy

Mieszkanka Caraşovej w stroju ludowym

Synagoga w stylu mauretańskim w Timişoarze

Ogromna hydroelektrownia wybudowana przez Rumunów i Serbów nazywana jest Żelazną Bramą na Dunaju

Potomkowie przybyłych z niemieckojęzycznej części Europy Szwabów Banackich osiedlili się m.in. w wiosce Steierdorf, koło Aniny

Rzymskokatolicką katedrę na rynku w Timişoarze wzniesiono w latach 1737–1773

Czarny Kościół w Braszowie jest największą gotycką świątynią Transylwanii

Kościół w Prejmer wzniesiony około 1218 r. jest podręcznikowym przykładem budowli warownej

Przełęcz Borgo – prawdopodobnie jedna z siedzib Drakuli

Barokowy kościół ormiański w Gheorgheni

Delta Dunaju to jeden z najpiękniejszych regionów kraju, gdzie rytm życia podporządkowany jest bez reszty ogromnej rzece

W położonej w samym sercu Rumunii niewielkiej Sighişoarze co roku odbywa się słynny festiwal średniowiecza

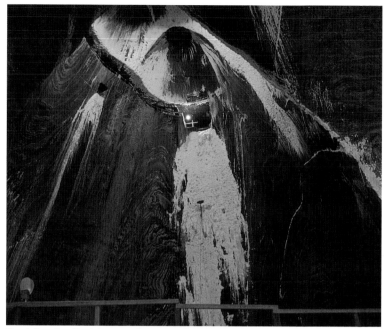

Kopalnia soli w Turdzie powstała w czasach rzymskich i w szczytowym okresie eksploatacji (XVI w.) przynosiła mieszkańcom wielkie zyski

Malownicza cerkiew w dolinie Coşău

Kościół św. Małgorzaty na starówce w Mediaş

Góry Marmaroskie (Munţii Maramureş) to najbardziej na północ wysunięta część rumuńskich Karpat Wschodnich

36 niewielkich jeziorek – pamiątka po lodowcu – to jedna z wizytówek Gór Rodniańskich

Góry Hăşmaş z najwyższym Hăghimaşu Mare (1792 m n.p.m.) znane są z pięknych form skalnych oraz rozległych widoków

Wąwóz Bicaz otoczony skalnymi ścianami dochodzącymi do 400 m wysokości chętnie odwiedzają miłośnicy wspinaczki

Leżące w południowo-wschodniej części Karpat Wschodnich góry Ciucaş to jeden z najbardziej malowniczych zakątków Rumunii

Majestatyczny szczyt Negoiu (2535 m n.p.m.) w górach Fogaraskich

Niezwykle urozmaicone Góry Zachodniorumuńskie (zwane również górami Apuseni lub Bihorem) rozciągają się pomiędzy wyżynnym Siedmiogrodem a Wielką Niziną Węgierską

Klasztor Stânişoara został założony przez grupę pustelników z monastyru Cozia, którzy zapragnęli odizolować się od świata zewnętrznego

Wbrew niewielkim wysokościom względnym krajobraz pasma Măcin przywodzi na myśl wysokie góry

PRZEWODNIK PASCALA

Rumunia

Witold Korsak, Jacek Tokarski

Dariusz Czerniak, Piotr Skrzypiec

Tytuł serii: **Przewodnik Pascala**

Autorzy:
Witold Korsak
Jacek Tokarski
Dariusz Czerniak *Przełom Dunaju, Góry Fogaraskie, Grupa Parângu – góry Parâng i Câpâţânü, Góry otaczające dolinę Czerny, Padisz*
Piotr Skrzypiec *Góry Ciucaş, Masyw Cozia, Góry Muntele Mic, Ţarcu i Godeanu, Wąwóz Nery, Góry Muntele Mare, Rudawy Siedmiogrodzkie, Góry Măcin*

Aktualizacja:
Piotr Skrzypiec

Redakcja:
Dorota Dąbrowska

Kolorowa mapa:
Wydawnictwo Kartografika

Projekt okładki:
Witold Siemaszkiewicz

Zdjęcie na okładce:
www.foto.risp.pl – Katedra prawosławna w Timiţoarze

Zdjęcia we wkładce:
Tina Hajdinjak i Piotr Skrzypiec

Wydawnictwo Pascal sp. z o.o.
43-300 Bielsko-Biała, ul. Kazimierza Wielkiego 26
tel. 0338282828
fax 0338282829
pascal@pascal.pl
www.pascal.pl

Bielsko-Biała, 2006

ISBN 83-7304-604-6

PRZEWODNIK PASCALA

O dkrywanie świata. Być może wielcy tego świata odkryli, poznali i zwiedzili już wszystko. Być może. Teraz kolej na Ciebie.

D obry pomysł na początek. Właściwie każdy jest dobry. Nie byłeś na Kaszubach, jedź na Kaszuby. Nie pamiętasz Wenecji, wróć do Wenecji, a jeśli marzysz o Chinach, ruszaj do Chin.

R zeczywistość. Przewodnik Pascala będzie Ci o niej przypominał, dlatego marząc o dalekich wyprawach, nie pominiesz spraw bliższych ciału, jak przysłowiowa koszula (najlepiej ciepła), komplet dokumentów, preparat na komary czy latarka.

Ó smy cud świata. To może być wszystko: miasto, budowla, zapomniany zaułek, miejsce znane lub nieznane, drzewo lub człowiek poznany w czasie podróży. Odkryj swój prywatny ósmy cud świata.

Ż ycie. Nie musisz studiować opasłych tomów, aby je poznać. Trochę historii, trochę geografii, coś o obyczajach, kulturze i ludziach ją tworzących, ciekawe opisy miejsc, do których trafisz.

E fekt murowany. Nawet w najdalszym zakątku świata nie poczujesz się obco. Nie wejdziesz w butach do meczetu, a stojąc na rozgrzanym piasku pod piramidami, poczujesz się jak rodowity Egipcjanin.

B eztroski wypoczynek. Nie musisz przemierzać świata wzdłuż i wszerz. Jeśli marzysz, by po prostu odetchnąć, znajdziesz urocze miejsca, gdzie czas płynie wolniej i gdzie wreszcie można bezkarnie leniuchować.

E nergia. Nie marnuj jej na nerwowe poszukiwania hotelu o drugiej w nocy albo próbę odgadnięcia, co też mogą oznaczać te przedziwne nazwy w karcie dań, bo nie chciałbyś przecież spędzić reszty wakacji na oddziale gastrologicznym jakiegoś prowincjonalnego szpitala.

Z akupy. Jeśli chciałbyś pokazać znajomym jakąś egzotyczną pamiątkę z Kenii, na przykład dzidę, nie musisz przywozić jej w plecach – wystarczy, że kupisz ją na bazarze, i w dodatku będziesz miał pewność, że nikt nie zedrze z ciebie skóry.

P odpowiedzi. Samolot, pociąg, własny samochód, a może autostop? Trasa zaproponowana przez autorów przewodnika czy raczej swobodne wariacje na jej temat? Wszystko zależy od twojej inwencji, upodobań i, co nie bez znaczenia, zasobów kieszeni.

A dresy. Skąd wysłać maila, gdzie wypożyczyć łódkę albo rower, gdzie spędzić wieczór, w której knajpce posiedzieć przy piwie i dobrej muzyce, gdzie szukać pomocy w trudnej sytuacji? Pod wskazanym w przewodniku adresem.

N ajwiększe atrakcje. Nawet jeśli poznasz tylko niektóre, wrócisz zachwycony. Przewodnik wskazuje miejsca, które od dawna chciałeś zobaczyć i takie, o których jeszcze wczoraj nie miałeś pojęcia. Barwne lokalne święta i głośne w całym świecie imprezy.

I nformacje. Klimat, temperatury, sytuacje, których powinieneś unikać, odległości, zakupy, ceny, czyli wszystko, co powinieneś wiedzieć przed podróżą, a o co nie zdążyłeś zapytać.

K onkrety. Przewodnik to nie śmigus-dyngus, jeśli lubisz lanie wody, będziesz zawiedziony. To, co znajdziesz w książce, jest konkretne jak rozkład jazdy lub książka telefoniczna, a przy tym nie nudzi.

I dea przewodnika. Patrz hasło pionowe.

Drogi Czytelniku obieżyświacie, pisz do nas, jeśli natrafisz na jakiekolwiek nieścisłości (pascal@pascal.pl; Wydawnictwo Pascal, ul. Kazimierza Wielkiego 26, 43-300 Bielsko-Biała). Wykorzystamy Twoje uwagi najpóźniej za dwa lata przy aktualizacji książki.

Na internetowych stronach **www.pascal.pl** prezentujemy pełną ofertę wydawnictwa – zobacz, przeczytaj opis, wybierz, zamów. Tutaj także informujemy o superofertach i konkursach Pascala oraz wszelkich aktualnościach podróżniczych. Poszukujących praktycznych informacji zapraszamy na stronę www.pascal.onet.pl, gdzie można znaleźć ceny, zarezerwować i kupić bilet (autobusowy lub lotniczy), przejrzeć oferty biur podróży, obejrzeć zdjęcia z wybranych miejsc świata, przeczytać reportaże z wypraw, sprawdzić pogodę, aktualny czas oczekiwania na polskich przejściach granicznych, a także dowiedzieć się najważniejszych rzeczy o sprzęcie turystycznym.

Wydawnictwo Pascal

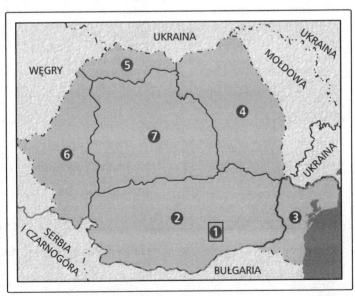

Spis treści

3. DOBRUDŻA, WYBRZEŻE MORZA CZARNEGO I DELTA DUNAJU 159

4. MOŁDAWIA 190

5. MARAMURESZ 238

6. KRISZANA I BANAT 255

7. TRANSYLWANIA 284

8. GÓRY 374

Lista planów i map

Legenda

dworce kolejowe		informacja turystyczna; hotele
dworce autobusowe		pomniki; urzędy pocztowe
przeprawa promowa		plaże, kąpieliska
przejścia graniczne		uzdrowiska, kąpieliska termalne
kościoły: katolickie, protestanckie		jaskinie; atrakcje przyrodnicze
cerkwie, meczety, synagogi		szczyty; przełęcze
zamki, wieże, baszty; ruiny		szpitale, punkty medyczne
muzea, galerie; teatry		inne interesujące obiekty

Informacje o kraju

Powszechnie uważa się, że Rumunia leży na Półwyspie Bałkańskim, lecz ze ściśle geograficznego punktu widzenia jest to mniemanie tylko częściowo trafne. Północno-wschodnią granicę tego półwyspu wyznacza dolny bieg Dunaju, a terytorium państwa rumuńskiego obejmuje w większości ziemie na północ od tej rzeki. Na Półwyspie Bałkańskim leży tylko Dobrudża (Dobrogea) – niewielka część kraju na prawym brzegu Dunaju. Rumunię można zatem zaliczyć do krajów bałkańskich wyłącznie pod względem historyczno-kulturowym.

HISTORIA

Pradzieje (do ok. 1000 r. p.n.e.)

Praczłowiek (*Homo erectus*) pojawił się na terenach dzisiejszej Rumunii 500–400 tys. lat p.n.e., a być może w jeszcze wcześniejszej fazie dolnego paleolitu. Najstarsze ślady jego obecności odkryto na pograniczu Multan z Oltenią, po obu stronach Aluty, w Bugiuleşti oraz w dolinie rzeczki Dîrjov. Znalezione tam kości słoni, nosorożców, wielbłądów i dzikich koni dowodzą, że niegdyś na tych obszarach panował klimat cieplejszy niż dziś. Z okresu środkowego paleolitu (100–40 tys. lat p.n.e.) pochodzi wiele śladów działalności człowieka neandertalskiego znalezionych w jaskiniach w Oltenii, Siedmiogrodzie, Dobrudży oraz w osiedlach nad Prutem. Są to m.in. narzędzia z kamienia ciosanego i kości, a także fragmenty ozdób.

We wczesnej fazie neolitu większość ziem obecnej Rumunii podlegała wpływom kulturowym kręgu śródziemnomorskiego, docierającym z Bliskiego Wschodu przez Azję Mniejszą. Ludzie nauczyli się wytwarzać solidne narzędzia z kamienia gładzonego, kości, rogu, a później z mie-

dzi. Udało się im oswoić kilka gatunków zwierząt, m.in. konia stepowego. Nastąpił rozwój rolnictwa. I, co najważniejsze, zaczęły powstawać związki plemienne. Następnym etapem było tworzenie lokalnych centrów kulturowych.

W okresie neolitu rozwijała się tzw. kultura Cucuteni (3500–1700 lat p.n.e.), obejmująca zasięgiem część Siedmiogrodu i Wołoszczyzny, Mołdawię i tereny od Prutu aż po Dniepr. Charakterystyczne dla tej kultury były osady o zorganizowanej zabudowie, rozwinięte rolnictwo i hodowla, ceramika malowana oraz narzędzia krzemienne do obróbki kamienia, miedzi i złota. Na początku II tysiąclecia p.n.e. na terenach dzisiejszej Rumunii pojawiły się indoeuropejskie plemiona trackie. Z nich właśnie mniej więcej tysiąc lat później wyodrębniły się plemiona Daków i Getów.

Grecka kolonizacja wybrzeży Morza Czarnego (VIII–VII w. p.n.e.)

Największe zainteresowanie terenami nadczarnomorskimi przejawiali mieszkańcy Macedonii i Grecji. Utrzymywali oni oży-

---

Rumunia

Ustrój: republika parlamentarna
Stolica: Bukareszt (2,3 mln)
Ludność: 22,5 mln
Powierzchnia: 237 400 km^2
Podział administracyjny:
41 województw (*judeţ*)
Sąsiedzi: Węgry, Ukraina, Mołdawia, Bułgaria, Serbia i Czarnogóra
Czas: GMT+2 godz.
Waluta: 1 RON (100 bani) = 10 000 ROL
Dominujące wyznanie: prawosławie

Kalendarium

500–400 tys. lat p.n.e. – praczłowiek na terenach obecnej Rumunii
100–40 tys. lat p.n.e. – neandertalczycy w Oltenii i Siedmiogrodzie
od ok. 6500 lat p.n.e. – wpływy kulturowe kręgu śródziemnomorskiego
3500–1700 lat p.n.e. – kultura Cucuteni
początek II tysiąclecia p.n.e. – pojawiają się plemiona trackie
I tysiąclecie p.n.e. – wyodrębniają się plemiona Getów i Daków
VIII–VII w. p.n.e. – grecka kolonizacja wybrzeży Morza Czarnego
koniec I w. p.n.e. – Dunaj granicą Imperium Rzymskiego
85–88 – walki Daków z Rzymianami
87–106 – Decebal władcą Daków
101–102 i 105–106 – dwie wojny dackie
106 – utworzenie rzymskiej prowincji Dacja
271–274 – Rzymianie opuszczają Dację
III–IX w. – okres wędrówki ludów
X w. – zajęcie Transylwanii przez Madziarów
połowa XII w. – sprowadzenie Sasów do Siedmiogrodu
I połowa XIV w. – powstanie Księstwa Mołdawskiego
połowa XIV w. – utworzenie Księstwa Wołoskiego
koniec XIV w. – Turcy nad dolnym Dunajem
1386–1418 – panowanie Mirczy Starego na Wołoszczyźnie
1402 – władca mołdawski Aleksander Dobry lennikiem Polski
1420 – najazd Turków na Siedmiogród
1437–1438 – powstanie w Bobâlna
1441–1456 – Jan Hunyady wojewodą Siedmiogrodu
1457–1504 – rządy Stefana III Wielkiego w Mołdawii
1475 – klęska Turków w bitwie pod Vaslui
1487 – uzależnienie Mołdawii od Turcji
1497 – wyprawa Jana Olbrachta na Mołdawię
1499 – pokój w Hârlău, Mołdawia lennem Węgier
1502–1503 – Mołdawia i Wołoszczyzna zobowiązane do płacenia haraczu Turcji
1541 – zdobycie Budy przez Turków, niepełna autonomia Siedmiogrodu
1593–1601 – rządy Michała Walecznego na Wołoszczyźnie
1606 – pokój turecko-austriacki w Zsitvatorok
1613–1629 – Gábor Béthlen władcą Siedmiogrodu
1629–1648 – rządy Jerzego I Rakoczego w Siedmiogrodzie
1648–1660 – Jerzy II Rakoczy władcą Siedmiogrodu
1657 – najazd Jerzego II Rakoczego na Polskę
1683 – odsiecz wiedeńska
1690 – Austriacy przejmują rządy w Siedmiogrodzie
1698–1700 – powołanie Rumuńskiego Kościoła Greckokatolickiego
1699 – pokój w Karłowicach
1703–1711 – antyhabsburskie powstanie kuruców
1704 – Franciszek II Rakoczy księciem Siedmiogrodu
1716–1718 – wojna austriacko-turecka, pokój w Passarovitz
1729–1768 – działalność biskupa unickiego Jana Innocentego Micu-Kleina
1762–1796 – Katarzyna II cesarzową rosyjską
1765–1790 – rządy Józefa II w cesarstwie austriackim
1768 – klęska Turcji w wojnie z Rosją
1774 – pokój w Kuczuk-Kainardżi
1775 – zajęcie Bukowiny przez Austrię
1784–1785 – powstanie Horei, Cloşca i Crişana
1791 i 1792 – memoriały *Supplex Libellus Valachorum Transilvaniae*
1806–1812 – wojna rosyjsko-turecka, klęska Turcji

1821 – powstanie Tudora Vladimirescu
1848–1849 – Wiosna Ludów
1853–1856 – wojna krymska
1856 i 1858 – konferencje w Paryżu
1859 – hospodarem Mołdawii i Wołoszczyzny Alexandru Ioan Cuza
1861 – powstanie księstwa Rumunii
1866–1914 – Karol I Hohenzollern-Sigmaringen władcą Rumunii
1866 – uchwalenie pierwszej rumuńskiej konstytucji
1867 – powstanie dualistycznej monarchii austro-węgierskiej, unia Węgier z Transylwanią
1877–1878 – udział Rumunii w wojnie rosyjsko-tureckiej po stronie caratu
1878 – pokój w San Stefano i kongres berliński
1883 – austriacko-rumuński traktat przymierza
1916 – przystąpienie Rumunii do I wojny światowej
1916–1917 – zajęcie Bukaresztu przez Niemców
10 XII 1917 – Rumunia podpisuje rozejm z Austro-Węgrami i Niemcami
8 I 1918 – program pokojowy prezydenta Thomasa Woodrow Wilsona
9 XI 1918 – rozejm w Compiègne
1919–1920 – traktaty pokojowe w Saint-Germain-en-Laye, Neuilly-sur-Seine i Trianon
1921 – układ polsko-rumuński, przystąpienie Rumunii do Małej Ententy
1926 – francusko-rumuński traktat przyjaźni
1930–1940 – panowanie króla Rumunii Karola II
1930 – początek regularnych lotów PLL Lot z Warszawy do Bukaresztu
1931 – polsko-rumuńskie układy gwarancyjne
1934 – powstanie Ententy Bałkańskiej
23 III 1939 – rumuńsko-niemiecki układ o stosunkach dyplomatycznych
III i V 1939 – rumuńsko-angielsko-francuskie układy o gwarancjach terytorialnych
IX 1939 – ogłoszenie neutralności przez Rumunię, internowanie rządu polskiego
30 VIII 1940 – II arbitraż wiedeński
1940 – abdykacja Karola II, gen. Ion Antonescu przyłącza Rumunię do państw Osi
1941 – atak wojsk rumuńskich na ZSRR
1942–1944 – bombardowania roponośnych rejonów Rumunii przez lotnictwo RAF-u
23 VIII 1944 – powstanie w Bukareszcie, obalenie Antonescu
25 VIII 1944 – Rumunia wypowiada wojnę III Rzeszy
II 1945 – komunistyczny rząd Petru Grozy
1946 – sfałszowanie wyborów, komuniści u władzy
10 II 1947 – układ pokojowy w Paryżu
1947 – abdykacja króla Michała I
30 XII 1947 – Rumunia republiką
1948 – uchwalenie konstytucji i ustaw nacjonalizacyjnych
1949 – Rumunia w RWPG
1955 – powołanie Układu Warszawskiego
1965 – nowa konstytucja, powstanie Socjalistycznej Republiki Rumunii
1965 – początek rządów Nicolae Ceauşescu
16–21 XII 1989 – rewolucja rumuńska
22 XII 1989 – Ion Iliescu tymczasowym przywódcą Rumunii
25 XII 1989 – stracenie Ceauşescu i jego żony Eleny
1990 – Ion Iliescu wybrany na prezydenta
8 XII 1991 – nowa konstytucja Rumunii
1995 – Rumunia składa wniosek o członkostwo w Unii Europejskiej
1996 – na prezydenta zostaje wybrany Emil Constantinescu
V 1999 – pielgrzymka Jana Pawła II do Rumunii
2000 – wybór Iona Iliescu na prezydenta
2004 – Rumunia zostaje członkiem NATO; Traian Băsescu powołany na prezydenta.

wione kontakty handlowe z plemionami zamieszkującymi ziemie na południu dzisiejszej Rumunii. Z Grecji eksportowano tam m.in. oliwę, wino, naczynia ceramiczne, tkaniny, narzędzia i broń. Z wybrzeży czarnomorskich i znad Dunaju wywożono zboże, miód, suszone ryby, skóry, wosk, przede wszystkim jednak niewolników. Z czasem coraz więcej Greków przybywających nad Morze Czarne osiedlało się na terenach obecnej Dobrudży. Archeolodzy odkryli tam pozostałości trzech największych greckich kolonii-miast. Były to: Histria (obecnie Istria), Callatis (Mangalia) i Tomis (Konstanca). Kolonizacja odegrała także ważną rolę w rozwoju cywilizacyjnym ziem sąsiadujących z Dobrudżą, zamieszkanych przez ludność geto-dacką. Tworzono osiedla na wzór grecki, od Greków przejmowano model stosunków społecznych, metody produkcji rolniczej i rzemieślniczej, rozszerzały się kontakty handlowe i kulturalne.

Dakowie i Rzymianie (148 r. p.n.e.–274 r. n.e.)

W II w. p.n.e. największym zagrożeniem dla plemion geto-dackich było potężne mocarstwo – Rzym. Po pokonaniu Macedonii i przekształceniu jej w prowincję rzymską (148 r. p.n.e.) Rzymianie skierowali swą ekspansję na obszary sąsiadujące z ziemiami zamieszkanymi przez Daków i Getów. U schyłku I w. p.n.e. Dunaj stał się granicą Imperium Rzymskiego. W tym czasie plemiona geto-dackie zajmowały obszar dzisiejszej środkowej i południowej Rumunii.

Do pierwszych starć Daków z Rzymianami doszło za panowania króla Burebisty (ok. 82–44 p.n.e.), który udzielił zbrojnego wsparcia rzymskiemu wodzowi Pompejuszowi Wielkiemu walczącemu z Juliuszem Cezarem. W latach 85–88 n.e. cesarz Domicjan toczył wojnę z Dakami pustoszącymi rzymską prowincję Mezję. Rzymianie ponieśli wówczas kilka dotkliwych porażek (m.in. pod Adamclisi w Dobrudży) w walce z oddziałami dowodzonymi przez Decebala. W 87 r. został on władcą Daków i w niedługim czasie stworzył silne państwo ze stolicą w Sarmisegetuzie, graniczące z posiadłościami Rzymu. Państwo Decebala było zdolne stawić długotrwały opór potężnej (ponadtysięcznej) armii cesarza Trajana podczas dwu wojen dackich w latach 101–102 i 105–106. Ostatecznie jednak zatriumfowali Rzymianie. Sarmisegetuza została zdobyta i spalona, Decebal popełnił samobójstwo (w 106 r.).

Na podbitych ziemiach powstała nowa prowincja rzymska – Dacja. W 113 r. wzniesiono w Rzymie kolumnę Trajana, ozdobioną płaskorzeźbami przedstawiającymi zwycięstwo nad Dakami. Pomniki upamiętniające ten triumf stawiano również w miejscach bitew, m.in. w 109 r. monumentalną budowlę Tropaeum Traiani w Adamclisi.

W III w. nasilił się napór plemion barbarzyńskich na słabnące państwo rzymskie, w następstwie czego w 274 r., za panowania cesarza Aureliana, Rzymianie opuścili Dację.

Okres wędrówki ludów (III–IX w.)

Pod koniec III stulecia tereny obecnej Rumunii zajęły plemiona zachodnich Gotów (Wizygoci). Ich rządy nie trwały jednak długo; zakończył je najazd Hunów. Większość Wizygotów, przerażona potęgą agresora, szukała schronienia na ziemiach cesarstwa rzymskiego. Z tego okresu pochodzi odkryty w 1873 r. w Pietroasă, u podnóża Karpat Wschodnich, wspaniały złoty skarb z runicznym napisem: „Święta własność Gotów". W połowie V w. Hunowie ulegli germańskim Gepidom. W następnym stuleciu ich miejsce zajęli Longobardowie, a tych z kolei przepędzili później Awarowie. W VI w. na ziemie dzisiejszej Rumunii przywędrowały plemiona słowiańskie (Sklawinowie, Antowie), które stopniowo osiedlały się na Nizinie Wołoskiej i w Banacie. Część z nich dotarła też na Wyżynę Siedmiogrodzką.

W II połowie VII w. na obszary na północ od delty Dunaju przybyli Protobułgarzy. Zdołali oni podporządkować sobie Słowian osiadłych na Bałkanach oraz ludność tracko-romańską. W IX w. władza plemion bułgarskich obejmowała tereny po obu stronach Dunaju, m.in. południową część Mołdawii, Wołoszczyznę, Banat, Siedmiogród, sięgając aż do Cisy. Następną grupą przybyszów na tereny dzisiejszej Rumunii byli Madziarzy – półkoczownicze plemiona pasterskie pochodzenia ugrofińskiego. Ci przodkowie Węgrów, korzystając z osłabienia Bułgarii, po 900 r. zaczęli podbój Transylwanii i Banatu, niszcząc zalążki kilku romańsko-słowiańskich wczesnofeudalnych organizmów państwowych.

Średniowieczne rozbicie (X–XIV w.)

Zajęta przez Madziarów Transylwania na wiele stuleci została oddzielona od terenów etnicznie rumuńskich, wchodząc w skład Węgier. Z kolei wewnętrzne osłabienie państwa bułgarskiego doprowadziło do rozbicia politycznego na Wołoszczyźnie, w Mołdawii, a także w Dobrudży, gdzie tworzyły się drobne autonomiczne państewka, zamieszkane przez ludność bułgarosłowiańską i romańską. Tak więc na początku X w. doszło do podziału dzisiejszych ziem rumuńskich na dwie części: Siedmiogród oraz tereny na wschód i południe od Karpat o nieokreślonej jeszcze sytuacji państwowej i politycznej.

W okresie panowania na Węgrzech króla Stefana I (997–1038) w Transylwanii ustanowiono biskupstwo siedmiogrodzkie w Alba Iulia. Aby zabezpieczyć wschodnią granicę państwa, królowie węgierscy osadzali w Siedmiogrodzie Szeklerów – ludność wolną, której pochodzenie nie zostało dotąd wyjaśnione. W połowie XII w. król Gejza II (1141–1162) sprowadził do Siedmiogrodu kolonistów niemieckich, nazwanych Sasami. Kolejni władcy węgierscy przyznawali im znaczne swobody, przywileje handlowe, zwalniali od podatków i służby wojskowej. Osadzano ich na prawie niemieckim i zapewniano autonomię administracyjną, sądowniczą i częściowo kościelną. Węgrzy chcieli wykorzystać Niemców nie tylko w celach gospodarczych, ale także powierzyć im obronę granic oraz christianizację pogańskich koczowników. To ostatnie zadanie król węgierski Andrzej II (1205–1235) postawił również Krzyżakom, sprowadzając ich na ziemie siedmiogrodzkie w 1211 r. Z kolei Krzyżacy, chcąc zapewnić swemu zakonowi solidne podstawy gospodarcze, ściągali do Transylwanii kolejnych kolonistów niemieckich. Dążenie Krzyżaków do stworzenia własnego państwa w Siedmiogrodzie doprowadziło do konfliktu z królem Andrzejem II, w wyniku czego zostali oni usunięci z Węgier w roku 1225. (Warto wiedzieć, że właśnie z Siedmiogrodu Krzyżacy wywędrowali na Pomorze). Jak każde ziemie przygraniczne, tak i Transylwania ciągle była narażona na ataki koczowników, przede wszystkim Tatarów. Największe najazdy tatarskie doszczętnie spustoszyły kraj. Wsie i miasta były wyludnione i proces osiedleńczy musiał zacząć się prawie od początku.

W X w. ziemie mołdawskie zostały zaanektowane przez Ruś Kijowską. Po jej rozpadzie władzę nad tymi terenami utrzymało Księstwo Halickie. W I połowie XIV w. powstało Księstwo Mołdawskie podporządkowane Węgrom. Państwo to uniezależniło się za rządów księcia Bogdana I (1359–1365). W latach 1387–1497 Księstwo Mołdawskie pozostawało czasowo w zależności lennej od Polski. Okresem rozkwitu państwa mołdawskiego było panowanie Aleksandra Dobrego (1400–1432).

Na terenach Niziny Wołoskiej w połowie XIII w. istniało kilka drobnych państewek na czele z wojewodami, uzależnionych prawdopodobnie już wtedy od Węgier. Jednoczenie tych ośrodków władzy rozpoczął wojewoda Câmpulungu i Argeşu – Basarab I (ok. 1330–1352), a zakończył jego syn Mikołaj Aleksander, tworząc Księstwo Wołoskie. Niezależność tego państwa potwierdziło ustanowienie metropolii prawosławnej w Curtea de Argeş.

W połowie XIV w. Siedmiogród był opanowany przez Węgrów, Dobrudża przez Bułgarów, a w Mołdawii i na Wołoszczyźnie panowali suwerenni władcy rumuńscy. Ośrodki władzy tych dwu ostatnich państw – Baia i Curtea de Argeş – podlegały różnym wpływom (pierwszy polskim, drugi węgierskim). Czynniki te ostatecznie zadecydowały o ukształtowaniu się w XIV w. dwóch odrębnych państw rumuńskich – Księstwa Wołoskiego i Księstwa Mołdawskiego.

Podbój turecki (1414–1453)

Na początku XV w. pojawił się groźny sąsiad państw rumuńskich – Turcja. Po pokonaniu przez Turków Serbii i Bułgarii granice państwa tureckiego sięgały aż po dolny bieg Dunaju. Za panowania Murada II (1421–1451) ofensywa węgierska została zatrzymana w bitwie pod Warną. Największym jednak ciosem dla chrześcijańskiej Europy było zdobycie przez Turków w 1453 r. stolicy cesarstwa bizantyńskiego – Konstantynopola. Księstwa rumuńskie – Wołoszczyzna i Mołdawia, znalazły się pomiędzy trzema potęgami: Węgrami, Polską i Turcją. Pod koniec XIV w., w trakcie walk o tron wołoski między Mirczą Starym (1386–1418) a Vladem Uzurpatorem, ten ostatni poprosił Turków o pomoc. Po wieloletnich zmaganiach skłócone strony zawarły pokój, na mocy którego Mircza Stary zobowiązał się do płacenia sułtanowi stałego haraczu. Zwyczaj ten przetrwał przez wiele stuleci. Mircza Stary, jeden z najwybitniejszych władców w dziejach Rumunii, był doskonałym politykiem i wodzem. Za jego panowania państwo wołoskie zajmowało największe terytorium w swej historii. Pod koniec życia poniósł wiele porażek w walce z Turkami, trudno jednak było skutecznie przeciwstawić się potędze osmańskiego agresora. Następcom Mirczy Starego udało się na pewien czas, choć za cenę haraczu, zachować samodzielność polityczną.

W 1420 r. Turcy po raz pierwszy dokonali najazdu na Siedmiogród. Dwadzieścia lat później walkę z nimi rozpoczął wojewoda siedmiogrodzki Jan Hunyady (rum. Iancu de Hunedoara), znany lepiej pod węgierskim nazwiskiem János Hunyady. W 1442 r. odniósł pierwsze zwycięstwo nad wojskami tureckimi. Kolejna kampania prowadzona przez wojewodę wraz z królem Polski Władysławem III zakończyła się klęską i śmiercią młodego władcy w bitwie pod Warną. W lipcu 1456 r. Hunyady odniósł swój największy triumf, pokonując Turków pod Belgradem.

Ze względu na położenie geograficzne mniej zagrożona przez Turków była na razie Mołdawia, choć o jej ziemie upominali się królowie Polski już od czasów Kazimierza Wielkiego. Hospodar Aleksander Dobry (1400–1432) uznał się za lennika Polski i złożył w Kamieńcu Podolskim hołd Władysławowi Jagielle. Wojska mołdawskie prawdopodobnie brały udział w bitwie pod Grunwaldem. W 1456 r. Turcja podjęła próbę narzucenia swego zwierzchnictwa Mołdawii. Walkę z agresorem podjął Stefan III Wielki (1457–1504) – najwybitniejszy władca w dziejach Mołdawii i jeden z największych w historii Rumunii. Pierwsza walna bitwa, rozegrana pod Vaslui (1475), zakończyła się całkowitą klęską armii tureckiej. Wiedząc, że Turcy będą chcieli szybko pomścić tę porażkę, król zwrócił się z prośbą o pomoc do państw chrześcijańskich. Nie uzyskawszy jej, przyjął zwierzchnictwo węgierskie nad swoim państwem. Tymczasem Węgry zawarły z Turcją pokój, co postawiło Stefana III w tragicznej sytuacji. Próbował ratować się, składając hołd lenny Kazimierzowi Jagiellończykowi. Pomoc polska okazała się jednak niewystarczająca, co zmusiło władcę mołdawskiego do zawarcia układu z Turkami. Zachował niezależność, ale stał się lennikiem zarówno polskim, jak i tureckim, utracił na rzecz Turcji dostęp do morza, linię obrony na Dunaju i musiał płacić sułtanowi haracz.

Niestety, kilka lat później (1497) wybuchł poważny konflikt między Mołdawią a Polską. Jan Olbracht zorganizował wyprawę mającą na celu opanowanie Mołdawii; na władcę podbitego kraju przygotowywano królewicza Zygmunta. Armia polska obległa Suczawę, miasto jednak nie poddało się, a w obozie polskim zaczął szerzyć się głód. Pod naciskiem Węgier podpisano rozejm. W czasie wycofywania się wojsk polskich doszło do zatargu, prawdopodobnie o kierunek odwrotu, w następstwie czego wybuchły starcia zbrojne, w których Polacy ponieśli znaczne straty. W pamięci pokoleń konflikt ten zapisał się porzekadłem: „za króla Olbrachta wyginęła szlachta". Kolejną pamiątką porażki jest krakowski Barbakan, wybudowany z myślą wzmocnienia murów stolicy przed spodziewanym atakiem odwetowym Mołdawian i Tatarów. Klęska w Lasach Koźmińskich koło Czerniowiec była naprawdę dotkliwa, a na dodatek w 1498 r. Mołdawianie wraz z Tatarami i Turkami pustoszyli ziemie Rzeczypospolitej aż po Lwów i Przemyśl. Pokój w Hârlău przypieczętowywał zwierzchnictwo węgierskie nad Mołdawią, bez ingerencji jednak w jej stosunki wewnętrzne.

Układy węgiersko-tureckie określały Mołdawię i Wołoszczyznę jako kraje buforowe, wasalne w stosunku do Węgier, ale zobowiązane do płacenia haraczu Turcji. Działania polityczne następców Stefana miały na celu uniezależnienie się od Turcji; szukano pomocy m.in. w Polsce, czasami nawet za cenę ustępstw terytorialnych. Piotr Rareş usiłował odzyskać utracone wcześniej Pokucie, przegrał jednak bitwę pod Obertynem (1531). Zwycięski polski wódz, hetman Jan Tarnowski, zagarnął wszystkie działa mołdawskie. Podobno odlano z nich słynny dzwon Zygmunta.

W 1526 r. w bitwie pod Mohaczem Turcy zadali druzgocącą klęskę wojskom węgierskim. Poległ król Węgier Ludwik II Jagiellończyk. Po zdobyciu Budy przez Turków Węgry zostały podzielone na część zachodnią – habsburską, i środkową – pod kontrolą turecką; Siedmiogród uzyskał niepełną autonomię. Zwierzchnictwo nad Transylwanią zaczęli faktycznie sprawować Turcy. Jednym z kolejnych władców Siedmiogrodu był Stefan Batory. W 1576 r. został wybrany głosami szlachty na króla Polski, wcześniej jednak, w Mediaş, zaprzysiągł przed polskimi posłami pacta conventa.

W dziejach Siedmiogrodu nie brakowało konfliktów wewnętrznych, zarówno narodowościowych, jak i społecznych. Pierwszą rebelią, o której wspomnieli kronikarze węgierscy, było powstanie w Bobâlna koło Dej (węg. Alparét) w 1437 r. – bunt chłopski z silnymi akcentami narodowościowymi. Większość powstańców stanowili Rumuni występujący przeciwko warstwom uprzywilejowanym – Węgrom i Sasom. Chłopi żądali takich samych praw, jakie miała szlachta i mieszczanie, oraz zniesienia niektórych niezwykle uciążliwych podatków. Po początkowych sukcesach ponieśli jednak całkowitą klęskę. Zwycięzcy obradowali w miejscowości Turda nad „zniszczeniem i wykorzenieniem złości i buntu przeklętych chłopów". Wiec ten, zwany „unią trzech narodów", miał bardzo ważne konsekwencje społeczno-polityczne. Stał się początkiem trwałej tzw. unii trzech nacji – szlachty węgierskiej i szeklerskiej oraz patrycjatu saskiego. Rdzenni mieszkańcy tych ziem zostali całkowicie pozbawieni prawa decydowania o swoim losie. W 1514 r. wybuchła rebelia szeklerskiego kapitana Jerzego Doży. Nie bez trudu stłumił ją wojewoda siedmiogrodzki Jan Zápolya. Warto wspomnieć, że jego żoną była Izabela Jagiellonka, córka Zygmunta Starego (została pochowana w katedrze w Alba Iulia).

Michał Waleczny i próba zjednoczenia kraju (1593–1601)

Znamienny jest fakt, że celem wszystkich władców ziem rumuńskich było zjednoczenie kraju. Powiodło się to, choć na krótko, księciu wołoskiemu Michałowi Walecznemu. Po zwycięstwie nad księciem Siedmiogrodu, kardynałem Andrzejem Batorym, hospodar zajął Alba Iulia, co było równoznaczne ze zjednoczeniem Mołdawii, Wołoszczyzny i Transylwanii. W maju 1600 r. pierwszy raz użył tytułu „hospodar Wołoszczyzny i Siedmiogrodu i Mołdawii". Niestety, nie dane było Michałowi Walecznemu długo cieszyć się sukcesem. Interwencja państw ościennych, którym było nie na rękę powstanie państwa rumuńskiego, niezadowolenie części społeczeństwa i bunty żołnierzy – wszystko to doprowadziło do klęski hospodara i w rezultacie pierwsza unia z Alba Iulia upadła. Wspaniale zapowiadające się plany zjednoczenia całej Rumunii pokrzyżowali Polacy, dbający o dobre stosunki z Turcją, oraz Austriacy. Michał utracił posiadane ziemie w walkach z hetmanem Janem Zamojskim, a następnie został podstępnie zamordowany z rozkazu austriackiego generała Georga Basty, którego wojska jeszcze przez cztery lata pustoszyły Siedmiogród w ramach odwetu. Pokój turecko-austriacki w Zsitvatorok (1606) potwierdził samodzielność Wołoszczyzny pod zwierzchnictwem sułtana.

Panowanie Turków (XVII w.)

Lata 1613–1629 są nazywane w historiografii Siedmiogrodu złotym wiekiem, a to za sprawą księcia, Gábora Bethlena. Jego energią i zaradnością można by obdzielić kilku władców. Podczas wojny trzydziesto-

letniej Bethlen sprzymierzył się z Czechami i wystąpił zbrojnie przeciw cesarzowi niemieckiemu i królowi Węgier Ferdynandowi II, stając się poważnym graczem na ówczesnej arenie politycznej. Przez rok nosił nawet tytuł króla Węgier. W układzie pokojowym zawartym w Niclosburgu (obecnie Mikulov na Morawach) w 1622 r. zrzekł się tej godności, w zamian za co uznano niezależność Siedmiogrodu. Rządy Gábora Bethlena to okres szybkiego rozwoju kulturalnego i gospodarczego Transylwanii. W Alba Iulia ufundowano uniwersytet, na którym wykładali zagraniczni profesorowie. Uczelnia ta nosiła miano „Heidelbergu wschodu". Po śmierci Bethlena księciem Siedmiogrodu został Jerzy I Rakoczy. Głównym celem prowadzonej przez niego polityki zagranicznej było zjednoczenie ziem węgierskich opanowanych przez Habsburgów i Turcję. W 1643 r. zawarł sojusz ze Szwecją i z Francją, a rok później wystąpił przeciw cesarzowi Ferdynandowi III. Działania Rakoczego skrycie popierali Turcy. No zmianie sytuacji politycznej został on przez nich zmuszony do zawarcia pokoju z cesarzem. Układ w Linzu (1645) przyznał mu siedem komitatów w północnych Węgrzech, jak również potwierdził niezależność Transylwanii. Dzięki zdolnościom i energii Bethlena i Rakoczego księstwo siedmiogrodzkie uzyskało silną pozycję. Wobec rozbicia państwa węgierskiego i podporządkowania go bezpośrednim rządom tureckim i austriackim, książęta siedmiogrodzcy stanęli na czele węgierskiego ruchu narodowego, dążącego do odrodzenia Węgier w ich dawnych granicach i zrzucenia obcego panowania. Kontynuatorem tej polityki był Jerzy II Rakoczy. Jego ambicje polityczne sięgały jednak dalej niż sprawowanie władzy nad ziemiami Korony św. Stefana: marzył mu się tron polski. Chcąc uczestniczyć w rozbiorze planowanym przez Szwecję, Jerzy II dokonał najazdu na Polskę. Jego wojska, w których skład weszły oddziały siedmiogrodzkie, wołoskie, mołdawskie i kozackie, pozostawiały po sobie ruiny i zgliszcza. Osaczony w końcu przez oddziały polskie dowodzone przez Stefana Czarnieckiego, skapitulował 24 lipca 1657 r. pod Czarnym Ostrowiem. Za działania niezgodne z interesem Turcji Jerzy II pozbawiony został przez sułtana praw do Siedmiogrodu. Nie poddał się temu wyrokowi, lecz stawił Turkom i sprzymierzonym z nimi Tatarom zbrojny opór. Zmarł wskutek ran odniesionych w bitwie pod Floreşti koło Klużu (1660).

Po śmierci księcia Michała Apáfiego władzę w Siedmiogrodzie przejęli ostatecznie Habsburgowie. Siedzibą gubernatora stał się Sybin (a od 1790 r. Kluż). Rządy austriackie zmierzały stopniowo, lecz konsekwentnie do ograniczenia autonomii księstwa. Austriacy opierali się głównie na węgierskiej magnaterii, Kościele katolickim i częściowo na mieszczaństwie saskim.

Dwa wydarzenia z końca XVII w. miały w przyszłości zadecydować o losie nie tylko Rumunii, ale i całej Europy. Pierwszym była klęska Turków pod Wiedniem (1683), a drugim – podpisanie pokoju w Karłowicach (1699), na mocy którego Turcja oddała Austrii całe Węgry wraz z Siedmiogrodem. Na mocy pokoju w Passarowicach (1718 r., dziś Požarevac w serbskiej Wojwodinie) Austria uzyskała także Banat. Po zwycięskich wojnach z Polską zaczęła się budzić do życia nowa potęga – Rosja carów, a jej rywalizacja z Turcją doprowadziła do spadku znaczenia Turcji w tej części świata.

Na drodze do zjednoczenia (1699–1859)

W I połowie XVII w. Mołdawia była obszarem wspólnego panowania polsko-tureckiego, co stanowiło punkt zapalny w stosunkach między tymi dwoma krajami i często doprowadzało do starć zbrojnych. Pod koniec XVII w. Mołdawią zaczęli się interesować carowie rosyjscy, a także Austria. Osłabiona Turcja była łakomym kąskiem dla pragnącego sukcesów cara Piotra I. Jednocześnie bardzo szybko umacniała się pozycja Austrii – państwo to pragnęło powetować sobie klęski i upokorzenia doznane od Porty Osmańskiej (oficjalna nazwa władz tureckich).

Aktywną politykę antyturecką prowadziła caryca Katarzyna II. Turcja, wykorzystując zaangażowanie Rosji w rozprawę z konfederacją barską, pierwsza rozpoczęła wojnę. Zakończyła się ona jednak dla niej prawdziwą klęską – Rosjanie opanowali linię Dniestru i Dunaju. Na mocy pokoju w Kuczuk-Kainardżi Turcja utraciła m.in. Krym, a co najważniejsze – dyplomacja rosyjska mogła zabierać głos w sprawach państw rumuńskich. Austria, wykorzystując sytuację, zażądała czegoś dla siebie: Turcja musiała jej oddać bez walki północną Mołdawię, nazywaną odtąd Bukowiną. Następstwami kolejnych rosyjsko-tureckich wojen (1807 i 1812) było przejęcie przez Rosję wschodniej części dotychczasowego państwa mołdawskiego. Obszar ten, zwany odtąd Besarabią, otrzymał administrację rosyjską.

Usunięciem okupanta tureckiego zainteresowani byli też sami Rumuni. Na Wołoszczyźnie zawiązał się inspirowany przez grecką heterię spisek mający na celu wyzwolenie kraju. Na jego czele stanął syn wolnego chłopa, który w armii rosyjskiej dosłużył się stopnia oficerskiego – Tudor Vladimirescu. Rozpoczynając zryw narodowy proklamacją w Padeş (1821), liczył na pomoc regularnej armii rosyjskiej i greckiej organizacji wyzwoleńczej Hetteria. Rachuby te jednak zawiodły i choć powstanie objęło również Mołdawię, poniosło dotkliwą klęskę. Vladimirescu został zamordowany, a jego nieliczne wojsko poszło w rozsypkę. Po złamaniu oporu obydwa państwa rumuńskie zalała armia turecka, pacyfikując i strasznie łupiąc kraj. Nieudane powstanie przyniosło jednakże poprawę sytuacji i zmiany polityczne: Turcy zrezygnowali z mianowania hospodarami zależnych od nich Greków ze stambulskiej dzielnicy Fanar (tzw. fanarioci), zastępując ich rodzimymi bojarami. Zgodnie z postanowieniami układu pokojowego w Adrianopolu, pokonana przez Rosję Turcja utraciła także deltę Dunaju, a księstwa rumuńskie uzyskały autonomię wewnętrzną i zostały zwolnione z obowiązku zaopatrywania Konstantynopola. Państwo carów otrzymało prawa ich protektora. Rozpoczęła się era nowożytna w historii księstw rumuńskich.

Ważnym wydarzeniem w dziejach Siedmiogrodu było powołanie Rumuńskiego Kościoła Greckokatolickiego w 1700 r. Nastąpiło to po trwających dwa lata obradach synodu prawosławnego w Alba Iulia, który opracował zasady unii z Rzymem.

Austriackie panowanie od samego początku napotykało sprzeciw części siedmiogrodzkiego społeczeństwa. Na czele antyhabsburskiego powstania kuruców stanął Franciszek Rakoczy II. Jego celem było odzyskanie niepodległości. Sejm siedmiogrodzki ogłosił nawet Rakoczego księciem. Przewaga militarna Austriaków, jak i osłabienie ducha walki wśród samych powstańców doprowadziły do wygaśnięcia oporu. Ostatecznie szlachta węgierska poddała się Habsburgom za cenę utrzymania dotychczasowej pozycji gospodarczo-społecznej.

W 1729 r. rozpoczął działalność jako biskup unicki Jan Innocenty Micu-Klein, jedna z najciekawszych i najbarwniejszych postaci życia rumuńskiego XVIII w. Biskup dążył do przyznania Rumunom statusu czwartej nacji, obok Węgrów, Szeklerów i Sasów. Wysunięcie tego żądania, jego uzasadnienie i walka o wcielenie w życie stała się sensem życia tego „chłopskiego biskupa", zapewniając mu trwałe miejsce w dziejach jego narodu. Intrygi węgiersko--austriackie zmusiły Micu-Kleina do ucieczki do Rzymu, gdzie zmarł po 76 latach intensywnego i burzliwego życia. Jego działalność zapoczątkowała emancypację polityczną żywiołu rumuńskiego w Siedmiogrodzie. Idee biskupa rozpowszechniły się szybko – coraz częściej używano określenia *neamul românesc* (naród rumuński).

Polityka cesarza Józefa II dawała chłopom nadzieję na szybką zmianę ciężkiego położenia. W 1784 r. wybuchło powstanie, którego głównym hasłem było zniesienie pańszczyzny i uznanie praw narodowych. Na czele ruchu stanęli Horea, Cloşca i Crişan. Po drobnych sukcesach buntownicy ponieśli militarną klęskę w starciu z dobrze uzbrojonym i wyszkolonym wojskiem. Przywódców schwytano, Crişan popełnił w więzieniu samobójstwo, a Horea i Cloşca zostali w okrutny sposób straceni w Alba Iulia. Rumuńska historiografia uznaje tę insurekcję za pierwsze narodowe powstanie Rumunów.

Ruch emancypacji narodowej przybierał też legalne formy. Społeczność rumuńska miała coraz liczniejszą reprezentację wśród mieszczaństwa, inteligencji, a nawet szlachty. Z tych środowisk wysłano do Wiednia wiele petycji domagających się utworzenia przedstawicielstwa rumuńskiego w sejmie siedmiogrodzkim. Dwa najsłynniejsze memoriały nosiły nazwę *Supplex Libellus Valachorum Transilvaniae* (1791 i 1792). Mimo mądrych i umiarkowanych żądań spotkały się z odmową cesarza Leopolda, a dodatkowo wywołały niechęć i ataki Węgrów i Sasów.

Ruchem o wielkim znaczeniu dla dziejów zarówno ziem rumuńskich, jak i całej Europy była Wiosna Ludów (1848–1849). Jej węgiersko-rumuński epilog był tragiczny dla obu narodowości. Każda z nacji wystąpiła w słusznej sprawie. Węgrzy dążyli do niepodległości, a Siedmiogród uznawali za nierozerwalną część swoich ziem. Rumuni również pragnęli własnego państwa i nie wyobrażali sobie, że w jego granicach może nie znaleźć się Transylwania. Oba narody stanęły przeciwko sobie, tym bardziej że politykę skłócania prowadziła z powodzeniem Austria, dodatkowo buntując Sasów przeciw Węgrom. Dwukrotnie zwołane Zgromadzenia Narodowe Rumunów nie poparły rewolucji Węgrów. Ci odpowiedzieli proklamacją unii Siedmiogrodu z Węgrami i zniesieniem poddań-

stwa. Przywódca ruchu węgierskiego Lajos Kossuth powierzył dowodzenie wojskami siedmiogrodzkimi polskiemu generałowi Józefowi Bemowi. Po kilkumiesięcznej kampanii większa część regionu została wyzwolona od wojsk austriackich. W ślad za sukcesami militarnymi szły działania dyplomatyczne mające na celu porozumienie się z Rumunami. Ogłoszony z inicjatywy Kossutha i Mikołaja Bălcescu dokument *Projet de pacificacion* gwarantował decentralizację administracji oraz szerokie kulturalne i językowe prawa Rumunów w Siedmiogrodzie. Działania te zostały zniweczone przez wojska rosyjskie, które przyszły Habsburgom z pomocą. Wobec przewagi wroga armia powstańcza musiała skapitulować.

Nastroje towarzyszące Wiośnie Ludów udzieliły się również mieszkańcom obu księstw rumuńskich. Szybka reakcja władz i wkroczenie wojsk rosyjskich spacyfikowały nastroje w Mołdawii. Lepiej przygotowani byli spiskowcy na Wołoszczyźnie, udało im się nawet przechwycić władzę. Brak koordynacji działań, wkroczenie wojsk tureckich i zapowiedź rosyjskiej interwencji zdławiły jednak rewolucyjne nastroje.

Sytuacja polityczna ziem rumuńskich zmieniła się diametralnie po wojnie krymskiej (1853–1856). Ład europejski miał zapewnić kongres mocarstw zwołany w Paryżu (1856). Przedstawiciele Austrii, Francji, Prus, Sardynii, Turcji i Wielkiej Brytanii zezwolili na ujednolicenie ustrojów politycznych Mołdawii i Wołoszczyzny. Poza tym rzeka Dunaj otrzymała status międzynarodowej. Pokonana Rosja musiała wycofać się z delty Dunaju. Wkrótce po zakończeniu kongresu nastąpiło usamodzielnienie się obu księstw, w których wzrosły wpływy Francji, a przejściowo osłabły rosyjskie. Kolejna konferencja paryska (1858), zachowując pozory władzy tureckiej na tych terenach, nadała księstwom naddunajskim wspólną konstytucję. Na hospodara obydwu państw został wybrany w roku 1859 Alexandru Ioan Cuza (1820–1873) – liberalny bojar, pułkownik, znany propagator unii, pełniący wcześniej wiele funkcji w administracji mołdawskiej.

Siedmiogród poza granicami Rumunii (1859–1920)

Zjednoczenie Mołdawii i Wołoszczyzny rozbudziło nadzieję, że Transylwania stanie się również częścią Rumunii. W Sybinie zawiązało się Transylwańskie Zrzeszenie na Rzecz Rumuńskiej Literatury i Kultury Ludu Rumuńskiego (ASTRA). Organizacja postawiła sobie za cel obronę interesów kulturalnych siedmiogrodzkich Rumunów. W latach 1898–1904 w Sybinie była wydawana rumuńska *Enciclopedia Română*.

W 1867 r. utworzono dualistyczną monarchię austro-węgierską i została zawarta unia Węgier z Transylwanią. Wydarzenia te spowodowały, że perspektywa zjednoczenia z państwem rumuńskim wydawała się Rumunom w Siedmiogrodzie bardzo odległa, choć od 1864 r. obowiązywały tam trzy języki – niemiecki, węgierski i rumuński. Z pomocą przyszła wielka polityka, układy i porozumienia pokojowe po I wojnie światowej, które zmieniły granice wielu państw europejskich, w tym i Rumunii.

W zjednoczonej Rumunii (1860–1920)

Cuza zwrócił się do państw-gwarantów niepodległości z prośbą o zgodę na całkowite zjednoczenie księstw naddunajskich i na reformę prawa wyborczego. W zamian za rezygnację z tego drugiego postulatu uzyskał akceptację mocarstw i mógł ogłosić narodowi zjednoczenie Mołdawii i Wołoszczyzny w jedno państwo, choć na razie tylko na okres swojego panowania. Wkrótce też zaczęto powszechnie stosować nową nazwę zjednoczonego państwa – Română. Jego władca przyjął tytuł księcia jako Aleksander Jan I. Cuza przeprowadził wiele reform, m.in. uwłaszczenie chłopów. Pomimo poparcia społecznego książę został obalony w 1866 r. przez opozycję liberalną.

Nową dynastię rumuńską zapoczątkował Karol Hohenzollern-Sigmaringen, zaakceptowany przez Francję, Austrię, Prusy i Rosję. Wkrótce potem uchwalono konstytucję, której główne zasady obowiązywały przez ponad pół wieku. Rumunia uzyskała od Turcji, choć nie bez trudu, zatwierdzenie wyboru księcia Karola jako monarchy dziedzicznego, uznającego jednak zwierzchnictwo sułtana. Miało ono jednak charakter czysto formalny. Pełną niepodległość Rumuni wywalczyli sami, przyłączając się do kolejnej wojny rosyjsko-tureckiej w 1877 r. Układ pokojowy zawarty w San Stefano uznał całkowitą niepodległość Rumunii. Kongres berliński zatwierdził warunki pokoju rosyjsko-tureckiego. Rumunia otrzymała deltę Dunaju i Dobrudżę w zamian za południową część Besarabii, zagarniętą przez Rosję. Powstanie niepodległego Królestwa Rumuńskiego nie rozwiązało jeszcze sprawy niepodległości narodowej Rumunów. Poza granicami państwa mieszkali oni w monarchii habs-

burskiej (Siedmiogród, Banat, Bukowina) i w cesarstwie rosyjskim (Besarabia). Akcja mająca na celu wyzwolenie narodowe mogła więc kierować się zarówno przeciwko Austro-Węgrom, jak i Rosji. Król Karol wybrał opcję antyrosyjską i zawarł z Austro-Węgrami tajny traktat, później kilkakrotnie odnawiany.

Po wybuchu I wojny światowej Rumunia ogłosiła neutralność. Niemcy w zamian za wystąpienie po ich stronie ofiarowali Rumunom Besarabię, Rosja w zamian za zachowanie neutralności obiecywała Siedmiogród i Bukowinę. Ta ostatnia propozycja była bez wątpienia korzystniejsza, stąd też Rumunia przystąpiła do wojny po stronie ententy i w 1916 r. wojska rumuńskie wkroczyły do Siedmiogrodu. Chwila została jednak źle wybrana, front na wschodzie i zachodzie ustabilizował się, co pozwoliło Austro-Węgrom i Niemcom rzucić przeciwko Rumunii skoncentrowane siły. Przeciwko Rumunom wystąpili też Bułgarzy, wkraczając do Dobrudży. Zbombardowany przez lotnictwo austro-węgierskie i niemieckie Bukareszt został zajęty przez Niemców. Wkrótce potem pod panowanie niemieckie dostała się południowa część Mołdawii i cała Wołoszczyzna, a wraz nią rumuńska ropa naftowa. 10 grudnia 1917 r. Rumunia podpisała rozejm z Austro-Węgrami i Niemcami, a prezydent Stanów Zjednoczonych Thomas Woodrow Wilson w swoim słynnym programie pokojowym zażądał wycofania wojsk niemieckich z Rumunii. Jesienią 1918 r. I wojna światowa dobiegała końca, opór państw centralnych został złamany. Rozejm w Compiègne zobowiązał Niemców do wycofania wojsk z ziem rumuńskich w ciągu 15 dni.

România Mare (1920–1939)

Powojenne granice Rumunii zostały zatwierdzone w traktatach pokojowych w Saint-Germain-en-Laye, Neuilly-sur-Seine i Trianon. Rumunia otrzymała cały Siedmiogród, północną Bukowinę, wschodnią część Banatu i południową Dobrudżę. Ponadto w 1920 r. Anglia, Francja i Włochy oficjalnie uznały wcielenie Besarabii do państwa rumuńskiego. Jego powierzchnia zwiększyła się z ok. 140 tys. do 300 tys. km², a liczba mieszkańców wzrosła z 8 do 17 mln. Powstała România Mare – Wielka Rumunia, wykraczająca nawet poza rumuński obszar etniczny. Mniejszości narodowe stanowiły 30% ogółu ludności, w tym Węgrzy 8–9%. Parlament ogłosił zakończenie procesu jednoczenia narodowego Rumunów. Młode państwo od samego począstku swego istnienia popadło w konflikt z dwoma silnymi sąsiadami – z Rosją o Besarabię i z Węgrami o Siedmiogród. Rumunia nie zgodziła się na przeprowadzenie plebiscytu na spornych terenach, została jednak zmuszona do podpisania tzw. traktatu mniejszościowego.

Po wojnie Rumunia prowadziła politykę profrancuską, dążąc do stworzenia systemu sojuszów regionalnych, gwarantujących jej nowe granice. Podpisano także układ polityczny z Polską oraz sojusz z Czechosłowacją i Jugosławią (tzw. Mała Ententa) wymierzony w rewizjonizm węgierski i bułgarski. Tak zwana Ententa Bałkańska (Rumunia, Jugosławia, Grecja i Turcja) była skierowana przeciw Bułgarii, którą podobnie jak w I wojnie światowej mogły wykorzystać Niemcy. Polska była jednym z ważniejszych sojuszników Rumunii w okresie międzywojennym. W 1931 r. obydwa państwa podpisały układ gwarancyjny, utrzymywano kontakty na najwyższym szczeblu, Polskie Linie Lotnicze Lot obsługiwały trasę Warszawa–Bukareszt. Warto wiedzieć, iż Rumunia była jedynym niezwaśnionym sąsiadem Polski międzywojennej.

W okresie międzywojennym rządy w Rumunii sprawowały dwa ugrupowania polityczne – Narodowa Partia Liberalna (w latach 1922–1928 i 1933–1937) oraz partia chłopska – caraniści (1928–1931 i 1932–1933). Od połowy lat 30. pretendowała do władzy faszystowska Żelazna Gwardia, finansowana przez hitlerowskie Niemcy. W 1938 r. król Karol II objął władzę dyktatorską i rozwiązał wszystkie partie polityczne. Profrancuskie sympatie osłabły, a Rumunia coraz bardziej orientowała się na III Rzeszę, czego wyrazem było podpisanie układu o rozwoju rumuńsko-niemieckich stosunków dyplomatycznych. Pomimo to Rumunia zawarła układy o gwarancjach terytorialnych z Francją i Wielką Brytanią.

Od faszyzmu do komunizmu (1939–1947)

Po napadzie Niemiec i ZSRR na Polskę we wrześniu 1939 r. Rumunia, ulegając presji III Rzeszy, ogłosiła neutralność. Ewakuujący się rząd polski został internowany na terenie Rumunii. Na podjęcie tej decyzji wpłynęły naciski wywierane przez Niemcy, ZSRR i prawdopodobnie Francję. Mimo to nadal przerzucano polskich żołnierzy do Francji; dla części z nich Rumunia stała się drugą ojczyzną. Razem z polską armią granicę na Prucie przekroczyła też masa cywilów, którzy znaleźli tu schronienie na czas wojny.

Rok 1940 okazał się dla Rumunii tragiczny. Pod presją Niemiec i ZSRR musiała zgodzić się na przekazanie części swego terytorium sąsiednim państwom. W czerwcu Związek Radziecki zagarnął Besarabię i północną Bukowinę, w sierpniu, na mocy tzw. II arbitrażu wiedeńskiego, Węgry otrzymały północny Siedmiogród, we wrześniu południowa Dobrudża na mocy układu z Krajowej znalazła się w granicach Bułgarii. W obliczu klęski prowadzonej przez siebie polityki „równych odległości" Karol II przekazał rządy generałowi Ionowi Antonescu, a sam abdykował na rzecz syna, Michała I. Faktyczną władzę sprawował jednak Antonescu. W listopadzie przyłączył on Rumunię do państw Osi (Berlin–Tokio–Rzym). Od października 1940 r. w Rumunii stacjonowały wojska niemieckie. Ich głównym zadaniem było zapewnienie III Rzeszy pełnej kontroli nad wydobyciem rumuńskiej ropy naftowej. W latach 1942–1944 lotnictwo alianckie regularnie bombardowało roponośne rejony Rumunii, w następstwie czego zostało zniszczone m.in. Ploeszti. Wydaje się, iż plan instalacji wydobywczych, który posłużył do przeprowadzenia precyzyjnego nalotu, został przygotowany przez… zakonspirowany na Wołoszczyźnie polski wywiad.

W 1941 r. Rumunia przystąpiła do wojny z ZSRR po stronie Niemiec. Pod wpływem klęsk na froncie powstał w 1944 r. Blok Narodowo-Demokratyczny, skupiający komunistów, socjaldemokratów, liberałów i caranistów. Na wieść o rozgromieniu przez Armię Czerwoną wojsk niemieckich w rejonie Kiszyniów–Jassy (północna Mołdawia) wzniecono powstanie w Bukareszcie, które obaliło dyktaturę Antonescu. Partie Bloku Narodowo-Demokratycznego przejęły władzę w kraju i wypowiedziały wojnę Niemcom. Wkrótce potem podpisano zawieszenie broni między Rumunią a państwami koalicji antyniemieckiej. Armia rumuńska wzięła udział w wyzwalaniu kraju, a następnie Węgier i Czechosłowacji.

Jeszcze przed zakończeniem wojny komuniści, wspierani przez ZSRR, nasilili działania mające na celu przejęcie władzy w kraju i wyeliminowanie innych partii politycznych. Już w październiku 1944 r. wystąpili oni z Bloku Narodowo-Demokratycznego i utworzyli Front Narodowo-Demokratyczny. Pod naciskiem Stalina w lutym 1945 r. powołano komunistyczny rząd, na którego czele stanął dr Petru Groza. W listopadzie 1946 r. komuniści sfałszowali wybory parlamentarne, co umożliwiło im przejęcie całkowitej kontroli nad krajem. Nasilił się polityczny terror, rozwiązywano partie opozycyjne, zmuszono króla Michała I do abdykacji i pozbawiono go obywatelstwa rumuńskiego. Rumunię proklamowano republiką. Niewątpliwym osiągnięciem nowych władz było podpisanie w Paryżu układu pokojowego odnawiającego granicę rumuńsko-węgierską z 1938 r.

Za żelazną kurtyną (1948–1989)

W 1948 r. Wielkie Zgromadzenie Narodowe uchwaliło konstytucję i ustawy o nacjonalizacji wielkiego przemysłu, banków, komunikacji. Rumunia została włączona w system państw satelickich ZSRR, z czego wynikało też przystąpienie do Rady Wzajemnej Pomocy Gospodarczej (1949) i Układu Warszawskiego (1955). Po uchwaleniu w 1965 r. nowej konstytucji kraj zmienił nazwę na Socjalistyczna Republika Rumunii (SRR). W tym samym roku zmarł komunistyczny przywódca Gheorge Gheorghiu-Dej, sprawujący rządy dyktatorskie z ramienia Rumuńskiej Partii Robotniczej, funkcjonującej potem pod nazwą Rumuńska Partia Socjalistyczna. Schedę po nim przejął Nicolae Ceauşescu (1918–1989). Monopartyjny system rządów był oparty na terrorze policyjnym, a od przejęcia władzy przez Ceauşescu zmierzał w kierunku kultu jednostki. Socjalistyczny system gospodarowania, kolektywizacja rolnictwa (1949– 1962) i forsowne uprzemysłowienie kraju doprowadziły w latach 80. do kryzysu gospodarczego. Towarzyszył mu znaczny spadek poziomu życia i tak już ubogiego społeczeństwa.

Słońce Karpat – tak był określany Ceauşescu – prowadził politykę zagranicznej niezależności od ZSRR. Przejawiło się to m.in. potępieniem interwencji wojsk Układu Warszawskiego w Czechosłowacji, nawiązywaniem ściślejszych kontaktów z państwami zachodnimi (m.in. z Francją) czy udziałem rumuńskich sportowców – mimo bojkotu ogłoszonego przez ZSRR – w Letniej Olimpiadzie w Los Angeles (1984). Rumuni zdobyli tam 53 medale, w tym 20 złotych.

System drżał jednak pod własnym ciężarem: strajki górników w dolinie Jiu (1977) oraz powstanie robotników Braszowa (1988) zapowiadały najmniej aksamitną spośród rewolucji, które obaliły komunizm w Europie.

Od rewolucji do Europy (1989–2004)

Jesień Ludów w 1989 r. nie ominęła Rumunii: wiec poparcia dla węgierskiego pastora w Timişoarze – Laszlo Tökesa, przekształcił się w wielką antyrządową demonstrację. Władze wydały rozkaz użycia broni. Walki ogarnęły wszystkie większe miasta Rumunii. Na stronę demonstrujących przeszła część wojska i milicji. Dawnego reżimu broniła znienawidzona tajna służba Securitate. Zagrożony aresztowaniem Ceauşescu ewakuował się wraz z żoną Eleną helikopterem z dachu budynku Komitetu Centralnego. Uciekinierzy zostali wkrótce schwytani przez wojsko i po krótkim procesie w Târgovişte straceni. Co pewien czas pojawiały się w mediach informacje o setkach markowych garniturów, butów, koszul, sukienek, złotej wadze i innych bogactwach zgromadzonych przez ostatniego dyktatora komunistycznej Europy.

Na nowego przywódcę został desygnowany cieszący się olbrzymią popularnością w społeczeństwie postkomunista Ion Iliescu. W wyborach powszechnych Iliescu został wybrany na urząd prezydenta. Poparło go ponad 61% obywateli. Słynne było jego wyborcze hasło: „Wierzę w zmianę Rumunii na lepsze". Szybko udało się wprowadzić w życie pluralizm partyjny, zasady pojednania narodowego, pakt socjalny, rozpoczęto także reformy ekonomiczne. Ich powolne wdrażanie stało się przyczyną zastoju gospodarczego państwa.

Iliescu ponownie objął urząd prezydenta po wygranych wyborach 10 grudnia 2000 r., tym razem na pięcioletnią kadencję. Cieniem na pierwsze dziesięciolecie rumuńskiej demokracji położyły się „mineriady". W czasie pierwszej z nich górnicy z zagłębia Petroszani przybyli na wezwanie prezydenta Iliescu do Bukaresztu, by rozpędzić wiec opozycji. Nagonka na „intelektualistów" okupujących plac Uniwersytecki przerodziła się w pogrom – byli zabici i ranni. Późniejsze marsze na Bukareszt kończyły się regularnymi bitwami górników z wojskiem i policją. W grudniu 2004 r. został zaprzysiężony nowy prezydent, liberał Traian Băsescu, opowiadający się za zdecydowaną reformą państwa. Obecne podstawą ustroju społeczno-politycznego Rumunii jest konstytucja, przyjęta w referendum narodowym 8 grudnia 1991 r., oparta na trójpodziale władzy. W polityce zagranicznej Rumunia jest zorientowana na kraje zachodnie. W 2004 r. została członkiem NATO, ma również nadzieję na wstąpienie do Unii Europejskiej w 2007 r.

GEOGRAFIA

Ponad 30% z 237 tys. km² powierzchni Rumunii zajmują **Karpaty** (Carpaţii). Na terenie Rumunii dzielą się na Karpaty Wschodnie (Carpaţii Orientali), Karpaty Południowe (Carpaţii Meridionali, zwane też Alpami Transylwańskimi) oraz Góry Zachodniorumuńskie (Munţii Apuseni). Są rozgraniczone przełęczą Predeal (916 m n.p.m.) i doliną Prahovy, przez które wiedzie ważny szlak komunikacyjny łączący Siedmiogród z Niziną Wołoską (Câmpia Română). Rumuńska część łańcucha karpackiego, o długości prawie 800 km, ciągnie się z północnego zachodu na południowy wschód, a następnie skręca szerokim łukiem na zachód, w kierunku granicy z Serbią i Czarnogórą. W skład Karpat Wschodnich i Południowych wchodzi blisko pięćdziesiąt pasm górskich, zbudowanych głównie ze skał metamorficznych i krystalicznych. Najwyższym szczytem w Rumunii jest Moldoveanu (2544 m n.p.m.) w Górach Fogaraskich (Karpaty Południowe).

Osobnym masywem górskim wchodzącym w skład Karpat są zamykające Wyżynę Siedmiogrodzką od zachodu, **góry Apuseni** (Munţii Apuseni), zwane też Górami Zachodniorumuńskimi. Od Karpat Południowych i Wyżyny Siedmiogrodzkiej od-

dziela je dolina rzeki Maruszy (Mureş), zaś od Karpat Wschodnich rzeka Samosz (Someş). Dzięki temu, że niektóre partie Gór Zachodniorumuńskich są zbudowane ze skał osadowych (przede wszystkim wapieni), występuje w nich wiele wspaniałych form krasowych (m.in. leje i zapadliska krasowe, liczne jaskinie). Najwyższym szczytem tego masywu jest Curcubăta Mare (1848 m n.p.m.) w paśmie Gór Bihorskich.

Karpaty Wschodnie, Południowe i góry Apuseni okalają skalnym wieńcem rozległą **Wyżynę Siedmiogrodzką** (Podişul Transilvaniei), traktowaną przez geografów jako wewnętrzna część łuku Karpat. Krajobrazy tego trzeciorzędowego zapadliska tektonicznego o znacznie wydźwigniętym dnie (do 700 m n.p.m.) i znacznych jak na obszary wyżynne różnicach wysokości są bardzo urozmaicone. Tereny górzyste i pagórkowate sąsiadują tam z równinami i głębokimi dolinami rzecznymi. Wyżyna Siedmiogrodzka stanowi centrum regionu Siedmiogród (łac. Transilvania, rum. Ardeal, węg. Erdély).

Wokół masywów górskich otaczających Wyżynę Siedmiogrodzką rozciągają się: na północnym zachodzie i na zachodzie – **Nizina Zachodnia** (Câmpia de Vest) obejmująca regiony Maramureş, Oaş, Crişana i Banat, na północnym wschodzie i wschodzie – **Wyżyna Mołdawska** (Podişul Moldovei)

Tajemnice Dunaju

Gorące lato 2003 r. dało się we znaki wielu krajom europejskim, powodując wielkie straty w rolnictwie. Nie ominęło to również drugiej co do wielkości rzeki Europy – Dunaju. Na południe od Słowacji zanotowano w tym czasie jej rekordowo niski poziom. W sierpniu stan wody w Dunaju był w Bułgarii najniższy od 1840 r., co zaczęło bezpośrednio zagrażać gospodarce Rumunii – elektrownia Żelazna Brama pracowała wówczas jedynie na 20% możliwości, a jedyna rumuńska elektrownia atomowa w Cernavodă została wyłączona, ponieważ brakowało schładzającej reaktory wody. Upały zagroziły również życiu w delcie Dunaju – wyparowało ponad 30% wody i zaczęły wysychać bagna.

Susza nie tylko przyczyniła się do problemów natury gospodarczej, ale także... odsłoniła kilka zabytków. W okolicach rumuńskiego miasta Calafat z rzeki zaczęły się wyłaniać pozostałości po drewnianym moście z XVI w. postawionym przez tureckie wojska. Na innym odcinku pojawiły się ruiny zamku z X w. zalanego w XV stuleciu. W Chorwacji z Dunaju wyłonił się sprzęt wojskowy z okresu II wojny światowej, m.in. niemieckie czołgi i amerykańskie dżipy. Niski stan Dunaju doprowadził do zabawnego incydentu granicznego. Kilkunastu bułgarskich naturystów było tak bardzo zadowolonych z możliwości bezpiecznego brodzenia po Dunaju, że niepostrzeżenie przeszło na jego drugą stronę, czyli do Rumunii. Po aresztowaniu golasów rumuńska policja miała problem z identyfikacją zatrzymanych, którzy dziwnym trafem nie mieli przy sobie dokumentów...

z rumuńskimi regionami Bukowina i Mołdawia, oraz na południu – **Nizina Wołoska**, którą rzeka Aluta (Olt) dzieli na dwie krainy: Oltenię i Multany (Muntenia). Nizina Wołoska graniczy od południowego wschodu z **Dobrudżą** – pagórkowatą krainą pomiędzy dolnym biegiem Dunaju a Morzem Czarnym. Północny odcinek **wybrzeża morskiego** (litoral) jest płaski, z wieloma limanami i mierzejami, a południowy, od przylądka Midia – klifowy.

Rzeki i jeziora zajmują 3% powierzchni Rumunii. 95% tworzących gęstą sieć rzek rumuńskich należy do zlewni **Dunaju**. Dunaj płynie w granicach państwa rumuńskiego na obszarze ponad 1110 km (łącznie z deltą), co stanowi przeszło 1/3 jego ogólnej długości. Od swego największego przełomu – Żelaznej Bramy (Porţile de Fier), rozlewa się szerokim korytem na wschód, wyznaczając przebieg granicy z Serbią i Czarnogórą oraz Bułgarią. Koło miejscowości Călăraşi skręca na północ i rozdziela się na dwa nurty, między którymi rozciągają się bezludne obszary bagienne, zwane od występujących tam rozlewisk baltami (rum. kałuża). Po minięciu miasta Gałacz płynie na wschód jako rzeka graniczna między Rumunią a Mołdawią i Ukrainą. Przy ujściu do Morza Czarnego tworzy rozległą zabagnioną deltę, dzieląc się na trzy główne ramiona noszące nazwy: Kilia, Sulina i Święty Jerzy. **Delta Dunaju** (delta Dunării), będąca osobną jednostką geograficzną, ma powierzchnię około 5600 km^2 (na Rumunię przypada 4300 km^2, a na Ukrainę – 1300 km^2).

Najdłuższymi dopływami Dunaju na terytorium Rumunii są: **Aluta, Marusza, Prut** (rzeka graniczna między Rumunią a Mołdawą), **Seret** (Siret), **Jałomica** (Ialomiţa), **Samosz** i **Ardżesz** (Argeş). Większość rumuńskich rzek wypływa z Karpat, nierzadko tworząc malownicze przełomy, takie jak Przełom Czerwonej Wieży (Turnu Roşu) na Alucie.

Jeziora w Rumunii (ponad 2300) są raczej nieduże: ich łączny obszar wynosi przeszło 2600 km^2. Największą powierzchnię ma liman Razim (415 km^2), oddzielony od Morza Czarnego wąską piaszczystą mierzeją. Największa liczba jezior znajduje się na terenach górzystych, na wysokości ponad 1500 m n.p.m. Większość z nich powstało w wyniku działalności lodowców i charakteryzuje się niewielką powierzchnią (najbardziej rozległe jest jezioro Bucura w górach Retezat liczące 8,8 ha powierzchni). Na uwagę zasługują także zbiorniki o innej genezie: Lacul Roşu (Czerwone Jezioro) w górach Haşmaş to największy zbiornik w Karpatach powstały w wyniku zatarasowania rzeki przez osuwisko. Ciekawe Lacul Sfânta Ana (Jezioro Świętej Anny) na Szeklerszczyźnie to jedyne w skali Karpat jezioro zajmujące krater wygasłego wulkanu. Na obszarach wapiennych występują także jeziora krasowe, spośród których należy wymienić najbardziej interesujący, okresowy zbiornik w Oltenii. Jezioro wypełnia się wodą jedynie w czasie roztopów i długotrwałych ulew. W pozostałych okresach jego dno porasta bujna trawa, na której okoliczni chłopi wypasają swój inwentarz.

KLIMAT

Klimat Rumunii, określany jako umiarkowanie ciepły kontynentalny, jest znacznie zróżnicowany w zależności od regionu. Na południu Niziny Wołoskiej i w Dobrudży warunki pogodowe są zbliżone do śródziemnomorskich, a w wyżynnym centrum – do panujących w Europie Środkowej. Średnia roczna temperatura w Rumunii wynosi 11°C. Duży wpływ na klimat Wyżyny Mołdawskiej i Niziny Wołoskiej ma wiatr wiejący z północnego wschodu i ze wschodu, zwany crivăţul. Za jego sprawą zimy są tam ostre, śnieżne, lecz krótkie (średnia temperatura w styczniu wynosi -3°C), a lata długie i gorące (średnia temperatura w lipcu wynosi 23°C). W Dobrudży, szczególnie na wybrzeżu Morza Czarnego, upały nie są tak dokuczliwe dzięki łagodzącemu oddziaływaniu mas powietrza morskiego. Crivăţul nie dociera do Siedmiogrodu, ponieważ napotyka barierę klimatyczną, jaką stanowią Karpaty. W górach tych wraz ze wzrostem wysokości obniża się temperatura i zwiększa średnia opadów.

Najcieplejszymi i jednocześnie najbardziej suchymi rejonami w Rumunii są Multany (a na ich obszarze Bukareszt i jego okolice), południowa część Wyżyny Mołdawskiej oraz Dobrudża. Wyjątkowo ciepły klimat panuje również w południowej części doliny Cerny (na północny wschód od Żelaznej Bramy) i na terenach nad samym Dunajem. Tu jednak daje się we znaki wiejąca znad Serbii lodowata Coşava. Najchłodniejsze obszary Rumunii znajdują się w zamkniętych kotlinach śródgórskich, gdzie występują zjawiska inwersji termicznej. Za biegun zimna uznaje się zwłaszcza okolice miast Miercurea Ciuc i Gheorgheni we wschodnim Siedmiogrodzie; tu temperatura w zimie spada nawet poniżej -40°C. Efekt cieplarniany wywołuje anomalie pogodowe także w Rumunii, wpływając na niwelowanie różnic klimatycznych między Karpatami i innymi częściami kraju. Pory roku zaczynają ograniczać się do bardzo gorącego lata i mroźnej zimy, co powoduje coraz większe straty w uprawach. Opady są najobfitsze w maju i w czerwcu; średnia krajowa to 640 mm rocznie. W Karpatach średnia ta wynosi 1400 mm, na równinach – 500 mm, w Multanach, Dobrudży i w południowej części Wyżyny Mołdawskiej – 400 mm. Najmniej opadów odnotowuje się w delcie Dunaju – tylko 380 mm rocznie.

PRZYRODA

W Rumunii na dużym obszarze przetrwała piękna, dzika, nienaruszona przez człowieka przyroda. Lasy (wiele z nich to puszcze) zajmują 28% powierzchni kraju. Trudno dostępne rejony, zwłaszcza górskie, są ostoją wielu gatunków bardzo rzadkich już w Europie Środkowej i Zachodniej zwierząt.

Flora 70% lasów w Rumunii to lasy liściaste – dębowe, bukowe i grabowe. Nie brakuje również kasztanów, brzóz, wiązów, jesionów, lip i wierzb. Najbardziej różnorodna jest flora w Karpatach. Niższe partie tych gór są porośnięte lasami mieszanymi, wyższe – szpilkowymi (głównie świerkowy-

Powodzie

W ostatnim czasie słyszy się często o gwałtownych powodziach nękających Rumunię. Zwłaszcza rok 2005 zapisał się tragicznie pod tym względem – klęska, która zaczęła się późną zimą, nękała kraj przez cały rok. Po ogromnych opadach śniegu w lutym i marcu nastąpiły gwałtowne powodzie, w wyniku których nizinna część Banatu znalazła się pod wodą. Potem było jeszcze gorzej: z powodu licznych lokalnych nawałnic rzeki występowały z brzegów i niszcząc wszystko na drodze, pozbawiały ludzi dachu nad głową i paraliżowały transport. Trudno właściwie znaleźć region, który by nie ucierpiał w wyniku podtopień. W połowie września 2005 r. nawet Bukareszt zamienił się w wielkie jezioro, senatorowie zaś zmuszeni byli obradować pod parasolami, gdyż niedawno wyremontowany dach zamienił się w sito.

Naukowcy winą za podtopienie kraju obarczają chłopów wycinających na potęgę lasy, co istotnie obniża zdolność retencyjną w terenach górskich. Politycy formacji będących obecnie u władzy winią byłego prezydenta, Iona Iliescu, który w trakcie uwłaszczenia hojnie obdarował chłopów lasami, zapominając jednak o kontrolowaniu rabunkowej gdzieniegdzie eksploatacji drzewostanu. Rumuni potrafią jednak każdą katastrofę obrócić w żart i w jednym z dowcipów twierdzą, że odkąd wybrali na prezydenta marynarza (prezydent Traian Băsescu był oficerem marynarki), nawet kraj zamienia się w jezioro...

mi). Powyżej granicy lasu (od 1500–1800 m) rośnie kosodrzewina, która na wysokości 1900–2000 m ustępuje miejsca murawom wysokogórskim. Naturalne zbiorowiska roślinne (m.in. łęgi, szuwary trzcinowe i turzycowe, sitowie) występują też na terenach bagnistych – w naddunajskich baltach i w delcie Dunaju. Roślinność stepowa (ostnica, kostrzewa i inne trawy wąskolistne) zachowała się tylko na niewielkich obszarach we wschodnich Multanach (równina Bărăgan) i w Dobrudży. Większość stepów, kiedyś tak charakterystycznych dla krajobrazu południowej części kraju, została zaorana i przekształcona w ciągnące się kilometrami pola kukurydzy, pszenicy i słoneczników.

Fauna W całym Siedmiogrodzie, a więc nie tylko w Karpatach, doliczono się ponad 2800 gatunków roślin, w tym około 60 endemitów, czyli gatunków występujących tylko na danym terytorium. Należą do nich m.in. szałwia transylwańska, skalnica transylwańska i pięciornik transylwański. Występuje tam również kilka endemicznych gatunków goździków, szarotka alpejska, orlik, a także wiele gatunków goryczki. Szczególnie atrakcyjnie wyglądają górskie polany fioletowych krokusów i purpurowych naparstnic.

Ocenia się, że w samych tylko Karpatach rumuńskich żyje ponad 70 gatunków ssaków i 310 gatunków ptaków. O bogactwie fauny świadczy choćby liczba odmian chrząszczy – około 5 tys. Góry Rumunii to królestwo dużych ssaków drapieżnych. Liczbę żyjących tam niedźwiedzi brunatnych szacuje się na 6 tys., co stanowi połowę europejskiej populacji tego zwierzęcia. Lasy Karpat rumuńskich są ostoją 3 tys. wilków (1/3 populacji europejskiej) i ponad 2 tys. rysiów. Nie brakuje też żbików, jeleni, lisów, dzików i zajęcy. W wyższych partiach Karpat Południowych często można zobaczyć kozice, rzadziej już świstaki. Nocą wyruszają na łowy nietoperze (m.in. największy z nietoperzy europejskich – borowiec olbrzymi) zamieszkujące liczne jaskinie karpackie. W górach można też napotkać niejadowitego skorpiona karpackiego.

W Rumunii występuje wiele gatunków chronionych ptaków drapieżnych. Są to m.in. orły, sępy, orliki, myszołowy, kanie, krogulce oraz jastrzębie. Na szczególną uwagę zasługuje piękny orłosęp brodaty. Warto też wspomnieć o innych przedstawicielach awifauny, takich jak kruk, głuszec, kuropatwa, przepiórka, bażant, jarząbek, cietrzew, sowa czy puchacz. Ponad 300 gatunków doliczono się w delcie Dunaju – największym w Europie i jednym z największych na świecie siedlisk ptaków błotnych. Oprócz czapli, perkozów, żurawi, krzyżówek, dzikich gęsi i traczy można tam zobaczyć ptaki egzotyczne, np. pelikana białego.

W rumuńskich rzekach żyje ponad 70 gatunków ryb, m.in. sum, pstrąg, okoń, sandacz, szczupak, a w delcie Dunaju także bieługa, czeczuga i jesiotr. Gatunkiem endemicznym w dopływach Dunaju jest głowacica, ryba szczególnie ceniona przez wędkarzy. Warto wiedzieć, iż głowacicę spotyka się również w Polsce: ryba ta została sztucznie wprowadzona do Dunajca i Popradu, gdzie znalazła odpowiednie warunki do życia i osiąga do kilkunastu kilogramów wagi.

Ochrona przyrody Do 1990 r. Rumunia nie należała (podobnie zresztą jak inne państwa dawnego bloku komunistycznego) do krajów troszczących się o ochronę środowiska. Na szczęście w ciągu ostatnich kilkunastu lat zamknięto zakłady przemysłowe stwarzające największe zagrożenie, inne starano się zmodernizować i przystosować do wymogów współczesnej ekologii.

Obecnie 5,4% powierzchni kraju zajmują obszary chronione, w tym 13 parków narodowych. Największy z nich – Park Narodowy Domogled – dolina Cerny (na pograniczu Banatu i Oltenii), ma 601 km². W 1991 r. delta Dunaju została zaliczona do obszarów wodno-błotnych podlegających ochronie międzynarodowej, a w rok później wpisana przez UNESCO na światową listę rezerwatów biosfery. Umożliwia to stopniową likwidację śladów ingerencji człowieka w ten unikalny ekosystem.

LUDNOŚĆ

W Rumunii mieszka 22,3 mln ludzi (gęstość zaludnienia wynosi 95 osób na 1 km²), z czego około 55% w miastach. Burzliwa historia kraju znalazła odzwierciedlenie w jego strukturze narodowościowej. Według oficjalnych danych Rumuni stanowią obecnie 89,5% ogółu mieszkańców, Węgrzy – 6,6%, Romowie – 2,5%, Niemcy i Ukraińcy – po 0,3%, Turcy i Rosjanie – po 0,2%, inne narodowości – 0,4%. Struktura narodowościowa uległa dużej zmianie po 1990 r., kiedy to zezwolono Sasom Siedmiogrodzkim na emigrację do Niemiec (udział tej mniejszości wynosił wcześniej ponad 4%).

Rumuni Twierdzą, iż ich naród pochodzi od starożytnych Daków i Getów – ludów z rodziny indoeuropejskiej, oraz od Rzymian, którzy na początku II w. n.e. podbili zajmowane niegdyś przez nich tereny dzisiejszej środkowej i południowej Rumunii. Napływ łacińskojęzycznej ludności do utworzonej na tych obszarach rzymskiej prowincji Dacja doprowadził do jej szybkiej romanizacji. Około 274 r. Rzymianie wycofali się jednak na południe i... tu zaczyna się problem tzw. „mrocznego millenium". Przez następne tysiąc lat o mieszkańcach dzisiejszej Rumunii głucho w źródłach historycznych. Próżno także szukać wiarygodnego potwierdzenia ich stałego pobytu na tym terenie i, co za tym idzie, potwierdzenia ciągłości dako--romańsko-rumuńskiej. I nie byłoby w tym nic niezwykłego (w końcu wielka historia w pierwszym tysiącleciu omijała teren dzisiejszej Rumunii szerokim łukiem), gdyby nie współczesny konflikt z Węgrami o to, kto był pierwszy w Siedmiogrodzie. Malownicza przepychanka naukowców i polityków z obu stron trwa już z górą dwa wieki, zaś stosowane argumenty mają niewiele wspólnego z prawdą historyczną i rzetelnością naukową. Nic dziwnego, że wokół dziejów Rumunii narósł gruby kożuch mitów, kreowanych w XIX i XX w.

Jedno jest pewne: tradycja dacko-rzymska stała się bardzo ważnym czynnikiem świadomości narodowej Rumunów, zwłaszcza że aż do XIX w. nie chciano ich uznać za odrębny naród (szczególnie w Siedmiogrodzie, gdzie rumuńskie pozostawało tylko chłopstwo, gdyż szlachta madziaryzowała się, a wśród mieszczan przeważali Niemcy). W skład obecnego terytorium Rumunii wchodzą nie tylko obszary zamieszkiwane w przeszłości przez dacko--rzymskich przodków Rumunów, ale również ziemie nigdy do nich nienależące, takie jak Kriszana i część Banatu, na których dawniej dominowała ludność węgierska i niemiecka, czy wschodnia część Siedmiogrodu, gdzie do dziś większość mieszkańców stanowią Węgrzy i potomkowie szeklerskich kolonistów. Rumuni zaczęli masowo osiedlać się w Transylwanii dopiero w XVI i XVII w., stopniowo zdobywając liczebną przewagę w tym regionie.

Węgrzy Przodkowie Węgrów – Madziarzy, wyparci przez Pieczyngów ze swej pierwotnej krainy, Lewedii nad Donem, przybyli w IX w. najpierw do Mołdawii, potem do Siedmiogrodu i wreszcie do Banatu i Kriszany. W Transylwanii stworzyli kilka związków plemiennych, które później założyły ważne grody na zajmowanych przez siebie terenach. Z czasem do Siedmiogrodu zaczęli napływać Niemcy i Rumuni. Ci ostatni opanowali zbrojnie Transylwanię w 1918 r. i wcielili ją do swego państwa. W 1940 r. północno-zachodnia część tego regionu została przyłączona na mocy II arbitrażu wiedeńskiego do Węgier. Od 1945 r. cały Siedmiogród wchodzi w skład terytorium rumuńskiego.

Dużą grupą zaliczaną do mniejszości węgierskiej w Rumunii są Szeklerzy. Większość z nich mieszka na terenach zwanych Szeklerszczyzną, na wschód od miasta Târgu Mureş, w okręgach Muresz i Harghita. Nie wiadomo dokładnie, skąd wywodzą się Szeklerzy; przypisuje się im nawet pochodzenie tureckie. Przybywali oni do Transylwanii od XII w. Początkowo zajmowali się nie tylko uprawą ziemi – powierzono im również obronę granic Siedmiogrodu. W następnych stuleciach ulegli madziaryzacji.

W zachodniej Mołdawii (głównie dolina rzeki Trotuş) mieszkają enigmatyczni górale Czango (Csango), posługujący się starodawnym dialektem języka węgierskiego. Ich archaiczne zwyczaje, barwne obrzędy i niezwykła muzyka od dawna przyciągają uwagę badaczy folkloru. Cechą charakterystyczną Czango jest wyznanie rzymskokatolickie.

Węgrzy rumuńscy mieszkają także w będącym ich stolicą kulturową mieście Kluż-Napoka (Cluj-Napoca) i w jego okolicach oraz w Banacie, Kriszanie i zachodniej części regionu Maramuresz. Liczbę ludności węgierskiej w Rumunii szacuje się na 1,6 mln. Dopiero po upadku komunizmu władze rumuńskie przyznały Węgrom wiele przywilejów, m.in. prawo do wydawania własnych gazet, oraz wprowadziły węgierski jako język wykładowy na uniwersytecie w Klużu-Napoce.

Niemcy Pierwsi koloniści niemieccy pojawili się w Siedmiogrodzie już w XII w., zaproszeni przez węgierskiego króla Gejzę II. Osiedlili się w okolicach dzisiejszego Sybina (Sibiu). Mieli bronić południowych granic Transylwanii i zagospodarowywać tamtejsze ziemie. Nie wiadomo dokładnie, skąd pochodzili pionierzy niemieckiego osadnictwa w Rumunii. Przypuszcza się, że przybyli z Luksemburga, Westfalii i południowych Niemiec. Kolejną grupę kolonistów niemieckich sprowadził na początku XIII w. król Węgier Andrzej II. Przybysze zasiedlili północny Siedmiogród (centrum osadnictwa była Bistriţa) oraz okolice Braszowa (Braşov). Nazwano ich Sasami, chociaż nie mieli nic wspólnego z Saksonią. Osadnicy niemieccy w Siedmiogrodzie szybko zagospodarowali otrzymane ziemie, rozwinęli rolnictwo, zajęli się górnictwem, handlem i rzemiosłem. Założone przez nich miasta, takie jak Klausenburg (obecnie Kluż-Napoka), Thorenburg (Turda) czy Hermannstadt (Sybin), rozwinęły się w ważne ośrodki rzemiosła i handlu. W 1224 r. Andrzej II wydał *Privilegium Andreanum*, zwany Złotym Przywilejem, gwarantujący „zaufanym niemieckim gościom" – jak ich określono w tym dokumencie – szeroko pojętą autonomię. Na mocy tego aktu uzyskali niezależność terytorialną i polityczną oraz wolność wyznania. Od tej pory Sasi byli – obok Węgrów i Szeklerów – jednym z trzech uprzywilejowanych siedmiogrodzkich narodów. Mieli swój sejm i odpowiednik rządu, co stanowiło niemalże zalążek odrębnej państwowości.

W XVIII stuleciu do niemieckiej społeczności na obecnych ziemiach rumuńskich dołączyli tzw. Szwabi, którzy w ramach kolonizacji zainicjowanej przez Habsburgów osiedlali się w Banacie. Większość z nich pochodziła z Hesji, Lotaryngii, Frankonii i Bawarii. W masywie Semenic osadzano także Niemców sprowadzonych z Sudetów, zwanych Pemi (niem. Deutsche Böhmen), którzy ze względu na używany dialekt i izolację w górskich osadach zachowali kulturową odrębność. W tym samym czasie w rejonie Satu Mare (północno-zachodnia Rumunia) osiedlili się tzw. Szwabi Satmarscy, faktycznie wywodzący się z niemieckiej Szwabii, czyli z obecnej Badenii-Wirtembergii. Ich potomkowie żyją do dziś w północnej części Crişany. Po oficjalnym włączeniu Siedmiogrodu do Rumunii w 1920 r. władze prowadziły nacjonalistyczną politykę, nieprzychylną niemieckiej mniejszości. Podczas II wojny światowej zginęło lub wyemigrowało ponad 150 tys. Sasów Siedmiogrodzkich. Ci, którzy pozostali w kraju, byli po wojnie prześladowani, i to nie zawsze w związku z ich postawą wobec III Rzeszy. Około 70 tys. Niemców rumuńskich oskarżono o współpracę z hitlerowcami i wywieziono do obozów radzieckich. Po kilku latach wrócili do rodzinnego kraju, rządzonego przez komunistów nierozpieszczających mniejszości narodowych. Dlatego też wielu rumuńskich Niemców wyjechało do Republiki Federalnej Niemiec (RFN). Po-

mógł im w tym Nicolae Ceauşescu. Szukając twardej waluty, zaczął sprzedawać pozwolenia na wyjazd – takie pozwolenie kosztowało podobno 8 tys. dolarów, a płacił za nie niemiecki rząd. Na podstawie tej niepisanej umowy wyemigrowało około 75 tys. Sasów i Szwabów. Po upadku reżimu Ceauşescu exodus przybrał na sile, w następstwie czego w Rumunii pozostało zaledwie 65 tys. Niemców (dla porównania – przed II wojną światową mniejszość ta liczyła 800 tys. osób).

Romowie Nazywani także Cyganami, wywodzą się z Indii. Od XIV w. zaczęli masowo napływać do Europy. Najstarsza wzmianka o ich bytności na terenach Wołoszczyzny pochodzi z 1385 r., ale prawdopodobnie pojawili się tam już wcześniej, w 1241 r., jako niewolnicy Mongołów biorących udział w wyprawie przeciwko krajom europejskim. Niewolnictwo Romów przetrwało aż do połowy XIX w., kiedy to zakazano tego procederu. Oprócz niewolników istniały oczywiście w Rumunii grupy Romów prowadzące koczownicze życie. Mimo że ze względu na wymogi współczesnego świata sytuacja się zmieniła, znaczna część Romów w Rumunii to nadal ludzie „wolni", o czym łatwo można się przekonać, podróżując po kraju. Tryb życia Romów bardzo utrudnia określenie ich liczebności. Oficjalne statystyki mówią o 550 tys., ale niezależne źródła podają liczbę 2–3 mln. Jeśli wyliczenia te są zgodne ze stanem faktycznym, to Romowie stanowią najliczniejszą mniejszość narodową w tym kraju. Oficjalny status mniejszości narodowej uzyskali oni zresztą dopiero w 1990 r., po upadku reżimu komunistycznego, który nie uważał Romów, czy też nie chciał ich uznać za odrębną nację.

Romowie tradycyjnie zajmowali się handlem, kowalstwem, kotlarstwem, muzykowaniem i żebractwem. Zostali jednak zmuszeni przez władze komunistyczne do porzucenia koczowniczego trybu życia i przeniesienia się do wyznaczonych bloków w osiedlach mieszkaniowych, gdzie zaczęły powstawać slumsy i społeczne getta. Większość dzisiejszych rumuńskich Romów to ludność z nizin społecznych. Tylko nieliczni nadal zajmują się handlem i kowalstwem albo szukają pracy w fabrykach. Niektóre rodziny osiedliły się na wsi, w gospodarstwach opuszczonych przez Sasów Siedmiogrodzkich. Nie uprawiają jednak roli, większość z nich żyje z żebraniny i pomocy socjalnej. Stosunki panujące w społeczności Romów należy określić

Romowie czy Cyganie?

Współcześnie, zgodnie z zasadą tzw. poprawności politycznej, w wielu krajach europejskich (także w Polsce) ludność koczowniczą pochodzenia indoeuropejskiego, nazywaną wcześniej przez stulecia Cyganami, określa się mianem Romów. A wszystko to za sprawą procesu, który na przestrzeni wieków nadał słowu „Cygan" wieloznaczności, wynikającej z oryginalnego sposobu życia tego ludu. O negatywnym zabarwieniu określenia „Cygan" decyduje kontekst, w jakim wyraz ten został użyty, a nie samo jego użycie. Najnowszy Słownik języka polskiego PWN podaje kilka wyjaśnień tego słowa. Dopiero z ostatniego z nich można dowiedzieć się, że „cygan" oznacza człowieka nieuczciwego, krętacza, kłamcę czy oszusta. Powiedzenie do Roma, że jest Cyganem, jest o tyle obraźliwe, o ile on sam czuje się tylko i wyłącznie Romem.

Części Cyganów europejskich nadano miano Romów niedawno, a Europejczycy błędnie przyporządkowują tej nazwie wszystkich Cyganów na świecie. Tymczasem w poszczególnych krajach żyją różne szczepy, nie zawsze identyfikujące się z Romami (np. Hiszpanię zamieszkują calé, co dosłownie oznacza „czarni", w Niemczech są to sinti, z kolei Cyganie francuscy to manouches). Nazwy „Rom", „Romowie" wzięły się od grupy od wieków zamieszkującej Rumunię, a konkretnie od Vlax Rom, czyli Romów Wołoskich. Samo słowo „Rom" nie ma jednak nic wspólnego z Rumunią, bo oznacza w języku romani „mężczyznę" lub „męża". Vlax Rom to jeden z najstarszych europejskich szczepów i większość Cyganów z naszego kontynentu to jego potomkowie. Stąd (oraz z niewiedzy historycznej) bierze się dzisiejsze przeświadczenie, że „cygan" to tylko i wyłącznie negatywne, złośliwe określenie i że wszyscy Cyganie na świecie to Romowie. To tak jakby twierdzić, że wszyscy Belgowie są Flamandami.

Tymczasem etymologia słowa „Cygan" (ang. Gipsy) jest bardzo prosta. Około XVI w. nazwa ta została nadana przez Europejczyków, którzy początkowo błędnie przypuszczali, że lud ten pochodzi z Egiptu, czyli że ma do czynienia z potomkami Egipcjan (ang. Egyptian). O powstaniu takiego przeświadczenia zadecydował wygląd Cyganów, którzy mają ciemną karnację i czarne włosy. Z czasem Cyganie sami zaczęli się tak określać, czy też przedstawiać, i nikt, a przede wszystkim oni sami, nie mieli nic przeciwko temu. Współczesne uwrażliwienie na problemy dyskryminacji rasowej sprawia, że każde określenie nacji nadane przez obcych wydaje się dwuznaczne, jeśli nie pejoratywne. Stąd bierze się dążenie, coraz częstsze również wśród samych Cyganów, do nazywania ich Romami, pomimo że jest to wielkie uogólnienie.

---

jako archaiczne; wystarczy powiedzieć, że Romami rządzą, samozwańczy wprawdzie, ale jednak, król i cesarz, którzy wywodzą się z mieszkającej w Siedmiogrodzie rodziny Csaba.

Polacy Liczbę Polaków mieszkających w Rumunii ocenia się na 5–10 tys. osób. Większość z nich żyje dziś na Bukowinie, ale również w Bukareszcie i w Siedmiogrodzie można natrafić na polskie ślady. Najwcześniej pojawili się na tych ziemiach arianie, czyli bracia polscy. W latach 1658–1661 musieli uchodzić przed prześladowaniami z terenów Rzeczypospolitej (polski sejm, w odpowiedzi na liczne przypadki współpracy braci polskich ze Szwedami w czasie potopu szwedzkiego, uchwalił ustawę, w której dano arianom możliwość wyboru między przyjęciem katolicyzmu a emigracją). W Transylwanii i w Bukareszcie żyją potomkowie uchodźców z czasów II wojny światowej, którzy postanowili pozostać w Rumunii. Była to grupa około 45 tys. osób. Polonia bukareszteńska to także powojenni studenci tamtejszych uczelni i ich potomkowie.

W 1792 r. Polacy (przeważnie górnicy z kopalni soli w Wieliczce i Bochni) przybyli po raz pierwszy na Bukowinę z zamiarem osiedlenia się. Dotarli do wsi Kaczyca (Cacica), aby podjąć pracę w tamtejszej kopalni soli.

Pod koniec XVIII w. w ramach akcji kolonizacyjnej prowadzonej przez Austrię na Bukowinie pojawiła się kolejna grupa Polaków, głównie z Małopolski i Śląska. Zbiegowie pańszczyźniani, bo o nich tu mowa, założyli kilka polskich wsi. Przedwojenna Polonia bukowińska była liczna, ale tuż po II wojnie światowej Polaków zaczęto przymusowo lub dobrowolnie przesiedlać. Obecnie na Bukowinie i w Bukareszcie prężnie działają Domy Polskie, które są organizatorem polskiego życia kulturalnego w Rumunii.

Inne narodowości Burzliwa historia ziem rumuńskich pozostawiła po sobie bogatą mozaikę narodowości zamieszkujących kraj w dniu dzisiejszym. Opisywane dalej mniejszości narodowe nie stanowią wprawdzie dużego odsetka populacji Rumunii, ale ich obecność i niejednokrotnie barwne zwyczaje nadają krajowi status „Europy Środkowej w pigułce".

Żydzi osiedlili się na tych ziemiach dość wcześnie. Większe grupy (notabene przybyłe z terenów Rzeczypospolitej) pojawiły się w Transylwanii i w obecnej zachodniej Rumunii dopiero w XVIII i XIX w. Świadectwem ich obecności są synagogi w prawie każdym większym rumuńskim mieście. W 1920 r. mieszkało tu około 800 tys. Żydów, dziś – nieco ponad 8 tys. Ormianie zaczęli przybywać na tereny obecnej Rumunii już w XII i XIII w., ale największa grupa osiedliła się w XVIII stuleciu. Najtrwalszym śladem ich obecności pozostały ormiańskie kościoły. Zarówno Żydzi, jak i Ormianie zajmowali się głównie handlem; z czasem większość z nich się zasymilowała. Czesi i Słowacy przybyli do zachodniej Rumunii w XIX w., by zasiedlać słabo zagospodarowane tereny administrowane przez Austriaków. Słowacy w liczbie około 20 tys. zamieszkują dziś południową Kriszanę, zaś Czesi północno-zachodni Siedmiogród (okolice Cehu Silvaniei) oraz rejon nad Żelazną Bramą w Banacie. Bułgarów można znaleźć na Wołoszczyźnie, gdzie zasłynęli jako ogrodnicy i dorożkarze, oraz w Banacie (tu, uwaga, są oni katolikami). Obecność Turków i Tatarów jest świadectwem kilkuwiekowej okupacji ziem rumuńskich przez imperium osmańskie. Zamieszkują głównie Dobrudżę, gdzie w krajobrazie dość pojawiają się często smukłe sylwetki minaretów. W Dobrudży należy również szukać potomków Greków. Ukraińcy (ok. 60 tys.) osiedli w północnych rejonach Maramureszu, Bukowinie oraz północnej Dobrudży, czyli rejonach relatywnie ubogich. Trudne warunki egzystencji zmusiły część Ukraińców do emigracji w inne rejony kraju. Stąd na żyznych terenach nizinnego Banatu znajduje się dziś kilka wsi zamieszkałych w większości przez przybyszów mówiących językiem Tarasa Szewczenki. Słowianie południowi reprezentowani są przez Serbów oraz Chorwatów. Pierwsi zamieszkują terytorium Banatu i są potomkami „graniczarów", czyli, rekrutowanych spośród serbskich uchodźców, członków utworzonych przez Austriaków oddziałów mających kontrolować niespokojny teren austriacko-tureckiego pogranicza wojskowego. Chorwaci również osiedli w Banacie, gdzie potomkowie przesiedleńców z XIX w. za-

mieszkują wieś Checea. Inaczej ma się sprawa z Karaszowianami żyjącymi u podnóży Gór Banackich. Ta słowiańska grupa przez kilka wieków nie deklarowała swej tożsamości narodowej. Dopiero czynniki ekonomiczne sprawiły, iż Karaszowianie określili się jako Chorwaci... z końcem XX w. Niezwykle interesującą mniejszością są rosyjscy starowiercy zajmujący Dobrudżę, Bukowinę oraz Mołdawię. W Rumunii pojawili się, uciekając przed prześladowaniami przeciwników reform rosyjskiej Cerkwi prawosławnej, które miały miejsce od końca XVII w. Kupcy włoscy przybywali do Rumunii już w średniowieczu, jednakże dopiero w XIX w. zaczęli się tu osiedlać robotnicy poszukujący pracy. Zasłynęli jako doskonali kamieniarze i rzemieślnicy. Dziś aktywne społecznie kolonie Włochów spotyka się w północnej Dobrudży, Siedmiogrodzie (kotlina Hațeg) i Banacie.

OBYCZAJE I TRADYCJE

Chociaż Rumunia to kraj różnorodny pod względem tradycji, obyczajów, folkloru, to jednak jedno jest wspólne dla wszystkich regionów – niemal legendarna już gościnność. Gościnni są Rumuni, Węgrzy, Szeklerzy, Sasi czy przedstawiciele innych narodowości, o czym można łatwo się przekonać, wędrując z plecakiem po rumuńskich bezdrożach.

Ministerstwo Turystyki reklamuje Rumunię jako kraj bogatego folkloru trwającego w niezmienionej formie od wieków i jako wyspę kultury łacińskiej otoczoną morzem słowiańszczyzny. Jest to nie do końca zgodne z prawdą, gdyż na obyczaje rumuńskiego ludu Wołoszczyzny i Mołdawii miały wpływ zarówno sąsiednie, jak i bardziej odległe kraje, nie mówiąc już o dużej roli, jaką odegrali w tej dziedzinie Turcy okupujący przez kilka wieków ziemie rumuńskie.

Dziś dość często można zobaczyć wieśniaków ubranych w tradycyjne kolorowe stroje, grających na ludowych instrumentach i tańczących podczas licznych festynów. Towarzyszą one nie tylko obchodom świąt kościelnych, ale również uroczystościom związanym z uprawą roli, hodowlą czy pasterstwem.

Nowy Rok i święta zimowe Nowy Rok (*Revelion*), interpretowany jako odradzanie się życia, jest obchodzony bardzo hucznie. Dniami wolnymi od pracy są 24 grudnia, Boże Narodzenie (*Crăciun*) oraz pozostałe dni do 2 stycznia, ale przygotowa-

Dzień w szałasie zaczyna się około godziny 5 rano. Owce są zaganiane przez *strungara* do *strungi*, gdzie baca wraz z *ciobanami* rozpoczyna dojenie. Wszystko trwa około godziny. Po tych czynnościach baca zajmuje się pracami związanymi z przeróbką mleka, a reszta pasterzy je śniadanie w szałasie lub na polu. Między godziną 7 a 8 owce mleczne wychodzą z jednym lub dwoma *ciobanami* na pastwisko, a ich nieodłącznymi towarzyszami są psy pasterskie. Pozostałymi owcami – jarkami i jagniętami, zajmuje się zazwyczaj *strungar*, który przegania je w kierunku przeciwnym do wyjścia stada. W tym czasie czas baca pozostaje w *stynie* (*stâna*; szałas pasterski), przerabiając mleko, a *strungar* rąbie drewno lub idzie po wodę. W południe wraca stado i rozpoczyna się drugi udój, który również zabiera około godziny. Po udoju owce odpoczywają w *kaszorze*, a pasterze jedzą obiad, uprzednio przygotowany przez bacę, po czym odpoczywają w *stynie* lub w kolibie, podczas gdy szef zajmuje się kolejną przeróbką mleka.

Około godziny 16, po odpoczynku, *strungar* wygania owce z *kaszora*, a *ciobani* z psami zabierają je na kolejną wędrówkę. Tym razem baca ma więcej czasu i po zrobieniu sera może pozwolić sobie na drzemkę. Niestety, nie zdarza się to często, gdyż o tej porze zazwyczaj zaczynają pojawiać się goście – przeważnie są to właściciele owiec przybywający po ser. *Strungar* w tym czasie nie ma żadnych obowiązków. Tak jest aż do godziny 20–21, gdy wracają pasterze z owcami i następuje podobny do porannego i południowego podział pracy. *Strungar* zagania wtedy jarki i jagnięta do *kaszora*, a owce doi się po raz trzeci, w czym pomaga baca. Po wydojeniu zabiera się on do ostatniej obróbki mleka. Trwa to, na ogół przy świetle lampy naftowej, do godziny 23. Pozostali pasterze i *strungar* towarzyszą bacy, rozmawiając, jedząc i nierzadko pijąc wódkę. Często wieczorami rozpala się ognisko. Późną nocą zmęczeni po całodziennej pracy pasterze i baca kładą się spać. Ten ostatni zwykle śpi w *stynie*, a pozostali członkowie zespołu w kolibach, blisko owiec. Wszyscy kładą się spać w ubraniach, w których pracowali, przykrywając się tylko derkami lub kożuchami.

Do stałych elementów, wpisanych w harmonogram pasterskiego dnia, należy gra na trombicie. W instrument ten dmie zazwyczaj baca, gdy pasterze wraz z owcami wracają na nocleg, czym „daje znak ludziom w dolinie, że wszystko po porządku jest na *stynie*".

Marcin Wiktorski

---

nia, tak jak w Polsce, rozpoczynają się o wiele wcześniej. Na wsi świętuje się do Trzech Króli (*Bobotează*), czyli do 6 stycznia. Tradycję kolędowania (*colinde*) próbowali wykorzenić komuniści, bez większego jednak powodzenia. Obecnie zwyczaj ten przeżywa prawdziwy rozkwit; masowo kolęduje się nie tylko na wsi, ale i w miastach. W każdym regionie chodzenie po kolędzie ma nieco inny charakter; zróżnicowane są przede wszystkim ubiory i pieśni. Komuniści zaimportowali do Rumunii radzieckiego Dziadka Mroza (*Moş Crăciun*), po 1989 r. został on jednak szybko zastąpiony tradycyjnym, chrześcijańskim św. Mikołajem.

Wiosna i Wielkanoc 1 marca w Rumunii obchodzi się mające rzymskie korzenie święto wiosny, *Marţ işor*, które za czasów komunistycznych skutecznie konkurowało z Międzynarodowym Dniem Kobiet. Symbolem święta wiosny jest kokardka z wełnianych sznureczków, przeważnie w kolorach białym i czerwonym. Zgodnie ze zwyczajem panie i panowie obdarowują się w tym dniu skromnymi barwnymi bibelo-

tami. Przez cały tydzień po 1 marca na wsiach organizuje się wiele festynów i zabaw. Potem następuje długi post, po którym równie długo świętuje się i biesiaduje podczas świąt Wielkiejnocy (*Paşte*). Bardzo żywa jest tradycja malowania pisanek i chowania ich przed dziećmi w trawie (zwyczaj ten został przejęty od niemieckich kolonistów).

Inne festyny i święta Region Maramuresz słynie z wielu obchodzonych świąt. Jednym z ciekawszych jest **Tânjaua** – święto pierwszej orki w roku. Z kolei **Sâmbra Oilor** to uroczystość z okazji wyjścia pasterzy ze stadami owiec w góry, na odległe hale, czyli znanego również w Polsce redyku (słowo to wywodzi się właśnie z języka rumuńskiego). Sâmbra Oilor jest organizowane nie tylko w Maramureszu, ale również w innych rejonach górskich. Interesujące są też odbywające się w lecie specjalne spotkania, na których młode panny dowiadują się, jakie mają szanse na zamążpójście. W niektórych siedmiogrodzkich wioskach imprezy takie przypominają targi poprzedzające uroczyste

55

i huczne weseliska, które organizuje się przeważnie na jesieni. Kto chce postąpić zgodnie z tradycją, zaprasza na wesele specjalnych mówców, pieśniarzy, muzyków i tancerzy. W niektórych wołoskich wioskach w okresie żniw sześć przebranych dziewcząt głośnymi śpiewami odpędza od plonów złe duchy.

Piękne są zwyczaje Szeklerów. Bardzo praktyczną tradycją jest udzielanie sobie pomocy we wszelkich większych przedsięwzięciach, takich jak np. budowa domu. Zbiera się wtedy cała wioska i pomaga rodzinie wznoszącej dom, oczekując w zamian rewanżu. Pracom tym, a szczególnie ich finałowi, towarzyszą huczne zabawy. Inną okazją do towarzyskich spotkań mieszkańców wiosek w całej Rumunii jest wspólne przędzenie lnu. Przędą oczywiście kobiety, ale muszą im towarzyszyć mężczyźni, by urozmaicać to monotonne zajęcie. Uczestnicy takich spotkań umilają sobie pracę, opowiadając różne historie, a cała impreza kończy się tańcem i wspólnymi śpiewami.

RELIGIA

Rumunia jest krajem prawosławnym. Przynależność do Kościoła prawosławnego deklaruje 85% obywateli. Katolicy stanowią około 7%, a protestanci prawie 5% ludności. Odradza się judaizm – około 1% mieszkańców określa się jako wyznawców religii mojżeszowej. Według tradycji chrześcijaństwo dotarło na tereny dzisiejszej Rumunii dzięki działalności św. Andrzeja Apostoła. Ziemie te w ostatnich wiekach pierwszego tysiąclecia naszej ery znajdowały się pod wpływem państwa bułgarskiego. Dlatego też, gdy w 1054 r. doszło ostatecznie do podziału chrześcijaństwa, Rumunia stała się częścią prawosławnego Wschodu. W 1925 r. Rumuński Kościół Prawosławny uzyskał status patriarchatu. Po II wojnie światowej daleko posunięta uległość Cerkwi rumuńskiej wobec władz komunistycznych nie zapobiegła represjonowaniu wyznawców prawosławia. Prześladowania osiągnęły apogeum w 1958 r., kiedy to zniszczono wiele świątyń i osadzono w więzieniach setki duchownych i mnichów. Władzom nie udało się jednak wykorzenić wiary. Po 1989 r. życie religijne odrodziło się, otwarto wiele nowych cerkwi, zaczęto wydawać liczne czasopisma o treści religijnej. Rumuński Kościół Prawosławny liczy obecnie około 20 mln wiernych. Obejmuje swą jurysdykcją nie tylko 25 biskupstw z blisko 9 tys.

parafii, ale również wyznawców prawosławia w północnej Bukowinie (Ukraina), Republice Mołdowy oraz w czterech diecezjach w Europie Zachodniej i Ameryce. W Rumunii w 220 męskich klasztorach prawosławnych żyje 2300 zakonników, a w 135 zakonach żeńskich przebywa 4 tys. sióstr zakonnych. Warto pamiętać również, że ponad 20 tys. żyjących w Rumunii Serbów podlega Autokefalicznemu Kościołowi Serbii i Czarnogóry. Osobnej hierarchi podlegają również staroobrzędowcy.

W średniowieczu wielokrotnie próbowano chrystianizować księstwa rumuńskie w obrządku łacińskim, lecz zadaniu temu nie sprostali ani Krzyżacy, ani dominikanie. Pierwszym biskupstwem na terenie Mołdawii, założonym w 1370 r. w mieście Siret, opiekowali się franciszkanie z Krakowa. Stąd też pierwszymi biskupami w tej diecezji zostali Polacy – franciszkanin Andrzej herbu Jastrząb i dominikanin Jan Sartorius, zwany Janem z Polski. Największą grupę wyznawców katolicyzmu obrządku łacińskiego (rzymskiego) stanowią osoby należące do mniejszości węgierskiej w Siedmiogrodzie. Mieszkający w Transylwanii katolicy rumuńscy są głównie wyznania greckokatolickiego (obrządek bizantyński). Katolikami w pozostałych regionach kraju (głównie w Mołdawii) są w większości Rumuni wyznający katolicyzm rytu łacińskiego, których liczebność określa się na około 200 tysięcy. Katolickie mniejszości narodowe to: Polacy, większość Słowaków i Czechów, Chorwaci, banaccy Bułgarzy, Włosi i część Niemców.

Kościół greckokatolicki na obecnych terenach rumuńskich istnieje od 1700 r. Został założony w Siedmiogrodzie, na mocy postanowień synodu w Alba Iulia. Unitami byli Rumuni oraz Ukraińcy z Maramureszu i Bukowiny. Po 1946 r. władze komunistyczne postawiły sobie za cel likwidację Kościoła greckokatolickiego w Rumunii. W latach 1948–1989 przekazały rumuńskiemu Kościołowi prawosławnemu ponad 2 tys. greckokatolickich świątyń i innych obiektów sakralnych. Za wyznawanie katolicyzmu obrządku bizantyńskiego groziła kara więzienia. Aresztowano wszystkich biskupów greckokatolickich, żaden z nich jednak nie wyrzekł się jedności z Rzymem. Biskup Iuliu Hossu był więziony przez 22 lata; umierając w 1970 r. w swej celi więziennej, wypowiedział słowa: „Wszystko Twoje, Panie". Na rok przed śmiercią rumuńskiego biskupa męczennika papież Paweł VI mianował go kardynałem *in pectore*.

Wasze kajdany są chwałą i chlubą Kościoła

8 maja 1999 r. **Jan Paweł II** przewodniczył służbie bożej sprawowanej przez arcybiskupa Ruciana Mureşana w katedrze rzymskokatolickiej św. Józefa w Bukareszcie (zob. s. 102) według bizantyńskiej liturgii św. Jana Złotoustego. „Przybywam w tych dniach – powiedział papież – aby złożyć hołd narodowi rumuńskiemu, który był w dziejach znakiem promieniowania cywilizacji rzymskiej w tej części Europy, przechowując jej pamięć, język i kulturę. [...] W waszych dziejach różne nurty chrześcijaństwa – łaciński, konstantynopolitański i słowiański – zespoliły się z pierwotnym geniuszem waszego narodu. To cenne dziedzictwo religijne zostało przechowane przez wasze wspólnoty greckokatolickie, a także przez waszych braci z Rumuńskiego Kościoła Prawosławnego. [...] Przybyłem tutaj z katolickiego cmentarza waszego miasta: na grobach nielicznych znanych męczenników i całych rzesz tych, których doczesne szczątki nie dostąpiły nawet zaszczytu chrześcijańskiego pogrzebu [...]. Wzywałem także kardynała Iuliu Hossu, który wolał pozostać ze swoimi wiernymi aż do śmierci, rezygnując z wyjazdu do Rzymu, gdzie miał otrzymać od papieża kapelusz kardynalski, to oznaczałoby bowiem rozłąkę z umiłowanym krajem".

Obecnie społeczność katolicka w Rumunii liczy ponad 1,7 mln wiernych. Około 850 tys. osób narodowości węgierskiej to wyznawcy katolicyzmu rzymskiego. W sumie około 370 tys. Rumunów i przedstawicieli pozostałych mniejszości narodowych wyznaje katolicyzm obrządku łacińskiego lub bizantyńskiego. W Rumunii działa 11 diecezji i jeden ordynariat ormiański. W dniach 7–9 maja 1999 r. papież Jan Paweł II odbył pielgrzymkę apostolską do Rumunii.

SZTUKA

Sztuka rumuńska kształtowała się pod wpływem trzech wielkich kręgów kulturowych: euroazjatyckiego Wschodu, śródziemnomorskiego Południa oraz Europy Środkowej. Poszczególne części kraju były przez dziesiątki, a nawet setki lat rządzone przez władców pochodzących z różnych cywilizacji – Greków, Rzymian, Bułgarów, Węgrów, Austriaków i Turków. Zasadnicze przemiany w sztuce nastąpiły w połowie XIX w., po powstaniu niepodległego państwa – Rumunii. W tym okresie twórcy zerwali z tradycjami bizantyńskimi i zwrócili się w kierunku sztuki zachodnioeuropejskiej, głównie francuskiej.

Na obce wpływy nałożyły się niezwykle bogate elementy miejscowe. Wyjątkowo różnorodna i piękna jest rumuńska sztuka ludowa, zwłaszcza budownictwo drewniane, zarówno świeckie, jak i sakralne. Najciekawszy pod tym względem jest region Maramuresz, gdzie można podziwiać masywne bramy z drewna i wspaniałe drewniane cerkwie o strzelistych wieżach. Świątynie te są zaliczane do najcenniejszych zabytków architektury europejskiej. W 1976 r. część z nich otrzymała nagrodę Złotego Jabłka od międzynarodowej organizacji FIJET, a w 1993 r. niektóre trafiły na listę Światowego Dziedzictwa Kulturalnego i Przyrodniczego UNESCO. Ewenementem na skalę światową są ikony malowane na szkle – powstają one do dziś na terenie Siedmiogrodu i Wołoszczyzny.

Malarstwo Początkowo malarstwo rumuńskie koncentrowało się głównie przy ośrodkach religijnych. Tworzono tam malowidła ścienne wyraźnie nawiązujące do sztuki bizantyńskiej, które niejednokrotnie przedstawiały dużą wartość artystyczną. Od XIV w. ozdabiano nimi zarówno od wewnątrz, jak i z zewnątrz ściany mołdawskich i wołoskich cerkwi. Najwięcej takich malowideł można zobaczyć w Mołdawii, zwłaszcza na północy regionu, czyli na Bukowinie. Freski pokrywające ściany cerkwi to prawdziwe dzieła sztuki, świadczące o doskonałym warsztacie ówczesnych artystów. Mniej więcej od końca XV w. zaczęto malować ikony, początkowo głównie na drewnie, później także na szkle. I w tym przypadku prym wiodła Bukowina – w klasztorze w Putnej mieściła się znana pracownia i szkoła malarska, gdzie powstawały prawdziwe arcydzieła.

Stopniowo obok wzorców bizantyńskich i ruskich na malarstwo zaczęła również wpływać sztuka zachodnioeuropejska, zwłaszcza włoska. Charakterystyczną cechą powstałych wówczas fresków jest większa swoboda przedstawiania, szczególnie postaci. Najwybitniejszym artystą epoki Brâncoveanu był Pârvu Mutul (Pârvu Niemowa), który działał w szkole w Câmpulung Muscel na Wołoszczyźnie. Jego najsłynniejszym dziełem są freski w klasztorze Horezu, gdzie, oprócz standardowych wizerunków fundatorów monastyru, malarz umieścił także podobizny swoich współpracowników (murarza, kamieniarza i cieśli). Można tam też podziwiać autoportret twórcy.

W czasach, gdy na ziemiach dzisiejszej Rumunii malarstwo epoki Brâncoveanu weszło w fazę rozkwitu, w Europie Zachodniej królował już barok. Do Mołdawii i Wołoszczyzny styl ten przywędrował z Transylwanii, gdzie najwcześniej zaczęto wznosić barokowe świątynie i pałace. Barok w malarstwie rumuńskim pojawił się więc ze znacznym opóźnieniem, ale od razu zdobył sobie zwolenników, przekształcając się w Mołdawii w ciekawy styl, dzięki wciąż silnym wpływom wschodnim. Malarze, przeważnie siedmiogrodzcy, zaczęli kształcić się w Wiedniu, a wołoscy, nie opanowawszy dostatecznie prawideł nowej sztuki, pozostawali wierni sztuce rodzimej, przeważnie ludowej, kontynuując w dziedzinie malarstwa wciąż jeszcze tradycje Bizancjum i prawosławia rosyjskiego. W 1787 r. w Bukareszcie założono cech malarzy, lecz jego członkowie nie wykraczali poza tematy religijne. Jednym z wybitniejszych malarzy ikon był Popp Moldoveanu z Gałacza, tworzący przede wszystkim w Siedmiogrodzie. Wprawdzie w jego dziełach nadal dominowały elementy sztuki ludowej, ale ujawniły się też

wpływy katolickiego baroku. Powoli malarstwo zaczęło wkraczać w życie świeckie, chociaż już znacznie wcześniej, na specjalne zamówienia, uwieczniano na obrazach władców i bojarów. Na przełomie XVIII i XIX w. składanie takich zamówień przez książąt, bojarów i mieszczan było już bardzo rozpowszechnione. Do najbardziej znanych artystów wykonujących wiele takich zleceń należał Gheorghe Zugravul (Jerzy Malarz) działający na Wołoszczyźnie. W 1789 r. namalował on zbiorowy portret hospodara Mavrogheniego z dworem i wojskiem. Wizerunek żony z dzieckiem i autoportret (oba dzieła z ok. 1800 r.), pozostawił po sobie wybitny malarz ikon, bojar Nicoale Polcovnicul.

W XIX w. nastąpił przełom. Coraz więcej artystów studiowało za granicą, na uczelniach w Wiedniu, Rzymie, Budapeszcie, a przede wszystkim w Paryżu. Tam poznawali nowe prądy w malarstwie i przenosili je na tereny rumuńskie. W 1813 r. w Jassach założono szkółkę rysunku natury, z kolei w Siedmiogrodzie rozwijało się studium malowania pejzażu – panoram miast, scenek rodzajowych i krajobrazów. Na rumuńskich malarzy oddziaływały prace zagranicznych artystów, którzy przejeżdżając przez Rumunię, utrwalali w swych pracach podziwiane widoki. Nieprzeciętnym talentem wyróżniali się Ion Negulici (1812–1851) i Konstantyn Daniel Rosenthal (1820–1851) – malarze, rysownicy i rewolucjoniści (uczestnicy Wiosny Lu-

Ikony na szkle

Ikony na szkle są jednym z najciekawszych dzieł rumuńskiej sztuki ludowej. Umiejętność ich malowania przywędrowała do Siedmiogrodu z Austrii lub Czech już około 1650 r., choć ludowe przekazy mówią co innego. W 1694 r. w prawosławnym klasztorze we wsi Nicula (zob. s. 362) zdarzył się cud. Z oczu Matki Boskiej Bolesnej, namalowanej na ikonie, zaczęły spływać łzy smutku i niepokoju o losy świata i rumuńskiego ludu. Spowodowało to napływ ogromnej liczby pątników i pielgrzymów. Każdy z nich chciał wrócić do domu z kopią cudownego obrazu. Aby sprostać zapotrzebowaniu, zakonnicy zaczęli wykonywać kopie obrazu na szkle i technika ta bardzo szybko rozpowszechniła się na terenie Siedmiogrodu. Malowaniem ikon na szkle trudniły się wyspecjalizowane warsztaty przyklasztorne, a także świeccy rzemieślnicy. Proces powstawania ikony był na tyle złożony i trudny (szkic konturów, kaligrafia napisów, pokrycie złotem, nakładanie kolorów), że przy jednym obrazie pracowały cztery osoby. Nazywanie ikonami obrazów sakralnych malowanych na szkle może wzbudzać kontrowersje ze względu na niekanoniczny materiał, na którym one powstawały. Ale sam sposób przedstawiania świętych postaci i scen liturgiczno-symbolicznych, technika malowania i znaczenie, jakie miały te obrazy dla wiernych, pozwala na taką ich klasyfikację. Były one przez wieki przedmiotem kultu jako odzwierciedlenie boskiego praobrazu. Co ciekawe, ikony na szkle funkcjonowały przede wszystkim w kulcie prywatnym. W Siedmiogrodzie są miejsca, gdzie ikony na szkle nadal powstają, ale mają one głównie wartość dokumentalną, jako kontynuacja jednego z rodzajów sztuki ludowej. Największe zbiory tego rodzaju obrazów można oglądać w przyklasztornym muzeum we wsi Nicula.

dów). O ile pierwszy z nich pozostawił po sobie przede wszystkim liczne portrety przywódców rewolucji 1848 r. i kilka pejzaży oraz rysunków, o tyle drugi, zresztą nierumuńskiego pochodzenia, jest znany z romantycznych, alegorycznych dzieł, takich jak *Rewolucyjna Rumunia* i *Przebudzenie Rumunii*. Malarstwo historyczne uprawiał Teodor Aman (1831–1891), twórca np. znanego portretu Tudora Vladimirescu i kilku obrazów przedstawiających najważniejsze wydarzenia w kraju, nie tylko historyczne, ale i współczesne. To m.in. z jego inicjatywy powstała bukareszteńska Akademia Sztuk Pięknych.

Wybitnym XIX-wiecznym malarzem był Nicolae Grigorescu (1838–1907). Początkowo zajmował się dekorowaniem cerkwi. W Paryżu, gdzie wyjechał jako stypendysta, zdobył uznanie jako twórca portretów i pejzaży. Po powrocie do kraju zajął się utrwalaniem scen z życia wsi, a gdy jako ochotnik wziął udział wojnie w 1877 r., malował też żołnierzy (liczne szkice) i bitwy. O Grigorescu mówi się, że jest twórcą nowoczesnego malarstwa rumuńskiego. Jednocześnie był on jedną z ważniejszych postaci życia kulturalnego w Rumunii w II połowie XIX w., przenosząc na tamtejszy grunt impresjonizm. Jego dzieło kontynuowali uczniowie – Ioan Andreescu (1850–1882) oraz Ştefan Luchian (1868–1916). Obrazy tych trzech artystów można podziwiać w muzeach w Bukareszcie, Braszowie i Klużu-Napoce.

Od początku XX w. do wybuchu II wojny światowej nastąpił szybki rozwój malarstwa rumuńskiego. Przede wszystkim prężnie działał założony w 1896 r. w Baia Mare ośrodek sztuki malarskiej, w którym dominującą rolę odgrywali twórcy węgierscy. Spośród rumuńskich artystów tamtych czasów należy wymienić Iosifa Isera (1880–1958), który w wielu obrazach uwiecznił krajobrazy Dobrudży, oraz Octava Băncilę (1877–1944), słynącego z subiektywnej wizji buntu chłopskiego z 1907 r. Innymi sławnymi malarzami byli Camil Ressu (1880–1962) i Jean Steriadi (1880–1956). Steriadi zajmował się również grafiką.

W 1917 r. założono Towarzystwo Sztuka Rumuńska, a w 1921 r. – Związek Artystów. Organizacje te pomagały rumuńskim plastykom w przygotowywaniu wystaw, wspierały też nowe tendencje w sztuce. Rozgłos zdobył Gheorghe Petraşcu (1872–1949), który początkowo był kontynuatorem tradycji Grigorescu, a następnie wypracował swój własny styl. Do najbar-

dziej znanych rysowników należeli Theodor Pallady (1871–1956), wspomniany już Iser oraz Aurel Jiquidi (1896–1962) – wybitny grafik satyryk. Steriadi nadal tworzył impresjonistyczne pejzaże, a sceny z życia codziennego chłopów malował Ştefan Dimitrescu (1886–1933).

W powojennej i współczesnej Rumunii malarstwo nie odbiegało i nie odbiega od nowoczesnych prądów światowych, chociaż trzeba zdawać sobie sprawę, że kontakt z międzynarodową sztuką był za czasów komunistów bardzo ograniczony, nierzadko wręcz zabroniony. Sytuacja zmieniła się po 1989 r. Do nowej generacji malarzy rumuńskich należą abstrakcjonista Vasile Troian oraz Sabin Bălasa i Florica Prevenda. Ich prace są wystawiane również poza granicami kraju.

Rzeźba Pierwsze zabytki rzeźby z terenów dzisiejszej Rumunii pochodzą z czasów prehistorycznych. Na uwagę zasługują zwłaszcza znaleziska datowane na okres kultury Cucuteni (3500–1700 lat p.n.e.) – terakotowe statuetki kobiet i mężczyzn malowane czerwoną lub czarną farbą (*Hora z Frumuşica*, *Wenus z Truşeşti*, *Myśliciel z Trâpeşti*). Rozwój rzeźby (szczególnie w rejonie Konstancy) przypada na czasy kolonizacji greckiej (*Wąż Glykona* z Tomis, *Afrodyta morza i Pontos* z II w. p.n.e.) oraz na okres rzymski. W czasach wędrówek ludów rozwijała się sztuka złotnicza.

Niezwykłymi artystami byli bracia Marcin i Jerzy z Klużu, tworzący w II połowie XIV w. Wyprzedzili oni swoją epokę, wykonując rzeźby z brązu – materiału, którego metod obróbki nie znali jeszcze wtedy inni rzeźbiarze. Dzieła Marcina i Jerzego z Klużu ustawiano na otwartej przestrzeni placów, a nie wkomponowane w architekturę. Do naszych czasów zachowała się, niestety, tylko jedna rzeźba ich autorstwa – posąg przedstawiający św. Jerzego walczącego ze smokiem, stojący dzisiaj na praskich Hradczanach. W źródłach historycznych można znaleźć wzmianki o innych rzeźbach dłuta mistrzów z Klużu, takich jak pomniki węgierskich królów Stefana, Emeryka i Władysława czy konny posąg Władysława Świętego.

Karl Storck (1826–1887), z pochodzenia Niemiec, w 1849 r. osiadł na stałe w Bukareszcie. Pracując jako sztukator i kamieniarz, odkrył w sobie talent rzeźbiarski i po studiach w Paryżu i Monachium rozpoczął działalność artystyczną. Spod jego dłuta wyszło wiele pomników, portretów i płaskorzeźb (m.in. pomnik

Mihaila Cantacuzino, popiersia Theodora Amana, Friedricha Schillera, Michała Walecznego, Alexandru Ioana Cuzy, fronton uniwersytetu w Bukareszcie). Rzeźbiarz ten był również twórcą licznych nagrobków i dzieł snycerskich. U schyłku życia rzeźbił małe terakotowe figurki (m.in. *Pastuszek, Przędząca wieśniaczka, Matka kołysząca dziecko*).

Najzdolniejszym uczniem Storcka był Ion Georgescu (1856–1898). Rzeźbiarstwa uczył się w Bukareszcie i Paryżu w okresie krzyżowania się wpływów neoklasycyzmu i romantyzmu. Jego dzieła ukazują z niezwykłą, anatomiczną dokładnością szczegóły ludzkiego ciała (np. *Rzucający włócznią*). Najbardziej znanym dziełem artysty jest monumentalny pomnik Gheorge Asachiego w Jassach. Georgescu tworzył też bardzo cenione realistyczne kompozycje rodzajowe (*Modlące się dziecko*) oraz portrety (m.in. Mihaia Eminescu).

Stefan Ionescu-Valbudea (1856–1918) jest uznawany za najwybitniejszego przedstawiciela romantyzmu w rzeźbie rumuńskiej. Studiował w Bukareszcie, Paryżu i Rzymie. Specjalizował się w męskich aktach nawiązujących do twórczości Michała Anioła (*Zwycięzca, Michał Szalony*). Tworzył także rzeźby przedstawiające sceny rodzinne oraz dzieci (*Salto, Śpiące dziecko, Pierwsza lekcja*).

Profesor bukaresztańskiej Akademii Sztuk Pięknych Dumitru Paciurea (1873–1932) starał się w swych symbolicznych i alegorycznych wizjach rzeźbiarskich ukazywać absurdalność świata. Jego najbardziej znane prace to m.in. *Gigant, Sfinks, Bóg wojny, Chimera wodna, Chimera przestworza*.

Najsłynniejszy rumuński rzeźbiarz, Constantin Brâncuşi (1876–1957), studiował w Bukareszcie, Monachium i Paryżu. W 1904 r. zamieszkał na stałe w stolicy Francji. Ogromny wpływ na jego dzieła miał Auguste Rodin. W późniejszym okresie Brâncuşi wypracował własną odmianę abstrakcji (*Pocałunek*), poszukując jednocześnie elementarnych form tkwiących w naturze (*Nowo narodzony, Początek świata*). Jego rzeźby odznaczają się prostotą formy, mają zazwyczaj gładką, dokładnie polerowaną powierzchnię (*Mademoiselle Pogany, Ryba*). Artysta nawiązywał do podań ludowych i idei buddyzmu (*Duch Buddy*). Zainteresowania te znalazły odzwierciedlenie w wertykalnych kompozycjach, takich jak *Niekończąca się kolumna* w Târgu Jiu.

Architektura Najstarsze zabytki architektury pochodzą z okresu neolitu (m.in. pozostałości wielkiej osady warownej Habasesti, datowane na 2700–1800 lat p.n.e.). Dla turysty znacznie ciekawsze są jednak materialne pozostałości z czasów greckiej kolonizacji wybrzeży Morza Czarnego oraz rzymskiego podboju. Dzięki prowadzonym od początku XX w. pracom wykopaliskowym można dziś podziwiać ruiny greckich miast i osiedli, z których najbardziej znanym jest Histria. Panowanie Rzymian nad Dunajem upamiętnia wiele zabytków architektonicznych. Większość z nich to warowne obozy – Sarmisegetuza, Tomis czy Adamclisi, gdzie nad okolicą góruje zrekonstruowany pomnik chwały oręża rzymskiego Tropaeum Traiani. Po opuszczeniu Dacji przez Rzymian zaczęły tam dominować wpływy kultury chrześcijaństwa bizantyńskiego. W tym okresie architekci niejednokrotnie wykorzystywali materiał z rzymskich budowli do wznoszenia świątyń, czego najbardziej znanymi przykładami są marmurowa bazylika z IV w. w Tropaeum Traiani czy cerkiew z Densuş z VIII w. Niezwykle ciekawy, choć niestety nieudostępniony zwiedzającym, jest też kompleks sakralny w miejscowości Basarabi (region Dobrudża). Wydrążona w miękkiej kredzie świątynia paleochrześcijańska zdradza wpływy Bliskiego Wschodu.

Podział dzisiejszych ziem rumuńskich na trzy najważniejsze części – Transylwanię (Siedmiogród), Mołdawię i Wołoszczyznę (IX–X w.), zadecydował o wyraźnym zróżnicowaniu budownictwa na tych obszarach. W Siedmiogrodzie, w następstwie kolonizacji węgierskiej i niemieckiej, architektura miast znalazła się w kręgu wpływów środkowoeuropejskich, najpierw stylów romańskiego i gotyckiego (katedry w Alba Iulia i Klużu, tzw. Czarny Kościół w Braszowie), później renesansowego (zamek w Hunedoarze), a następnie barokowego (pałac Brukenthala w Sybinie). Wznoszono też kościoły obronne (XIV–XVII w.) oraz drewniane cerkwie w siedmiogrodzkich wioskach (XVII–XVIII w.).

W Księstwie Wołoskim rozwijała się głównie architektura religijna, na którą silnie oddziaływała sztuka bizantyńska, ruska i bułgarska (cerkiew św. Mikołaja w Curtea de Argeş). W kolejnych okresach zaznaczały się również wpływy stylów gotyckiego, renesansowego i barokowego. W zdobnictwie architektonicznym pojawiły się motywy orientalne. Architektura cerkwi miała charakter wybitnie dekoracyjny, we wnętrzach ważną rolę odgrywały malowidła ścienne i wyposażenie snycerskie (piękne ikonostasy). W I połowie XVI w. powstała m.in. cerkiew metropolitalna w Curtea de Argeş. Według legendy budowniczy świątyni, Mistrz Manole, zamurował w niej żywcem żonę. Wielki wpływ na rozwój poźniejszej architektury miał mecenas sztuki, hospodar Konstantyn Brâncoveanu. Jego dzieła to melanż elementów rodzimych z szaleństwami renesansu i baroku oraz przepychem Orientu. Najlepszymi przykładami tzw. stylu brynkowiańskiego są: cerkiew w Hurezu oraz pałac w Mogoşoaia.

Rozkwit architektury w Księstwie Mołdawskim przypadł na okres od II połowy XV w. do końca XVI stulecia. Jej najważniejszymi ośrodkami były Bukowina i rejon Jass. Wzniesiono wówczas wiele obronnych klasztorów z charakterystycznymi cerkwiami, których ściany od wewnątrz i z zewnątrz pokrywano wielobarwnymi malowidłami. Prawie każdą ze świątyń wyróżnia inny dominujący we freskach kolor, stąd w terminologii sztuk plastycznych znalazły się takie określenia, jak błękit z Voroneţ czy czerwień z Arbore. Freski te są wzorowane na malowidłach w klasztorach na górze Athos, ale w poszczególnych scenach można dostrzec wiele szczegółów związanych z mołdawską tradycją i ówczesnymi wydarzeniami politycznymi. Zabytkiem, który na długo pozostaje w pamięci każdego zwiedzającego, jest cerkiew Trzech Hierarchów w Jassach, ze słynnymi rzeźbionymi elewacjami.

W niepodległej Rumunii stopniowo ujednolicano budownictwo. Nowe gmachy budowano w stylach historycznych – klasycystycznym, neobarokowym i neogotyckim. W Bukareszcie wzniesiono wówczas Pałac Sprawiedliwości, Ateneum Rumuńskie, budynki Ministerstwa Rolnictwa i Wydziału Medycyny, Pałac Poczty i Uniwersytet Bukareszteński, a w Jassach – Pałac Kultury. Z tego okresu pochodzi większość zachowanych rumuńskich synagog, które zgodnie z modą europejską budowano w stylu neogotyckim z elementami mauretańskimi.

W latach międzywojennych architekci rumuńscy nawiązywali przede wszystkim do secesji węgierskiej i wiedeńskiej (budowle w Oradei i Târgu Mureş). Zaczęli też stosować żelbet. Charakterystyczne dla budownictwa miejskiego w czasach komunistycznych było zasłanianie świątyń (wszystkich obrządków) gmachami użyteczności publicznej. Ten zabieg miał na celu ukrycie miejsc kultu i stworzenie wra-

żenia, że Rumunia jest krajem bez kościołów. Działania te w wielu przypadkach okazały się skuteczne – często bardzo trudno znaleźć zabytkową cerkiew czy kościół w dużym mieście. Trzeba przyznać, że budowle wznoszone w Rumunii w okresie komunizmu wyglądają korzystniej niż te, które powstawały w innych krajach socjalistycznych. Nawet bloki z wielkiej płyty mają nierzadko swój niepowtarzalny charakter. Architekci rumuńscy starali się przemycić w swoich projektach elementy rodzimej sztuki, tworząc swoisty styl narodowy nawiązujący w dużej mierze do sztuki brynkowiańskiej. Najlepszym tego przykładem jest architektura kompleksu mieszkalno-handlowego w centrum Suczawy. Obecnie w Rumunii panuje niepodzielnie kult nowoczesności – wielkie szklane gmaszyska widać w prawie każdym mieście, szkoda tylko, że czasami zupełnie nie pasują do starszej zabudowy.

Literatura Najstarsze zabytki literatury rumuńskiej, wykształconej pod wpływem kultury bizantyńskiej, były pisane w języku staro-cerkiewno-słowiańskim. Ten język liturgii rozwijał się następnie jako literacki język słowiański. Teksty w języku rumuńskim pojawiły się dopiero w czasach reformacji (od XV w.), a na dobre język ten wszedł do literatury w XVII w. W języku słowiańskim powstawały oprócz pism religijnych bardzo popularne zapisy przekazów sądowych oraz legend i opowieści, przybierające formę liryki ludowej. Określiło to na długie wieki kierunek zainteresowań twórców literatury rumuńskiej, w której poczesne miejsce zajmowała właśnie kultura wsi, co wyraźnie widać w literaturze XIX i początku XX w. Wśród pieśni ludowych szczególnie ważną rolę odgrywały ballady (*cântece bătrâneşti*, czyli starodawne pieśni). Opiewano w nich walki z Węgrami, Turkami i Tatarami, a także dokonania panujących, np. Stefana III Wielkiego czy Michała Walecznego. Najsłynniejszą balladą średniowieczną jest *Mioriţa* (Jagnię). Poemat ten, zawierający zarówno elementy epickie, jak i liryczne, opowiada o tragicznym losie mołdawskiego pasterza, który padł ofiarą ludzkiej zawiści.

Z ciekawszych dzieł średniowiecznych i nowożytnych, obok wielu powstałych wówczas kronik (np. słynna kronika z lat 1504–1552 autorstwa Makarego, biskupa z Roman), należy wymienić *Opowieść o wojewodzie Diable* (1486) – jedyne źródło zawierające zdecydowanie pozytywną charakterystykę krwawego księcia Włada Diabła (Draculi). Pierwszą kronikę w języku rumuńskim napisał w 1597 r. duchowny Teodozjusz Rudeanu; dzieło to nie zachowało się do naszych czasów. Początkowo język rumuński dominował wśród warstw mniej zamożnych. Propagowali go miejscy i wiejscy bakałarze, drobna szlachta i mieszczaństwo, a więc ci, którzy nie znali języka słowiańskiego lub coraz bardziej popularnej (od czasów Michała Walecznego) łaciny. W końcu jednak język nizin społecznych przyjął się i zaczął być obecny nawet w cerkwiach. Od XVI w. zaczęły pojawiać się oprócz drukowanych tekstów kościelnych także książki przeznaczone dla drobnej szlachty i mieszczaństwa – apokryfy, legendy i przypowieści naśladujące wielkie dzieła historyczne, a wszystko to było przekładane przeważnie z greckiego, łaciny i słowiańskiego. Zaczęto tłumaczyć też ważniejsze rękopisy staro-cerkiewno-słowiańskie oraz dzieła prawnicze. Słynna była, zajmująca się taką działalnością, drukarnia diakona Coresi w Târgoviște, później przeniesiona do Braszowa. Coresi wydał w 1581 r. pierwszą *Ewangelię* w języku rumuńskim po to, „aby było łatwiej czytać i rozumieć ludziom prostym", jak pisał uczony diakon we wstępie do tej księgi. W druku język słowiański zaczął być wypierany przez rumuński od połowy XVII w.; w Mołdawii i na Wołoszczyźnie wydano w tym czasie 53 książki rumuńskie, a słowiańskich tylko 11. Najwięcej publikowano ksiąg kościelnych: tłumaczeń Ewangelii, żywotów świętych i innych pism religijnych.

Przełom w literaturze rumuńskiej nastąpił w XIX w. i zbiegł się w czasie z reformą alfabetu (1864). Teksty pisane dotąd cyrylicą zastąpiono znakami łacińskimi. O ile w I połowie XIX stulecia pisarze ukazywali bolączki życia codziennego i przejmowali się problemami społecznymi, o tyle w II połowie tego wieku w literaturze zaczęły dominować wątki bardziej osobiste. Wybitnym przedstawicielem literatury rumuńskiej ukazującej życie narodu był romantyk Vasile Alecsandri (1819–1890), autor licznych poezji, dramatów i opowiadań, a przy tym gorący zwolennik zjednoczenia ziem rumuńskich, który odegrał niemałą rolę polityczną w tym procesie. Jego poprzednikami byli pisarze z tzw. szkoły siedmiogrodzkiej (*școala ardeleană*), prężnie działającej na przełomie XVIII i XIX w., która dowodziła łacińskiego pochodzenia Rumunów. Wokół tej szkoły skupili się greckokatoliccy autorzy wybitnych dzieł z zakresu językoznawstwa i historii, m.in.

Gheorghe Șincai (1754–1816), Samuel Micu (1745–1806) i Petru Maior.

Założone w 1863 r. w Jassach towarzystwo literackie Junimea (Młodość), na którego czele stał Titu Maiorescu, zrzeszało twórców niezaangażowanych politycznie, ale dzięki temu konserwatywnemu środowisku odkryto talent największego poety rumuńskiego Mihaia Eminescu (zob. s. 198). Oprócz niego wspaniałe dzieła tworzyli Ion Creangă (1837–1889), wywodzący się z chłopskiej rodziny autor świetnych wspomnień z mołdawskiej wsi, oraz Mihail Sadoveanu (1880–1961), który również zajmował się tematyką ludową, a oprócz tego napisał wiele powieści historycznych.

Sadoveanu także w okresie przedwojennym nadal tworzył dzieła poświęcone przeszłości i życiu rumuńskiego (głównie mołdawskiego) chłopstwa. Inny wybitny twórca – Liviu Rebreanu (1885–1944), opisywał w swych doskonałych powieściach psychologiczno-obyczajowych życie siedmiogrodzkich chłopów. Wybitnym nowelistą okresu międzywojennego był Cezar Petrescu (1892–1961), autor m.in. powieści *Zmrok*, uważany przez niektórych krytyków literatury za rumuńskiego Balzaka. Spośród Rumunów tworzących pod koniec I wojny światowej za granicą światowy rozgłos zyskał Tristan Tzara (1896–1963) – poeta, główny inicjator i czołowy teoretyk dadaizmu, a następnie współtwórca surrealizmu.

Przejęcie władzy przez komunistów odbiło się negatywnie na rumuńskiej literaturze. Cenzura ograniczała swobodę wypowiedzi artystycznej wybitnych i utalentowanych jednostek, dlatego pisarze albo musieli emigrować, albo podporządkować się realizmowi socjalistycznemu, który panował w sztuce rumuńskiej aż do upadku reżimu. Stąd też najwybitniejsze dzieła powstawały za granicą. Spośród rumuńskich emigrantów światową sławę zdobyli: Mircea Eliade (1907–1986) – religioznawca, filozof kultury, a przy tym świetny pisarz, autor takich fundamentalnych dzieł, jak *Traktat o historii religii* czy *Historia idei i wierzeń religijnych*, Eugène Ionesco (1912–1994) – dramaturg, jeden z twórców teatru absurdu (*Łysa śpiewaczka, Krzesła*), oraz filozof i eseista Emil Cioran (1911–1995), zwany rumuńskim Schopenhauerem (*Na szczytach rozpaczy, Upadek w czas*). Do Francji wyemigrował również świetny nowelista Paul Goma (ur. 1935). Wsławił się on krytykowaniem stalinowskiego systemu. Zanim wyjechał z kraju, spędził dwa lata w więzieniu, a następne cztery w areszcie domowym. Wielu pisarzy wyemigrowało do Stanów Zjednoczonych i tworzyło w tym kraju. Do najbardziej znanych należy poetka Nina Cassian (ur. 1924) tworząca lirykę refleksyjną i miłosną. Ponieważ jej utwory niewiele miały wspólnego z oficjalnym nurtem socrealizmu, w 1985 r., po przejściach z Securitate, musiała opuścić Rumunię. Oprócz Cassian poczesne miejsce w literaturze rumuńskiej powstającej w Stanach Zjednoczonych zajmuje Andrei Codescru, urodzony w Sybinie w 1946 r. Do Stanów Zjednoczonych wyemigrował w wieku 20 lat, tam tworzy poezję, nowele, jest również dziennikarzem. W 1989 r. wrócił do kraju jako korespondent amerykańskiej telewizji relacjonujący przebieg wydarzeń rewolucyjnych w Rumunii.

Pisarze, którzy pozostali w kraju, też próbowali tworzyć bardziej niezależne dzieła, ale nie kończyło się to dla nich pomyślnie. Poeta i dziennikarz Mircea Dinescu (ur. 1950) zajmował się początkowo liryką w stylu neoromantyzmu, a gdy pojawiły się w niej akcenty buntu przeciwko otaczającej rzeczywistości, Ceauşescu zabronił publikowania jego utworów i osadził go w areszcie domowym. W latach 1990–1994 Dinescu był przewodniczącym Związku Pisarzy Rumuńskich. Oprócz tego poety najbardziej cenionymi twórcami we współczesnej Rumunii są Mircea Cărtărescu, który od entuzjazmu po rewolucji 1989 r. przeszedł do krytykowania rzeczywistości i ganienia Rumunów za bezkrytyczne podporządkowywanie się zachodniej kulturze, oraz Ştefan Doru Daniuş i Marta Petreru, oboje szukający nowych środków wyrazu w poezji.

Muzyka Przez wieki rozwijała się w Rumunii muzyka ludowa i – co ciekawe – największy wpływ na nią miały tradycje tureckie. Pieśni (a wśród nich popularna *doina*), wykonywane przez muzykantów śpiewaków (*lautarów*), są zwykle jednogłosowe, z licznymi melizmatami (melizmat – figura melodyczna w śpiewie, obejmująca kilka do kilkunastu dźwięków, śpiewana na jednej sylabie). Wiele tańców, m.in. wolna *hora* (odpowiednik bałkańskiego *kolo*) i szybka *sârba*, wykonywano przy akompaniamencie kapel (*tarafów*), w skład których wchodziły flety, dudy (*cimpoi*), trombity (*bucium, tulnică*), cymbały, cytry, kobzy, skrzypce i bębenki. Muzyka sakralna (pierwsze zabytki z XV w.), oparta przede wszystkim na wokalu, kształtowała się pod wpływem chorału bizantyńskiego.

Początki muzyki świeckiej są datowane na przełom XVIII i XIX w. W 1834 r. powstało w Bukareszcie towarzystwo filharmoniczne, a w 1864 r. – konserwatorium. Operę założono w 1882 r. W Jassach proces ten przebiegał podobnie: najpierw, w 1835 r., utworzono towarzystwo, a potem, w 1860 r. – konserwatorium. Pierwsi kompozytorzy byli pochodzenia niemieckiego, ale już w II połowie XIX w. zaczęli pisać muzykę miejscowi twórcy, czerpiąc z rodzimego folkloru, który tym samym był przez nich popularyzowany. Spośród nich warto wymienić Cipriana Porumbescu-Gołębiowskiego (1852–1883), którego ojciec był Polakiem, Gabriela Musicescu (1847–1903) czy Iona Vidu (1863–1931). Najwybitniejszą indywidualnością w muzyce rumuńskiej był kompozytor i dyrygent Gheorghe Enescu (1881–1955), uznawany za twórcę stylu rumuńskiego. W jego twórczości, wyrosłej na gruncie neoromantyzmu, ogromną rolę odgrywają elementy muzyki ludowej (opera *Edyp, Rapsodia rumuńska*, symfonie, suity, utwory kameralne i pieśni). Światową sławę zdobył Gheorghe Georgescu (1887–1964), dyrektor i dyrygent filharmonii w Bukareszcie (od 1920 r.), a następnie opery w tym mieście (1922–1926, 1932–1934).

Z konserwatorium bukareszteńskim był związany kompozytor i profesor Paul Constantinescu (1909–1963), twórca opartych na rumuńskim folklorze baletów, rapsodii, symfonii, suit i oper. Jego najważniejszymi dzieła są: *Simpfonia Ploieşteand, Suita rumuńska* oraz *Burzliwa noc*. Żyjący w latach 1917–1950 pianista i kompozytor Dinu Lipatti jest zaliczany do najwybitniejszych artystów XX stulecia. Sławę przyniosło mu zwycięstwo w konkursie kompozytorów w Wiedniu w 1933 r. W czasie II wojny światowej wyemigrował do Szwajcarii i w 1944 r. został profesorem konserwatorium w Genewie. Skomponował wiele utworów fortepianowych i symfonii. Światową sławę zyskał również Vladimir Cosma, urodzony w Bukareszcie w 1940 r., w rodzinie o silnych tradycjach muzycznych. W 1963 r. wyjechał do Paryża i tam skończył Conservatoire National de Paris. Oprócz muzyki klasycznej komponuje również utwory jazzowe i muzykę rozrywkową.

Do najbardziej znanych współczesnych rumuńskich muzyków należą Gheorghe Zamfir (ur. 1941) i Mihaela Ursuleasa (ur. 1988). Zamfir jest wirtuozem prastarego instrumentu – fletni Pana. Po ukończeniu bukareszteńskiego konserwatorium przez wiele lat był dyrygentem największego ru-

A — Czarodziejska fletnia Pana Zamfira

Kiedy Zamfir gra na **fletni Pana**, instrument zdaje się być zaczarowany. Wirtuozostwo tego artysty jest wynikiem niezwykłego muzycznego talentu, niewiarygodnej techniki i koncentracji.

Na fletniach Pana grano już przed 6 tys. lat. Były (i są) obecne w kulturach Europy, Azji, Ameryki Południowej i Japonii. Zamfir przejął tradycyjny, wręcz prymitywny zestaw piszczałek i przekształcił go w wyrafinowany instrument solowy zdolny zaprezentować obszerny repertuar od utworów barokowych do popularnych tematów muzyki rozrywkowej.

Zamfir własnoręcznie wykonuje dla siebie fletnie Pana, wykorzystując najlepsze gatunki japońskiego i chińskiego bambusa. Dzięki dodaniu 10 piszczałek do tradycyjnego zestawu 20, zwiększył zakres brzmienia instrumentu do 29 dźwięków, osiągając nieprawdopodobne wręcz możliwości. Oszałamiająca światowa kariera Zamfira zaczęła się na dobre przed 30 laty, kiedy to w 1971 r. w samym tylko Paryżu zagrał 45 koncertów, by potem pojawiać się we wszystkich najbardziej prestiżowych salach koncertowych na obu półkulach, nieodmiennie wzbudzając zachwyty publiczności. Kilkakrotnie koncertował również w Polsce. Największym jednak wyznacznikiem światowej sławy i popularności Zamfira są jego nagrania. Artysta wydał kilkadziesiąt płyt, z których większość zdobyła laury platynowych i złotych krążków, sprzedając się w milionach egzemplarzy na całym świecie. Zamfir jest również twórcą muzyki filmowej, m.in. do słynnego filmu Petera Weira *Piknik pod Wiszącą Skałą*.

Władysław Z. Mirota, Konsul Honorowy Rumunii

---

muńskiego zespołu folklorystycznego Ciocîrlia (Skowronek). W 1970 r. poświęcił się całkowicie grze na fletni Pana. Urodzona w Braszowie Mihaela Ursuleasa już jako małe dziecko przejawiła niezwykły talent do gry na fortepianie (w wieku ośmiu lat zagrała pierwszy koncert publiczny). Studia w wiedeńskiej Hochschule für Musik łączyła z występami, odnosząc wiele spektakularnych sukcesów na festiwalach międzynarodowych.

Płyty kompaktowe rumuńskiej sceny współczesnej mogą być miłą pamiątką z urlopu. Warto polecić kilka sprawdzonych kapel, wśród których wyróżnia się jakością matuzalem rumuńskiego rocka, zespół „Phoenix". Pochodzący z Timiszoary artyści przerobili na piątkę wszystkie trendy panujące przez ostatnich trzydzieści lat w muzyce. Zaczynając od bitelsowskich brzmień albumu *Vremuri*, poprzez nawiązujące do ludowych tematów płyty *Mugur de fluier* i *Cantafabule*, aż do miłego dla ucha, klasycznego rocka na ostatnich krążkach. W dyskotekach króluje zespół „Holograf", którego wokalista Dan Bittman jest również sympatycznym prezenterem telewizyjnym. Osobnym rozdziałem jest muzyka etno. Można tu znaleźć masę wykonawców tworzących swoiste disco polo (zbliżone jednak pod względem rytmicznym do bałkańskiego turbo-folku), których można usłyszeć w autobusach, na wiejskich zabawach i w porządnych restauracjach. Warto także polecić szlagiery Marii Tănase oraz współczesnych wykonawców: Tudora Gheorghe i Grigore Lese. Ogromną popu-

larnością cieszy się ostatnio muzyka z Republiki Mołdawii – zespół „O-zone" zna już niemal każdy polski nastolatek. Bardziej ambitna jest formacja „Zdobşi Zdub", która wspaniale łączy muzykę etno z współczesnymi brzmieniami, dając też niezwykle żywiołowe koncerty. Warto również wspomnieć o młodym mołdawskim bardzie, Pavle Stratanie, śpiewającym na melodię rosyjskich ballad rumuńskie teksty ze wspaniałym mołdawskim akcentem, przypominającym lwowski bałak.

Teatr Początki teatru rumuńskiego sięgają pierwszej połowy XIX w. Wcześniej zapotrzebowanie na tego rodzaju sztukę zaspokajały zespoły z zagranicy, szczególnie z Włoch. Hospodarowie fanarioccy preferowali również teatr grecki, który miał jeden z lepszych repertuarów w ówczesnej Europie. Wystawiano przełożone na język rumuński sztuki francuskie, włoskie i niemieckie, dzięki czemu wykształcone sfery Bukaresztu zapoznawały się z dziełami takich wybitnych twórców, jak Voltaire czy Schiller. W latach 1815–1840 zaczął kształtować się teatr rumuński, początkowo amatorski, szkolny. Z czasem powstał teatr narodowy, najwcześniej i najsprawniej działający w Jassach. Najwybitniejszym autorem rumuńskich sztuk wystawianych w tym mieście był Vasile Alecsandri (1821–1890), cieszący się dużym uznaniem pisarz romantyczny. W Jassach działał też Matei Millo (1814–1896) – najsławniejszy ówczesny reżyser i aktor rumuński. Na terenie Siedmiogrodu funkcjonowały popularne teatry niemieckie. Oprócz nich zaczęły tworzyć się amatorskie ludowe sceny rumuńskie oraz teatry szkolne (teatr taki założono najpierw w Blaju, a potem w Braszowie).

Od II połowy XIX w. teatr rumuński zaczął się szybko rozwijać, oddziałując na coraz szersze rzesze społeczeństwa. Powstawały zespoły prowincjonalne, a w Bukareszcie założono Teatr Wielki (Teatrul cel Mare, 1852), nazwany niedługo potem Teatrem Narodowym (Teatrul Naţional). Do najwybitniejszych aktorów w tamtym okresie należeli: C. Caragiale, M.Pascaly i nadal aktywny Millo. Dwaj ostatni byli też twórcami szkół aktorskich – pierwszy romantycznej, a drugi realistycznej. Millo, zajmujący się również pisarstwem, stworzył wiele komedii satyrycznych i kilka dramatów. Wielką rolę w rozwoju teatru rumuńskiego odegrał Ion Caragiale (1852–1912) – dramaturg i teoretyk sztuki teatralnej, a także dyrektor Teatru Narodowego. Świetnym aktorem, reżyserem i jednocześnie pedagogiem w szkołach teatralnych był Konstantyn Notarra (1859–1935). W okresie międzywojennym najlepsze dramaty tworzył Wiktor Eftimiu (1889–1972) – autor kilkudziesięciu sztuk teatralnych, poeta i powieściopisarz. Z wybitniejszych aktorów tamtego okresu należy wymienić M. Venturę, E. Popescu (obie, uznane odtwórczynie ról teatralnych, występowały w Paryżu), a także J. Manolescu i C. Antoniu.

Po II wojnie światowej nastąpił szybki rozwój teatru rumuńskiego. W latach 70. i 80. odgrywał dużą rolę w życiu politycznym i społecznym Rumunii. Najważniejszymi scenami były i nadal są teatry w Bukareszcie, Jassach, Braszowie, Timişoarze, Krajowej i Târgu Mureş. Co roku odbywają się festiwale teatralne w większych miastach oraz gala młodych aktorów w nadmorskiej miejscowości Costineşti. W wielu miastach działają również teatry prowadzone przez mniejszości narodowe, m.in. w Bukareszcie teatr żydowski, założony w 1876 r. Do wybitniejszych aktorów w powojennej Rumunii należeli: R. Beligan, C. Berthol i G. Constantin. Spośród reżyserów największą sławę zdobyli S. Alexandrescu i V. Mugur.

Film Pierwszy krótkometrażowy film o charakterze kronikarsko-dokumentalnym zrealizowano w Rumunii w 1897 r., a pierwsza produkcja fabularna pochodzi z 1912 r. Do II wojny światowej nakręcono ich kilkadziesiąt, były to jednak filmy raczej słabe i nie miały większego znaczenia dla kultury rumuńskiej.

W 1948 r. przeprowadzono nacjonalizację przemysłu filmowego. W 1952 r. zaczęła działać wytwórnia w Buftea pod Bukaresztem. Zapoczątkowało to rozwój filmu rumuńskiego, choć powstające dzieła nie budziły zainteresowania zagranicznych widzów. W tym okresie reżyserzy kręcili filmy dotyczące głównie problematyki proletariackiej (P. Calinescu, D. Negreanu) i wojennej (V. Iliu). Tworzono również adaptacje klasyki scenicznej, filmy historyczne i komedie (J. Georgescu). Najbardziej utalentowanymi reżyserami okazali się L.Ciulei, I. Popescu-Gopo (także twórca wybitnych filmów animowanych), F. Monteanu oraz M. Dragan i L. Bratu. W latach 60. zaczęły powstawać filmy przygodowe i historyczno-kostiumowe (M. Iacob, S. Nicolaescu, D. Cocea). Przychylne głosy krytyki zdobyły dramaty L. Pintilie. Największe uznanie międzynarodowe zyskała ostatnio Maia Morgenstern – niezwykle sugestywna odtwórczyni roli Matki Bożej w Pasji Mela Gibsona.

Rumuński akcent w *Pasji* Mela Gibsona

Maia Morgenstern jest wybitną rumuńską aktorką, absolwentką Akademii Teatralnej i Filmowej w Bukareszcie. Od wielu lat współpracuje z bukareszteńskim Narodowym Teatrem Żydowskim i rumuńskim Teatrem Narodowym. Zagrała w około 30 filmach. Za rolę Neli, córki pułkownika rumuńskiej Securitate, w filmie Luciana Pintilie *Balanta* otrzymała w 1993 r. Felixa dla najlepszej europejskiej aktorki. W *Siódmym pokoju* Marty Meszaros artystka wcieliła się w rolę karmelitanki żydowskiego pochodzenia zamordowanej przez hitlerowców, błogosławionej Edyty Stein.

W ostatnim czasie zasłynęła niezwykle sugestywną rolą Matki Bożej w *Pasji* Mela Gibsona. Oto co powiedziała o tej roli: „Próbowałam pokazać matkę, która traci swoje dziecko, rozpacza, przeżywa straszliwe chwile. Najważniejsze było przekształcenie rozpaczy, bólu, wielu sprzecznych uczuć, które ją przepełniały, w coś więcej: przebaczenie, dobroć i miłość".

Fragment wywiadu dla „Tygodnika Powszechnego" (11/2004)

KUCHNIA

Kuchnia rumuńska zbliżona jest do śródziemnomorskiej, ale pozostaje pod silnym wpływem tureckim, o czym świadczą nazwy niektórych potraw, choćby *ciorby* (tur. *çorba*). Zasiadając do posiłku, wypada powiedzieć *pofta bună* (smacznego), a wznosząc toast *noroc* (na zdrowie).

Rumuńskie **śniadanie** niewiele się różni od polskiego – jada się sery, wędliny, jajka, parówki, miód, dżem, a popija mlekiem, kakao lub kawą. Jedynym egzotycznym elementem jest pyszny solony jogurt pochodzący z Turcji.

Obiad zaczyna się od **przystawek**, na które składają się paszteciki z cebulą, kapustą, dynią i owczym serem (bryndzą), jaja faszerowane oraz sałatki z prażonego bakłażana (*salata de vânăte*), ogórków, pomidorów, papryki itp. Pierwszym daniem jest **zupa** (*ciorba*), kulinarna pamiątka po tureckim panowaniu. W mięsno-warzywnym wywarze oprócz posiekanych warzyw pływają kawałki mięsa lub ryby. W osobnej miseczce podaje się kwaśną śmietanę. Można też zamówić *ciorbę* z ryżem lub makaronem, a nawet lanymi kluskami. Na honorowym miejscu w restauracyjnym menu figuruje z reguły *ciorba de burtă* (ro-

Mamałyga i *ciorba* – klasyka rumuńskiej kuchni

Mamałyga
Składniki: 2 szklanki kaszy kukurydzianej, 4 l osolonej wody
Do garnka z wrzącą wodą powoli wsypywać kaszę, ciągle mieszając. Gotować około pół godziny, aż zrobi się bardzo gęsta. Przełożyć kaszę z garnka na zwilżoną stolnicę i uformować prostokąt. Pokroić w plastry, a jeśli mamałyga przykleja się do noża, użyć naprężonej nici. Mamałygę podaje się do wszystkich potraw mięsnych, w zależności od okoliczności z topionym masłem, startym żółtym serem, śmietaną, ziołami, posiekaną cebulą, smażonymi grzybami w śmietanie, smażonym boczkiem oraz gotowanymi lub sadzonymi jajkami.

Ciorba de burta
Niezwykle delikatne flaczki są świadectwem kilkusetletniej tureckiej okupacji. Potrawa o orientalnym rodowodzie jest dziś w żelaznym menu każdej szanującej się knajpy.
Składniki: 500 g oczyszczonych flaczków wołowych lub (najlepiej) cielęcych, 3 l rosołu wołowego (może być z kostki), główka czosnku, 100 ml śmietany, żółtko, 50 ml octu winnego, 1 cebula, pietruszka i marchew, lubczyk, sól i pieprz. Istotna uwaga: lepiej nie używać przyprawionych już flaczków gotowanych, gdyż zawierają majeranek, który psuje smak prawdziwej *ciorby*!
Flaczki gotować godzinę na wolnym ogniu w rosole razem z drobno posiekaną cebulą, marchewką i pietruszką. Dodać ocet i przygotowaną wcześniej mieszankę: wyciśnięty czosnek, łyżkę soli, żółtko, śmietanę rozpuszczoną w odrobinie ostudzonego wywaru. Przyprawić pieprzem i solą, a na koniec posypać lubczykiem. Podawać z sosem *mujdei*, ostrą papryką, śmietaną i octem.

Mititei
Kolejny bałkańsko-turecki klasyk rumuńskiej gastronomii.
Składniki: 1 kg mieszanki mielonych mięs: $1/2$ cielęcego karczku, $1/4$ wieprzowego karczku i $1/4$ szynki jagnięcej (niestety trudno dostępna, ale jej brak nie zagraża smakowi potrawy), 2 łyżeczki soli, mała główka czosnku, 2 łyżeczki słodkiej śmietany, mielone przyprawy: pieprz, cząber, ostra papryka, ziele angielskie, rozmaryn i kminek, szklanka białego wina lub rosołu wołowego.
Mięso wymieszać z solą, zgniecionym czosnkiem, śmietaną i przyprawami. Do tak przygotowanej masy dolać wino lub rosół, ponownie wymieszać i odstawić na parę godzin do lodówki. Mokrymi dłońmi uformować mięso w długie kotleciki (8 cm) grubości kciuka. Smażyć na żarze grilla, uważając, by się nie zapaliły (wtedy polewać piwem – da to mięsu lepszy smak). Można smażyć także na patelni bez tłuszczu, ale smak będzie nieco gorszy. Podawać z musztardą, sosem *mujdei* lub ostrą papryką namoczoną w occie winnym. *Mititei* popija się piwem i przegryza białym chlebem. Potrawę można znaleźć w każdej rumuńskiej restauracji, a zamawia się ją na sztuki.

Mujdei de usturoi
Mocny sos czosnkowy jest dodatkiem do wielu potraw tradycyjnej kuchni rumuńskiej, zwłaszcza tych wymienionych wyżej. Obowiązkowo podaje się go do ryb.
Oczyszczone ząbki czosnku zetrzeć wraz z solą w moździerzu na drobną papkę. Do tak otrzymanej pasty dodać odrobinę wody.

Jak powstaje ser

Wyrób sera to dość skomplikowany proces, w którym wszystko dzieje się zgodnie z tradycją kultywowaną wśród rumuńskich górali od stuleci. W polskich Karpatach pasterze stosują bardzo podobną (jeśli nie identyczną) technikę – o wpływie kultury rumuńskich *ciobanów* na ich polskich odpowiedników świadczy fakt, że wiele słów używanych przez naszych górali (np. redyk czy bryndza) wywodzi się z języka rumuńskiego.

Najpierw owcze mleko przelewa się z *gielat*, czyli drewnianych kubków o pojemności około pół litra do dużego naczynia klepkowego, zwanego *budaca*. Rolę sita oczyszczającego mleko pełni zwyczajna pielucha lub lniana chusta – *strecatoar*, którą kładzie się na drucianej siatce (*harzo*). Zwyczajowo do cedzenia dodaje się również kilka gałązek jodłowych. Po przelaniu mleka jeden z pasterzy dodaje do niego niewielką ilość podpuszczki (*kliag*). Jest nią zazwyczaj zasolony, wysuszony i rozpuszczony z wodą kawałek żołądka jagnięcia. Jako podpuszczkę pasterze stosują też suszone kiszki z cielaka, nazywane *rânza* lub specjalną mieszankę suchych cielęcych kiszek, wody, mleka owczego i soli (*ciac*).

Roztwór podpuszczki wlewa się drewnianą łyżką *linguroj* do *budaca*. Gdy mleko się zetnie, baca rozbija grudy ręką lub płasko zakończonym kijem. Następnie, pochylając się nad beczką, zbiera rękoma zawiesinę, co trwa około pół godziny i powoli uzyskuje grudę sera. W naczyniu pozostaje serwatka zwana *dzer* (*zâr*). Ser zawija się w gazę lub lnianą chustę i wykręca nad beczką (*budacicâ*), celem odciśnięcia jak największej ilości serwatki. Następnie baca przelewa serwatkę do dużego miedzianego lub żeliwnego naczynia zwanego *kazan de urdit* bądź *câldâre*. Po krótkim czasie, kiedy ser już odcieknie, zawiesza się grudę na *kuiâr*, czyli hakach, gdzie suszy się około doby. Po wyjęciu z chusty uformowany ser układa się na *komarniku* wśród innych serów. Ser uzyskany tą metodą – droższy i smaczniejszy – nosi nazwę *brinza* lub *caş dulce*, czyli ser słodki. Płyn pozostały po przelaniu do *kazan de urdit* nosi od tego momentu nazwę *jintuiţ*. Kocioł zawiesza się nad ogniskiem na specjalnej metalowej lub drewnianej konstrukcji zwanej *vârtej*. Serwatkę miesza się kijem i podgrzewa do momentu ponownego pojawienia się ściętych grudek. Powstała w ten sposób zawiesina nosi nazwę żętycy (*jintiţa*) i wraz z twarogiem jest pożywieniem mieszkańców *styny* – pasterskiego szałasu. Nalewa się ją do drewnianych *cupa* i zjada jeszcze ciepłą, pijąc lub jedząc jak zupę. Powstałe po ścięciu grudki sera zbiera się następnie dużą drewnianą łyżką i układa na płótnie, wieszając nad *budacicâ*, po czym wyciska, uzyskując *dzyr*. Ser powstały po wyciśnięciu serwatki to *urda*. Jego barwa jest zazwyczaj jaśniejsza od bryndzy, a konsystencja bardziej sypka. Odciekanie *urdy* trwa jedną dobę. Uznawana jest za mniej smaczną i dlatego też tańsza.

Marcin Wiktorski

dzaj delikatnych flaczków), drugie miejsce zajmuje *ciorba de perişoare* z małymi pulpetami mięsnymi, przeważnie z wieprzowiny. Równie popularna jest *ciorba de vacuţă* z kawałkami cielęciny. **Drugie danie** to główne potrawy mięsne, zwykle przyrządzane na ruszcie (*grătar*), choć zdarza ją się też smażone i gotowane. Dobrze u nas znane gołąbki z mięsem i ryżem (*sarmale*), są nieco mniejsze i, co ciekawe, często zawijane w liście winogron (danie to również wywodzi się z Turcji). Jako dodatki do mięs jada się ziemniaki, najczęściej smażone na patelni, purée albo frytki. Można też zamówić ryż lub makaron oraz sławetną mamałygę (*mămăliga*) – papkę z kaszy kukurydzianej (*mălai*) jadaną na ciepło z mlekiem, śmietaną, jajami i serem, na słodko lub słono.

Nieodłącznym towarzyszem rumuńskiego obiadu jest chleb, przeważnie biały, niekiedy smarowany pasztetem z gęsi. Po zakończonej biesiadzie można sobie zaserwować przekąskę w postaci podłużnych, mocno przyprawionych czosnkiem mielonych kotlecików z wołowiny, zwanych *mititei* (odpowiednik tureckiej *kofty* lub bałkańskich *cevapi*), przyrządzanych na ruszcie. Przysmak ten kupuje się też na sztuki przy ulicznych grillach. Duży wpływ włoskiej kuchni przejawia się w popularnych w Rumunii daniach z makaronu, wśród których króluje klasyczne spaghetti. Amatorzy pizzy nie będą mieli powodów do narzekań – pikantne placki serwują nie tylko niezliczone pizzerie, ale również niemal wszystkie restauracje.

Na **deser** jada się lody i przeróżne ciasta. Zwieńczeniem posiłku bywają też omlety (*omletă*) lub naleśniki (*clătite*) z marmoladą, serem owczym lub serwatką, pączki (*gogoşi*), ryż na mleku, a wreszcie typowa turecka *baklava*, czyli ciasto francuskie lub strudlowe przekładane migdałami oraz orzechami i polewane gęstym cukrowym syropem, popularne zwłaszcza w południowej Rumunii.

Można skosztować słynnej *cujki* (*ţuica*, *palinca*), czyli niskoprocentowej (około 30%) śliwowicy. Będąc w gościnie, możemy zostać poczęstowani *pelinem*, czyli domowej produkcji piołunówką (absyntem). Z piw warto wyróżnić klużański Ursus (reklamowany jako „król rumuńskich piw"), bardzo dobry Ciuc i doskonałą, banacką Timişoreanę. Rumunia słynie z doskonałych wód mineralnych, z których najlepsze to Borşec i w niczym jej nieustępująca Tuşnad.

Jednak najsłynniejszym rumuńskim napojem jest wino, które wytwarza się tu od niepamiętnych czasów (w średniowieczu sprzedawano je m.in. do Rosji, Polski i Republiki Weneckiej). Obecne produkcja winiarska przekracza rocznie 8 mln hektolitrów (co daje krajowi piąte miejsce w Europie), z czego 11% przeznacza się na eksport. Obszar winnic zajmuje ponad 300 tys. ha. Cały kraj podzielony jest na sześć regionów winiarskich: Banat, Siedmiogród, Mołdawia, Muntenia, Dobrudża i Oltenia. Najsłynniejsze rumuńskie winnice to **Cotnari** (Mołdawia), gdzie wytwarza się doskonałe białe wina deserowe. Najpopularniejszy gatunek to Grasa de Cotnari; dostępna w polskich sklepach. Winnice **Dealu Mare** na południowych zboczach Karpat (na północny wschód od Bukaresztu) są miejscem produkcji treściwej i aksamitnej Valea Călugărească (Dolina Mnichów). Tu też znajdują się winnice **Pietroasa** słynące z wspaniałych win białych: Grasa de Pietroasa i Tămâioasa Românească. Warto wymienić również doskonałe trunki z okolic **Odobeşti** w Subkarpatach Wranczy, gdzie powstaje Galbenă de Odobeşti – ponoć ulubine wino Ceauşescu. Najsłynniejsze (choć nie jedyne) wina Dobrudży pochodzą z winnic **Murfatlar**. Szlachetna pleśń na winogronach nadaje deserowym winom lekko wyczuwalny posmak kwiatu pomarańczy.

Banackie regiony winiarskie **Recaş**, **Teremia** oraz kryszański **Miniş-Măderat** znane są z czerwonej Kadarki. W regionie **Târnave** (Siedmiogród) produkuje się Feteasca (Perła Tyrnawy) i Rieslinga, a także obecne na półkach polskich sklepów wina wytrawne (z winnic **Jidvei**). Na zakończenie warto jeszcze wspomnieć o doskonałych winach musujących z dawnych królewskich piwnic w **Azuga**, które konkurują z francuskimi szampanami.

GOSPODARKA

Rumunia boryka się z dużymi problemami ekonomicznymi już od czasu uzyskania niepodległości w połowie XIX w. Panowanie osmańsko-greckich fanariotów w XVIII stuleciu związane było z rabunkowym eksploatowaniem zasobów Księstwa Mołdawskiego i Wołoskiego. Przemysł w Rumunii zaczął powstawać dopiero w II połowie XIX w. W dwudziestoleciu międzywojennym industrializacja przebiegała wprawdzie bardzo szybko, ale w nowych zakładach przemysłowych znalazło zatrudnienie zaledwie 10% ludzi zdolnych do pracy (70% ludności zajmowało się rolnictwem). Rumunia należała wówczas do krajów przodujących na świecie pod względem wielkości produkcji i eksportu zboża, mimo że metody uprawy były przestarzałe i mało efektywne. Ważnym elementem gospodarki było największe w skali Europy wydobycie ropy naftowej, jednakże większość spółek petrochemicznych znajdowała się w obcych rękach.

Nowa epoka dla gospodarki miała rozpocząć się wraz ze zdobyciem władzy w Rumunii przez komunistów. O ile jednak pierwsi socjalistyczni władcy zabierali się do przekształcania przemysłu opieszale, o tyle Ceauşescu prześcignął samego Stalina i jego sławetne pięciolatki. W latach 70. rumuńskiemu dyktatorowi udało się zmienić proporcje między liczbą mieszkańców miast i wsi: odsetek ludności

Szczepy win

Najsłynniejszy szczep Grasă nadaje winu Cotnari słodycz, a wszelkie zalety trunku ujawniają się po długim leżakowaniu. Z winami wytwarzanymi na bazie Pinot Gris trzeba uważać, bo szybko uderzają do głowy. Wśród odmian czerwonych największą popularnością cieszy się Feteasca neagră, ale te wina należy pić młode. Uznanie zyskują także szczepy Cabernet i Pinot Noir; w hodowli tego ostatniego Rumunia weszła do europejskiej czołówki. Szczep Feteasca albă jest popularny w Banacie i w Siedmiogrodzie, a produkowane z niego wino charakteryzuje się mocnym owocowym smakiem z nutami brzoskwiniowymi i morelowymi.

miejskiej przekroczył 50%. Rumunia uchodziła wtedy za kraj uprzemysłowiony, który osiągnął szybkie tempo wzrostu gospodarczego. I rzeczywiście, fabryki wyrastały jak grzyby po deszczu, ale rozwijano głównie przemysł ciężki i chemiczny (będący pod kontrolą żony dyktatora, Eleny) kosztem przemysłu lekkiego i spożywczego. Na finansowanie wielkich, często nierentownych inwestycji przeznaczano ogromne sumy uzyskiwane z pożyczek zagranicznych. Taka polityka Ceauşescu doprowadziła pod koniec lat 80. i w latach 90. do kryzysu gospodarczego.

Przechodzenie po 1989 r. od gospodarki centralnie sterowanej do wolnorynkowej wiązało się z wieloma problemami ekonomicznymi. W 1992 r. PKB był o 1/4 niższy niż trzy lata wcześniej, produkcja przemysłowa nie osiągnęła nawet połowy wartości z 1989 r., a stopa inflacji wyniosła 300%. Sytuacja zaczęła się poprawiać od 1993 r. Przełomowy okazał się rok 2000, kiedy to władzę w Rumunii objęła lewicowa Rumuńska Partia Demokracji Społecznej (PDSR). Postanowiono wówczas poprawić sytuację ekonomiczną przez rozwój małych i średnich przedsiębiorstw, liczne inwestycje, szczególnie zagraniczne, a także wzrost eksportu i popytu wewnętrznego. Nie wszystkie punkty tego programu udało się zrealizować. Stopa inflacji nadal utrzymuje się na poziomie ponad 30%, na granicy ubóstwa żyje około 40% ludności kraju, przeciętne miesięczne wynagrodzenie netto wynosi tylko 145 $, a bezrobocie sięga około 16%. Największym obecnie źródłem dochodów gospodarki rumuńskiej jest handel zagraniczny, którego podstawę stanowi eksport do krajów Unii Europejskiej (68% całości eksportu).

Najważniejszymi surowcami mineralnymi Rumunii są ropa naftowa, gaz ziemny oraz węgiel (kamienny i brunatny). W dużych ilościach występują rudy żelaza, miedzi, ołowiu i cynku, nie brakuje również złóż srebra i złota. Grunty orne zajmują ponad 40% obszaru kraju, a łąki i pastwiska – 21%. Najmniejszy udział mają winnice i sady (2,4%), ale i tak jest to dużo, bo ich powierzchnia wynosi prawie 5 tys. km^2.

POLITYKA

Jeden z głównych rumuńskich ideologów komunistycznych lat 50., Silviu Brucan, stwierdził w 1990 r., że musi jeszcze upłynąć 20 lat, zanim Rumunia przekształci się w całkowicie demokratyczne państwo. Inni określili Rumunię lat 90. jako kraj między

dyktaturą a demokracją i nazwali powstanie przeciwko reżimowi Ceauşescu niedokończoną rewolucją. Gdy obserwuje się dzisiejszą Rumunię, trudno zdecydowanie odrzucić te opinie. Ich potwierdzeniem są pobieżna i niedokończona prywatyzacja własności państwowej, a także twarde, nie zawsze zgodne z zasadami demokracji, antyreformatorskie rządy sprawowane w latach 1990–1996 przez prezydenta Iona Iliescu, byłego komunistę. Jego następca – Emil Constantinescu, którego zwycięstwo wyborcze nazwano drugim wyzwoleniem, próbował zmienić ten stan rzeczy, ale bez większego powodzenia. W końcu musiał ustąpić, gdy 10 tys. zdesperowanych górników zorganizowało słynny marsz na Bukareszt. Najważniejsze jest jednak to, że Constantinescu rozpoczął erę zmian, z której trudno byłoby już się wycofać. Dlatego Iliescu, wybrany ponownie na prezydenta w 2000 r., wraz z premierem Adrianem Năstase dążyli do dokończenia procesu prywatyzacji i wprowadzenia Rumunii do Unii Europejskiej. W grudniu 2004 r. nowym prezydentem został dawny minister transportu Traian Băsescu. Podczas sprawowania swej teki standard głównych dróg w kraju poprawił się znacząco, zaczęto też wtedy rozmowy o budowie tzw. „czwartego korytarza europejskiego", czyli nowoczesnej autostrady łączącej Europę Zachodnią z Morzem Czarnym. Prezydent uważany jest za człowieka czynu, a jego głównym celem jest przygotowanie Rumunii do wejścia w struktury Unii Europejskiej w 2007 r.

Rumunia jest od 1991 r. republiką parlamentarną. Zgodnie z postanowieniami konstytucji z 1999 r. organem ustawodawczym jest dwuizbowy parlament, składający się z Izby Deputowanych i Senatu. Posłowie są wybierani w wyborach powszechnych na 4-letnią kadencję. Władzę wykonawczą sprawuje rząd, na którego czele stoi wyznaczany przez prezydenta, ale zatwierdzany przez parlament premier. Prezydenta wybiera się również raz na cztery lata w wyborach powszechnych. Głównymi siłami politycznymi w kraju są: **Partia Narodowo-Liberalna** (PNL) i **Partia Demokratyczna** (PD) wspierane przez **Unię Demokratyczną Węgrów w Rumunii** (UDMR). Opozycyjnej lewicy: **Rumuńskiej Partii Demokracji Społecznej** przewodzi były minister spraw zagranicznych Mircea Geoană, zaś nacjonalistycznej **Partii Wielkiej Rumunii** (PRM) – Corneliu Vadim Tudor. Siłą centroprawicową jest **Konwencja Demokratyczna Rumunii** (CDR) na czele z Emilem Constantinescu. Poza tym w Rumunii działa jeszcze **Demokratyczne Forum Niemców** (DFN). Partia Wielkiej Rumunii, która w ostatnich latach zdobyła liczne rzesze zwolenników, czego odzwierciedleniem było duże poparcie w wyborach prezydenckich z 2000 r., głosi hasła nacjonalistyczne, antysemickie i neofaszystowskie. Dąży do ustanowienia samowystarczalnej, tylko prawosławnej i czystej etnicznie Rumunii, rządzonej po dyktatorsku. Poparcie, jakie PRM uzyskała w 2000 r., kiedy to w prawyborach Tudor zdobył 28,3% głosów, tłumaczy się tym, że w Rumunii nie ma dzisiaj ugrupowania, które można by określić jako partię centrum, oprócz, być może, Partii Demokratycznej. Podczas wyborów prezydenckich w 2000 r. Rumuni woleli ponownie wybrać na prezydenta 70-letniego Iliescu głoszącego populistyczne, ale nie faszystowskie hasła, niż Tudora, który chce zakładać getta dla Romów.

SŁOWNICZEK

Czytanie i pobieżne rozumienie języka rumuńskiego nie powinno stanowić większego problemu dla osób obytych z którymś z zachodnich języków romańskich. Oprócz podanych niżej wyjątków rumuńskie słowa wymawia się zgodnie z pisownią.

â	(lub î) wymawia się jak twarde **y**
ă	zbliżone do **e**, wymawia się jak **o** bez zaokrąglenia warg
c	wymawia się jak **k**, a przed samogłoskami **e** oraz **i** jak polskie **cze** lub **ci**
ch	z samogłoskami **e** i **i** wymawia się jak miękkie **ke** lub **ki**
e	na początku wyrazu wymawia się jak **je**
g	w połączeniu z samogłoskami **e** lub **i** wymawia się jak **dże** lub **dzi**
h	po **g** jest nieme, ale zmiękcza **g**
i	na początku wyrazu wymawia się jak **ji**, na końcu jak krótką półsamogłoskę **i**
j	wymawia się jak **ż**
ş	wymawia się jak **sz**
ţ	wymawia się jak **c**

Podstawowe zwroty

Tak/Nie	Da/Nu
Proszę.	Vă rog, poftiţi, poftim.
Dziękuję.	Mulţumesc, merci.
Przepraszam.	Scuzaţi, pardon.
Proszę mi wybaczyć.	Iertaţi mă, vă rog.
Dzień dobry (rano).	Bună dimineaţa.
Dzień dobry (od południa).	Bună ziua.
Dobry wieczór.	Bună seara.
Do widzenia.	La revedere
Dobranoc.	Noapte bună.

Jak masz na imię?	Cum vă numiţi?
Nazywam się...	Numele meu este..., Mă numesc...
Skąd pan/pani jest?	De unde sunteţi?
Jestem z... (Polski).	Sunt din... (Polonia).
Jak leci?	Ce faci?
Co u pana/pani słychać?	Ce faceţi?
Dziękuję, w porządku.	Mulţumesc, foarte bine.
Ile kosztuje mleko?	Cât costă lapte?
Kto?	Cine?
Co?	Ce?
Dlaczego?	De ce?
Chcę/chciałbym...	Vreau/aş dori...
Nie rozumiem rumuńskiego.	Nu înţeleg românește.
Czy mówi pan/pani po angielsku/ niemiecku/ francusku/włosku?	Vorbiţi englezește/ nemţește/ franţuzeste/limba italiana?
Proszę powtórzyć.	Vă rog să repetaţi.
Rozumiem wszystko.	Înţeleg tot.
Słucham?	Poftiţi?
Nie wiem.	Nu ştiu.
Jak się nazywa?	Cum se cheamă?

W drodze

Gdzie, dokąd?	Unde?
Skąd?	De unde?
Gdzie jest...	Unde este...
...dworzec kolejowy/	gara/
...autobusowy?	autogara?
...lotnisko?	aeroportul?
...toaleta?	toaleta?
...hotel Banat?	hotelu Banat?
...restauracja chińska?	restaurantul chinezesc?
...poczta główna?	poşta mare?
...bank?	bancă?
...szpital?	un spital?
...policja?	poliţia?
...kościół/cerkiew?	biserică?
...klasztor?	mănăstirea?
...targ?	târgul/ piaţa?
...warsztat samochodowy?	un atelier de reparaţie/ autoservice?
Jak dojdę do...?	Cum ajung la...?
Czy to daleko stąd?	Este departe de aici?
w prawo	la drapta
w lewo	la stânga
prosto	drept înainte
za, po	după
północ	nord
południe	sud
wschód	est
zachód	vest
mapa	hartă
pociąg	tren
autobus	autobuz
rozkład jazdy pociągów/	mersul trenurilor/

autobusów	*autobuzelor*
przyjazd	*sosire*
odjazd	*plecare*
kasa biletowa	*casa de bilete*
okienko	*ghişeu*
bilet	*bilet…*
…w jedną stronę	*simplu*
…powrotny	*dus-intors*
1. klasa	*clasa întâi*
2. klasa	*clasa a doua*
rezerwacja miejsc	*rezervarea locurilor*
przechowalnia bagaży	*depozitarea bagajelor*
Chcę jechać do…	*Vreau să merg la…*
Jak długo będzie trwała podróż?	*Cât timp durează călătoria?*
samochód	*maşina*
stacja benzynowa	*benzinărie*
benzyna	*benzină*
bezołowiowa	*fără plumb*
olej napędowy	*motorina*
droga	*drum*
Szczęśliwej drogi!	*Drum bun!*

Nocleg

zakwaterowanie	*cazare*
hotel	*hotel*
schronisko	*cabană*
schron górski	*refugiu*
akademik	*cămin studentţesc*
pole namiotowe	*camping*
Ile płaci się za osobę?	*Cât costă de persoană?*
Czy cena obejmuje śniadanie?	*Preţ ul include micul dejun?*
Czy mogę to zobaczyć?	*Pot să văd?*
Gdzie jest tańszy hotel?	*Unde este un hotel mai ieftin?*
Chciałbym/ chciałabym…	*Aş dori…*
…jedynkę.	*o cameră de o persoană/ un pat.*
…dwójkę.	*o cameră dublă.*
łóżko	*pat*
łazienka	*baie*
prysznic	*duş*
umywalka	*chiuvetă*
Czy ciepła woda jest cały dzień?	*Este apă caldă toată ziua?*
namiot	*cort*

Podstawowe produkty spożywcze

chleb	*pâine*
masło	*unt*
miód	*miere*
dżem	*gem/marmeladă*
ser	*brânză*
jajka	*ouă*
mięso	*carne*
kurczak	*pui*
szynka	*şunca*

ryba	*peşte*
warzywa	*legume*
zielenina	*zarzavat*
owoce	*fructe*
ziemniaki	*cartofi*
cukier	*zahăr*
kawa	*cafea*
herbata	*ceai*
woda mineralna	*apă minerală*
mleko	*lapte*
piwo	*bere*
wino	*vin*

Owoce

morele	*caise*
truskawki	*căpşuni*
czereśnie	*cireşe*
cytryna	*lămâi*
jabłka	*mere*
melon	*pepene galben*
arbuz	*pepene verde*
gruszki	*pere*
brzoskwinie	*piersici*
śliwki	*prune*
maliny	*zmeuri*
winogrona	*struguri*

Warzywa

papryka (zielona/chili)	*ardei (gras/iute)*
ziemniaki	*cartofi*
cebula (szczypior)	*ceapă (verde)*
grzyby	*ciuperci*
kalafior	*conopidă*
dynia (cukinia)	*dovleac*
fasola (szparagowa/jasiek)	*fasole (albă grasă/verde)*
sałata	*salată, lăptucă*
groszek zielony	*mazăre verde*
marchew	*morcov*
pomidory	*roşi*
szpinak	*spanac*
czosnek	*usturoi*
kapusta	*varză*
bakłażan	*vînătă*

W restauracji

Smacznego!	*Poftă bună!*
Na zdrowie!	*Noroc!*
menu	*meniu*
śniadanie	*micul dejun*
obiad	*masa de prânz*
kolacja	*cină*
kotlet schabowy	*cotlet de porc*
mięso z rusztu	*grătar*
pieczeń	*friptură*
gołąbki	*sarmale*
sałatka	*salată*
gotowane ziemniaki	*cartofi fierţi*
frytki	*cartofi prăjiţi*
ryż	*orez*

makaron	*macaroane*
paszteciki	*plăcinta*
lody	*înghețată*

Zupy

flaczki (zabielane)	*ciorbă de burtă*
ziemniaczana	*ciorbă de cartofi*
fasolowa	*ciorbă de fasole*
zupa na jagnięcinie	*ciorbă de miel*
zupa ze zrazikami mięsnymi z ryżem	*ciorbă de perişoare*
rybna	*ciorbă de peste*
jarzynowa na mięsie	*ciorbă țăranească*
bulion na mięsie	*supă de carne*
rosół z kury	*supă de găină*
rosół z kluskami	*supă cu galuşti*
pomidorowa	*supă de roşii*

Mięso

wieprzowina	*carne de porc*
wołowina	*carne de vacă*
baranina	*carne de berbec/oaie*
jagnięcina	*carne de miel*
befsztyk	*biftec*
rumsztyk, kotlet mielony	*chiftele*
kotlet panierowany	*şnițel pane*
golonka	*ciolan*
wątroba smażona	*ficat prăjit*
cynaderki	*rinichii*
kurczak	*pui*
kura	*găină*
indyk	*curcan*
kaczka (z kapustą kiszoną)	*rață (pe varză)*
gęś	*gâscă*
giuwecz mięsny, potrawka gulaszowa z mięsa i jarzyn	*ghiveci cu carne*
gulasz z mięsa	*tocană de carne*
pulpety z siekanego mięsa	*mititei*
wędzone żeberka	*costița afumată*
serdelki	*patricieni*
kiełbasa	*cârnați*
szynka	*şuncă*
salami	*salam*

Czas

kiedy?	*când?*
dzisiaj	*astăzi, azi*
dziś wieczorem	*diseară*
jutro	*mâine*
pojutrze	*poimâine*
codziennie	*în fiecare zi*

Dni tygodnia

poniedziałek	*luni*
wtorek	*marți*
środa	*miercuri*
czwartek	*joi*
piątek	*vineri*
sobota	*sâmbătă*
niedziela	*duminică*

Liczby

1	*unu*
2	*doi*
3	*trei*
4	*patru*
5	*cinci*
6	*şase*
7	*şapte*
8	*opt*
9	*nouă*
10	*zece*
11	*unsprezece*
12	*doisprezece*
13	*treisprezece*
14	*paisprezece*
15	*cinsprezece*
16	*şaisprezece*
17	*şaptesprezece*
18	*optsprezece*
19	*nouăsprezece*
20	*douăzeci*
21	*douăzeci şi unu*
22	*douăzeci şi doi*
30	*treizeci*
40	*patruzeci*
50	*cincizeci*
60	*şaizeci*
70	*şaptezeci*
80	*optzeci*
90	*nouăzeci*
100	*o sută*
200	*două sute*
1000	*o mie*
10 000	*zece mii*
1 000 000	*un milion*

Informacje praktyczne

Zainteresowanie Rumunią wśród polskich obieżyświatów wzrasta z roku na rok. To w dużej mierze zasługa szczęśliwców, którzy mieli okazję zawojować ten kraj, a po powrocie zarazić „rumuńskim bakcylem" innych. Gościnni ludzie, ciekawe obyczaje, zabytki (zamki, kościoły, drewniane budownictwo świeckie i sakralne), beztroskie lenistwo w nadmorskich kurortach, bujna przyroda delty Dunaju to zaledwie początek długiej listy atrakcji. Na osobną wzmiankę zasługują rumuńskie góry – aby dobrze je poznać, należałoby spędzić w nich co najmniej dziesięć kolejnych urlopów. Można tu uprawiać turystykę na każdym poziomie – od kilkunastodniowych mozolnych wędrówek po łatwe, jednodniowe wycieczki. Opinia wszystkich, którzy odwiedzili góry Rumunii, jest jednoznaczna – to jedno z ostatnich miejsc w Europie, gdzie człowiek czuje się naprawdę swobodnie, gdzie szlaki nie przypominają ulic zatłoczonych miast, gdzie wciąż spotyka się dzikie zwierzęta, wielkie stada owiec i koni. W dodatku bez obaw można biwakować na dziko. Wakacje w Rumunii to wakacje udane. Wystarczy tylko trochę się do nich przygotować.

PLANOWANIE PODRÓŻY

Kiedy jechać

Turyści zainteresowani wyłącznie kulturą i zabytkami mogą wybrać się do Rumunii właściwie o każdej porze roku. Warto jednak pamiętać, że zimą wysokogórskie drogi bywają zamykane z powodu obfitych opadów śniegu i dotarcie do niektórych miejsc może być utrudnione. Poza tym w zimie nieczynne są niektóre skanseny i jaskinie, a muzea często pracują krócej. Najlepszym okresem na zwiedzanie jest koniec września i październik, kiedy drzewa mienią się wspaniałymi barwami jesieni. W połączeniu z pięknymi zabytkami pobyt w Rumunii o tej porze roku to niezapomniane przeżycie.

Najlepsze warunki dla amatorów górskich wycieczek panują od maja do września, chyba że preferują oni wędrowanie w śniegu. Rumuńskie Karpaty dają wręcz nieograniczone możliwości – nie wszystkie szlaki są wprawdzie oznaczone w terenie, ale mając dobre mapy i umiejętność poruszania się w nieznanym terenie, łatwo sobie z tym poradzić.

Dla turystów lubiących złociste wybrzeże i ciepłe morze najlepsze miesiące na wypoczynek to czerwiec i wrzesień, kiedy plaże są mniej zatłoczone, a ceny często o połowę niższe w porównaniu ze szczytem sezonu.

Sporty zimowe można uprawiać od grudnia do kwietnia. Liczne kurorty i ośrodki zapewniają zadbane trasy narciarskie z wyciągami i kolejkami linowymi. Pomyślano zarówno o początkujących, jak i zaawansowanych miłośnikach nart oraz snowboardu. Amatorzy bardziej wymagającego narciarstwa touringowego znajdą na karpackich grzbietach niezliczone możliwości spędzenia zimowego urlopu na dwóch deskach. Ze względu na niewielką ilość schronisk czynnych zimą trzeba jednak zabrać namiot.

Gdzie jechać

Miejsc, które należy zobaczyć w Rumunii, jest bez liku. Najbardziej interesujące to Transylwania i Bukowina, ale Dobrudża z deltą Dunaju również stanowi nie lada atrakcję. Planując podróż na dwa–trzy tygodnie trzeba odwiedzić przynajmniej niektóre z siedmiogrodzkich miast (Kluż-Napoka, Sybin, Braszów, Sighişoara) oraz chłopskie zamki i warowne kościoły w ich pobliżu. Nie można pominąć malowanych monastyrów Bukowiny, warto też znaleźć czas na wycieczkę do jednej z licznych jaskiń, kąpiel w Morzu Czarnym i zwiedzenie starożytnych ruin w Histrii czy Adamclisi. Bukareszt na pierwszy rzut oka nie jest zbyt dużą atrakcją turystyczną (szczególnie dla tych, którzy nie przepadają za miejskimi molochami), lecz ze względu na piękne położenie, ciekawe zabytki i orientalny urok warto poświęcić mu dzień lub dwa (wraz z okolicami).

Propozycje tras

Tydzień Wystarczy, by zwiedzić Bukowinę (przede wszystkim Suczawę i malowane monastyry). Jeden dzień warto poświęcić na dojazd, zwiedzenie i powrót z Jass. Czasu powinno starczyć na region Maramuresz (m.in. Săpânţę ze słynnym "wesołym cmentarzem"). Kto ma jeszcze w zanadrzu dzień lub dwa, powinien się wybrać do Syhotu Marmaroskiego, Baia Mare i Satu Mare. Zamiast do Săpânţy, z Bukowiny pojechać można przez Bystrzycę do Klużu i stamtąd przez Oradeę wrócić do Polski.

Dwa tygodnie Uda się obejrzeć większość najważniejszych atrakcji, ale trudno będzie dotrzeć do wybrzeża, chyba że zamiast bukowińskich monastyrów wybierze się plaże i starożytne ruiny. Trasa z Bukowiny na południe Tran-

sylwanii prowadzi przez malownicze tereny Szeklerszczyzny do Braszowa (po drodze można zwiedzić warowne kościoły w miejscowościach Prejmer i Hărman), skąd niedaleko do zamku Bran. Dalej, przez Sybin lub Sighişoarę i Mediaş dociera się do Alba Iulia (na trasie chłopskie zamki i warowne kościoły). Warto wybrać się do Hunedoary (najpiękniejszy zamek w Transylwanii) i Devy. W zależności od pozostałego czasu i planowanej trasy powrotu do Polski, zdąży się jeszcze zwiedzić Kluż i Oradeę lub Sighişoarę i Bystrzycę.

Miesiąc i dłużej Przy tak długim pobycie Bukowina to po prostu konieczność, dalej można pojechać przez Jassy i Gałacz do Tulczy, spędzić minimum dwa dni nad deltą Dunaju i ruszyć na południe do Konstancy przez Enisalę (ruiny średniowiecznego zamku, ciekawe muzeum etnograficzne w dobrudzkiej chacie) i Histrię (ruiny antycznego miasta). Z Konstancy przez Bukareszt i Ploeszti dociera się do Braszowa i zwiedza Transylwanię (podobnie jak w wypadku trasy dwutygodniowej). Z Sybina warto zapuścić się dalej na południe, do Curtea de Argeş i Târgovişte, a kto przeznaczył na podróż więcej czasu niż miesiąc, powinien z Devy ruszyć na zachód, do Timişoary i Aradu.

Co zabrać

Najmniej kłopotów będą miały osoby, które zdecydowały się na wycieczkę zorganizowaną i nie muszą martwić się o nocleg. Turyści indywidualni nie potrzebują śpiwora, jeśli chcą nocować wyłącznie w hotelach, ale trzeba wziąć pod uwagę, że w sezonie (lipiec i sierpień) w niektórych ośrodkach turystycznych może zabraknąć miejsc i jedynym wyjściem okaże się pole namiotowe. Mały namiot i śpiwór będą wówczas niezastąpione. Śpiwór przyda się

Rumuńskie placówki dyplomatyczne w Polsce

Ambasada Rumunii w Warszawie, ul. Chopina 10, 00-559 Warszawa; ☎22/6283156, fax 6285264, embassy@roembassy.com.pl.

Wydział Konsularny, ☎22/6215983; pn.–czw. 9.00–16.00, pt. 9.00–13.00.

Konsulat Rumunii w Katowicach, pl. Grunwaldzki 8–10, ap. 141, 40-950 Katowice; ☎32/7869497, fax 7869498, wmirota@consul-romania.pl, www.consul-romania.pl; pn.–czw. 9.00–16.00, pt. 9.00–13.00.

Konsulat Generalny Rumunii w Gdyni, ul. Druskiennicka 1, 81-533 Gdynia; ☎58/6646464, fax 6646477; pn., śr., pt. 9.00–12.00.

Konsulat Rumunii w Poznaniu, ul. Maciejewskiego 20/2, 61-606 Poznań; ☎/fax 61/8257866, consrom@poczta.onet.pl; śr. 16.00–18.00.

Konsulat Honorowy Rumunii we Wrocławiu, pl. Solny 14, 50-062 Wrocław; ☎/fax 71/3423030, 3419404, sdccl@poczta.onet.pl; pn., śr., pt. 9.00–12.00.

także podczas noclegu w schronisku górskim. Należy zabrać latarkę albo znacznie praktyczniejszą (i ostatnio coraz bardziej popularną) czołówkę. Przydadzą się przy zwiedzaniu jaskiń, ruin zamków, a nawet cerkwi i kościołów, gdzie polichromia nie zawsze jest dobrze widoczna.

Nie wolno zapominać o apteczce z podstawowym wyposażeniem – bandażem, plastrami, wodą utlenioną, węglem, aspiryną i środkami przeciwbólowymi oraz witaminami wzmacniającymi organizm i pomocnymi w leczeniu przeziębienia (np. rutinoscorbin). Trzeba także zabrać zapas leków, które regularnie się zażywa. Warto pomyśleć o nawilżanych chusteczkach, bo warunki higieniczne w pociągach i toaletach publicznych pozostawiają wiele do życzenia.

Koniecznie trzeba zabrać strój kąpielowy, nawet jeśli nie planuje się pobytu nad morzem (przydadzą się również klapki i czepek). Wiele kąpielisk uzdrowiskowych rozrzuconych po całej Rumunii (ponad 150 kurortów) kusi basenami i niskimi cenami. Zainteresowani ornitologią niech spakują lornetkę, zwłaszcza jeśli wybierają się w rejon delty Dunaju.

Podróżnicy planujący wędrówkę górską powinni zaopatrzyć się w specjalistyczny sprzęt turystyczny (zob. s. 382). Warto pamiętać, iż ceny wyposażenia turystycznego w Rumunii są w wielu przypadkach znacznie niższe niż w Polsce. Dotyczy to zwłaszcza produkowanej w Rumunii odzieży znanych firm zachodnich, która bywa tu kilkakrotnie tańsza.

Rumuńskie krajobrazy i zabytki są wdzięcznym tematem dla fotografów. Ze względu na znaczne nasłonecznienie najlepiej kupić filmy o czułości 200 ASA, a jeśli zamierza się fotografować wnętrza zabytków, odpowiednią czułością będzie 800 ASA i więcej, ponieważ zazwyczaj nie wolno używać tam lamp błyskowych, które niszczą polichromie. Lepiej zapomnieć też o statywie, który uznawany jest za sprzęt profesjonalny, a przez to zagrażający monopolowi na sprzedawane w kasach widokówki i slajdy. Za fotografowanie oraz filmowanie wnętrz zabytków trzeba zwykle zapłacić, choć zazwyczaj nikt tego nie egzekwuje. Kto dysponuje lustrzanką, powinien założyć na obiektyw filtr UV, chroniący soczewkę przed zarysowaniem, a kliszę przed niepożądanymi promieniami ultrafioletowymi. Dodatkowo można zastosować filtr polaryzacyjny poprawiający ogólną kolorystykę otoczenia i głębię błękitu nieba, co daje niekiedy zaskakujące efekty.

Standardowy obiektyw 28–80 mm powinien wystarczyć, ale w górach i delcie Dunaju, gdzie występuje wiele ciekawych zwierząt, przyda się teleobiektyw z ogniskową nie mniejszą niż 200 mm. Posiadacze **aparatów cyfrowych** powinni pomyśleć o odpowiednim zapasie kart pamięci (lub jednej o dużej pojemności). Tańszym rozwiązaniem jest przegrywanie w kafejkach internetowych zdjęć na płytę CD. Zakup negatywów nie stanowi w Rumunii żadnego problemu, ale diapozytywy (slajdy) można kupić tylko w dużych miastach (i to nie zawsze), podobnie jak karty pamięci. Ceny materiałów fotograficznych nie odbiegają od polskich, nieco tańsze jest wywołanie filmu i zrobienie odbitek. Laboratoria Kodaka, Fuji, Agfy i Koniki są rozsiane po całym terytorium kraju.

PODRÓŻ

Najpopularniejsza i najciekawsza trasa przejazdu z Polski do Rumunii – czy to pociągiem, czy samochodem – wiedzie przez Słowację i Węgry. Autobusem jedzie się przeważnie przez Ukrainę – to jedyne bezpośrednie połączenie z Polski, w dodatku bardzo tanie (podróż przez Słowację i Węgry, choć też możliwa, jest nieopłacalna i czasochłonna). Koszt podróży samochodem rozłożony na trzy osoby jest zdecydowanie najtańszym rozwiązaniem. Opcja ta jest też najwygodniejsza i idealna dla osób ceniących niezależność. Samolot to wariant dla zamożniejszych turystów lub desperatów, którym bardzo się śpieszy.

Samolot

Przelot z Polski do Rumunii oferuje LOT, który podpisał umowę z rumuńskim Taromem (Transporturile Aeriene Române) na wspólne przewożenie pasażerów. Samolot LOT-u lub Taromu wylatuje z Warszawy do Bukaresztu codziennie o 10.55. Podróż trwa 3 godziny. Bilet powrotny ważny miesiąc kosztuje 247 $ (plus ok. 50 $ opłat lotniskowych). Osoby poniżej 25 roku życia płacą zaledwie kilka dolarów mniej, ale ważność biletu przedłuża się do pół roku. Samolot z Bukaresztu do Warszawy wylatuje o 14.35. Aktualny rozkład lotów zamieszczono pod adresem www.lot.pl, gdzie można również dokonać rezerwacji. Biuro PLL LOT w Warszawie mieści się przy Al. Jerozolimskich 65/79 (☎0801703703; codz. 8.00–16.00). Bilety można także kupić przez Internet (www.samoloty.onet.pl).

Pociąg

Z Polski do Rumunii kursuje jeden bezpośredni pociąg dziennie. Wyrusza z Krakowa o 22.38 i przybywa do Bukaresztu (dworzec Bucuresti Nord) następnego dnia o 23.40. Bilet w jedną stronę kosztuje 395 zł (dla osób, które nie przekroczyły 26 roku życia) lub 520 zł (powyżej 26 roku życia). Za przejazd tam i z powrotem trzeba zapłacić 670 zł (bilet jest ważny miesiąc). Kto chce wrócić później, zapłaci 790 zł (do 26 roku życia), lub 1040 zł (powyżej 26 roku życia). Kuszetka to wydatek rzędu 70 zł, a wagon sypialny – 130 zł. Trasa wiedzie przez Tarnów i Muszynę, Prešov i Koszyce na Słowacji, Miskolc na Węgrzech oraz Arad, Devę, Alba Iulia, Sighişoarę i Braszów w Rumunii. Sposobem na tańszy przejazd tym pociągiem jest kupowanie biletów od granicy do granicy w danym kraju. W Polsce płaci się wówczas za przejazd do Muszyny i na odcinki graniczne – między Muszyną a Plavečem (granica polsko-słowacka), Čaňą a Hidasnémeti (granica słowacko-węgierska) oraz Lőkösházą a Curtici (granica węgiersko-rumuńska). Później bilety kupuje się w Plaveču (do Čaňy), w Hidasnémeti (do Lőkösházy) i w Curtici (do Bukaresztu lub któregoś z miast na trasie). W ten sposób łączny koszt przejazdu zmniejsza się do około 200 zł. Mankamentami takiej podróży są niewygody związane z przesiadkami oraz ryzyko przepłacenia za bilet na Węgrzech. Zdarza się, że konduktor nie honoruje biletu z kasy Hidasnémeti (wcześniej może próbować zabronić wysiadania z pociągu) i każe wykupić nowy u siebie, z dopłatą za wypisanie w pociągu. Ponadto czasami nie uznaje karty ISIC uprawniającej do 20% zniżki (w kasie też trzeba się o to wykłócać). Pociąg powrotny wyrusza z Bukaresztu o 6.06, a do Krakowa przybywa o 5.29 następnego dnia. Dokładny rozkład jazdy znajduje się na stronie internetowej PKP: www.pkp.pl.

Najtaniej dojedzie się do Rumunii pociągami osobowymi z przesiadkami. W tym wypadku trasa prowadzi również przez Słowację i Węgry. Aby podróż kosztowała najmniej, granice trzeba przekraczać pieszo, a niektóre odcinki przebyć autobusem. Z Zakopanego jedzie się autobusem (kilka dziennie) do przejścia na Łysej Polanie, po przekroczeniu granicy wsiada się w Javorinie do autobusu w kierunku Popradu (na tej trasie kursują również autobusy z Zakopanego). W Popradzie trzeba wsiąść do pociągu do Slovenského Nového Mesta (przez Koszyce). Przez granicę (przejście jest oddalone o kilka kilometrów od miasteczka, najlepiej złapać autostop) przechodzi się na stacji kolejowej Sátoraljaújhely. W Szerencs należy przesiąść się do pociągu do Debreczyna (bezpośrednio lub z przesiadką w Nyíregyházie) i kolejnym pociągiem dojechać do przejścia granicznego w Nyírábrány. Z Nyírábrány do rumuńskiego miasteczka Valea lui Mihai można dostać się również pociągiem albo przejść granicę pieszo i próbować dotrzeć tam autostopem. Jest to najtańsza, nie li-

Polskie placówki dyplomatyczne

Słowacja
Ambasada RP, ul. Hummelova 4, 814-91 Bratislava; ☎004212/54413175 (całodobowy), 54413174, 54412142, fax 54413184, bratampl@nextra.sk.
Konsulat RP w Liptowskim Mikulaszu, konsul honorowy: Tadeusz Frąckowiak, Nam. Osloboditelov 1; ☎044/5528810, fax 5528811, konzul@verex.sk.

Węgry
Ambasada RP, Varosligeti Fasor 16, H-1068 Budapest; ☎00361/3511300 (centrala), 3511301, 3511302, 3511826 (sekretariat), fax 351172–3, central@polishemb.hu.

Ukraina
Ambasada RP, ul. Jarosławiw Wał 12, 01034 Kiev-34; ☎0038044/2300700, fax 4641336, ambasada@polska.com.ua, www.polska.com.ua.
Konsulat RP w Charkowie, ul. Artioma 16, 61002 Kharkiv; ☎0038572/140570, 432707, fax 586021, 194010, kgrp@kgrp.kharkov.ua.
Konsulat RP we Lwowie, ul. Iwana Franki 110, 79000 Lviv; ☎00380322/760547, 970861, 760544, fax 760974, konsulat@txnet.com.
Konsulat RP w Łucku, ul. Katedralna 7, 43016 Luck; ☎00380332/770610, fax 770615.
Konsulat RP w Odessie, ul. Uspienska 2/1, 65014 Odessa; ☎00380048/7293936, fax 7204388.

cząc autobusu relacji Przemyśl–Suczawa, wersja podróży do Rumunii – koszt nie powinien przekroczyć 80 zł.

W kasie międzynarodowej lub na stronie internetowej biura podróży Wasteels (www.wasteels.com.pl) warto sprawdzić informacje dotyczące warunków zakupu biletów zniżkowych, np. Euro-Domino i InterRail. Pozwalają one nie tylko na stosunkowo tani dojazd do Rumunii, ale też niedrogie podróżowanie wewnątrz kraju.

Autobus

Jedyne połączenie autobusowe pomiędzy Polską a Rumunią wiedzie przez Ukrainę: z Przemyśla przez Lwów i Czerniowce do Suczawy. Autobus wyjeżdża w środy i piątki o 7.30 i planowo powinien być w Suczawie o 22.50, ale często ma opóźnienie. Bilet w jedną stronę kosztuje 70 zł. Z Suczawy autobus wyrusza w poniedziałki i środy o 3.30 i jest w Przemyślu przeważnie między 16.00 a 18.00. Trzeba wziąć pod uwagę ewentualność, że autobus z Rumunii może nie dojechać w poniedziałek lub środę do Przemyśla z powodu braku pasażerów. Oznacza to, że odwołany będzie również kurs do Suczawy. Aby uniknąć przykrego rozczarowania, we wtorek lub czwartek należy zadzwonić na informację PKS w Przemyślu (☎16/6785435) i upewnić się, czy autobus z Suczawy przyjechał do Polski.

Samochód

Najwygodniej, najszybciej i najtaniej (jeśli podzieli się koszty na co najmniej trzech współpasażerów) dojedzie się do Rumunii samochodem. Kierowca musi mieć – oprócz paszportu – prawo jazdy, dowód rejestracyjny pojazdu oraz Zieloną Kartę. Niektóre firmy ubezpieczeniowe, np. PZU, dodają Zieloną Kartę za darmo do pakietu ubezpieczeniowego. Warto wiedzieć, że we wszystkich towarzystwach koszt karty jest wręcz niebotyczny, jeśli nie korzystało się z usług danego ubezpieczyciela dłużej niż rok. Np. dwumiesięczna Zielona Karta do Rumunii kosztuje w Generalis 30 zł, jeśli samochód był tam ubezpieczony od co najmniej roku, w przeciwnym razie cena wzrasta do 300 zł. Walcząc z przemytem kradzionych samochodów, Rumuni sprawdzają niekiedy, czy właściciel samochodu wpisany do dowodu rejestracyjnego jest także jednym z pasażerów. Dawniej zdarzało się, iż w przypadku jazdy cudzym samochodem celnicy zawracali turystę do domu. Obecnie przepis ten istnieje tylko na papierze.

Najlepsza i najbezpieczniejsza trasa do Rumunii prowadzi przez Słowację i Węgry. Dla kierowców z północno-wschodniej Polski, którzy chcieliby zwiedzić tylko Bukowinę, nie jest to wariant najkrótszy, ale jazda przez Ukrainę, a zwłaszcza przekraczanie granicy, to czasami stresujące przeżycie, a i ukraińskie drogi pozostawiają sporo do życzenia. Czeka się w kolejkach, ukraińscy celnicy bywają złośliwi, a ponadto przy wjeździe do Rumunii od tej strony należy uiścić opłaty za „ekologię" i „dezynfekcję" (ok. 20 €). Warto korzystać ze słowackich przejść granicznych, gdyż odprawa przebiega na nich błyskawicznie. Ze względu na krótkie kolejki można polecić nowo otwarte, całodobowe przejście graniczne Konieczna–Becherov (ok. 20 km na południe od Gorlic), a także Mniszek nad Popradem–Stará Ľubovňa (k. Piwnicznej; ze względu na osuwiska nie odprawia się tu autokarów) oraz nowe przejście Leluchów–Ruska Voľa (k. Muszyny). Następnie droga z wymienionych powyżej punktów przekraczania granicy prowadzi przez Prešov, Vranov nad Topľ'ou, Slovenské Nové Mesto–Sátoraljaújhely (słowacko-węgierskie przejście graniczne), Tokaj i Nyíregyházę. Chcąc jechać do Satu Mare, należy skręcić tu na wschód w kierunku przejścia Csengersima–Petea. Turyści, którzy wybrali położone bardziej na południu przejście graniczne, powinni kierować się na Debreczyn (tu odchodzi droga do spokojnego przejścia Nyírábrány–Valea lui Mihai) i do Berettyóújfalu, gdzie skręca się w kierunku rumuńskiej Oradei. Przejście Ártnád–Borş jest również najrozsądniejszym wariantem dla kierujących się w stronę Aradu. Ceny paliwa w obu krajach tranzytowych niewiele różnią się od cen w Polsce. Natychmiast po przekroczeniu granicy rumuńskiej należy wykupić obowiązkową Rovinietę.

PRZEKRACZANIE GRANICY

Rumuńscy urzędnicy nie stwarzają problemów przekraczającym granicę cudzoziemcom. Zadają standardowe pytania – gdzie się jedzie, na jak długo i po co, a odpowiedzi nie bardzo ich interesują. Również Słowacy i Węgrzy są na ogół uprzejmi i wyrozumiali (gorzej z Ukraińcami). Dokładne kontrole bagażu zdarzają się bardzo rzadko. Zmotoryzowanych prosi się czasem o otwarcie bagażnika i na tym odprawa się kończy. Niektórzy Polacy wracający z Rumunii ryzykują przemycanie przez granicę większej ilości alkoholu (zwłaszcza wina), który jest tam tani i na ogół niezłej jakości.

Przejścia graniczne

Wymienione poniżej przejścia między Polską a Słowacją oraz Słowacją a Węgrami zostały wybrane według klucza przydatności – leżą na trasie prowadzącej z Polski do Rumunii. Warto wiedzieć, że przy przekraczaniu granicy (w dowolnym kierunku) między Rumunią a Ukrainą i Bułgarią płaci się specjalne podatki za „ekologię" i „dezynfekcję" (łącznie ok. 20 €). Zdecydowana większość przejść jest całodobowa:

Polska–Słowacja Łysa Polana–Javorina, Niedzica–Lysa nad Dunajcom, Piwniczna–Mníšek nad Popradom, Konieczna–Becherov, Barwinek–Vyšný Komárnik, Leluchów–Ruska Vol'a (k. Muszyny).

Słowacja–Węgry Král'–Bánréve, Dlhá Ves–Aggtelek, Milhost'–Tornyosnémeti, Slovenské Nové Mesto–Sátoraljaújhely.

Rumunia–Węgry Petea–Csengersima, Carei–Tiborszállás (tylko kolejowe), Valea lui Mihai–Nyírábrány (drogowe i kolejowe), Borş–Artand (drogowe i kolejowe), Salonta–Méhkerék (drogowe i kolejowe), Vărşand–Gyula, Curtici–Lőkösháza (tylko drogowe), Turnu–Battonya, Nadlac–Nagylak, Cenad–Kiszombor.

Rumunia–Serbia i Czarnogóra Jimbolia–Srpska Crnja (drogowe i kolejowe), Moraviţa–Vatin/Vršac (drogowe i kolejowe), Năidaş–Kaluderevo, Moldova Noua–Veliki Gradište (wodne na Dunaju), Orşova–Tekija (wodne na Dunaju), Portile de Fier–Sip (drogowe na Dunaju), Drobeta-Turnu Severin–Kladovo (wodne na Dunaju).

Rumunia–Bułgaria Calafat–Vidin (wodne na Dunaju), Bechet–Orjahovo (wodne na Dunaju), Turnu Măgurele–Nikopol (wodne na Dunaju), Giurgiu–Ruse (wodne, drogowe i kolejowe na Dunaju), Zimnicea–Svištov (wodne na Dunaju), Olteniţa–Tutrakan (wodne na Dunaju), Călăraşi–Silistra (wodne na Dunaju), Negru Vodă–Jovkovo, Vama Veche–Durankulak.

Rumunia–Mołdowa Ştefăneşti–Costeşti, Sculeni–Ungheni (tylko kolejowe), Albiţa–Leuşeni, Bogdăneşti–Cantemir (tylko kolejowe), Oancea–Cahul, Galaţi–Giurgiuleşti (drogowe i kolejowe).

Rumunia–Ukraina Halmeu–Djakove (z ograniczeniami), Siret–Porubnoje.

Odprawa graniczna

Warto zaplanować przyjazd do Rumunii na dzień powszedni, ponieważ w weekendy czeka się na przejściach nieco dłużej. To samo dotyczy zresztą granic Słowacji i Węgier, nie mówiąc już o ukraińskiej. Oficjalnie wymaga się, aby osoba wjeżdżająca do Rumunii miała przy sobie co najmniej 25 € (lub równowartość w dolarach) na każdy dzień pobytu, ale bardzo rzadko się zdarza, aby urzędnik prosił o pokazanie waluty. Na wjazd do Ukrainy i Serbii (obojętnie przez jakie przejście graniczne) obywatele polscy nie potrzebują wizy, jeżeli planowany pobyt nie przekroczy 90 dni. O wiele trudniej dostać się na teren Mołdowy – konieczna jest wiza, którą otrzymuje się na podstawie zaproszenia wystawionego przez obywatela kraju lub jedno z tamtejszych biur turystycznych (www.turism.md). Koszt trzydziestodniowej wizy wynosi 45 $. Można ją otrzymać w ciągu siedmiu dni roboczych od momentu złożenia odpowiednich dokumentów w ambasadzie Mołdowy w Warszawie (ul. Miłobędzka 12; ☎22/847278, fax 6462099, ammd_pol@yahoo.com; pn.–pt. 8.00–17.00). Po przekroczeniu granicy nie wolno zapomnieć o wykupieniu obowiązkowej Roviniety.

Przepisy celne

Przy wjeździe do Rumunii wolne od opłat celnych są rzeczy osobiste, takie jak ubrania, biżuteria i lekarstwa w rozsądnych ilościach (potrzebnych na czas pobytu). Turysta może mieć ze sobą kamerę, dwa aparaty fotograficzne, magnetowid, przenośny telewizor i radio, a także sprzęt sportowy oraz turystyczny. Poza tym bez opłat wolno wwieźć 4 l wina, 2 l spirytualiów, 4 l piwa, 200 sztuk papierosów, 50 cygar, 250 g tytoniu i upominki o wartości do 100 €. Antyki i inne cenne rzeczy należy zgłosić celnikom, którzy wydadzą odpowiedni dokument uprawniający do ich wywozu. Jeśli chodzi o pieniądze, górne limity wynoszą 10 tys. $ i 500 tys. lei.

Wywozić z Rumunii można wyżej wymienione rzeczy w tych samych ilościach, ale upominki mogą sięgać wartości 1200 €.

DOKUMENTY

Aby wjechać do Rumunii, konieczny jest paszport ważny jeszcze przez co najmniej 30 dni. Wizy wymaga się przy pobycie po-

Polskie placówki dyplomatyczne w Rumunii

Ambasada RP w Rumunii, al. Alexandru 23, 71237 Bucureşti; ☎004021/2302330, 2302619, fax 2307832, ampolbuk@kappa.ro, www.bukareszt.ro.

Wydział Konsularny, ☎004021/2302735, fax 2301653, konsul@bukareszt.ro, www.polonia.ro.

wyżej trzech miesięcy. Należy się o nią starać przed wyjazdem, w rumuńskich placówkach dyplomatycznych w Polsce lub innych krajach. Turyści zmotoryzowani muszą pamiętać o prawie jazdy (międzynarodowe nie jest wymagane), Zielonej Karcie i dowodzie rejestracyjnym.

W podróży przydadzą się legitymacje studenckie ISIC i Euro<26, które wprawdzie nie wszędzie są honorowane, ale jeśli już uzyska się zniżkę na wstęp do zabytku czy muzeum, z reguły wynosi ona 25–50%. Można też próbować szczęścia ze zwykłą legitymacją studencką.

WYCIECZKI ZORGANIZOWANE
Z Polski
Oferta polskich biur podróży nie jest zbyt bogata – Rumunia dopiero czeka na odkrycie. W ostatnim czasie pojawiło się jednak że kilka godnych polecenia agencji oferujących interesujące wycieczki. Sprawdzonym organizatorem jest biuro **Tourist Track** (Kraków, ul. Jaglarzów 23; ☎/fax 12/6586054, www.tourist-track.pl) posiadające w programie spory wybór autokarowych objazdów krajoznawczo-górskich po wszystkich regionach Rumunii. Godne polecenia jest również biuro **Horyzonty** (Warszawa, Al. Jerozolimskie 141/84; ☎/fax 22/6599342, www.horyzonty.pl), w którego ofercie z 2005 r. można było wybrać pomiędzy krajoznawczym objazdem Siedmiogrodu i północnej Oltenii (1250 zł) a tanią wędrówką z namiotami po przepięknych górach Apuseni (590 zł). Warto dokładnie przestudiować ofertę biura **Top** (Chorzów, ul. Hajducka 23; ☎/fax 32/2414869, www.top.turystyka.pl) – trasa dziewięciodniowej wycieczki prowadzi przez wiele interesujących miejsc (1260 zł; koszt biletów do zwiedzanych obiektów i lokalni przewodnicy dodatkowe 30 €). Działają również agencje organizujące krótkie objazdy po Rumunii (zazwyczaj Bukowina) w połączeniu ze zwiedzaniem Ukrainy. Można skorzystać z oferty **Wilejki** (Łódź, ul. Piotrkowska 17; ☎42/6306070, ☎/fax 6306800, wilejka@wilejka.pl, www.wilejka.pl). Proponowany przez to biuro „Szlak średniowiecznych twierdz i klasztorów" wiedzie przez Lwów, Zbaraż, Kamieniec Podolski i Czerniowce na Bukowinę, gdzie zwiedza się najpiękniejsze malowane klasztory i polskie wsie – Nowy Sołoniec oraz Kaczycę, po czym wraca do Polski przez wąwóz Bicaz i Kluż-Napokę. Ponadto w ofercie największych biur turystycznych znaleźć można ofertę wczasów pobytowych nad rumuńskim morzem.

Przed podjęciem decyzji warto sprawdzić wiarygodność biura podróży w Polskiej Izbie Turystyki (Warszawa, pl. Powstańców Warszawy 2, hotel *Gromada*, pok. 4; ☎22/8265536, fax 8265536, bwpit @pit.org.pl). Na stronie www.pit.org.pl jest link do centralnego rejestru zezwoleń, gdzie można się dowiedzieć, czy dana firma ma prawo organizować imprezy turystyczne.

W Rumunii
Liczne rumuńskie agencje turystyczne i biura podróży (działają na ogół w większych miastach) organizują wycieczki krajoznawcze i oferują zwiedzanie najpopularniejszych miejsc w ciągu kilku dni, z wyżywieniem i noclegami. Decydując się na taki wariant, należy zwrócić uwagę na ceny i warunki imprez – bywa, że za podobne pieniądze zobaczy się o wiele więcej, wędrując na własną rękę. Często wycieczki takie połączone są z pobytem w uzdrowiskach, ale wówczas cena odpowiednio rośnie. Na rynku turystycznym nie brak propozycji czynnego wypoczynku – wczasów w siodle lub narciarskich. Bardziej kuszących ofert i większego wyboru należy spodziewać się latem – w zimie niektóre biura są zamknięte.

INFORMACJA, MAPY, INTERNET
Informacja turystyczna
W Rumunii nie ma jeszcze państwowej sieci biur informacji turystycznej, choć coraz częściej pojawiają się całkiem profesjonalne centra pozostające zazwyczaj w gestii samorządów lokalnych (w sumie ok. 40). Działa też wiele prywatnych agencji i biur podróży, które oprócz organizacji wycieczek oferują usługi w zakresie rezerwacji noclegów i udzielają podstawowych informacji o regionie.

Niektóre biura podróży są oznaczone międzynarodowym znakiem „i", nawet jeśli personel nie potrafi porozumieć się w żadnym obcym języku. Czasami otrzyma się w nich mapki danego województwa lub miasta, rzadziej broszury promujące dany region. Informacji można też zasięgnąć w recepcjach lepszych hoteli, gdzie często działają też hotelowe biura podróży oferujące wycieczki po okolicznych atrakcjach.

O ile w miejscach mało popularnych informacja turystyczna to rzadkość, o tyle w tych obleganych i znanych nie powinno być problemu ze znalezieniem biura, którego obsługa pomoże w znalezieniu noclegu lub wskaże najciekawsze miejsca w okolicy. Np. w Sybinie funkcję punktu informacji turystycznej pełni... księgarnia i jest to jedna z najlepszych tego typu placówek w Rumunii.

Mapy

W mapy najlepiej zaopatrzyć się przed wyjazdem, co jest ważne szczególnie dla turystów zmotoryzowanych. Dzięki temu da się dokładnie zliczyć kilometry, a tym samym oszacować koszty związane z zakupem benzyny oraz czas spędzony w samochodzie. Mapy sprowadzone do Polski są mniej więcej o jedną trzecią droższe niż kupowane w Rumunii i oczywiście nie ma u nas tak dużego wyboru jak na miejscu. Ogólne mapy można kupić w sieci Sklep Podróżnika (bogata oferta, w tym mapy turystyczne masywów górskich węgierskiego wydawnictwa Dimap), Empikach i większych księgarniach. Najbardziej polecana jest mapa Marco Polo w skali 1:800 000. Podobną dokładność i treść oraz dodatkowo plan Bukaresztu ma EuroCart (skala 1:800 000). Mapa *România*, wydana przez Cartographię w tej samej skali co wymienione wyżej, ma rzetelnie zaznaczoną sieć dróg. Najdokładniejsza spośród dostępnych w Polsce map jest *Rumaenien* wydawnictwa Freytag&Berndt (skala 1:700 000).

Mapy regionów to rzadkość; przeważnie trafia się na publikacje rumuńskiego Amco Press (np. *Moldova* w skali 1:500 000). Warto polecić wydawnictwo *România, Harta mănăstirilor*, czyli mapę Rumunii z zaznaczonymi ponad 250 monastyrami, z których większość opatrzona jest zwięzłym opisem (skala 1:850 000). Trafiają się także słabe na ogół mapy rumuńskich województw (*harta judeţului*). Mapy regionów wydaje m.in. węgierska Cartographia. Jedna z ich pozycji to *Szeklerszczyzna* (*Ţara Secuilor*) w skali 1:250 000 z nazwami podanymi po rumuńsku, węgiersku i niemiecku. Regionami zainteresowały się też Amco Press i Dimap – ten ostatni specjalizuje się w terenach górskich. Myszkując po wybierających się do Siedmiogrodu będzie mapa *Erdély* tegoż wydawnictwa zawierająca też Banat oraz fragmenty Mołdawii i Wołoszczyzny. Jej atutem jest dobra skala 1:500 000, wiarygodna sieć drogowa oraz warianty nazw miejscowości w kilku językach, wadą zaś węgierskie nazewnictwo masywów, szczytów i rzek. Gdzieniegdzie udaje się natrafić na mapę Siedmiogrodu, będącą dodatkiem do książki Hermana Fa-

biniego *Der Siebenbürgish-Sächsischen Kirchenburgen und Dorfkirchen* z zaznaczonymi kościołami (w tym warownymi) oraz zamkami. Nazwy miejscowości podane są w trzech językach, a na odwrocie jest krótki opis najważniejszych zabytków wraz z izometrycznym szkicem lub planem. Mapa dostępna w wersji rumuńskiej, węgierskiej, angielskiej i niemieckiej kosztuje około 1,50 €. Wydawnictwo Amco Press wydało też dokładną mapę delty Dunaju ze zdjęciami i opisem krajoznawczym w języku angielskim.

Lepiej przedstawia się sytuacja z mapami górskimi. Na polskim i rumuńskim rynku króluje węgierski Dimap – specjalista i, jak się zdaje, na razie monopolista w tej dziedzinie. Do 2005 r. ukazało się nieco ponad 20 pozycji (głównie masywy górskie Szeklerszczyzny i góry Apuseni). Skartowano również najczęściej odwiedzane masywy: Góry Fogaraskie, Retezat, Góry Rodniańskie i inne. Mapy tego wydawnictwa są czytelne (w różnych skalach w zależności od regionu) i obarczone niewielką ilością błędów; ich dodatkowym atutem jest krajoznawcza charakterystyka masywu i opisy tras, a wszystko to w trzech językach (rumuńskim, węgierskim i angielskim). W Rumunii mapy te można kupić tylko w dobrych sklepach turystycznych, księgarniach w miastach w pobliżu najpopularniejszych górskich masywów i coraz częściej w centrach informacji turystycznej. W miejscach tych warto też poszukać archiwalnych numerów nieukazującego się już magazynu *Munţii Carpaţi*, którego kilkanaście ostatnich numerów zawierało całkiem dokładne mapy różnorodnych grup górskich oraz ich zwięzłe opisy w języku angielskim. Myszkując w rumuńskich antykwariatach, można również zapytać o serię przewodników *Munţii Noştri* ze względu na zawarte w nich mapy (średniej klasy).

Łatwo dostępne są plany Bukaresztu i innych większych miast wydane przez Cartographię (najlepsze), Amco Press i Demart. Dobrym rozwiązaniem jest kupno atlasu samochodowego, np. wydawnictwa JIF – jest nie tylko dokładniejszy (skala 1:500 000) i wygodniejszy w użyciu, ale zawiera również plany miast oraz mapę Europy w skali 1:350 000. Dokładniejszy jest atlas wydawnictwa Dimap w skali 1:250 000, którego nakład został niestety wyczerpany i znalezienie tej pozycji graniczy z cudem.

Wszystkie wyżej wymienione mapy kosztują w Polsce 15–25 zł. W Rumunii mapy składane kosztują od 2 do 4 €, a atlasy około 9 €.

Słowniki i rozmówki

Słownik rumuńsko-polski J. Reychmana z 1970 r. jest obecnie białym krukiem. Również w antykwariatach należy szukać przydatnych w podróży: *Małego słownika rumuńsko-polskiego* autorstwa Z. Skarżyńskiego (1984) oraz podobnego *Dicţionar polon-român* (A.IN. Mareş, 1980). Co ciekawe, jedyny wielki słownik polsko-rumuński powstał... w 1939 r. Lepiej przedstawia się sytuacja z rozmówkami: oprócz pozycji antykwarycznych (A. Bytnerowicz, *Rozmówki polsko-rumuńskie*, 1991) warto polecić dostępne czasem w księgarniach *Konwersacje polsko-rumuńskie* C. Geambaşu i E. Odrobińskiej (Wydawnictwo UJ, 2001) oraz *Ghid de conversaţie român-polon* C. Geambaşu wydany przez wydawnictwo Niculescu, osiągalny powszechnie w Rumunii.

Internet

Poniżej wymieniono kilka ciekawszych witryn internetowych – za pośrednictwem niektórych można zarezerwować noclegi.

www.consul-romania.pl Strona konsulatu Rumunii w Katowicach z podstawowymi informacjami praktycznymi oraz opisem poszczególnych regionów i zarysem historycznym. Niezły wirtualny wstęp do poznania kraju.

www.mtromania.ro Oficjalna strona rumuńskiego Ministerstwa Transportu, Budownictwa i Turystyki. Podstawowe informacje o kraju, baza miejsc noclegowych i kursy walut.

www.turism.ro Najważniejsze atrakcje kraju od wybrzeża Morza Czarnego po Maramuresz. Propozycje tras, wiele ciekawych zdjęć.

www.rotravel.com Mocną stroną witryny są informacje praktyczne, opisy regionów i dużo użytecznych linków.

www.discoveringromania.ro Oprócz informacji praktycznych i krajoznawczych witryna zawiera ciekawostki i nowości, a także kilka map.

www.romaniatravel.com Strona poświęcona podróżowaniu po Rumunii.

www.karpatenwilli.com Wszystko o Rumunii, a najwięcej o Karpatach.

www.alpinet.org Mnóstwo informacji o górach Rumunii; kilkanaście map do ściągnięcia.

PIENIĄDZE

Najlepiej zabrać ze sobą dolary lub euro. W Polsce niektóre kantory sprzedają rumuńskie leje, ale kupno jest nieopłacalne i niepotrzebne, ponieważ bez problemu dostanie się je na granicy. Tam należy wymienić tylko część pieniędzy, ponieważ w głębi kraju kurs jest korzystniejszy. Walutę najlepiej przechowywać w kilku miejscach, aby w razie zagubienia lub kradzieży nie stracić wszystkiego. Gdzieniegdzie można posługiwać się kartami płatniczymi.

Środkiem płatniczym w Rumunii jest leja (*leu*, czyli lew), podzielony na 100 bani (dosłownie „pieniądze"). Z powodu wysokiej inflacji przeprowadzono w 2005 r. denominację – odcięto cztery zera. W użyciu są obecnie dwa rodzaje pieniędzy: lei stary (ROL) oraz lei nowy (RON). Banknoty (ROL) występują w nominałach: 10, 50, 100 i 500 tys. lei, monety mają wartość 500, 1000 i 5000 lei, zaś RON: 1, 5, 10 i 50 bani (monety:) oraz 1, 5, 10, 50 i 100 lei (banknoty). Stare leje (ROL) zachowują ważność do 1 stycznia 2007 r., później stare banknoty i monety można będzie wymienić w bankach. W branży turystycznej ceny podawane są dodatkowo w dolarach i euro. W trakcie pisania przewodnika kurs dolara wynosił 33 400 lei, a euro 38 200 lei. Aktualny kurs można sprawdzić na stronie www.mtromania.ro.

Ceny Rumunia jest krajem relatywnie tanim. W lepszych restauracjach obiad kosztuje niewiele mniej niż w Polsce, tańsze są fast foody i cukiernie. Stosunkowo niewiele kosztują bilety wstępu do zabytków (ale drożeją z sezonu na sezon), komunikacja (również taksówki) i podstawowe produkty spożywcze, jak chleb (ponoć najtańszy w Europie), masło itp. Na targowiskach można się zaopatrzyć w sezonie w bardzo tanie warzywa i owoce, ale ceny serów są niewiele niższe od polskich. Tanie jest np. piwo, nawet na dworcu Gara de Nord w Bukareszcie. Artykuły importowane z reguły są drogie.

Wymiana pieniędzy, bankomaty Na miejscu działa wiele banków i kantorów (te ostatnie często przy hotelach). Przy wymianie waluty potrzebny jest paszport. Może się zdarzyć, że przy wyjeździe z Rumunii w portfelu zostanie jeszcze trochę lei, lepiej więc zachować kwitki z wymiany, aby bez kłopotów otrzymać z powrotem dolary czy euro. Należy liczyć się z trudnościami przy próbie sprzedaży dolarów sprzed 1996 r.

Nie warto wymieniać waluty na czarnym rynku. Rumuńscy cinkciarze oszukują turystów bez skrupułów, poza tym działają bezprawnie. Jeśli kontakt z takim panem jest jedynym sposobem na zdobycie lei (co zdarza się zwłaszcza na prowincji), trzeba dokładnie przyglądać się nominałom banknotów. Z kolei w kantorach należy zwrócić uwagę na pobieraną niekiedy prowizję (comision). Przeważnie wynosi ona 0%, ale co sprytniejsi właściciele kantorów, zamiast cyfry 0 wpisują 8, co jest rozbojem w biały dzień. Łatwo pomylić obie cyfry, a wtedy znaczna część gotówki z wymiany powędruje do kieszeni sprytnego „biznesmena".

Czynne całą dobę bankomaty znajdują się przy bankach, a także przy wielu sklepach i hotelach. Bez problemu pobierze się w nich leje kartami Visa, MasterCard, Cirrus, American Express, Visa Elektron czy Maestro. Ze względu na automatycznie odliczaną prowizję (2–3%) oraz z reguły niekorzystny przelicznik, przed pobraniem gotówki warto zastanowić się, czy nie lepiej wziąć od razu więcej pieniędzy.

Bezgotówkowe formy płatności Droższe restauracje i hotele, duże stacje benzynowe (zwłaszcza firm międzynarodowych oraz rumuńskiego Rompetrolu i Petromu) oraz domy towarowe akceptują popularne karty płatnicze (m.in. American Express, Diners Club International, MasterCard, Visa). Wprawdzie czeki podróżne są bezpiecznym sposobem na przewożenie gotówki, ale ich wymiana poza dużymi ośrodkami miejskimi nastręcza trochę kłopotów. Prowizja przy wymianie wynosi 1–3,5% w zależności od banku. Czeki i euroczeki realizuje się w bankach osobiście; często procedura jest czasochłonna.

UBEZPIECZENIA

W Rumunii za usługi medyczne płaci się relatywnie dużo, dlatego przed wyjazdem lepiej się ubezpieczyć, zwłaszcza jeśli planuje się dłuższy pobyt. Standardowy pakiet zawiera przede wszystkim zwrot kosztów leczenia wraz z pokryciem wydatków związanych z powrotem do domu oraz ubezpieczenie od następstw nieszczęśliwych wypadków. Dodatkowo można ubezpieczyć się na wypadek kradzieży bagażu i pieniędzy.

Polisę zawsze należy mieć przy sobie, aby w razie potrzeby okazać ją w szpitalu, w przeciwnym wypadku nie zostanie się przyjętym (poza stanami bezpośredniego zagrożenia życia). Aby uniknąć przykrych rozczarowań, przed skorzystaniem z usług placówek medycznej lepiej skontaktować się z firmą ubezpieczeniową (szczególnie jeśli w grę wchodzi długi pobyt w szpitalu czy poważniejsza operacja).

W Polsce działa wiele towarzystw ubezpieczeniowych, m.in. PZU (www.pzu.pl), Gerling Polska SA (www.gerling.pl) czy Warta (www.warta.pl). Specjalny pakiet przysługuje posiadaczom kart Euro<26 (www.euro26.org.pl/owusport). Średni koszt najprostszej polisy wynosi około 1 $ za dzień. W przypadku ubezpieczenia obejmującego sporty ekstremalne cena rośnie o około 200%.

ZDROWIE I OPIEKA MEDYCZNA

Rumunia to kraj bezpieczny, jeśli przestrzega się podstawowych zasad higieny (dokładne mycie owoców i warzyw, gotowanie wody, sceptyczne podejście do lodów sprzedawanych na ulicy, jak najrzadsze korzystanie z publicznych toalet itp.). Ryzyko zakażenia którąś z groźnych chorób jest znikome. Wprawdzie nie ma wymogów dotyczących szczepień, ale planując dłuższy pobyt, warto się zaszczepić przeciwko żółtaczce pokarmowej. W razie nagłego wypadku należy zadzwonić po karetkę pogotowia (salvarea, ☎961).

Rumuńska służba zdrowia reprezentuje znacznie niższy poziom niż polska. Sprzęt medyczny jest przestarzały i często się psuje, dlatego lepiej uważać na siebie, aby mieć jak najmniej styczności z rumuńskimi szpitalami (spital). Przed wyjazdem warto sprawdzić stan uzębienia, bo miejscowi stomatolodzy używają nieraz dość archaicznych przyborów. Na szczęście w kraju jest wiele prywatnych klinik (najwięcej w Bukareszcie; drogo!) oraz sieć lecznic międzynarodowych Medicover obsługiwanych przez zagraniczny, najczęściej anglojęzyczny personel.

POLICJA I BEZPIECZEŃSTWO

Kraje Europy południowo-wschodniej, do których zalicza się Rumunia, otacza zła sława matecznika przestępczości zorganizowanej i licznych wykroczeń na tle rabunkowym. Opinie te nie są zupełnie bezpodstawne – nie można powiedzieć, że Rumunia to kraj bardzo bezpieczny, ale też nie należy przesadzać. Ryzyko napadu rabunkowego w Bukareszcie i w Warszawie jest podobne, jeśli zapomni się o podstawowych zasadach ostrożności. Nie należy obnosić się z grubym portfelem, obwieszać złotymi łańcuchami i zegarkami, prezentować ciekawskim zawartości bagażu, ostentacyjnie używać laptopa, np. po to, by zanotować, o której odchodzi pociąg. Krótko mówiąc, im skromniej, tym bezpieczniej. Na negatywną opinię o Rumunii ma wpływ powszechna bieda, a proszące o jałmużnę dzieci, zazwyczaj cygańskie, utwierdzają turystę w tym przekonaniu. Najlepiej unikać ciemnych ulic oraz podejrzanych zaułków i trzymać się z dala od biednych dzielnic, aby nie kusić losu. W środkach komunikacji publicznej, gdzie zwykle panuje tłok, trzeba uważać na kieszonkowców.

Psy, których całe hordy wałęsają się po drogach, najczęściej nie są groźne, ale lepiej nie zbliżać się do stada ciekawskich i głodnych czworonogów.

W razie kłopotów należy zadzwonić na policję (☎955), chociaż ze względu na niemożliwość porozumienia się w innym języku niż rumuński, lepiej wybrać się osobiście na posterunek (jest niemal w każdej miejscowości). Policjanci są naprawdę uczynni i chętnie pomagają obcokrajowcom.

KOMUNIKACJA

Komunikacja jest tania, w miarę wygodna i stosunkowo sprawna. Najszybszy, ale i najdroższy środek transportu to samolot, którym można przemieszczać się pomiędzy największymi miastami. Turystom mniej zamożnym oraz chcącym lepiej poznać kraj pozostaje autobus lub pociąg. Autobusy są droższe od pociągów, lecz zdecydowanie szybsze. Pociągi to najtańszy sposób podróżowania, oczywiście poza autostopem.

Samolot

Państwowy Tarom obsługuje loty z Bukaresztu do wszystkich większych rumuńskich miast – Aradu, Baia Mare, Klużu-Napoki, Konstancy (tylko w lipcu i sierpniu), Jass, Oradei, Satu Mare, Sybina, Târgu Mureş oraz Timişoary. Istnieją ponadto połączenia pomiędzy niektórymi spośród wymienionych ośrodków (w większości przypadków trzeba lecieć z przesiadką w Bukareszcie). Bilety kupuje się w biurach Taromu (przykładowo cena lotu z Klużu-Napoki do Bukaresztu to około 38 €). Bilet powrotny kosztuje dwa razy więcej, nie ma żadnych zniżek młodzieżowych, dzieci poniżej 12 roku życia płacą 50% ceny, a do 2 roku życia 10%. Rezerwacja właściwie nie jest konieczna, ponieważ samoloty nigdy nie mają kompletu – bilet można kupić nawet na godzinę przed odlotem. Więcej informacji w Internecie pod adresem www.tarom.gigiro.net.

Pociąg

Sieć kolejowa w Rumunii jest zadziwiająco dobrze rozwinięta, wziąwszy pod uwagę trudne warunki geograficzne, nic więc dziwnego, że pociąg cieszy się największą popularnością wśród podróżujących. CFR (Căile Ferate Române – Rumuńskie Koleje Państwowe) dociera prawie wszędzie. Na stronie internetowej rumuńskich kolei

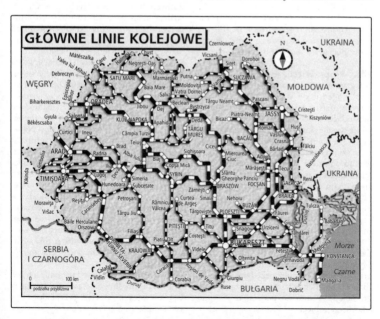

(www.cfr.ro) można sprawdzić rozkład jazdy i poszukać najdogodniejszych połączeń.

Rodzaje pociągów Rumuńskie pociągi dzielą się na cztery kategorie w zależności od szybkości jazdy, komfortu i ceny biletów. Najtańszy wariant to *personal*, czyli osobowy, jedyny pociąg bez rezerwacji miejsc, przypominający polskie koleje podmiejskie. Zatrzymuje się na każdej stacji, jest bardzo wolny i niezbyt czysty. Na rozkładach jazdy oznacza się go symbolem „P" i czarnym napisem. *Accelerat* (oznaczony literą „A"; czerwony napis) to pociąg przyśpieszony, droższy od osobowego i znacznie szybszy. Obowiązuje w nim rezerwacja miejsc. Zatrzymuje się na ważniejszych stacjach, w większych miastach oraz węzłach kolejowych. Komfort pozostawia wiele do życzenia. *Rapid* (oznaczony literą „R"; zielony napis) to jednostka pośpieszna, niewiele szybsza od *accelerat*, za to znacznie wygodniejsza i czystsza. Obsługuje nie tylko połączenia krajowe, lecz także międzynarodowe. *InterCity* (symbol „IC"; napisy przeważnie niebieskie lub żółte) jest pociągiem najdroższym, a niewiele szybszym od *accelerat* czy *rapid*. Cena gwarantuje wysoki komfort jazdy.

Oprócz powyższych po Rumunii jeżdżą jeszcze *expres* oraz *Euronight* i *CityNight*, które jednak niewiele się różnią od pociągów pośpiesznych.

Rozkład jazdy (*mersul trenunilor*) nie jest trudny do rozszyfrowania. *Plecare* oznacza godzinę odjazdu, a *sosire* – przyjazdu pociągu. *Linia* to numer peronu.

Bilety Rozprowadzają je kasy na dworcach kolejowych (*gară*) oraz agencje specjalne CFR (Agenţie de Voiaj CFR) w centrach dużych miast i miasteczek, zazwyczaj daleko od dworca. Na stacji można kupić bilet najwyżej godzinę lub dwie przed odjazdem, a w agencjach CFR – poprzedniego dnia (za to czasami nie da się tego zrobić w dniu odjazdu). Kto ma zamiar kupić bilet na dworcu, powinien zjawić się przy kasie co najmniej godzinę przed odjazdem, ponieważ może się zdarzyć, że zabraknie biletów (warto pamiętać, że miejscówki obowiązują we wszystkich pociągach poza osobowymi).

Na większych dworcach kasy biletowe dzielą się obowiązkami – w innej kupuje się bilety na 1. klasę, a w innej na 2. Konkretne pociągi również przydzielone są do różnych okienek, przez co tworzą się długie kolejki, mimo że podział miał temu właśnie zapobiec.

Koszt biletu zależy od długości trasy oraz typu pociągu. Za przejazd 100 km płaci się 0,62 € w pociągu osobowym (2. klasa), 1,90 € w pośpiesznym i około 7,50 € w InterCity. Miejscówki w zależności od typu pociągu wahają się od 0,80 do 3,50 €. Klasa 1. jest dwukrotnie droższa od 2.

Zniżki na pociągi otrzymuje się tylko w wypadku kupienia biletu w jedną stronę (za okazaniem karty ISIC lub Euro<26). Jest on ważny 24 godziny, jeśli więc ktoś spóźni się na pociąg, na następny potrzebuje tylko nowej miejscówki (plus ewentualna dopłata za inny rodzaj pociągu).

Autobus

Autobusy są wprawdzie szybsze od pociągów pośpiesznych, ale droższe, a komfort jazdy, szczególnie na krótszych trasach, pozostawia sporo do życzenia. Należy przygotować się na towarzystwo zwierząt domowych i tłumów ludzi podróżujących ze wsi do miasta i na odwrót. Nowe pojazdy kursują tylko na dłuższe trasy, na krótszych królują ROMAN-y (od nazwy rumuńskich zakładów produkujących ciężarówki i autobusy) z lat 70. i 80., w których śmierdzi spalinami, w zimie panuje chłód, a latem koszmarny upał.

O wiele bardziej komfortowe, szybsze i tańsze od autobusów są mikrobusy prywatnych firm. W czystych, nowych pojazdach mieści się 15–20 osób. Ostatnio pojawiły się też firmy oferujące przejazd dużymi nowoczesnymi autobusami z klimatyzacją lub otwieranymi oknami.

W małych miasteczkach i wsiach, gdzie nie ma dworców autobusowych (*autogară*), bilety kupuje się u kierowcy. Dworce są zazwyczaj obskurne – lata ich świetności dawno minęły. Rozkład jazdy znajduje się najczęściej w holu i na każdym z peronów, ale czasami okazuje się nieaktualny. Najlepiej podejść do okienka informacji lub kasy i tam przyjrzeć się wywieszonym kartkom z godzinami odjazdów i cenami biletów, a w razie ich braku, spróbować wypytać się personelu. Zwykle wypowiedzenie nazwy miasta z pytającym akcentem skutkuje zapisaniem przez kasjerkę godziny odjazdu autobusu. Na dworcach, gdzie są mikrobusy, wiszą tablice lub kartki z rozkładem jazdy, ponadto nad każdym stanowiskiem jest tabliczka z nazwą przystanku docelowego.

Ceny biletów wahają się w granicach 3 € za 100 km. Im dłuższa trasa, tym taryfa za 100 km niższa, a więc przykładowo za 400 km płaci się 7–8 €.

Samochód

Podróżowanie po Rumunii samochodem jest w miarę wygodne. W miarę, bo nie wszystkie zabytki i interesujące miejsca leżą przy dwupasmowych drogach krajowych (*drum naţional*), których remont i budowę od kilku lat dofinansowuje UE. Drogi te dorównują standardom europejskim – Polska mogłaby ich pozazdrościć! Łączą główne miasta wojewódzkie, ale uwaga – i tak tylko część z nich (ok. 75%) jest w dobrym stanie. Pozostałe albo się właśnie remontuje, albo ich wyglądem nikt się nie przejmuje. Autostrady łączą Bukareszt z Piteşti (114 km) i Feteşti z Cernavodă (14 km; ale od paru lat ze względu na remont funkcjonuje tylko jeden, bardzo zniszczony pas). W 2004 r. oddano do użytku fragment autostrady Bukareszt–Konstanca na odcinku Bukareszt–Drajna Nouă (ok. 100 km; w 2005 r. nie pobierano opłaty). W gorszym stanie są drogi wojewódzkie (*drum judeţean*), nierzadko z dziurami i koleinami. Lokalne trakty, oprócz nielicznych wyjątków, są dla kierowców prawdziwym koszmarem ze względu na podziurawiony asfalt. Na szczęście zmotoryzowany turysta nie musi z takich szos często korzystać. Przejazdy kolejowe na nowo wyremontowanych drogach krajowych są świetnie wykonane, ale poza nimi przez tory trzeba przejeżdżać z wielką ostrożnością.

Dbając o dobry wizerunek państwa, władze troszczą się o stan ulic w dużych miastach, jednak ograniczają się do ścisłego centrum i dróg wylotowych. Boczne ulice pozostawiają wiele do życzenia, dlatego warto zdjąć nogę z gazu nie tylko na drogach wojewódzkich i lokalnych, ale i w mieście. Obwodnice doprowadzają kierowców do szewskiej pasji. Są tak samo dziurawe i wąskie jak drogi lokalne, a jazda nimi jest bardziej męcząca niż przedzieranie się przez miasto. Jeśli to tylko możliwe, lepiej przejechać przez centrum.

Drogom krajowym i wojewódzkim towarzyszą „kamienie milowe", czyli betonowe słupki ustawione co kilometr na poboczu. Widnieje na nich odległość do najbliższej miejscowości i dużego miasta na trasie oraz numer drogi.

Na terenie Rumunii obowiązuje opłata za korzystanie z wszystkich dróg krajowych, którą uiszcza się, kupując specjalną naklejkę na szybę: Rovinietę. Można ją nabyć (teoretycznie) na stacjach benzynowych Petromu i Rompetrolu oraz w urzędach pocztowych. Bywa jednak, że naklejek brakuje na stacjach przygranicznych.

Koszt Roviniety w 2005 r. wynosił: 0,60 €/dzień, 3 €/tydzień, 6 €/miesiąc, 15 €/pół roku i 24 €/rok. Opłaty drogowe pobierane są też za przejazd przez niektóre mosty i przeprawy promowe, w obu wypadkach dotyczy to tylko Dunaju. Za przejazd przez most lub przeprawę w granicach państwa płaci się 1,50–3 €, a na przejściach granicznych (np. most Giurgiu–Ruse) 9–11 €.

Przepisy i zwyczaje drogowe

Jak w większości krajów europejskich, w Rumunii obowiązuje ruch prawostronny. Kierowca musi mieć prawo jazdy, dowód rejestracyjny pojazdu oraz ubezpieczenie OC (obcokrajowcy – Zieloną Kartę). Samochód powinien być wyposażony w trójkąt ostrzegawczy, apteczkę (z gumowymi rękawiczkami) oraz gaśnicę. W terenie zabudowanym obowiązuje ograniczenie prędkości do 50 km/godz., poza nim do 90 km/godz., a na autostradzie do 130 km/godz. Każda ilość alkoholu we krwi powyżej 0‰ grozi sankcjami. Przez komórkę można rozmawiać tylko za pomocą zestawu handfree lub głośnomówiącego. Policjanci z rumuńskiej drogówki (*poliţia rutiera*) są zwykle uprzejmi, czasem mogą sugerować zamianę wysokiego mandatu na niższą łapówkę, a niekiedy machną ręką na nic nierozumiejącego cudzoziemca. W przypadku poważniejszych sporów warto zażądać wizyty na posterunku i telefonicznego kontaktu z polską ambasadą.

Prowadzenie samochodu w Rumunii bywa naprawdę stresujące. Spotyka się wprawdzie bardzo uprzejmych kierowców, ale zdarzają się też złośliwi i brutalni, wymuszający pierwszeństwo i wyprzedzający bez pardonu samochody na zagranicznych rejestracjach.

Chyba nigdzie nie ma na drogach tylu furmanek, co w Rumunii. Zmuszają do żółwiego tempa, a po zmroku narażają na poważne niebezpieczeństwo innych użytkowników drogi. Codziennością są też chodzące poboczami, zwykle rano i wieczorem, stada krów lub konie, które można spotkać nawet pośrodku szybkiej drogi krajowej. Bawiące się przy szosach dzieci i spacerujący (niekoniecznie poboczami) wieśniacy to też norma. Wszystkie te zagrożenia bynajmniej nie znikają po zmroku. To znaczy – znikają, bo ich nie widać, i to jest właśnie najgorsze. Furmanki i rowery bez świateł odblaskowych, tubylcy urządzający sobie przechadzki w egipskich ciemnościach – skutki nieodpowiedzialnej jazdy w takich warunkach bywają tragicz-

Informacje na drogach

Toate direcţiile – we wszystkich kierunkach
Ocolire – objazd
Drum in lucru – roboty drogowe
Drum periculos – niebezpieczny odcinek
Claxonarea interzisă – zakaz używania klaksonu

ne. Warto pamiętać, by jadąc wieczorem, zdjąć nogę z gazu.

Często przy wyjeździe z miasta można zauważyć billboard z napisem *Drum Bun!*, czyli „Szerokiej drogi". W ten sam sposób podróżujący autostopem żegnają swego dobroczyńcę.

Awaria i serwis W razie wypadku czy awarii samochodu można liczyć na pomoc drogową wezwaną przez uprzejmych autochtonów lub policję (całodobowy ☎927). Jeśli auto jest na chodzie, najlepiej podjechać do któregoś licznych warsztatów samochodowych (*autoservis*), usytuowanych przeważnie na peryferiach miast przy głównych drogach dojazdowych. Jeśli trafi się na uczciwego mechanika, cena za naprawę drobnej usterki powinna być znacznie niższa od analogicznej usługi w Polsce. Punktów specjalizujących się w wulkanizacji (*vulcaniser*) jest sporo (w wielu wypadkach tablicy informacyjnej towarzyszy żółta reklama Dębicy), podobnie jak sklepów z częściami samochodowymi (*piese auto*), w których handluje się głównie częściami zapasowymi do dacii i renaulta. Znacznie trudniej dostać części do samochodów innych marek. Oleje, smary oraz różne płyny samochodowe są dostępne nie tylko w sklepach z częściami, ale również na nowoczesnych stacjach benzynowych. Tam też można sprawdzić ciśnienie i uzupełnić powietrze w oponach.

Paliwo Minęły już czasy śmiesznie taniego paliwa w Rumunii. Stacje oferują benzynę zwykłą 95, bezołowiową 95 i 98 oraz olej napędowy. Zwykła (*benzină*) 95 kosztuje około 1 € za litr, tyle samo bezołowiowa (*fără plumb*) 95, kilka centów droższa jest bezołowiowa 98, a za olej napędowy (*motorină*) płaci się 0,85 €. Oprócz tego na większych stacjach kupić można płynny gaz LPG (oznaczany symbolem GPL) za 0,50 €/l. Lista dystrybutorów w całej Rumunii znajduje się na stronie: www.expressnt.petrom.ro/gpl.htm.

W dużych miastach większość stacji benzynowych działa przez całą dobę. Najczęściej spotyka się stacje Shell, OMV, MOL, Lukoil i Petrom. Zawsze są przy nich toalety i parking, a często także myjnia i kawiarnia. Tutaj też zazwyczaj można płacić kartą płatniczą.

Wynajem samochodów W większości dużych miast działają filie takich firm, jak Avis, Europcar czy Hertz, ale wypożyczenie samochodu jest relatywnie drogie. Za dzień bez limitu kilometrów płaci się średnio 50 €, a w mniejszych, lokalnych firmach około 35 € (za wynajem dacii). Przy podpisywaniu umowy należy okazać prawo jazdy i paszport. Dla lepszego rozeznania się w kwestii wynajmu samochodów w Rumunii warto zajrzeć na stronę www.cars4rent.ro.

Autostop Ta forma podróżowania jest w Rumunii bardzo popularna oraz bezpieczna i może się okazać dobrym sposobem na podróż po kraju. Oczywiście trzeba pamiętać o podstawowych zasadach ostrożności (samotne panie powinny ograniczyć się do oficjalnych środków lokomocji). Za autostop należy **płacić**. Zwyczajowo zapłata zależy od długości trasy, mniej więcej 10 tys. lei za 10 km. Jeśli kierowcy nic się nie da, może dojść do awantury. Aby złapać okazję, trzeba wyjść na drogę wylotową. Od razu widać, gdzie należy stanąć – obok grupy „babuszek" z tobołkami, mężczyzn z aktówkami i uczniów z tornistrami machających do kierowców przejeżdżających samochodów. Jeśli nawinie się autobus lub mikrobus, wszyscy do niego wsiadają i przez kilka minut punkt zbiorczy świeci pustką. Autostop można także łapać w dowolnym miejscu między wioskami czy miastami (autobus lub mikrobus na pewno się zatrzyma).

Promy i statki

Wodne przejażdżki po Rumunii dotyczą tylko delty Dunaju, gdzie niekiedy jedyną możliwością dotarcia do danej miejscowości jest statek, motorówka lub łódź. Oprócz regularnych kursów pasażerskich są też wycieczkowe, organizowane specjalnie dla turystów. Szczegóły podano w rozdziale o Dobrudży i delcie Dunaju (s. 147).

Promy kursują tylko pomiędzy brzegami Dunaju. Oprócz okolic Gałacza oraz Ostrova i Calarasi, gdzie przeprawa odbywa się w granicach Rumunii, wszystkie inne łączą się z przekroczeniem granicy państwowej.

Więcej informacji można uzyskać pod adresem www.navrom.ro.

Rower

Podróżowanie rowerem po Rumunii to wielka przyjemność, ale nie dla osób o słabej kondycji. Niejednokrotnie trzeba bowiem pokonywać długie wzniesienia o nachyleniu dochodzącym do 14%. Rowery można przewozić pociągami oznaczonymi na grafiku małą walizeczką, co sygnalizuje obecność wagonu bagażowego (*vagon de bagaje*). Z częściami zapasowymi nie ma na ogół problemu, bo w każdym większym mieście udaje się znaleźć sklep rowerowy. Na pojazd trzeba uważać, szczególnie jeśli pozostawi się go obwieszony sakwami przed sklepem czy hotelem. Obowiązuje zasada – im gorzej rower wygląda, tym bezpieczniejszy on i jego właściciel. Rowerzystom obładowanym bagażami i w kaskach, co jest w Rumunii niecodziennym widokiem, autochtoni biją brawo (szczególnie po stromym podjeździe) i nierzadko zapraszają na herbatę z małym poczęstunkiem. Ponieważ kierowcy rumuńscy przyzwyczajeni są do pijanych rowerzystów wioskowych, zawsze trąbią z daleka, aby ostrzec, że się zbliżają.

W niektórych większych ośrodkach i miejscowościach turystycznych można wypożyczyć rower, co kosztuje 3–7 € za dzień.

Komunikacja miejska

Po większych miastach rumuńskich można poruszać się autobusami, trolejbusami i tramwajami oraz oczywiście taksówkami. Wszystkie publiczne środki transportu są zazwyczaj przepełnione, za to tanie (jednorazowy bilet kosztuje ok. 0,30 €). Wyruszają w pierwszy kurs zwykle o 5.00 rano, a do zajezdni wracają o 23.00 lub 24.00. Bilety kupuje się w ulicznych kioskach (*casă de bilete*). Kontrolerzy ubrani są po cywilnemu, ale mają przypięte identyfikatory. Za brak ważnego biletu płaci się karę w wysokości 5–10 € (w zależności od miasta).

Taksówki są na ogół niedrogie (z wyjątkiem Bukaresztu, gdzie kosztują najwięcej), ale zawsze trzeba wcześniej zapytać o cenę kursu. W Rumunii, tak jak i w Polsce, zdarzają się oszuści, którzy korzystając z nieświadomości turysty, wożą go po całym mieście, a po dotarciu na miejsce żądają astronomicznych sum. Szczególną ostrożność należy zachować w pobliżu

dworców kolejowych. Warto pamiętać, że taksówka na telefon jest tańsza od zatrzymanej na ulicy.

NOCLEGI

Rumunia jest krajem coraz częściej odwiedzanym przez gości z zagranicy. Rosnąca popularność przekłada się na infrastrukturę turystyczną – hotele i pola namiotowe wyrastają jak grzyby po deszczu. Ceny zależą nie tylko od standardu, ale też od pory roku oraz oczywiście lokalizacji. Planując przyjazd w szczycie sezonu, czyli w lipcu lub sierpniu, lepiej pomyśleć o wcześniejszej rezerwacji. Na wybrzeżu rezerwacja noclegów jest wręcz koniecznością, chyba że komuś nie przeszkadza biwakowanie na plaży (lub trafi na dworcu na „babuszkę" oferującą pokój w swoim mieszkaniu).

Kempingi

Pole namiotowe (*camping*) to najtańszy (nie licząc biwakowania na dziko) sposób na spędzenie wakacji w Rumunii, ale dotyczy tylko letnich miesięcy. Zwykle oprócz możliwości rozbicia namiotu można skorzystać z bungalowów (*căsuţe*) na dwie, trzy lub cztery osoby. Toalety i prysznice są skromne, często brudne, ciepła woda jest tylko przez kilka godzin dziennie, a czasami nie ma jej wcale. Cena za rozbicie namiotu wynosi 1–3 € plus 1–2 € od osoby. Za miejsce w bungalowie płaci się 4–10 €.

Biwakowanie na dziko jest w Rumunii dozwolone, z wyjątkiem obszarów chronionych, takich jak parki narodowe. Najlepiej poprosić właściciela łąki czy pastwiska o pozwolenie na rozbicie namiotu. Nierzadko gospodarze zapraszają przygodnych turystów na własne podwórze lub do domu.

Schroniska

W Rumunii jest kilkanaście **schronisk młodzieżowych**, część z nich należy do Hosteling International (Międzynarodowe Stowarzyszenie Schronisk Młodzieżowych; www.hihostels-romania.ro). Mogą w nich nocować przede wszystkim posiadacze międzynarodowych legitymacji członkowskich polskiego Polskiego Towarzystwa Schronisk Młodzieżowych, a cena za nocleg waha się w granicach 7–14 €. Prócz tego są tzw. **hostele** o standardzie zbliżonym do schronisk. Ceny w tego typu obiektach wynoszą 8–14 € za noc i obejmują niekiedy korzystanie z pralni oraz skromne śniadanie. Im więcej łóżek w sali sypialnej, tym nocleg jest tańszy. Kto nie chce ryzykować, powinien poprosić o możliwość przechowania bagażu w recepcji lub specjalnie przeznaczonym do tego celu pomieszczeniu.

W rumuńskich Karpatach funkcjonuje sporo **schronisk górskich** (*cabana*), znacznie różniących się między sobą. W miejscach łatwo dostępnych i usytuowanych przy popularnych szlakach *cabany* są bardzo dobrze wyposażone; mnóstwo tam turystów i zamieszania. Niektóre obiekty w pobliżu dużych ośrodków turystycznych są schroniskami tylko z nazwy, bardziej bowiem przypominają pensjonaty lub nawet hotele. Z kolei *cabany* w wyższych partiach gór są skromniejsze, ale zazwyczaj można w nich coś zjeść i wypić. Nie licząc skrajnych przypadków, nocleg w typowym górskim schronisku to wydatek 3–5 € w zależności od standardu i lokalizacji. W górach można także napotkać darmowe spartańskie **schrony** (*refugiu*).

Kwatery prywatne i pensjonaty agroturystyczne

Noclegi w **kwaterach prywatnych** cieszą się dużą popularnością. W dużych miastach zaraz po wyjściu z pociągu turysta jest dosłownie oblegany przez miejscowych, którzy zapraszają do swojego domu. Pokoje są przeważnie schludne i czyste, gość ma do dyspozycji łazienkę z ciepłą wodą (często podgrzewaną bojlerem na węgiel). W zależności od okresu i popularności miejsca, ceny wahają się od 5 do 15 € za osobę. Za wyżywienie płaci się osobno. W niektórych miejscowościach o nocleg w kwaterach prywatnych można pytać w informacji turystycznej i biurach podróży, jednak placówki te zajmują się przede wszystkim organizowaniem pobytów w **pensjonatach agroturystycznych**, których w Rumunii nie brakuje (zwłaszcza w popularnych ośrodkach turystycznych). Ceny – nieco wyższe niż w kwaterach prywatnych – zależą od standardu. Zbieraniem danych na temat nowo powstałych pensjonatów i rezerwacją zajmują się wyspecjalizowane organizacje – do największych należy **Antrec** (główna siedziba w niepozornej willi na str. Maica Alexandra 7B, Sc 1, 22-259 Bucureşti; ☎21/223 7024, fax 2228001, www.antrec.ro; można tu zarezerwować kwatery w całej Rumunii) z filiami we wszystkich większych miastach oraz belgijska **OVR** (Opération Villages Roumains; www.vaduizei.ovr.ro).

Szukając noclegu, nie trzeba wcale korzystać z pośrednictwa wyżej wymienionych biur. Wystarczy przejść się po wsi i pytać o wolne miejsca – poza sezonem na pewno się jakieś znajdzie, w sezonie może być z tym nieco trudniej.

Hotele

W każdym dużym mieście i ośrodku turystycznym stoją zarówno nowe obiekty o wysokim standardzie, jak i socrealistyczne, od dziesiątek lat nieremontowane kolosy. Kategorie są analogiczne do zachodnioeuropejskich, od jednej do pięciu gwiazdek. Czasami cena noclegu obejmuje śniadanie (*mic dejun*). Prócz tego istnieją bardzo tanie obiekty niezakwalifikowane do żadnej kategorii obsługujące chłopów przyjeżdżających ze wsi do miasta na zakupy. Ich standard przypomina najgorsze hotele robotnicze z czasów socjalizmu, stojące tylko dzięki farbie na ścianie.

Najniższa cena za nocleg w hotelu jednogwiazdkowym wynosi około 5 € – bez śniadania, w dosyć obskurnym pokoju i ze sporadycznie płynącą ciepłą wodą. Za luksusy w pięciogwiazdkowym trzeba zapłacić od 150 do 300 €.

GASTRONOMIA

Kto chce stołować się w rumuńskich lokalach, na pewno nie będzie rozczarowany. Można w nich zjeść smacznie i stosunkowo tanio (w porównaniu z krajami zachodnimi). Turystów z pewnością zaskoczy wielka popularność dań włoskich. Spowodowane jest to chęcią powrotu do korzeni (rzymskich – co oczywiście trzeba traktować z przymrużeniem oka), zmianami gustów kulinarnych Rumunów, a wreszcie pragnieniem dogodzenia licznie przybywającym do tego kraju Włochom. Przyjeżdżają oni nie tylko jako turyści, ale także w interesach (często zresztą w branży gastronomicznej).

Kupowanie żywności na własną rękę daje ogromne pole do popisu mniej zamożnym turystom. Niemal w każdym mieście i miasteczku odbywa się codzienny targ na placu (*piaţa*), gdzie można kupić tanie warzywa i owoce, chleb, nabiał, mięso, ryby i inne produkty. Zwolennicy zdrowego żywienia będą zadowoleni, ponieważ warzyw i owoców nigdy w Rumunii nie brakuje. Z powodu znacznych różnic cen, warto wybadać teren przed dokonaniem zakupów.

Poza targowiskami w jedzenie można się zaopatrzyć w *magazin alimentar* (sklep spożywczy), *magazyn mixt* czy *universal* (nazwy mówią same za siebie) i supermarketach. Przykładowo, bochenek chleba

(0,80 kg) kosztuje około 0,40 €, a kilogram słonego białego sera – 2 €.

Restauracje i fast foody

Różnorodność rumuńskich lokali gastronomicznych przyprawia o zawrót głowy, ale pod przykrywką rozmaitych szyldów i wystrojów kryją się w istocie te same dania i zestawy, różniące się tylko cenami. Obok omletów, *ciorby*, kilku rodzajów kotletów (m.in. z rusztu) oraz mamałygi, do wyboru są gołąbki, ziemniaki, frytki i sałatki. Ujmą dla szanującej się restauracji byłby brak pizzy lub spaghetti, dlatego miłośnicy włoskiej kuchni nie będą mieli powodów do narzekania.

Ceny kształtują się na poziomie niedrogich restauracji w Polsce. Tańsze lokale łatwo poznać po ascetycznym wystroju przywodzącym na myśl minioną epokę oraz przestronnych, świecących pustkami salach. Personel siedzi przy nakrytych białymi lub zielonymi obrusami stolikach, paląc papierosy i niechętnie spoglądając na wchodzących klientów. Za zupę i drugie danie z wodą mineralną zapłaci się tam 4–5 €. Do droższych zaliczają się niedawno powstałe restauracje o nowoczesnym wystroju z mnóstwem luster i świecidełek, a także bardziej gustowne lokale o klimacie rustykalnym, stylizowane na myśliwskie chatki z kominkiem lub narodowe – włoskie, francuskie, chińskie czy węgierskie. Kelnerzy są tam zawsze uprzejmi i serdeczni, a dwudaniowy posiłek kosztuje 5–8 €. Ekskluzywne restauracje mieszczą się zazwyczaj przy cztero- i pięciogwiazdkowych hotelach w centrach dużych miast lub też przy deptakach. Wnętrze jest zawsze idealnie dopasowane do charakteru miejsca, obsługa profesjonalna, a kuchnia bez zarzutu. Ale luksus kosztuje – obiad to wydatek co najmniej 9–10 €.

Na palcach jednej ręki można policzyć odpowiedniki naszych barów mlecznych (*lacto-bar*) – ostatnie przetrwały w niektórych dużych miastach. Dwudaniowy obiad w takim przybytku kosztuje 3–5 €.

Wielką popularnością w Rumunii cieszą się fast foody – *McDonald* jest w każdym dużym mieście. Większość rodzimych barów naśladuje jego styl i menu: hamburgery, cheeseburgery, bułki z kurczakiem, hot dogi, frytki, a do picia oranżada lub cola. Trzeba uważać na parówki w hot-dogach, bo czasami podawane są z folią. Za hamburgera lub podobną kanapkę płaci się 0,40–0,80 €, 100 g frytek kosztuje 0,35 €. Dobre na szybką przegryzkę są gorące ciasteczka kupowane w stoiskach sieci Fornetti. Znaleźć je można w każdym mieście, a za 10 dag trzeba zapłacić 0,30 €.

ZAKUPY

Uliczne stragany w miejscowościach turystycznych oferują wszelkiego rodzaju pamiątki. Kramy stoją zarówno w centrum, jak i na obrzeżach, przy drogach wylotowych, a w siedmiogrodzkich wioskach ciągną się wzdłuż całej osady. Na Bukowinie rozmaite drobiazgi sprzedawane są przy malowanych monastyrach. Miejsca szczególnie popularne wśród turystów, jak chociażby wąwóz Bicaz, to jedno wielkie siedlisko komercji – już przy trasie dojazdowej działa kilka „centrów handlowych".

Turyści tradycyjnie przywożą z Rumunii wszelkiego rodzaju wyroby rzemiosła ludowego (coraz częściej produkowane seryjnie) – drewniane skrzynki, rzeźby, szachy, naczynia, a nawet berła, maczugi i... kije baseballowe (te ostatnie raczej trudno zaliczyć do tradycyjnych wyrobów ludowych). Gdzieniegdzie można trafić na piękną ceramikę z Corund (Szeklerszczyzna) czy Hurezu (Oltenia), ale najlepiej kupić ją na miejscu. Transylwania i region Maramuresz słyną z wełnianych swetrów, skarpet, czapek, szalików i kilimów. Na straganach piętrzą się baranie czapy, skóry i słomiane kapelusze. Specjalnością Bukowiny są dywany, tradycyjne ubiory i piękne haftowane obrusy. W cerkiewnych sklepikach sprzedaje się ikony, łańcuszki z krzyżykami i medalionami oraz inne dewocjonalia.

Dobrym prezentem dla rodziny i znajomych będą rumuńskie wina – Cotnari czy Mulfatlar, a dla amatorów mocniejszych trunków – słynna śliwowica (*ţuică*) lub rozmaite palinki.

Zwrot VAT

Zwrot podatku VAT za towary kupione na terenie Rumunii powinno się otrzymać w urzędzie celnym na granicy (należy przedstawić rachunek i pokazać towar) lub specjalnie oznaczonych sklepach (TAX FREE) w terminie 90 dni od zakupu. Tyle ustawa, ale brak przepisów wykonawczych powoduje, że system odliczania podatku VAT funkcjonuje bardzo źle. Za artykuły spożywcze, tytoń i alkohol zwrot podatku nie przysługuje.

AKTYWNY WYPOCZYNEK

Rumuńska oferta dla aktywnych jest wyjątkowo bogata: wędrówki i wspinaczka wysokogórska, speleologia, sporty ekstremalne, turystyka rowerowa, wędkarstwo, polowania, jazda konna i dyscypliny zimowe oraz wodne. Miłośników górskich wędrówek zachwyci liczba i różnorodność szlaków wiodących zarówno przez tereny wysokogórskie, jak i wyżynne w Transylwanii.

Wśród sportów zimowych największą popularnością cieszy się narciarstwo oraz snowboard. Niezliczona ilość stoków i wyciągów zadowoli każdego amatora białego szaleństwa, jeśli odpowiednio wcześniej zaplanuje podróż. Przykładowo, wybierając się do Poiany Brașov, bardzo znanego w Rumunii i za granicą ośrodka narciarskiego, trzeba rezerwować nocleg kilka miesięcy wcześniej.

W poszczególnych rozdziałach podano więcej informacji dotyczących aktywnego wypoczynku w konkretnych regionach i miejscowościach.

BALNEOLOGIA

Podobno na terenie Rumunii leży jedna trzecia wszystkich europejskich źródeł mineralnych i termalnych. Na turystów i kuracjuszy czeka ponad 70 kurortów (kiedyś było ich dwa razy więcej), w których leczy się choroby reumatyczne, układu krążenia i niewydolność serca. Z rumuńskich uzdrowisk korzystają także osoby z problemami żołądkowymi, uszkodzonym systemem nerwowym czy schorzeniami dermatologicznymi. Balneoterapia uzupełniana jest przez fizjoterapię, akupunkturę, ziołolecznictwo i tradycyjne medykamenty.

Wszystkie kuracje są nadzorowane przez Ministerstwo Zdrowia za pośrednictwem Instytutu Medycyny Fizjoterapeutycznej, prowadzącego kliniki m.in. w Eforie Nord nad jeziorem Techirghiol oraz w Băile Felix. W każdym z kurortów działają specjalistyczne przychodnie wydające recepty na leczenie zdrojowe, które trwa przeważnie od dwóch do trzech tygodni.

Pobyt w którymś z rumuńskich uzdrowisk może być doskonałym pomysłem na urlop. Wiele z nich, jak Băile Herculane, Băile Felix, Vatra Dornei, Sovata czy Sinaia leży wśród przepięknego górskiego krajobrazu, z kolei Techirghiol – na wybrzeżu Morza Czarnego.

POCZTA I TELEKOMUNIKACJA

Poczta rumuńska działa dosyć sprawnie. Kartka lub list powinny dojść do Polski po czterech dniach od daty wysłania, ale może się to przedłużyć nawet do tygodnia. Telefon i Internet stają się w Rumunii coraz bardziej popularne, chociaż ten ostatni dopiero raczkuje. Mało kto ma dostęp do Sieci w domu, ale kafejki internetowe wyrastają jak grzyby po deszczu.

Poczta

Urzędy pocztowe (*poşta*), oznaczone skrótem PTT (*Poşta, Telegraf, Telefon*), są czynne od poniedziałku do piątku w godzinach 7.30/8.00–19.00/20.00, w soboty do 12.00. Czerwone, niekiedy żółte skrzynki wiszą na urzędach, hotelach i w uczęszczanych punktach miasta. Kartki pocztowe kosztują 0,10–0,40 €, znaczek pocztowy (*timbre*) do Polski 0,60 €. W większych urzędach pocztowych można zamówić międzynarodową rozmowę telefoniczną oraz wysłać faks.

Telefon

Pomarańczowe automaty telefoniczne na karty chipowe (coraz rzadziej magnetyczne) najłatwiej znaleźć w okolicach urzędów pocztowych, hoteli, centrów handlowych oraz przede wszystkim przy placówkach Romtelecomu – lokalnego odpowiednika Telekomunikacji Polskiej. W miastach i przy stacjach benzynowych stoją żółte budki telefoniczne sprowadzane z Niemiec. Czterominutowa rozmowa z Polską kosztuje około 3 €; najlepiej kupić w tym celu kartę o wartości nie mniejszej niż 100 tys. lei.

Chcąc zadzwonić z Polski do Rumunii, wybiera się numer kierunkowy ☎0040, potem kierunkowy miasta (bez zera) i numer abonenta. Podobnie postępuje się przy roz-

---

Ważne telefony

Telefonując na policję czy numery alarmowe, należy liczyć się z trudnościami językowymi.

Kierunkowy do Rumunii ☎0040
Kierunkowy do Polski ☎0048
Policja ☎955, 962 (żandarmeria)
Pogotowie ratunkowe ☎961
Straż pożarna ☎981
Całodobowa pomoc drogowa ☎927
Pogotowie weterynaryjne ☎9331
Biuro numerów ☎931
Centrala międzynarodowa ☎971
Informacje o pogodzie ☎9591
Informacja o stanie dróg ☎3145928

mowach z Rumunii do Polski (kierunkowy kraju: ☎0048). Jeśli wystąpi problem z bezpośrednim połączeniem, należy wybrać numer ☎971 (centrala międzynarodowa).

W Rumunii działa kilku operatorów telefonii komórkowej (jednym z większych jest Connex oraz Orange) – turyści powinni pamiętać, aby przed wyjazdem z Polski aktywować roaming.

Internet

W każdym mieście i miasteczku działa co najmniej jedna kafejka internetowa, na ogół, tak jak w Polsce, okupowana przez młodzież spędzającą długie godziny na grach komputerowych. Bywa, że mimo szyldu z napisem *internet café*, kawiarenka nie ma połączenia z Internetem, bo służy tylko do gier.

W dużych miastach w kafejkach zdarzają się stałe łącza, ale na ogół królują modemy. Koszt godziny surfowania waha się w granicach 0,40–1 €, w zależności od tego, czy korzysta się z usług w popularnym ośrodku turystycznym, czy na prowincji.

GODZINY PRACY I ŚWIĘTA

Biura i banki pracują od poniedziałku do piątku od 7.00/8.00 do 15.00/16.00, urzędy między 8.00 a 17.00. Muzea są czynne przez cały rok przeważnie od 9.00 do 16.00, w poniedziałek większość z nich bywa zamknięta. Skanseny otwierają wrota zazwyczaj o 8.00/9.00, zamykają o 17.00/18.00 i w większości wypadków można je zwiedzać tylko od kwietnia do października. Przy zwiedzaniu kościołów warto wykazać się cierpliwością, gdyż godziny otwarcia nie są uregulowane. Czasem trzeba najpierw znaleźć klucznika, który przeważnie mieszka w pobliżu, jeśli obiekt znajduje się na wsi, a w miastach pozostaje zdać się na łut szczęścia. Sklepy są otwierane dosyć późno, bo dopiero o 9.00 lub 10.00, a zamykane o 18.00, w soboty o 13.00. Niektóre *magazyny* w większych miastach działają całą dobę, podobnie jak apteki.

Święta, festiwale, wakacje

Oficjalne święta państwowe to Nowy Rok (1 i 2 I), Wielkanoc (także poniedziałek), 1 maja, 1 grudnia (Narodowe Święto Zjednoczenia, ustanowione w 1990 r. na cześć zjednoczenia w 1918 r. ziem rumuńskich) oraz Boże Narodzenie (25 i 26 XII).

Dzieci rumuńskie cieszą się długimi wakacjami, od połowy czerwca do połowy września, wtedy też ich rodzice starają się o urlopy. Poza tym, tak jak w Polsce, mają kilkudniowe ferie wielkanocne i bożonarodzeniowe.

Poza wyżej wymienionymi świętami państwowymi, urządza się wiele festiwali ludowych, ale nie są to dni wolne od pracy. Bardziej popularne festyny omówiono w poszczególnych rozdziałach.

MASS MEDIA

Po 1989 r., kiedy wraz z systemem komunistycznym upadła cenzura, na rynku pojawiło się wiele nowych tytułów gazet oraz stacji radiowych i telewizyjnych, które skutecznie konkurują z państwowymi. Rumuńskiej młodzieży trudno nawet wyobrazić sobie, że w ostatnich latach rządów Ceauşescu telewizja emitowała programy (przeważnie propagandowe) tylko przez dwie godziny dziennie.

Prasa

Zagraniczne gazety i czasopisma można kupić w kioskach w Bukareszcie, ośrodkach turystycznych na wybrzeżu Morza Czarnego oraz w niektórych większych miastach. Kilkoma zagranicznymi tytułami dysponują ponadto recepcje najlepszych hoteli.

Liczba rumuńskich gazet gwałtownie wzrosła po 1989 r. Spośród ponad 100 tytułów dzienników centralnych i lokalnych największy nakład mają: *Adevarul* (Prawda), dawny organ partii komunistycznej, obecnie popierający PDSR; stojąca po drugiej stronie politycznej barykady *România Libera* (Wolna Rumunia) oraz popularne *Evenimentul Zilei* (Wydarzenia Dnia). Własną prasę mają mniejszości narodowe – Węgrzy i Niemcy.

Radio i telewizja

Największe stacje państwowe – TVR 1 i TVR 2 – nadają wiele programów edukacyjnych i dokumentalnych. Na kilku kanałach prywatnych, jak Antena 1, Pro TV, czy Tele 7, dominują średnio ambitne programy komercyjne. Atomic TV jest odpowiednikiem MTV – prezentuje najnowsze trendy rumuńskiej popkultury. Telewizja kablowa, do której podłączone są rumuńskie osiedla i niektóre hotele, nadaje programy zagraniczne, m.in. HBO, Eurosport, MTV i Discovery Channel.

Radio publiczne nadaje w trzech programach na falach średnich (AM). Fale ultrakrótkie (FM) okupowane są przez stacje prywatne, z których najpopularniejsze to Radio ProFM oraz Radio Contact. Wiadomości ze świata emituje po angielsku

Radio Hit, nadające regularnie Głos Ameryki, z kolei BBC trzeba szukać na falach krótkich.

Polskie programy radiowe i telewizyjne są dostępne wyłącznie drogą satelitarną lub przez Internet. W Rumunii, jak w każdym państwie postkomunistycznym, antena satelitarna na dachu bloku lub przymocowana do balkonu to powszechny widok. Równie popularna jest telewizja kablowa, ale ta z reguły nie obejmuje polskich kanałów. Niektóre hotele mają własne anteny, dzięki czemu dostęp do polskich programów nie stanowi problemu.

INFORMATOR

Czas W Rumunii obowiązuje czas wschodnioeuropejski – GMT + 2 godz., co oznacza, że należy przestawić zegarek o godzinę do przodu w stosunku do czasu polskiego. Czas letni (GMT + 3 godz.) obowiązuje od ostatniej niedzieli marca do ostatniej niedzieli września, czas zimowy od ostatniej niedzieli września do ostatniej niedzieli marca (powrót do GMT + 2 godz.).

Elektryczność Napięcie rumuńskiej sieci elektrycznej wynosi 220 V, a częstotliwość 50 Hz, czyli tyle samo co w Polsce. Również wtyczki elektryczne nie odbiegają od standardów europejskich (rozstaw bolców 18 mm). Nawet w hotelach wyższej kategorii instalacja elektryczna (zwłaszcza kontakty) bywa w opłakanym stanie. Szczególną ostrożność powinny zachować osoby podróżujące z dziećmi.

Fotografowanie Tak jak w Polsce, w Rumunii nie można fotografować obiektów militarnych, portów i przejść granicznych. Informują o tym stosowne tabliczki. Szczególną uwagę należy zachować, fotografując Romów lub ich pałace. Prawie zawsze domagają się zapłaty.

Miary i wagi W Rumunii obowiązuje system metryczny (standard SI), czyli podstawową jednostką długości jest metr, a masy – kilogram.

Napiwki i targowanie się Napiwki daje się w restauracjach i hotelach. Kelnerzy, pokojówki czy bagażowi nie stronią od tej formy wdzięczności za obsługę. Wysokość napiwku zależy od gościa – w restauracjach standardowo wynosi 10% sumy rachunku.

Targować można się przede wszystkim na bazarach, ale nie wypada tego robić przy niewielkich zakupach. Również taksówkarze nie mają nic przeciwko temu, aby klient posprzeczał się z nimi trochę o cenę kursu.

Niepełnosprawni Rumuńskie władze powoli wprowadzają udogodnienia dla niepełnosprawnych. Przy budynkach użyteczności publicznej coraz częściej pojawiają się podjazdy dla wózków inwalidzkich, a w dużych miastach można spotkać specjalne autobusy, chociaż wciąż jest to bardzo rzadki widok. Większe skrzyżowania, które mają łagodne wjazdy na chodnik, oznaczone są specjalnym znakiem (człowiek na wózku inwalidzkim). Toalety dla niepełnosprawnych w Rumunii to rzadkość. Inwalidzi powinni nocować w droższych hotelach, wyposażonych w windy i podjazdy.

Podróżowanie z dziećmi Podróż z dziećmi po Rumunii nie stanowi większego problemu, ale lepiej, jeśli maluchy mają ukończone co najmniej cztery lata. Najwygodniejszym środkiem transportu na dłuższych odcinkach jest pociąg, ale tylko 1. klasa, ponieważ 2. jest najczęściej zapełniona do granic możliwości. Krótkie trasy, np. do odległego o kilka kilometrów zamku, najlepiej pokonywać taksówką, ponieważ w każdej chwili można się zatrzymać, a i poszukiwania słabo nieraz oznakowanych zabytków staną się znacznie łatwiejsze. Podróż przepełnionym autobusem z dzieckiem na rękach może zamienić się w prawdziwy koszmar. Tego typu środka lokomocji należy unikać szczególnie w zimie, kiedy zwiększa się ryzyko infekcji.

Praca Obywatele zagraniczni zamierzający podjąć pracę w Rumunii muszą uzyskać zgodę Ministerstwa Pracy i Opieki Społecznej (Ministerul Muncii și Protecției Sociale, str. Dem. I. Dobrescu 2, sektor 1, ☎21/3156563, 3157209, fax 3122768), które wydaje zezwolenie przeważnie na 6 miesięcy (odnawialne). Ponieważ w kraju panuje wysokie bezrobocie, zatrudnienie się (choćby w celu zarobienia lei na dalszą podróż) nie jest łatwe, a i pensja niezbyt wysoka. Poza tym należy przedstawić mnóstwo zaświadczeń o kwalifikacjach i doświadczeniu zawodowym, co czyni całą procedurę żmudną i czasochłonną.

Toalety Najczęściej spotyka się brudne toalety z dziurą w podłodze. Jeśli już pojawi się muszla klozetowa, to nierzadko bez klapy i też niezbyt czysta. Najlepsze toalety są w *McDonaldach* (choć nie we wszystkich) oraz na stacjach benzynowych, ale i tam można się czasami niemile rozczarować.

Toalety dla kobiet oznaczone są literą F (*femei*) i znakiem trójkąta skierowanego w górę, a dla mężczyzn literą B (*bărbați*) i trójkątem skierowanym w dół.

Bukareszt

Bukareszt (Bucureşti) nie jest miastem, w którym można się zakochać od pierwszego wejrzenia. Jak w każdej metropolii (mieszka tu ponad 2 mln ludzi) na ulicach panuje hałas, gdzieniegdzie straszą niedokończone budowle, a ludzie zawsze się gdzieś spieszą. Ale spacerując po bulwarach i ulicach, można odkryć in-

Główne atrakcje

- **Spacer po Bukareszcie** – zabytkowe cerkwie i XIX-wieczna zabudowa.
- **Pałac Parlamentu** – największy po Pentagonie budynek na świecie.
- **Muzeum Wsi** – najlepszy rumuński skansen, gdzie z wielką dokładnością odtworzono realia dawnej wsi rumuńskiej.
- **Wyburzona starówka** – szerokie bulwary i place wytyczone zgodnie z wizją Ceauşescu po zburzeniu zabytkowej dzielnicy.
- **Pałac w Mogoşaia** – jeden z najpiękniejszych zabytków XVII-wiecznej architektury rumuńskiej.
- **Snagov** – wycieczka na wyspę słynącą z cerkwi, w której, jak wieść niesie, pochowano słynnego Drakulę.

ne, ciekawsze oblicze Bukaresztu: zabytkowe cerkwie i klasztory, wspaniałe eklektyczne i neoklasycystyczne budowle oraz liczne ogrody i parki.

Nie bez powodu stolica Rumunii była nazywana Małym Paryżem lub Paryżem Wschodu. Twórcy pałaców i kamienic wzorowali się na XIX-wiecznej architekturze francuskiej, a wiele z nich zaprojektowali mistrzowie znad Sekwany. Symbolem więzi obu krajów jest Łuk Triumfalny na północnych krańcach miasta, do złudzenia przypominający paryski pierwowzór. Niechlubną rolę w najnowszej historii stolicy odegrał „wielki architekt i budowniczy socjalizmu" Nicolae Ceauşescu. Jego wizja przyniosła nie tylko zniszczenie wielu cennych zabytków i pomników kultury, ale również tragedię tysięcy ludzi. Południową część centrum (w tym spory fragment zabytkowej starówki) wyburzono, wznosząc na tym miejscu monumentalne gmachy, których symbolem jest osławiony Pałac Parlamentu (wcześniej Pałac Ludu) – druga co do wielkości, po amerykańskim Pentagonie, budowla na świecie. Jednym z kaprysów Ceauşescu było wzbogacenie centrum o... rzekę. W tym celu wybudowano tamę na rzece Dâmboviţa i skierowano jej nurt przez serce stolicy.

HISTORIA

Pierwsza wzmianka o Bukareszcie pochodzi z XV w., ale najstarsze ślady osadnictwa w okolicy datuje się z epoki kamienia łupanego. Później na tych terenach przebywali Dakowie, a po nich Rzymianie. W średniowieczu Bukareszt dobrze prosperował dzięki położeniu na skrzyżowaniu szlaków handlowych z Transylwanii na południe oraz znad Morza Czarnego na zachód. Z czasem miasto stało się dru-

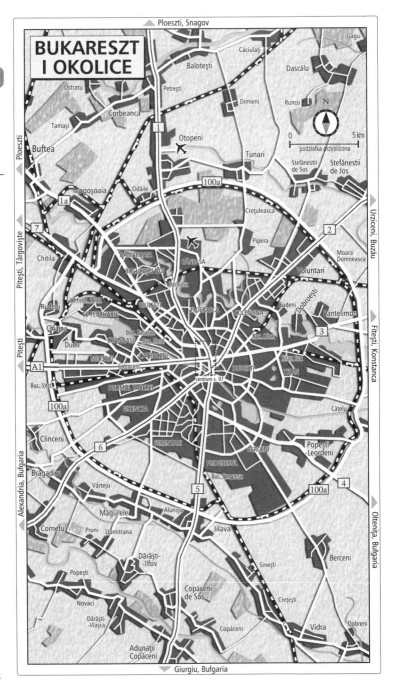

gim (po Târgovişte) ośrodkiem politycznym i handlowym Muntenii. Niestety, ucierpiało podczas walk hospodara Michała Walecznego z Turkami i stolicę ponownie przeniesiono do Târgovişte, o wiele lepiej chronionego przed wrogimi wojskami. Bukareszt wkrótce został odbudowany i w 1625 r. znów rezydował tu wołoski hospodar Alexandru Cuconul. 32-letnie panowanie wojewody Matei Basaraba (1632–1654) przyniosło rozkwit i dobrobyt. Efektem prężnego rozwoju gospodarczego był wzrost liczby cechów rzemieślniczych, powstanie nowych budowli oraz rozwój kultury i sztuki. W 1659 r. Bukareszt uzyskał status stolicy Wołoszczyzny. Hospodarowi Constantinowi Brâncoveanu, wielkiemu mecenasowi sztuki, miasto zawdzięcza wiele pięknych gmachów. W 1692 r. stolicę przecięła nowa ulica wyłożona dębowymi balami – Podul Mogoşoaiei – dzisiejsza Calea Victoriei.

Po okresie względnej niezależności Wołoszczyzny od Turków za panowania Brâncoveanu nastąpiły rządy podległych Osmanom fanariotów (potomków arystokratycznych rodów greckich, pozostałych przy życiu po zdobyciu Konstantynopola przez Turków w 1453 r.). Mimo niekorzystnej sytuacji politycznej, Bukareszt stał się w XVIII w. jednym z ważniejszych centrów handlowych południowej Europy. Tutaj w następnym stuleciu rozgrywały się ważne epizody powstania antytureckiego i antyfeudalnego Tudora Vladimirescu. Zryw stłumiono, ale jego bezpośrednim skutkiem było odsunięcie fanariotów i przywrócenie na urząd hospodara rodowitych Rumunów. W 1848 r. miasto było centrum rewolucji na Wołoszczyźnie. W 1859 r. na hospodara Mołdawii i Wołoszczyzny wybrano Aleksandra Cuzę – w ten sposób narodziło się nowoczesne państwo rumuńskie, którego stolicą Bukareszt został trzy lata później.

Druga połowa XIX i początek XX stulecia były dla Bukaresztu okresem szybkiego rozwoju gospodarczego. Wokół miasta powstawały fabryki i zakłady przemysłowe, a w centrum reprezentacyjne pałace i kamienice fabrykantów oraz gmachy użyteczności publicznej. Wzorem dla architektów i planistów była Francja i jej stolica – Paryż.

W 1918 r. Bukareszt ustanowiono stolicą rozszerzonej o Transylwanię Rumunii. W sierpniu 1944 r. aresztowano faszystowskiego prezydenta Iona Antonescu, a Rumunia – walcząca do tej pory po stronie Hitlera – przeszła do obozu aliantów. Po wojnie miasto utrzymało status stolicy, ale tym razem ludowej, socjalistycznej Rumunii.

Podczas rewolucji 1989 r. toczyły się tu krwawe walki, szczególnie w okolicach siedziby telewizji, na Piaţa Romană, Piaţa Revoluţiei i przy uniwersytecie. Do dziś na niektórych budynkach widać dziury po kulach, które są pamiątką tamtych wydarzeń.

ORIENTACJA

Główną ulicą jest blvd G. Magheru biegnący z północy na południe od Piaţa Romană przez Piaţa 21 Decembrie 1989 do ogromnej Piaţa Unirii. Na wysokości Piaţa Revoluţiei, gdzie stoi większość budynków rządowych, arteria zmienia nazwę na blvd N. Bălcescu, z kolei od Piaţa 21 Decembrie 1989, przy której wznosi się uniwersytet, ciągnie się do Piaţa Unirii jako blvd I.C. Brătianu. Patrząc z tego ostatniego placu na zachód, widzi się ogromny Pałac Parlamentu – prowadzi tam blvd Unirii z mnóstwem fontann.

Drugą ważną ulicą jest, przecinający prostopadle blvd N. Bălcescu (na wysokości Piaţa 21 Decembrie 1989), blvd Regina Elisabeta, który biegnie na wschód jako blvd Carol I. Stare miasto zamyka się w trójkącie pomiędzy blvd Regina Elisabe-

Prapoczątki stolicy

Legendy o początkach wielkich miast są zwykle bardzo rozbudowane, ale w przypadku Bukaresztu historia jest prosta i krótka. Ludowe przekazy mówią o pasterzy imieniem Bucur (można je przetłumaczyć jako „Szczęśliwy" czy też „Zadowolony"), który pasł owce nad rzeczką Dâmboviţa. Krystaliczna woda, zielone łąki i gęste lasy tak go urzekły, że postanowił już nigdy w życiu nie opuszczać tego miejsca. Nad brzegiem wybudował sobie domek i jako człowiek wierzący zaczął wznosić cerkiew. Następnego ranka świątynia stała już w całej okazałości, w cudowny sposób dając początek miastu, które wzięło nazwę od swojego założyciela, pasterza Bucura.

ta, blvd I.C. Brătianu oraz rzeką Dâmbovịta, płynącą z południowego wschodu (na odcinku kilkuset metrów podziemiami pod Piaţą Unirii) na północny zachód.

Ważną funkcję w topografii Bukaresztu pełni długa Calea Victoriei wytyczona z północy na południe mniej więcej równolegle do blvd G. Magheru, N. Bălcescu i I.C. Brătianu. Biegnie ona od najważniejszego w północnej części miasta ronda – Piaţą Victoriei – do Dâmboviţy na południu, przecinając Piaţą Revoluţiei, blvd Regina Elisabeta i starówkę. Ta ostatnia jest plątaniną uliczek, z których najważniejszy jest zaniedbany deptak str. Lipscani i właśnie Calea Victoriei.

INFORMACJE

Choć może się to wydawać nieprawdopodobne, w Bukareszcie nie ma oficjalnego biura informacji turystycznej, ale z powodzeniem zastępują je recepcje lepszych hoteli oraz personel niezliczonych biur podróży i agencji turystycznych. Jedyny punkt informacyjny z prawdziwego zdarzenia działa przy Garǎ de Nord i należy do prywatnej firmy (obsługa mówi płynnie po angielsku). W wymienionych niżej biurach turystycznych można wykupić wycieczki w okolice Bukaresztu oraz do bardziej odległych atrakcji (m.in. północna Wołoszczyzna i Transylwania).

CMB Travel (blvd N. Bălcescu 20; ☎021/ 2104901, 2105464, fax 2106071, office@cmb-travel.ro).

Ecoromtours (str. Gabroveni 13; ☎021/210 8465, fax 2108464). Organizuje głównie obozy młodzieżowe i pielgrzymki.

J'info Tours Travel Agency (str. J. Michelet 1; ☎021/3147637, fax 3110998, jinfotur@fx.ro; drugi oddział: Splaiul Independenţei 2F; ☎021/ 3141881, fax 3141882, office1@jinfotours.ro). Jedna z najlepszych agencji turystycznych w mieście; organizuje wycieczki i konferencje, pośredniczy w wypożyczaniu samochodów.

Magellan (blvd G. Magheru 12–14; ☎021/211 9650, fax 2104903).

Marshall Tourism (blvd Unirii 20, bl. 5B; ☎021/ 3351224, fax 3356658, office@marshal.ro).

Nova Turism (str. N. Bălcescu 21; ☎021/315 0131, fax 3121041, office@novatravel.ro).

ZWIEDZANIE

Większość interesujących obiektów skupia się w centrum i okolicach, dzięki czemu w kilka dni można dokładnie zwiedzić miasto. Bukareszt często zaskakuje architektonicznymi niespodziankami, dlatego najdogodniej poruszać się po stolicy piechotą.

Starówka i okolice

Spacer najlepiej rozpocząć od południowo-wschodniego naroża starówki, przy skrzyżowaniu blvd I.C. Brătianu i str. Halelor, w pobliżu zabytkowego **Hanul lui Manuc** (zajazd Manuka); str. Franceza 62–64), w którym mieści się hotel i restauracja. Wzniesiono go na początku XIX w. na miejscu zabudowań należących do dworu książęcego. W 1812 r. Rosja i Tur-

Żydzi w Bukareszcie

Żydzi osiedlili się w Bukareszcie prawdopodobnie w XVI w. Żyli spokojnie i dostatnio mniej więcej do II połowy XIX w., kiedy w wyniku nasilenia nastrojów antysemickich spora część tej społeczności musiała opuścić miasto. Tuż przed wybuchem II wojny światowej w stolicy mieszkało ponad 100 tys. Żydów, którzy modlili się w 80 synagogach. Po wojnie zostało ich tylko 4 tys. i zaledwie trzy synagogi. W **Muzeul de Istorie al Comunitaţilor Evreieşti din România** (Muzeum Historii Żydów; str. Mămulari 3; ☎021/310870; pn., wt., czw. i nd. 9.00–17.00, pt. 8.00–12.00; 0,50 €), urządzonym w dawnej synagodze krawców z 1850 r., można prześledzić dzieje Żydów na ziemiach rumuńskich od XVI w. do czasów współczesnych. Uwagę zwiedzających przykuwa rzeźba kobiety opłakującej los 150 tys. współbraci wywiezionych do obozów pracy w Mołdowie (obóz w Transdniestrze) i 200 tys. zamordowanych w Oświęcimiu.

W drugiej ocalałej synagodze – wzniesionej w 1857 r. w stylu mauretańskim **Templom Choral** (str. Vineri 9) – do dziś odbywają się nabożeństwa. W 1991 r. przed świątynią postawiono pomnik poświęcony ofiarom holocaustu. Ostatnią zachowaną (i czynną) bukareszteńską bożnicą jest synagoga **Yeshua Tovah** (str. T. Ionescu 9) z 1837 r. Do **cmentarza żydowskiego** usytuowanego na południe od centrum miasta przy Calea Şerban Vodă, naprzeciwko parku Młodzieży i głównego cmentarza miejskiego (Parcul Tineterului, Cimiturul Belu) można dotrzeć metrem (linia M2, stacja Eroii Revoluţiei). Drugi kirkut znajduje się nieopodal Piaţą 1 Mai (zwiedzanie z wyjątkiem sobót między 8.00 a 14.00; 1 €).

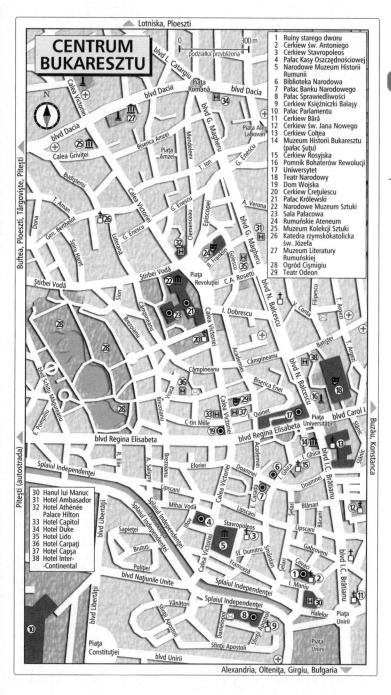

CENTRUM BUKARESZTU

Lotniska, Ploeszti

0   300 m
podziałka przybliżona

1   Ruiny starego dworu
2   Cerkiew św. Antoniego
3   Cerkiew Stavropoleos
4   Pałac Kasy Oszczędnościowej
5   Narodowe Muzeum Historii Rumunii
6   Biblioteka Narodowa
7   Pałac Banku Narodowego
8   Pałac Sprawiedliwości
9   Cerkiew Księżniczki Bałaşy
10   Pałac Parlamentu
11   Cerkiew Bărǎ
12   Cerkiew św. Jana Nowego
13   Cerkiew Colţea
14   Muzeum Historii Bukaresztu (pałac Şuţu)
15   Cerkiew Rosyjska
16   Pomnik Bohaterów Rewolucji
17   Uniwersytet
18   Teatr Narodowy
19   Dom Wojska
20   Cerkiew Creţulescu
21   Pałac Królewski
22   Narodowe Muzeum Sztuki
23   Sala Pałacowa
24   Rumuńskie Ateneum
25   Muzeum Kolekcji Sztuki
26   Katedra rzymskokatolicka św. Józefa
27   Muzeum Literatury Rumuńskiej
28   Ogród Cişmigiu
29   Teatr Odeon

30   Hanul lui Manuc
31   Hotel Ambasador
32   Hotel Athénée Palace Hilton
33   Hotel Capitol
34   Hotel Duke
35   Hotel Lido
36   Hotel Carpaţi
37   Hotel Capşa
38   Hotel Inter-Continental

Alexandria, Olteniţa, Girgiu, Bułgaria

cja podpisały tutaj traktat pokojowy. Budynek przywodzi na myśl tureckie zajazdy dla podróżnych – i faktycznie pierwotnie pełnił taką funkcję. W 1874 r. zajazd powiększono i od tej pory był znany jako hotel *Dacia*. Wokół dziedzińca działały 23 sklepy – atmosferę tamtych czasów przywołuje stojący na dziedzińcu stary kryty wóz konny. Przed zajazdem, po drugiej stronie ulicy jest wejście do **Muzeul Curtea Veche** (☎021/3140375; codz. 10.00–17.00; 0,60 €), czyli na teren ruin **starego dworu**. Zbudowany na lewym brzegu Dâmboviţy był niegdyś sercem miasta. Dziś można oglądać pozostałości założenia z wieżą obronną i odchodzącymi od niej murami otoczonymi fosą. Główny budynek wzniesiono prawdopodobnie w XIV w. na planie kwadratu o boku długości 14 m. Za panowania Włada Palownika (1456–1462) powstał nowy dwór, znacznie większy i o wiele lepiej umocniony. Fundamenty i ściany piwnic kompleksu odkryto w podziemiach pobliskich kamienic. Twierdza miała kształt prostokąta o wymiarach 30,5 na 22,5 m i służyła zarówno jako punkt oporu przeciw najeźdźcom, jak i książęca rezydencja. W kolejnych wiekach dwór wielokrotnie modernizowano – najokazalej prezentował się za czasów hospodara Mircei Ciobanula (Mircza Pastuch) w II połowie XVI w., urastając do rangi symbolu gospodarczej i politycznej supremacji miasta. Kolejni wojewodowie (przede wszystkim Matei Basarab i Constantin Brâncoveanu) systematycznie upiększali i remontowali pałac Ciobanula.

Dwór był zamieszkany do końca XVIII w. Dzisiaj ogląda się ruiny XVII-wiecznej rezydencji, wzniesionej na fundamentach budowli starszej o dwa stulecia.

Obok ruin wznosi się, otoczona zazwyczaj przez tłum żebraków, **Biserica Sf. Anton** (cerkiew św. Antoniego), znana również jako Biserica Curtea Veche (cerkiew Starego Dworu), dawna kaplica służąca mieszkańcom dworu i najstarsza zachowana cerkiew w Bukareszcie. Ufundowana w połowie XVI w. przez wojewodę Mircei Ciobanula powstała w stylu typowym dla tamtego okresu. Cegły kładziono na przemian z bardzo grubą warstwą zaprawy murarskiej, co sprawia wrażenie ciosanych bloków kamiennych. Piękny rzeźbiony portal w stylu Brâncoveanu pochodzi z czasów hospodara Stefana Cantacuzino w 1715 r. XIX-wieczne malowidła we wnętrzu reprezentują styl klasycystyczny.

Kierując się od ruin dworu na północ str. Smârdan, a następnie skręcając w lewo

w str. Stavropoleos, dociera się do niezwykle eleganckiej **Biserica Stavropoleos** (cerkiew Stavropoleos, obecnie przykryta rusztowaniami), niedużej świątyni wybudowanej w 1724 r. jako kaplica dla pobliskiego zajazdu (obecnie nieistniejącego). Wielu mieszkańców stolicy uważa ją za najpiękniejszą cerkiew w Bukareszcie. Świątynię ufundowaną przez greckiego mnicha Joanikide wzniesiono w stylu Brâncoveanu, łączącym tradycyjną architekturę Rumunii z silnymi wpływami zachodnioeuropejskiego renesansu i baroku. Naokoło budowli w ślepych arkadach w górnej części elewacji umieszczono freski przedstawiające świętych. Wchodzi się przez uroczy przedsionek z pięknymi kolumnami i mauretańskimi arkadami oraz bardzo ładną galeryjkę okalającą *pridvor* (warto zwrócić uwagę na dobrze zachowane malowidła ścienne). Po wejściu przez misternie rzeźbione drzwi uwagę zwiedzających przykuwa wspaniały ikonostas. Warto odpocząć chwilę na odnowionym dziedzińcu dzisiejszego klasztoru, na prawo od wejścia. Panujący tu spokój pozwala zapomnieć o zgiełku metropolii.

Idąc wciąż na zachód, dociera się do Calea Victoriei, gdzie po przeciwnej stronie widać imponujący **Palatul CEC** (Pałac Kasy Oszczędnościowej), jedną z najbardziej charakterystycznych budowli w Bukareszcie. Pałac zaprojektowany przez francuskich architektów w stylu secesyjnym powstał w latach 1896–1900. Szczególnie okazale prezentuje się fasada z wielkim łukiem wspartym na koryńskich kolumnach oraz zegarem w centralnej części, a także duża przeszklona kopuła. Naprzeciwko stoi nieco skromniejszy gmach **Muzeul Naţional de Istorie a României** (Narodowe Muzeum Historii Rumunii; Calea Victoriei 12; ☎/fax 021/3113356; śr.–nd. 10.00–18.00; 0,80 €, ulgowy 0,40 €) z olbrzymimi kolumnami o doryckich kapitelach, w którym dawniej mieścił się główny urząd pocztowy (stąd nazwa – Palatu Poştelor, Pałac Poczty). Budowla pochodzi z tego samego okresu co Pałac Kasy Oszczędnościowej, ale reprezentuje styl neoklasycystyczny (architektem był Rumun Alexandru Savulescu). Muzealna kolekcja przybliża dzieje Rumunii od czasów najdawniejszych do XX w. Obecnie spora część kolekcji jest niedostępna dla zwiedzających z powodu remontu. Warto zobaczyć cieszące się największym zainteresowaniem złote i srebrne przedmioty przechowywane w skarbcu. Między nimi znajduje się ważący 19 kilogramów skarb

Wizygotów odnaleziony w Pietroasa oraz klejnoty rodziny królewskiej. Od niedawna funkcjonuje tu także **Muzeum Filatelistyczne**, przypominające o pierwotnej funkcji budynku.

Po zwiedzeniu muzeum warto pospacerować chwilę po starówce, podziwiając wspaniałe budowle, takie jak **Biblioteca Naţională** (Biblioteka Narodowa) czy usytuowany dokładnie naprzeciwko **Palatul Băncii Naţionale** (Pałac Banku Narodowego) z 1894 r., zaprojektowany przez francuskich architektów. W zamyśle międzywojennych urbanistów deptak Lipscani (nazwa upamiętnia kupców sprowadzających towar z targów w Lipsku) miał być reprezentacyjną ulicą stolicy – niestety, te ambitne plany pokrzyżował wybuch II wojny światowej, później je zarzucono i dziś wiele kamienic popada w ruinę.

W stronę Pałacu Parlamentu

Zanim ruszy się zdecydowanym krokiem w kierunku Pałacu Parlamentu, warto zajrzeć do trzech cerkwi, „zamaskowanych" przez Ceauşescu współczesnymi blokami. **Biserica Domniţa Balaşa** (cerkiew Księżniczki Balaşy; na tyłach reprezentacyjnego XIX-wiecznego Pałacu Sprawiedliwości) – świątynia z czerwonej cegły, stanęła w 1751 r. na miejscu drewnianej cerkwi wzniesionej zaledwie kilka lat wcześniej. Została poważnie uszkodzona przez trzęsienie ziemi, stąd pomysł zbudowania kolejnej, w latach 1838–1842. Do naszych czasów dotrwała czwarta cerkiew budowana w latach 1881–1885 i mimo że nie jest to szczególnie cenny zabytek, warto tu zajrzeć dla atmosfery miejsca (w świątyni spoczywają członkowie rodziny Brâncoveanu).

Biserica Mihai Vodă (cerkiew Księcia Michała), nieco dalej na zachód, pośród tych samych blokowisk, przy str. Sapienţei, była częścią założenia klasztor-nego ufundowanego pod koniec XVI w. przez samego Michała Walecznego zanim został hospodarem Wołoszczyzny. Otaczające kompleks mury w miarę rozwoju miasta straciły na znaczeniu i z czasem je rozebrano. W czasach Ceauşescu cerkiew wraz z dzwonnicą przesunięto o kilkaset metrów na wschód, aby zrobić miejsce na socrealistyczne budowle. Wyburzono wtedy pozostałości murów obronnych i zabudowania przyklasztorne. Zniszczeniu uległ także pobliski ufortyfikowany monastyr Văcăreşti z początku XVIII w., wzorcowy przykład stylu Brâncoveanu (nieliczne zachowane pozostałości oglądać można w Narodowym Muzeum Sztuki oraz w lapidarium przy pałacu w Mogoşoaia).

Mănăstirea Antim (klasztor Antim; str. A. Ivireanu) – kolejny zabytek ukryty wśród socrealistycznych bloków – stoi bardzo blisko Pałacu Parlamentu. Budowę kościoła i klasztoru ufundowanego przez metropolitę Antima Ivireanula rozpoczęto w 1713 r. za panowania Constantina Brâncoveanu. Założenie powstało na miejscu wcześniejszej drewnianej cerkiewki i zostało konsekrowane w 1715 r. W latach 1860–1863 odnowiono elewację, a wnętrze pokrył nowymi malowidłami Petre Alessandrescu. W przedsionku warto zwrócić uwagę na kolumny zwieńczone ciekawymi, bogato zdobionymi kapitelami. Do środka prowadzi piękny portal (również obramowania okien są bardzo ozdobne) – drzwi podobno wyrzeźbił sam metropolita.

Kilkaset metrów na zachód stoi monumentalny **Palatul Parlamentului** (Pałac Parlamentu; str. 13 Septembrie 1, od tej strony (południowej) jest wejście; ☎021/3113611, fax 3110902; 10.00–16.00; 5,20 €, ulgowy 1,30 €, fotografowanie 5 €, filmowanie 12 €, zwiedzanie tylko z przewodnikiem), jedna z największych atrakcji Bukaresztu. Gmach wznosi się na południowy zachód od centrum, na zachód od Piaţa Unirii, skąd prezentuje się najbardziej efektownie. Pałac Parlamentu jest największą po amerykańskim Pentagonie budowlą na świecie. Wizję Ceauşescu wcielał w życie zespół 700 architektów i 20 tys. robotników pracujących na trzy zmiany. Prace rozpoczęto w 1984 r. i przerwano wraz z wybuchem rewolucji 1989 r., ale zasadnicza część była już wówczas gotowa (budowa trwa do dzisiaj). Realizacja projektu wymagała zburzenia kilkunastu cerkwi, trzech klasztorów oraz setek wspaniałych kamienic. Pałac Parlamentu ma 360 tys. m^2 powierzchni, a kubatura wynosi 2,5 mln m^3. W środku kryje się wiele osobliwości, m.in. ważący kilkanaście ton dywan, 2,5-tonowy kryształowy żyrandol oraz sala o ścianach obitych jedwabiem. W czasach Ceauşescu budowlę zwano Pałacem Ludu – współczesne miano nadano jej w czasie rewolucji 1989 r., kiedy to zebrał się tu pierwszy wolny parlament.

Od Piaţa Unirii do uniwersytetu

Od Pałacu Parlamentu na wschód ciągnie się **blvd Unirii**, który w zamysłach Ceauşescu miał dorównywać paryskim Polom Elizejskim. Szeroka arteria liczy ponad 3 km długości (tym samym jest dłuższa od Pól Elizejskich o... prawie 6 metrów!) i przecina ogromną Piaţa Unirii, wytyczoną po zrównaniu z ziemią dużej części starówki z ponad 20 cerkwiami, dwiema synagogami i klasztorem (nie wspominając o domach mieszkalnych). Wielkie wrażenie robi fontanna pośrodku ronda.

Kilkaset metrów na południe, na wzgórzu przy al. Dealul Mitropoliei wznosi się **Biserica şi Palatul Patriarhiei** (katedra prawosławna i Pałac Patriarchy). Budowę rozpoczęto za czasów hospodara Constantina Şerbana w połowie XVII w., ukończono za rządów Radu Leona (1664–1669) i już w 1661 r. metropolię przeniesiono z Târgovişte do Bukaresztu. Od 1922 r. katedra jest siedzibą patriarchy Rumunii (obecnie urzęduje tu patriarcha Teoktyst). W latach 1834–1839 przeprowadzono gruntowną renowację założenia, a jego obecny wygląd to efekt XX-wiecznych modernizacji. Pałac Patriarchy ukończono w 1708 r., a za czasów metropolity Nifona (1850–1875) dobudowano nowe skrzydła. **Kamienny krzyż** u stóp wzgórza pochodzi z 1713 r. – zastąpił starszą drewnianą konstrukcję postawioną przez Preda Brâncoveanu na cześć syna, zamordowanego w 1655 r. przez zbuntowanych żołdaków Papy.

Na wschód od katedry, przy str. Radu Vodă, stoi **Biserica Radu Vodă** (cerkiew Księcia Radu) należąca do klasztoru o tej samej nazwie. Budowę kompleksu rozpoczęto za panowania Alexandru Vodă Mircea (1658–1577) i dokończono za rządów jego syna Mihnei Turcitula w II połowie XVI w. Wokół klasztoru powstały pomieszczenia dla księcia. W 1595 r. Turcy otoczyli monastyr murami i założyli w nim wytwórnię prochu strzelniczego. Kiedy na Bukareszt nadciągnęły wojska Michała Walecznego, postanowili spalić miasto, zaczynając od wysadzenia w powietrze fabryki prochu. Kilkanaście lat później wojewo-

Święty Constantin Brâncoveanu

Podróżując po Rumunii, turysta zetknie się niejednokrotnie z postacią tego wybitnego polityka, mecenasa sztuki czy wreszcie świętego męczennika Cerkwi prawosławnej. Wołoszczyzna za panowania (26 lat) Constantina Brâncoveanu przeżywała złoty wiek. Dzięki temu, że przez 25 lat księstwo nie zaznało wojny, hospodar mógł umocnić struktury państwa – udało mu się uniezależnić od możnych bojarów, i przeprowadzić reformę finansów. Objął mecenatem zarówno artystów (nie żałował złota na budowę i remonty klasztorów, w których powstawały cenne dzieła sztuki), jak i naukowców (działalność Akademii św. Sawy). Za jego panowania rozwinął się oryginalny styl architektoniczny zwany stylem brynkowiańskim, nawiązujący do elementów renesansu i baroku pomieszanych z tradycją orientalną i rodzimą.

Podczas wojny rosyjsko-tureckiej Constantin Brâncoveanu niefortunnie opowiedział się po stronie Piotra Wielkiego (1710–1711). Dnia 15 sierpnia 1714 r. został ścięty razem z czterema synami i zaufanym Ianache Văcărescu na oczach sułtana, a poćwiartowane ciało męczennika wrzucono do Bosforu. Szczątki zostały odnalezione przez rybaków i pochowane w greckim klasztorze na wyspie Halki. Kilka lat później odszukała je żona Brâncoveanu, Maria, i przeniosła potajemnie do cerkwi św. Jerzego Nowego w Bukareszcie. Przez blisko 200 lat nie wiedziano, gdzie spoczął hospodar. Dopiero w 1914 r., dzięki napisowi na lampce, zorientowano się, kto leży w bezimiennym sarkofagu.

da Radu Vodă Mihnea (1611–1616) wzniósł klasztor właściwie od podstaw. Na przełomie XVII i XVIII w. dodano przedsionek cerkwi, a pod koniec XVIII w. odremontowano zabudowania przyklasztorne. Trzęsienia ziemi z lat 1802 i 1838 uszkodziły zarówno cerkiew, jak i dzwonnicę. Renowacja z okresu 1859–1863 przeprowadzona przez Joanna Schlattera wzbogaciła architekturę kompleksu o elementy neogotyku.

Podążając z Piaţa Unirii na północ blvd I.C. Brătianu, warto obejrzeć trzy cerkwie. Między blokami stoi **Biserica Bără** (cerkiew Bără; tuż przy Piaţa Unirii) – z ulicy widać tylko wąską fasadę. Otoczona drzewami **Biserica Sf. Gheorghe Nou** (cerkiew św. Jerzego Nowego), nieco dalej na północ, na skwerze po tej samej stronie ulicy, została ufundowana przez Constantina Brâncoveanu w 1699 r. jako część kompleksu Hanul Sf. Gheorghe Nou, czyli prowadzonego przez mnichów zajazdu. Pod umieszczoną przed nawą, po prawej stronie, płytą nagrobną (bez inskrypcji) spoczywają szczątki fundatora. Brâncoveanu zginął straszliwą śmiercią z rąk Turków, a jego poćwiartowane ciało wrzucono do morza.

Obok cerkwi stoi pomnik kilometra zerowego, czyli punkt oznaczający centrum miasta. Monument ma swoją historię: ze względu na umieszczone na nim niektóre symbole krain historycznych (Besarabia) i miast (Czerniowce, Kiszyniów) wchodzących w skład przedwojennej Wielkiej Rumunii, władze komunistyczne zdecydowały się na jego demontaż. Dopiero parę lat temu pomnik wrócił na swoje miejsce.

Ostatnią świątynią przed Piaţa 21 Decembrie 1989 jest **Biserica Colţea** (cerkiew Colţea) wybudowana w latach 1701– 1702 przez brata hospodara Şerbana Cantacuzino – Michała – na miejscu starszej drewnianej cerkwi. W zabudowaniach przyklasztornych pierwotnie mieściła się szkoła śpiewu cerkiewnego, a następnie szpital (najstarszy w Bukareszcie). W 1802 r. kompleks ucierpiał na skutek trzęsienia ziemi – zachowała się tylko kaplica i część przedsionka. W II połowie XIX w. wzniesiono nową cerkiew i następny szpital. Warto zwrócić uwagę na kapitele kolumn w przedsionku ozdobione wizerunkami zwierząt i ciekawymi ornamentami roślinnymi. Nad portalem można dostrzec herb rodziny Cantacuzino.

Po przeciwnej stronie blvd G. Magheru wznosi się **Muzeul de Istorie Bucureşti** (Muzeum Historii Bukaresztu; blvd I.C. Brătianu 2; ☎021/3138515; śr.–nd. 9.00–17.00; 0,60 €, ulgowy 0,40 €) z kolekcją poświęconą dziejom miasta. Siedzibą muzeum jest Palatul Şuţu (pałac Şuţu) wybudowany w 1833 r. według planów architektów Witolda i Konrada Schwinka dla arystokraty Grigora Şuţu. Obecny wygląd pałacu to efekt przebudowy przeprowadzonej przez syna pierwszego właściciela Costache'a. W II połowie XIX w. mieścił się tu najsłynniejszy salon w Bukareszcie. W 1932 r. pałac sprzedano bankowi Chrissoveloni, ten po jakimś czasie przekazał go władzom miasta i w 1959 r. w budynku otwarto muzeum. Na tyłach pałacu przy str. I. Ghica wznosi się charakterystyczna **Biserica Rusă** (cerkiew Rosyjska); prace nad nią prowadzono w latach 1905–1909.

Pośrodku ulicy w północnej części Piaţa 21 Decembrie 1989 stoi **pomnik Bohaterów Rewolucji**, na który składa się kilka starych kamiennych krzyży. W zabudowie placu dominuje neoklasycystyczny **uniwersytet** (Universitatea; Piaţa Universităţii 1) wzniesiony w 1857 r. na miejscu klasztoru św. Sawy. W północno-wschodniej części Piaţa 21 Decembrie 1989 widać ciekawy gmach **Teatru Narodowego**, łączący funkcjonalizm z elementami narodowymi.

Spod teatru można przejść około 500 m na wschód, za Piaţa C.A. Rosetti do **Muzeul Comunitaţii Armeneşti** (Muzeum Gminy Ormiańskiej; blvd Carol I nr 43; ☎021/3139070; wt.–nd. 10.00–18.00; 0,30 €) urządzonego w ormiańskiej cerkwi. Architekci tej największej i najlepiej zachowanej świątyni w centrum Bukaresztu (powstała w latach 1911–1915) wzorowali się na najważniejszej świątyni Armenii – katedrze w Eczmiadzynie. Nieopodal (należy iść w kierunku północno-wschodnim) wznosi się **Casa Melik** z 1760 r. (dom rodziny Melik; str. Spătarului 22), typowy przykład bojarskiego dworku wołoskiego, uważany za najstarszy dom mieszkalny w Bukareszcie. Od 1820 r. należał do rodziny Melik. To właśnie tutaj podczas rewolucji 1848 r. ukrywali się przed policją m.in. C.A. Rosetti i Eliade Radulescu, a w 1913 r. właściciel podarował dom gminie ormiańskiej i urządzono w nim dom starców. Obecnie jest siedzibą **Muzeul Theodor Pallady** (Muzeum Theodora Palladyego; ☎021/2522884; wt.–nd. 11.00–19.00) poświęconego rumuńskiemu malarzowi (1871–1956). Zbiory obejmują sześć obrazów artysty, kilka szkiców oraz przedmioty osobistego użytku.

Od uniwersytetu do pałacu Cantacuzino

Kierując się z Piaţa Universităţii na zachód, dojdzie się po kilku minutach do skrzyżowania z Calea Victoriei, gdzie na rogu stoi imponująca neoklasycystyczna **Casa Centrala a Armatei** (Dom Wojska) z 1912 r., otwierająca się na ulicę szerokim tarasem. Wysoką na 21 m fasadę zdobi rząd podwójnych kolumn korynckich, a okrągłe naroża gmachu przywodzą na myśl baszty obronne. W pałacu, wzniesionym przez hospodara Matei Basaraba na miejscu klasztoru Sidinar, jest dziś kasyno, sale konferencyjne oraz restauracja. Idąc na północ, mija się reprezentacyjny **hotel Capşa** z połowy XIX w. i dociera na Piaţa Revoluţiei z kilkoma ciekawymi budowlami. Jedną z nich jest charakterystyczna czerwona **Biserica Creţulescu** (cerkiew Creţulescu, zaraz po lewej) ufundowana w latach 1720–1722 przez kanclerza Iordache Creţulescu, zięcia Constantina Brâncoveanu. Architektura świątyni to typowy przykład stylu epoki Brâncoveanu – na planie koniczyny, z kopułą nad nawą i dzwonnicą nad przednawiem. Elewację podzielono na dwie części: dolną zdobią kwadratowe segmenty, a górną wąskie ślepe arkady. Pierwotnie cerkiew była otynkowana, ale podczas renowacji z lat 1935–1936 odsłonięto cegły, co podkreśliło urodę budowli.

Po przeciwnej, zachodniej stronie placu, przykuwa uwagę reprezentacyjny **Palatul Regal** (Pałac Królewski; Calea Victoriei 49–53). Pierwszy gmach w tym miejscu stanął na początku XIX w., ale później wiele razy był przekształcany i w zasadzie został zbudowany na nowo w latach 1930–1937 według planów architekta Nenciulescu. W pałacu wzniesionym w 1815 r. przez kanclerza Dincu Golescu mieściły się w XIX w. najważniejsze urzędy państwowe, rezydowali hospodarowie (m.in. Aleksander Ghica, Barbu Ştirbei i Alexander Ioan Cuza) oraz odbywały się oficjalne uroczystości. Budowla została powiększona w 1885 r. przez francuskiego architekta Paula Gottereau, ale w latach 20. XX w. wzniesiono na jej miejscu nowy pałac w stylu neoklasycystycznym. Za rządów komunistycznych służył jako siedziba rady państwa, dziś można w nim podziwiać zbiory **Muzeum Naţional de Artă al Româ-niei** (Narodowe Muzeum Sztuki; ☎021/3133030; śr.–nd. 10.00–18.00; 0,90 €, ulgowy 0,45 €) – kolekcja liczy ponad 100 tys. dzieł sztuki europejskiej ze szczególnym uwzględnieniem rumuńskiej.

Na tyłach pałacu wznosi się dawna siedziba Komitetu Centralnego Komunistycznej Partii Rumunii (dziś senatu) znana jako **Sala Palatului** (Sala Pałacowa; 1959–1960). Z jej balkonu, 22 grudnia 1989 r. przy wtórze gwizdów i okrzyków niezadowolenia zgromadzonych tłumów przemawiał po raz ostatni Nicolae Ceauşescu. Przed wejściem umieszczono tablicę pamiątkową na cześć ofiar rewolucji. Niemym świadkiem tamtych dni jest także **Biblioteca Centrală Universitară** (Biblioteka Uniwersytecka) z 1895 r., która bardzo ucierpiała podczas krwawych zamieszek w stolicy. W północno-wschodniej części placu stoi bardzo ładne **Ateneul Român** (Rumuńskie Ateneum) wzorowane na greckiej świątyni Ateny. Budowla powstała w latach 1885–1888 według planów francuskiego architekta Alberta Gallerona, a jej pierwszym gospodarzem było towarzystwo literackie Ateneul Român, założone w 1863 r. Do środka wchodzi się przez neoklasycystyczny portyk wsparty na sześciu jońskich kolumnach. 12 doryckich kolumn podpiera strop najważniejszej części ateneum – Sali Zjednoczenia, do której prowadzą efektowne schody. Średnica zwieńczonego barokową kopułą pomieszczenia wynosi 28,5 m, wysokość 16 m. Ozdobą wnętrza są piękne malowidła i mozaiki Costina Petrescu przedstawiające wydarzenia z historii kraju. Sala ma świetną akustykę, dlatego odbywają się tu koncerty orkiestry symfonicznej im. George Enescu.

Kierując się dalej na północ, mija się po prawej **Biserica Italiă** (kościół Włoski) i dochodzi do słynnego **Muzeul Colecţiilor de Artă** (Muzeum Kolekcji Sztuki; Calea Victoriei 111; ☎021/6506132; śr.–nd. 10.00–18.00; 0,65 €) ze wspaniałą ekspozycją ikon malowanych na szkle. Zebrali je prywatni kolekcjonerzy, a następnie podarowali państwu. Oprócz tego można podziwiać dzieła XIX-wiecznego rumuńskiego malarza Nicolae Grigirescu. Wcześniej warto zajrzeć do **Catedrala romano-catolică Sf. Josif** (katedra rzymskokatolicka św. Józefa; str. Gen. Berthelot) z piękną rozetą na fasadzie. W maju 1999 r., podczas pielgrzymki do Rumunii, papież Jan Paweł II odprawił w niej mszę św., co upamiętnia odlana z brązu tablica przy wejściu.

W pobliskim **Muzeul Literaturii Româ-ne** (Muzeum Literatury Rumuńskiej; blvd Dacia 12; ☎021/2124855, 2129657; wt.–nd. 10.00–18.00; 0,40 €) warto obejrzeć cenną kolekcję starodruków oraz rękopisów najwybitniejszych rumuńskich pisarzy.

Kolejne muzeum przy Calea Victoriei zajmuje uroczy **pałac Cantacuzino** wzniesiony w 1900 r. w stylu naśladującym francuski barok. Uwagę przykuwa wspaniałe, secesyjne zadaszenie nad głównym wejściem. W pałacyku, w którym przez pewien czas mieszkał rumuński kompozytor George Enescu (1881–1955) powstało poświęcone mu **muzeum** (Muzeul Naţional George Enescu; Calea Victoriei 141; ☎021/2129649; wt.–nd. 10.00–17.00; 0,45 €). Zgromadzono tu manuskrypty i przedmioty osobiste artysty.

Północne przedmieścia

Zwiedzanie można rozpocząć od północnego krańca Calea Victoriei – Piaţa Victoriei, na której dominuje ogromny gmach rządowy z lat 40. XX w. Przy północnej stronie placu zapraszają turystów trzy ciekawe muzea. **Muzeul de Istorie Naturală Grigore Antipa** (Muzeum Historii Naturalnej im. Grigore Antipy; Şos. Kiseleff 1; ☎021/3128826; wt.–nd. 10.00–18.00; 0,90 €, ulgowy 0,60 €) jest jedną z najstarszych tego typu placówek na świecie. Pośród 30 tys. eksponatów na szczególną uwagę zasługuje szkielet wymarłego trąbowca *Deinotherium*, zwierzęcia podobnego do słonia i mamuta. W tej samej sali stoi ogromny wypchany słoń morski. Na pierwszym piętrze można podziwiać szkielet wieloryba oraz całe mnóstwo owadów. Niestety, opisy eksponatów wykonano wyłącznie po rumuńsku i łacinie.

Jeden z najpiękniejszych budynków w Bukareszcie zajmuje **Muzeul Ţăranului Român** (Muzeum Rumuńskiego Chłopa; Şos. Kiseleff 3; ☎021/3179606; wt.–nd. 10.00–18.00; 1,50 €, ulgowy 0,65 €, fotografowanie 11 €). Kamień węgielny pod budowlę położono 30 czerwca 1912 r., a w 1939 r. gmach był prawie gotowy. Po II wojnie światowej funkcjonowało tu Muzeum W.I. Lenina, dobudowano wtedy czwarte skrzydło, zamykając w ten sposób dziedziniec. Zbiory placówki (największej tego typu w kraju) wróciły na swoje miejsce w 1990 r. i zachwycają bogactwem: dość powiedzieć, że sama kolekcja ceramiki ludowej liczy około 18 tys. eksponatów. Nowocześnie prezentowana i opisana w czterech językach kolekcja wymaga zaangażowania się zwiedzających – nic więc dziwnego, że muzeum zostało uznane za najlepszą placówkę muzealną Europy w 1996 r. W budynku działa również świetnie zaopatrzony sklep z rękodziełem oraz specjalistyczna księgarnia etnologiczna.

Kolekcja **Muzeul Geologic** (Muzeum Geologiczne; Şos. Kiseleff 2; ☎021/650 5094, pn.–pt. 10.00–15.00; 1,30 €, ulgowy 0,65 €, fotografowanie 1 €, filmowanie 12 €) po przeciwnej stronie ulicy obejmuje niezliczone skamieliny i inne okazy przyrody nieożywionej. Około 1,5 km na północ od Piaţa Victoriei jest rondo z bardzo charakterystycznym **Arcul de Triumf** (Łuk Triumfalny; taras widokowy 9.00–17.00), podobnym, choć znacznie mniejszym od pierwowzoru z Paryża (ma 27 m wysokości). Monument upamiętnia żołnierzy I wojny światowej i zwycięstwo Rumunii. Pierwszy drewniany pomnik stanął w tym miejscu już w 1918 r., potem zastąpiono go gipsowym (1922), a na przełomie 1935 i 1936 r. wybudowano łuk z kamienia według projektu Petre Antonescu. Na południowej fasadzie umieszczono nazwy bitew stoczonych na rumuńskim froncie.

Przy rondzie rozpoczyna się największy park Bukaresztu (pow. 187 ha) – Parcul Herăstrău rozciągający nad jeziorem o tej samej nazwie. Na jego terenie urządzono **Muzeul Satului** (Muzeum Wsi; Şos. Kiselef 28; ☎021/2242759; pn. 9.00–17.00, wt.–nd. 9.00–20.00; 1,80 €, ulgowy 1 €, fotografowanie 2,35 €, filmowanie 9,60 €, przewodnik 2,80 €; dojazd autobusem #131 i 331 z przystanku przy Piaţa Romană). Na rozległym terenie zgromadzono nieco chaotycznie około 300 autentycznych budynków wiejskich. Drewniane chaty, kościoły, wiatraki, młyny wodne itp. stoją wzdłuż nieregularnych „ulic". Skansen – jeden z najstarszych i największych w Europie – powinni odwiedzić szczególnie ci turyści, którzy nie mają zamiaru zapuszczać się na prowincję. Pomysłodawcami placówki (otwartej w 1936 r.) była grupa zapaleńców z socjologiem Dimitre Gusti (1880–1955) na czele, którzy przez kilka lat jeździli po rumuńskich wsiach w poszukiwaniu eksponatów do przyszłego muzeum.

Kilkaset metrów dalej na północ wznosi się **Casa Presei Libere** (Dom Wolnej Prasy, zwany dawniej **Casa Scânteii** – Pałac Iskry; Piaţa Presei Libere 1) z 1956 r., nieodmiennie nasuwająca skojarzenia z warszawskim Pałacem Kultury (nieco od niego mniejsza). W czasach komunizmu (a także dziś) mieściły się tu centralne redakcje gazet i czasopism. Przed budynkiem stał wtedy duży pomnik Lenina – w 1989 r. statuę obalono i przeniesiono do ogrodu pałacowego w Mogoşoaia.

Około 100 m na północny wschód od Domu Prasy nieopodal dworca kolejowego

Băneasa w ładnym budynku z czerwonej cegły powstało osobliwe **Muzeul de Artă Veche Apuseană** (Muzeum Starej Sztuki Zachodniej; str. Dr. N. Minovici 3; ☎021/6657334; czw.–nd. 9.00–17.00; 0,60 €) z kolekcją antyków zebraną przez przedsiębiorcę Dumitru Minoviciego, który w latach 30. XX w. zbił fortunę na ropie naftowej.

Na zachód od centrum

Aby dojść do przyjemnego **Grădina Cişmigiu** (ogród Cişmigiu), należy z Piaţa Universităţii skierować się blvd Regina Elisabeta na zachód. Najstarszy stołeczny park (17 ha) założył niemiecki ogrodnik Meier w 1860 r. w klasycznym stylu angielskim. Do atrakcji ogrodu należy jeziorko (latem można wynająć łódkę, a zimą pojeździć na łyżwach), aleja z popiersiami ważnych rumuńskich osobistości oraz bogaty drzewostan. Wspaniale utrzymany park pełen jest atrakcji dla dzieci i dorosłych; warto zobaczyć znajdujący się w zachodniej części kącik szachistów, gdzie tłumy bukareszteńskich emerytów i żulików namiętnie grają w szachy i bałkańską grę Remi. Na północnych obrzeżach parku stoi ciekawy XIX-wieczny budynek Universitatea de Muzică (Wyższa Szkoła Muzyczna).

Dalej na zachód (w sumie niedaleko Gară de Nord) usytuowane jest **Muzeul Militar Naţional** (Narodowe Muzeum Wojska; str. M. Vulcănescu 125–127; ☎021/3113356; śr.–nd. 10.00–17.00; 1,20 €, ulgowy 0,65 €), gdzie można zapoznać się z dziejami rumuńskiego oręża od czasów dacko-rzymskich. Najwięcej miejsca zajmują ekspozycje dotyczące wojen światowych, jest też dział poświęcony rewolucji 1989 r. W ogrodzie ustawiono kilka czołgów, samoloty, helikoptery i wyrzutnie rakiet. Uwagę przyciąga kapsuła „Sojuza 40", w której rumuński astronauta Dumitru Prunariu podbił w 1981 r. przestrzeń kosmiczną.

Na południowy zachód od muzeum rozciąga się **Grădina Botanică** (Ogród Botaniczny; 8.00–18.00; 0,60 €) zbliżony powierzchnią do ogrodu Cişmigiu. Rośnie tu kilkanaście tysięcy gatunków rumuńskiej flory. Egzotyczne rośliny można podziwiać w **Muzeum Botanicznym i Szklarni** (śr., czw., nd. 9.00–13.00).

Podążając na południe, po kilku minutach dociera się do **pałacu Cotroceni**, w którym urządzono muzeum (blvd Geniului 1; ☎021/2211200; wt.–nd. 9.00–15.30; 2,20 €; trzeba się wcześniej zapowiedzieć, zwiedzanie tylko z przewodni-

kiem). Pierwsza budowla w tym miejscu stanęła w 1679 r. za rządów Şerbana Cantacuzino, który przy okazji ufundował obok monastyr. Hospodar mieszkał w pałacu do końca swych dni i wraz z rodziną spoczął w klasztornej cerkwi. Następca Şerbana, Constantin Brâncoveanu, przekształcił kompleks w letnią rezydencję (kolejni hospodarowie również dokonywali poprawek, m.in. dodali 20-metrową wieżę obserwacyjną). W 1787 r. całe założenie wraz z klasztorem doszczętnie spłonęło. Kilka lat później odbudował je Alexandru Moruzi, a od 1806 r. przez kilka lat stacjonowały tu wojska rosyjskie.

W latach 1852–1853 hospodar Barbu Ştirbei rozbudował pałac, a w 1859 r. wojewoda Alexandru Ioan Cuza urządził w nim wspaniałą letnią siedzibę. W 1893 r. po przeprowadzeniu gruntownej renowacji obiekt przekazano w prezencie królowej Marii, małżonce Ferdynanda I i do 1947 r. pełnił funkcję królewskiej rezydencji. W pobliżu można obejrzeć ruiny cerkwi wyburzonej na polecenie Ceauşescu.

NOCLEGI

Ponieważ w Bukareszcie brakuje tańszych miejsc noclegowych, podróżnicy z mniej zasobnym portfelem powinni wcześniej zarezerwować nocleg, zwłaszcza jeśli zamierzają przyjechać w szczycie sezonu.

W stolicy jest tylko jeden kemping (za to duży) – **Casa Alba** (dawniej Padurea Baneasa; str. Privighetorilor 1–3; między lotniskami, akademią policyjną a ogrodem zoologicznym; ☎021/2304525, fax 2302751, info@casaalba.ro), przy którym działa restauracja o tej samej nazwie(☎2305203). Wjeżdżając do Bukaresztu od strony Piteşti należy skręcić w lewo na pierwszych światłach po minięciu remontowanej obwodnicy (Centura). Na kierunkowskazie widnieje jeszcze stara nazwa kempingu: Padurea Baneasa. Można się tu przespać nie tylko w namiocie (5,50 €/namiot), ale również w 2-, 3- i 4-os. bungalowach z prysznicami (25 €/os.) lub z umywalkami (16 €/os.) oraz w komfortowych pokojach hotelowych. Do pola namiotowego dojeżdża z centrum (Piaţa Romană) autobus miejski #301; trzeba wysiąść koło akademii policyjnej.

Ceny niskie

Elvis Villa (str. A. Iancu 5, sec. 2; ☎021/312 1653, info@elvisvilla.ro). W cenie noclegu pralnia, śniadanie i papierosy. Latem nocuje tu sporo turystów, co jest gwarancją dobrej zabawy i nowych, ciekawych znajomości. Łóżko w dormitorium 11 €, w osobnym pokoju 14 €.

Funky Chicken Guesthouse (str. Gen. Berthelot 63; ☎021/3121425, funkychickenhostel@hotmail.com). Najtańsze schronisko w Bukareszcie, zaledwie 15 min piechotą od Garã de Nord. Do dyspozycji gości pralka i kuchnia. 9,50 €/os.

Vila 11 (str. Institul Medico Milibar 11; ☎0722/495900, 495901, vila11bb@hotmail.com). Dogodnie usytuowane schronisko, 100 m od Garã de Nord (w kierunku południowym). Łóżko w dormitorium 12 €/os., pokój 2-os. z łazienką 32 €.

Vila Helga (str. Salcamilor 2; ☎021/6102214, 2106793, fax 6102214, helga@rotravel.com). Powszechnie uznawane za najlepsze schronisko młodzieżowe w stolicy (zrzeszone w Hostelling International). Przyjemna atmosfera, goście z różnych zakątków świata. Dostęp do Internetu (1,20 €/godz.). Pokój 2-os. 13 €/os., łóżko w dormitorium 12 €, za tydzień pobytu płaci się 70 €.

Ceny umiarkowane

Ambasador*** (blvd G. Magheru 8–10; ☎021/3159080, fax 3123595, hotel@ambasador.ro). Naprzeciwko hotelu Lido, znacznie od niego tańszy, a również z tradycjami (założony w 1937 r.). Pokój 1-os. 67 €, 2-os. 90 €, apartament 115 €.

Astoria** (blvd D. Golescu 27; ☎021/2248567, fax 2126654, depa@k.ro). Duży budynek po południowej stronie Piaţa Garã de Nord. Pokój 1-os. 28 €, 2-os. 42 €, apartament 55 €.

Banat** (Piaţa C.A. Rosetti 5; ☎021/3131056, 3131057, fax 3126547). Dogodna lokalizacja w samym centrum (kilkaset metrów od uniwersytetu). Pokój 1-os. 75 €, 2-os. 45 €/os.

Bulevard*** (blvd Regina Elisabeta 21, niedaleko uniwersytetu; ☎021/3153300, fax 3123923, athenee@fr.ro). Pokoje hotelowe podzielone są na kategorie A i B oraz dodatkowo na standard 2- i 3-gwiazdkowy. Pokój 1-os.*** kat. A 68 €, 1-os.*** kat. B 59 €, 1-os.** 26 €, 2-os. 83/68/44 €.

Capitol*** (Calea Victoriei 29, róg str. C. Mille; ☎021/3158030, fax 3124169, reservations@hotelcapitol.ro). Tuż obok Domu Wojska i hotelu Capşa. Pokój 1-os. 88 €, 2-os. 110 €, 3-os. 125 €, apartament 140 €.

Carpaţi* (str. M. Millo 16; ☎021/3150140, fax 3121857, carpati@compace.ro). W centrum, nieopodal parku Cişmigiu (od wschodniej strony). Pokój 1-os. 20 € (bez łazienki), 15 € (na VI piętrze), 2-os. 37 € (bez łazienki), 48 € (na VI piętrze z łazienką) lub 56 € (z wszelkimi udogodnieniami).

Central*** (str. Brezoianu 13, sec. 5, na rogu blvd Regina Elisabeta; ☎/fax 021/3155636,

3155637, info@centralhotel.ro). Nieopodal głównej agencji CFR. Pokój 1-os. 105 €, 2-os. 105 €, 3-os. 120 €, apartament 140 €.

Cerna* (blvd D. Golescu 29; ☎021/2248562, fax 3110721). W pobliżu Garã de Nord w sąsiedztwie hoteli Andy (w remoncie) i Astoria. Pokój 1-os. od 35 do 50 € (z łazienką i śniadaniem), 2-os. 50 €, apartament 60 €.

Elizeu*** (str. Elizeu 11–13, sec. 1; ☎021/212 6931, 2126932, fax 2126030, rezervari@hotelelizeu.ro). W sąsiedztwie Garã de Nord. Pokój 1-os. 50 €, 2-os. 50 €, apartament 75 €.

Euro Hotels International*** (str. Gh. Polizu 4, sec. 1; ☎021/2128839, 2129310, fax 2128360, office@euro-hotels.ro). Niedaleko hotelu Ibis i Garã de Nord. Pokój 1-os. od 45 do 50 €, 2-os. 50/70 €, apartament 70/80 €.

Hanul Manuc** (str. Franceza 62–64; ☎021/3131415, fax 3122811). Zajmuje część zabytkowego zajazdu Hanul lui Manuc, a mimo to nie jest szczególnie drogi. Na miejscu niezła restauracja, piwiarnia i pizzeria – wszystko na dziedzińcu. Pokój 1-os. 20 €, 2-os. 37 €, apartament 44,50 €.

Ibis*** (Calea Griviţei 143; ☎021/2222722, fax 2222723, reservations@ibisaccor.com). Duży budynek należący do znanej sieci hoteli, nieopodal Garã de Nord. Pokój 2-os. 97 € (w weekendy 59 €), 3-os. 108/59 €.

Marna* (str. Buzeşti 3; ☎021/2127582, 2128366, fax 3129455, hotelmarna@hotmail.com). Tani hotel niedaleko Garã de Nord, przy jednej z głównych ulic. Pokój 1-os. 14 € (z TV 17 €), 2-os. 21 € (bez łazienki) lub 20 € (z łazienką i TV), 3-os. 29 €.

Minerva*** (str. Gh. Manu 2–4; ☎021/212 8526, 2128539, fax 3123963, reservation@minerva.ro). Kilkaset metrów na północ od Piaţa Romană. Na miejscu chińska restauracja i wypożyczalnia samochodów Avis. Pokój 1-os. 100 €, 2-os. 135 €, apartament 190 €.

Turist* (blvd Poligrafiei 3–5; ☎021/2244460, fax 2242317). W kompleksie hotelowym daleko na północ od centrum, na zachód od Domu Prasy. Pokój 1-os. 36 €, 2-os. 51 €.

Ceny wysokie

Athénée Palace Hilton***** (str. Episcopiei 1–3; ☎021/3033777, fax 3152121, hilton@hilton.ro). Przy Piaţa Revoluţiei (północna pierzeja). Pokój 1-os. 371 €, 2-os. 376 €.

Bucharest Comfort Suites***** (blvd N. Bălcescu16; ☎021/3102884, fax 3102887, office@comfort-suites.ro). Kamienica z luksusowymi apartamentami na wynajem; tuż obok hotelu Inter-Continental. Apartament od 66 do 110 €.

Casa Capşa***** (Calea Victoriei 36, róg str. E. Quinet; ☎021/3134038, fax 3135999, office@capsa.ro). Hotel z tradycjami (istniejący od 1852 r.) w reprezentacyjnej kamienicy w samym centrum. Pokój 1-os. 125 € (wyższy standard 180 €), 2-os. 200 €, apartament 450 €.

Continental**** (Calea Victoriei 56; ☎021/3133694, fax 3120134). Pokój 1-os. 164 €, 2-os. 186 €, apartament od 216 do 226 €.

Crowne Plaza***** (str. Poligrafiei 1; ☎021/2240034, fax 2021026, frontoffice@crowneplaza.ro). Nieopodal Domu Prasy; hotel bardzo drogi i oddalony od centrum. Pokój 1-os. 251 €, 2-os. 251 €, apartament 360 €. Poza sezonem około 10% taniej.

Duke** (blvd Dacia 33, sec. 1; ☎021/212 5344–6, fax 2125347, office@hotelduke.ro). Przy Piaţa Romană, w północnej części centrum. Pokój 1-os. 140 €, 2-os. 160 €, apartament 185 €.

Grand Plaza Hotel***** (Calea Dorobanţilor 5–7, sec. 1; ☎021/2015055–57, fax 2015050, frontoffice@hojoplaza.ro). W pobliżu centrum, w wysokim bloku ze szkła i stali. Pokój 1-os. 186 €, 2-os. 203 €, apartament 257 €.

Inter-Continental***** (blvd N. Bălcescu 4; ☎021/3102020, fax 3120486, Bucarest@interconti.ro). Najwyższy i jeden z najdroższych hoteli w Bukareszcie. Pokój 1-os. 320 €, 2-os. 400 €, apartament 600 €.

Lido*** (blvd Gh. Magheru 5–7; ☎021/314 4930, fax 3121414, hotel@lido.ro). Ekskluzywny hotel w centrum. Pokój 1-os. 240 € (w weekendy 220 €), 2-os. 240/220 €, apartament 295 €.

Mariott Grand Hotel***** (Calea 13 Septembrie 90; ☎021/4030000, fax 4030001, mariott. bucharest@marriotthotels.com). Najlepszy (ale nie najdroższy) hotel w mieście, ciekawie usytuowany na wzgórzu, na tyłach Pałacu Parlamentu. Aż 402 pokoje. Pokój 2-os. 195 €, apartament 400 €.

Opera** (str. I. Brezoianu 37, róg str. V. Eftimiu; ☎021/3124857, fax 3124858, info@hotelopera.ro). Ładnie odnowiony, międzywojenny budynek po wschodniej stronie parku Cişmigiu. Wnętrze wystylizowane na barok (nawet recepcjonistki noszą stroje z epoki). Pokój 1-os. 130 €, 2-os. 150 €, apartament 195 €.

Parc Best Western*** (str. Poligrafiei 3–5; ☎021/2242000, fax 2242984, rdm@parch.ro). Hotel sieci Best Western, daleko od centrum. Pokój 1-os. 139 €, 2-os. 159 €, apartament 188 €.

GASTRONOMIA

Bukareszt to raj dla miłośników tradycyjnej kuchni rumuńskiej – dosłownie na każdym kroku można tam zjeść *ciorbę* (w tym najpopularniejszą *de burta*, podobną do polskich flaczków), *sarmale* (przypominające nasze gołąbki), mamałygę i wszelkiego rodzaju mięsa. Ale również ci, którzy tęsknią za potrawami z innych krajów, nie będą mieli powodów do narzekań. Sporą popularnością cieszą się fast foody – zwykle bardzo czyste i obszerne lokale, nieodbiegające od standardów zachodnioeuropejskich.

Dużo barów i pubów działa w okolicach Piaţa Amzei i na południe od niej, w stronę str. G. Enescu, ale dobre bary znaleźć można właściwie wszędzie w centrum. To samo dotyczy kawiarni i cukierni.

Największe **targowisko miejskie** – Piaţa Obor – usytuowane jest dosyć daleko od centrum, w pobliżu skrzyżowania blvd Ştefan cel Mare i Calea Moşilor (stacja metra Bucu Obor, przy str. Ziduri Moşi) i niedaleko dworca Gară Obor. Również duży jest targ Piaţa Amzei, kilkaset metrów na południe od Piaţa Romană, między ulicami Biserica Amzei i G. Enescu, w sąsiedztwie teatru I. Creangă. Znacznie mniejszy jest targ Piaţa Matahe przy Piaţa Haralambie Botescu, kilkaset metrów na wschód od Gară de Nord.

Dwa wielkie supermarkety **Nic** (jeden całodobowy) usytuowane są przy Piaţa Amzei. Sklep spożywczy **Bulevard Magazin Alimentar** znajduje się na rogu blvd Regina Elisabeta i Calea Victoriei (naprzeciwko *Pizza Hut*, obok hotelu *Bulevard*; czynny do 21.00), supermarket **Trio Orient** (pn.–pt. 7.00–20.00, sb. do 18.00, nd. 8.00–14.00) jest przy str. Berzei, w sąsiedztwie targowiska Matahe. W pobliskim sklepie Matahe (żółty budynek z czerwonymi arkadami) można kupić **rumuńskie wino** z beczki i w butelkach. Na Gară de Nord działa niewielki całodobowy sklep **Gulliver**. W pobliżu głównego dworca sąsiadują ze sobą supermarket **Trans Europa** (blvd D. Golescu 23–25, sec. 3) i duży sklep **Angst**. Punkty tej ostatniej sieci są też na rogu blvd M. Kogălniceanu i blvd S. Măgureanu oraz przy str. D. Mendeleev 7–15, w pobliżu Piaţa Amzei.

Restauracje i pizzerie

Adagio Restaurant (str. Ştirbei Vodă 50, róg str. Puţul cu Plopi, nieopodal Wyższej Szkoły Muzycznej; ☎0722/812834). Kuchnia włoska i międzynarodowa, pizza. Dwudaniowy posiłek 7–9 €.

Asami Restaurant (Calea Victoriei 17, wejście od str. Lipscani; ☎021/3124785). Bardzo dobra (i droga!) restauracja japońska.

Caru' cu Bere (str. Stravlopoleos 3–5; ☎021/313 7560, fax 3136896). Lokal-legenda, założony w 1879 r. Secesyjne wnętrze zaprojektowane przez Polaka Zygfryda Kofczyckiego. Świetna rumuńska kuchnia, muzyka na żywo i tańce w weekendy sprawiają, że jest to miejsce naprawdę wyjątkowe. Dość drogo (przede wszystkim ze względu na popularność wśród zagranicznych gości).

Casa Gorjana (str. Domniţa Anastasia 13, róg str. I. Brezoianu, w sąsiedztwie agencji CFR; ☎021/3156429). Bardzo porządna restauracja z rustykalnym wystrojem i tradycyjną kuchnią rumuńską. Czasami pod południu muzyka ludowa na żywo. Obiad około 7 € (bez napojów).

Casa Mirceşti (str. Popa Tatu 4, nieopodal schroniska *Funky Chicken*). Kuchnia rumuńska. *Ciorba* 1,60 €, porcja mięsa 2 €, dodatki 1 €.

Casa Ţaranească Elite (Piaţa C.A. Rosetti, przy hotelu *Banat*; ☎021/3124930). Świetna restauracja w stylu rustykalnym z tradycyjną kuchnią rumuńską. Przystępne ceny.

Casa Vernescu (Calea Victoriei 133; ☎021/231 0220). Ekskluzywna restauracja w zabytkowych wnętrzach. Kuchnia rumuńska i międzynarodowa (obiad ok. 10 €). Na miejscu kasyno.

Hanul Hangitei (str. Gabroveni 16, obok baru *Back Stage Club*; ☎021/3147046). Wnętrze aż do przesady rustykalne, z mnóstwem haftów, ludowych talerzy itp. Dobra tradycyjna kuchnia rumuńska (obiad ok. 6 €).

Hanul lui Manuc (str. Franceza 62–64, naprzeciw cerkwi Curtea Veche; ☎021/3131415, fax 3122811). Kuchnia rumuńska w zabytkowym zajeździe; niektóre ceny zdecydowanie zawyżone. Na piętrze piwiarnia z pięknym widokiem na dziedziniec.

La Curtea Veche (str. Franceza 60, sec. 3, naprzeciwko Starego Dworu; ☎0723/014782). Oryginalna restauracja, wieczorem pub.

La Jean Restaurant (str. Gen. Berthelot 50, nieopodal schroniska *Funky Chicken*). W menu dominuje kuchnia francuska, ale jest też rumuńska *ciorba* (0,70 €).

L' Harmattan (str. Franceza 56, naprzeciw Curtea Veche; ☎021/3148640). Restauracja marokańska, w menu także dania kuchni francuskiej. Jak na centrum Bukaresztu ceny całkiem przyzwoite.

Mc Moni's (blvd Mărăşti 28; ☎021/2244037). Kilka lokali (*San's* i *Blue*) z kuchnią międzynarodową i rumuńską.

Pescarul (blvd N. Bălcescu 9). Świetna kuchnia rumuńska i międzynarodowa. Dania z ryb. Dwudaniowy posiłek około 5 €.

Pizza Hut (róg blvd Regina Elisabeta i Calea Victoriei; ☎021/2039039). Na północnych obrzeżach Starego Miasta. Lokale tej sieci są też na ulicach: Calea Dorobanţilor 5–7, Calea Moşilor 219, blvd Timişoara 25.

Pizza & Pizza (blvd G. Magheru 12–14, obok hotelu *Ambasador*; ☎021/2120909). Niewielka pizzeria, również dania barowe. Duża pizza w cenie 3 €. Również dostawa do hotelu.

Trattoria „Il Calcio" (str. D. Mendeleev 14, róg str. T. Ionescu, w pobliżu Piaţa Amzei;

☎021/3122430, 0722/134299). Znakomite dania włoskie. Dość drogo.

Troica (Calea Victoriei 2; ☎021/3137979). Jeszcze jeden rustykalny lokal ze świetną kuchnią rosyjską i międzynarodową.

Vama Veche (str. C. Columb 13, róg str. E. Grigorescu; ☎021/2116446). Przyjemny lokal – w dzień dobra restauracja, wieczorami zadymiony pub.

Vatra (str. Brezoianu 23–25, naprzeciwko dawnego hotelu *Palace*; ☎021/3158375). Kuchnia rumuńska. Stonowany wystrój, ładny wiejski kominek.

Zerillo's Restaurant (piaţa A. Lahovari 2; ☎0722/383507). W ładnym budynku przy północnej pierzei placyku. Stołuje się tu śmietanka bukareszteńskiego biznesu, ale ceny nie są zaporowe (obiad ok. 6–10 €). Wiele dań na bazie makaronu oraz kuchnia rumuńska.

Fast foody

KFC We wschodniej części Piaţa Unirii (obok *McDonalda*) oraz przy blvd G. Magheru (również w sąsiedztwie *McDonalda*).

McDonald's Kilka punktów: na Garã de Nord; w przejściu podziemnym przy Piaţa 21 Decembrie 1989; mniej więcej w połowie długości blvd G. Magheru (przy skrzyżowaniu ze str. G. Enescu); na rogu blvd Regina Elisabeta i str. I. Brezoianu i największy przy Piaţa Unirii (wschodnia część placu).

Sheriff's (blvd I.C. Brătianu 40; ☎021/313 9880). Budynek z dużym neonem przedstawiającym kowboja. Jedzenie standardowe. Najpopularniejszy tego typu lokal w Bukareszcie.

Springtime Fastfood (str. Acadamiei, sec. 3, również przy Piaţa Victoriei). Obszerny lokal popularny wśród studentów. Standardowe menu, dosyć drogo (najtańsze hamburgery 0,60 €).

Kawiarnie i cukiernie

Amsterdam Grand Café (str. Covaci 6, w rejonie ulicy Lipscani; ☎021/3137580). Jedna z najpopularniejszych kawiarni w mieście. Rano mocna kawa i śniadanie, po południu lunch, a wieczorem drinki.

Café Carlton (blvd N. Bălcescu 11; ☎021/314 7093). Elegancki lokal z doskonałą kawą (1 €).

Café Piano (róg str. Ştirbei Vodã i str. Luteranã). Przyjemna atmosfera; stosunkowo tanio (kawa 0,70 €, ciastka 0,50–1,50 €).

Café Royal Bistro (str. Episcopiei 1–3, róg Calea Victoriei, nieopodal hotelu *Athénée Palace*; ☎021/3033777). Dość drogo. Wbrew nazwie, nie jest to tylko kawiarnia, ale również restauracja. Obiad około 7 €.

Cofetaria Ema (blvd D. Golescu, przy Garã de Nord, w sąsiedztwie hoteli *Astoria* i *Cerna*). Warto wstąpić tu na niezłą kawę lub herbatę (tanio), czekając na pociąg.

Crem Caffé (str. I. Ghica 3, naprzeciwko cerkwi Rosyjskiej, obok restauracji *Dining Room*). Ekskluzywna kawiarnia działająca od 1950 r. Świetna kawa (1,20 €).

Mc Moni's (Piața C.A. Rosetti). Kawiarenka należąca do większego kompleksu usytuowanego przy tym samym placu. Skromny wybór bardzo smacznych ciastek.

Mon Cher (róg Calea Dobolanților i str. E. Broșteanu). Elegancki lokal z dużym wyborem ciastek i dobrą kawą (0,70 €).

Picasso Café (str. Franceza 2–4, róg Calea Victoriei; ☎021/3121576). Bardzo przyjemna i gustownie urządzona kawiarnia; dość drogo.

Pipe și Cărți (str. Justiției 23; ☎021/3355712; pn. zamk.). Miejsce dla amatorów palenia fajki i dobrej książki. Spokojnie i przytulnie.

Segafredo Espresso Bar (Calea 13 Septembrie 90, w galerii handlowej przy hotelu *Marriott*; ☎021/4033511). Lokal znanej włoskiej sieci (drugi na R. Beller 11). 20 rodzajów kawy i ciastek importowanych z Włoch, stąd wysokie ceny. Także kanapki i sałatki.

Puby i bary

Art Jazz Club (blvd N. Bălcescu 23 A; wejście od str. Dobrescu; ☎0723/520643). Sympatyczna atmosfera. Co środa koncerty jazzowe, w inne dni muzyka z odtwarzacza.

BackStage (str. Gabroveni 14, obok restauracji *Hanul Hangitei*). Nowoczesny bar w sercu starówki.

Buckingham Club (str. D. Mendeleev 3, róg str. G. Enescu; ☎021/3124450). Oryginalny lokal w oficynie.

Chicago Bar (str. D. Mendeleev 10). W pobliżu Piața Amzei, naprzeciwko supermarketu Angst. Jeden z wielu podobnych barów w okolicy.

Club Privat (blvd S. Măgureanu 13). W niewielkiej kamienicy z ogrodem. Obszerne wnętrze, w piątki i soboty wieczorem tłumy, w dzień można posiedzieć na zewnątrz; piwo 1–2,50 €.

Dark House Club (blvd M. Kogălniceanu, róg blvd S. Măgureanu). Przyjemne wnętrze, w piwnicy, muzyka pop. Duży wybór alkoholi.

Dubliner Irish Pub (blvd N. Titulescu 16; ☎021/2602676). Lokal irlandzki z prawdziwego zdarzenia. Popularny wśród anglojęzycznych mieszkańców Bukaresztu.

Harbour (Piața Amzei, południowa pierzeja, przy targowisku). Oryginalny pub stylizowany na knajpę portową.

Harp Irish Pub (Știrbei Vodă 1; ☎021/335 6578). Drugi (po *Dublinerze*) świetny irlandzki pub w mieście, gdzie można się napić m.in. guinnesa.

Hel Pub (str. B. Franklin 14, naprzeciwko Ateneul Român). W piwnicach starej kamienicy; duży wybór alkoholi.

Planter's Coffe Shop (str. D. Mendeleev 10, obok *Chicago Bar*). Przestronne, świetnie urządzone wnętrze; w weekendy dyskoteki; ogromny wybór alkoholi.

Red Lion Pub (str. Acadamiei 1A, w pobliżu uniwersytetu; ☎021/3151526). Można tu także coś zjeść (pizza i spaghetti).

Terminus (str. G. Enescu 5; ☎021/3121125). Sympatyczny (choć drogi) lokal z klubową atmosferą, stylizowany na irlandzki pub. Jeden z najpopularniejszych w mieście. Zadymiony.

Trafalgar Pub (str. D. Emanuel 4A; ☎021/211 3151; od 23.00 do ostatniego gościa). Piwo, wino, wódka, drinki, coś do przekąszenia.

ROZRYWKI

Informacje o rozrywkach w stolicy publikuje darmowa broszura *Șapte Seri* (Siedem wieczorów). Można ją otrzymać w recepcji każdego hotelu i niektórych schroniskach (m.in. *Vila Helga*).

Dyskoteki i kluby

Babilon Club (str. Zalomit, nieopodal hotelu *Central*). W niebieskim piętrowym budyneczku w centrum. Dobra zabawa do białego rana (mile widziani goście ubrani w najmodniejsze ciuchy markowych firm).

Blue Night (Splaiul Independenței 290; ☎021/3162739). Okres największej popularności ma już za sobą – wieczorami klub nocny.

Club Maxx (Splaiul Independenței 290; ☎021/2230039). Popularny zwłaszcza wśród studentów.

Salsa (str. Luterană 7–9; ☎0723/263567). Muzyka latynoska; czasami przychodzą tu profesjonalni tancerze uczyć ignorantów prawdziwej salsy.

Space (str. Academiei 35–37; ☎021/3101571). Modny klub w sąsiedztwie uniwersytetu (głównie muzyka house).

Why Not (str. Turturelelor 11; ☎021/3237120). Należy do największych tego rodzaju lokali w stolicy. Proponuje zabawę do białego rana w rytmie muzyki pop.

Festiwale i specjalne wydarzenia

Największym i najbardziej znanym festiwalem odbywającym się w Bukareszcie jest **Międzynarodowy Festiwal Muzyczny im. George Enescu** organizowany w latach nieparzystych mniej więcej początkiem września. Muzycy z całego świata grają wówczas w teatrach, salach koncertowych, klubach i na ulicy. W 2005 r. gwiazdami festiwalu byli m.in. Nigel Kennedy i London Philharmonic Orchestra. Mniej oficjalny charakter ma **Bukareszteński Karnawał**. Przypada na koniec maja, trwa około tygodnia i można go porównać do krakowskich juwenaliów. Po mieście chodzą przebierańcy, na ulicach (głównie w obrębie starówki) odbywają się koncerty i występy tancerzy. Co roku, przeważnie w połowie czerwca, w parku Herăstrău obchodzi się **Piwny Karnawał Dreher**. Zabawa trwa cztery dni (koncerty zespołów popowych i rockowych, których słucha się oczywiście z kuflem w ręku). Początkiem sierpnia rozpoczyna się trzydniowy **Festiwal Hora** z występami zespołów folklorystycznych w miejscowym skansenie.

Kasyna

Miłośnicy hazardu z pewnością nie będą się w Bukareszcie nudzić, bo w stolicy działa co najmniej kilkanaście kasyn (wiele przy luksusowych hotelach). Do największych należą: *Grand Casino Mariott* (Calea 13 Septembrie 90; ☎021/4030800; czynne całą dobę), *Grand Casino Hilton* (str. Episcopiei 1–3, przy hotelu *Athénée Palace*; ☎021/3147200; czynne całą dobę), *Casino Palace* (Calea Victoriei 133; ☎021/2310220; non stop), *Bucureşti* (blvd N. Bălcescu 4, przy hotelu *Inter-Continental*; ☎021/3102020; czynne całą dobę), *Mirage Casino* (blvd G. Magheru 8–10, obok hotelu *Ambasador*; ☎021/3138952), *Admiral Games of The World* (str. I. Câmpineanu 28, ☎021/3159710; Şos. M. Bravu 122, ☎021/2525736; Calea Victoriei 222, ☎021/3134906; blvd D. Golescu 38, przy Gară de Nord, ☎0740/040509).

Kina

Repertuar kin zmienia się mniej więcej co tydzień i nie odbiega aktualnością od innych stolic europejskich. Najwięcej kin skupia się przy blvd Regina Elisabeta, na krótkim odcinku pomiędzy Calea Victoriei i str. I. Brezoianu. Filmy wyświetla się z napisami. Bilety w cenie 0,50–1,20 €. Ci**nema Scala** (blvd G. Magheru 2–4; ☎021/2110372), **De Lux Cinema Center Lira** (Celaea 13 Septembrie 196; ☎021/410 2171), **Cinema Patria** (blvd G. Magheru 12–14, w sąsiedztwie hotelu *Ambasador*; ☎021/2118625), **Hollywood Multiplex** (Calea Vitan 55–59, w centrum handlowym Bucureşti Mall; ☎021/3277020), **Cinema Europa** (Calea Moşilor 127; ☎021/3142714), **Cinema Lucefarul** (blvd I.C. Brătianu 6, kilkadziesiąt metrów na południe od Piaţa 21 Decembrie 1989; ☎021/3158767), **Cinema Studio** (blvd G. Magheru 29, naprzeciwko *KFC*; ☎021/659 5315). Przy blvd Regina Elisabeta mieszczą się: **Cinema Corso** (pod nr. 1; ☎021/

3151334), **Cinema Bucureşti** (naprzeciwko, pod nr. 6; ☎021/3156154), **Cinema Lumina** (trochę dalej na zachód, pod nr. 32; ☎021/3147416) i **Cinema Festival** (pod nr. 34; ☎021/3156384).

Muzyka i teatr

Muzyki klasycznej można posłuchać w **Filharmonii Atheneum** (Filarmonica Ateneul Român; str. B. Franklin 1; ☎021/3156875, 3150024). Koncerty odbywają się w każdy czwartek i piątek (19.00). **Narodowa Opera Rumuńska** (Opera Naţională Română; blvd M. Kogălniceanu 70–72; ☎021/3146980; codz. z wyj. pn.) ma siedzibę w ładnym parku na zachód od centrum. Przy Teatrze Narodowym działa **Operetka im. I. Daciana** (Teatrul Opereta „Ion Dacian", str. N. Bălcescu 2; ☎021/313 6348). Koncerty (zazwyczaj bezpłatne) odbywają się także w **Wyższej Szkole Muzycznej** (Universitatea de Muzică, str. Ştirbei Vodă 33; ☎021/3142710, dwie sale koncertowe: „Enescu" i „Chopin").

W Bukareszcie jest mnóstwo teatrów. Repertuar drukuje broszura Şapte Seri. Niestety, w szczycie sezonu (VII–VII) większość placówek ma przerwę urlopową. Cena biletów zazwyczaj nie przekracza 3 €. **Teatr Narodowy im. Iona Luca** (Teatrul Naţional „Ion Luca"; blvd N. Bălcescu 2; ☎021/3136348) zajmuje charakterystyczny duży gmach obok hotelu *Inter-Continental*. Bardzo znany **Teatr „Lucia Sturdza Bulandra"** (Teatrul Lucia Sturdza Bulandra; ☎021/2113441) ma dwie sceny w różnych częściach miasta (scena Toma Caragiu, str. J.L. Calderon 76A, ☎0212/113 441; scena Izvor, str. Schitu Măgureanu 1, ☎021/147546). Założony w 1965 r. **Teatr Nottara** (Teatrul „Nottara"; blvd G. Magheru 20; ☎021/2125290) nazwano imieniem znanego rumuńskiego aktora. Repertuar założonego w 1946 r. **Teatru Odeon** (Teatrul Odeon; Calea Victoriei 40–42; ☎021/2200409) zajmującego ładny zabytkowy budynek tworzą przede wszystkim sztuki współczesne. W **Teatrze Poniedziałkowym „Green Hours"** (Teatrul Luni de la Green Hours; Calea Victoriei 120; ☎0722/545603) obejrzy się sztuki alternatywne i undergroundowe z najnowszego i klasycznego repertuaru rumuńskiego oraz światowego. W **Państwowym Teatrze Żydowskim** (Teatrul Evreiesc de Stat, str. J. Barasch 15; ☎021/3233970) wystawia się przedstawienia w języku hebrajskim i jidysz, a czasami także po rumuńsku. Z dziećmi warto wybrać się do **Teatru Lalek Ţăndărică** (Teatrul de Marionete şi

Păpuşi „Ţăndărică"; str. E. Grigirescu 24; ☎021/2114014) – nawet przy kompletnej nieznajomości języka świetna zabawa gwarantowana.

INFORMACJE O POŁĄCZENIACH

Samolot

Bukareszt ma dwa lotniska. Ważniejsze, zapewniające większość połączeń międzynarodowych i krajowych, to Otopeni (Aeroportul Otopeni; ok. 16,5 km na północ od centrum przy drodze do Ploeszti; ☎021/2041000, 2120122) z trzema terminalami: A (przyloty – *sosiri*), B (odloty – *plecari*) i na połączenia krajowe (*zboruri interne*). Te ostatnie obsługuje też lotnisko Băneasa (Aeroportul Băneasa; Şos. Bucureşti–Ploieşti 40; ☎021/2320020) usytuowane 8 km na północ od centrum, również przy drodze do Ploeszti.

Między lotniskiem a śródmieściem kursuje autobus #783, który odjeżdża co 40 min z przystanku przy Piaţa Unirii (południowa pierzeja, ważniejsze przystanki po drodze: Piaţa Romana, Piaţa Victoria i hotel *Sofitel*; 0,50 €). Zamierzając skorzystać z taksówki, najlepiej po nią zadzwonić (zob. dalej *Taksówki*), bo czyhający przy lotnisku taksówkarze potrafią zedrzeć z nieświadomego turysty nawet 10-krotność należnej ceny (za kurs do centrum nie powinno się zapłacić więcej niż 9 €).

Bukareszt ma wiele połączeń lotniczych z krajami w Europie i na świecie (do najważniejszych stolic europejskich samoloty latają co najmniej sześć razy w tygodniu) obsługiwanych przez ponad 20 przewoźników (adresy niektórych podano poniżej). W większości przypadków cena za bilet w jedną stronę jest niewiele niższa niż za przelot tam i z powrotem (często taki bilet jest wręcz droższy). Podane niżej ceny należy traktować jako orientacyjne – koszt biletu zależy od pory roku i promocji.

Samoloty Taromu latają do **Warszawy** (1 dziennie; powrotny 271 €, w jedną stronę 210 €; 1,5 godz.), poza tym kilka razy w tygodniu do **Brukseli** (powrotny 340 €, w promocji od 190 €), **Budapesztu** (powrotny 240 €, w jedną stronę 190 €), **Frankfurtu** (powrotny 290 €, w jedną stronę 280 €; Lufthansa o wiele drożej: powrotny 650 €, w jedną stronę 840 €), **Londynu** (powrotny 370 €; British Airways: powrotny 335 €, w jedną stronę 185 €), **Paryża** (powrotny 380 €, w jedną stronę 500 €), **Rzymu** (powrotny 405 €, w jedną stronę 370 €), **Stambułu** (powrotny 135 €, w jedną stronę 160 €; Turkish Airlines: powrotny 254 €, w jedną stronę 160 €) oraz **Wiednia** (powrotny 420 €).

Połączenia krajowe obejmują m.in. **Kluż** (powrotny 115 €), **Satu Mare** (powrotny 220 €) oraz **Jassy** (powrotny 113 €).

Polski LOT kursuje do **Warszawy** pięć razy w tygodniu (pn., wt., czw., pt. i nd.). Koszt biletu wynosi 241 € (powrotny) i aż 355 € (w jedną stronę).

Wybrane przedstawicielstwa linii lotniczych w Bukareszcie

Aeroflot (str. Biserica Amzei 29; ☎021/315 0314, fax 3125152).

Air France (str. D. Praporgescu 1–5; ☎021/210 0934, 2101004, fax 2101651, airfrance@pcnet.ro).

Austrian Airlines (blvd G. Magheru 18; ☎021/3120545, fax 3120211, all-butho@aua.com).

British Airways (Calea Victoriei 12; ☎021/303 2222, fax 3032211, barom@pcnet.com).

Carpatair (lotnisko Băneasa; Şos. Bucureşti–Ploieşti 40; ☎021/2308392, fax 2308395).

LOT (blvd G. Magheru 41; ☎021/2128365, 3141096, fax 2108740, lotbuh@lot.pl; pn.–pt. 9.00–17.00).

Lufthansa (blvd G. Magheru 18; ☎021/315 7575, fax 3120211, lufthansa-romania@dlh.de).

Tarom (Splaiul Independenţei 17, ☎021/337 0400, 3034400, fax 3360416; drugi oddział: str. Fraţii Buzeşti 59–61, ☎021/2046464, 2125850, 2125851, fax 2046427, 2046424; pn.–pt. 9.00–19.00, sb. 9.00–13.00).

Turkish Airlines (blvd N. Bălcescu 35A; ☎021/3113210, fax 3112920, thy@mb.roknet.com).

Pociąg

Jak na stolicę przystało, Bukareszt ma kilka dworców kolejowych. Dla turysty najważniejszy jest **Dworzec Północny** (Gară de Nord; blvd Gării de Nord 2; ☎021/223 0880), z którego odjeżdżają wszystkie pociągi międzynarodowe i zdecydowana większość krajowych, usytuowany w północno-zachodniej części miasta, niedaleko centrum. Lepiej nie korzystać ze stojących przed budynkiem dworca taksówek (naciągacze!), tylko zadzwonić do którejś z firm (zob. *Taksówki*).

Na Gară de Nord turysta znajdzie wszystko, co potrzebne na początku wojaży po Rumunii. Można tu wymienić pieniądze w kantorze (po przyzwoitym kursie) lub pobrać je z bankomatu, dowiedzieć się czegoś o mieście i noclegach w budce prywatnej informacji turystycznej, posilić się w jednym z barów (m.in. *McDonald*), zrobić zakupy (jest supermarket) i zostawić bagaż w przechowalni (1,50 €/dzień), jeśli najpierw chciałoby się rozejrzeć po okolicy (aby wejść z powrotem do budynku, trzeba okazać bilet lub uiścić symboliczną opłatę peronową w wysokości 0,20 €). Ponadto na dworcu jest apteka oraz rozmównica telefoniczna.

Do wszystkich ważnych miast kraju kursuje co najmniej kilka pociągów dziennie, zarówno osobowych (*personal*), przyspieszonych (*accelerat*), pospiesznych (*rapid*), jak i tych najszybszych i najdroższych – InterCity (te ostatnie jeżdżą codziennie m.in. do Aradu, Braszowa, Klużu, Konstancy, Krajowej, Gałacza, Jass, Oradei, Suczawy, Târgovişte, Timişoary i Tulczy).

Bukareszt ma kilka połączeń międzynarodowych, m.in. z **Krakowem** („Karpaty"; ok. 55 €; 25 godz.), Budapesztem, Pragą, Stambułem, Wiedniem, a nawet Wenecją (przez Zagrzeb) i Atenami (przez Sofię).

Niektóre pociągi do Mangalii i Konstancy, kursujące przeważnie w lecie, odjeżdżają z **dworca Băneasa** (Şos. Bucureşti–Ploieşti, północna część miasta, niedaleko lotniska Băneasa, z Piaţa Unirii jedzie tam autobus #783). Wszystkie kursy do Giurgiu (5 dziennie) obsługiwane są przez **dworzec Progres** na południowych obrzeżach stolicy (przy drodze do Giurgiu, spod Gară de Nord jedzie tam tramwaj #12).

Kasy biletowe na Gară de Nord rozdzielone są na dwie sale. W jednej (oznaczonej napisem *casele de bilete Cl. 1*, po prawej stronie od głównego wejścia) sprzedaje się bilety międzynarodowe (okienko 1), bilety 1. klasy (okienka 2–7) oraz na wagony sypialne i kuszetki (okienka 8 i 9). W drugiej sali (oznaczonej napisem *casa II*, za *McDonaldem* skręcić w prawo i do końca) kupuje się bilety 2. klasy (połączenia krajowe). Do obu sal da się wejść bezpośrednio z zewnątrz.

Na dworcu mieści się oddział agencji turystycznej **Wasteels** (☎021/2227844, fax 2227863, wasteels@fx.ro; pn.–pt. 8.00–19.00, sb. 8.00–15.00), gdzie można dokonać rezerwacji i kupić ze zniżką (osoby poniżej 26 lat) bilety na połączenia krajowe i międzynarodowe. **Agenţie do Voiaj CFR** działa przy str. Domniţa Anastasia 10, na rogu str. I. Brezoianu (informacja o połączeniach międzynarodowych: ☎021/314 5528, o krajowych: ☎021/3132643; pn.–pt. 7.30–19.30, sb. 8.00–12.00). Na dolnym piętrze sprzedaje się bilety na połączenia krajowe, na górnym na międzynarodowe, ale w obu wypadkach można je tu kupić najpóźniej na 24 godziny przed odjazdem

pociągu. Bilety na ten sam dzień sprzedawane są wyłącznie na dworcu. Drugi oddział CFR usytuowany jest przy str. Aterielului (przy Calea Griviţei) w sąsiedztwie hotelu *Ibis*.

Autobus

Ten środek transportu cieszy się zdecydowanie mniejszą popularnością niż pociąg, dlatego w Bukareszcie nie ma centralnego dworca autobusowego.

Autobusy z innych rumuńskich miast zatrzymują się przeważnie na niewielkim placu przy Calea Griviţiei w pobliżu dworca kolejowego Gară de Nord, stąd też kilka z nich odjeżdża, ale większość połączeń obsługują dwa niewielkie dworce. Do **Militari** (Autogară Militari; blvd I. Maniu 141, róg Valea Cascadelor; ☎021/3360692), w południowo-zachodniej części miasta, najłatwiej dojechać metrem (linia M1 w kierunku Industriilor, przystanek Păcii). Odjeżdżają stąd autobusy m.in. do Râmnicu Vâlcea (przez Piteşti; kilka dziennie), Timişoary (1 dziennie; przez Târgu Jiu), Sybina (kilka dziennie), Braszowa (kilka dziennie), Curtea de Argeş (2 dziennie) oraz po jednym do Alba Iulia i Devy. Do **dworca Filaret** (Autogară Filaret; Piaţa Garii Filaret 1, ok. 1 km na południe od Pałacu Parlamentu; ☎021/3360692) w południowej części stolicy można podjechać tramwajem #12 spod Gară de Nord lub #7 z Piaţa Unirii. Kursują stąd autobusy m.in. do Aradu, Oradei, Baia Mare, Câmpulung Moldovenesc, Drobeta-Turnu Severin, Giurgiu (kilkanaście dziennie) oraz Târgovişte (kilka dziennie).

Dworzec Filaret obsługuje też prywatne połączenia międzynarodowe, głównie do miast Europy Wschodniej i Południowej, przede wszystkim Kiszyniowa i Stambułu. Bilety można kupić w oddziałach firm przewozowych przy Piaţa Gară de Nord, naprzeciwko dworca (do Stambułu jeździ m.in. Toros). Do ważniejszych miast w Europie Zachodniej (najwięcej do Włoch i Niemiec) autobusy odjeżdżają z Piaţa Dorobanţilor (północna część miasta), a biura przewoźników (najwięcej to Atlassibiu i Eurolines; str. Ankara 6; ☎021/2305489, fax 2300370, touring.ankara@eurolines.ro) są w jego sąsiedztwie, przy str. Ankara i str. Sofia (odchodzących od placu na południowy zachód).

Komunikacja miejska

Bukareszt ma bardzo dobrze rozwiniętą sieć transportu publicznego, na który składa się metro, trolejbusy, autobusy i tramwaje (wszystkie kursują od 5.00 do północy). Mapki sieci komunikacyjnej można znaleźć na większych przystankach i na każdej stacji metra.

Bilety kupuje się w kioskach RATB (Regie Autonome de Transport de Bucureşti), charakterystycznych budkach (w kolorze metalicznym, pomarańczowym lub białym) rozrzuconych po całym mieście przy ważniejszych przystankach.

Metro Budowę sieci metra ukończono oficjalnie w 1986 r., ale prace wciąż są kontynuowane (pierwszą linię otwarto w 1979 r.). System kolei podziemnej tworzą cztery linie i 45 stacji (w miarę czyste i bezpieczne). Zaletą metra są niskie ceny biletów i szybkość. Najdłuższa okrężna linia M1 biegnie od stacji Republica (północno-wschodnia część miasta) i na niej kończy bieg (kierunek przeciwny do stacji Republica określany jest jako Dristor 2 – taką nazwę nosi stacja, przy której oba kierunki się rozchodzą). Najważniejsze przystanki M1 to Piaţa Unirii, Gară de Nord i Piaţa Victoriei. Najbardziej oblegana linia M2 biegnie z północy (stacja Pipera) na południe (stacja IMGB Depou) przez centrum (najważniejsze stacje: Piaţa Victoriei, Piaţa Romană, Universitate, Piaţa Unirii). Krótka M3 zaczyna się na stacji Eroilor (przez którą przebiega także M1) i prowadzi na wschód do stacji Industriilor. M4 jest nową linią i na razie ma tylko cztery stacje. Zaczyna się na Dworcu Północnym i ciągnie w kierunku północno-zachodnim.

Bilet jednorazowy kosztuje 0,25 €, karnet na 10 przejazdów 2,50 €, a bilet całodzienny (najbardziej opłacalna opcja) tylko 1,70 €. Za bilet miesięczny trzeba zapłacić 6,50 €.

Autobusy, trolejbusy i tramwaje Korzystanie z tych środków transportu bywa uciążliwe ze względu na tłok. Trzeba uważać na kieszonkowców, którzy potrafią rozpoznać turystę z daleka. Poruszanie się po mieście ułatwiają plany umieszczone przy przystankach (coraz częściej) i tablice z przodu lub z boku pojazdu.

Bilet jednorazowy kosztuje 0,25 €, za cały dzień płaci się 1,35 €. Bilet ważny 15 dni kosztuje 5,20 €, a miesięczny 7,50 €. We wszystkich środkach transportu obowiązują te same bilety. Należy je skasować zaraz po wejściu do pojazdu, co pozwoli uniknąć niekoniecznie przyjemnego kontaktu z kontrolerem (kara za jazdę na gapę wynosi ok. 7,50 €).

Taksówki W Bukareszcie taksówki są równie tanie jak w innych rumuńskich miastach, pod warunkiem, że nie będzie się korzystało z usług kierowców niezrzeszonych (stojących w punktach najbardziej obleganych przez turystów). Ulubionym miejscem naciągaczy jest Gară de Nord (tutaj taksówkarze są najbardziej bezczelni), na drugim miejscu plasuje się lotnisko Otopeni. Aby uniknąć niepotrzebnych wydatków i kłopotów, najlepiej dzwonić po taksówki do podanych niżej firm.

Oficjalna cena za kilometr wynosi maksymalnie 0,40 €, co oznacza, że za przejechanie Bukaresztu wzdłuż lub wszerz (mniej więcej 10 km) zapłaci się zaledwie 4 €.

Do uznanych firm taksówkarskich należą: **Meridian** (☎9444, 9888), **Cris Taxi** (☎9461, 9466), **Cobălcescu** (☎9451) i **Valentino** (☎9401, 9411).

INFORMATOR

Apteki Można je bez problemu znaleźć w całym mieście, szczególnie dużo działa w centrum. Do lepszych należą: Sensiblu (blvd N. Bălcescu 7, naprzeciwko hotelu *Inter-Continental*; ☎021/2124923), Help Net (D-na Ghica 6; ☎021/2429764; non stop), MedFARM (blvd I.C. Brătianu 34; ☎021/3152309), Farmadex Tat (blvd N. Titulescu 199; ☎021/2223932), Farmacia Verde (Calea Dobranţilor 159; ☎021/2301451), Farmacia Athenaeum (róg Calea Victoriei i str. George Enescu, naprzeciwko Białej Cerkwi), Europharm (blvd H. Botev, obok Banca Transilvania, róg Piaţa C.A. Rosetti), Farmacia No 1 (str. E. Quinet, naprzeciwko hotelu *Capşa*). Blisko Gară de Nord usytuowana jest apteka Griviţa (w północno-wschodniej pierzei), inna mieści się w budynku dworca.

Internet Wbrew pozorom w Bukareszcie nie tak łatwo o kafejkę internetową. Trzeba trochę pochodzić i dokładnie rozglądać się za szyldami. Dwie sąsiadujące ze sobą kafejki są przy blvd N. Bălcescu 24 (na północ od Piaţa 21 Decembrie 1989), mniej więcej w połowie jego długości. Jedna to *Net Internet Club* (0,65 €/godz.; czynna całą dobę), druga mieści się w bramie obok (w podziemiach; 0,70 €/godz.). Na tyłach Muzeum Historii Bukaresztu przy krótkiej str. I. Nistor działa *Infinit Internet* (0,35 €/godz.; czynna całą dobę) i *Bluezone internet & games* (0,50 €/godz.). Duża kafejka *XES Internet* zaprasza przez całą dobę przy blvd Regina Elisabeta naprzeciwko *Pizza Hut* (0,60 €/godz.).

Księgarnie Reklamująca się jako najlepsza księgarnia anglojęzyczna Salingers ma dwie filie:

Calea 13 Septembrie 90 (w centrum handlowym przy hotelu *Marriott*) oraz str. Episcopiei 1–3 (przy hotelu *Athénée Hilton*) – duży wybór książek, w tym przewodników turystycznych. Librărie Noi (blvd N. Bălcescu 18, nieopodal hotelu *Inter-Continental*) to ogromna księgarnia połączona z antykwariatem oferująca także pozycje obcojęzyczne. Librărie Mihai Eminescu (blvd Regina Elisabeta, róg str. Academiei) obok uniwersytetu ma duży wybór podręczników i innych książek (także obcojęzycznych). W podziemiu przy Piaţa 21 Decembrie 1989 działa duża księgarnia i antykwariat, a niewielkie stoiska z książkami ulokowane są przy Muzeum Historii Bukaresztu. Handlarze oferują zazwyczaj książki używane, można tam upolować wiele ciekawych tytułów.

Laboratoria fotograficzne Wiele punktów działa przy blvd G. Magheru i jego południowym przedłużeniu – blvd N. Bălcescu. Dwa z licznych oddziałów Kodak Express – przy blvd Carol I nr 8 (między Piaţa 21 Decembrie 1989 i Piaţa C.A. Rosetti) oraz przy blvd G. Magheru (tuż obok siedziby LOT-u), Agfa Image Center – przy tej samej ulicy, ale na wschód od Piaţa C.A. Rosetti (obok sklepu-piekarni Fornetti). Sklep Fuji Image Center – na rogu blvd Regina Elisabeta i str. Beldiman (nieopodal hotelu *Bulevard*), trochę dalej na zachód przy tej samej ulicy jest Fujifilm Studio Profesional (blvd Regina Elisabeta 30, naprzeciwko restauracji *Tornen*). Sklepy Kodak i Fuji można także znaleźć w bloku przy wschodniej pierzei Piaţa Unirii obok *McDonalda*, a po przeciwnej stronie placu działa Konica Foto Service. Jednym z nielicznych sklepów fotograficznych otwartych w niedziele jest Apropo – str. I. Câmpineanu (na tyłach Pałacu Królewskiego).

Poczta i telekomunikacja W Bukareszcie jest kilkadziesiąt urzędów pocztowych i co najmniej kilkanaście telefonicznych (Romtelecom). Główny urząd pocztowy (Oficiul Bucureşti 1) – str. M. Millo 10–12 obok hotelu *Carpaţi*. Dwie poczty są blisko dworca Gară de Nord (blvd Garii de Nord 6–8 i str. Gen. Vladoianu 2). Główna placówka Romtelecomu – w pobliżu Poczty Głównej na rogu Calea Victoriei i str. M. Millo. Karty telefoniczne do rozsianych po całym mieście automatów można kupić na poczcie lub w kioskach.

Polonica W Bukareszcie, tak jak i w Suczawie, prężnie działa Dom Polski jako ogólnokrajowa organizacja polonijna. Ma siedzibę niedaleko ścisłego centrum przy str. J. Calderon 59/6 (☎021/3125360, fax 3217315; śr.–pt. 9.00–13.00, czw. 15.00–19.00).

Wymiana walut i banki W Bukareszcie mają swoje siedziby m.in.: Banca Comercială Română (BCR; blvd Regina Elisabeta 5, naprzeciwko uniwersytetu, oraz blvd N. Bălcescu,

naprzeciwko kościoła Włoskiego), Banc Post (blvd Libertăţii 18 i blvd Natiunile Unite 8), Alpha Bank (Calea Dorobanţilor 237B), Banca Română pentru Dezvoltare (BRD; str. I. Câmpineanu 11, również str. Gen. Berthelot, niedaleko schroniska *Funky Chicken*, i blvd G. Magheru, kilkaset metrów na południe od Piaţa Romană), Banca Transilvania (blvd H. Botev sec. 3, róg Piaţa C.A. Rosetti nieopodal hotelu *Banat*), Reiffeisen Bank (blvd Unirii 76, bl. J3B oraz po południowo-wschodniej stronie Piaţa Romană), Volks Bank (zachodnia pierzeja Piaţa Unirii, przy wylocie blvd Unirii). Kantorów w centrum jest jeszcze więcej niż banków, zwłaszcza przy blvd G. Magheru i blvd N. Bălcescu (dwa w zachodniej pierzei Piaţa Unirii) oraz w okolicach Gară de Nord. IDM Exchange działa przy str. Gen. Berthelot 3 (przy skrzyżowaniu z Calea Victoriei), przy blvd Regina Elisabeta (róg blvd Schitu Măgureanu) oraz przy Piaţa A. Lahovari.

Wypożyczalnie samochodów W Bukareszcie działa wiele wypożyczalni renomowanych firm europejskich, ale zdecydowanie tańsze są lokalne firmy rumuńskie. Cena wynajmu samochodu osobowego na jeden dzień waha się w granicach 30–70 € (najtańsze są dacie). Wiele hoteli o wyższym standardzie pośredniczy w wypożyczaniu aut. Autorent (lotnisko Otopeni; ☎/fax 021/2014668, office@autorent.ro), Avis (str. M. Moxa 9; ☎021/2104345, 2104346, fax 2106912, reservation@avis.ro, również oddział na lotnisku Otopeni i w kilku hotelach, m.in. *Inter-Continental* i *Minerva*), Budget (str. Polonă 35, I piętro, pok. 4; ☎021/2102867, 2122651, fax 2102995, budget@pcnet.ro, także odział na lotnisku Otopeni), Easy (☎/fax 021/4133379, easy_rentacar@yahoo.com), Hertz (str. I. Bianu 47; ☎021/2221256, fax 2221257, reservation@hertz.com.ro, również na lotnisku i w kilku hotelach, m.in. *Plaza* i *Hilton*), Holiday Autos Romania (str. Washington 25; ☎021/2304299, 2317071, fax 2317072, office@holidayautos.ro), Touring (str. Buzeşti 44; ☎021/2303661, 2305132, fax 2303219, buzesti@eurolines.ro).

Zakupy W Bukareszcie nie brak wielkich kompleksów handlowych. Unirea Shopping Center (Piaţa Unirii 1) znajduje się w samym centrum. Sporą popularnością cieszy się także Bucureşti Mall (Calea Vitan 55–59; ☎021/327 6100, fax 3209209) na południowy wschód od centrum, w którym mieści się również duże kino. Turyści dysponujący większą gotówką powinni odwiedzić Grand Avenue Shopping Galery (Calea 13 Septembrie 90) przy hotelu *Marriott*, na tyłach Pałacu Parlamentu. Wyroby rękodzieła ludowego i tym podobne pamiątki kupi się w sklepie Amintiri (str. Gabroveni 20), Folk (blvd G. Magheru 7), Artizanat (w centrum Grand

„Język rumuński, szalenie dziwna mieszanina latyńsko-słowiańska, był źródłem nieustannej zabawy figlarnej Madzi. Tak lubiane przez Polaków czteroliterowe słowo oznacza po rumuńsku „po", „za" albo „według" i na zakładach krawieckich widniał dużymi literami napis: „COITURA DUPA MAZURA", czyli: ubrania według miary. Gdy nasza humorystka chciała jednemu z opasłych dorożkarzy powiedzieć aby stanął koło Ministerstwa Finansów, obok którego znajdowała się dawna polska legacja, mówiła do niego w ten sposób: – Birżar, merdże a la Calea Victoriei d u p a la Casa del Ministrieul dei Finanz! – i dorożkarz bez żadnego zdziwienia ani też uśmiechu ruszał z miejsca. Te słowa wypowiadała ze specjalnym smakiem, kiedy koło niej siedział poseł Wielowieyski".

Magdalena Samozwaniec, *Maria i Magdalena*

Avenue), Atheneum (str. Episcopiei 1–3, w hotelu *Athénée Hilton*) oraz przy Muzeum Rumuńskiego Chłopa. Warto polecić sklep Totem (Calea Vitan 55–59, w centrum handlowym Bucureşti Mall) oferujący zarówno oryginalne rumuńskie rękodzieło, jak i wyroby z południowo-wschodniej Azji, Indii, Afryki i Ameryki Południowej.

Zdrowie Pogotowie Puls (str. Turda 127, bl. 2, sc. E; ☎021/2240187), pogotowie S.O.S. (str. Caracas 24; ☎021/2222071), szpital amerykański (American Medical Centre; str. Dragoş Vodă 70; ☎021/2102706), centrum medyczne Unirea (str. G. Enescu 12, ☎021/2120568; blvd Unirii 57, ☎021/3271188; str. Staicovici 2, ☎021/4120110), Biomedica International (str. M. Eminescu; ☎021/2119674), Emergency Clinic Hospital (Calea Floreasca 8; ☎021/230 0106), centrum medyczne Medicover (Calea Plevnei 96; ☎021/3104410). W razie problemów z uzębieniem można zgłosić się do prywatnej firmy Protect Dent (blvd Protopopescu 76; ☎021/2524961).

OKOLICE BUKARESZTU

W pobliżu stolicy jest kilka miejsc wartych uwagi – na największą zasługuje klasztor Snagov, gdzie podobno został pochowany słynny Drakula, oraz pałac w Mogoşoaii, w pobliżu którego „spoczął" pomnik Lenina.

Mogoşoaia

Niewielka miejscowość oddalona o około 15 km na północ od stolicy słynie z jednego z najpiękniejszych zabytków XVII-wiecznej architektury rumuńskiej. **Pałac** (str. Valea Parcului) został wybudowany w latach 1698–1702 przez panującego wówczas hospodara Constantina Brâncoveanu. Najpierw, w 1688 r., ufundował on pobliską **Biserica Sf. George** (cerkiew św. Jerzego; przed wejściem na dziedziniec, po lewej, warto zwrócić uwagę na

fresk na tympanonie oraz pięknie rzeźbiony portal), a następnie na miejscu niewielkiego dworu wzniósł wspaniałą rezydencję. W XVIII w. pałac został dwukrotnie splądrowany przez Turków, a w latach 1842–1848 i kilkanaście lat później odnowiony. Gruntownej renowacji podjął się na początku lat 20. XX w. włoski architekt Rupolo. Obecny wygląd założenia to efekt modernizacji z lat 1930–1935 przeprowadzonej przez G.M. Cantacuzino.

Trzy strony prostokątnego dziedzińca były pierwotnie otoczone potężnymi murami, stronę południową zamyka jeziorko. Resztki murów zachowały się tylko od dwóch stron dziedzińca. Pierwsze zabudowania widoczne po prawej i lewej stronie po przejściu przez bramę służyły jako pomieszczenia gospodarcze (m.in. kuchnia). W budynku wzniesionym w II połowie XIX w. jako rezydencja dla gości urządzono luksusowy hotel.

Pałac (wt.–nd. 10.00–18.00; 0,40 €) wznosi się pośrodku dziedzińca. Fasada z wejściem (piękny portal) ma werandę, a front od strony jeziora ładną loggię – obie z rzeźbionymi kolumnami z korynckimi kapitelami (na uwagę zasługują misternie wykończone galeryjki). Wnętrze jest bogato zdobione malowidłami, rzeźbami i ornamentami. W muzeum można podziwiać eksponaty z epoki Brâncoveanu, m.in. meble, zastawy stołowe i przedmioty codziennego użytku. Przy pałacu jest grobowiec arystokratycznej rodziny Bibescu, właścicieli kompleksu od końca XIX w. do II wojny światowej. Spoczywa w nim m.in. Elizabeth Asquit, córka premiera Wielkiej Brytanii Henry'ego Herberta Asquita (1906–1916), która w 1919 r. poślubiła księcia Antoina Bibescu.

Po północnej stronie kompleksu, za murami i pomieszczeniami dawnej kuchni leży **pomnik Lenina** (stał w Bukareszcie przed Domem Wolnej Prasy, zob. s. 103) oraz dr. Petru Grozy, rumuńskiego komunisty i pierwszego premiera socjalistycznej Rumunii (1945–1952).

Do Mogoşoaii można się dostać tylko z przesiadką. W centrum należy wsiąść w trolejbus #97 (na blvd Dacia, przystanek nieopodal Piaţa Romană) albo tramwaj #20 lub 31 i podjechać do dzielnicy Laromet (w obu wypadkach są to końcowe przystanki), a następnie wsiąść w autobus #460 do Buftea, który zatrzymuje się w Mogoşoaii.

Snagov

We wsi oddalonej o około 40 km na północ od Bukaresztu znajduje się jezioro o tej samej nazwie z wyspą pośrodku, na której stoi klasztor liczący ponad 600 lat. **Monastyr** był świadkiem wielu ważnych wydarzeń w historii kraju. Pierwsze wzmianki o nim pochodzą z 1408 r., z czasów panowania Mirczy Starego, stąd właśnie tego hospodara uznaje się za fundatora kompleksu. Wcześniej stała tutaj drewniana cerkiew (datowana na XI w.). Świątynia (i zachowana dzwonnica) została wybudowana w latach 1517–1521 przez wojewodę Neagoe Basaraba i ze względu na wyjątkową wartość architektoniczną znalazła się na Liście Światowego Dziedzictwa Kulturalnego i Przyrodniczego UNESCO.

Wnętrze pokrywają piękne XVI-wieczne freski wykonane prawdopodobnie przez mistrza Dobromira. Warto zwrócić uwagę na imponujące rozmiary przednawia i nawy – w owym czasie były to największe pomieszczenia na ziemiach Wołoszczyzny i Mołdawii. Nad nawą, przenawiem oraz dwiema bocznymi absydami (konchami) wznoszą się wieże z kopułami. Nawę od absydy oddziela murowany ikonostas, co też jest niezwykle oryginalnym rozwiązaniem, spotykanym w najstarszych świątyniach bizantyńskich.

Monastyr w Snagov słynie z powiązań z postacią Włada Palownika, pierwowzoru słynnego Drakuli (zob. s. 136–137). W 1456 r. hospodar obwarował klasztor i wybudował most łączący wyspę ze stałym lądem. Ufundował też dzwonnicę i nową cerkiew oraz wykopał tunel, który w razie zagrożenia miał umożliwić ucieczkę. Ponadto do istniejącego wcześniej więzienia kazał dobudować salę tortur. Ponoć krwawy hospodar spoczywa pod płytą nagrobną bez inskrypcji tuż przed ikonostasem. Znaleziono tu bezgłowy szkielet ubrany w purpurowe szaty książęce, co pasuje do tragicznego końca Włada Palownika, który podobno został zamordowany w okolicach Snagov.

Na wyspę można się dostać od strony ośrodka turystyczno-sportowego *Astoria*, usytuowanego na południowym brzegu jeziora (wynajęcie łódki 3 €/godz.). Do samej miejscowości najlepiej podjechać pociągiem z Gară de Nord (1 dziennie; ok. 1 godz. 10 min) do stacji Snagov Plaja, skąd do kompleksu *Astoria* jest kilka minut spacerem.

Wołoszczyzna

Region rozciąga się na bezkresnej równinie pomiędzy Dunajem i Karpatami Południowymi. Od północnego zachodu sąsiaduje z Banatem, od północy z Transylwanią (od tej strony Wołoszczyzna jest bardziej górzysta), od północnego wschodu z Mołdawią, a od wschodu z Dobrudżą. Od południa za Dunajem jest już Bułgaria, a od południowego zachodu – Serbia (tam są słynne Żelazne Wrota). Prawie przez środek krainę przecina rzeka Aluta (Olt), dzieląc region na dwie krainy historyczne: Oltenię na zachodzie i Muntenię na wschodzie.

Główne atrakcje

- **Poienari** – tajemniczy zamek Drakuli.
- **Curtea de Argeş** – cerkiew metropolitalna.
- **Târgu Jiu** – spacer pośród dzieł słynnego rzeźbiarza Brancuşiego.
- **Tajemnice Subkarpat** – słone góry i wulkany błotne.
- **Băile Herculane** – kąpiele w gorących źródłach najstarszego rumuńskiego kurortu.

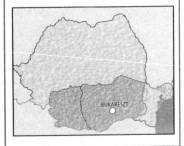

BUKARESZT

Charakterystyczną cechą Wołoszczyzny, a szczególnie jej południowej części, są małe wioski ciągnące się niemal nieprzerwanie wzdłuż dróg. Region zmaga się z biedą i wygląda tak, jakby czas zatrzymał się tu w połowie XX w. Zapewne z tego względu nawet słynna rumuńska gościnność jest tutaj bardziej powściągliwa. Najwięcej turystów odwiedza północne rejony krainy, nieco bardziej urozmaicone i obfitujące w zabytki oraz ciekawe miejsca, takie jak przełom Czerwonej Wieży czy równoległa do niej droga transfogaraska prowadząca obok siedziby Drakuli. Na Wołoszczyźnie zachowało się wiele starych klasztorów, najczęściej utrzymanych w charakterystycznym dla regionu stylu Brâncoveanu. Na granicy z Banatem leży znany także poza granicami Rumunii kurort Băile Herculane, szczycący się antycznymi korzeniami, gdzie można zażyć gorących kąpieli i skorzystać z dobrodziejstw leczniczych wód.

Historia

Księstwo Wołoskie (Wołoszczyzna, Hospodarstwo Wołoskie) odegrało ważną rolę w procesie kształtowania się państwa rumuńskiego. Po 106 r. tereny te znalazły się częściowo pod panowaniem rzymskim. We wczesnym średniowieczu przewędrowało przez nie kilka plemion, m.in. Sarmaci (III w.), Goci (III w.), Hunowie (IV w.) i Słowianie (VI w.). Ci ostatni (Sklawinowie i Antowie) zatrzymali się na żyznej nizinie na dłużej, żyjąc w zgodzie z miejscową ludnością dacko-romańską. Pod koniec VII w. na północ od delty Dunaju pojawili się Protobułgarzy, którzy w ciągu dwóch wieków walk z Bizancjum usadowili się po obu stronach rzeki (ich pozycja znacznie osłabła w X w.). Później na terenach Wołoszczyzny nastąpił typowy dla wczesnego feudalizmu proces rozbicia politycznego,

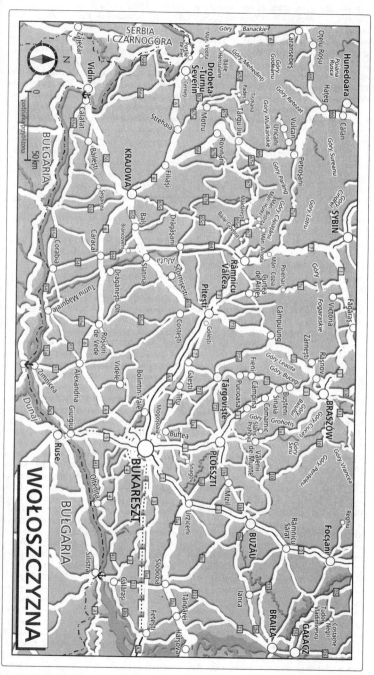

WOŁOSZCZYZNA

przypieczętowany dodatkowo najazdami Pieczyngów i Połowców. Okres względnej stabilizacji i spokoju sprawił, że ziemie między Karpatami Południowymi a Dunajem były gęsto zaludnione – w połowie XIII w. istniało tam kilka niewielkich państewek rządzonych przez wojewodów, prawdopodobnie już wtedy uzależnionych od Węgier.

Próbę zjednoczenia i usamodzielnienia księstw podjął władca Câmpulungu i Argeşu – Basarab (zm. 1352 r.), kładąc podwaliny pod przyszłe Księstwo Wołoskie. Starania ojca kontynuował Mikołaj Aleksander (Nicolae Alexandru; 1352–1364), ustanawiając w 1359 r. w Curtea de Argeş metropolię prawosławną dla całej Wołoszczyzny. W dokumentach sąsiednich krajów mieszkańcy ziem karpacko-dunajskich nazywani byli Wołochami, a oni sami określali się jako Rumuni (Rumâni, późniejsze Români). W 1374 r. doszło do pierwszego starcia rumuńsko-tureckiego, które wprawdzie nie pociągnęło za sobą poważnych następstw politycznych, ale było zapowiedzią przyszłego wieloletniego zniewolenia. Potęgę południowego sąsiada doceniał Mircza Stary (1386–1418), jeden z najwybitniejszych rumuńskich władców. Próbował zawiązywać przymierza, ale także samodzielnie działał przeciwko Porcie Otomańskiej. Nie udało mu się jednak ocalić kraju – zawarty w 1417 r. pokój uchronił wprawdzie panowanie Mirczy, ale za cenę stałego haraczu na rzecz Turcji. Był to pierwszy krok na drodze do utraty samodzielności. Nawet przejściowe sukcesy Włada Diabła (zm. 1447 r.) i jego syna Włada Palownika (1431–1476) nie uchroniły Wołoszczyzny od klęski. Wynikało to przede wszystkim z potęgi agresora – Turcja od połowy XV w. przeżywała okres największego rozkwitu. Jedną ze zdobyczy były ziemie karpacko-dunajskie – mianowanie przez sułtana w 1545 r. na władcę Wołoszczyzny Mirczy zwanego Pastuchem oznaczało kres niezawisłości państwa. Bezustanne walki wewnętrzne o władzę między bojarami, brak stabilizacji oraz powszechna korupcja spowodowały wyniszczenie kraju. Próbował go podnieść z upadku Michał Waleczny (1557–1601), który od 1593 r. objął władzę jako hospodar wołoski. W krótkim czasie zdobył tron siedmiogrodzki i mołdawski i w maju 1600 r. jako pierwszy użył tytułu „Hospodar Wołoszczyzny, Siedmiogrodu i Mołdawii".

Dobrze zapowiadające się plany zjednoczenia Rumunii pokrzyżowali Polacy, dbający o dobre stosunki z Portą, oraz Au-

striacy. Michał utracił swe ziemie w walkach z hetmanem Janem Zamojskim (1542–1605), po czym został podstępnie zamordowany z rozkazu austriackiego generała Jerzego Basty. Pokój turecko-austriacki w Żsitvatorok z 1606 r. potwierdził samodzielność Wołoszczyzny pod zwierzchnictwem sułtana. Wydarzenia, do których doszło pod koniec XVII w., choć niepowiązane ze sobą, miały w przyszłości zadecydować o losie nie tylko kraju dacko-karpackiego, ale i całej Rumunii, a nawet Europy. W 1683 r. potęga turecka poniosła klęskę pod Wiedniem i utraciła Węgry wraz z Siedmiogrodem. Po zwycięskich wojnach z Polską zaczęło wyrastać nowe mocarstwo – carska Rosja. Zmagania rosyjsko-tureckie w następnych latach doprowadziły do wyparcia Turcji za Dunaj.

Stanowcza polityka antyturecka Katarzyny II (1762–1796) oraz kolejne wojny (1768–1774 i 1787–1792) znacznie osłabiły Portę. Pokój w Kuczuk-Kainardżi (1774) dał Rosji prawo interweniowania w sprawach dotyczących Mołdawii i Wołoszczyzny, a podczas kolejnej wojny (1806–1812) armia carska zajęła ziemie rumuńskie. Osłabienie Turcji zachęciło mieszkańców obu księstw do zbrojnego zrywu przeciwko kilkuwiekowemu okupantowi. Powstańcy pod dowództwem Tudora Vladimirescu (1780–1821) nawiązali współpracę z grecką organizacją spiskową heteria i uzyskali obietnicę wsparcia ze strony wojsk rosyjskich. Wszelkie plany jednak zawiodły, rebelia nie przyniosła rozstrzygnięć politycznych, a konflikt Vladimirescu z przywódcami heterii doprowadził do jego uwięzienia i zamordowania. Kolejna wojna rosyjsko-turecka (1828–1829) zakończyła się klęską Porty – pokój w Adrianopolu (1829) dawał carom status protektora, przez co zyskali oni decydujący wpływ w Mołdawii i na Wołoszczyźnie. Zryw z okresu Wiosny Ludów został na Wołoszczyźnie bardzo dobrze przygotowany, ale interwencja Turcji i zapowiedź wkroczenia armii rosyjskiej spacyfikowały powstańcze nastroje. W tym czasie ustalono w Bukareszcie narodowy sztandar: niebiesko-żółto-czerwony z napisem „Dreptate – Frăţie" (Sprawiedliwość – Braterstwo).

Dalsze losy Rumunii rozstrzygnęli przywódcy mocarstw europejskich w Paryżu. W 1856 r. po zakończeniu wojny krymskiej zadecydowali oni o ujednoliceniu ustroju politycznego Mołdawii i Wołoszczyzny, a podczas konferencji w 1858 r. postanowiono, zachowując pozory władzy tureckiej na tych terenach, nadać księstwom naddunajskim wspólną konstytucję i połączyć je w jedno państwo: Zjednoczone Księstwa Mołdawii i Wołoszczyzny. W 1859 r. w obu księstwach obrano hospodarem Alexandru Ioana Cuzę (1820–1873), co umożliwiło w 1861 r. utworzenie zjednoczonej Rumunii ze stolicą w Bukareszcie.

PLOESZTI

To spore miasto (Ploieşti; ok. 250 tys. mieszkańców), stolicę okręgu Prahova, przecina ruchliwa arteria Bukareszt–Braszów. Ploeszti leży na terenach roponośnych i jest głównym centrum wydobycia tego surowca w kraju. Podczas II wojny światowej znaczna część miasta legła w gruzach w wyniku bombardowań alianckich, ale pomiędzy nowymi betonowymi budynkami zachowało się trochę starych kamieniczek i zabytkowych kościołów, jest też kilka ciekawych muzeów.

Nazwa miejscowości po raz pierwszy pojawia się w źródłach w 1503 r. (ciągłe osadnictwo datuje się z X w. p.n.e.). W 1597 r. hospodar Michał Waleczny wybrał ją na siedzibę swojego dworu i koszary dla armii. Dzięki temu wioska uzyskała prawo do urządzania cotygodniowego targu, co przyczyniło się do jej szybkiego rozwoju ekonomicznego. Sprzyjało temu dogodne położenie na trasie pomiędzy stolicą księstwa Bukaresztem i Braszowem. Wiek XIX przyniósł rewolucję (1848) i walkę o zjednoczenie Rumunii w 1859 r., ale przede wszystkim odkrycie ropy naftowej w połowie stulecia. Mieszkańcom Ploeszti zapewniło to dobrobyt (w okresie międzywojennym Rumunia zajmowała szóste miejsce na świecie pod względem wydobycia tego surowca), ale także kłopoty podczas obu wojen światowych (zob. ramka poniżej). Od lat 70. XX w. zasoby ropy zaczęły się gwałtownie wyczerpywać i dzisiaj większość położonych w pobliżu pomp jest bezużyteczna. Na obrzeżach miasta działa mnóstwo fabryk i zakładów przemysłowych.

Orientacja i informacje

Centrum skupia się przy wysadzanej drzewami, wydłużonej Piaţa 16 Februarie, rozciągającej się z południowego wschodu na północny zachód. Od południowej strony rozpoczyna je Piaţa Victoriei, a od północnej rondo Piaţa Eroilor. Główną ulicą jest przebiegający obok placu (przy jego zachodniej pierzei) przelotowy blvd Independenţei, zamieniający się przy Piaţa Eroilor w blvd Republicii. Biegnie na osi północ–południe, od strony Braszowa w kierunku Bukaresztu.

W Ploeszti nie ma oficjalnej **informacji turystycznej**, jak zwykle w takich wypadkach pomocą służy personel licznych biur podróży i agencji turystycznych, np. **Passion Turism & Travel** (Piaţa Victoriei 3, blvd Unirea Est, wschodnia pierzeja; ☎0244/595071, fax 518783, 515118, passion@passion.ro) czy **Prahova** (blvd Republicii 1; ☎0244/541460, fax 522243, thr@rdslink.ro).

Zwiedzanie

Ze zniszczeń wojennych ocalało niewiele zabytków. Przy północnym końcu str. Independenţei wznosi się monumentalna prawosławna **Catedrala Sf. Ion** (katedra św. Jana; Piaţa Eroilor) z 1810 r. – największa świątynia w mieście. Kierując się na południe, po kilku minutach marszu dojdzie się do **Palatul Culturii** (Pałac Kultury; str. E. Călătin 1) – ładnej neoklasycystycznej budowli z 1912 r. (warto zwrócić

Ropa Ploeszti

W 1857 r. w Ploeszti otwarto pierwszy szyb naftowy, co pociągnęło za sobą budowę rafinerii, przypływ obcego kapitału i wzrost zamożności mieszkańców. Postęp technologiczny umożliwił różnorakie wykorzystywanie ropy: Bukareszt był pierwszym na świecie miastem, które oświetlono latarniami naftowymi. Przed 1914 r. w Ploeszti funkcjonowało 10 rafinerii. Po wybuchu I wojny światowej większość z nich została unieruchomiona przez brytyjskich agentów, aby nie mogli ich wykorzystać Niemcy. Ci ostatni, wycofując się w 1918 r., zniszczyli pozostałe działające szyby naftowe. Przedwojenny właściciel złóż – Royal Dutch Shell – zażądał od Rumunii ogromnych odszkodowań. Kartą przetargową okazała się sprawa Transylwanii: przyciśnięty do muru na konferencji pokojowej w Paryżu rząd Rumunii zgodził się na żądania brytyjskiego koncernu. Po raz kolejny złoża ropy okazały się dla miasta przekleństwem w czasie II wojny światowej, kiedy to po nieudanych próbach uniemożliwienia wydobycia, dywanowy nalot brytyjskich bombowców w 1944 r. prawie całkowicie zrównał Ploeszti z ziemią.

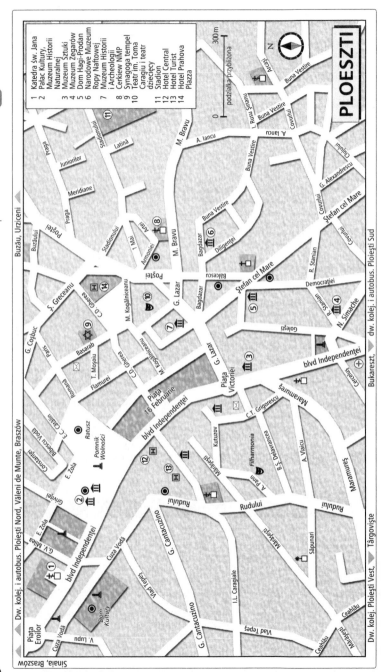

uwagę na olbrzymią rozetę w suficie holu głównego), w której mieści się ciekawe **Muzeul Judeţean de Ştiinţele Naturii** (Muzeum Historii Naturalnej; ☎0244/523719; wt.–sb. 10.00–18.00, nd. 9.00–13.00; 0,35 €).

Idąc dalej blvd Independenţei, za Piaţa Victoriei dociera się do utworzonego w 1928 r. **Muzeul de Artă** (Muzeum Sztuki; blvd Independenţei 1; ☎0244/522264; wt.–nd. 10.00–18.00; 0,70 €). Placówka zajmuje duży XIX-wieczny pałac w stylu secesyjnym. W przestronnym holu z szerokimi schodami stoi piękny biały piec kaflowy. Dalej na południe, w narożnej secesyjnej kamienicy powstało w 1963 r. **Muzeul Ceasului de-a Lungul Vremii** (Muzeum Zegarów; str. N. Simache 1; wt.–nd. 9.00–17.00; 0,70 €, ulgowy 0,35 €, fotografowanie 1,40 €, filmowanie 2,60 €). Kolekcja czasomierzy liczy ponad 800 eksponatów, spośród których zwiedzający oglądają 200 najbardziej wartościowych. Są wśród nich zegary znanych postaci, jak Constantin Brâncoveanu czy Aleksander Cuza.

Kilkaset metrów na północny wschód od Muzeum Zegarów stoi najstarszy budynek Ploeszti – **Casa Memorială Hagi-Prodan** (Dom Hagi-Prodan; str. Democraţiei 1), wzniesiony w typowo wołoskim stylu w 1785 r. Koniecznie trzeba zajrzeć do pobliskiego **Muzeul Naţional al Petrolului** (Narodowe Muzeum Ropy Naftowej; str. Dr. Bagdasar 8; ☎0244/597585; wt.–nd. 9.00–17.00; 0,80 €, ulgowy 0,30 €, fotografowanie 0,50 €, filmowanie 3,60 €) w bardzo ładnym, starym parterowym budynku na rogu str. Bagdasar i str. Diligenţei. Eksponaty otwartej w 1961 r. placówki są prezentowane zarówno wewnątrz, jak i na zewnątrz – na szczególną uwagę zasługują przyrządy do wiercenia z II połowy XIX w. oraz modele rafinerii. O kilka minut marszu na północ jest oddalone **Muzeul de Istorie şi Arheologie Ploieşti** (Muzeum Historii i Archeologii; str. T. Caragiu 10; ☎0244/514437; wt.–pt. 10.00–18.00; 0,50 €, ulgowy 0,35 €, fotografowanie 12 €, filmowanie 25 €). Przed budynkiem stoją popiersia słynnych rumuńskich postaci historycznych, m.in. Włada Palownika, Michała Walecznego i Aleksandra Cuzy, a przed samym wejściem figury świętych Piotra i Pawła.

Na wschód od muzeum przy str. Mihai Bravu uwagę przyciąga zbudowana w stylu bizantyńskim w 1820 r. **Biserica Maică Precista** (cerkiew NMP) z ciekawym barokowym ikonostasem i malowidłami pokrywającymi wnętrze. Utrzymana w stylu mauretańskim zadbana **synagoga tempel** z 1901 r. z ogromną rozetą z gwiazdą Dawida na fasadzie stoi przy str. Basarab, niedaleko hotelu *Prahova Plazza*.

Noclegi

Ploeszti nie cieszy się popularnością wśród turystów, dlatego tanie noclegi (zazwyczaj nie więcej niż 10 €/os. bez śniadania) najłatwiej znaleźć w gospodarstwach agroturystycznych. Organizuje je agencja **Dana-lex** (Piaţa Victoriei, zachodnia pierzeja, obok poczty, lok. nr 30 na piętrze; ☎0244/193372).

Central*** (blvd Republici 1; ☎0244/526641, fax 526642, office@thr.ro). Najlepszy hotel w mieście w ogromnej kamienicy w samym centrum; 126 pokoi. Pokój 1-os. 52 €, 2-os. 72 €, apartament aż 125 €.

Nord** (şos. Vestului 31; ☎0244/516774, fax 533056). Nazwa jest myląca, ponieważ hotel stoi w zachodniej (a nie północnej) części miasta, nieopodal dworca kolejowego Vest. Pokój 2-os. 50 €, apartament 60 €.

Prahova Plazza** (str. C.D. Gherea 11; ☎0244/526850, fax 526309). Zmodernizowany hotel w potężnym wieżowcu z minionej epoki. Pokój 1-os. 25 €, 2-os. 69 €, apartament 99 €.

Sud** (str. Depoului 4; ☎0244/597411). Przy południowym dworcu kolejowym i autobusowym – idealny dla turystów, którym zależy na czasie. Na miejscu bar z przekąskami. Pokój 1-os. 20 €, 2-os. 26 €.

Turist** (str. T. Ionescu 6; ☎/fax 0244/590441, 590443). Hotel w długim dwupiętrowym bloku dysponujący 80 miejscami. Pokój 1-os. 40 €, 2-os. 40 €, apartament 60 €.

Gastronomia

W Ploeszti nie brak restauracji – spora ich część to pizzerie.

Wielkie targowisko miejskie można znaleźć na północ od centrum, a duże sklepy spożywcze w pobliżu targu i przy Piaţa Victoriei.

Braseria Continental (Piaţa Victoriei, obok kina Patria). Klasyczna „socjalistyczna" restauracja z zadziwiająco dobrą kuchnią (obiad ok. 3,50 €) i beczkowym piwem Bergenbier (0,70 €).

Caffe Viena (str. A. Ipatescu 3, na południowy wschód od Muzeum Zegarów; ☎0244/512448). Wielki wybór kaw i cocktaili. Taras.

Casa Veche (str. Democraţiei 4A; ☎0244/592402). Jedna z lepszych restauracji w mieście; wnętrze stylizowane na lata 30. XX w. (nazwa lokalu oznacza Stary Dom). Tradycyjna kuchnia rumuńska i międzynarodowa.

Ciocârlia (blvd Republici 65, nieopodal katedry św. Jana). Duży napis na czerwonym tle „Restaurant – Night Club" zwabia klientów przede wszystkim wieczorami, ale za dnia jest to bardzo dobra restauracja (obiad ok. 5 €).

Ema Fastfood (blvd Independenţei, naprzeciwko Muzeum Sztuki, obok przystanku autobusowego). Obszerny kompleks połączony z kawiarnią. Smaczne i tanie dania typu fast food.

McDonald (Piaţa Victoriei 3; ☎0244/407290). W pasażu handlowym przy wschodniej pierzei placu.

No. 14 (str. Democraţiei; ☎0244/510772). Ascetyczny wystrój, smaczna kuchnia (obiad ok. 4,50 €); taras.

Snack Bar Picadily (w północnej części placu, przy którym stoi hotel *Prahova Plazza*). Nowoczesne wnętrze, szybka i miła obsługa. Pizza od 1,30 € (Margarita), piwo beczkowe 0,50 €.

Sucado (str. Cuza Vodă 13, na tyłach restauracji *Ciocârlia*). Lokal w nowoczesnym szklanym budynku. Smaczne i w miarę tanie pizze (średnia od 2 €).

Rozrywki

Filharmonia Muzyki klasycznej można posłuchać w Filharmonii im. Paula Constantinescu (Filarmonica Paul Constantinescu, str. A. Pann), ale koncerty odbywają się rzadko.

Kina Najwięcej filmów wyświetla Cinema Patria (Piaţa Victoriei 4; ☎0244/541574); nieco spóźniony repertuar ma Cinema Scala (str. Tolstoi 1; ☎0244/541713) z niewielką salą.

Teatry Świetny Teatr im. Toma Caragiu (str. T. Caragiu 13; ☎0244/546431) często gości aktorów ze stolicy, niestety, wszystkie przedstawienia są po rumuńsku. Z dziećmi warto się wybrać do Teatru „Rozczochrany Piotruś" (Teatrul pentru Copii „Ciufulici", str. T. Caragiu 13; ☎ jak wyżej) w tym samym budynku.

Puby i kluby

Club Down Town (str. M. Kogălniceanu 2; ☎0744/296822). Jak głoszą plakaty, klub oferuje Instant Music Therapy.

Prestij (str. Bobâlna 1; ☎0788/276612; czynne do 1.00). Tani klub na poziomie. Latem (do września) zamknięty.

The Club (Şos. Nordului 1; ☎0244/599208). Dyskoteka.

Informacje o połączeniach

Pociąg W Ploeszti są aż cztery dworce kolejowe – Gară Ploieşti Sud (Dworzec Południowy), Gară Ploieşti Vest (Dworzec Zachodni), Gară Ploieşti Nord (Dworzec Północny) oraz Gară Ploieşti Est (Dworzec Wschodni), przy czym większość połączeń międzynarodowych i krajowych obsługuje Południowy i Zachodni (najwięcej pociągów odjeżdża z tego pierwszego). Jak sama nazwa wskazuje, dworzec Sud usytuowany jest w południowej części miasta (przy

Piaţa 1 Decembrie 1918), a dworzec Vest – w zachodniej (przy str. Libertăţii). Aby z dworca Sud dotrzeć do centrum, po wyjściu z budynku należy skierować się prosto szerokim zazielenionym blvd Independenţei (ok. 15 min). Z dworca Vest najlepiej podjechać do centrum autobusem (#1 lub 2; 0,40 €) lub taksówką (ok. 1,50 €).

Przez Ploeszti (dworzec Sud) przejeżdża większość pociągów kursujących z Bukaresztu w kierunku północnym, m.in. do Jass (5 dziennie; ok. 5,5 godz.), Braszowa (2 dziennie; ok. 2 godz.), Suczawy (3 dziennie; ok. 5 godz.), a nawet do Botoşani (2 dziennie). Miasto (również dworzec Sud) ma także połączenia z Bukaresztem (kilkadziesiąt dziennie; ok. 1,5 godz.), Gałaczem (2 dziennie, przez Braiłę), Mangalią (tylko latem, 3 dziennie), Târgovişte (2 dziennie) oraz Klużem, Oradeą, Bacău (przez Piatra Neamţ) i Vatra Dornei (po 1 dziennie).

Większość pociągów do miast Transylwanii (m.in. Braszowa) i Maramureszu (m.in. Baia Mare i Satu Mare) odjeżdża z dworca Vest. **Agenţie de Voiaj CFR** ma siedzibę przy blvd Republicii 17 (☎0244/142080) obok domu towarowego Omnia.

Autobus W mieście są dwa dworce autobusowe – Autogară Ploieşti Sud (Dworzec Południowy) i Autogară Ploieşti Nord (Dworzec Północny). Więcej połączeń (także minibusów) obsługuje ten pierwszy, sąsiadujący ze stacją kolejową. Można się stąd dostać m.in. do Bukaresztu (kilkanaście dziennie), Krajowej i Câmpulungu (kilka dziennie), Konstancy (5 dziennie), Braiły (3 dziennie), Sybina, Târgovişte i Jass (po 1 dziennie), a także Kiszyniowa (Mołdawia) i Stambułu oraz kilku miast w Niemczech i Włoszech (linie prywatne).

Informator

Apteka Kilka aptek jest w samym centrum, a jedna z większych – Europharm – znajduje się na blvd Unirii 4, w pobliżu hotelu Central.

Internet Jedna z niewielu kafejek internetowych działa w bloku przy rondzie Piaţa Eroilor (obok katedry św. Jana, 0,50 €/godz.). *Club PC* jest przy str. Flamurei, na tyłach gmachu sądu (0,45 €/godz.).

Poczta i telekomunikacja Główny Urząd Pocztowy i Telefoniczny – Piaţa Victoriei 8; poczta działa też przy dworcu Sud (str. 1 Decembrie).

Wymiana walut i banki Banca Comercială Română – Piaţa Victoriei (zachodnia pierzeja, na rogu str. T. Ionescu), Banca Agricolă – na rogu blvd Independenţei i str. Bobâlna (na południe od Muzeum Sztuki), bankomat Banc Postu jest przy blvd Independenței 24, a Alpha Banku przy str. C.D. Gherea 1. Kantorów należy szukać w centrum lub przy najdroższych hotelach (nieco słabszy kurs).

Zakupy Duży dom towarowy Winmarkt Omnia stoi przy blvd Republicii 5 (północna część Piața Victoriei naprzeciwko Pałacu Kultury). Tu też znajduje się punkt Kodaka.

CÂMPINA

W miasteczku położonym około 30 km na północ od Ploeszti w kierunku Braszowa powstało **Muzeul Nicolae Grigorescu** (Muzeum Nicolae Grigorescu; str. Carol I nr 108; ☎0244/335598; wt.–pt. 10.00–18.00, sb. i nd. 10.00–14.00; 0,60 €, ulgowy 0,30 €), poświęcone słynnemu rumuńskiemu malarzowi urodzonemu w Câmpinie. Placówka zajmuje ładny parterowy domek w pobliżu torów kolejowych przy głównej ulicy. Przed muzeum stoi pomnik malarza. W środku można obejrzeć bogaty zbiór prac artysty z ostatniego okresu twórczości. Nicolae Grigorescu (1838–1907) malował początkowo freski i ikony w monastyrach (m.in. Agapia i Neamț). Po studiach w Wiedniu, Monachium i Paryżu osiadł w Bukareszcie, a w jego twórczości zaczęły dominować pejzaże i sceny wiejskie. W czasie wojny o niepodległość (1877–1878) pełnił funkcję reportera przy głównej kwaterze rumuńskiej armii, czego owocem był ciekawy cykl rysunków z działań wojennych (głównie na terenie Bułgarii).

Warto także odwiedzić **zamek Hașdeu** (kilkaset metrów na północ od muzeum, blvd Carol I nr 199; ☎0244/335599; wt.–nd. 9.00–17.00; 1,50 €, ulgowy 0,50 €, fotografowanie 3 €, filmowanie 6 €, przewodnik w języku angielskim lub niemieckim 8 €). Nazwa zabytku może wprowadzać w błąd, nie jest to bowiem średniowieczna budowla obronna, ale piękna willa zbudowana w 1888 r. przez profesora historii Bogdana Petriceicu Hașdeu dla upamiętnienia córki, która zmarła na gruźlicę w wieku 19 lat.

Noclegi w miasteczku oferuje **hotel Muntenia**** (blvd Carol I nr 61; ☎0244/333090, fax 333092; pokój 1-os. 45 €, 2-os. 55 €, apartament 68 €; restauracja) w trzypiętrowym bloku oraz **hotel Tineretului*** (blvd N. Bălcescu 50; ☎0244/334540, fax 372953; pokój 1-os. 15 €, apartament 36 €).

Większość sklepów, banków, aptek i lokali gastronomicznych skupia się przy głównej str. Carol I. Na obiad warto wstąpić do **Restaurant-Pizzerie Milia** (str. Ca-

rol I; ☎0244/332152). Mniej więcej 300 m od hotelu *Muntenia*, również przy str. Carol I, działa kafejka internetowa.

Do Câmpiny, która leży na głównej trasie łączącej Bukareszt i Transylwanię, można dojechać z Ploeszti autobusem (kilka dziennie) lub pociągiem (10 dziennie; 30 min).

TAJEMNICE SUBKARPAT

Skomplikowana budowa geologiczna wołoskiego przedgórza Karpat procentuje wieloma malowniczymi fenomenami rzeźby terenu. Słone góry w Slanic-Prahova i na płaskowyżu Meledic czy błotne wulkany – to tylko kilka sekretów północnej Wołoszczyzny. Dostęp do nich jest niestety utrudniony i wymaga pokonania wielu kilometrów dziurawych dróg rumuńskiej prowincji.

Słone góry w Slănic-Prahova

Uzdrowisko Slănic-Prahova stoi dosłownie na soli, a właściwie na ogromnym wysadzie solnym o rozmiarach 2 na 5 km i głębokości sięgającej 600 m. Górnictwo soli rozwinęło się w okolicy w II połowie XVII w. Początkowo eksploatowano nisko położone pokłady w okolicy dzisiejszego kempingu *Baia Verde*. Potem, w wyniku osuwisk, przeniesiono wydobycie wyżej, w rejon zwany Baia Baciului. W 1883 r. wybudowano tu pierwszą na Wołoszczyźnie linię kolejową, by sprawnie wywozić solny urobek. W 1942 r. otworzono nowoczesną kopalnię soli Unirea (można zwiedzać); podobno to druga pod względem wielkości kopalnia soli w Europie.

Najbardziej widowiskowa w tym rejonie słona góra wznosi się ponad kąpieliskiem Baia Baciului, w górnej części uzdrowiska, i jest efektem działalności górniczej. U jej podnóża znajduje się słone jezioro przyciągające latem tłumy plażowiczów (wstęp 3,70 €) i dobra restauracja. Dostęp do solnej ściany jest ze względów bezpieczeństwa ograniczony siatką. Widokowa droga odchodząca w prawo, przed parkingiem kąpieliska, doprowadza na zwieńczony znakiem triangulacyjnym wierzchołek. Jeszcze parę lat temu można było stąd podziwiać czarną czeluść Jaskini Panny Młodej (*Grota Miresei*), czyli wychodzącą na powierzchnię część wyrobiska solnego w kształcie dzwonu. Miejscowa legenda mówi o niedoszłej pannie młodej, której narzeczony nie przyszedł na ślub do cerkwi. Zrozpaczona rzuciła się do szybu i, podobno, straszy do dziś.

Znalezienie noclegu nie stanowi problemu: w miejscowości działa kilka hoteli o różnych standardach oraz dwa kempingi (*Baia Roşu*, 12 € za bungalow, 6,50 € za namiot, oraz tańszy *Baia Verde* obok kopalni Unirea). Do Slănic-Prahova można dojechać z Ploeszti pociągiem (kilka kursów dziennie), autobusem (kilka kursów dziennie) i busami (kilkanaście kursów). Podróżując samochodem, warto zatrzymać się na moment w miasteczku Vălenii de Munte i zobaczyć kompleks muzealny (str. G. Enescu 1–3; wt.–nd. 9.00–17.00; 0,80 €). W jego skład wchodzą: muzeum biograficzne poświęcone postaci wybitnego historyka i polityka Nicolae Iorgi, muzeum etnograficzne oraz ekspozycje sztuki sakralnej. Polskiego turystę zaskoczy zapewne widok biało-czerwonej flagi na budynkach przy wyjeździe na Braszów. To siedziba rumuńskiego oddziału firmy La Festa z Ustronia – najważniejszego inwestora w okolicy, produkującego m.in. kawy rozpuszczalne oraz soki Tymbark i Tedi (Kubuś).

Solny płaskowyż Meledic

Miejsce to jest praktycznie nieznane w Polsce, a szkoda, bowiem kusi niezwykłym krajobrazem solnych ścian oraz pięknymi panoramami Karpat Południowych i Wschodnich. Płaskowyż góruje na wysokości około 150 m ponad doliną potoku Slănic pomiędzy miejscowościami Mânzăleşti i Lopătari. Z Buzău trzeba kierować się na Râmnicu Sărat, by po przekroczeniu mostu na rzece Buzău (w remoncie po powodziach w 2005 r.), skręcić w pierwszą drogę w lewo na Lopătari (brak kierunkowskazu). W Mânzăleşti skręca się w prawo za strzałką do pensjonatu *Meledic* i gruntową drogą można już rozpocząć wspinaczkę na płaskowyż. Z Buzău (ok. 55 km) kursuje też kilka autobusów dziennie do Lopătari.

Warto wybrać się na krótki spacer po płaskowyżu Meledic. Po drodze rozciągają się niesamowite widoki: najpierw na solną ścianę Wielkiego Amfiteatru (*Marele Amfiteatru*), a następnie, po prawej, na Jezioro Zamkowe (*Lacul Castelului*). Zarówno ten akwen, jak i kolejny (Jezioro Wielkie; *Lacul Mare*) mijany po lewej stronie, wypełnione są słodką wodą (co może dziwić na solnym płaskowyżu). Z grzbietu ponad Jeziorem Wielkim rozpościera się piękna panorama dzikich gór Penteleu. Znad północnego brzegu jeziora można skręcić w lewo, by po przejściu porośniętego lasem wzniesienia, dotrzeć

do drogi i czerwonego szlaku prowadzącego w prawo do najgłębszej solnej jaskini Europy (a trzeciej na świecie). Trzymając się znaków, po 10 minutach dochodzi się do głębokiej rozpadliny – podwójnego leja krasowego uformowanego w soli. W południowym leju znajduje się wspomniana jaskinia 6S o długości 3234 m. Uwaga! Zwiedzanie wymaga specjalistycznego sprzętu i jest wyjątkowo niebezpieczne ze względu na nietrwałość tego typu form geologicznych!

Zakwaterowanie oferuje skromny pensjonat *Costin* (☎0238/548648; 9 €/os.) o domowej, ciepłej atmosferze. Właściciele organizują wycieczki: po „słonej okolicy", do błotnych wulkanów oraz do „niegasnącego ognia" koło Lopătari. W Mânzăleşti warto odwiedzić muzeum regionalne w domu kultury (*cămin cultural*; jasny budynek po południowej stronie drogi; ☎0238/529 664 do kustosza, pana Valeriu Beşliu).

Wulkany błotne

Wulkany błotne (*vulcanii noroioşi*) są bardzo rzadkim i niezwykle ciekawym zjawiskiem geologicznym, występującym przede wszystkim na terenach roponośnych. W Europie można je spotkać na obszarze Subkarpat Wschodnich, pomiędzy dolinami rzek Mołdawa i Dymbowica, i na półwyspie Kercz na Krymie, a także na Kaukazie i w Parku Narodowym Yellowstone w Stanach Zjednoczonych. Najefektowniejsze wulkany błotne w Rumunii znajdują się ok. 25 km na północny zachód od miasta Buzău, w rejonie miejscowości Policiori, Pâclele i Beciu, na wzgórzach Pâclele Mari, Pâclele Mici, Beciu i Plopeasa. Wzniesienia te zbudowane są z margli, glin tortońskiej i sarmackiej oraz brekcji zawierających duże ilości węglowodorów lotnych oraz związków soli. Wulkany błotne powstają w miejscach wycieku tych substancji; wydobywające się gazy mieszają się z wodą i zwietrzeliną, a gdy ciśnienie wzrasta, następuje wyrzut błotnistej mazi. Wybuchy powtarzają się rytmicznie, a błoto może być wypluwane na wysokość do 1 m. Procesowi temu towarzyszy charakterystyczny bulgot. Wulkany przybierają dwie formy: kałuż wypełnionych słonym błotem lub stożków osiągających nawet 2 m. Obszar występowania tego zjawiska jest obecnie objęty ochroną w rezerwacie geologicznym i słynie z iście księżycowego krajobrazu.

W tym rejonie nocleg można znaleźć w nowym pensjonacie przy parkingu koło wulkanów.

TÂRGOVIŞTE

Przemysłowe miasto (prawie 100 tys. mieszkańców), stolica województwa Dâmboviţa, położone nad Jałomicą (Ialomiţa), zaledwie 50 km od Bukaresztu, szczyci się bogatą historią. W latach 1394–1659 Târgovişte było stolicą Wołoszczyzny, ale dla większości Rumunów jest symbolem upadku reżimu komunistycznego – tutaj w grudniu 1989 r. odbył się proces oraz egzekucja Nicolae Ceauşescu oraz jego żony Eleny.

Pierwsza wzmianka o miejscowości pojawia się w źródłach pod koniec XIV w. – Târgovişte było już wtedy ważnym ośrodkiem handlowym, a po przeniesieniu tam siedziby metropolity prawosławnego na początku XVI w. stało się także centrum życia religijnego i kulturalnego Muntenii. W I połowie XVII w. miało dwie drukarnie.

W 1595 r. po zażartej dwudniowej bitwie miasto zostało uwolnione spod panowania tureckiego przez połączone siły wojsk z Muntenii, Mołdawii i Transylwanii pod dowództwem Michała Walecznego. Do połowy XVII w. Târgovişte dzieliło się z pobliskim Bukaresztem rolą stolicy Muntenii. Po powstaniu przeciw Turkom, na czele którego stał hospodar Mihnea III (1658–1659), stolicę z rozkazu Osmanów przeniesiono ostatecznie do Bukaresztu. Ale miasto nie podupadło, ponieważ wojewoda Constantin Brâncoveanu (1688–1714) postanowił odbudować zrujnowany zamek i tym samym przywrócił Târgovişte część dawnego blasku i prestiżu.

W 1820 r. hospodar Alexandru Suţu podarował Târgovişte swojej córce w prezencie ślubnym, czemu kategorycznie sprzeciwiali się obywatele miasta. Rok później mieszkańcy byli świadkami osądzenia i egzekucji przywódcy ruchu rewolucyjnego Tudora Vladimirescu. Jak widać, historia lubi się powtarzać, bo 168 lat później ten sam los spotkał Nicolae Ceauşescu i jego żonę, ale tym razem to rewolucjoniści stracili rządzących.

Orientacja i informacje

Centrum miasta skupia się wokół parku Metropoliei otoczonego głównymi ulicami – od południa blvd Mircea cel Bătran, od wschodu blvd Independenţei i przylegającej do niego Piaţa Independenţei, a od północy blvd Libertăţii. Od zachodu park zamyka konny pomnik Michała Walecznego oraz okazały gmach Domu Kultury (Casa de Cultură). Na północny wschód od parku wznosi się najważniejszy zabytek miasta – pozostałości dworu książęcego.

Informacji na temat Târgovişte i okolicznych atrakcji udzielają pracownicy **hotelu** *Valahia* (gdzie działa agencja turystyczna), agencji **Blue Moon** (str. Arsenalului Bl. G1; ☎0245/606035) oraz biura podróży **Nest-Com** (blvd Libertăţii 7; ☎/fax 0245/614643). Broszury i mapki (także w języku angielskim i niemieckim) można kupić w kasie przy wejściu do pałacu książęcego.

Zwiedzanie

Dwór książęcy Najważniejszym zabytkiem miasta jest **Complexul Muzeal Curtea Domnească** (Calea Domnească 221; wt.–nd. 9.00–18.00, poza sezonem 9.00– 17.00; 1,20 €, ulgowy 0,60 €, fotografowanie 1,50 €, filmowanie 5,20 €) obejmujący spory teren z pozostałościami dworu książęcego i innymi budowlami. Pierwszy pałac, z którego zachowały się fundamenty i piwnice, stanął w tym miejscu za panowania hospodara Mirczy Starego (Mircea cel Bătrân, 1386–1418). W 1584 r. Piotr Kolczyk (Petru Cercel, 1583–1585), zainspirowany podróżą po Europie (m.in. do Włoch i Francji), wzbogacił zespół pałacowy o okazały piętrowy budynek. Kolejny etap rozbudowy przypadł na panowanie Constantina Brâncoveanu. Na jego polecenie w 1693 r. przeprowadzono remont i wzniesiono kilka nowych budynków. Po śmierci Constantina pałac zrównano z ziemią, burząc i paląc wszystkie obiekty, ponieważ Porta Otomańska nakazała przenieść rezydencję hospodarów do Bukaresztu. Pałac odrodził się niczym feniks z popiołów za sprawą hospodara wołoskiego i mołdawskiego Constantina Mavrocordata (panował z przerwami 1730–1769), jednak podczas wojny turecko-rosyjskiej (1736–1739) znów zniszczył go pożar. Dwór odbudowano z inicjatywy hospodara Grigore Alexandru Ghica (1768–1769), ale wkrótce został opuszczony i stopniowo popadł w ruinę – w takim stanie można go obecnie oglądać. Najbardziej charakterystycznym elementem jest położona na północy XV-wieczna **Turnul Chindiei** (wieża obserwacyjna), bardzo ciekawa konstrukcja, kwadratowa u podstawy i o okrągłym przekroju w głównej części (wysokość 27 m, przekrój 9 m), na którą wychodzi się po krętych schodkach. Zamek jest znany z tego, że przez jakiś czas służył Władowi Palownikowi, słynnemu Drakuli (zob. s. 136–137). Dzisiaj w wieży można obejrzeć ekspozycję poświęconą jego krwawym wyczynom.

Do pałacowego kompleksu należały również świątynie, które zachowały się w świetnym stanie. Dominującą na dziedzińcu, większą **Biserica domnească** (cerkiew książęca) ufundował hospodar Petru Cercel w 1583 r., a wyremontował Mateusz Basarab (wojewoda mołdawski 1632–1654). Jeszcze za rządów tego ostatniego zniszczył ją pożar. Przy okazji odbudowy prowadzonej przez Constantina Brâncoveanu, wnętrze pokryto freskami, których ślady zachowały się w niszy na prawo od ołtarza. W 1734 r. hospodar Grigore II Dica ufundował nowe zadaszenie, niestety, świątynia niemal w całości legła w gruzach podczas trzęsienia ziemi zaledwie trzy lata później i w takim opłakanym stanie dotrwała do połowy XX w., kiedy przywrócono jej pierwotny wygląd. Rzut kościoła ma formę równoramiennego krzyża greckiego. Z zewnątrz fasadę dzieli niemal dokładnie na pół ozdobny ząbkowaty gzyms. Ładny przedsionek podpierają smukłe kolumny. W cerkwi pochowano hospodara Matei Basaraba, jego syna Mateiaşa i żonę Elenę. Grobowiec władcy w 1658 r. sprofanowano i z tego powodu szczątki rodziny Basarabów przeniesiono do klasztoru Arnota.

Druga, mniejsza, ale równie ciekawa **Biserica Sf. Vineri** (cerkiew Wielkiego Piątku) powstała w połowie XV w. i mimo późniejszych przeróbek zachowała cechy architektury średniowiecznej. W 1656 r. Bălaşa, żona hospodara Constantina Şerbana (1654–1658), założyła przy świątyni przytułek dla biedaków i starców. Po śmierci została tutaj pochowana. Kiedy w okresie panowania osmańskiego wezyr Sinan Pasza (1512–1596) objął pieczę nad miastem, przekształcił cerkiew w twierdzę, o czym świadczy masywny otwarty przedsionek o grubych murach oraz podwójny wysoki mur, który częściowo zachował się od południowej strony. Wewnątrz, na bębnie podtrzymującym kopułę i w absydzie można podziwiać pozostałości fresków.

Muzea Nieco dalej na południe, właściwie w sąsiedztwie dworu książęcego, na rogu str. Justiţei i Calea Domnească wznosi się **Muzeul de Artă** (Muzeum Sztuki; Calea Domnească 21; wt.–nd. 10.00–18.00; 0,40 €; obecnie w renowacji). Sąsiaduje z nim **Muzeul de Istorie** (Muzeum Historii; str. Muzeului 4; wt.–nd. 10.00–18.00; 0,40 €, fotografowanie 1,30 €, filmowanie 2,70 €). W XIX-wiecznym pałacyku utworzono ciekawą ekspozycję dotyczącą dziejów Târgovişte i okolicznych ziem (ceramika, broń, monety, przedmioty codziennego użytku).

Głębiej na dziedzińcu jest **Muzeul Poliţiei Române** (Muzeum Policji; wt.–nd. 9.00–17.00; 0,40 €). Podążając dalej na południe, dojdzie się do kolejnych dwóch ciekawych muzeów (str. Justiţei 3–5, obok cerkwi Sf. Ionică) urządzonych w budynkach pałacowych wybudowanych w XVII w. przez hospodara Constantina Brâncoveanu: **Muzeul Scriitorilor Târgovişteni** (Muzeum Pisarzy z Târgovişte) oraz **Muzeul Tiparului şi al Cărţii Româneşti Vechi** (Muzeum Drukarstwa i Starych Ksiąg Rumuńskich; oba wt.–nd. 10.00–18.00; 0,40 €). Perłą kolekcji tego ostatniego jest pisany cyrylicą manuskrypt z 1521 r., najstarszy zabytek języka rumuńskiego. Zbiory obejmują ponadto stare rumuńskie księgi drukowane przez mnicha Macarego. **Muzeul de Arheologie** (Muzeum Archeologiczne; str. Revoluţiei 4; śr.–nd. 9.00–17.00; 0,40 €) mieści się w budynku przypominającym turecki han (rodzaj zajazdu, karawanseraj). Na dziedzińcu wystawiono stele nagrobne i fragmenty starożytnych budowli. Ekspozycja obejmuje przedmioty znalezione podczas prac archeologicznych w Târgovişte i okolicach.

Świątynie Târgovişte W mieście jest kilka ciekawych cerkwi i kościołów. Dwie z nich stoją przy str. Revoluţiei, niedaleko skrzyżowania z Calea Domnească. Zachowana w bardzo dobrym stanie **Biserica Stelea** (cerkiew Stelea) została wzniesiona przez mołdawskiego hospodara Bazylego Lupu (1634–1653) na znak przyjaźni i dobrego sąsiedztwa po tym, jak w 1654 r. pojednał się z wołoskim hospodarem Matei Basarabem (ten ostatni wybudował z kolei klasztor Soveja w Mołdawii). Z tego powodu bywa też nazywana **Biserica Împăcării** (cerkiew Pojednania). W architekturze świątyni wyraźnie widać wpływy mołdawskie, niespotykane na ziemiach Muntenii. W misternie rzeźbionym portalu widnieje herb Mołdawii, a nad wejściem (także na tympanonie) nieco zniszczone fragmenty ściennego malowidła. Elewacja jest podzielona na dwie nierówne części: na dole są wysokie ślepe arkady z wąskimi oknami, a wyżej – mniejsze podwójne łuki. Bębny, które podtrzymują kopułę, zdobią proste motywy. Wewnątrz, zwłaszcza na obu kopułach, zachowały się pozostałości fresków. W XVIII i XIX w. w zabudowaniach w pobliżu dzwonnicy działała szkoła grecka. Po drugiej stronie ulicy wznosi się remontowana od kilku lat XV-wieczna **Biserica Sf. Nicolae Geartoglu** (cerkiew św. Mikołaja Geartoglu) z nieotynkowanymi murami i przysadzistymi przyporami. Obiekt nie jest udostępniony do zwiedzania.

Biserica Târgului (cerkiew Târgului; str. I.H. Rădulescu), oddaloną o kilkaset metrów na zachód od cerkwi Stelea, ufundowała w 1654 r. żona hospodara Mateusza Basaraba, Elena. Z zewnątrz świątynię zdobią małe nisze i rzeźbione wzory na elewacji, obramowaniach okien oraz portalu. Fragmenty fresków z przełomu XVII i XVIII w. zachowały się na zewnątrz (nad portykiem) oraz w środku, na bębnie i kopule (wizerunek Chrystusa Pantokratora). W cerkwi umieszczono tablicę upamiętniającą profesora Grigorescu, który zginął podczas morderczej przymusowej pracy przy budowie kanału Dunaj–Morze Czarne. Świątynia mocno ucierpiała podczas trzęsienia ziemi w 1940 r., ale zaledwie pół roku później pieczołowicie ją odbudowano, a ponowna renowacja w 1970 r. przywróciła jej pierwotny wygląd (niestety, bez detali, takich jak malowidła ścienne).

Nieco dalej na północny zachód, przy str. G. Alexandrescu stoi **Biserica Sf. Nicolae Adroneşti** (cerkiew św. Mikołaja Androneşti) wzniesiona w 1527 r. z fundacji możnego Manei i jego żony Vlădai. W 1595 r. świątynia doszczętnie spłonęła. Odbudowano ją na polecenie żony Mateusza Basaraba, Eleny.

Duża **Biserica Mitropoliei** (cerkiew metropolitalna) w parku Metropolitalnym (Parcul Mitropoliei) powstała w XIX w. według planów francuskiego architekta A. Lecomte'a de Nouy. Świątynia zajęła miejsce niegdysiejszej fundacji hospodara Neagoe Basaraba, która służyła za prawosławną katedrę w okresie, kiedy metropolia została tymczasowo przeniesiona do Târgovişte. Wojewoda nie był w stanie doprowadzić budowy do końca i w ostatnich dniach życia kazał konsekrować cerkiew w surowym stanie (1520). Prace zakończono dopiero w 1537 r. za panowania Radu Paisie. W 1821 r. cerkiew spądrowano i zniszczono, a 60 lat później Lecomte de Nouy wzniósł obok nową – z 12-częściową kopułą nad przednawiem. W zachodniej części parku (po drodze widać odsłonięte fundamenty pierwotnej cerkwi metropolitalnej) stoi niewielka **kaplica** (*capele*), upamiętniająca ofiary rewolucji w 1989 r. Nieco dalej widać konny **pomnik Michała Walecznego**.

Mănăstirea Dealu W odległości 5 km na północny wschód od centrum Târgovişte, przy drodze do Ploeszti, na wzniesieniu stoi **żeński monastyr Dealu** (*deal* – wzgó-

rze), majestatycznie królujący nad okolicznymi lasami. Jest to cenny zabytek architektury średniowiecznej, a jednocześnie miejsce, które odegrało znaczącą rolę w historii kraju.

Klasztor wznieśli budowniczowie hospodara Radu cel Mare (1495–1508), ale przypuszcza się, że już wcześniej istniała tu świątynia ufundowana przez Mirczę Starego (Mircea cel Bătrân, 1386–1418), która z niewiadomych przyczyn popadła w ruinę. Prace nad nową świątynią i kompleksem klasztornym rozpoczęto równolegle w 1499 r., ale z tego ostatniego nic się nie zachowało. Budowę ukończono w 1515 r. Malowidła ścienne wykonali Dobromir, Jitian i Stanciul (ten pierwszy kilka lat później pokrył freskami wnętrze cerkwi w Curtea de Argeş).

9 kwietnia 1598 r. hospodar Michał Waleczny prowadził na terenie klasztoru rozmowy z przedstawicielami cesarza austriackiego Rudolfa II, komisarzami Pezzénem i Szuhaym. W podpisanym traktacie Michał uznał zwierzchność cesarza i obiecywał mu wsparcie w ewentualnej wojnie z Turkami.

W 1611 r. monastyr ucierpiał od wybryków drużyny Gabriela Báthorego, która najechała na Wołoszczyznę. Wojacy rozkradli kosztowności i sprofanowali grobowce władców. Na kolejne nieszczęście nie trzeba było długo czekać. Źródło z 1691 r. mówi o generale austriackim, niejakim Heisslerim, który rozkazał swoim żołnierzom ograbić mnichów z wszelkich skarbów. Kłopoty zakonników skończyły się na przełomie XVII i XVIII w., gdy klasztor otoczył opieką hospodar Contantin Brâncoveanu (1688–1714). Ufundował on nowe ołowiane zadaszenie cerkwi i przekazał mnichom liczne dobra. W XVIII i XIX stuleciu monastyr Dealu służył jako więzienie.

W 1800 r. podjęto prace restauracyjne, ale zaledwie dwa lata później trzęsienie ziemi wyrządziło nowe szkody. Odbudowa podejmowana kolejno w latach 1831 i 1838 również nie przyniosła zadowalających efektów. W 1845 r. architekt Johann Schlatter na zlecenie hospodara Gheorghe Bibescu (1842–1848) podjął się gruntownej restauracji kompleksu. Podczas remontu znaleziono odłamek kuli armatniej z czasów Petru Cercela (1583–1585), który obecnie można oglądać w Muzeum Wojskowości w Bukareszcie. W okresie zmagań o niepodległość (1877–1878) w klasztorze byli więzieni tureccy żołnierze, a od 1879 do 1883 r. mieściła się w nim szkoła oficerska, a następnie skład broni. W 1912 r. powyżej klasztoru założono Wyższą Szkołę Wojskowości im. Nicolae Filipescu i na jej potrzeby wzniesiono nowe budynki (obecnie szpital; obok działa dobra restauracja *Caroline*). Podczas trzęsienia ziemi w 1940 r. legła w gruzach dzwonnica. Pierwotny (z XV i XVI w.) wygląd całego założenia przywróciła renowacja przeprowadzona w latach 1953–1956.

Najcenniejszym zabytkiem kompleksu jest **Biserica Sf. Nicolae** (cerkiew św. Mikołaja) utrzymana w stylu wołoskim z kilkoma nowatorskimi rozwiązaniami. Nowe proporcje pomiędzy poszczególnymi partiami budowli nadały jej wyjątkową smukłość, którą podkreśla charakterystyczna fasada i wysokie, zadaszone kopułą wieże (bębny) zdobione arabeskami. Zbudowane z kamiennych ciosów mury mają metr grubości. Pas na elewacji dzieli ją na dwie niemal równe części. Góra i dół są wypełnione ślepymi arkadami. Siedmiokątna z zewnątrz absyda w środku jest półokrągła, a wnętrze klasycznie podzielono na przedsionek, przednawie i nawę (te ostatnie oddziela ściana wyłożona marmurem). Głównej wieży towarzyszy osiem smukłych okien. Nowością w wołoskiej architekturze sakralnej są dwie wieżyczki nad przednawiem. Z malowideł Dobromira i jego towarzyszy nic się nie zachowało – te, które można dziś oglądać, pochodzą w większości z połowy XIX w. (najstarsze, w absydzie, powstały w 1598 r.). W świątyni pochowano wielu wołoskich hospodarów, m.in. Władysława II (zm. 1456), Radu cel Mare (zm. 1508) i jego siostrę Caplę, Włada Młodego (Vlad cel Tânăr, zm. 1512), Włada Topielca (Vlad Înecatul, zm. 1532) oraz Pătraşcu cel Bun (zm. 1557). W marmurowym sarkofagu spoczywa głowa zamordowanego w 1601 r. w Turdzie Michała Walecznego. Podczas I wojny światowej tę relikwię narodową przeniesiono do Jass w obawie przed zbezczeszczeniem przez niemieckiego okupanta. W 1920 r. z inicjatywy wybitnego historyka, prof. N. Iorgii, czaszkę uroczyście pochowano w cerkwi klasztoru.

Od czasów panowania Radu cel Mare w klasztorze działała drukarnia, z której wyszło wiele bezcennych ksiąg, m.in. dzieło mnicha Makarego *Liturgie* (1508) – pierwsza drukowana księga na Wołoszczyźnie napisana w języku staro-cerkiewno-słowiańskim.

Noclegi

Dâmboviţa*** (blvd Libertăţii 1; ☎0245/213 374, fax 213370, office@hoteldambovita.ro).

W centrum. Największy i najlepszy hotel w mieście. Pokój 1-os. 28 €, 2-os. 38 €, apartament 96 €.

Motel AS 1 (str. Arsenaului 13; ☎0245/613208, 620013). W centrum, naprzeciwko katedry (nieco w głębi od str. Mircea cel Bâtrăn). Średni standard. Pokój 2-os. 14 €.

Motel AS 2 (Calea Domnească 230; ☎0723/682 813). Naprzeciwko dworu książęcego, te same warunki i ceny co w motelu *AS 1*.

Valahia** (blvd Libertăţii 7; ☎0245/634491, 634459, fax 3125992). Duży hotel w centrum. Pokój 2-os. 25 €, apartament 36 €.

Gastronomia i rozrywki

Dobre restauracje działają w motelach (głównie kuchnia rumuńska) i hotelach. Większość lokali specjalizuje się w kuchni włoskiej. W okolicach parku Metropolitalnego działa sporo fast foodów.

Targowisko jest usytuowane na zachodnich obrzeżach miasta przy Calea Câmpulung, obok dworca autobusowego. Duża hala targowa stoi na rogu str. Gării i str. D. Băltăreţu, około 200 m na zachód od dworca kolejowego. Niemal w samym centrum, na tyłach str. Mircea cel Bâtrăn i blvd Independenţei, działa duży hipermarket XXL.

Clubul Aristocrat (str. A.I. Cuza 17, w pobliżu cerkwi Stelea; ☎245/206100). Najlepsza restauracja w mieście. Wbrew nazwie nie jest bardzo droga (obiad od 5 €). Taras i piwniczka winna.

Don Quijote (str. Dr Marinoiu 9, w pobliżu głównego urzędu pocztowego). Jedna z lepszych restauracji w mieście. W kamienno-drewnianym budynku stylizowanym na średniowieczną karczmę serwuje się tradycyjne dania kuchni rumuńskiej na najwyższym poziomie. O poranku można się napić świetnej kawy. Obiad 4–6 €.

Gabriel Bar (str. Dr Marinoiu 3, naprzeciwko poczty). Standardowy fast food, wieczorami knajpka, gdzie można przekąsić coś szybko i tanio. Głośna muzyka!

Groove Pub (str. Revoluţiei, obok pizzerii *You & Me*). Tanie piwo.

McDorris (blvd Independenţei Bl. C1). Coś dla amatorów *McDonalda* – podobny wystrój i menu (wzbogacone o pizze). Nieco taniej.

Mondial Restaurant (Piaţa Independenţei, od strony parku Metropolitalnego). W samym centrum. Kuchnia międzynarodowa i rumuńska. Na miejscu także fast food.

Malex (blvd Regele Carol I nr 23, między dworcem kolejowym a centrum). Bardzo przyzwoita restauracja z kuchnią regionalną. Ceny umiarkowane.

Old House Pub (str. A.I. Cuza, obok pizzerii *Tic Tac*). Duży wybór alkoholi, niezła muzyka, przytulne wnętrze (w lecie ogródek).

Hanul Târgoveţilor (Calea Domnească 251, w centrum koło banku BCR; ☎0722/712093). Najlepszy w mieście lokal serwujący dania kuchni rumuńskiej. Wnętrze w stylu rustykalnym; taras.

Pizza You & Me (str. Revoluţiei, przy skrzyżowaniu z str. Negustorilor; ☎0724/292253). Rano niewielki lokal służy jako kawiarnia, w dzień jako jadłodajnia, a wieczorem zamienia się w bar.

Informacje o połączeniach

Pociąg Dworzec kolejowy jest zlokalizowany przy Piaţa Gării w południowo-zachodniej części Târgoviște. Aby dojść do centrum, po wyjściu ze stacji należy skierować się na wprost blvd Carol Regele I, który po kilkunastu minutach doprowadzi do Domu Kultury.

Z miasta kursują bezpośrednie pociągi do Ploeszti (6 dziennie; dworzec Sud) oraz Bukareszt (8 dziennie). Aby dostać się do Piteşti, należy podjechać do miejscowości Titu (3 dziennie) i tam się przesiąść. Są też połączenia do Sinai (7 dziennie), ale linia jest doprowadzona tylko do połowy drogi (do Pietroşiţy – 8 dziennie), gdzie trzeba przesiąść się do autobusu. **Agenţie de Voiaj CFR** ma siedzibę przy blvd Regele Carol I nr 66 (☎0245/611554).

Autobus Dworzec autobusowy jest usytuowany około 2,5 km na północny zachód od centrum przy dużym targowisku. Aby dojść do parku Metropolitalnego, należy pójść na wschód Celea Câmpulung i u jej wylotu skręcić w prawo w str. G. Alexandrescu (ok. 30 min). Z dworca kursują autobusy do Bukaresztu (kilkanaście dziennie; ok. 2 godz.), Ploeszti (kilka dziennie; ok. 1 godz.), Braszowa (3 dziennie; ok. 2 godz.) i Piteşti (kilka dziennie).

Informator

Apteki W centrum jest kilka aptek, m.in. koło poczty przy str. Mircea cel Bătrăn oraz Clepsidra (blvd Independenţei 7), jedyna działająca non stop.

Internet Kafejka bez nazwy (blvd Regele Carol I nieopodal skrzyżowania z blvd I.C. Brătianu; 0,45 €/godz.) i *Biff* (str. Revoluţiei, naprzeciwko pizzerii *You & Me*).

Poczta i telekomunikacja Główny urząd pocztowy – str. Dr. Marinoiu, druga poczta – str. Mircea cel Bătrăn niedaleko motelu *AS 1*, oddział Romtelecomu w pobliżu głównego urzędu pocztowego przy str. I.H. Rădulescu (naprzeciwko cerkwi Târgului).

Wymiana walut i banki Banca Comercială Română (str. Mircea cel Bătrăn, nieopodal

wschodniego krańca parku Metropolitalnego), Banca Română pentru Dezvoltare (str. Revoluţiei, naprzeciwko Muzeum Archeologicznego), Banca Transilvania (róg blvd Libertăţii i blvd Independenţei, obok *Movie Café*). Kantor działa w hotelu *Valahia*, w pobliżu można znaleźć także kilka innych.

PITEŞTI

Na obrzeżach tego średniej wielkości miasta (ok. 140 tys. mieszkańców), stolicy województwa Argeş, królują zakłady przemysłowe i rafinerie. Piteşti jest znane przede wszystkim jako miejsce produkcji osławionej dacii (choć tak naprawdę auto składa się w pobliskim Mioveni). Na przełomie lat 40. i 50. XX w. miasto otaczała ponura sława, ponieważ w tutejszym więzieniu bestialsko znęcano się nad więźniami politycznymi.

Okolice Piteşti są zamieszkane co najmniej od czasów epoki kamienia łupanego. Niewielką osadę z twierdzą założyli Goci, później pojawili się Rzymianie. Pierwsza wzmianka w źródłach pisanych pojawia się pod koniec XIV w. Według niektórych historyków w pobliżu Piteşti rozegrała się wielka bitwa między Mirczą Starym a sułtanem tureckim Bajezydem I, nazywana bitwą pod Rovine (1394).

Ponieważ miejscowość leżała na skrzyżowaniu ważnych szlaków handlowych, szybko się rozwijała. W XVI w. chętnie przyjeżdżali tu wołoscy hospodarowie, m.in. Constantin Brâncoveanu (1688–1714).

Mieszkańcy miasta wzięli udział w rewolucji 1848 r., a w 1907 r. chłopi z okolicznych wsi podnieśli bunt, wciągając w zamieszki obywateli miasta. Za rządów komunistów Piteşti stało się ważnym ośrodkiem przemysłowym i jest nim do dziś (należy wspomnieć, że przemysł rozwijał się prężnie już w XIX w.).

Orientacja w Piteşti nie przysparza kłopotów. W centrum, niezbyt odległym od dworca kolejowego i autobusowego, biegną równolegle z północy na południe cztery ulice. Od zachodu, są to: najszerszy blvd I.C. Brătianu, deptak z fontannami str. Victoriei, Calea Republicii, przy której stoi kilka hoteli oraz str. A. Călinescu z Muzeum Okręgowym. Główny plac, Piaţa V. Milea (południowe zakończenie str. Victoriei), otaczają socrealistyczne bloki.

W Piteşti nie ma oficjalnej **informacji turystycznej**, ale o mieście i okolicznych atrakcjach można się dowiedzieć w **agencji turystycznej Muntenia** (w hotelu *Munte-*

nia; ☎0248/625463, fax 214556) oraz **Recreaţia** (Calea Bucureşti 2; ☎0248/214575, fax 624674).

Zwiedzanie

Spośród **zabytków** na uwagę zasługuje przede wszystkim stojąca przy Piaţa V. Milea, otoczona nowoczesnymi blokami, **Biserica domnească** (cerkiew Książęca), wybudowana w 1656 r. na miejscu starszej budowli (prawdopodobnie również świątyni) z fundacji wołoskiego hospodara Constantina Şerbana Cârnula (1654–1658) i jego małżonki Bălaşy. Pierwotnie rzut cerkwi był zbliżony do tej z monastyru Dealul w Târgovişte, ale wielokrotne przebudowy zmieniły jej kształt. Najważniejsze prace modernizacyjne przeprowadzono w 1875 r. – wówczas pojawił się ikonostas. W 1876 r. G. Stoenescu, uczeń znanego malarza Gheorghe Tattarescu, ozdobił wnętrze malowidłami. Renowacja z lat 1966–1968 przywróciła cerkwi wygląd z XVII w., a w latach 90. XX w. odnowiono ją po raz kolejny. Na zewnątrz bryłę zdobią ślepe arkady oraz delikatne reliefy. Warto zwrócić uwagę na niezwykle rzadko spotykaną konstrukcję przedsionka składającą się z parteru i piętra.

Przy zachodniej części niewielkiego parku, w miejscu, gdzie stoi **pomnik** ku czci powstańców chłopskich poległych podczas buntu w 1907 r. (tzw. bunt głodomorów), wznosi się okazały neoklasycystyczny budynek **Muzeul Judeţean Argeş** (Muzeum Okręgowe; str. A. Călinescu 44; wt.–nd. 9.00–17.00; 0,45 €) – dawna siedziba prefektury wybudowana w latach 1898–1899. Fronton zdobią kolumny o kapitelach jońskich i korynckich, a nad głównym wejściem umieszczono tympanon. Wewnątrz zgromadzono zbiory historyczne i etnograficzne, które prezentowane są w osobnych działach.

Będąc w pobliżu stacji kolejowej Piteşti Nord, warto rzucić okiem na wysoką kolumnę (przy str. Negru Vodă) upamiętniającą ofiary reżimu komunistycznego – więźniów politycznych zamęczonych w tutejszym więzieniu.

Noclegi

W Piteşti nie brakuje hoteli – większość jest usytuowana w centrum lub jego najbliższych okolicach.

Argeş* (Piaţa Muntenia 3; ☎0248/210880, fax 214556, muntenia@terrasat.ro). Stosunkowo tanie pokoje o niezłym standardzie. Na miejscu restauracja *Intim*. Pokój 1-os. 17 €, 2-os. 28 €, 3-os. 39 €.

Blue Night** (str. Trivale 5–7; ☎/fax 0248/222 707). Kompleks hotelowy oddalony od centrum (przy drodze do parku Trivale). Pokój 2-os. 22,50 €, 3-os. 27 €, apartament 32 €.

Cara** (blvd I.C. Brătianu 2; ☎0248/218045, fax 219865, contact@hotel-cara.ro). Niewielki hotelik z miłą atmosferą niedaleko Piaţa V. Milea. Pokój 1-os. 46 €, 2-os. 57 €, apartament 76 €.

Carmen** (blvd Republicii 84, naprzeciwko hotelu *Muntenia*; ☎0248/222699, fax 215297). Mimo kiczowatej recepcji, całkiem ładne pokoje. Pokój 1-os. 23 €, 2-os. 35 €.

Metropol** (str. Panselelor 1; ☎/fax 0248/222 407). W pobliżu restauracji *Sizilia in Bocca*. Pokój 1-os. 16 €, 2-os. 20 €.

Muntenia** (Piaţa Muntenia 1; ☎0248/625 450, fax 214556, muntenia@terrasat.ro). Największy i najlepszy hotel w Piteşti w charakterystycznym okrągłym wieżowcu w centrum. Pokój 1-os. 70 €, 2-os. 68/37 €, apartament 94 €.

Gastronomia

Najlepsze restauracje działają przy hotelach (np. *Muntenia* i *Argeş*). Kilka dobrych lokali ulokowało się przy str. Victoriei.

Targowisko miejskie jest we wschodniej części miasta przy str. Lotrului, około 200 m od blvd I.C. Brătianu. W centrum nie brak sklepów spożywczych (kilka działa przy str. Victoriei).

Argeş (str. Victoriei 16). Dobry lokal w jednej z niewielu kamienic przy deptaku. Kuchnia rumuńska i międzynarodowa (obiad 4–5 €).

Cofetăria Fortuna (str. Victoriei, obok *Nuova Pizza Italia*). Bardzo dobra kawiarnia w centrum. Tanie ciastka i świetna kawa (0,40 €).

Matteo (str. Victoriei, obok Piaţa V. Milea). Nowoczesny wystrój, dobra kuchnia międzynarodowa. Dwudaniowy posiłek około 3,50 €.

McDonald (przy str. Victoriei, róg str. Griviţiei, naprzeciwko hotelu *Argeş*).

Prigat (róg str. Aurora i Calea Republicii). Niewielka budka z daniami typu fast food, m.in. pizza i kebab.

Scorpions (róg str. Gen. Critescu i blvd I. Antonescu). Na górze chińska restauracja, na dole niezbyt oryginalny pub.

Sizilia in Bocca (róg Calea Republicii i str. Panselelor). Jedna z lepszych restauracji w Piteşti w ładnym XIX-wiecznym pałacyku (na dachu taras). W menu wyłącznie dania włoskie. Kuchnia na najwyższym poziomie.

Quattro Stagioni (A. Călinescu 7, koło Muzeum Okręgowego; ☎248/210919). Pizzeria o ładnym wnętrzu; taras.

Rozrywki

Kina Modern (str. Victoriei 20; ☎0248/625206), Lumina (str. N. Balcescu 141), Bucureşti (Calea Bucureşti 2; ☎0248/622877).

Teatr Jedyny teatr w mieście to Teatrul Alexandru Davila (str. Victoriei 9; ☎0248/624044) w brzydkim socrealistycznym budynku. Przedstawienia wyłącznie w języku rumuńskim, za to bilety są bardzo tanie (2,50 €).

Puby i kluby

Blue Night (str. Trivale 5–7). Dyskoteka przy kompleksie hotelowym o tej samej nazwie.

Garden Pub (str. Victoriei 16, obok restauracji Argeş). Dobry wybór na wieczór (piwo tylko 0,40 €); taras.

Guinness Pub (róg str. Victoriei i str. A. Ipătescu). Przyjemne miejsce w stylu irlandzkich pubów, ale guinness tylko z puszki (1,80 €).

Informacje o połączeniach

Pociąg W Piteşti są dwa dworce kolejowe: północny (Piteşti Nord) i południowy (Piteşti Sud). Większość pociągów odjeżdża z tego ostatniego. Miasto ma połączenia z Bukaresztem (11 dziennie; 2,5 godz.), Krajową (6 dziennie; 3,5 godz.), Curtea de Argeş (6 dziennie; 50 min), Câmpulungiem, Râmnicu Vâlcea (po 1 dziennie), a nawet Konstancą (1 dziennie, tylko w lecie). **Agenţie do Voiaj CFR** ma siedzibę przy str. Domniţa Balaşa 13 (☎0248/630565).

Autobus W Piteşti są dwa dworce autobusowe – północny (Autogara Nord) i południowy (Autogara Sud) – ten ostatni obsługuje większość połączeń. Autobusem lub minibusem można dojechać do Bukaresztu (kilka dziennie; ok. 1,5 godz.), Krajowej (kilka dziennie; ok. 2 godz.), Slatiny (kilka dziennie) Câmpulungu (kilkanaście dziennie), Râmnicu Vâlcea (4 dziennie), Târgovişte (2 dziennie), Târgu Jiu (1 dziennie, tylko w lecie), Braszowa (3 dziennie; ok. 2,5 godz.), Curtea de Argeş (3 dziennie) i do Horezu (1 dziennie). Firma Toros organizuje przewozy do Stambułu.

Informator

Apteka Jedna z lepszych działa przy deptaku Griviţiei (przecznica między str. Victoriei i blvd I.C. Brătianu), druga przy blvd I.C. Brătianu.

Internet *Computer Star* (Piaţa V. Milea 1, zachodnia pierzeja, na piętrze w tym samym bloku co poczta i sklep Fujifilm; 0,50 €/godz.); *Net Club IQ* (str. Justiţiei, z boku budynku kina Modern; 0,60 €/godz.).

Laboratorium fotograficzne Sklep Fujifilm w bloku przy Piaţa V. Milea 1, obok poczty; laboratorium Carli Center (str. Brătianu 60).

Poczta i telekomunikacja Główny urząd pocztowy działa przy Piaţa V. Milea 1 w bloku przy zachodniej pierzei, druga poczta oraz Romtelecom w budynku na rogu Calea Republicii i Piaţa Muntenia.

Wymiana walut i banki Banc Post i Eurom Bank – przy południowym końcu str. Victoriei. Reiffeisen Bank (Piaţa V. Milea 1, zachodnia pierzeja) – w tym samym bloku co główny urząd pocztowy. Kantory można znaleźć w centrum, dobre kursy oferuje ten przy str. Teiuleanu (przecznica między str. Victoriei i blvd I.C. Brătianu) oraz deptaku Griviţiei (obok apteki).

GOLEŞTI

Niecałe 10 km na wschód od Piteşti (dojazd autobusem lub mikrobusem z dworca autobusowego w Piteşti) powstał bardzo ciekawy i oryginalny **Complexul Muzeal Naţional Goleşti – Argeş** (Narodowy Kompleks Muzealny Goleşti – Argeş; Comuna Ştefaneşti, sat Goleşti; ☎0248/266 364; wt.–nd. 9.00–17.00 (V–IX) i 8.00–16.00 (X–IV); 0,80 €, ulgowy 0,40 €, fotografowanie 2,60 €, filmowanie 11 €, oprowadzanie w języku angielskim i francuskim). Jest to muzeum historyczne i etnograficzne połączone ze skansenem tradycyjnej wołoskiej zabudowy wiejskiej. Placówkę utworzono w 1966 r. na terenie ponad 10 ha. Wchodzi się przez masywną bramę (rekonstrukcja budowli z lat 1784–1807) i duży dziedziniec otoczony zabudowaniami dawnej rezydencji szlacheckiej rodziny Golescu z 1640 r. Całość założenia pałacowego otacza gruby mur z czterema basztami w narożach. W maju 1821 r. w wieży bramnej zatrzymał się Tudor Vladimirescu, przywódca powstania wołoskiego – został tutaj pojmany przez fanariockiego hospodara Ipsilantiego, a następnie zgładzony w Târgovişte.

W dworze Golescu (*conac*) można podziwiać meble, bibliotekę, obrazy i przedmioty codziennego użytku z XIX w. Warto także obejrzeć ekspozycję w wiejskiej szkole założonej w 1826 r. przez Golescu oraz zbiory historyczne i etnograficzne, ale główna atrakcja to **Muzeul Viticulturii şi Pomiculturii din România** (Muzeum Sadownictwa i Uprawy Winorośli w Rumunii) – kilkadziesiąt domostw i gospodarstw, cerkiew oraz budynki gospodarcze, przeniesione z różnych zakątków Wołoszczyzny. Spacer po tej niezwykłej wsi wśród sadów i winnic to fascynująca wędrówka w czasie, pozwalająca poznać rozwijającą się przez stulecia rumuńską kulturę ludową. W skansenie Goleşti kręcono wiele filmów: m.in. znany w Polsce „Pociąg życia" R. Mihaeleanu.

CURTEA DE ARGEŞ

Powinien tu zajrzeć każdy, kto chce dobrze poznać Rumunię. Niewielkie obecnie miasteczko (30 tys. mieszkańców) przez długi czas (XIV–XV w.) było stolicą Wołoszczyzny i siedzibą pierwszych rumuńskich władców. Cerkiew książęca należy do najstarszych budowli sakralnych w kraju, a katedra, gdzie spoczywa pierwszy rumuński król Karol I, jest jedną z najbardziej reprezentacyjnych rumuńskich świątyń.

Badania archeologiczne wykazały, że miejsce to było zamieszkane przez plemiona geto-dackie, które z czasem utworzyły silny związek; w III w. p.n.e. na jego czele stał m.in. Dromichaites. Późniejsze dzieje okolic Curtea de Argeş okrywa mrok. Karta odkrywa się dopiero w XIII w. W dokumencie lokacyjnym zakonu joannitów z 1247 r. jest mowa o księstewku rządzonym przez kniazia Senesława. W 1359 r. hospodar Nicolae Alexandru (1352–1364) wybrał Curtea de Argeş na siedzibę niedawno utworzonej metropolii wołoskiej. Miejscowość położona na skrzyżowaniu ważnych szlaków handlowych szybko rozwinęła się zarówno pod względem gospodarczym, jak i politycznym. Z tego czasu pochodzą liczne monety znalezione przez archeologów w Curtea de Argeş i okolicach.

Z miasteczkiem wiąże się wiele postaci ważnych w rumuńskiej historii. Rezydowali tu hospodarowie: Basarab I, Vlaicu Vodă, Dan I i Mircza Stary (za którego miasto przeżyło największy rozkwit). Następca tego ostatniego, Michał I (1418–1420), przeniósł stolicę do Târgovişte, wskutek czego Curtea de Argeş powoli zaczęła podupadać. Kolejny cios zadał hospodar Neagoe Basarab (1512–1521), który przeniósł do Târgovişte również siedzibę prawosławnego metropolity. Na znak szacunku dla dawnej stolicy Wołochów władca ufundował w mieście wspaniałą cerkiew, którą obdarzył licznymi przywilejami i kosztownymi podarkami.

Po raz kolejny Curtea de Argeş pojawiła się na kartach historii dzięki Michałowi Walecznemu, którego wojska poniosły klęskę w listopadzie 1600 r. w związku z interwencją Polaków dowodzonych przez Jana Zamoyskiego. W 1611 r. na Wołoszczyznę wkroczył siedmiogrodzki książę Gabriel Batory, pustosząc okolicę wraz z Târgovişte i Curtea de Argeş, ale szybko został pokonany przez hospodara Radu Şerbana w okolicach Braszowa. Mimo odbudowy, Curtea nie podniosła się z upadku i do dziś pozostaje prowincjonalnym miasteczkiem.

Orientacja i informacje

Główną ulicą jest przelotowy, biegnący z południa na północ blvd Basarabilor (ruch jednokierunkowy). Centrum stanowi skrzyżowanie str. Negru Vodă z str. Traian, odchodzącą w kierunku zachodnim, oraz plac (150 m dalej na północ), przy którym stoi charakterystyczny pomnik Basaraba I (w tym miejscu blvd Basarabilor przechodzi w str. Negru Vodă). Najciekawszy zabytek Curtea de Argeş – monastyr Curtea de Argeş – jest oddalony od placu około 1,5 km na północ.

Informacji udziela personel biura turystycznego Posada, mieszczącego się w hotelu o tej samej nazwie (działa tu także biuro turystyczne).

Apteka jest przy str. Negru Vodă nieopodal niewielkiego parku Never (na południe od centrum), **pieniądze** można wymienić lub pobrać z bankomatu w Banc Post i Banca Comercială Română (oba przy blvd Basarabilor), sklep **Kodak Express** można znaleźć obok domu towarowego Vidraru, a **pocztę** przy blvd Basarabilor 40 (ok. 100 m na północ od dworu książęcego). Większe **zakupy** najlepiej zrobić w supermarkecie New Planet naprzeciw hotelu *Posada*.

Zwiedzanie

Najbardziej znanym zabytkiem w Curtea de Argeş jest **katedra monastyru Curtea de Argeş** (Mănăstirea Curtea de Argeş; blvd Basarabilor; 60 €, fotografowanie 1,30 €, filmowanie 3 €), około 1,5 km na północ od centrum. Od kilku lat korpus cerkwi pokryty jest niestety rusztowaniem, można jednak dojrzeć fragmenty fantastycznej dekoracji ścian. Kościół klasztorny został wzniesiony w latach 1512–1517 przez hospodara Neagoe Basaraba na miejscu starszej budowli. Charakterystyczną cechą świątyni jest niezwykle bogata dekoracja zewnętrzna, którą tworzy ponad 150 rodzajów wzorów. Pas z czterech wzajemnie przeplatających się pseudolin biegnie wokół elewacji, dzieląc ją na dwie części. Dół jest wyróżniony prostokątnymi polami, w których umieszczono również prostokątne, bardzo wąskie, podwójne okna. Górną część zdobią ślepe arkady wypełnione okrągłymi lub kwadratowymi rzeźbionymi płytami, którym towarzyszą motywy arabskie i perskie. Imponujący gzyms oddzielający elewację od zadaszenia składa się z kilku elementów i wychodzi daleko poza obręb muru. Niezwykłe krople w dolnej części sprawiają wrażenie, jakby miały zaraz spaść na głowę zwiedzającego.

Każda z czterech ozdobionych motywami roślinnymi wież (bębnów) ma osiem smukłych okien. Na ołowianych hełmach widnieją duże prawosławne krzyże. Świątynia składa się z kwadratowego przednawia i nawy z absydą główną i dwiema bocznymi (konchy) mniej więcej tej samej wielkości. Do jedynego wejścia, masywnego portalu z brązowymi drzwiami (od zachodu), prowadzi 12 stopni. Przednawie jest na tyle duże, że wystarczyło w nim miejsca na kilka grobowców: fundatora, króla Karola I i jego żony Elżbiety oraz króla Ferdynanda I i królowej Marii. Dwanaście kolumn dźwiga bęben z kopułą.

Nawę oddzieloną od przednawia marmurowym portalem zamyka prezbiterium z dwoma pomieszczeniami po bokach. Przykrywa ją największa z kopuł, wsparta na ośmiokątnym bębnie spoczywającym na kwadratowej podstawie. Jak informuje inskrypcja, malowidła ścienne są dziełem mistrza Dobromira (1526). Niestety, nie przetrwały do naszych czasów, ponieważ już w 1611 r. wojska Gabriela Batorego zburzyły „bardzo bogatą katedrę w Argeş". W 1640 r. hospodar Matei Basarab odbudował świątynię, ale prace we wnętrzu ukończono dopiero w 1682 r. za panowania Şerbana Cantacuzino. W XIX w. cerkiew kilkakrotnie ucierpiała z powodu trzęsień ziemi, pożarów i profanacji (ostatni wielki pożar wybuchł w 1867 r.). Kilka lat później (1875) rozpoczęto prace renowacyjne, które nadały budowli obecny wygląd. Niestety, główny architekt, Francuz Lecomte de Nouy, nakazał pokryć stare malowidła nowymi, niezbyt udanymi.

W pobliżu cerkwi tryska Fântâna lui Manole (studnia Mistrza Manole), źródełko, z którym wiąże się legenda. Podczas budowy cerkwi jeden z robotników, niejaki Manole, spadł z dachu. Nie runął jednak na ziemię – dzięki cudownym skrzydłom utworzonym z dachówek bezpiecznie wylądował na miejscu, gdzie dziś bije źródło.

Drugim ważnym zabytkiem miasta są ruiny **Curtea domnească de la Argeş** (dwór książęcy; wt.–nd. 10.00–18.00; 0,60 €, ulgowy 0,30 €, fotografowanie 1,25 €, filmowanie 3 €) z **Biserica Domnească** (cerkiew Książęca). Fundamenty zabudowań rezydencji odkryto podczas prowadzonych od 1920 r. prac archeologicznych. Można rozpoznać pozostałości bramy wjazdowej prowadzącej do niegdysiejszego założenia i resztki potężnej baszty. Ruiny pochodzą prawdopodobnie z czasów panowania Neagoe Basaraba (1512–1521) – poprzedni dwór wzniósł w tym miejscu

w 1340 r. Basarab I, pierwszy władca państwa wołoskiego. Przekazy mówią o jeszcze wcześniejszej budowli (z I połowy XIII w.), ale nie odnaleziono jej śladów – podobno w 1330 r. spaliły ją wojska króla węgierskiego Karola Roberta Anjou.

Z całego kompleksu najlepiej zachowała się piękna średniowieczna **cerkiew**. Zgodnie z inskrypcją wkomponowaną w ścianę świątyni, hospodar Basarab I zmarł w 1352 r. i od początku przypuszczano, że został tu pochowany. W tym czasie cerkiew była w trakcie budowy – prace przedłużyły się i trwały jeszcze za panowania hospodarów Nicolae Alexandru (1352–1364) i Vlaicu Vodă (1364–1377). Badania archeologiczne doprowadziły do odkrycia starszej świątyni, podobnej do zabudowań z czasów Basaraba I, wzniesionej z kamienia łamanego i rzecznego. Prawdopodobnie zniszczono ją wraz z całym dworem w 1330 r., ale jej stan pozwalał na dalsze użytkowanie.

Dopiero Vlaicu rozebrał podniszczoną cerkiew i wzniósł na jej miejscu obecną. Zachowała się w tak dobrym stanie, że pierwszą renowację przeprowadzono dopiero w 1750 r., zmieniając przy okazji nieznacznie konstrukcję i pokrywając wnętrze nowymi malowidłami. Kolejną przebudowę przeprowadzono po pożarze w 1788 r.: dodano drugą kopułę, poszerzono okna i wykonano nowe freski. W 1920 r. podjęto się kolejnej, bardzo rzetelnej konserwacji pod egidą Komisji Ochrony Zabytków, która doprowadziła do przywrócenia pierwotnego wyglądu (zlikwidowano dodaną kopułę) i odkrycia części starszych malowideł.

Cerkiew jest zbudowana na planie prostokąta i tradycyjnie podzielona na trzy części: przednawie, nawę i absydę. Zmieszanie kamienia z cegłą nadało świątyni bardzo charakterystyczny wygląd, typowy dla kościołów bizantyńskich. Jedynymi zdobieniami na elewacji są obramowania okien dodane w XVIII w. Nie wiadomo, szczątki którego z hospodarów odnaleziono pod absydą w 1939 r.: najpierw przypuszczano, że jest to Radu I (1377–1383), potem przyjęto teorię o zwłokach Vlaicu Vodă (1364–1377), brata Radu I, a lokalni przewodnicy i najwięksi miejscowi patrioci mówią o Basarabie I (1310–1352), pierwszym wołoskim hospodarze.

Na wzgórzu po drugiej stronie placu zachowały się ruiny **Biserica Sân Nicoară** (cerkiew Sân Nicoară) z I połowy XIV w., a być może nawet starszej. Podobnie jak cerkiew Książęcą, zbudowano ją z kamienia i cegły. Budowla składa się z przedsionka i nawy (nie ma przednawia) oddzielonych ścianą, w której wybito drzwi. Szczególną starannością wykonania wyróżnia się wielokątne prezbiterium: z zewnątrz są trzy ściany, od wewnątrz absyda i przylegające do niej dwie nisze, co świadczy o tym, że świątynia od początku służyła wyznawcom prawosławia. Dzwonnicę nad przedsionkiem wykorzystywano również jako wieżę obserwacyjną.

W ładnym pałacu naprzeciw cerkwi Książęcej (po drugiej stronie parkingu) urządzono **Muzeul Orașenesc** (Muzeum Miejskie; str. Negru Vodă 2; wt.–nd. 10.00–17.00; 0,60 €, ulgowy 0,35 €) z kolekcją poświęconą historii i kulturze okręgu Argeș. **Muzeul de Etnografie și Artă plastică** (Muzeum Etnograficzne i Sztuki; str. Ghenadie 8, 100 m na zachód od placu z pomnikiem Basaraba; wt.–nd. 10.00–17.00; 0,50 €) jest nieco mniejsze, ale równie ciekawe.

Noclegi i gastronomia

W mieście działają dwa duże hotele i kilka pensjonatów. Kilka obiektów z miejscami noclegowymi można znaleźć po drodze do Pitești.

Posada** (blvd Basarabilor 27–29; ☎0248/721 451, 721452, fax 506047, posada@cyber.ro). Nieco oddalony od centrum (mniej więcej w połowie drogi między monastyrem Curtea de Argeș a placem z pomnikiem Basaraba). Pokój 1-os. 26 €, 2-os. 37 €, apartament 45 €.

Confarg*** (str. Negru Vodă 5, w południowej części miasta, jadąc do Pitești po lewej stronie; ☎0248/728020). Pokój 1-os. 22 €, 2-os. 30 €, apartament 40,50 €.

Voinila (str. Negru Vodă, naprzeciw hotelu Confarg). Przyjemny, niewielki pensjonat kuszący przystępnymi cenami (pokój 2-os. 16 €).

Większość z 25 lokali gastronomicznych jest przy blvd Basarabilor. Targowisko miejskie działa przy str. Decebal (przecznica odchodząca w kierunku południowym od str. Traian). Zakupy spożywcze można też zrobić w domu towarowym New Planet lub w supermarkecie Boncea.

Alex (blvd Basarabilor, przy wjeździe do kompleksu monastyru Curtea de Argeș). Niezłe dania w umiarkowanych cenach.

Capra Neagră (str. V. Doamnei, przedłużenie str. Traian w kierunku wschodnim). Duża restauracja, w której za dobry obiad zapłaci się około 3 €.

Pizzeria Laura (naprzeciw wejścia do kompleksu monastyru Curtea de Argeș). Standardowa pizzeria; ze względu na położenie obok ważnego obiektu turystycznego ceny nieco wyższe niż gdzie indziej (Margarita 2 €).

Restaurant Sârbesc (restauracja serbska, 300 metrów za hotelem Posada). Bałkańskie standardy, w tym: pieczony odojek (prosiaczek), pleskavice i dobra kawa z dżezwy.

Informacje o połączeniach

Dworzec kolejowy, w południowo-zachodniej części miasta przy str. 1 Mai (ok. 500 m od placu z pomnikiem Basaraba), zajmuje stylowy XIX-wieczny budynek. Aby dotrzeć do centrum, po wyjściu z dworca należy skierować się w lewo i po dojściu do str. Traian skręcić w prawo. Z Curtea de Argeș odjeżdża tylko sześć pociągów osobowych dziennie do Pitești (ok. 1 godz.).

Z dworca autobusowego (kilkadziesiąt metrów od kolejowego) kursują autobusy m.in. do Bukaresztu (3 dziennie; ok. 4,5 godz.), Braszowa (1 dziennie; 4 godz.), Câmpulungu (2 dziennie) i Sybina (1 dziennie). Do Bukaresztu i Sybina, a także do Pitești (kilka dziennie) i Poienari (kilka dziennie; ok. 45 min) jeżdżą mikrobusy (z przystanku przy skrzyżowaniu str. 1 Mai i str. Traian).

POIENARI

Prawdziwi miłośnicy Draculi trzymają się z dala od komercyjnego zamku w Branie, szukając śladów krwawego księcia 20 km na północ od Curtea de Argeș, w dolinie rzeki Ardżesz (Argeș). Jadąc w stronę jeziora Vidraru słynną drogą transfogaraską, natrafia się na ruiny **Cetatea Poienari** (zamek Poienari; od świtu do zmierzchu; 0,50 €, fotografowanie 1,70 €), dumnie strzegącego okolicy z wysokiego wzgórza. XVII-wieczne kroniki przytaczają ludowe legendy przypisujące budowę twierdzy hospodarowi wołoskiemu Władowi Palownikowi, pierwowzorowi słynnego Drakuli. W pracach mieli brać udział nie tylko wieśniacy z okolicznych wiosek, ale również mieszkańcy Târgoviște i wzięci do niewoli Turcy.

Naukowcy toczą spór o początki zamku. Przeprowadzone w 1969 r. badania archeologiczne dowiodły, że pierwotna warownia była niewielkim punktem oporu złożonym z małej kwadratowej wieży z kamienia (wzniesionej najprawdopodobniej w I połowie XIV w.). Czyżby nad tą skromną budowlą mieli w pocie czoła pracować Turcy i Wołosi na usługach Vlada Tepeșa? Naokoło wieży w następnych wiekach pojawiły się kolejne budynki i obwarowania. Na początku XX w. północna część twierdzy zawaliła się i runęła razem z wielkimi głazami, na których się wspierała.

Dotarcie do zamku nie powinno sprawić trudności – z Curtea de Argeş jeździ tu kilka minibusów dziennie. Bilety dla zwiedzających są sprzedawane na górze, a poza sezonem lub późnym popołudniem – na dole. Do twierdzy prowadzi ponoć 1480 stopni (kto ma formę, może sprawdzić). Schody wiodą przez posępny las, jakby żywcem wyjęty z powieści Brama Stokera. Z góry roztacza się piękny widok na dolinę Ardżeszu oraz Góry Fogaraskie. Warto stąd udać się w górę rzeki słynną szosą transfogaraską do gigantycznej zapory na Ardżeszu i dalej w kierunku grani najwyższych gór Rumunii.

RÂMNICU VÂLCEA

Miasto nad rzeką Alutą (Olt) jest stolicą okręgu Vâlcea. Turyści zatrzymują się tu zazwyczaj w drodze z Wołoszczyzny do Transylwanii lub na odwrót. Przy okazji warto obejrzeć kilka zabytków. W okolicach Râmnicu Vâlcea zachowało się wiele zabytkowych klasztorów, z których najpiękniejsze i jednocześnie najbardziej oblegane to Cozia i Horezu. Pierwszy strzeże pięknego przełomu Czerwonej Wieży, którym Aluta malowniczo przedziera się przez Karpaty. Nieopodal monastyru Hurez leży wioska Măldăreşti z unikatowymi warownymi domostwami bojarów, tzw. *culami*.

Râmnicu Vâlcea po raz pierwszy pojawia się w źródłach w 1388 r. Osada bardzo szybko się rozwijała dzięki położeniu na ważnym szlaku handlowym łączącym Transylwanię z zachodnią Wołoszczyzną. Bogacący się hospodarowie i bojarzy fundowali świątynie zarówno w Râmnicu, jak i w okolicy. Wielu mieszkańców okręgu przyłączyło się do antyfeudalnego powstania Tudora Vladimirescu w 1821 r. Podczas rewolucji w 1848 r. nieopodal stacjonował rumuński generał G. Magheru. W okresie rządów komunistów naokoło Râmnicu wyrosło mnóstwo fabryk, przez co do słynącego z konserwatyzmu miasta napłynęły rzesze robotników.

Orientacja i informacje

Centrum skupia się wokół placu bez nazwy pomiędzy główną przelotową Calea lui Traian (z północy na południe) i parkiem Mirczy Starego (Parcul Mircea cel Bătrân). Plan miasta można kupić w recepcji hotelu *Alutus*.

Po **informacje** najlepiej zwracać się do agencji turystycznej **Doiniţa** (str. Regina Maria 7; ☎0250/734253, mail4doinita_turism@yahoo.com). Oficjalne centrum informacji ma zostać wkrótce otworzone na I piętrze w tym samym budynku.

Apteka Remedium jest usytuowana przy Calea lui Traian, obok cerkwi św. Paraskiewy. **Bank** (Banca Comercială Română) ma siedzibę na rogu blvd T. Vladimirescu i blvd G. Magheru, a **kantor** przy głównym placu obok agencji CFR. **Poczta** działa przy blvd T. Vladimirescu 6 (na rogu: str. Praporgescu), niedaleko placówki **Romtelecomu** (róg Calea lui Traian i blvd T. Vladimirescu).

Zwiedzanie

Park Mirczy Starego (Parcul Mircea cel Bătrân) otaczają pozostałości obwarowań prawdopodobnie z XV w. Pośród nich naprzeciwko hotelu *Alutus* stoi **Biserica Bune Vestire** (cerkiew Zwiastowania NMP) wzniesiona przez kanclerza Radu Râmniceanu w 1747 r. Biel ścian zewnętrznych przełamują oryginalne malowidła w otwartym portyku. Do wnętrza prowadzi rzeźbiony portal. Zarówno w nawie, jak i przednawiu zachowały się freski. Po przejściu przez plac na południe (str. E. Avrămescu) natrafia się na ładną **Biserica Sf. Gheorghe** (cerkiew św. Jerzego) z 1636 r. z zamkniętym przedsionkiem. W środku warto zwrócić uwagę na stare freski oraz ciekawy ikonostas.

Na rogu Calea lui Traian i str. Negoescu stoi **Biserica Toţi Sfinţii** (cerkiew Wszystkich Świętych) z lat 1762–1764. Jej przedsionek jest charakterystyczny dla stylu epoki Brâncoveanu, kopuły przypominają architekturę świątyń z Curtea de Argeş. Dekoracją fasady są dwuczęściowe segmenty wypełnione płytkimi niszami, łukowymi i prostokątnymi. Od pobielonej fasady odcina się fragment zewnętrznego fresku w kształcie koła. Portal wejściowy zdobi relief o motywach roślinnych i zwierzęcych oraz herb rodziny Cantacuzino. Po drugiej stronie str. Negoescu działa skromne **Muzeul de Istorie** (Muzeum Historyczne; ☎0250/738121; wt.–nd. 10.00–18.00; 0,60 €), a trochę dalej na zachód jest siedziba **Muzeul de Artă** (Muzeum Sztuki; w 2005 r. nieczynne).

W samym centrum przy Calea lui Traian stoi dosyć duża, biała (jak większość okolicznych świątyń – odsłonięto tylko niewielki fragment murów) **Biserica Sf. Paraschiva** (cerkiew św. Paraskiewy) ufundowana przez hospodara Pătraşcu w połowie XVI w. (budowę ukończył Michał Waleczny w 1587 r.). Idąc na południe i skręcając w prawo na str. Ştirbei Vodă, dociera się do **Casa memorială Anton Pann** (dom

Imię Włada III Palownika (Vlad Tepeş, 1431–1476), znanego jako Drakula, przeszło do historii jako synonim okrucieństwa. Powieść angielskiego pisarza Brama Stokera o krwiożerczym wampirze jeszcze bardziej spopularyzowała tę postać. Kolejne adaptacje filmowe, z najbardziej udaną Francisa Forda Coppoli z 1992 r., odarły niemal całkowicie z historyczności prawdziwego Drakulę.

Vlad Tepeş urodził się w 1431 r., najprawdopodobniej w Sighişoarze, jako syn hospodara wołoskiego Włada II Diabła (Vlad Dracul, zm. 1447 r.). Wydaje się, że postać wampira Drakuli jest literackim połączeniem tych dwóch osób – ojca i syna, od pierwszego pochodzi jego imię, a od drugiego osobowość. Ojcu nadano przydomek Dracul przypuszczalnie dlatego, że należał do zakonu dragonów, militarnego stowarzyszenia religijnego, mającego za zadanie chronienie chrześcijaństwa i walkę z niewiernymi – w tym wypadku z Turkami. Tłumaczenie tego słowa jako „diabeł" pojawiło się znacznie później, już po niesławnych wyczynach syna Włada II, a nadane zostało przez nienawidzących go siedmiogrodzkich Niemców. Tak trwale zapisało się to w historii, że do dzisiaj drac oznacza w języku rumuńskim diabła.

W młodości, wraz z bratem Radu, książę spędził kilka lat jako zakładnik na dworze sułtana Murada II, gdzie był wykorzystywany seksualnie. Te traumatyczne doświadczenia oraz dramatyczne informacje dochodzące go w niewoli, m.in. o zamachu na jego ojca oraz strasznej śmierci starszego brata Mirczy, torturowanego i spalonego żywcem przez zbuntowanych bojarów z Târgovişte, miały wielki wpływ na późniejsze perwersyjne obsesje Włada III.

Wład objął rządy na Wołoszczyźnie dzięki protekcji Jana Hunyadyego w 1456 r. i natychmiast zademonstrował preferowane metody sprawowania władzy – rozkazał wbić na pal ponad 20 tys. mężczyzn, kobiet i dzieci, aby zdławić w zarodku bojarskie spiski i zemścić się za śmierć ojca i brata. Ale podobno tylko najstarsi zginęli w ten okrutny sposób, reszcie bojarów Drakula kazał iść pieszo ze stolicy księstwa Târgovişte do osady Poienari, przy czym nie wolno im było odpoczywać. Tych, którym udało się pokonać 120 km, zapędzono do budowy twierdzy, której pozostałości przetrwały po dziś dzień.

Pal jako narzędzie przedśmiertnych tortur znany był dobrze w państwie osmańskim (turecki pal znaczy zaostrzony kij), ale dopiero Wład III uczynił go środkiem prawdziwego terroru. W najokrutniejszej wersji był to cienki zaostrzony i natłuszczony drzewiec, który wbijano ofierze w odbyt aż końcówka wychodziła ustami. Skazaniec konał nawet kilka dni. Od Turków zwyczaj ten przejęli również Polacy i Kozacy, zamęczając tak swoich przeciwników, w szczególności podczas wojen na Ukrainie. Ale nie tylko we wbijaniu na pal lubował się Drakula. Stosował również obdzieranie ze skóry, gotowanie i palenie czy grzebanie żywcem, wyrywanie paznokci, oślepianie, duszenie, wbijanie na hak, przypiekanie i wreszcie chyba najbardziej humanitarne spośród wszystkich ścinanie i wieszanie. Wład nie stronił również od obcinania uszu, nosa, genitaliów, a także innych części ciała. Podobno wbijanie na pal było jednak ulubioną metodą tortur Palownika, od czego wziął się jego przydomek.

Antona Panna; str. Ştirbei Vodă 4; ☎0250/738026; wt.–nd. 10.00–18.00). W tym niewielkim XVIII-wiecznym budynku z drewnianym gankiem w latach 1826–1828 i 1835–1837 mieszkał znawca ludowych przypowieści, przysłów i pieśni Anton Pann (1794–1854).

W północno-zachodniej części miasta, przy al. Castanilor (przecznica Calea lui Traian), można oglądać pozostałości **Episcopia Râmnicului** (biskupstwo Râmnicu). Z XVI-wiecznego założenia nie ocalało nic, przetrwały za to trzy cerkwie wzniesione później na dziedzińcu dawnej rezydencji. Największą z nich, katedrę, budowano w latach 1851–1856 (warto zwrócić uwagę na ładne malowidła ścienne XIX-wiecznego rumuńskiego artysty Gheorghe Tattarescu).

Sąsiednia świątynia (paraclis) z odkrytym ceglanym murem i zewnętrznymi freskami w górnej partii elewacji powstała w 1751 r. Z tego samego okresu pochodzą malowidła zewnętrzne i wewnętrzne. Uwagę przyciąga drewniany ikonostas w stylu Brâncoveanu, podobny do poliptyku z klasztoru Hurez. Smukła świątynia zwieńczona jedną kopułą dzieli się klasycznie na przedsionek, przednawie, nawę i absydę (nie ma bocznych konch). Najmniejsza **Biserica Adormirea Maicii Domnului** (cerkiew Zaśnięcia NMP) stoi nieco dalej na niewielkim wzgórzu i wyróżnia się brakiem wież z kopułami (zastąpiono je prostym zadaszeniem). Zbudowano ją w połowie XVIII w., a skromną architekturę tłumaczy przeznaczenie – służyła jako świątynia szpitalna.

Prawie każde przestępstwo w państwie Włada III, od kłamstwa poprzez kradzież po zabójstwo, karane było wbiciem na pal. Ginęli w ten sposób nawet kupcy, którzy nie przestrzegali praw nadanych im wcześniej przez księcia. Porządek (czytaj: terror), jaki panował w państwie, ilustruje opowieść, wedle której Drakula postawił na głównym placu w Târgoviște złoty kubek, aby spragnieni mieszkańcy czy też podróżnicy mogli się napić wody ze studni. Przez cały okres jego rządów nikt nie ukradł drogocennego naczynia, które jednak zniknęło natychmiast po śmierci hospodara.

Biedaków, włóczęgów, żebraków i nieuleczalnie chorych traktował Palownik jak przestępców. Pewnego razu miał zaprosić wszystkich tych ludzi na wielką ucztę. Gdy już sobie pojedli i popili, kazał zamknąć salę i ją podpalić. Wszyscy spłonęli żywcem.

Do historii przeszła też jedna z wypraw Drakuli przeciw Turkom. W 1462 r. wybrał się za Dunaj, ale po kilku bitwach stoczonych z wysuniętymi oddziałami tureckimi musiał zarządzić odwrót, ponieważ okazało się, że Mehmed II dysponuje trzykrotnie większymi siłami. Turcy deptali mu po piętach, a Wład palił własne wsie i zatruwał studnie, żeby wrogowie nie mieli co jeść i pić. Kiedy sułtan wkroczył do stolicy księstwa Târgovişte, jego oczom ukazał się przerażający widok wbitych na pal pobratymców schwytanych przez Włada. Szokująca była liczba męczenników – prawie 24 tys. pali stało jeden obok drugiego, tworząc istny las śmierci. Scena ta wywarła tak duże wrażenie na Turkach, że Mehmed zarządził odwrót.

Krwawe rządy Włada III przysporzyły mu wielu wrogów, odrodzona opozycja bojarska uknuła spisek, na czele z bratem okrutnika, Radu (był on kandydatem Turków na hospodarski tron), który doprowadził do obalenia wojewody i uwięzienia go przez Macieja Korwina pod pretekstem antywęgierskich knowań. To podczas tych wydarzeń Drakula był oblegany w zamku Poienari przez wojska tureckie dowodzone przez Radu. Żona Drakuli, widząc beznadziejność sytuacji, rzuciła się ze skały do rzeki (zostało to przedstawione w filmie Coppoli), a sam hospodar sekretnymi tunelami uciekł w góry. Pomogli mu w tym mieszkańcy wioski Arefu, czym do dziś szczycą się ich potomkowie. Książę udał się do Korwina, myśląc, że u niego znajdzie schronienie. Król węgierski nakazał go aresztować i uwięzić. W tym czasie wydano w Wiedniu (1463) w języku niemieckim rejestr win Palownika – *Geschichte Dracole Wayde*. Na podstawie tego spisu powstały wszystkie późniejsze opracowania, m.in. rosyjskie z 1488 r., z którego korzystał Iwan Groźny (1530–1584).

Zmiana sytuacji politycznej sprawiła, że Wład III powrócił w 1476 r. na tron, zginął jednak wkrótce, skrytobójczo zamordowany przez bojarów po wygranej bitwie z Turkami. Ocena panowania okrutnego hospodara nie jest łatwa. Współczesne mu źródła koncentrują się na krwawych metodach rządów i liczbie wbitych na pal ludzi, historycy jednak widzą w nim postać nieprzeciętną, z dużym talentem politycznym i militarnym, władcę, który drakońskimi metodami próbował realizować dwa zasadnicze cele: obronę niezależności Wołoszczyzny przed Turcją i reformę państwa, poprzez wzmocnienie pozycji panującego kosztem bojarów. Warto też pamiętać o tym, że oddał on Rumunii wielką przysługę poprzez wprowadzenie na tron Mołdawii Stefana, zwanego później Wielkim (zm. 1504 r.).

Mało znaną atrakcją miasta jest położony przy drodze do Sybina skansen (**Muzeul Satului Vâlcean**, kilka kilometrów od centrum po lewej stronie; wt.–nd. 10.00–18.00; 0,60 €, ulgowy 0,30 €). Jest to jedno z najciekawszych muzeów na wolnym powietrzu w Rumunii. Na sporej powierzchni wyeksponowano blisko 90 obiektów z wszystkich regionów województwa Vâlcea. Uwagę przyciąga wspaniała *cula* Bujoreni (wieża obronna; wewnątrz prezentowana jest historia skansenu), drewniana cerkiewka oraz wspaniała kolekcja budynków pasterskich. Układ skansenu odpowiada rzeźbie terenu całego województwa – stąd zabudowania górzystych regionów rozsiane są po wzgórzach na północy muzeum, zaś nizinne wsie Oltenii ulokowały się na łąkach przy wejściu.

Noclegi

W centrum jest tylko jeden hotel, inne są trochę dalej, ale bez problemu można do nich dotrzeć piechotą.

Alutus** (str. G. Prapogorescu 10; ☎0250/736601, fax 737760, agentiaalutus@home.ro). W centrum, naprzeciwko cerkwi Zwiastowania NMP. Pokój 1-os. 30 €, 2-os. 37 €, apartament 75 €.

Casa Tineretului* (blvd Tineretului 1B; ☎0250/711464, fax 721454, frt@onix.ro). Najtańszy hotel w mieście. Ceglany wieżowiec w południowo-wschodniej części, w dzielnicy Ostroveni (ok. 500 m na wschód od dworca autobusowego). Pokój 2-os. 20 €.

Gemina** (str. Bădescu 20; ☎0250/735101, 731942, fax 731949). Dojście z centrum str. Neogescu. Pokój 2-os. 35 €, 3-os. 50 €, apartament 75 €.

Capela* (Aleea Castanilor 19, ok. 1,5 km od centrum; ☎0250/738906, fax 737760, agentia-alutus@home.ro). Aby dotrzeć do hotelu (najlepiej wziąć taksówkę), należy skierować się na północ Calea lui Traian i po około 200 m skręcić w lewo, w al. Castanilor. Pokój 1-os. 38 €, 2-os. 40 €, apartament 60 €.

Gastronomia

Mimo że Râmnicu nie jest dużym miastem, działa tam sporo lokali gastronomicznych.

Zimbrul (str. M. Bravu 6, w sąsiedztwie parku; ☎0250/733805) to jedna z najlepszych restauracji w mieście, gdzie warto skosztować dań kuchni rumuńskiej. Po drugiej stronie str. Magheru jest *La Stina* (fast food). Dania włoskie serwuje *Pizzeria Da Tino* (str. Issacei; z centrum w kierunku dworca). Oszczędni powinni zajrzeć do *Parc Restaurant* przy głównym placu, obok agencji CFR. Naprzeciwko, na zachodnim krańcu str. Regina Maria, zaprasza *McDonald*. Kafejka internetowa *Future Games* (str. Isaccei; non stop; 0,50 €) znajduje się w połowie drogi między centrum a dworcem kolejowym. Inna działa koło hotelu *Tineretului*.

Urocze targowisko miejskie (hala targowa z 1902 r.) usytuowane jest między str. E. Avrenesce, Calea lui Traian i str. Regina Maria, w sąsiedztwie cerkwi św. Grzegorza. Na zakupy można się wybrać do supermarketu Winmarkt (przy głównym placu) albo do sklepu Explorer Sport na Calea lui Traian 127 (100 m od placu głównego po prawej stronie ulicy).

Informacje o połączeniach

Pociąg Dworzec kolejowy jest we wschodniej części miasta (str. V. Popescu), około 500 m od centrum. Aby dotrzeć tam ze stacji, należy po wyjściu z budynku skierować się na wprost (na bloki) przejściem dla pieszych na str. Cerna, która prowadzi prosto do parku Mirczy Starego. Râmnicu ma połączenia z Sybinem (6 dziennie; ok. 2 godz. 40 min), Krajową (5 dziennie; ok. 3,5 godz.) oraz Konstancą (przez Bukareszt, tylko w lecie). **Agenţie de Voiaj CFR** ma siedzibę przy Calea lui Traian (blok Anton Pann; ☎0250/736043).

Autobus Dworzec autobusowy (Autogară 1 Mai) jest oddalony o niecały kilometr na południe od centrum. Aby dojść do śródmieścia, należy skierować się w lewo (str. G. Coşbuc), następnie ponownie skręcić w lewo (str. Dacia), po czym w dużą przelotową Calea lui Traian

(w prawo) i po przejściu przez rzekę jest się prawie w centrum. Autobusem można dojechać do Bukaresztu (5 dziennie), Krajowej (2 dziennie), Braszowa (2 dziennie), Klużu (4 dziennie), Sybina (3 dziennie), Alba Iulia (3 dziennie), Curtea de Argeş (4 dziennie), Târgu Jiu (2 dziennie), Oradei (1 dziennie), Timişoary (2 dziennie) oraz Târgu Mureş (1 dziennie). Do monastyru Cozia kursuje codziennie 10 autobusów, tyle samo do klasztoru Bistriţa i miasteczka Horezu. Dobrze rozwinięta jest również sieć busów prywatnej firmy Antares.

MĂNĂSTIREA COZIA

Cerkiew klasztoru, malowniczo położonego nad przełomem Aluty, około 20 km na północ od Râmnicu Vâlcea, wzniesiono w 1388 r., w czasach panowania Mirczy Starego. Niewielka świątynia zachwyca elegancją i wyważonymi proporcjami, bogatym zdobieniem elewacji (podzielonej na trzy segmenty) oraz przepięknymi freskami. Z czasów Mirczy pochodzą górne części obramowania okien i kamienne rozety nad nimi. Przedsionek dobudowano na rozkaz hospodara Constantina Brâncoveanu (1688–1714).

Wewnątrz uwagę przyciągają freski w otwartym przedsionku, misternie rzeźbiony portal oraz drewniane drzwi, również pokryte malowidłami. Freski w przedsionku i przednawiu są datowane na koniec XIV w., z kolei te w nawie i absydzie powstały w 1704 r. Żyrandol i ikonostas ufundował Constantin Brâncoveanu. W cerkwi pochowano Mirczę Starego oraz Teofanę – matkę Michała Walecznego.

Nieopodal cel zakonników w 1517 r. na życzenie hospodara Neagoe Basaraba wydrążono studnię, kolejną nakazał wykopać Brâncoveanu. Obie ściągają wodę z górskiego źródełka bijącego tuż przy wejściu do cerkwi. Niewielka kaplica w północno-wschodniej części kompleksu została dobudowana w 1711 r. przez Brâncoveanu, a kapliczkę w części południowej ufundował w 1583 r. hospodar Mihnea Turcitul (1577–1591). Dwa lata później wykonano malowidła ścienne.

W części budynków przyklasztornych z czasów Mirczy Starego urządzono ciekawe **muzeum**, w którym zgromadzono zabytkowe ikony, a także sprzęty liturgiczne, monety, stare księgi i inkunabuły.

Po drugiej stronie drogi stoi mniejsza i smuklejsza **cerkiew szpitalna** (również należąca do kompleksu klasztornego), prawdziwa perła XVI-wiecznej architektury i sztuki. Zbudowano ją w latach 1542–1543 z inicjatywy mnicha Radu Paisie. Przemieszane warstwy kamienia i cegieł oraz umieszczone gdzieniegdzie rozety (w wysokich ślepych arkadach) tworzą pozory nieładu. Freski wewnętrzne, wykonane przez Radosława i jego syn Dawida w typowo wołoskich barwach – czerwieni, żółci i błękicie – są równie stare jak sama budowla. Malowidła widoczne na zachodniej ścianie nawy przedstawiają hospodara Mirczę z synem wyobrażonym jako młody rycerz. Uważny turysta dostrzeże archaniołów, epizody z życia Jana Chrzciciela i Chrystusa oraz niewiernego Tomasza.

Do uzdrowiska Călimăneşti kursują z Râmnicu Vâlcea pociągi (10 dziennie; ok. 30 min) oraz autobusy (kilka dziennie). Dworzec kolejowy jest oddalony o około 2 km na południe od klasztoru, autobus zatrzymuje się przy samym monastyrze. Zakwaterowanie można znaleźć w kompleksie uzdrowisk Călimăneşti-Căciulata. Niedrogi, piętrowy *Hanul Cozia* (str. Calea lui Traian 241; ☎0250/751909; 2-os. 14 €) szczyci się dobrą restauracją, ale pokoje ma skromne. Pensjonat *Dada* (☎0250/750250; 2-os. 20 €) usytuowany jest w pobliżu zapory.

MĂNĂSTIREA GOVORA

6 km od Râmnicu Vâlcea w kierunku na Târgu Jiu leży kurort Băile Govora, od którego prowadzi droga do odległego o 3 km klasztoru Govora. Usytuowany na wzgórzu, otoczony masywnymi murami zabytkowy monastyr (źródła wspominają o nim po raz pierwszy w 1488 r.) wygląda z daleka jak twierdza. Za panowania Radu Wielkiego (1495–1508) klasztor stał się znanym ośrodkiem kultury. Hospodar Matei Basarab (1632–1654) kazał otoczyć go murami, którym towarzyszyły potężne baszty oraz wieża obserwacyjna, zamieniona później na dzwonnicę. Z polecenia władcy powstała również część nowych pomieszczeń dla mnichów oraz drukarnia, z której w latach 1637 i 1640 wydano *Psałterz* i *Zbiór Praw z Govory*, oba w języku staro-cerkiewno-słowiańskim.

Pod koniec XVII w. klasztor odrestaurowano na polecenie hospodara Constantina Brâncoveanu, który w 1711 r. ufundował na dziedzińcu cerkiew ozdobioną od wewnątrz pięknymi freskami. Jej obecny wygląd to efekt XIX-wiecznej przebudowy. W 1958 r. przeprowadzono gruntowną renowację kompleksu, kolejna nastąpiła pod koniec XX w. i częściowo trwa do dziś.

Cerkiew ma klasyczną formę koniczyny zamkniętej od wschodu wielokątną absydą, a od zachodu otwartym przedsionkiem wspartym na elegancko rzeźbionych kolumnach. Nawę przykrywa kopuła, po bokach biegną empory. Przednawie i przedsionek mają wspólne zadaszenie. Przepiękne malowidła ścienne świadczą o mistrzostwie ich autorów. Szczególną uwagę zwraca fresk przedstawiający Matkę Bożą Pokrow ze skrzydłami. Z zewnątrz elewacja ozdobiona jest kamiennym sznurem dzielącym ją na dwie równe części,

Tajemnicze klejnoty Ziemi

Na terenie wsi **Costeşti** (kilka kilometrów na północ od klasztoru Bistriţa) utworzono rezerwat niezwykłych form skalnych zwanych *trovanţi*, czyli piaszczystych konkrecji o niezwykłych kształtach. Podania ludowe przypisują im niezwykłe właściwości i ludzkie cechy. Należy się z nimi dobrze obchodzić, bo podobno lubią się mścić, i podlewać je wodą, bowiem kamienie te... rosną. W wielu rejonach Rumunii owe niezwykłe formy skalne pełniły szczególną rolę: wyorane z pola i przeniesione na podwórze strzegły gospodarstwa, często ustawiano je na grobach zmarłych. Spacerując po Costeşti i okolicy można bez trudu dostrzec dziwaczne głazy wmurowane w ściany domostw.

Według naukowców proces powstawania konkrecji łączyć należy z dwoma zjawiskami: występowaniem w ziemi ropy naftowej oraz wstrząsami sejsmicznymi. W czasie silnych trzęsień ziemi na przesycony węglowodorami piasek działają ogromne siły powodujące zbicie luźnej skały w sferyczną formę i w efekcie jej utwardzenie. Ten niezwykle dynamiczny, złożony i długotrwały proces zachodził na roponośnych i niestabilnych sejsmicznie terenach przedkarpackich bardzo często, w efekcie czego skały znajdowane są w wielu miejscach północnej Wołoszczyzny.

Rezerwat znajduje się po prawej stronie drogi prowadzącej z Costeşti do Govory, na zakręcie serpentyny w lewo. Na poboczu obok wkopanych w formie ogrodzenia opon ciężarówek jest nieco miejsca do zaparkowania.

efektowną dekoracją są także rzeźbione obramowania okien.

Do Băile Govora jeździ z Râmnicu Vâlcea kilka autobusów dziennie, do klasztoru trzeba podejść około 3 km. W uzdrowisku jest spory wybór miejsc noclegowych, np. w dużym hotelu *Oltenia*** na str. T Vladimirescu 164, (☎0250/770212; pokój 2-os. 22 €, apartament 65 €). Niedrogi nocleg można znaleźć w dwuosobowych domkach kempingowych koło basenu Salus (8 €) oraz w kwaterach prywatnych.

MĂNĂSTIREA BISTRIŢA

Kilka kilometrów na północ od Costeşti przetrwały średniowieczne zabudowania klasztoru Bistriţa, założonego w 1492 r. przez hospodara Vlada Călugărula. Na początku XVI w. monastyr został uszkodzony na skutek walk hospodara Mihnei cel Rău ze zbuntowanymi bojarami z Krajowej, którzy następnie dali środki na jego odbudowę. Renowacja rozpoczęta w 1683 r. ciągnęła się aż do połowy XIX w. W 1856 r. na miejscu starej cerkwi zbudowano nową świątynię, która stoi do dziś na jednym z dziedzińców. Z fundacji bojarów z Krajowej pozostała jedynie niewielka cerkiewka na wzgórzu (*bolniţa*, czyli cerkiew szpitalna) datowana na 1520–1521 r. Została ona odrestaurowana przez Constantina Brâncoveanu, który nakazał również pokryć wnętrze nowymi malowidłami oraz dobudować przedsionek.

Kolejną atrakcją monastyru jest **Jaskinia św. Jerzego** (Peştera Sf. Gheorghe), zwana również Jaskinią Nietoperzy (Peştera Liliecilor). Wewnątrz mieści się wykuta w skale świątynia oraz piękna pustelnia. W przeszłości, podczas tureckich najazdów, ukrywano w niej klasztorne skarby i relikwie. Aby zwiedzić jaskinię należy zgłosić się do sióstr w klasztorze. Spacer stromą ścieżką w towarzystwie zakonnicy trwa około 15 minut. Po dojściu do zamkniętego kratą, ciasnego otworu trzeba przecisnąć się wąskim i niskim korytarzem do sporej sali, u wylotu której, po prawej stronie, widać pustelnię. Idąc korytarzem w lewo, dochodzi się do wspomnianej cerkwi wykutej w skale. Trzeba pamiętać o zachowaniu powagi i ubraniu długich spodni. Jaskini nie powinny zwiedzać osoby cierpiące na klaustrofobię. Przyda się latarka.

Do klasztoru Bistriţa kursuje z Râmnicu Vâlcea kilka autobusów dziennie.

MĂNĂSTIREA ARNOTA

Pięknie położony monastyr Arnota powstał z inicjatywy hospodara Matei Basaraba, który ufundował go na początku swoich rządów (1633). W klasztornej cerkwi spoczywa fundator oraz jego ojciec Danciu, który walczył u boku Michała Walecznego. Cerkiewka jest prostą, solidną budowlą na planie koniczyny z otwartym przedsionkiem. Przednawie i nawa nie są oddzielone ścianą, nawę przykrywa duża kopuła, a przednawie mniejsza, osadzona na wielokątnym bębnie. Elewację dzieli na pół gzyms obiegający cerkiew naokoło, na dole i na górze są ślepe łukowe nisze różnej wielkości. Wśród oryginalnych fresków uwagę przyciąga przedstawienie fundatora, Matei Basaraba. W 2005 r. całe założenie klasztorne było w remoncie.

Do klasztoru Arnota nie kursują autobusy, ale można tam podejść z klasztoru Bistriţa (kilka połączeń z Râmnicu Vâlcea) stromym, utwardzonym traktem (5 km). Drogą jeżdżą samochody osobowe, więc nie powinno być problemów ze złapaniem okazji. Jedynie ostatnie 1,5 km powyżej kamieniołomu lepiej pokonać pieszo.

MĂNĂSTIREA HUREZ

Aby dojechać do Mănăstirea Hurez, należy skręcić na północ (w prawo) kilka kilometrów za skrętem do Bistriţy i Arnoty, a przed miasteczkiem Horezu. Klasztor stoi 3 km od głównej drogi przy wiosce Romanii de Jos. To jeden z najcenniejszych średniowiecznych zabytków Wołoszczyzny (wpisany na Listę Światowego Dziedzictwa Kulturalnego i Przyrodniczego UNESCO), podręcznikowy przykład stylu epoki Brâncoveanu (bilety 0,60 €). Decyzja o budowie monastyru zapadła po objęciu władzy przez Constantina Brâncoveanu (1688) – klasztor ukończono w 1697 r. Kompleks na planie prostokąta chroni od strony wschodniej potężny mur. Południowa flanka obejmuje pałac książęcy, opactwo, dzwonnicę, bibliotekę oraz wejście na dziedziniec. Dzwonnicę o prostokątnej podstawie zdobią dwa rzędy płytkich nisz. Stare drewniane wrota pod nią prowadzą na drugi dziedziniec.

Na parterze po zachodniej stronie dziedzińca znajduje się refektarz i kaplica hospodarska (oba pomieszczenia pokryte freskami), a na piętrze – cele mnichów. Przy murze po wschodniej stronie dziedzińca można dostrzec pozostałości studzienki, nad którą stanęła kapliczka (1752–1753);

jej zadaszenie podpiera z jednej strony mur, a z drugiej – dwie ładne kolumienki. Przestrzeń nad łukami oraz sklepienie pokrywają malowidła. Pośrodku dziedzińca wznosi się duża **Biserica Sf. Treime** (cerkiew św. Trójcy) wybudowana w latach 1691–1694. Świątynia ma układ typowy dla epoki Brâncoveanu. Składa się z nawy, przednawia oraz trzech absyd (dwie konchy boczne) i otwartego przedsionka. Elewację w dolnej części zdobią kwadratowe segmenty, a u góry ślepe arkady wypełnione okręgami. Warto zwrócić uwagę na ładny gzyms (imitacja sznura) biegnący naokoło mniej więcej w połowie wysokości. Do środka prowadzi misternie rzeźbiony portal z marmuru, nad nim widać inskrypcję, herby Wołoszczyzny i rodziny Cantacuzino. Pięknie rzeźbione drzwi wykonano z drewna gruszy.

Duża kopuła główna nad nawą wzorem bizantyńskim spoczywa na czterech masywnych łukach, a mniejsza nad przednawiem opiera się na ścianie oddzielającej obie części świątyni i na dwóch kolumnach. Wyjątkowość malowideł ściennych polega na tym, że przedstawiają nie tylko postacie świętych i sceny religijne, ale również, w pronaosie, członków rodziny Brâncoveanu oraz ich krewnych: Basarabów i Cantacuzino. W przedsionku zachowały się wizerunki trzech głównych mistrzów – murarza Manei, stolarza Istratego oraz rzeźbiarza Vucaşina.

Horezu słynie na całą Rumunię z pięknie malowanej ceramiki ze swoistym znakiem firmowym – postacią kogutka. Przy głównej drodze czynne są stragany, w których można nabyć po przystępnych cenach dzieła miejscowych mistrzów.

Do Horezu jeździ z Râmnicu Vâlcea kilkanaście autobusów dziennie (łącznie z tymi do Târgu Jiu). Aby dojechać do klasztoru, należy wysiąść przy skrzyżowaniu z prowadzącą do niego drogą i przejść się lub podjechać autostopem pozostałe 3 km. Ponadto do Horezu kursują 3 autobusy dziennie z Târgu Jiu.

MĂLDĂREŞTI

W odległej o około 4 km na południe od Horezu wiosce Măldăreşti przetrwały pozostałości ciekawej obronnej zabudowy wiejskiej, charakterystycznej dla wołoskich wiosek. Domy te (zwane *culami*), przeważnie na planie kwadratu, przypominały niewielkie twierdze i miały służyć do obrony przed napadami zbójów, jednak nie dawały szans w przypadku regularnego oblężenia.

Mieszkali w nich bojarzy sprawujących pieczę nad podległymi im wioskami.

W Măldăreşti zachowały się w dobrym stanie dwie *cule* oraz XVII-wieczna cerkiewka. Oba budynki wchodzą w skład muzeum (☎0250/861510; 1,20 €). **Cula Greceanu** zwana czasem Cula Veche (Stara Cula) lub Cula Măldăreşcu została wybudowana najprawdopodobniej na początku XVI w. przez rodzinę Măldăreşcu, od której pochodzi nazwa miejscowości. Dwupiętrowy biały budynek na planie litery „L" zdobi osłonięta weranda tuż pod dachem z niskimi masywnymi kolumienkami. Drugim z mniej interesująca **Cula Duca**, znana też jako Cula Nouă (Nowa Cula), z 1827 r. Nazwa pochodzi od I.G. Duca (1879–1933), rumuńskiego prawnika, polityka i premiera zabitego przez faszystowską Żelazną Gwardię, który mieszkał tu od 1907 r. O obronnym charakterze budowli świadczą otwory strzelnicze oraz potężne drzwi z drewnianych bali.

Osoby zainteresowane kupnem tkanych ręcznie kilimów i obrusów powinny poszukać pani Marii Neamţu zamieszkałej w południowej części wsi (pytać w muzeum).

Do Măldăreşti można dotrzeć z Horezu piechotą, podjechać autostopem lub minibusem zmierzającym do wiosek Oteşani, Popeşti lub Roeşti (kursy co 2,5 godz.). Świetnym (i tanim) rozwiązaniem jest nocleg w przygotowanym dla turystów domku służby przy *culach* (10 miejsc; łazienka i kuchnia wspólne; 3 €/os.).W celu rezerwacji trzeba skontaktować się z panem Liviu Neamţu z muzeum, mieszkającym przy parkingu pod Cula Duca.

TÂRGU JIU

Nazwa tego sporego ośrodka (ok. 100 tys. mieszkańców) nad rzeką Jiu, stolicy okręgu Gorj, pochodzi od targów, które w dawnych czasach odbywały się tu w każdy czwartek. Rumunom kojarzy się przede wszystkim ze znanym rzeźbiarzem Constantinem Brâncuşim (1876–1957) oraz kopalniami węgla, których pracownicy kilkakrotnie organizowali protestacyjne marsze na Bukareszt – tzw. mineriady.

Od XII w. miasto było centrum księstewka rządzonego przez wojewodę Litowoja i odgrywało ważną rolę ekonomiczną i polityczną. W 1716 r. okoliczni bojarzy zbuntowali się przeciwko tureckiemu panowaniu, ale w 1739 r. ich wojska (połączone z austriackimi oddziałami) pokonali Turcy, którzy uprowadzili wówczas mieszkańców pięciu wiosek wraz z całym dobytkiem.

Okolica Târgu Jiu była centrum powstania Tudora Vladimirescu, szerokim echem odbiła się tu również rewolucja w 1948 r. Od połowy XIX w. miasto stopniowo przekształcało się w ośrodek przemysłowy.

W Târgu Jiu nie ma szczególnie cennych zabytków, ale warto zatrzymać się tu przejazdem na pół dnia, aby zobaczyć wystawione w parku rzeźby Brâncuşiego oraz zwiedzić cerkiew i muzea.

Orientacja i informacje

Centrum wyznacza Calea Victoriei (na północnym odcinku zamknięta dla ruchu kołowego), biegnąca z północy na południe, od Piaţa Victoriei z cerkwią do skrzyżowania z przecinającą ją prostopadle str. Unirii, drugą główną ulicą Târgu Jiu.

Informacja turystyczna działa w hotelu *Gorj* (personel mówi po niemiecku i słabo po angielsku), można też zajrzeć do Guardo Tours (str. Crişan 3; ☎0253/223081).

Jedna z **aptek** jest przy blvd Republicii (naprzeciwko dworca), druga, czynna całą dobę Galien Farm, działa na str. Victoriei 27 (parter). **Pieniądze** można pobrać z bankomatu Banca Comercială Română (również kantor), dwa kolejne banki – Reiffeisen Bank i Banc Post są usytuowane naprzeciwko siebie, przy północnym końcu Calea Victoriei, za cerkwią Sf. Voievozi. **Kafejka internetowa** Internet & Games działa przy Calea Eroilor (w sąsiedztwie hotelu *Gorj*). W artykuły fotograficzne można się zaopatrzyć w sklepie **Fujifilm** naprzeciwko agencji CFR (przy str. Unirii) oraz w Cip Audio Video (str. Victoriei 44). **Główny urząd pocztowy** znajduje się na rogu str. Unirii i str. Victoriei. Druga poczta jest przy Calea Eroilor 17, w pobliżu bistro *Spring Time*, a oddział **Romtelecomu** na rogu str. Traian i str. V. Alecsandru, nieopodal domu kultury.

Zwiedzanie

Najwięcej rzeźb Constantina Brâncuşiego, wykonanych w latach 1937–1938 dla upamiętnienia ofiar I wojny światowej, stoi w parku rozciągającym się między blvd C. Brâncuşi a rzeką (na zachód od centrum). Do parku wchodzi się przez słynne **Poarta Sărutului** (Wrota Pocałunku) przypominające łuk triumfalny w Bukareszcie. **Aleea Scaunelor** (Aleja Krzeseł), przy której stoją kamienne krzesła, prowadzi do **Masa Tăcerii** (Stół Milczenia) otoczonego 12 kamiennymi stołkami, symbolizującymi miesiące. Nad rzeką nie sposób przeoczyć żeliwnego **mostu** (Podul peste Jiu) z lat 1894–1895, którego elementy wykonano we Francji.

Warto zajrzeć do **Muzeul de Artă** (Muzeum Sztuki; blvd C. Brâncuşi 124, na tyłach *Complex Turistic Constantin Brâncuşi*; ☎0253/218550; wt.–nd. 10.00–18.00; 0,60 €, ulgowy 0,30 €, fotografowanie 0,75 €, filmowanie 2,80 €) z ekspozycją poświęconą życiu rzeźbiarza oraz skromną kolekcją jego prac.

Kierując się w stronę centrum, po powrocie na blvd C. Brâncuşi warto skręcić w lewo (na północ) i za dużym hotelem w prawo w str. Traian. Na rogu stoi zabytkowa **Casa Barbu Gănescu** (dom Barbu Gănescu) z końca XVIII w., należąca niegdyś do rodziny oficera; w latach 1937–1938 mieszkał tu Brâncuşi. Idąc na wschód do Calea Victoriei, w którą trzeba skręcić w prawo, mija się Casa de Cultură (Dom Kultury) i stojący przed nim **pomnik** Constantina Brâncuşiego.

Na początku Calea Victoriei, pośrodku Piaţa Victoriei, stoi **Biserica Catedrală** (cerkiew metropolitalna), znana pod kilkoma innymi nazwami, m.in. jako **Biserica Domnească** (cerkiew Książęca). Świątynia powstała na miejscu starszej cerkwi z 1717 r. z funduszy zebranych przez miejscowych kupców w latach 1748–1764. Postacie dwóch głównych fundatorów Dobre Sârbu i Radu Cupeţu uwieczniono na zachodniej ścianie przednawia (freski zachowały się również na zewnątrz). Obok wznosi się imitujący starożytny sarkofag **Mausoleul Ecaterina Teodoroiu** (mauzoleum Ecateriny Teodoroiu) z 1935 r. z ciekawymi reliefami przedstawiającymi sceny z życia bohaterki wykonane przez Miliţa Pătraşcu. Ecaterina jako ochotniczka wstąpiła do armii podczas I wojny światowej, odniosła rany w kilku bitwach, za bohaterstwo odznaczono ją medalami i awansowano na porucznika. Zginęła w nocy z 22 na 23 sierpnia 1917 r., prowadząc natarcie w bitwie pod Dealul Secuiului (góra w Mołdawii nieopodal Muncelu).

Idąc na południe i skręcając w pierwszą ulicę w lewo (str. T. Vladimirescu), dociera się do **Muzeul Judeţean Gorj** (Muzeum Okręgowe; róg str. T. Vladimirescu i str. Geneva; wt.–nd. 9.00–17.00; 0,60 €, ulgowy 0,30 €) z ciekawą ekspozycją etnograficzną i historyczną. Kilkadziesiąt metrów dalej na wschód stoi XVIII-wieczna **Casa Măldărăscu** (dom Măldărăscu; str. T. Vladimirescu), jeden z najstarszych budynków w mieście. Podczas rewolucji 1821 r. mieściła się w nim główna kwatera turecka.

Najciekawsza i najbardziej niezwykła rzeźba Constantina Brâncuşiego stoi we wschodniej części miasta (ok. 1,5 km od centrum) w parku u zbiegu ulic Unirii i T. Vladimirescu. Słynna **Coloana Fără Sfârşit** (Kolumna Nieskończoności) ma prawie 30 m wysokości i składa się z kilkunastu stalowych elementów.

Noclegi i gastronomia

Do Târgu Jiu zagląda niewielu turystów, dlatego z noclegiem nie powinno być problemu nawet w lecie.

Najwięcej lokali gastronomicznych znajduje się przy Calea Victoriei i Calea Eroilor, w bezpośrednim sąsiedztwie hotelu *Gorj*. Jedna z lepszych **restauracji** działa przy hotelu *Gorj* (ta sama nazwa), obok jest niezo gorsza *Paradis*. Niezłą ofertę ma restauracja **Lider**, a także **pizzeria Zenon** i **klub Enigma** – w dzień kawiarnia, wieczorami pub. Warto zajrzeć do **restauracji Flora** przy Calea Victoriei (po prawej stronie). Dania typu fast food proponuje **Terasa Simigerie** (Calea Victoriei) oraz **Spring Time** (Calea Eroilor, w stronę Muzeum Okręgowego). Kawiarnia-pub *Tivoli* znajduje się naprzeciwko hotelu *Tineretului*.

Miejskie **targowisko** (Piaţa Centrala) jest usytuowane przy skrzyżowaniu str. Unirii i str. Plevnei. Supermarket Ana-Ma (czynny całą dobę) działa przy str. Unirii, niedaleko pomnika Tudora Vladimirescu.

Casa Tineretului* (str. N. Titulescu 26; ☎0253/238353). Bardzo tanio; dogodne położenie w pobliżu dworców kolejowego i autobusowego. Pokój 1-os. 7,50 €.

Complex Turistic Constantin Brâncuşi** (dawny hotel *Parc*, str. C. Brâncuşi 10; ☎0253/215981, fax 211167). Najlepszy hotel w mieście ze świetną restauracją; tuż przy parku. Pokój 2-os. 39 €, apartament 58 €.

Gorj** (Calea Eroilor 6; ☎0253/214814, fax 214822). Niezły hotel w centrum; w pobliżu jest kilka lokali gastronomicznych. Pokój 1-os. 20 €, 2-os. 40 €, apartament 45 €.

Sport** (str. C. Brâncuşi 7; ☎0253/214402, fax 218787). Coś dla mało wymagających. Utrudniony i dziwaczny dostęp (przechodzi się przez bramę, potem przez małą furtkę obok żołnierza z karabinem). Pokój 2-os. 18,50 €.

Informacje o połączeniach

Pociąg Dworzec kolejowy jest usytuowany w południowo-wschodniej części miasta, na końcu blvd Republicii. Aby dojechać do centrum, należy skierować się na zachód blvd Republicii, następnie skręcić w lewo w szeroką str. Unirii i potem w prawo w deptak Calea Victoriei. Târgu Jiu leży daleko od głównej linii kolejowej Bukareszt–Timişoara, dlatego nie odjeżdża stąd zbyt wiele pociągów. Miasto ma bezpośrednie połączenia z Bukaresztem (5 dziennie; 4,5 godz.), Krajową (8 dziennie; ok. 2,5 godz., możliwość przesiadki do Bukaresztu) oraz Filiaşi (2 dziennie; możliwość przesiadki do Bukaresztu), Devą (3 dziennie), Klużem i Aradem (po 1 dziennie) oraz Konstancą (1 dziennie, tylko w lecie). Ponadto codziennie odjeżdża jeden pociąg do Budapesztu i Salonik.

Agenţie de Voiaj CFR ma siedzibę przy głównej str. Unirii (bl. 2; ☎0253/211 924) w pobliżu poczty.

Autobus Dworzec autobusowy sąsiaduje z kolejowym (niecałe 150 m na południe). Odjeżdżają z niego autobusy do Timişoary (kilka dziennie), Bukaresztu (kilka dziennie), Horezu (4 dziennie), Drobeta-Turnu Severin (3 dziennie), Sybina (1 dziennie), Râmnicu Vâlcea (2 dziennie), Klużu (1 dziennie), Hunedoary (1 dziennie) oraz Baia de Aramă (kilka dziennie; można dojechać do monastyru Tismana, wiosek: Hobiţa, Ponoarele i Padeş).

MĂNĂSTIREA TISMANA I PADEŞ

Monastyr, około 40 km na zachód od Târgu Jiu we wsi Tismana, w dolinie rzeki o tej samej nazwie, wybudowano na wzgórzu pod koniec XIV w. z inicjatywy św. Nikodema, mnicha uznawanego za twórcę życia monastycznego w Rumunii. Fundator założenia, hospodar Radu I wybrał to miejsce nieprzypadkowo – usytuowany nieopodal węgierskiej granicy klasztor miał hamować zapędy katolików. Wkrótce stał się potężną domeną feudalną (mnisi zarządzali 10 wsiami w najbliższej okolicy, 10 wsiami w Serbii, 10 osiedlami cygańskimi oraz wieloma punktami celnymi, ponadto posiadali duże połacie ziemi z lasami, stawami rybnymi itp.). Po śmierci Nikodema klasztor mocno podupadł. Nowe życie tchnął weń hospodar Radu cel Mare (1496–1508).

W latach 1610–1611 podczas najazdów Gabriela Batorego zostały zniszczone obwarowania, które odbudował Matei Basarab (1632–1654). Ten sam władca ufundował mniejszą cerkiew, a właściwie kaplicę stojącą tuż poza murami monastyru. W 1716 r. kompleks splądrowali austriaccy żołnierze i od 1718 do 1739 r. był on zajęty przez cesarskie oddziały. W XVIII w. dwukrotnie odnowiono malowidła cerkiewne (w 1732 i 1766 r.). Podczas powstania Tudora Vladimirescu w 1821 r. w klasztorze kilkakrotnie zbierali się buntownicy, aby planować kolejne akcje.

Za panowania hospodara Gheorghe Bibescu (1842–1848) dokonano gruntownej przebudowy cerkwi i całego założenia. W 1934 r. zaczęto przywracać kompleksowi pierwotną formę, ale nie do końca się to udało.

Cerkiew klasztorna ma typowy układ – przedsionek (w którym pochowany jest św. Nikodem), przednawie i nawa (oddzielone ścianą) oraz absyda i dwie konchy od południa i północy. Nad przednawiem i nawą górują spłaszczone kopuły na wysokich ośmiokątnych bębnach. Uwagę zwraca piękny ikonostas. Elewacja jest bardzo skromna: jedyne ozdoby to nieliczne okienka (najciekawsze, w absydzie, ma roślinną dekorację) i ślepe arkady. Przy klasztorze działa muzeum. Druga bardzo ładna cerkiewka stoi na terenie cmentarza.

Nocleg można znaleźć w komfortowym domu pielgrzyma (pod klasztorem; pytać w budyneczku na lewo od bramy, koło parkingu) lub w hotelu w górnej części doliny.

We wsi **Padeş** warto obejrzeć pomnik w kształcie piramidy postawiony w 1927 r. na pamiątkę wystąpienia Tudora Vladimirescu. 23 stycznia 1821 r. wezwał on ludność do powstania i wygłosił proklamację. Pomnik ma 9,5 m wysokości, a długość boku u podstawy wynosi 9,5 m.

Oba miejsca są nieco oddalone od drogi nr 67D Târgu Jiu–Drobeta-Turnu Severin. Po wyjściu z autobusu (kilka dziennie do Baia de Aramă i 3 dziennie do Turnu Severin) trzeba przejść się piechotą lub podjechać autostopem zarówno do klasztoru (ok. 6 km), jak i do Padeş (ok. 4 km, od Baia de Aramă 7 km). Skręt do monastyru jest mniej więcej po 34 km jazdy, a do Padeş – około 7 km dalej.

DROBETA-TURNU SEVERIN

To spore miasto nad Dunajem (120 tys. mieszkańców) szczyci się grecko-dackimi i rzymskimi korzeniami. Pamiątkami po panowaniu tych ostatnich są nieliczne ruiny i pozostałości antycznego mostu.

Drobeta-Turnu Severin jest dogodnym przystankiem dla turystów udających się do Serbii, a podróżujących od strony Morza Czarnego lub Turcji.

Za czasów Daków na miejscu obecnego miasta istniało osiedle Drobeta, o którego znaczeniu świadczyło połączenie drogowe ze stolicą Dacji Sarmizegetuzą. W czasie wojny dacko-rzymskiej cesarz Trajan (98–117) kazał wybudować most nad Dunajem, a w II w. powstała twierdza (*castrum*), która miała chronić most oraz kontrolować ruch na rzece. Drobeta była jednym z ważniejszych osiedli rzymskich w całej prowincji i nawet po wycofaniu się Rzymian (II połowa III w.) tętniła życiem. W 1524 r. twierdzę zniszczyli Turcy.

Węgrzy penetrowali te obszary już za panowania króla Andrzeja II (1205–1235) i kilka lat później, po najeździe Mongołów (1241) ustanowili tzw. Banat Seweryński – przyczółek do planowanego podboju Wołoszczyzny. Do obrony granic państwa król Bela IV zatrudnił joannitów, którzy w 1247 r. otrzymali tam ziemię i kilka wiosek. Po ukształtowaniu się państewek rumuńskich na wschód od Severinu (od połowy XIV w.) ziemie te przechodziły z rąk do rąk między Węgrami i Rumunami. Warto wiedzieć, że król Węgier Zygmunt Luksemburski (1387–1437) osadził w Drobecie Krzyżaków, sprowadzając ich ponownie do swojego królestwa po poprzednim wygnaniu. Mistrz zakonu był nawet w pewnym momencie (1430) banem (namiestnikiem) prowincji. W 1438 r. banem Severinu został Jan Hunyady, a w 1524 r. miasto wpadło w ręce Turków (za rządów sułtana Sulejmana Wspaniałego). Źródła z XVI w. przekazują, że znajdował się tu punkt celny.

Od XVI w. Drobeta spokojnie się rozwijała i tak dotrwała do XIX w., kiedy to mieszkańcy okręgu Severin wzięli udział w powstaniu Vladimirescu (1821), a następnie rewolucji 1848 r. Industrializacja przyczyniła się do kolejnego rozkwitu ośrodka, a za rządów komunistycznych Drobeta została stolica województwa Mehedinţi, którą tę rolę pełni do dziś.

Orientacja

Centrum skupia się pomiędzy biegnącym ze wschodu na zachód szerokim blvd T. Vladimirescu, prostopadłą do niego str. Smârdan na wschodzie, równoległym Dunajem na południu (blvd Carol I) i prostopadłą str. Cicero na zachodzie. Ponieważ ulice układają się w regularną siatkę z kilkoma placami, nie można się tu zgubić. Pośrodku tego kwadratu ciągnie się z północy na południe str. Crişan z bardzo charakterystyczną zabytkową wieżą ciśnień. Ulica ta w przeważającej części jest deptakiem: bardzo długim po północnej stronie od blvd T. Vladimirescu i krótszym, rozdwojonym na str. I.G. Bibicescu i str. Costescu na południe od Piaţa Rădu Negru.

Zwiedzanie

Nieopodal parku na wschodnim krańcu blvd Republicii stoi duży budynek ciekawego **Muzeul Porţilor de Fier** (Muzeum Żelaznej Bramy; str. Independenţei 2; ☎0252/312177, muzeulpdf@terrasat.ro; wt.–nd. 9.00–17.00; 0,50 €, ulgowy 0,25 €) z czterema działami: akwarium (ichtiofauna Dunaju), historii naturalnej, historii oraz sztuki ludowej. Wśród eksponatów jest model mostu Trajana, którego fragmenty (pozostałości przyczółków) można oglądać do dziś: jeden obok muzeum, za linią kolejową, drugi koło serbskiej miejscowości Kostol. Zbudował go syryjski architekt Apollodorus z Damaszku w latach 103–105, a w pracach brały udział trzy rzymskie kohorty (czyli ok. 1500 żołnierzy) oraz jeden legion (5 tys. żołnierzy). Długość konstrukcji wynosiła 1134 m, szerokość 14,5 m, a wysokość 18,5 m. Za materiał do budowy służył kamień z pobliskich kamieniołomów oraz dęby z okolicznych lasów. Przy bramie muzeum znajduje się czynny okresowo punkt informacyjny Parku Krajobrazowego Żelaznej Bramy.

Wschodnią część parku zajmują ruiny **obozu rzymskiego Drobeta** (do niego dochodził most Trajana). Obwarowania powstawały w trzech etapach: za panowania cesarza Trajana (II w.), 200 lat później (IV–V w.) i w końcu za czasów Bizancjum, w VI w. (wybudowano wtedy wieżę). Drobeta była pierwszym na terenie Dacji rzymskim zamkiem wzniesionym z kamienia (136 m długości i 123 m szerokości). Z czterech stron przebito bramy (główna znajdowała się od południa) flankowane dwiema dwukondygnacyjnymi wieżami. Do naszych czasów przetrwały tylko wysokie na około 1,5 m fundamenty – pierwotnie o wysokości 4,5 m wysokości, chronione przez szeroki (6 m) wał ziemny. Wewnątrz *castrum* były mieszkania oficerów, magazyny broni i prowiantu oraz baraki dla żołnierzy, a w jednym z rogów stała niewielka świątynia. W czasach panowania cesarza Konstantyna Wielkiego zrujnowany już wówczas obóz odbudowano i wzmocniono kilkoma dodatkowymi wieżami. Twierdza zachowała się z pewnością do czasów panowania cesarza Justyniana (połowa VI w.) i została zniszczona podczas najazdu Hunów ze słynnym Attylą na czele (?–453). Niedługo potem powstały nowe obwarowania z wysoką i masywną wieżą (12,5 m średnicy), otoczone pięciometrowej głębokości fosą. O wielkości wieży świadczy fakt, że to głównie materiał z jej rozbiórki posłużył Turkom do wybudowania podstaw warowni Fetislam w Kladowie (Serbia) i Widyniu (Bułgaria).

Nieopodal twierdzy (bliżej mostu) widać ruiny **średniowiecznego kościoła** z XIV w. Prostokątny zarys fundamentów na osi północ–południe ma wymiary 16 na 8,5 m. Przy wejściu stały dwa kamienne filary, a wielokątna absyda wspierała się na pięciu przyporach. Nieco dalej na zachód (prowadzi tam zarośnięta ścieżka) można dostrzec pozostałości **rzymskiej łaźni**. Składała się ona z kilku pomieszczeń, m.in. pokoju adaptacyjnego, łaźni wodnej i parowej oraz sali z zimnym basenem.

Kilkaset metrów na zachód od kompleksu muzealnego przy blvd Dunării zachowały się ruiny jeszcze jednej **twierdzy**, również położonej nad Dunajem, ale nieco dalej od brzegu (pomiędzy rzeką a twierdzą przebiega dziś linia kolejowa). Warownia miała podwójne obwarowania otoczone fosą. Wykopaliska odsłoniły podstawy pięciu wież, które flankowały twierdzę od strony południowej, północnej (po dwie) i zachodniej. Pomiędzy wieżami południowymi powstał świetny punkt obserwacyjny i obronny – w stronę Dunaju były skierowane katapulty i działa. Wysokie na 2–5 m mury wzniesiono z kamienia powiązanego mocną zaprawą, a ściany zewnętrzne powstały z wapienia i ceglanego gruzu. Całość założenia datuje się z I połowy XV w.

Pośród murów dobrze widać pozostałości **kościoła** (prawdopodobnie z XVI w.) wybudowanego na planie prostokąta na przemian z warstw cegieł i kamienia. W tym samym miejscu stała wcześniej świątynia trójkonchowa. Za czasów rządów Pippa Spana i Jana Hunyadyego kościół służył katolikom, potem przeszedł w ręce prawosławnych i w końcu zaniedbany wraz z twierdzą popadł w ruinę.

Noclegi

W mieście działa kilka droższych i tańszych hoteli. Większość z nich jest w centrum.

Continental★★★ (dawny hotel *Parc*; blvd Carol I nr 2; ☎0252/306730, fax 306707, www.continentalhotels.ro). Ekskluzywny, najlepszy hotel w mieście. Niedaleko stąd do Dunaju i zabytków. Pokój 1-os. 41 €, 2-os. 55 €, apartament 77 €.

Hip (str. I.C. Bibicescu 4; ☎0252/313841). W pobliżu hotelu *Continental*, ale oprócz położenia nic go z nim nie łączy. Niezbyt czysto, bardzo tanio; łazienki w pokojach. Pokój 1-os. 6,50 €, 2-os. 19,50 €, 3-os. 16 €. Na parterze kawiarnia *Ada Kaleh*.

Severin★★ (str. M. Eminescu 1, róg blvd Carol I; ☎0252/312074). W budynku ukrytym wśród drzew. Pokój 1-os. 16 €, 2-os. 23 €, apartament 43 €.

Casa Tineretului (str. Crişan 25; ☎0252/317 999). W socrealistycznym budynku przy deptaku (wejście z boku). Tanio. Pokój 2- i 3-os. 6,50 €/os.

Traian** (str. T. Vladimirescu 74; ☎0252/311 760, fax 310290). Wysoki budynek przy głównym skrzyżowaniu. Niezła restauracja. Pokój 1- i 2-os. 40 €, apartament 45 €.

Pensjonat Europa**** (str. T. Vladimirescu 66, ☎0252/333737, fax 325288, www.pensiunea-europa.ro). Wysoki standard. Pokój 1-os. 34 €, 2-os. 45 €, apartament 60,50 €.

Gastronomia

Na brak restauracji nie można narzekać – są w najważniejszych punktach miasta oraz przy każdym lepszym hotelu. Dużo tanich knajpek (przede wszystkim fast foodów) działa przy Piaţa Mircea.

Hala targowa Rădu Negru jest ulokowana u zbiegu str. Bibicescu i str. Costescu przy południowym krańcu str. Crişan, a obok działa duży sklep spożywczy. Drugie targowisko znajduje się na Piaţa Mircea.

Aurora Pub (Piaţa Rădu Negru, przy kafejce internetowej *Oxigen*). Tania kawiarnia i bar w samym sercu miasta.

Café Bar Cupidon (str. Traian 121). Z zewnątrz prezentuje się lepiej niż wewnątrz, ale kawę podają tu świetną (0,45 €).

Casa Mehedinteana (str. D. Cantemir). Dobre jedzenie. W piwnicach bardzo popularny *Underground Pub*; często muzyka na żywo.

Grigo (str. T. Vladimirescu 126; ☎0252/324181). Dobra pizzeria (firmowa Grigo 2,90 €).

Lebada Restaurant (Piaţa Eliade 6). W ładnie odnowionej piętrowej kamienicy. Jedna z lepszych restauracji w tej części miasta; kuchnia rumuńska (obiad ok. 3 €).

Kosova (blvd T. Vladimirescu, naprzeciwko hotelu *Traian*). Właścicielem kawiarni jest Albańczyk.

OK (blvd Tudor Vladimirescu, 500 m od hotelu *Traian*). Dobra restauracja specjalizująca się w kuchni rumuńskiej.

Informacje o połączeniach

Pociąg Dworzec kolejowy jest usytuowany w południowo-zachodniej części miasta (ok. 1 km od centrum), nad Dunajem. Żeby dotrzeć do południowego odcinka str. Crişan, należy po wyjściu ze stacji skierować się w prawo i iść prosto wzdłuż torów do str. Portului, która prowadzi do celu. Miasto ma całkiem sporo połączeń, m.in. z Timişoarą (11 dziennie; pośpieszny ok. 3 godz. 40 min), Bukaresztem (8 dziennie; 5 godz.), Krajową (4 dziennie; ok. 3 godz.) i Mangalią (tylko w lecie, 1 dziennie), a także Belgradem (1 dziennie; ok. 7 godz.) oraz Budapesztem (1 dziennie; ok. 11 godz.). **Agenţie de Voiaj CFR** ma siedzibę przy str. Decebal 43 (☎0252/313117), w pobliżu urzędu pocztowego.

Autobus Dworzec autobusowy znajduje się w północno-wschodniej części miasta, przy skrzyżowaniu blvd T. Vladimirescu i str. Topolniţei, około 700 m od centrum. Aby dojść w okolice str. Crişan, należy po wyjściu z placu dworcowego skierować się w prawo, potem w lewo (w blvd T. Vladimirescu) i iść cały czas prosto aż do hotelu *Traian*.

Z Drobeta-Turnu Severin odjeżdżają autobusy do Timişoary (kilka dziennie), Krajowej (4 dziennie), Hunedoary (2 dziennie) i Târgi Jiu (2 dziennie) oraz kilka minibusów do Portale de Fier (ok. 30 min) i Băile Herculane. Autobusem można też dojechać do Serbii (miasteczko Negotin i Pożarewac; odjazd 15.30).

Informator

Apteki Sensiblu (str. Horia 12) – non stop, Farmexim (blvd T. Vladimirescu 142).

Internet Kafejki: *Oxigen Net & Games*, w zachodniej części Piaţa Rădu Negru, i przy blvd T. Vladimirescu, na zachód od hotelu *Traian*.

Laboratorium fotograficzne Sklep Agfa Image Center na (róg str. I.G. Bibicescu i str. Averescu) i Minetti Foto Film str. Traian 119.

Poczta i telekomunikacja Główny urząd pocztowy – str. Decebal 41, nieopodal agencji CFR, druga poczta – na dworcu kolejowym. Placówki Romtelecomu – nieopodal głównej poczty (str. Decebal) oraz w sąsiedztwie hotelu *Traian* (Calea Târgu Jiu).

Wymiana walut i banki Banca Comercială Româna – w pobliżu poczty, na rogu str. Costescu i str. Aurelian. Reiffeisen Bank – na rogu str. Bibicescu i str. Traian. Banc Post – obok teatru (róg blvd Carol I i str. Costescu). Kilka kantorów można znaleźć przy str. Traian, między str. Horia a str. Smârdan.

Zakupy Duży dom towarowy Decebal stoi przy Piaţa Rădu Negru.

CERNEŢI

Około 4 km na północny wschód od miasta leży wioska Cerneţi z **culą Tudora Vladimirescu**, w której przez pewien czas mieszkał przywódca powstania z 1821 r. Budowla znajduje się na wzgórzu ponad wsią i do złudzenia przypomina miniaturowy zamek. Masywny dom składa się z parteru i piętra z obszernym gankiem od strony północno-zachodniej. Dębowe drzwi wzmocnione żelaznymi prętami zamyka się od wewnątrz na żelazną sztabę. Najbardziej osobliwa jest część z wieżyczką, do której prowadzi przewiązka. Wieżyczka służyła do obrony, ale nie tylko – na co dzień pełniła funkcję ubikacji. Wewnątrz *culi* prezentowana jest ekspozycja poświęcona powstaniu 1821 roku i jego przywódcy (0,40 €).

Do wioski kursują autobusy #8 z Drobety odjeżdżające z placu Unirii. Z centrum wsi trzeba się kierować na północ, a po przejściu torów kolejowych wspiąć się wśród winnic do widocznej z daleka *culi* (ok. 3 km).

PORŢILE DE FIER

Podążając z Drobety w stronę Băile Herculane wzdłuż Dunaju (droga krajowa nr 6, E70), tuż za wioską Gura Văii natrafia się na wylot słynnej **Żelaznej Bramy**. Nazwa ta odnosi się także do ogromnej hydroelektrowni wybudowanej wspólnymi siłami przez Rumunię i Jugosławię, gdzie funkcjonuje przejście graniczne. Dawniej tym mianem określano odcinek Dunaju rozpoczynający się mniej więcej w tym miejscu i ciągnący się na długości około 120 km w przełomowej dolinie pomiędzy Górami Banackimi w Rumunii i Górami Wschodnioserbskimi w Serbii.

Po wybudowaniu tamy (lata 1964–1972) na odcinku o długości 150 km powstał duży akwen (pojemność 5 mld m^3). Poziom wody podniósł się o około 30 m, zatapiając m.in. wyspę Ada-Kaleh, na której stała turecka twierdza, oraz kilka miejscowości. Mimo to Dunaj wciąż zachwyca malowniczością – jego strome brzegi przypominają norweskie fiordy.

Zapora ma 941 m długości i 58 m wysokości, elektrownia Djerdap I (Djerdap II jest około 80 km dalej na południu) ma moc 2100 MW, podczas gdy Djerdap II – 430 MW.

Przy Żelaznej Bramie działa niezły **Continental Motel Porţile de Fier***** (Calea Timişoarei 16, Gura Văii; ☎0252/342144, fax 342143; pokój 1-os. 42 €, 2-os. 54 €, apartament 81 €). Do zapory można dojechać z Drobety autobusem (2 dziennie; ok. 30 min).

MĂNĂSTIREA VODIŢA

Jadąc dalej w stronę Orşovy, można podziwiać dokonania inżynierii kolejowej (tory na tym odcinku biegną aż po 56 wiaduktach, przebijając się tunelami przez dzie-

więc gór). Po kilku kilometrach skręca się w prawo do klasztoru Vodiţa (1,5 km od drogi głównej). Obecnie jest to drewniana cerkiew w stylu marmaroskim ze skromnymi zabudowaniami. Po prawej stronie widać ruiny monastyru (fundamenty i ściana cerkwi) ufundowanego przez hospodara Vladislava Vlaicu (1364–1377). Wojewoda hojnie obdarował mnichów ziemią, ale w 1532 r. wszystkie grunty przeszły we władanie monastyru w Tismanie (zob. s. 143), co każe przypuszczać, że klasztor Vodiţa już wówczas nie istniał. Materiał z rozbiórki wykorzystali pod koniec XVII w. Austriacy, którzy zbudowali w pobliżu magazyny i obwarowania.

Aby dostać się do klasztoru Vodiţa, należy w Drobecie wsiąść do autobusu do Orşovy (kilka dziennie) i poprosić kierowcę, żeby zatrzymał się przy zjeździe do monastyru, skąd trzeba podejść około 1,5 km.

BĂILE HERCULANE

Kurort słynący z leczniczych źródeł termalnych leży w malowniczej dolinie Cerny, pomiędzy górami Cernei (Munţii Cernei) po zachodniej i górami Mehedinţi (Munţii Mehendinţi) po wschodniej stronie rzeki. Bardzo popularne rumuńskie uzdrowisko odwiedzają w lecie tłumy kuracjuszy, także z zagranicy (Węgrzy, Serbowie i Rosjanie). Poza sezonem mieszka tu tylko 6 tys. osób, z których większość żyje z turystyki.

Siarczanowe i chlorowo-sodowe gorące źródła radioaktywne (do 56°C) wspomagające leczenie schorzeń reumatycznych i narządów ruchu są znane od czasów antycznych. Przekazy o nich pojawiają się już podczas wyprawy wojsk rzymskich na Dację (I w. n.e.). Po zajęciu Dacji Rzymianie nazwali miejscowość Thermae Herculi, wznieśli w niej świątynię, kilka łaźni i pomnik Herkulesa, ponieważ z nim kojarzono moc, która miała wypływać wraz z wodą z okolicznych gór. Czczono tu również Eskulapa (bóg sztuki lekarskiej) i boginię Higieję. Uzdrowisko działało z powodzeniem przez 170 lat, następnie w trakcie wędrówek ludów i przemarszów wojowniczych plemion zostało zniszczone i zapomniane – odkryto je ponownie pod koniec XVIII w. W następnym stuleciu cieszyło się ogromną popularnością, a odwiedzali je m.in. cesarz Franciszek Józef i jego żona Elżbieta Bawarska (Sissi).

Obecnie większość wspaniałej XIX--wiecznej zabudowy jest w ruinie, ale po latach kryzysu Băile Herculane zaczyna odżywać. Niezbyt wygórowane ceny w hotelach przyciągają nawet mniej zamożnych urlopowiczów. Są wśród nich nie tylko kuracjusze, ale także miłośnicy górskich wędrówek – okoliczne góry Cernei i Mehedinţi są bowiem jednym z nielicznych miejsc w Karpatach, gdzie spotkać można prawdziwie bałkańskie krajobrazy (zob. rozdział *Góry*).

Orientacja i informacje

Główną ulicą Băile Herculane jest str. Cernei, biegnąca wzdłuż wschodniego brzegu rzeki od cerkwi przez centralną Piaţa Hercules do uliczki do hotelu *Roman*, przy której stoi kościół katolicki (msze nd. 10.30). Po zachodniej stronie rzeki biegnie równoległa str. Izvorului, są tam hotele, źródełka i łaźnie.

Biuro informacji turystycznej (Agenţia de Turism Hercules; ☎/fax 0255/560454) jest ulokowane przy Piaţa Hercules 3 obok banku BCR. Informacje o górskich szlakach można też uzyskać w recepcjach hoteli: *Apollo* (naprzeciwko) oraz *Roman*. Mapę miasteczka i okolic oraz przewodniki (po rumuńsku) najłatwiej kupić w księgarni Eurosop w dawnym kasynie.

Apteka jest przy kompleksie hotelowym przy str. Trandafirilor, **bank** Banca Comercială Română przy Piaţa Hercules 4 (naprzeciwko hotelu *Apollo*), pieniądze można wymienić w kantorze w hotelu *Roman*. **Poczta** działa przy Piaţa Hercules 1 obok agencji CFR, druga przy str. Trandafirilor 11, tam także jest placówka **Romtelecomu**.

Zwiedzanie

Podstawową atrakcją w kurorcie są oczywiście kąpiele termalne w basenach i łaźniach. Niektóre ośrodki wymagają skierowania lekarskiego, ale niekiedy pani pilnująca przybytku przymyka oko na brak kwitka, a nierzadko lekarz wystawi go bez większych problemów.

Łaźnie Neptuna (Băile Neptun) lub Siarczane (Băi Sulfuroasa) w klasycznym secesyjnym pałacu (częściowo w remoncie) istnieją od pierwszej połowy XIX w. Kąpieli zażywa się w niewielkich basenikach, a skierowanie najłatwiej otrzymać u dr Silvoşanu pracującego w hotelu *Hercules*. Kąpiel kosztuje 1,30 €. Łaźnie są też w **hotelu** *Apollo* (na miejscu lekarz; 1 €). Najlepszym miejscem na relaks są przeznaczone specjalnie dla turystów **łaźnie Ştrand Terma** (bez skierowań, temperatura wody 30°C; 10.00–18.00; 0,60 €) z basenem na wolnym powietrzu oraz mniejszy-

mi krytymi basenikami. Można też skorzystać z **łaźni w hotelu** *Roman*, których dzieje sięgają czasów starożytnych. Pozostałe po Rzymianach ruiny pieczołowicie odbudowano, a nad nimi wzniesiono hotel. Kąpiel tutaj kosztuje 15 €/2 godz., a więc jest najdroższa w całym kurorcie. Na drugim piętrze funkcjonuje zwykły współczesny basen (2 €).

Na terenie uzdrowiska rozrzucone są źródełka z wodą mineralną charakteryzującą się wysoką zawartością siarki (łagodzącą problemy żołądkowe), niektóre fantazyjnie obudowane. **Izvorul Neptun II** w pobliżu hotelu *Herkules* to kamienna altanka, gdzie z lwiej głowy leje się woda, obok jest skromniejsze źródło **Neptun III**. Blisko hotelu *Roman* wypływa **Izvorul Hercule II**.

W centrum, w głębi str. Cernei, stoi ciekawy budynek dawnego **kasyna** wybudowany przez Habsburgów w 1800 r., połączony z pawilonami, w których mieściły się hotele (obecnie w remoncie). W części kasyna urządzono skromne **Muzeul de Istorie** (Muzeum Historyczne; wt.–nd. 10.00–18.00; 0,60 €). Przed kasynem nie sposób przeoczyć ogromnej 200-letniej **sekwoi**.

Kilka kilometrów w górę doliny Czernej znajdują się prymitywne baseny termalne „7 izvoare" (ok. 50 min pieszo z uzdrowiska). Miejsce można rozpoznać bez trudu po zaparkowanych samochodach i rozbitych przy drodze namiotach. Kąpiel w źródłach jest darmowa. W okolicy działa kemping *7 Izvoare* (2 €/namiot; brak ciepłej wody, co dziwi przy gorących źródłach w pobliżu!), a także kilka budek z fast foodem i napojami.

Noclegi i gastronomia

Jak na popularne uzdrowisko przystało, w Băile Herculane i okolicach jest mnóstwo hoteli i pensjonatów w każdej kategorii cenowej. Najtańszym rozwiązaniem w okresie letnim (V–IX) są pola namiotowe: *Popas Flora* (str. Castanilor 29; ☎0255/560929), *Ocolul Silvic* (str. Castanilor18; ☎0255/560518, fax 560510), *Hercules*** na północ od dworca (drogo, ale komfortowo; namiot 9 €) oraz *7 Izvorae* (3 km od Băile Herculane w stronę Târgu Jiu; ☎0744/624505, 2 €/namiot).

Większość restauracji to lokale hotelowe (otwarte dla gości z zewnątrz). W zachodniej części miejscowości przy str. Trandafirilor jest niezła **restauracja** *Cezar*, a w centrum w dawnym kasynie mieszczą się restauracje *Casino* i *Rustic* oraz oryginalna secesyjna **kawiarnia** z nastrojową muzyką. Przy Piąta Hercules działa kawiarnia **Magnolia** (naprzeciw hotelu *Ferdynand*).

Targowisko znajduje się przy kompleksie hotelowym przy str. Trandafirilor.

Hotele i pensjonaty

Afrodita** (str. Compexelor 2; ☎0255/560730, fax 560734, www.herculane.ro), **Diana**** (str. Compexelor 1; ☎0255/560495) i **Minerva**** (str. Compexelor 4; ☎0255/561770). Ośrodki wypoczynkowe, 1 km przed Băile Herculane. W pobliżu poczta, telefon, targowisko itp. Pokój 2-os. od 20 do 31 €.

Apollo* (Piąta Hercules 8; ☎0255/560688, www.herculane.ro). Najtańszy hotel w centrum. Pokoje schludne i czyste, łazienki na korytarzu lub w pokojach. Ciepła woda 7.00–9.30 i 20.00–22.00. Możliwość kąpieli zdrowotnych. Pokój 1-os. 11 €, 2-os. 15 €, 3-os. 16 €.

Cerna** (Piąta 1 Mai 1, obok cerkwi i łaźni Strand Terma; ☎0255/560436, fax 560440). Hotel sprawia wrażenie zadbanego i jest tani. Pokój 1-os. 10 €, 2-os. 20 €, apartament 50 €.

Ferdinand**** (Piąta Hercules 1; ☎0255/561 121, fax 561131, www.hotel-ferdinand.ro). Najlepszy i najdroższy hotel w mieście. Komfortowe warunki. Pokój 1-os. 49 €, 2-os. 65 €, apartament 95 €.

Hercules** (str. Izvorului 7; ☎0255/560880, 560881, fax 560454, www.herculane.ro). Hotel zajmujący dwa bloki. Pokój 1-os. 28 €, 2-os. 41 €, apartament 78 €.

Roman** (str. Romană 1, na wschodnim krańcu miejscowości; ☎0255/560390, 560394, fax 560111). Możliwość skorzystania z kąpieli zdrowotnych. Pokój 1-os. 35 €, 2-os. 49 €, apartament 86 €.

Informacje o połączeniach

Z dworca kolejowego, około 5 km na południowy zachód od centrum przy drodze Drobeta–Timişoara (E70), jeżdżą do Băile Herculane mikrobusy (0,10 €). Stacja mieści się w ładnym zabytkowym budynku typowym dla XIX- i XX-wiecznych kurortów austriackich. Miejscowość ma sporo połączeń, m.in. z Bukaresztem (7 dziennie; ok. 5,5 godz.), Timişoarą (10 dziennie; ok. 2,5 godz.), Krajową (1 dziennie) oraz Drobeta-Turnu Severin (1 dziennie; ponadto wszystkie składy do Bukaresztu jadą przez Drobetę). **Agenţie de Voiaj CFR** ma siedzibę przy Piąta Hercules 5 (☎0255/560538).

W Băile Herculane nie ma dworca autobusowego, jest natomiast niewielki przystanek, z którego odjeżdżają autobusy do Orşovy (kilka dziennie) i w stronę Târgu Jiu (2 dziennie).

MĂNĂSTIREA STREHAIA

Klasztor usytuowany jest w centrum miasteczka Strehaia, przy drodze łączącej Drobetę-Turnu Severin ze stolicą Oltenii – Krajową. Został ufundowany w 1645 r. przez hospodara Mateia Basaraba, co potwierdza tablica ponad wejściem. Trzyczęściowa cerkiew klasztorna pod wezwaniem św. Trójcy została wzniesiona z cegły na planie krzyża. Nad pronaosem dominuje kwadratowa wieża zwieńczona dachem brogowym. Na południe od świątyni zachowały się ruiny pałacu gospodarskiego, w którym według legendy w czasach panowania wojewody Petraşcu miał się urodzić jego syn – Michał Waleczny. Obok murów bije mocne źródło –powiadają, że ten, kto się z niego napije, na pewno wróci do Strehai.

W czasie II wojny światowej w okolicy znalazło schronienie wielu Polaków. Kilku z nich pozostało w olteńskich wioskach. Wyjeżdżając z miasta w kierunku wschodnim, warto zwrócić uwagę na wspaniałe pałace Cyganów stojące obok drogi.

Klasztor znajduje się blisko skrętu drogi na Motru, po południowej stronie szosy, naprzeciw szpitala. Można tu dotrzeć także ze stacji kolejowej, idąc 800 m na północny wschód w kierunku widocznych zabudowań klasztornych.

KRAJOWA

Duże miasto (Craiova; ponad 300 tys. mieszkańców) na lewym brzegu rzeki Jiu jest stolicą okręgu Dolj i Oltenii oraz ważnym ośrodkiem przemysłowym (niegdyś produkowano w nim samochód marki Oltcit, dzisiaj inwestuje tu Daewoo), spożywczym (m.in. produkcja piwa Craiova) oraz naukowym. W Krajowej urodził się jeden z najwybitniejszych władców Rumunii – Michał Waleczny (Mihai Viteazul).

W okolicach miasta znaleziono ślady osadnictwa z epoki kamienia łupanego i czasów rzymskich (było tu *castrum*, czyli obóz warowny). Nazwa Krajowej jest po raz pierwszy wzmiankowana w źródłach w 1475 r. Pod koniec XV w. przeniesiono tu ze Strehai siedzibę bana (namiestnika) prowincji (urząd ten zlikwidowano dopiero w 1831 r.). Pod koniec XVIII w. miasto miało mocną pozycję ekonomiczną, ale wtedy nawiedziły je dwie klęski: epidemia dżumy w 1795 r. i wielki pożar zaledwie rok później. Zajęcie Krajowej w 1806 r. przez namiestników tureckich z Widynia (obecnie Bułgaria) doprowadziło do kolejnych zniszczeń wywołanych oporem mieszkań-

W rumuńskiej historiografii postać Michała Walecznego (Mihai Viteazul) jest stawiana w jednym rzędzie ze Stefanem Wielkim. Urodził się w bogatej rodzinie bojarskiej i pomnożył swój majątek na handlu z Turcją. Dzięki temu już od 1580 r. piastował ważne stanowiska państwowe. Uwieńczeniem jego kariery było objęcie w 1593 r. tronu hospodara (usankcjonowanym w owych czasach sposobem, a mianowicie za ogromną łapówkę wręczoną sułtanowi). Mogło się wydawać, że jego głównym celem będzie pomnażanie bogactwa i utrzymywanie się przy władzy. Okazało się jednak, że w głowie młodego władcy zrodziła się idea zjednoczenia ziem rumuńskich i zrzucenia tureckiego jarzma.

Michał szybko porozumiał się z władcami Mołdawii i Siedmiogrodu. Latem 1594 r. rozpoczęła się wojna. W toku działań zbrojnych udało się zająć Bukareszt, następnie walczono o linię Dunaju. Niestety, w tym samym czasie przeciwko Mołdawii wystąpiła Polska. Wyprawa Jana Zamojskiego z 1595 r. wprowadziła na tron Jeremiasza Mohyłę. Mołdawia miała pozostawać lennem Rzeczypospolitej, ale nadal płacić haracz Turcji i nie występować przeciwko niej zbrojnie. Michał odparł w tym czasie kolejny najazd tatarsko-turecki i podpisał zawieszenie broni. Przeciwnicy szykowali się jednak do dalszej walki. Zapewniwszy sobie przychylność Austrii i pieniądze na wojska zaciężne, Michał uderzył na Turcję, zadając jej wojskom szereg klęsk, co doprowadziło do podpisania pokoju wołosko-tureckiego.

Działania wojenne przeniosły się z kolei na teren Siedmiogrodu, którego władca – kardynał Andrzej Batory – spiskował przeciwko Michałowi. Krótka, ale krwawa kampania zakończyła się pełnym sukcesem władcy Wołoszczyzny. Wzrost potęgi Michała zaniepokoił Mohyłę. Aby uprzedzić fakty, Michał uderzył na Mołdawię, zajmując najważniejsze miasta. 27 maja 1600 r. wystawił w Jassach dokument, w którym po raz pierwszy użył tytułu „hospodar Wołoszczyzny, Siedmiogrodu i Mołdawii". Utworzenie silnego państwa nie było na rękę żadnemu z sąsiadów, a obcą interwencję przyspieszyło powstanie szlachty węgierskiej w Siedmiogrodzie. Na państwo Michała najechały jednocześnie Polska i Turcja.

O swoje interesy upomniała się również Austria. Michał zginął, podstępnie zamordowany (1601) z rozkazu austriackiego generała Basty, za pretekst posłużyły pomówienia o zdradę na rzecz Turcji. Pokój turecko-austriacki w Zsitvatorok z 1606 r. potwierdził samodzielność Wołoszczyzny, ale pod zwierzchnictwem sułtana.

Ambitne plany Michała Walecznego, wybitnego wodza i polityka zmierzającego do zjednoczenia trzech głównych ziem rumuńskich w jedną dziedziczną monarchię, odrodziły się dopiero w XIX w.

---

ców (wzięli udział we wszystkich ruchach powstańczych i rewolucyjnych w XIX w.). XIX stulecie to także okres gwałtownej industrializacji – do dziś Krajowa pozostaje ważnym ośrodkiem przemysłu.

Orientacja i informacje

Miasto ma dosyć skomplikowaną topografię. Dotyczy to zwłaszcza centrum, które jest gęstą plątaniną uliczek (pamiątka orientalnej przeszłości), na szczęście orientację ułatwia kilka głównych alei, m.in. Calea Unirii (częściowo zamknięta dla ruchu kołowego) krzyżująca się z przelotową Calea Bucureşti.

W Krajowej nie ma oficjalnej **informacji turystycznej**, jest za to mnóstwo agencji turystycznych i biur podróży. Personel niektórych chętnie udzieli informacji o lokalnych atrakcjach, gdzieniegdzie można też zapytać o nocleg. Profesjonalna agencja **Mapamond** (str. Olteţ 2–4; ☎0251/415071, fax 415173, www.mapamond.ro) oferuje rze-

telną informację turystyczną i pośrednictwo noclegowe. Warto też zajrzeć do **Euroturist** (blvd N. Titulescu, bl. I8; ☎0251/493447) i **Biuro de Turism Oltenia** (str. Griviţia Rosie, bl. 13B; ☎0251/417396).

Zwiedzanie

Spacer po mieście najlepiej zacząć od polskich śladów, które można wytropić w północnej części Calea Unirii. W budynku obecnego **Muzeul de Artă** (Muzeum Sztuki; Calea Unirii 15; ☎0251/412342; wt.–sb. 10.00–18.00, nd. 9.00–17.00; 0,60 €, ulgowy 0,30 €) od 5 listopada do 24 grudnia 1939 r. mieszkał Ignacy Mościcki, o czym informuje tablica pamiątkowa. Przebywał on w Rumunii na emigracji po napaści Niemiec hitlerowskich na Polskę. Sama siedziba muzeum to ładny pałac z początku XX w., a kolekcja należy do lepszych w kraju i obejmuje dzieła sztuki z Rumunii i Europy, w tym kilka rzeźb Brâncuşiego.

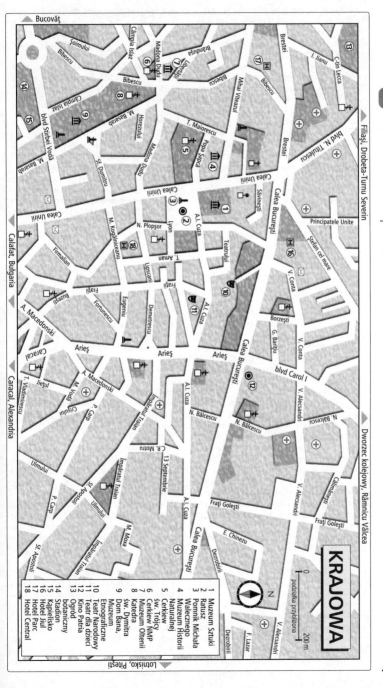

KRAJOWA

N

podziałka przybliżona

0   200 m

1   Muzeum Sztuki
2   Ratusz
3   Pomnik Michała
    Walecznego
4   Muzeum Historii
    Naturalnej
5   Cerkiew
    św. Trójcy
6   Cerkiew NMP
7   Muzeum Oltenii
8   Katedra
    św. Dymitra
9   Dom Bана,
    Muzeum
    Etnograficzne
10 Teatr Narodowy
11 Teatr dla dzieci
12 Kino Patria
13 Ogród
    botaniczny
14 Stadion
15 Kąpielisko
16 Hotel Jiul
17 Hotel Parc
18 Hotel Central

Kierując się na południe, dochodzi się do dużego placu z monumentalnym **ratuszem** (obecnie siedziba województwa i sądu okręgowego). Data jego budowy nie jest dokładnie znana, wiadomo jedynie, że na pewno istniał w 1783 r. i został gruntownie wyremontowany w latach 1801–1841. Przed ratuszem stoi duży konny **pomnik Michała Walecznego** (zob. ramka). Kilka minut na zachód od placu jest **Muzeul Ştiinţe ale Naturii** (Muzeum Historii Naturalnej; str. Popa Şapcă 4; wt.–nd. 10.00–18.00; 0,60 €, ulgowy 0,30 €), a w parku naprzeciwko stoi **Biserica Sf. Treime** (cerkiew św. Trójcy) wybudowana w latach 1901–1906 według planów francuskiego architekta Lecomte de Nouy. Świątynię wzniesiono na miejscu starszej cerkwi z II połowy XVIII w. W środku warto zwrócić uwagę na ładne freski.

Po wyjściu z parku na południowy zachód str. I. Maiorescu dojdzie się do str. Madona Dudu prowadzącej do widocznej po prawej neobizantyńskiej **Biserica Madona Dudu** (cerkiew NMP) zbudowanej w latach 30. XX w. według projektu Iona Traianescu. Wcześniej stała w tym miejscu cerkiew z końca XVIII w., którą rozebrano w 1913 r. Naprzeciwko świątyni, w porośniętej bluszczem kamienicy mieści się **Muzeul Olteniei** (Muzeum Oltenii; str. Madona Dudu 44; ☎0251/411906; wt.–nd. 9.00–17.00; 1,20 €, ulgowy 0,60 €). Placówka utworzona w 1950 r. ma dwa działy: archeologiczny i historyczny.

W południowej części parku sąsiadującego z cerkwią NMP wznosi się prawosławna **Catedrala Mitropolitană Sf. Dumitru** (katedra św. Dymitra), najstarsza świątynia w Krajowej. Cerkiew ufundowaną w 1651 r. przez hospodara Matei Basaraba postawiono na miejscu starszej świątyni. Odrestaurowana w 1724 r., uległa poważnym uszkodzeniom podczas trzęsienia ziemi w I połowie XIX w. Z tego powodu świątynię zamknięto i dopiero pod koniec stulecia Francuz Lecomte de Nouy rozpoczął jej renowację, zmieniając całą bryłę z wyjątkiem fundamentów i fragmentów ścian. Cerkiew zbudowano na planie równoramiennego krzyża, nad nawą i przednawiem wznoszą się kopuły, a przed wejściem powstał otwarty przedsionek.

Również w południowej części parku stoi **Casa Băniei** (Dom Bana), najstarsza budowla świecka w mieście i jedna z niewielu tego typu zachowanych w Rumunii. Była to siedziba bana (odpowiednik namiestnika) Krajowej wzniesiona w XVII w. przez hospodara Constantina Brâncove-

anu. Wcześniej w tym miejscu stał dom zbudowany w XV w. przez bojarską rodzinę Craiovescu. W 1750 r. gmach stał sie siedzibą pierwszej rumuńskiej szkoły w mieście, a obecnie w budynku mieści się **Muzeul de Etnografie** (Muzeum Etnograficzne; str. M. Basarab 16; ☎0251/417756; wt.–nd. 10.00–18.00; 0,60 €, ulgowy 0,30 €).

Noclegi

W Krajowej nie ma zbyt wielu hoteli ani pola namiotowego. Dobrym wyjściem dla turystów zdecydowanych na dłuższy pobyt są kwatery prywatne oraz gospodarstwa agroturystyczne, w których noclegi (przeważnie 10 €/os. bez śniadania) organizuje biuro **Mapamond** (str. Lyon 2–4; ☎0251/415071, fax 415173, mapamond@rdslink.ro).

Central* (str. M. Kogălniceanu 12; wejście od str. Mitropolitul Firmilian 12, ☎0251/534895, fax 533497, hotelcentral@icnet.ro). W hotelu jest klub nocny i restauracja. 22 miejsca w pokojach 1-os. 20 €, 2-os. 30 €.

Jiul** (Calea Bucureşti 1; ☎0251/414166, 415656, fax 412462, www.jiul.ro). Niski szeroki blok pomalowany na pomarańczowo. Najlepszy hotel w mieście, ale na luksusy nie ma co liczyć. Pokój 1-os. 45 €, 2-os. 60 €, apartament 75 €. W standardzie** pokój 1-os. 27 €, 2-os. 36 €.

Lido** (str. C. Brâncuşi 10, ☎0721/290332). Wysoki standard. Pokój 1-os. 25 €.

Parc** (str. Bibescu 12, róg str. M. Viteazul; ☎0251/417257, fax 418623, www.hotelparc.go.ro). Blisko centrum (300 m od placu Unirii). Pokój 1-os. 30 €, 2-os. 43 €, 3-os. 53 €, apartament 59 €.

Gastronomia

W centrum miasta i na jego obrzeżach działa mnóstwo restauracji, a co dziwniejsze, nie ma wśród nich zbyt dużo knajp włoskich, pizzerii ani fast foodów.

Targowisko miejskie jest usytuowane na tyłach hotelu *Victoria* (róg blvd Decebal i str. Locomotiviei). Sklepy spożywcze można znaleźć przy Calea Bucureşti (np. supermarket Marex; Calea Bucureşti bl. A14).

Eden Restaurant (Calea Unirii 26; ☎0721/234040). Niezła restauracja i pub. Można tu spotkać studentów i zagranicznych turystów. Dwudaniowy posiłek około 3 €.

El Greco (str. M. Kogălniceanu 8). Klasyczny bar bistro; w menu m.in. kanapki i pizza.

Flora Terasa Restaurant (str. M. Viteazul, obok klubu *Gin Gin*; ☎0251/411470). Świetna knajpka z tarasem. Dobra kuchnia warta swojej ceny. Obiad 3,50–5 €.

McDonald koło uniwersytetu, **McDrive** (Calea Bucureşti) przy wyjeździe na Piteszti.

Oltenia Restaurant (str. Lipscani 3; ☎0251/ 145571). Dania kuchni rumuńskiej i międzynarodowej w przyzwoitych cenach (obiad ok. 2,50 €).

Union Restaurant (róg Calea Bucureşti i blvd N. Titulescu; ☎0251/417950). Obszerny lokal przy najważniejszym skrzyżowaniu w mieście, z tarasem i widokiem na najruchliwszą ulicę w Krajowej. Duży wybór dań (obiad ok. 3 €).

New Yorc Café (róg Calea Unirii i str. Sf. Dumitru; ☎0251/419703). Bardzo przyjemna, przestronna kawiarnia w eleganckiej kamienicy. Spory wybór słodkości, niezła kawa (0,40 €).

Rozrywki

Kina Patria (str. A.I. Cuza 19, w pobliżu banku BCR; ☎0251/415633); **Modern** (str. Madona Dudu 2–4; ☎0251/412725); **Jean Negulescu** (str. A.I. Cuza 3; ☎0251/414029).

Teatr Prężnie działa Teatr Narodowy (Teatrul Naţional, str. A.I. Cuza 11; ☎0251/411725) wystawiający wiele dobrych sztuk (bilety można kupić w agencji mieszczącej się w tym samym budynku). Warto także odwiedzić operetkę i operę (str. M. Viteazul 1; ☎0251/418426), a z dziećmi zajrzeć do Teatru dla Dzieci i Młodzieży „Coliber" (Teatrul pentru Copii şi Tineret „Colibri"; str. A.I. Cuza 16; ☎0251/ 412473).

Filharmonia Miłośnicy muzyki klasycznej powinni odwiedzić Filharmonię Oltenia (Filarmonica Oltenia; Calea Unirii 22; ☎0251/ 411220).

Puby i kluby Pub Mefisto (str. Madonna Dudu 5, przy Piaţa Ierusalim); Tommy's Private Club Pub (str. Lipscani 44; lokal w stylu irlandzkim; przyjemna atmosfera; dobre piwo z miejscowego browaru).

Informacje o połączeniach

Pociąg Dworzec kolejowy to wysoki zielony socrealistyczny budynek (blvd Decebal 5, nieopodal blvd Carol I; ☎0251/411 620) oddalony o kilometr na północny wschód od centrum. Aby dostać się do śródmieścia, należy wsiąść w autobus #1. Krajowa jest ważnym węzłem komunikacyjnym, ma połączenia z Bukaresztem (kilkanaście dziennie; ok. 3 godz.), Târgu Jiu (kilka dziennie), Timişoarą (kilka dziennie; ok. 5 godz., wszystkie przez Drobetę-Turnu Severin), Devą (3 dziennie), Mangalią (1 dziennie, tylko w lecie), Aradem (4 dziennie, 2 docelowo do Curtici), a także Belgradem (1 dziennie; 9 godz.), Budapesztem (1 dziennie; ok. 12 godz.) i Salonikami (1 dziennie; ok. 22 godz.).

Agenţie de Voiaj CFR mieści się przy Calea Bucureşti 2 (bl. M2; ☎0251/411 634), nieopodal hotelu Jiul.

Autobus W Krajowej są dwa dworce autobusowe – Autogară Nord (Północny) i Autogară Sud (Południowy). Większość autobusów i minibusów odjeżdża z tego ostatniego, usytuowanego obok dworca kolejowego (str. Argesului 13; ☎0251/411 187), m.in. do Bukaresztu (co godz.; ok. 2,5 godz.), Timişoary (7 dziennie), Drobety-Turnu Severin (4 dziennie), Târgu Jiu (kilkanaście dziennie), Râmnicu Vâlcea (kilka dziennie), Piteşti (3 dziennie), Băile Herculane (3 dziennie), Horezu (1 dziennie) i Hunedoary (1 dziennie). Firma Murat obsługuje połączenia ze Stambułem.

Informator

Apteki Sensiblu w kompleksie Unirea (non stop), 3F (Calea Bucureşti bl. 17B).

Internet Dostęp do Internetu oferuje Crazy Coco (str. Narciselor 2), Nightbringer (str. Lipscani 44; 0,50 €/godz.; dobrze wyposażony bar) oraz kafejka Scala (str. A.I. Cuza; obok ratusza).

Laboratorium fotograficzne Najbardziej profesjonalne centrum fotograficzne to Photo Ranger (Lipscani 36). Sklepy: Agfa Image Center (str. Lipscani 38; naprzeciwko pubu Tommy's), Fujifilm (str. A.I. Cuza naprzeciwko apteki).

Poczta i telekomunikacja Główny urząd pocztowy – na rogu Calea Unirii i blvd Ştirbei Vodă (Calea Unirii 54), oddział Romtelecomu – Calea Unirii 69. Poczta i budki telefoniczne są też w pobliżu dworców kolejowego i autobusowego, przy str. Basarab.

Wymiana walut i banki Banca Comercială Româna (str. A. I. Cuza 1, obok kina Patria); Banc Post (str. Fraţii Buzeştii 1); Banca Comercială Ion Ţiriac (str. Madona Dudu bl. 3–5, przy Piaţa Ierusalim). Kantory można znaleźć przy Calea Unirii (na odcinku dla pieszych), dobry kurs ma kantor przy str. M. Viteazul, obok restauracji Flora.

Zakupy Duży dom towarowy Mecur jest usytuowany przy Calea Unirii, naprzeciwko ratusza.

MĂNĂSTIREA BRÂNCOVENI

Miejscowość Brâncoveni, około 50 km na wschód od Krajowej, słynie przede wszystkim z zabytkowego klasztoru. To także miejsce urodzenia wybitnych hospodarów wołoskich – Matei Basaraba (1632–1654) oraz Constantina Brâncoveanu (1688–1714). Wioska powstała w XVI w. Basarab miał tu rezydencję, której pozostałości (fragment murów) widoczne są obok cerkwi św. Mikołaja.

Wzmianki o klasztorze pojawiają się po raz pierwszy w latach 1582–1583, ale z pewnością monastyr istniał od I połowy XVI w. W klasztornej cerkwi spoczywa rodzina Matei Basaraba – zarówno jego dziadek Preda Vornicul, jak i rodzice – Papa Brâncoveanu oraz Stanca Cantacuzino. Z tego powodu hospodar w 1699 r. wyremontował klasztor, upiększył cerkiew i nadał mnichom liczne dobra. Główną świątynię właściwie wybudowano na nowo (wewnątrz da się dostrzec fragmenty oryginalnych fresków), a poza obrębem murów wzniesiono cerkiew szpitalną, która początkowa służyła jako kaplica.

Po śmierci wojewody Brâncoveanu dla klasztoru nastały ciężkie czasy. W latach 1721–1727 stacjonowali tu Austriacy, a w 1838 r. trzęsienie ziemi dopełniło dzieła zniszczenia – większa część kompleksu legła w gruzach. W 1873 r. mnisi opuścili monastyr, a kilka lat później powstał tu dom starców.

W latach międzywojennych w monastyrze odrodziło się życie religijne, ale tym razem zamieszkały w nim mniszki. W 1959 r. komuniści wypędzili je i ponownie ulokowali tu dom starców. Starania zakonnic o odzyskanie klasztoru wsparła niespodziewanie siostra Nicolae Ceauşescu Elena (nie mylić z żoną) i w 1985 r. w klasztorze ponownie rozbrzmiały modlitwy. Elena wspierała monastyr finansowo, doprowadziła nawet do podciągnięcia do Brâncoveni drogi asfaltowej.

Z czasów Brâncoveanu zachował się parter dzwonnicy, pomieszczenia w północno-zachodnim narożu dziedzińca oraz mur obronny. Cerkiew jest trójkonchowa, z dwóch kopuł, które zawaliły się w 1838 r. odbudowano tylko jedną (nad nawą). Warto zwrócić uwagę na piękny portal wejściowy pochodzący z pierwotnej budowli, podobnie jak kolumny w otwartym przedsionku oraz rzeźbione obramowania okien.

W klasztorze mieści się bardzo ciekawe **muzeum** (0,60 €), w którym można obejrzeć pozostałości wyburzonego przez Ceauşescu w 1986 r. klasztoru Văcăreşti.

Brâncoveni leży około 13 km na południe od głównej drogi Krajowa–Piteşti przy drodze nr 64 (kierunek Caracal). Można się tu dostać minibusem z miasteczka Piatra-Olt, który jest ważnym węzłem komunikacyjnym (sporo pociągów, m.in. z Ploeszti i Piteşti). Monastyr (oznakowany dojazd) jest usytuowany pomiędzy Brâncoveni i następną wioską Văleni, około kilometra na wschód od drogi (w lewo, jadąc od północy).

SCORNICEŞTI

W okresie komunizmu ta niewielka wioska oddalona o około 40 km na południowy zachód od Piteşti słynęła jako miejsce urodzenia Nicolae Ceauşescu. Świat usłyszał o niej w 1976 r., kiedy archeologowie odkryli szczątki najstarszego w Europie *Homo sapiens* (choć niewykluczone, że było to fałszerstwo).

W 1988 r. mieszkańcy Scorniceşti, jako jedni z pierwszych w Rumunii, mieli okazję przekonać się, czym jest systematyzacja. Chłopskie domy zrównano z ziemią, a na ich miejscu postawiono szpetne bloki, co miało doprowadzić do zmiany trybu życia ludności. Dziś budynki są w opłakanym stanie. Ceauşescu sprezentował ponadto mieszkańcom wielki stadion, który teraz służy jako pastwisko.

Do 1989 r. w domu, w którym urodził się dyktator, działało muzeum, a obecnie stoi opuszczony (w północnej części wioski, za mostkiem po lewej stronie drogi; naprzeciwko urządzono niewielki parking z pomnikiem).

Do Scorniceşti można dojechać minibusem ze Slatiny (rzadkie kursy), ale lepiej wybrać autobus jadący główną drogą Krajowa–Piteşti, wysiąść przy zjeździe do wioski, a pozostałe 3 km pokonać pieszo lub autostopem.

GIURGIU

W tym niewielkim miasteczku funkcjonuje ważne przejście graniczne między Rumunią a Bułgarią. Przejeżdża tędy zdecydowana większość turystów udających się na południowo-wschodnie krańce Europy, do Turcji lub dalej do Azji. Na drugi brzeg Dunaju można dostać się promem, samochodem lub pociągiem (przez czterokilometrowy most wybudowany w latach 50. XX w.).

Przy rondzie w centrum stoi teatr Vallah i **wieża zegarowa** z 1839 r. (jedyny godny uwagi zabytek, poza ruinami twierdzy). Odchodząca na południe str. Mircea cel Bătrân prowadzi prosto do portu obok skromnych pozostałości XVI-wiecznego **zamku**. Ta sama ulica wiedzie też do parku z **Muzeul Judeţean Teohari Antonescu** (Muzeum Okręgowe im. Teohariego Antonescu; wt.–nd. 10.00–18.00; 0,60 €, ulgowy 0,30 €).

Apteki są przy str. Gării i przy str. Bucureşti, **pieniądze** można pobrać z bankomatu lub wymienić w Banca Transilvania (przy skrzyżowaniu str. Gării i str. Bucureşti), Reiffeisen Bank ma siedzibę przy głównym rondzie, kilka kantorów jest przy str. Gării, a **główny urząd pocztowy** przy blvd CFR 10. Dostęp do **Internetu** oferuje *Select Club X.Ch@t* przy str. Gării. Większe **zakupy** można zrobić w domu towarowym przy skrzyżowaniu str. Noclegiării i str. Bucureşti.

W Giurgiu jest bardzo mało **hoteli**, bo właściwie nikt się tu nie zatrzymuje. Kto chciałby przenocować w miasteczku, może skorzystać z taniego (niestety, niezbyt czystego, ponadto trzeba się spodziewać problemów z ciepłą wodą) **hotelu *Victoria*** * (str. Gării 1, nieopodal Banca Transilvania, w centrum; ☎0246/211569; pokój 1-os. 5 €, 2-os. 8 €, 3-os. 10 €, 4-os. 14 €). Większy komfort oferuje hotel *Vlaşca*** (str. Portului 12; ☎0246/215321, fax 213453, vioradulescu@hotmail.com). Pokój 2-os. 30 €.

Całkiem niezła **restauracja *Rimss*** działa przy blvd CFR (bl. 35) nieopodal dworca. O wiele gorsza, za to tania, jest **restauracja *Victoria*** przy hotelu o tej samej nazwie. W dużym domu towarowym na skrzyżowaniu str. Bucureşti i str. Gării mieści się niezły *Stuburger's* z fast foodem.

Informacje o połączeniach

Dworce kolejowy i autobusowy są zlokalizowane w północnej części miasta przy Piaţa Gării. Aby dojść do centrum, należy skierować się blvd CFR lub str. Gării. Z dworca kolejowego kursują pociągi do Bukaresztu (8 dziennie, ok. 1,5 godz.), Ruse (2 dziennie, przesiadka w Giurgiu Nord), Videle (4 dziennie, możliwość przesiadki na pociąg do Krajowej). Przez drugi dworzec Giurgiu Nord (4 km na północ od miasteczka, dojazd taksówką) przejeżdżają dwa pociągi międzynarodowe z Bukaresztu: do Sofii (ok. 8 godz.) i Stambułu (ok. 16 godz.).

Z dworca autobusowego (ładny odnowiony budynek) odjeżdżają autobusy i minibusy do Bukaresztu (co 30 min; 2,20 €) oraz pobliskich wiosek i miasteczek.

Do **Bułgarii** można dojechać na wiele sposobów, ale najpewniejszym i najbezpieczniejszym rozwiązaniem dla turystów nieposiadających własnego środka transportu jest przejazd do Giurgiu pociągiem (3 dziennie; 30 min), co nie wiąże się z żadnymi dodatkowymi opłatami poza kupnem biletu. Można też skorzystać z usług taksówkarzy czekających na pasażerów tuż przed mostem (kilka kilometrów od centrum, oznaczony jako „Punctul de frontieră Giurgiu", nie mylić z mostem Ro-Ro, przez który mogą przejeżdżać tyl-

ko TIR-y), przy stacji Petrom (taksówkę da się także wynająć w mieście). Co bezczelniejsi kierowcy żądają za podwiezienie do Ruse aż 50 €, tłumacząc to opłatami granicznymi. Faktycznie, nie są one małe – każdy kierowca samochodu osobowego, a więc również taksówkarz (choć ci zazwyczaj dogadują się ze strażnikami), musi zapłacić 10 € za przejazd przez most, 6 € za tranzyt przez Bułgarię oraz 2,50 € za ekologię, czyli podatek od spalin. Pomnożywszy to przez dwa (taksówkarz musi wrócić), wychodzi 37 €, co daje zaledwie 13 € zarobku. Tyle teoria, a w rzeczywistości jest to znacznie więcej, ponieważ taksówkarz zazwyczaj nie uiszcza obowiązujących opłat, nawet jeśli udaje, że to robi. Dlatego 30 € lub nawet mniej powinno w zupełności wystarczyć.

Da się również przejść most piechotą. Wprawdzie oficjalnie jest to zabronione, ale czasami strażnicy graniczni i celnicy przymykają oko na takie wyczyny.

Własnym samochodem przejedzie się przez most bez problemu, rzecz jasna po uiszczeniu odpowiednich opłat (zob. wyżej). Samochód można też teoretycznie przewieźć na drugi brzeg Dunaju promem, choć zazwyczaj obsługa odsyła chętnych na most (najłatwiej jest latem, kiedy odpływają 3–4 promy dziennie, po zebraniu kompletu samochodów). Najczęściej promy zabierają wyłącznie autobusy (32 €).

BRAIŁA

Położona na lewym brzegu Dunaju Braiła (Brăila; 200 tys. mieszkańców) jest najdalej na północny wschód wysuniętym miastem Wołoszczyzny, stolicą okręgu o tej samej nazwie i jednym z ważniejszych portów Rumunii (dostępny dla statków morskich). W centrum zachowała się ładna XIX-wieczna zabudowa, ale turyści pojawiają się tu głównie po to, by przedostać się na drugą stronę Dunaju promem do Smârdan (2,60 €), zmierzając do delty lub na wybrzeże Morza Czarnego.

W 1368 r. hospodar wołoski Vlaicu Vodă wydał kupcom z Braszowa przywilej, w którym jest mowa m.in. o wolnym handlu w „drodze do Braiły". To pierwsza wzmianka o mieście, ale jest ono bez wątpienia o wiele starsze, o czym świadczy przekaz niemieckiego podróżnika Joanna Schiltbergera, który w 1396 r. opisywał Braiłę jako ważny ośrodek handlowy, gdzie na rzece „ledwo mieszczą się łodzie i statki wiozące kupieckie towary". W 1404 r. hospodar Mircza Stary rozszerzył przywi-

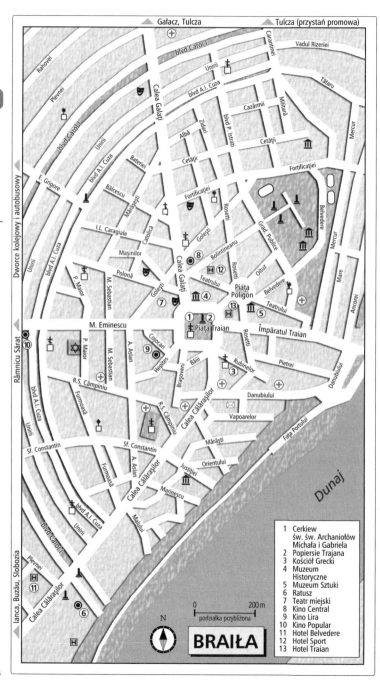

Gałacz, Tulcza   Tulcza (przystań promowa)

BRAIŁA

0   200 m
podziałka przybliżona

N

1 Cerkiew
   św. św. Archaniołów
   Michała i Gabriela
2 Popiersie Trajana
3 Kościół Grecki
4 Muzeum
   Historyczne
5 Muzeum Sztuki
6 Ratusz
7 Teatr miejski
8 Kino Central
9 Kino Lira
10 Kino Popular
11 Hotel Belvedere
12 Hotel Sport
13 Hotel Traian

lej na kupców z Polski i Litwy, zachęcając ich, by „wozili swoje towary od Żelaznych Wrót po Braiłę". Od XIV i XV w. miasto zdobyło silną pozycję ekonomiczną: leżało na uczęszczanych szlakach handlowych i było najważniejszym portem w regionie. W latach 1445 i 1462 Braiła ucierpiała z powodu walk Turcji z hospodarami Wołoszczyzny i Mołdawii oraz władcami Transylwanii. W 1540 r. muzułmanom udało się zająć miasto i pozostali w nim przez kolejne 300 lat (z przerwą za czasów Michała Walecznego, który na krótko odbił je w 1595 r.). W XIX w. Braiłę uporządkowano architektonicznie, tworząc siatkę zbiegających się ulic i symetrycznie rozplanowanych placów. Szybka industrializacja przyczyniła się do wzrostu liczby mieszkańców – z czasem miasto stało się ważnym ośrodkiem przemysłowym i portowym.

Orientacja, informacja

Centrum miasta to kwadratowa Piaţa Traian (ok. 500 m na północny zachód od Dunaju) z charakterystycznym wysokim hotelem *Traian* przy wschodniej pierzei. Od placu odchodzą główne ulice: na południowy zachód szeroka Calea Călăraşilor, na zachód reprezentacyjny deptak M. Eminescu (przechodzący dalej w blvd 1 Decembrie 1918), na północ Calea Galaţi, a na wschód, w kierunku rzeki, str. Împăratul Traian (zaczyna się obok hotelu *Traian*).

W Braile nie ma oficjalnej **informacji turystycznej**. Pomocy może udzielić personel biur podróży, gdzie warto także pytać o nocleg. Są to m.in. **Liliana** (Calea Călăraşilor bl. 3; ☎/fax 0239/611226), **Traian** (najbardziej pomocny; w hotelu o tej samej nazwie).

Apteki: Arnica (str. Dorobanţilor 479; non stop), Sensiblu (str. 1 Decembrie 1918). **Banki**: UniCredit (Piaţa Traian 18–22), Reiffeisen Bank (Piaţa Traian 15), Banca Comercială Romana (Calea Călăraşilor 17). Kilka **kantorów** działa przy str. M. Eminescu i Calea Călăraşilor. Filmy do aparatu można kupić w sklepie Klick Kodak (róg Piaţa Traian i str. Hepites). **Kafejka internetowa** działa przy blvd A.I. Cuza 80 (8.00–23.00; 0,50 €/godz.), a **główny urząd pocztowy** przy str. Danubiului 8 (kilka minut drogi na południowy wschód od centrum).

Zwiedzanie

W parku pośrodku Piaţa Traian wznosi się **Biserica Sfinţii Arhangheli Mihail şi Gavril** (cerkiew św. św. Archaniołów Michała

i Gabriela) zbudowana w XVII w. jako meczet. W latach 1831–1836 zamieniono go na świątynię prawosławną, poddając gruntownej przebudowie, mimo to budowla zachowała wyraźnie orientalny charakter. Nieopodal cerkwi stoi **popiersie Trajana**, cesarza rzymskiego w latach 98–117, z którym Rumuni chętnie się identyfikują. Posąg wykonał Pavel Dimo w 1906 r. Przy południowo-wschodnim narożu Piaţa Traian widać monumentalną **Biserica elenă** (kościół Grecki) wybudowany w 1869 r. Wnętrze tej imponującej budowli przywodzi na myśl słynną Hagię Sophię w Stambule. Fasada jest bogato zdobiona: nad wejściem umieszczono piętrowy portyk wsparty na czterech kolumnach, a nad nim wieżę z zegarem również podtrzymywaną przez cztery kolumny o jońskich i koryncku kapitelach. Kopułę świątyni wspierają cztery masywne filary. Do środka wchodzi się przez nartek (przedsionek), nad którym (oraz przy bocznych ścianach) biegną galerie aż do prezbiterium zasłoniętego przez ikonostas. Fresk na dużej kopule przedstawia Chrystusa Pantokratora, a w absydzie widać Matkę Boską z Dzieciątkiem w towarzystwie aniołów. Malowidła wykonał znany artysta Gheorghe Tattarescu.

W Braile warto także zwiedzić **Muzeul de Istorie** (Muzeum Historyczne; Piaţa Traian 3, północna pierzeja; ☎0239/610 880; wt.–nd. 10.00–18.00; 0,60 €, ulgowy 0,30 €) urządzone w eleganckiej kamienicy. Ciekawa ekspozycja przybliża dzieje miasta i okolic (również tych dalszych). **Muzeul de Artă** (Muzeum Sztuki; str. Belvedere 1; wt.–nd. 10.00–18.00; 0,60 €, ulgowy 0,30 €) mieści się w ładnym pałacyku tuż przy Piaţa Poligon, kilka minut marszu na wschód od Muzeum Historycznego. W ogrodzie wystawiono kilka rzeźb.

Noclegi i gastronomia

Belvedere* (Piaţa Independenţei 1; ☎0239/619931, fax 619928, www.belvedere-braila.ro). Warunki skromne, ceny wysokie. Pokój 2-os. 54 €, apartament 180 €.

Sport* (str. D. Bolintineanu 2, nieopodal Piaţa Traian; ☎0239/611346, fax 512006, www.djts.braila.net). Nieco bliżej centrum. Pokój 1-os. 9 €, 2-os. 18 €, 3-os. 3 €.

Traian* (Piaţa Traian 1; ☎0239/614685, fax 612835, www.unita-turism.ro). Hotel w wysokim bloku w centrum. Pokój 1-os. 35 €, 2-os. 45 do 50 €, apartament 100 €.

Triumph* (Calea Călăraşilor 214; ☎0239/612 300, fax 687500, www.hoteltriumph.ro). Drugi, obok *Traiana*, ekskluzywny hotel w mieście.

Nieco dalej od centrum. Pokój 2-os. 32 €, apartament 55 €.

Viky** (Şoseaua Râmnicu Sărat 94; ☎0239/615 991). Na obrzeżach miasta. Pokój 2-os. 21 €, apartament 49 €.

Jeśli chodzi o gastronomię, sytuacja przedstawia się nieco lepiej. Duże targowisko jest ulokowane w zachodniej części miasta, na Piaţa Halelor na końcu str. M. Eminescu (która przy blvd Carol I zamienia się w str. 1 Decembrie 1918).

Bella Italia (str. E. Grigirescu 24; ☎0239/610 559). Dla amatorów włoskich przysmaków. Pizza firmowa 2,60 €.

Continental (Calea Călăraşilor bl. 10; ☎0239/619932). Bardzo dobra restauracja serwująca dania kuchni rumuńskiej i międzynarodowej. Drogo.

Pizza Ciao (Calea Călăraşilor 51 bl. 104; ☎0239/611884). Głównie potrawy włoskie.

Ştefi (w zachodniej pierzei Piaţa Traian). Niezły bar z atmosferą lat 80. XX. Tanio.

Triumph (Calea Călăraşilor 214). Przy hotelu o tej samej nazwie.

Informacje o połączeniach

Dworce kolejowy i autobusowy znajdują się w północno-zachodniej części miasta, około 1,5 km od centrum. Aby dostać się na Piaţa Traian, należy wsiąść w mikrobus jadący w tym kierunku lub przejść na piechotę str. E.Grigore. Z Braiły kursuje sporo pociągów, m.in. do Gałacza (wiele kursów, prawie wszystkie osobowe; 1 godz.), Bukaresztu (5 dziennie; 4 godz.), Buzau (2 dziennie), Konstancy (3 dziennie), Braszowa i Suczawy (po 1 dziennie). **Agenţie de Voiaj CFR** ma siedzibę przy str. Independenţei bl. B1 (☎0239/611168).

Z dworca autobusowego, który w środku wygląda jak siedziba firmy (sofy, telewizor, bardzo czysto), można pojechać przede wszystkim w kierunku Bukaresztu (kilkanaście dziennie), Gałacza (kilkanaście dziennie), Konstancy (6 dziennie). Są także autobusy do Jass (2 dziennie), Piatra Namţ (1 dziennie), a nawet Sybina (1 dziennie).

Nie tylko podróżujący własnym środkiem transportu, ale również piesi mogą przeprawić się promem na drugą stronę Dunaju, do miejscowości Smârdan. Za samochód trzeba zapłacić 2,60 €, piesi płacą 0,60 € (płynie się ok. 10 min). Przystań jest znacznie oddalona od centrum na północny wschód (wyraźne oznaczenia), dlatego najwygodniej skorzystać z taksówki. Ze Smârdanu trzeba podjechać autostopem (autobusy kursują bardzo rzadko) do Măcinu, skąd jeżdżą autobusy w stronę delty Dunaju i Dobrudży.

Dobrudża, wybrzeże Morza Czarnego i delta Dunaju

Dobrudża (Dobrogea) to kraina leżąca na północno-wschodnim krańcu Półwyspu Bałkańskiego, między dolnym biegiem Dunaju a wybrzeżem Morza Czarnego. Większa jej część znajduje się w granicach Rumunii, a pozostała w Bułgarii. Ze względu na gorący klimat ziemia jest tam intensywnie nawadniana, ale wciąż duży obszar zajmują stepy. Na północy rozciąga się niewysokie, ale niezwykle malownicze pasmo Măcin (najstarsze rumuńskie góry; najwyższy szczyt Ţuţuiatul, 467 m n.p.m.; zob. rozdz. *Góry*) oraz delta Dunaju (delta Dunării; 4,3 tys. km^2 w Rumunii, reszta na Ukrainie). Aby dotrzeć do Dobrudży, trzeba przekroczyć Dunaj, co wcale nie jest proste, ponieważ na ponaddwustukilometrowym odcinku powstało tylko kilka mostów i przepraw promowych.

Wybrzeże Morza Czarnego ma długość 245 km. Od miejscowości Năvodari na południe przez ponad 60 km aż do granicy z Bułgarią ciągną się szerokie piaszczyste plaże. Rejon wyróżnia się bogatą infrastrukturą turystyczną. Stoi tam dosłownie hotel na hotelu, mimo to w sezonie miejsca trzeba rezerwować z co najmniej dwumiesięcznym wyprzedzeniem ze względu na tłumy urlopowiczów z kraju i zagranicy. Na szczęście dotyczy to tylko najbardziej popularnych miejscowości. W okolicy jest wiele kempingów, gdzie można tanio roz-

bić namiot lub przespać się w drewnianym domku. Ośrodki wczasowe, takie jak Mamaja, Eforie Nord (znany z kąpieli błot-

Główne atrakcje

- **Konstanca** – stolica regionu z ciekawym Muzeum Archeologicznym i licznymi stanowiskami archeologicznymi.
- **Jezioro Techirghiol** – kąpiele błotne w słynnych uzdrowiskach.
- **Mamaja** – raj dla miłośników plażowania.
- **Histria** – ruiny starożytnej osady.
- **Delta Dunaju** – wycieczki łodzią wśród dziewiczej przyrody.
- **Slava Rusă** i **Slava Cercheză** –wizyta u starowierców.

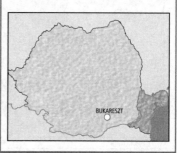

BUKARESZT

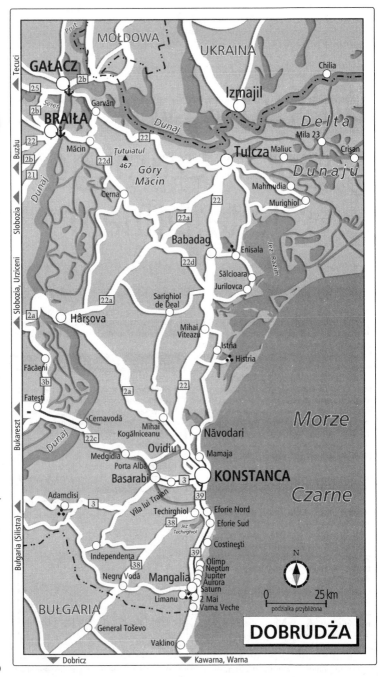

DOBRUDŻA

MOŁDOWA

UKRAINA

Chilia

GAŁACZ

Izmajil

25

2b

Garvăn

D e l t a

2b

BRAIŁA

Dunaj

Mila 23

Maliuc

22

Măcin

22

Crişan

2b

22d

Ţuţuiatul

467

Tulcza

Mahmudia

D u n a j u

21

Góry

Măcin

Murighiol

Cerna

22

22a

Babadag

Enisala

22d

Sălcioara

Jez Razim

Jurilovca

22a

Sarighiol

de Deal

Hârşova

Mihai

Viteazu

2a

Istria

Histria

Făcăeni

3b

2a

22

Morze

Fateşti

Cernavodă

Mihai

Kogălniceanu

Năvodari

22c

Medgidia

Ovidiu

Mamaja

Porta Albă

Basarabi

3

KONSTANCA

Czarne

Adamclisi

3

Vila lui Traian

39

Techirghiol

Eforie Nord

38

Jez

Techirghiol

Eforie Sud

Costineşti

Independenta

39

Olimp

38

Neptun

Negru Vodă

Mangalia

Jupiter

Aurora

Saturn

Limanu

2 Mai

Vama Veche

N

0   25 km

podziałka przybliżona

BUŁGARIA

General Toševo

Vaklino

Tecuci

Buzău

Slobozia

Slobozia, Urziceni

Bukareszt

Bułgaria (Silistra)

Prut

Seret

Dunaj

Dunaj

Dunaj

▼ Dobricz   ▼ Kawarna, Warna

nych w jeziorze Techirghiol), Eforie Sud, Mangalia, wreszcie stolica regionu – Konstanca są w lipcu i sierpniu przepełnione, ale inne kurorty, jak chociażby małe i spokojne Costineşti, Jupiter czy Saturn, lata świetności mają dawno za sobą. Większość miejscowości na wybrzeżu od października do maja świeci pustkami; hotele są wówczas pozamykane.

Na północ od Năvodari plaż jest mniej, są też trudniej dostępne, dzikie i puste, co czyni je prawdziwą oazą spokoju i miłą odmianą w stosunku do zatłoczonego wybrzeża między Mamają a Mangalią. Niedaleko stamtąd do delty Dunaju, wciąż dziewiczej i pięknej, z licznymi kanałami i jeziorami, różnorodnym ptactwem i starymi wioskami rybackimi. Do większości miasteczek i wsi dociera się wyłącznie drogą wodną. Po labiryncie delty także nie da się poruszać inaczej niż łodzią, ponieważ zaledwie 15% jej powierzchni stanowi ląd. Poznanie tej niezwykłej krainy umożliwiają wycieczki z Tulczy i miejscowości położonych wzdłuż biegu kanałów oraz regularne połączenia promowe, z których korzystają głównie miejscowi.

W Dobrudży zachowało się wiele interesujących zabytków, także z czasów starożytnych. Oprócz antycznych miast: Tomis (Konstanca), Histrii i Adamclisi (z ogromnym pomnikiem upamiętniającym zwycięstwa Rzymian nad zjednoczonymi siłami Daków i Gotów), warto zwiedzić Enisalę z ruinami średniowiecznego zamku oraz kilka ciekawych cerkwi i klasztorów. Ciekawa z kulturowego punktu widzenia będzie wędrówka śladami dobrudzkich mniejszości narodowych, np. rosyjskich starowierców.

Historia

Historia Dobrudży liczy ponad 2,5 tys. lat – w VII w. p.n.e. przybyli tam pierwsi greccy osadnicy. Najważniejsze założone przez nich kolonie, jak Histria, Tomis (Konstanca) i Callatis (Mangalia) stały się z czasem ważnymi ośrodkami handlu i kultury. O kontaktach Greków z Dakami i Gotami pisał ojciec historii Herodot, który tych ostatnich uważał za najbardziej walecznych i prawych wśród wszystkich „dzikich" plemion. Między 8 a 17 r. n.e. w Tomis (w założonej w 46 r. p.n.e. rzymskiej prowincji Moesia Inferior) przebywał na wygnaniu rzymski poeta Owidiusz. Rozżalony swym losem banity opisywał Dobrudżę jako pustkowie zamieszkane przez barbarzyńców.

Od IV w. terytorium Dobrudży należało do Bizancjum, potem przez kilka stuleci rościły sobie do niego pretensje zarówno cesarstwo, jak i Bułgaria. W połowie XIV w. wojak imieniem Dobroticz (stąd późniejsza nazwa regionu) wywalczył dla kraju względną niezależność, ale po jego śmierci panowanie objęli wołoscy hospodarowie. W 1419 r. tereny te zajęli Turcy, którzy okupowali Dobrudżę przez ponad 500 lat, tworząc tzw. Budziak. W 1878 r. podzielono ją między Rumunię i Bułgarię, w 1913 r. przypadła w całości Rumunii. Najważniejszym kurortem międzywojennej Rumunii, skupiającym śmietankę życia towarzyskiego i intelektualnego, był Balczik znajdujący się obecnie na wybrzeżu bułgarskim. W 1940 r. na mocy traktatu w Krajowej (Craiova) południową część Dobrudży wraz z miastem Gen. Tolbuhin (obecnie Dobricz) ponownie włączono do Bułgarii.

KONSTANCA

Historyczna stolica regionu, położona pośrodku wybrzeża Morza Czarnego Konstanca (Constanţa) – największy rumuński port oraz drugie co do wielkości miasto kraju (382 tys. mieszkańców) – chlubi się bogatą historią sięgającą czasów starożytnych. Niestety, antyczne ruiny są pogrzebane pod współczesnym miastem i obecnie można podziwiać tylko nieliczne ślady dawnego Tomis. Jak wszędzie w Rumunii, aby dotrzeć do centrum, trzeba się przedrzeć przez postawione w erze Ceauşescu szpetne blokowiska na przedmieściach.

W Konstancy warto zwiedzić muzea, szczególnie archeologiczne, z wyjątkowo ciekawą ekspozycją. Starówka z pomnikiem Owidiusza w centralnym punkcie zachowała się tylko fragmentarycznie, ale spacer po niej sprawia dużą przyjemność. Greckie korzenie, rzymska historia oraz wpływy Orientu mieszają się w dzisiejszej Konstancy z atmosferą portowego miasta i rumuńskiej codzienności.

Miłośnicy morskich kąpieli nie muszą nawet ruszać się poza centrum – ale mogą też pojechać do któregoś z okolicznych kurortów, choćby oddalonej o 10 km Mamai.

Historia

W I połowie VI w. p.n.e. koloniści greccy z Miletu założyli w miejscu dzisiejszej Konstancy portową osadę Tomis, która od razu zaczęła prężnie się rozwijać. Na początku IV w. n.e. powstała dzielnica Constantiana (nazwana na cześć cesarza Konstantyna Wielkiego), od której w czasach bizantyńskich wzięło miano całe miasto.

Grecki heros Jazon wybrał się z 50 towarzyszami na statku „Argo" po złote runo do Kolchidy, krainy na wschodnim wybrzeżu Morza Czarnego. Argonauci zdobyli skarb dzięki pomocy córki króla Kolchidy, Medei, która zakochała się w Jazonie. Niestety, „Argo" był wolniejszy od statków ścigającego go króla, dlatego Medea postanowiła zabić swego młodszego brata wziętego jako zakładnika, a jego poćwiartowane zwłoki wrzuciła do morza, aby w ten sposób opóźnić pościg. Zrozpaczony król nie był w stanie dalej płynąć za Jazonem. Wyłowił fragmenty ciała syna i pochował je nieopodal miejsca, gdzie później założono nową kolonię o nazwie Tomis (gr. kawałki).

W 514 r. p.n.e. perski król Dariusz przekroczył Dunaj w okolicach Isaccei i w swym pochodzie na południe „wstąpił" do Tomis, które doszczętnie zniszczył. Miasto zostało pracowicie odbudowane, ale jeszcze nie raz miało lec w gruzach. Rzymianie pojawili się w nim po raz pierwszy w 71 r. p.n.e., kiedy Licyniusz Lukullus ścigał niepokornego króla Pontu Mitrydatesa. Na jakiś czas wojska rzymskie pozostały w okolicy, ale nie były jeszcze w stanie zmierzyć się z lokalnymi plemionami. Dopiero po śmierci przywódcy dackiego Burebisty, który opanował również miasta greckie, wojskom imperium pod wodzą Licyniusza Krassusa udało się w 29 r. p.n.e. pokonać miejscowe ludy, a tym samym zyskać przychylność Greków. Mimo że ziemie Daków i Gotów nie zostały jeszcze podbite, cesarz Oktawian August (30 p.n.e.–14 n.e.) traktował je jak nową prowincję cesarstwa. Stąd wziął się pomysł wygnania Owidiusza (zob. dalej) akurat do Konstancy – do sprzymierzonych Greków, ale na tereny dla Rzymian wówczas obce i dzikie.

Tomis znalazło się pod panowaniem rzymskim w 46 r., a w II w. n.e. słynęło jako największy ośrodek na zachodnim wybrzeżu. Razem z Callatis, Histrią, Dionysopolis i Odessos należało do związku pięciu miast (Pentapolis) i było miejscem spotkań ich przedstawicieli. Od III w. prowincję Moesia Inferior (Dolna Mezja), do której należało Tomis, co rusz nękały najazdy plemion z północy. Wiele razy niszczone, podnosiło się z gruzów szybciej niż pobliska Histria czy bardziej odległe Callatis. Dla obrony przed częstymi atakami w latach 270–333 wzniesiono nowy pierścień obwarowań.

W III–VI w. Konstanca przeżywała na przemian okresy wzlotów i upadków, trafiając to w ręce Bizantyńczyków, to Bułgarów. Od VI w. Słowianie i Awarowie pustoszyli ośrodki na wybrzeżu, a w XI w. pojawili się tam Genueńczycy rywalizujący

o wpływy z Bizancjum. Kiedy na początku XIV w. ośrodek został zajęty przez Turków, Tomis, dawna perła Pentapolis, było już tylko prowincjonalną mieściną rybacką. Taka sytuacja utrzymywała się przez okres panowania osmańskiego aż do połowy XIX w. Sułtan zlecił wówczas Anglikom budowę portu, ale Turcja niedługo cieszyła się rosnącym znaczeniem i dobrobytem Konstancy. W 1887 r. miasto przypadło – wraz z całą północną Dobrudżą – Rumunii jako największy port nowo powstałego państwa. Zaczął się rozwijać przemysł i handel morski, czemu nie przeszkodziły obie wojny światowe. Obecnie Konstanca jest jednym z najważniejszych ośrodków przemysłowo-handlowych kraju. Rośnie też jej znaczenie turystyczne, o czym świadczą coraz liczniejsze kurorty na wybrzeżu Morza Czarnego.

Orientacja i informacje

Centrum Konstancy to okolice parku Zwycięstwa (Parcul Victoriei). Głównymi ulicami są: blvd Ferdinand, przylegający do północnej strony parku, oraz blvd Tomis po jego stronie wschodniej (arterie się przecinają). Blvd Ferdinand prowadzi w jedną stronę do plaży publicznej (kierunek wschodni), a w drugą do dworca kolejowego i głównego dworca autobusowego (Autogară Sud), odległych od centrum o 1,5 km.

Kierując się blvd Tomis na południe, dociera się do Piața Ovidiu, czyli serca Starego Miasta, gdzie skupia się większość zabytków. Starówka rozciąga się na malowniczym cyplu (nazwa dzielnicy – Peninsula, czyli półwysep). Zachodnią stronę cypla zajmuje ogromny port przemysłowy i pasażerski (Portul Constanța), a od strony północnej utworzono przystań jachtową zwaną portem turystycznym (Portul Turistic Tomis).

Miejska plaża (otaczająca dwie zatoczki) ciągnie się od portu turystycznego do wschodniego końca str. Ștefan cel Mare. Od strony miasta na plażę prowadzą schody.

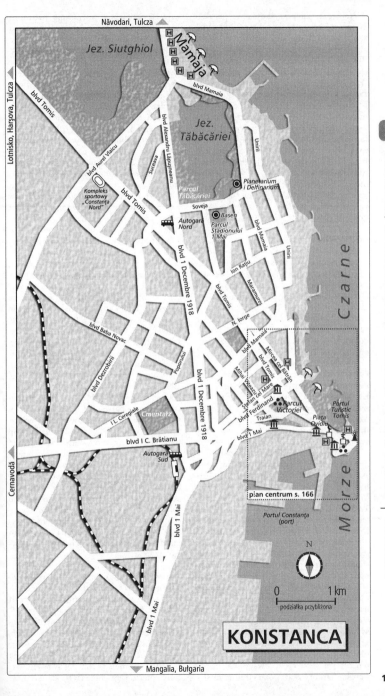

Năvodari, Tulcza

Jez. Siutghiol

Mamaia

blvd Mamaia

Jez. Tăbăcăriei

Uniri

Lotnisko, Hârşova, Tulcza

blvd Tomis

blvd Aurel Vlaicu

blvd Alexandru Lăpuşneanu

Suceava

Kompleks sportowy „Constanţa Nord"

blvd Tomis

Parcul Tăbăcăriei

Planetarium i Delfinarium

Soveja

blvd Mamaia

Autogara Nord

Basen

Parcul Stadionului 1 Mai

blvd Tomis

Ion Raţiu

blvd 1 Decembrie 1918

Uniri

Maramureş

N. Iorge

blvd Baba Novac

Popowului

blvd Mamaia

Czarne

blvd Dezrobirii

blvd 1 Decembrie 1918

Mircea cel Mare

blvd Tomis

I. L. Ceregiale

Cmentarz

Mihai Viteazul

Ştefan cel Mare

blvd Ferdinand

Parcul Victoriei

Portul Turistic Tomis

Traian

Piaţa Ovidiu

Cernavodă

blvd I C. Brătianu

Autogara Sud

blvd 1 Mai

plan centrum s. 166

Morze

blvd 1 Mai

Portul Constanţa (port)

N

0   1 km

podziałka przybliżona

KONSTANCA

Mangalia, Bułgaria

Najwięcej sklepów skupia się przy str. Ştefan cel Mare, która od str. Mihai Viteazu do blvd Tomis jest zamknięta dla ruchu kołowego.

Rzetelne **informacje o mieście** i atrakcjach województwa Konstanca można uzyskać w Centrul de informare turistica Info Litoral (parter w bloku przy str. Traian 36, Bl. C1, Sc. C; Ap. 31, wejście od blvd Ferdinand; ☎0241/555000, fax 555111, www.infolitoral.ro). Podobne centrum informacji turystycznej działa kilka kilometrów od centrum, przy blvd Tomis 221, BL. TS 11B (☎/fax 0241/499600, www.turism-constanta.ro). W obu miejscach otrzymać można przydatną mapę turystyczną województwa i miasta Konstanca, zarezerwować noclegi na wybrzeżu oraz dowiedzieć się o aktualnych wydarzeniach.

Zwiedzanie

Spacer po mieście najlepiej rozpocząć od Piaţa Ovidiu, wokół którego skupia się większość zabytków. Wydłużona starówka zajmuje niewielki obszar, dlatego obejrzenie wszystkich atrakcji nie powinno zająć więcej niż kilka godzin, włączając w to zwiedzanie muzeum archeologicznego. Następnie warto cofnąć się z placu na północ, aby zajrzeć do muzeów – etnograficznego i sztuki – oraz tzw. parku archeologicznego.

Piaţa Ovidiu Plac Owidiusza, oszpecony monumentalnymi budynkami z ostatnich lat panowania Ceauşescu, nie pełni ważnych funkcji publicznych, mimo to odwiedzają go chyba wszyscy przybywający do miasta turyści, jest także ulubionym miejscem spotkań.

Największą uwagę przyciąga zwieńczone wieżyczką **Muzeul de Istorie Naţională şi Arheologie** (Muzeum Historii i Archeologii; Piaţa Ovidiu 12; ☎0241/618763; V–IX codz. 9.00–20.00; 2,80 €, ulgowy 1,65 €, fotografowanie 3 €). Budynek wzniesiony w latach 1911–1921 zaprojektował architekt Ion Mincu. W muzeum zgromadzono liczne znaleziska archeologiczne odkryte w centrum i okolicach Konstancy, dające pojęcie o bogactwie kulturalnym dawnej Dobrudży. Ekspozycja z lat 100 tys.–1000 p.n.e. obejmuje m.in. kieł mamuta, narzędzia do polowania, gliniane naczynia, miecze oraz monety. Perłą zbiorów są kopie słynnych figurek nazwane *Myśliciel i jego żona* (*Gânditorul şi femeia sa*), wydobyte z nekropolii Cernavodă i datowane na okres między 4000 i 3200 r. p.n.e. Warto zwrócić uwagę na dackie i gockie amfory oraz późniejsze rzymskie

kapitele, popiersia oraz grupy marmurowych posągów zdradzające wpływy getodackie i greckie. Na szczególne zainteresowanie zasługuje białe marmurowe popiersie Izydy oraz *Podwójna Nemezis* (*Statuia dublei Nemezis*), czyli statuetki dwóch sprawiedliwych bogiń w miniaturowej świątyni. Najbardziej fascynująca jest rzeźba *Wąż Glykona* (*Şarpele mistic Glycon*) z II w. p.n.e. Wąż ma głowę antylopy, oczy, uszy i długie włosy człowieka oraz ogon lwa. Obok gmachu muzeum urządzono na wolnym powietrzu ekspozycję fragmentów starożytnych budowli: kapiteli, części portali oraz ciekawych rzymskich sarkofagów.

Przed muzeum, pośrodku placu, stoi **pomnik Owidiusza**, wykonany w 1887 r. przez włoskiego rzeźbiarza Ettore Ferrariego. Fundusze na ten cel zebrali mieszkańcy Konstancy. Legenda głosi, że wyjęty spod prawa przez cesarza Augusta poeta spoczywa pod posągiem, w rzeczywistości jednak nie wiadomo, gdzie jest jego grób. Na tyłach muzeum archeologicznego mieści się interesujące **Edificiul Roman cu Mozaic** (Muzeum Rzymskiego Domu z Mozaiką; V–IX codz. 9.00–20.00; 1,30 €, ulgowy 0,65 €, fotografowanie 3 €). Częściowo przeszklony budynek kryje jeden z największych na świecie fragmentów rzymskiej mozaiki podłogowej (III w. n.e.). Pierwotnie mozaika miała powierzchnię 100 na 20 m, dzisiaj podziwia się ponad 700 m² odkrytych w 1959 r. i zaskakujących żywymi barwami kamyczków, ułożonych w roślinne i geometryczne wzory. Prace archeologiczne i konserwacyjne nad tym niezwykłym zabytkiem trwały ponad 10 lat. Poniżej tarasu z mozaiką, skąd można podziwiać ogromny port Konstancy, przy skarpie opadającej na blvd Marinalilor, odkryto 13 starożytnych sklepionych pomieszczeń. Należały one do kompleksu zabudowań Domu z Mozaiką i służyły jako magazyn oraz sklepy. Cała budowla, wysoka na 6 m, była oblicowana kolorowym marmurem, z którego zachowały się jedynie szczątki.

Starówka Z Piaţa Ovidiu, z którego wchodzi się na starówkę, widać oddalony o kilkadziesiąt metrów **Mahmudiye Camii** (Meczet Mahmuda; str. Arhiepiscopiei 5; codz. cały dzień; 0,60 €), zwany też Moscheea Mare (Duży Meczet). Budowla w stylu mauretańskim, której towarzyszy wysoki na 50 m minaret, powstała w 1910 r. na miejscu starszej świątyni. Arkady otaczające niewielki dziedziniec

Wygnany poeta

Publiusz Owidiusz Nazo (43 r. p.n.e.–17 r. n.e.) był – obok Wergiliusza i Horacego – jednym z najwybitniejszych poetów rzymskich za panowania Oktawiana Augusta. Dlaczego w 8 r. n.e. cesarz skazał go na wygnanie do odległego Tomis, do dziś pozostaje zagadką. Niewykluczone, że Owidiusz wiedział o kazirodczym związku łączącym władcę z córką Julią, a być może także z wnuczką (również Julią)... Owidiusz nie wspomniał oficjalnie o przyczynach zatargu z cesarzem, nigdy też nie podważał zasadności wyroku, czasem tylko żalił się przyjaciołom. Podczas dziewięcioletniego wygnania napisał słynną *Sztukę kochania* (*Ars amandi*) oraz *Tristia* (*Żale*). Inne utwory i mowy wygłaszane na forum w Tomis, gdzie dzisiaj stoi jego pomnik, zaginęły bezpowrotnie.

W *Tristiach* oraz *Listach znad Morza Czarnego* (*Epistulae ex Ponte*) Owidiusz narzekał na warunki, w jakich przyszło mu żyć. Doskwierał mu przede wszystkim klimat Dobrudży, brak wygód w miastach i niekończące się pustkowie poza ich murami, gdzie „barbarzyńcy strzelają zatrutymi strzałami", bez drzew, ptaków i kwiatów. Poeta zwiedził też Tulczę (wówczas Aegyssus), uznaną przez niego za nie do zdobycia, i deltę Dunaju, której przyrodę podziwiał i opisywał w listach. Jako jeden z ostatnich Europejczyków poznał język Gotów, a nawet pisywał w nim utwory (niezachowane) i wygłaszał mowy.

wspierają się na kolumnach z koryncko-jońskimi kapitelami. Portal prowadzący do wnętrza zdobiony jest czarnym marmurem w stylu osmańskich domów modlitewnych. Główną salę meczetu przykrywa duża kopuła (podobnie jak minaret wykonana z żelbetu). Ściany świątyni wraz ze skromną niszą modlitewną (*mihrab*) oraz amboną-kazalnicą (*mimbar*) pokrywają charakterystyczne dla tureckich meczetów żółte, niebieskie, czerwone i zielone arabeski. Z minaretu rozpościera się rozległy widok na morze, port, starówkę i niekończące się blokowiska.

Str. Arhiepiscopiei wiedzie do nadmorskiej promenady. U jej wylotu stoi prawosławna **Catedrala Sf. Apostoli Petru şi Pavel** (katedra św. św. Piotra i Pawła; str. Arhiepiscopiei 25) z II połowy XIX w. z elewacją ozdobioną żółto-szarymi pasami. Obok można podziwiać fundamenty domów z czasów późnego antyku. W niewielkiej kamienicy po drugiej stronie ulicy mieści się poświęcone rumuńskiemu rzeźbiarzowi **Muzeul Ion Jalea** (str. Arhiepiscopiei 26; ☎0241/618602; wt.–nd. 10.00–18.00; 0,60 €). Ciekawa kamienica na jego tyłach przypomina miniaturowy zamek. Widać stamtąd pomnik Anghela Saligny, rumuńskiego architekta żyjącego w latach 1854–1923, który skonstruował most nad Dunajem w Cernavodă i zaprojektował port w Konstancy. Kierując się na wschód nadmorską promenadą lub równoległym blvd Elizabeta, dochodzi się do imponującego secesyjnego gmachu **Cazino Paris** (Kasyno Paryż). Zaprojektował je w 1909 r. Daniel Renard, architekt urodzony w Ru-

munii i wykształcony w Paryżu. Przed bogato zdobioną fasadą z wielkim oknem w kształcie wachlarza rozciąga się dziedziniec z licznymi arkadami. W Kasynie mieści się restauracja, kawiarnia i dyskoteka. Naprzeciwko wznosi się **Acvariu** (Akwarium; 9.00–20.00, poza sezonem do 17.00; 1,40 €, ulgowy 0,70 €, fotografowanie 1,40 €, filmowanie 3,20 €), gdzie można podziwiać rozmaite stworzenia morskie i słodkowodne. Po przeciwnej stronie blvd Carpaţi stoi reprezentacyjny budynek chińskiego konsulatu.

Podążając promenadą w kierunku wschodnim, dochodzi się do popiersia Michała Eminescu z 1934 r., wyrzeźbionego przez lokalnego artystę Oskara Hana. Wielki rumuński poeta spogląda w morze zgodnie z życzeniem, które wyraził w jednym ze swoich wierszy. Nieopodal, przy wielkim białym budynku akademii marynarki wojennej wznosi się smukła, niewysoka **Farul Genovez** (latarnia genueńska), prawdopodobnie z XIII w. Niewykluczone jednak, że postawili ją dopiero w 1860 r. Anglicy podczas budowy portu w Konstancy (na pewno z tego okresu pochodzi oszklona nadbudowa). Nie ulega wątpliwości, że przedstawiająca okręt płaskorzeźba nad wejściem (być może znaleziona gdzieś i wkomponowana w budowlę przez Brytyjczyków) powstała w średniowiecznej Genui. Wracając w stronę Piaţa Ovidiu (str. R. Opreanu), mija się po prawej stronie pokaźny pałac miejski, w którym mieści się hotel *Palace*. Po drugiej stronie cypla, przy str. N. Titulescu wznosi się **Biserica Romano-Catolică Sf. Anton** (kościół św. An-

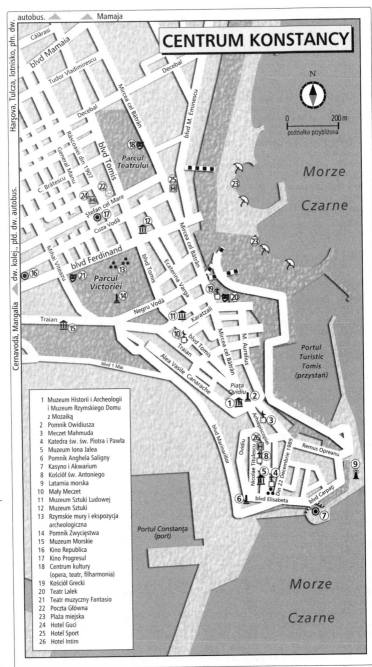

CENTRUM KONSTANCY

N

0   200 m
podziałka przybliżona

Morze

Czarne

Harşova, Tulcza, lotnisko, płn. dw.   autobus.   ▲   ▲ Mamaja

Călăraşi

blvd Mamaia

Tudor Vladimirescu

Decebal

Decebal

blvd Tomis

Mircea cel Bătrân

Parcul Teatrului

C. Brătescu

Răscoalei din 1907

General Manu

blvd M. Eminescu

Ştefan cel Mare

Cuza Vodă

blvd Ferdinand

Parcul Victoriei

Mihai Viteazu

Traian

Mircea cel Bătrân

Ecaterina Varga

blvd Tomis

Negru Vodă

Karatzali

Mircea cel Bătrân

Traian

blvd Tomis

M. Aurelius

dw. kolej., płd. dw. autobus.

Cernavodă, Mangalia

blvd 1 Mai

Alea Vasile Canarache

Piaţa Ovidiu

Portul Turistic Tomis (przystań)

Amfiteatru

Ovidiu

Nicolae Titulescu

Din 22 Decembrie 1989

Remus Opreanu

blvd Carpaţi

blvd Elisabeta

blvd Marinarilor

Portul Constanţa (port)

Morze

Czarne

1 Muzeum Historii i Archeologii
   i Muzeum Rzymskiego Domu
   z Mozaiką
2 Pomnik Owidiusza
3 Meczet Mahmuda
4 Katedra św. św. Piotra i Pawła
5 Muzeum Iona Jalea
6 Pomnik Anghela Saligny
7 Kasyno i Akwarium
8 Kościół św. Antoniego
9 Latarnia morska
10 Mały Meczet
11 Muzeum Sztuki Ludowej
12 Muzeum Sztuki
13 Rzymskie mury i ekspozycja
   archeologiczna
14 Pomnik Zwycięstwa
15 Muzeum Morskie
16 Kino Republica
17 Kino Progresul
18 Centrum kultury
   (opera, teatr, filharmonia)
19 Kościół Grecki
20 Teatr Lalek
21 Teatr muzyczny Fantasio
22 Poczta Główna
23 Plaża miejska
24 Hotel Guci
25 Hotel Sport
26 Hotel Intim

toniego; str. N. Titulescu 11). Warto zwrócić uwagę na otaczające świątynię bogato zdobione secesyjne kamienice.

Od Piața Ovidiu do parku Zwycięstwa Na północny zachód od placu Owidiusza rozciąga się nowsza część miasta, gdzie zachowało się wiele interesujących XIX-wiecznych kamienic. Są tam także dwa muzea – etnograficzne i sztuki, a także ciekawy park, w którym można podziwiać fragmenty starożytnych murów.

Z placu str. Traian dochodzi się do pierwszego skrzyżowania ze str. P. Rareș, przy której stoi **synagoga** (wejście od str. C.A. Rosetti). Świątynia, wybudowana w XIX w. w stylu mauretańskim, jest dziś, jak większość tego typu przybytków w Rumunii, opuszczona i popada w ruinę. Między str. Traian a blvd Tomis warto rzucić okiem na **Moscheea Mică** (Mały Meczet; blvd Tomis 39) wzniesiony w 1869 r. z materiału ze zniszczonej w I połowie XIX w. twierdzy tureckiej. Nieopodal uwagę przykuwa ładny gmach **Muzeul de Artă Populară** (Muzeum Sztuki Ludowej; blvd Tomis 32; ☎0241/616133; śr.–nd. 9.00–19.00; 0,60 €, fotografowanie i filmowanie 1,80 €). Jeśli nawet zbiory etnograficzne nie wzbudzą wielkiego zachwytu, to sam budynek z pewnością wart jest zobaczenia. Wewnątrz działa sklep z wyrobami sztuki ludowej. Str. V. Alecsandri dochodzi się do skromnego **Biserica Greacă** (kościół Grecki; str. Mircea cel Bătrăn 37) z II połowy XIX w., zwieńczonego miniaturową wieżyczką. Elewacja i schody pokryte sprowadzonym z Grecji marmurem świadczą o bogactwie greckiej społeczności, która uzyskała pozwolenie na budowę świątyni od samego sułtana. W ciekawym budynku obok mieści się **Teatrul de Papuși** (Teatr Lalek).

Na rogu blvd Tomis i blvd Ferdinand stoi **Muzeul de Artă** (Muzeum Sztuki; blvd Tomis 82–84; ☎0241/617012; wt.–nd. 9.00–20.00; 0,70 €, ulgowy 0,35 €, fotografowanie i filmowanie 1,80 €) z kolekcją prac wybitnych rumuńskich artystów: Șt. Luchiana, Th. Amana czy N. Grigorescu. W sąsiedniej galerii organizowane są wystawy czasowe. Po przeciwnej stronie ulicy zaczyna się **Parcul Victoriei** (park Zwycięstwa), zwany też parkiem Archeologicznym, gdzie oprócz resztek starożytnych murów można oglądać ogromne dzbany i fragmenty antycznych budowli. Wśród zieleni stoi duży pomnik Zwycięstwa z 1968 r. Na zachód od parku, przy str. Traian, wznosi się **Muzeul Marinei**

Romăne (Muzeum Morskie; str. Traian 53; ☎0241/619035; wt.–nd. 10.00–18.00; 1,60 €, ulgowy 0,80 €) eksponujące wiele obiektów również w parku obok budynku.

Nie tylko dzieci ucieszy wizyta w **Planetarium** i **Delfinarium** (w osobnych budynkach, blvd Mamaia 255; ☎0241/831553; VI–IX 8.00–20.00, X–V 9.00–16.00; 2,40 €, ulgowy 1,20 €, delfinariu@cjc.ro) na południowym brzegu jeziora Tăbăcăriei, przy drodze do Mamai. Obok utworzono **Planetarium** (9.00–18.00; 1,60 €) i obserwatorium astronomiczne (9.00–18.00; 0,50 €).

Noclegi

Najtańsze kwatery oferują mieszkańcy po wschodniej stronie blvd A. Vlaicu (zachodnia obwodnica miasta). Hotele najłatwiej znaleźć w centrum, ale i tam nie ma ich wiele, ponieważ turyści najchętniej nocują w okolicznych kurortach – Mamai lub nieco bardziej odległych Eforie Nord i Eforie Sud. Najbliższe pole namiotowe znajduje się w Mamai.

Capri*** (str. Mircea cel Bătrăn 109; ☎0241/553090, fax 550993, www.capri.ro). Wysoki standard. Pokój 1-os. 69–79 € (w zależności od pory roku), 2-os. 69–79 €, apartament 89–105 €.

Guci*** (str. Răscoalei 1907 nr 23; ☎0241/695500, fax 638426, receptie@hotel-guci.ro). Nieopodal głównego urzędu pocztowego. Pokój 1-os. 65 €, 2-os. 65 €, apartament 93 €.

Hanul Balcan** (str. Ștefan cel Mare 84; ☎/fax 0241/661974). Standard schroniska młodzieżowego; w podwórzu restauracja. Skromne pokoje 2-os. 17 €.

Intim** (str. N. Titulescu 7–9; ☎0241/617814). Hotel w starej kamienicy przy kościele katolickim. Pokój 1-os. 28 €, 2-os. 38 €, apartament 43 €.

Sport* (str. Cuza Voda 2; ☎0241/617558). Niedawno wyremontowany. Pokój 2-os. 23 €.

Tineretului** (blvd Tomis 20–26; ☎0241/613590, fax 611290). Przy hotelu bardzo dobra restauracja. Pokój 1-os. 19 €, 2-os. 22 €.

Gastronomia

Najwięcej lokali gastronomicznych działa przy blvd Tomis (między parkiem Zwycięstwa a Piața Ovidiu). Kilka knajpek zaprasza przy str. Ștefan cel Mare. Największy sklep spożywczy znajduje się w przyziemiu supermarketu Tomis Mall (str. Ștefan cel Mare 36–40). Na targowisku w pobliżu południowego dworca autobusowego można kupić warzywa, owoce i nabiał.

Beta (str. Ștefan cel Mare 6; ☎0722/622144). Duży oszklony budynek z daniami typu fast food, plus kawiarnia z tarasem.

Café la Taclale (blvd Tomis 55, na piętrze; ☎0722/437752). Bardziej pub niż kawiarnia. Niezła muzyka (głównie klasyka rocka). Piwo 0,40 €.

Casa Tomis (str. Remus Opreanu 8, naprzeciwko hotelu *Palace*; ☎0241/619486). Najtańsza restauracja na starówce.

Casino (blvd Elisabeta 2; ☎0241/617416). Atmosfera międzywojnia; kuchnia międzynarodowa; taras. Kawiarnia (kawa 0,70 €) i klub z bilardem.

Complex Colonadelor (blvd Traian 53, między BCR a Muzeum Morskim; ☎0241/618 058). Restauracja, sala bankietowa, cukiernia z pyszną *baklave* i ogródek. Miejsce godne polecenia ze względu na niepowtarzalną atmosferę. Dwudaniowy posiłek około 3,50 €, 0,5 l piwa Tuborg 0,60 €.

Gente (Piaţa Ovidiu 7; ☎0241/611782, 709383). Nowoczesna knajpka w charakterystycznym żółtym budynku; kuchnia włoska i międzynarodowa.

Irish Pub (str. Ştefan cel Mare 1, na rogu str. Mircea cel Bătrăn; ☎0241/550400). Standardowe trunki (m.in. guinness) plus kilka smacznych przekąsek. Wysokie ceny rekompensuje taras z widokiem na morze.

La Pizza (str. Răscoala din 1907 nr 15, na rogu str. Ştefan cel Mare; ☎0241/520931; 9.00–23.00). Duży kompleks gastronomiczny z daniami na każdą kieszeń. Pizza i inne włoskie specjały, a także desery i alkohol oraz kanapki na wynos – wszystko godne polecenia. Latem ogródek. Pizza 1,50–2,50 €, kanapka z szynką 1 €.

Mangal Sanli Urfa (blvd Tomis 14–16; ☎0722/709392). Restauracja prowadzona przez Turków specjalizująca się w kuchni znad Bosforu.

McDonald (Ştefan cel Mare 36–40). W budynku domu towarowego Tomis Mall.

New West Restaurant & Café Bar (str. Mircea cel Bătrăn 49–51, na rogu blvd Ferdinand; ☎0241/614511; codz. 8.30–23.00). Kuchnia libańska; obok niezła cukiernia i pizzeria.

Patisserie Merlin (Ştefan cel Mare, naprzeciwko *Beta American Steak House*).

Pizza Hut (str. Rascoala 1907 nr 10; ☎0241/518430).

Pizzeria Cin Cin (blvd Tomis, naprzeciwko *Jeux de Cuisine*). Duży wybór włoskich specjałów oraz kebaby. Tanio jak na centrum: duża pizza 1,80 €.

Restaurant Zorile & Black Sea Disco (str. Ştefan cel Mare 2; ☎0241/616545; 9.30–24.00). Klasyczna kuchnia rumuńska; obok popularna dyskoteka.

Rozrywki

W centrum Konstancy jest kilka **kin**: Cinema Progresul (str. Ştefan cel Mare 33) i Cinema Republica (blvd Ferdinand 58).

W lecie w parku Zwycięstwa w Cinema Gărdină Tomis organizowane są seanse na wolnym powietrzu.

W parku przy str. Mircea cel Bătrăn 97 powstało duże centrum kultury z **operą** (Teatrul Liric; ☎0241/708614), **teatrem Owidusz** (Teatrul Dramatic „Ovidiu"; ☎0241/611744) oraz **filharmonią Morze Czarne** (Filarmonica „Marea Neagră"; ☎/fax 0241/615522, 618028).

Teatrul de Balet Clasic „Oleg Danovski" (str. Răscoalei 1907 nr 1; ☎0241/519054). Przedstawienia baletowe.

Teatrul de Revistă Fantasio (blvd Ferdinand 11; ☎0241/614930). W repertuarze Teatru Satyrycznego dominują musicale i pantomimy, występują tam również kabarety.

Teatrul de Vară Fantasio. Teatr letni działający w sezonie w parku Zwycięstwa.

Teatrul Pentru Tineret şi Copii (str. Karazali 16, obok cerkwi greckiej; ☎0241/618992). W dawnym Teatrze Lalek będą się dobrze bawić zarówno dzieci i młodzież, jak i dorośli.

Specjalne wydarzenia

Tomis Yacht Fair Od lat w porcie turystycznym, przeważnie pod koniec lipca, organizuje się targi żeglarskie. Można wtedy podziwiać najnowsze łodzie, jachty i statki, na których wystawiono przeróżne sprzęty i akcesoria wodniackie. Targom towarzyszą atrakcyjne pokazy sportowe.

Carnavalul Mării Karnawał Morski zwany również Świętem Morza (Sărbătorile Mării) przypada zazwyczaj w połowie sierpnia. Można go porównać do juwenaliów – po mieście chodzą przebierańcy, jeżdżą kolorowe tramwaje, wszędzie słychać odgłosy dobrej zabawy. Wieczorem przy porcie odbywa się pokaz sztucznych ogni, któremu towarzyszą koncerty i tańce.

Informacje o połączeniach

Samolot Tym środkiem transportu można dostać się do Konstancy tylko w lecie (kilka połączeń tygodniowo z Bukaresztem). Bilet kosztuje około 45/90 € w jedną/obie strony. Rezerwację i sprzedaż prowadzi biuro Tarom (str. Ştefan cel Mare 15; ☎/fax 0241/662632; pn.–pt. 8.00–18.00, sb. 9.00–13.00), sprzed którego kursują autobusy na lotnisko. Bilet należy kupić co najmniej dwie godziny przed odlotem. Międzynarodowe lotnisko M. Kogălniceanu (☎0241/615276, 258378) usytuowane jest około 20 km na północny zachód od miasta, przy drodze do Hârşova. Autobus Taromu jedzie z lotniska do Konstancy mniej więcej 30 minut. Taksówka do centrum kosztuje około 8 €, do Mamai 4 €.

Pociąg Konstanca ma sporo połączeń kolejowych z wieloma miastami w Rumunii, m.in. Bukaresztem (10 dziennie), Buzău (3 dziennie), Gałaczem (2 dziennie), Jassami (2 dziennie), Mangalią (5 dziennie), Suczawą (1 dziennie) i Tulczą (1 dziennie). Ponadto codziennie odjeżdża jeden skład do Budapesztu przez Transylwanię, a latem uruchamia się kilka połączeń z Siedmiogrodem i zachodnią częścią kraju.

Dworzec kolejowy stoi przy zachodnim krańcu blvd Ferdinand, 1,5 km od centrum. W dużym budynku znajduje się sporo udogodnień dla podróżnych, łącznie z całodobową przechowalnią bagażu. Sprawdzić rozkład jazdy i kupić bilety można też w **Agenţie de Voiaj CFR** przy str. Vasile Canarache 4, nieopodal muzeum archeologicznego.

Autobus W Konstancy funkcjonują dwa dworce autobusowe – Autogară Sud (południowy) i Autogară Nord (północny). Większość autobusów odjeżdża z pierwszego, usytuowanego nieopodal dworca kolejowego (1 dziennie do Braszowa, 4 do Braiły, kilka do Cernavodă, kilkanaście do Gałacza, 3 do Suczawy). Do Bukaresztu (3 godz. 45 min; 6,30 €) kursują tylko mikrobusy, za to aż kilkanaście dziennie. Z dworca północnego dostać się można m.in. do Tulczy (5 dziennie), Histrii i Adamclisi (kierunek Ostrov).

Do Mangalii przez wszystkie nadmorskie kurorty położone po drodze (m.in. Eforie Nord i Eforie Sud) co pół godziny odjeżdżają mikrobusy spod dworca kolejowego (0,60 €).

Komunikacja miejska Od 5.00 do północy po mieście kursują autobusy, trolejbusy i tramwaje. Bilety kupuje się w kioskach przy przystankach; jednorazowy przejazd kosztuje niecałe 0,30 €. Z dworca autobusowego Autogară Sud i kolejowego do centrum (przy parku Zwycięstwa) jeżdżą trolejbusy #40, 41 i 43 (trzeba wysiąść na czwartym przystanku – „Fantasio"). Do Mamai można dostać się bezpośrednio trolejbusem #41 lub z przesiadką trolejbusem #40 (na przystanku „Pescărie" obok jeziora Tăbăcăriei trzeba przesiąść się w #41 lub 47). Do dworca autobusowego Autogară Nord kursuje z centrum trolejbus #43, a z dworca kolejowego tramwaj #100.

Informator

Apteki Miga (blvd Tomis 80, róg blvd Ferdinand, naprzeciwko supermarketu Grand) czyn-

na jest całą dobę, podobnie jak Dom (str. Mircea cel Bătrân 140).

Internet Kafejki internetowe: *Best Internet Games* (blvd Tomis 213, dwa piętra budynku) i w piwnicy kamienicy na rogu str. Răscoalei din 1907 i str. Ştefan cel Mare (0,60 €/godz.).

Laboratoria fotograficzne Kodak Products, str. Ştefan cel Mare, naprzeciwko *Irish Pub*; Kodak Express – przy tej samej ulicy w strefie dla pieszych, naprzeciwko Banca CIT; Foto Pro, str. Mircea cel Bătrân 63.

Poczta i telekomunikacja Główny urząd pocztowy z automatami telefonicznymi (blvd Tomis 79–81, róg str. Ştefan cel Mare; pn.–pt. 7.00–20.00, sb. 7.00–13.00); druga poczta – str. Remus Opreanu, idąc od Piaţa Ovidiu za meczetem Mahmuda.

Rejsy turystyczne Tylko w sezonie, do wyboru co najmniej kilka jachtów (ok. 10 €/os.); pytać w porcie turystycznym po północno-wschodniej stronie cypla. Przy głównej plaży można także wynająć łódź (od 8 €/godz.).

Wymiana walut i banki Banca Comercială Ion Ţiriac, str. Ştefan cel Mare 32–34, Bl. M 10; Banca Comercială Română, str. Traian 1, przy Piaţa Ovidiu; Banca Română pentru Dezvoltare, str. Arhiepiscopiei 9, nieopodal meczetu Mahmuda; Reiffeisen Bank, str. Traian 51, obok Muzeum Morskiego. Najwięcej kantorów działa przy północnej części blvd Tomis oraz przy str. Ştefan cel Mare; należy uważać, bo niektóre pobierają wysoką (8%) prowizję.

Wypożyczalnie samochodów Hertz (blvd Tomis 65, nieopodal Muzeum Sztuki; ☎/fax 0241/661100); Avis (str. Ştefan cel Mare 15, w biurze Taromu; ☎/fax 0241/616733).

Zakupy Centrum handlowe Tomis Mall (str. Ştefan cel Mare 38–40).

MAMAJA

Oddalona o kilka kilometrów na północ od Konstancy Mamaja (Mamaia) jest największym rumuńskim ośrodkiem wypoczynkowym nad Morzem Czarnym. Na mierzei pomiędzy morzem a słodkowodnym jeziorem Siutghiol (o długości 9 km i szerokości ok. 400 m) zaprasza ponad 60 hoteli o wysokim zazwyczaj standardzie. W miasteczku działa poczta, kino, teatr na wolnym powietrzu, lunapark, restauracje, puby, dyskoteki i sklepy, a przy kompleksach hotelowych – wypożyczalnie sprzętu wodnego. Z każdego hotelu na szeroką plażę (miejscami do 250 m) jest dosłownie kilka kroków, a ciepłe morze o przyjemnym piaszczystym dnie zachęca do kąpieli. Chętni mogą wybrać się na wycieczkę statkiem, aby podziwiać nadmorskie krajobrazy okolic delty Dunaju lub nurkować w tętniących życiem lazurowych wodach. Ostatnio przybyła nowa atrakcja: kolejka gondolowa, umożliwiająca oglądanie kurortu z lotu ptaka. Dla turystów o chudszych portfelach przygotowano kilka kempingów, gdzie rozbicie namiotu kosztuje dosłownie grosze.

Przed II wojną światową Mamaja była cichą rybacką wioską, ale już w 1940 r. na wczasowiczów czekało około 500 miejsc noclegowych. Od lat 50. XX w. kurort szybko się rozwijał – pod koniec lat 70. ubiegłego stulecia gościł rocznie około 17 tys. turystów, dziś przyjeżdża ich znacznie więcej.

Orientacja w mieście nie jest trudna. Kompleksy hotelowe ciągną się wzdłuż czteropasmowej drogi z Konstancy (blvd Mamaia) do Năvodari i Histrii. Na jej południowym końcu jest przystanek autobusowy „Perla" (przy hotelu o tej samej nazwie), duże skrzyżowanie z bramkami do płacenia za wjazd do Mamai (20 tys. lei), a jeszcze dalej na południe przystanek „Pescărie" (nieopodal hotelu *Parc*). Lokale rozrywkowe i sklepy skupiają się w okolicach kasyna, dużego charakterystycznego budynku w centrum. Na południowym krańcu kurortu powstało kilka pól namiotowych. Ponadpięciokilometrowa promenada nadmorska prowadzi od hotelu *Parc* do hotelu *Rex*.

Piękna piaszczysta plaża ciągnie się wzdłuż całej mierzei. Jest dostępna z każdego kompleksu hotelowego, a od strony kasyna wchodzi do morza długie przedwojenne molo.

Przy większych hotelach działają biura turystyczne, gdzie można uzyskać **informacje** na temat wycieczek i noclegów. Należy do nich agencja Mamaia (Vila nr 26; ☎0241/831168, 831371, fax 831052, www.mamaia-travel.ro) i biuro przy hotelu *Riviera* (☎0241/831168, fax 831052).

Noclegi

Większość hoteli otwarta jest między 1 czerwca a 15 września, tylko nieliczne także w październiku. Wykazem obiektów noclegowych wraz z opisem standardu i cenami dysponuje **Centrul de Cazare** (Centrum Noclegów; ☎0241/831209) w budynku kasyna. W ofercie przeważają luksusowe hotele; dwugwiazdkowych jest znacznie mniej.

Alcor** (☎0241/831202, fax 831352). Dogodne położenie przy kompleksie handlowym i niedaleko poczty. Pokój 2-os. 56 €, apartament 78 €.

Amiral*** (☎0241/831132, fax 831135). W pobliżu hotelu *Orfeu*. Pokój 2-os. 85 €, apartament 115 €.

Astoria** (☎0241/831007, fax 831456). Nieduży hotel; jeden z niewielu, w którym panuje niemal domowa atmosfera. Pokój 2-os. około 50 €, apartament 80 €.

Best Western Savoy**** (☎0241/831426, fax 831181, www.savoyhotel.ro). Bardzo drogo. Pokój 2-os. 55 €, pokój luksusowy 190 €, apartament 110 €, apartament luksusowy 300 €.

Iaki**** (☎0241/831025, fax 831169, www.iaki.ro). Drogi hotel, który wyremontował i przebudował, pochodzący z Săcele koło Istrii, Gheorghe Hagi – legenda rumuńskiego futbolu. Bogata oferta sportowa. Pokój 2-os. 115 €, apartament 145 €.

Lido*** (☎0241/831555, fax 831818, lido@rolitoral.ro). W pobliżu hoteli *Orfeu* i *Amiral*, w północnej części Mamai. Pokój 1-os. 50 €, 2-os. 70 €, apartament 130 €.

Orfeu*** (☎0241/831180, hotelorfeu@yahoo.com). Nad samą plażą, w północnej części kurortu. Pokój 1-os. 40 €, 2-os. 60 €, apartament 70 €.

Parc*** (☎0241/831720, fax 831198, hotelparc@fx.ro). 12-piętrowy wieżowiec w południowej części Mamai jest ostatnim hotelem przed Konstancą; tuż przy przystanku autobusowym „Pescărie". Prawie 400 łóżek. Pokój 2-os. 65 €.

Grand Hotel Rex***** (☎0241/831520, fax 831690, hotelrex@astral.ro). Jeden z najlepszych i najdroższych hoteli w całej Rumunii, pamiętający czasy przedwojenne. Do dyspozycji gości 12 apartamentów i basen. Otwarty przez cały rok. Pokój 2-os. od 110 až 145 €, apartament 180 do 315 €.

Riviera*** (☎/fax 0241/831230). W sąsiedztwie hotelu *Rex*. Pokój 2-os. 82 €.

Vega** (☎0241/831141, 831101, fax 831307). Nieopodal hotelu *Alcor*. Pokój 2-os. 55 €.

Victoria** (☎0241/831253, fax 831024). Między kasynem a hotelem *Ovidiu*. Pokój 2-os. 20 €.

Kemping Popas Turistic Mamaia (☎0241/831357). Rozbicie namiotu 1,70 €, miejsce w bungalowie 4,50 €. Pierwsze pole namiotowe na północy za ciągiem hoteli, po wschodniej stronie drogi do Năvodari.

Gastronomia

Lokale gastronomiczne skupiają się w okolicach hoteli, co oznacza, że są niemal wszędzie. Ponadto większość obiektów noclegowych ma własne restauracje, otwarte także dla gości z zewnątrz, jeśli więc komuś znudzi się stołowanie we własnym hotelu, może się wybrać na romantyczną kolację do sąsiedniego. Wzdłuż plaży, przy promenadzie oraz w kompleksach handlowo-usługowych stoją budki z przekąskami. Jak można się domyślić, specjalnością większości restauracji są dania z ryb.

Aquarium (☎0241/831868). Ekskluzywna restauracja specjalizująca się w owocach morza. Należy do hotelu *Flora*.

Bistro Mistral Plażowy bar nieopodal hotelu *Rex*; smaczne lancze i pomysłowe drinki.

Complexul Cleopatra (☎/fax 0241/831237). Restauracja, pizzeria, fast food i dyskoteka w jednym. Taras z widokiem na morze.

Estival Restaurant & Pizzerie (☎0241/609 935). W pobliżu hotelu *Alcor*. Niemieckojęzyczna obsługa; specjalnością jest mamałyga ze smażoną szynką i sałatą (4 €).

Orange Pub i **Snake Club** Naprzeciwko restauracji *Estival*. Pierwszy z wystrojem szkocko-irlandzkim, drugi bardziej dyskotekowy, oba w lecie codziennie oblegane.

Restaurant Delta i **Fish Garden** Urządzona w kasynie *Delta* serwuje niezłą kuchnię międzynarodową, a *Fish Garden* kusi pysznymi rybami.

Rex Restaurant Restauracja hotelowa z kuchnią międzynarodową; bardzo drogo.

Aktywny wypoczynek i rozrywki

Właścicielem działającej nieopodal hotelu *Iaki-Bucureşti* **szkoły sportów wodnych** jest Gheorghe Hagi. Za kilkadziesiąt euro można zapisać się na kurs windsurfingu, jazdy na nartach wodnych, żeglarstwa itp. Przy hotelu są korty tenisowe.

Na **Wyspie Owidiusza** (Insula Ovidiu) na jeziorze Siutghiol powstał duży kompleks turystyczny. Większość turystów odwiedza to miejsce ze względu na restaurację *Rustic*, słynącą z wyśmienitych dań rybnych. Łodzie na wyspę odpływają z Mamai co godzina z przystani Tic-Tic naprzeciwko kasyna (w sąsiedztwie przystanku autobusowego „Kasyno"). Kurs w obie strony kosztuje 3,60 €.

W sezonie można wybrać się do **teatru letniego** (de Vară, między hotelami *Select* i *Aurora*) lub do **kina Albatros** (w sąsiedztwie kasyna).

Dzieci z pewnością ucieszy wizyta w **aquaparku** (w południowej części miasta) z mnóstwem tuneli, zjeżdżalni, basenów itp.

Informacje o połączeniach

Z Konstancy do Mamai można się dostać **trolejbusem** #41 i 40. Ten ostatni dojeżdża tylko do przystanku „Pescărie" w pobliżu hotelu *Parc*, skąd do dalszych hoteli trzeba przejść drogą (a lepiej plażą) albo przesiąść się w trolejbus #47 kursujący aż na północny koniec miejscowości (przy największych skupiskach hoteli są przystanki). Z Konstancy do Mamai (aż do Năvodari) jedzie też **autobus** #23, ale najpierw trzeba się dostać na końcowy przy-

stanek przy północnym dworcu kolejowym. Sprzed dworca kolejowego w Konstancy co kilkanaście minut odjeżdżają do Mamai **minibusy**. Ceny biletów są po prostu symboliczne.

W sezonie za wjazd **samochodem osobowym** do Mamai płaci się 0,60 € (opłatę pobiera się przy wjeździe do kurortu).

Informator

Internet Niektóre hotele oferują darmowy lub płatny dostęp do Internetu.

Poczta i telekomunikacja Sezonowy (VI–IX) urząd pocztowy mieści się w pobliżu kasyna, przy promenadzie.

Pomoc medyczna Przychodnia mieści się w pobliżu hotelu *Tomis*. Oprócz tego na plaży w sezonie organizowane są punkty pierwszej pomocy.

Wymiana walut i banki Kantory wymiany walut są w każdym hotelu, ale oferują zwykle niekorzystne kursy (lepiej wymieniać pieniądze w Konstancy). W Mamai nie ma banków ani bankomatów.

MURFATLAR

Murfatlar to słynny region winiarski w centralnej Dobrudży. Śródziemnomorski klimat z bardzo gorącym latem, długą i słoneczną jesienią oraz małą ilością burz zapewnia doskonałe warunki uprawy winogron o wysokiej zawartości cukru.

Murfatlar chlubi się ponadtysiącletnią tradycją winiarską. W dziejach regionu tragicznie zapisał się rok 1884, kiedy to szkodnik filoksera (*Phylloxera vastatrix*) zniszczył ogromne połacie winnic. Pierwszy zakład winiarski powstał na początku XX w. Naukowcy pracujący w założonym w 1927 r. specjalistycznym instytucie badawczym wyodrębnili kilka podstawowych szczepów winorośli, m.in. Sauvignon Blanc, Muscat Ottonell, Traminer, Italian Riesling, Cabernet Sauvignon i Merlot. W 1955 r. powstało Państwowe Przedsiębiorstwo Murfatlar obejmujące ponad 1,8 tys. ha plantacji. Upaństwowienie winnic nie zaszkodziło na szczęście jakości wytwarzanego trunku, który popijały rumuńskie wyższe sfery i który z powodzeniem eksportowano. Obecnie uprawy winorośli zajmują ponad 3 tys. ha w okolicach miasteczek: Basarabi, Valui lui Traian, Poarta Albă, Siminoc i Valea Decilor.

Główny zakład winiarski mieści się na obrzeżach miejscowości **Basarabi**. W specjalnie stworzonym do tego celu kompleksie można degustować wszystkie rodzaje wytwarzanych w Murfatlarze win. Schludnie urządzona winiarnia, przypominająca raczej ekskluzywną restaurację, jest czynna od 9.00 do 16.00. Za 12 € można skosztować ośmiu gatunków win, a jako przekąskę serwuje się kanapki z miejscowym serem i wędlinami.

Wino z Murfatlaru będzie miłym upominkiem z Rumunii – w przyzakładowym sklepiku dostępne są nawet 20-letnie trunki. Grupy zorganizowane mogą wcześniej umówić się na degustację telefonicznie (☎0241/234006, fax 638167).

Do lokalu degustacyjnego można dotrzeć z Basarabi taksówką lub pieszo (ok. 4 km), kierując się w stronę Medgidii. Z głównej drogi trzeba za miastem (po ok. 2 km) skręcić w prawo zgodnie z drogowskazem „Punct Turistic". Szczególnie malowniczy jest ostatni odcinek wiodący wśród winnic. Wiele hoteli i biur turystycznych w nadmorskich kurortach oferuje wycieczki do Murfatlaru połączone ze zwiedzaniem Adamclisi (ok. 20 €). Warto z nich skorzystać, szczególnie jeśli nie dysponuje się własnym środkiem transportu.

Do Basarabi można się dostać pociągiem z Konstancy (kierunek Bukareszt) lub minibusem jadącym do Medgidii i Cernavodă.

ADAMCLISI

Kilkadziesiąt kilometrów na południowy wschód od Konstancy, na wzgórzu nad wioską Adamclisi, stoi widoczny z daleka wielki pomnik Tropaeum Traiani, będący jednocześnie najwyższym punktem województwa Konstanca. Nieopodal zachowały się ruiny antycznego obozu i miasta o tej samej nazwie, a w wiosce działa interesujące muzeum. Przed wejściem na teren, gdzie stoi pomnik, trzeba wykupić bilet (codz. 8.00–20.00; 1,30 €, ulgowy 0,65 €, fotografowanie 2,60 €, filmowanie 4,20 €). Zwiedzanie ruin miasta od świtu do zmierzchu jest bezpłatne.

Ogromny, 42-metrowej wysokości pomnik Tropaeum Traiani jest współczesną repliką budowli wzniesionej w latach 108–109 n.e. na cześć cesarza Trajana, który w 102 r. pokonał zjednoczone plemiona Daków i Sarmatów. Na skomplikowanym postumencie ustawiono symbolizującą zwycięstwo rzeźbę, do której przymocowano panoplia: tarcze, zbroję, miecze i włócznie. Na ozdobnym fryzie składającym się z 54 metop (płyt) uwieczniono sceny obrazujące walki w Dacji. Zrekonstruowany pomnik jest typowym przykładem sztuki prowincjonalnej i bardziej im-

ponuje monumentalizmem niż poziomem artystycznym.

Odnalezione fragmenty oryginału zostały przeniesione do muzeum w Adamclisi (w centrum wsi po północnej stronie drogi; codz. 8.00–20.00; 1,30 €, ulgowy 0,65 €, fotografowanie 2,60 €, filmowanie 4,20 €). Wyeksponowano tam również elementy budowli i przedmioty codziennego użytku z czasów rzymskich. **Ruiny antycznego miasta** można oglądać w dolinie poniżej Adamclisi, przy drodze do Ostrova (2 km za centrum w kierunku zachodnim, obok kierunkowskazu skręcić w prawo, stąd jeszcze kilometr w kierunku doskonale widocznych ruin). Zwiedzanie ułatwiają liczne plany i tablica informacyjna w kilku językach. Na uwagę zasługuje długa na 300 m via Principalis – główna ulica z fragmentami kolumnady – oraz fundamenty dużej bazyliki.

Dojazd do Adamclisi na własną rękę nie jest łatwy. Z Konstancy (Autogară de Sud) jeździ zaledwie kilka minibusów dziennie w kierunku Ion Corvin, Ostrova lub tylko do Băneasa (2,10 €), można również próbować złapać okazję. Najwygodniej wybrać się do Adamclisi z biurem podróży z Konstancy (podobne wycieczki organizują niemal wszystkie hotele).

STEPY DOBRUDŻY

Dobrudzkie krajobrazy, poza wspaniałymi górami Măcin, nie są specjalnie urozmaicone. Dominują te łagodne, pokryte polami uprawnymi, pastwiskami i dębowo-grabowymi lasami wzgórza. Jednym z niewielu wyjątków są okolice wsi **Târguşor** i położony na wschód od niej **rezerwat Gura Dobrogei**, który wraz z wąwozem przydaje krajobrazowi sporej dynamiki.

Najlepiej dojechać tu własnym środkiem transportu, kierując się z Konstancy do wsi Nicolae Bălcescu, a następnie w prawo do wsi Târguşor. Przed centrum miejscowości trzeba skręcić w prawo na porządną bitą drogę, biegnącą na wschód poniżej linii kolejowej, w kierunku widocznego już wąwozu. Niewielki potok Vistorna wyciął w wapiennych skałach wspaniały kanion. Uroku dodają mu dwie jaskinie o sporym znaczeniu naukowym. Położona w górnej części wąwozu pieczara **La Adam** słynie z odkryć paleontologicznych (pozostałości 60 gatunków ssaków czwartorzędowych, w tym wymarłych) i archeologicznych (ołtarz boga Mitry). Znaleziono tu też szczątki *Homo sapiens fossilis*. Ze względu na odkrycia i bogatą florę i faunę stepową w 1970 r. jaskinia została objęta ochroną rezerwatową.

Po zejściu do wylotu wąwozu warto skręcić w prawo do pojedynczego domostwa, za którym zaczyna się wyraźna ścieżka. Dróżka, stromo pnąc się po grzbiecie, a potem trawersując stok, doprowadza do **Jaskini Nietoperzy** (*Peştera Liliecilor*). Już przy wejściu do groty słychać charakterystyczny pisk, a wewnątrz można zobaczyć sporą kolonię tych latających ssaków. Do zwiedzania przyda się latarka. Wędrując po wąwozie, warto patrzeć pod nogi, aby nie przegapić żółwi stepowych (*Testudo greaca ibera*), które szczególnie lubią się wygrzewać na szutrowej drodze ponad jarem.

OKOLICE JEZIORA TECHIRGHIOL

Na południe od Konstancy, zaraz za kanałem Dunaj–Morze Czarne rozpoczyna się ciąg ośrodków wypoczynkowych, z których pierwszy jest **Eforie Nord**. W latach 60. XX w., zanim nastąpił hotelowy boom, stało tam kilkadziesiąt przedwojennych willi, które do dziś nadają miejscowości specyficzny charakter. Większość skupia się przy promenadzie nadmorskiej i niemal wszystkie oferują miejsca noclegowe (ale przede wszystkim stałym klientom). Czterokilometrowa plaża łączy Eforie Nord z siostrą bliźniaczką – **Eforie Sud**, położoną na mierzei pomiędzy jeziorem i Morzem Czarnym.

Niewielkie jezioro Belona w Eforie Nord jest równie popularnym kąpieliskiem, co pobliskie morze. Na południowy zachód od miasteczka rozciąga się jezioro Techirghiol, znane z leczniczych właściwości od XIX w. Kuracjusze zażywają tam kąpieli borowinowych (błotnych) wspomagających leczenie dolegliwości reumatycznych i skórnych, krzywicy oraz chorób kobiecych. Jezioro ma kilkakrotnie większe zasolenie niż Morze Czarne. W Eforie Nord kąpiele zdrowotne oferuje kilka hoteli (za dodatkową opłatą, przeważnie ok. 5 € dla gości z zewnątrz) oraz kemping Şincai (0,50 €). Jedynym mankamentem kąpieliska przy Şincai jest niezbyt czysta woda. Dość tanio można zażyć kąpieli w publicznych łaźniach (*băi termalne*) przy północnym końcu głównej ulicy (blvd Republicii) Eforie Nord. Osoby przyjeżdżające wyłącznie w celach leczniczych zatrzymują się przeważnie w **Techirghiolu**, gdzie funkcjonuje najwięcej kąpielisk.

W Techirghiolu na szczególną uwagę zasługuje XVIII-wieczny klasztor i drewniana cerkiew z 1928 r. nawiązująca do stylu marmaroskiego (str. Ovidiu). Dzieci ucieszy wizyta w wesołym miasteczku w Eforie Nord nieopodal hotelu *Europa*, przy drodze do Eforie Sud.

Wszystkie trzy miejscowości są niewielkie i trudno się w nich zgubić. W Eforie Nord i Eforie Sud równolegle do ulic ciągnących się wzdłuż morza biegnie nadmorska promenada. Prostopadłe ulice łączą wybrzeże z drogą Konstanca–Mangalia, a pomiędzy nimi usytuowane są hotele. Podobnie wygląda Techirghiol, tyle że w ofercie noclegowej przeważają pensjonaty w willach.

Żeby trafić do jakiegokolwiek hotelu, wystarczy zapytać o drogę w recepcji dowolnego obiektu albo taksówkarza przy dworcu. O wiele łatwiej będzie skorzystać z usług tego ostatniego, co niewiele kosztuje.

Noclegi

Podobnie jak w Mamai i Konstancy, również w okolicach jeziora Techirghiol bardzo trudno znaleźć nocleg w szczycie sezonu bez dokonanej odpowiednio wcześnie rezerwacji. W najlepszej sytuacji są turyści mniej wymagający i posiadacze namiotów, którzy mogą się zatrzymać na jednym z licznych kempingów. Noclegi można rezerwować bezpośrednio w hotelu lub przez **Agenţia de Turism** (oddział na Efo-

Kanał Dunaj–Morze Czarne

Ta ważna droga wodna łączy port Cernavodă nad Dunajem z portem Agigea należącym do zespołu portowego Konstancy. Ukończony w 1984 r., ma długość 64 km i skraca drogę z Cernavodă do Konstancy o około 400 km.

Budowa kanału nazywanego *canalul morţii* („kanał śmierci") pochłonęła w latach 1949–1953 ponad 40 tys. ofiar. Więźniowie polityczni i kryminalni pracowali bez wytchnienia za pomocą prymitywnych narzędzi, podobnie jak przy słynnym Kanale Białomorskim w czasach stalinowskich. Z przyczyn technicznych inwestycję wstrzymano, a przerwane prace podjęto dopiero w 1975 r. Zakończono je po dziewięciu latach i w ten sposób w 1992 r., wraz z otwarciem kanału Dunaj–Men, Morze Północne zostało połączone z Morzem Czarnym.

rie Nord i Eforie Sud, ☎0241/741401; oddział w Techirghiol, ☎0241/735192) – druga opcja polecana jest jedynie osobom po-
rozumiewającym się w języku rumuńskim.

Eforie Nord

Riu Astoria* (str. T. Vladimirescu 9; ☎0241/
742475, fax 743491, hotel.astoria@riu.com).
Ten sam standard i ceny co w hotelu *Europa*.

Brad, Bran i Bega** (str. T. Vladimirescu 9; do
wszystkich ☎0241/741468, fax 741841). Niedrogi kompleks hotelowy nieopodal morza.
Niewysokie budynki z basenem w spokojnym
miejscu. Pokój 2-os. 72 €.

Decebal** (str. Gării 1, obok dworca; ☎0241/
741023, fax 742977). Kilkanaście schludnych
pokoi. Restauracja z nieźle wyposażonym barem. Pokój 2-os. 32 €, apartament 80 €.

Europa*** (str. Republicii 13; ☎0241/741710,
fax 741720, www.riu.com). Wysoki standard
z wszelkimi luksusami – basenem, sauną, ma-
sażem itp.; na plaży parasole. Pokój 2-os. 60 €.

Prahova* (str. Grivitiei 2; ☎0241/741857, eforie-
tours@efonet.ro). Skromnie wyposażone pokoje w budynku usytuowanym w zacisznym miejscu, około 150 m od morza. Pokój 2-os. 30 €.

Traian** (str. Traian 1, obok dworca; ☎0241/741
808, fax 742601). Czasy świetności tego hotelu
dawno minęły; wnętrze z przełomu lat 70. i 80.
XX w. Pokój 2-os. 45 €.

Kemping Meduza (str. Grivitiei, w północnej części miasta, w pobliżu hotelu *Prahova*;
☎/fax 0241/742385). Dużo miejsca na rozbicie namiotu i kilka bungalowów. Za namiot
płaci się 2,50 €, a za domek dwuosobowy
4,70 €.

Eforie Sud

Ancora** (str. Faleza 10, obok hotelu *Riviera*;
☎0241/742938, fax 741889, carmensilva@
xnet.ro). Świetna restauracja. Pokój 2-os. 24 €,
3-os. 32 €.

Cosmos** (str. M. Eminescu 26; ☎0241/
748638, fax 748889). Ekskluzywny kompleks
nieopodal morza, obok pola namiotowego o tej
samej nazwie. Pokój 2-os. 68 €.

Excelsior, Capitol i Riviera** (str. Dezarobirii 4;
☎0241/784354, fax 748837). Kompleks hotelowy w północnej części miasta, tuż przy plaży.
Pokoje 2-os. 30 €.

Suceava** (str. Dr. Cantacuzino 72; ☎0241/
748598, fax 748889). Pokój 2-os. 21 €.

Kempingi Bryza, Olt i Rusalca (w północnej
części Eforie, między hotelem *Flamingo* i *Crişana*). Bardzo rozległy teren. Namiot 2,50–3,50 €,
domki 7–12 €/os.

Techirghiol

Vila Maera Neagră (str. A. Puşkin 2). Pensjonat
z 21 pokojami; dobra kuchnia. Pokój 2-os. 19 €.

Gastronomia

We wszystkich trzech ośrodkach najlepsze
są restauracje hotelowe.

Autoservire Imperial (Eforie Nord, str. T. Vladimirescu, rondo przy hotelu *Europa*). Najtańsza restauracja w miejscowości. Na dole samo-
obsługowa jadłodajnia, na piętrze lokal z barem, na samej górze taras.

Hanul Şatra (Eforie Nord, str. Republicii, nieopodal przystanku autobusowego). Przyjemna
niedroga restauracja w drewnianym domu.
W menu kuchnia rumuńska.

Maryland (Eforie Nord, str. T. Vladimirescu,
naprzeciwko hotelu *Azur*). Jedna z droższych
restauracji. Nieopodal morza, z tarasem widokowym.

Zori de Zi (Techirghiol, str. Dr. Climescu 62;
☎0241/735841). Smaczne i tanie dania kuchni
rumuńskiej.

Informacje o połączeniach

Latem do obu Eforii kursuje codziennie
kilkanaście pociągów z Konstancy (kierunek Mangalia). Wygodniej jednak skorzystać z minibusów odjeżdżających spod
dworca kolejowego w Konstancy, ponieważ są szybsze i przejeżdżają przez centra
obu ośrodków. Do Techirghiolu także docierają minibusy z Konstancy (można tam
również dojechać z przesiadką w Eforie
Nord). Nieopodal poczty w Eforie Nord
działa punkt informacyjny rumuńskich
kolei (CFR).

Eforie Nord i Eforie Sud leżą po
wschodniej stronie głównej drogi Konstanca–Mangalia; do Techirghiolu należy odbić w Eforie Nord przed dużym hotelem
Traian na zachód.

Informator

Internet Dostęp do Sieci oferują niektóre hotele.

Poczta i telekomunikacja Największy urząd
pocztowy znajduje się w Eforie Nord, przy
blvd Republicii. Obok niego ma siedzibę
Romtelecom. Poczta z automatami telefonicznymi jest też w Eforie Sud (tylko w sezonie)
i Techirghiolu.

Pomoc medyczna W nagłych wypadkach należy zgłosić się do szpitala w Eforie Nord, przy
blvd Republicii.

Wymiana walut i banki Kantory funkcjonują
w większości dużych hoteli; w żadnej z trzech
miejscowości nie ma banków ani bankomatów.

COSTINEŞTI

Costineşti, położona nad samym morzem,
około 4 km na wschód od drogi Konstanca–Mangalia, uchodzi za perłę rumuńskich kurortów nad Morzem Czarnym.

Gerovital

O Gerovitalu słychać w każdym rumuńskim uzdrowisku, gdzie leczy się przewlekłe choroby, szczególnie u ludzi starszych. Już od dawna są w sprzedaży medykamenty z Gerovitalem w nazwie, zapobiegające starzeniu się organizmu, a nawet odmładzające!

Ana Aslan (1897–1988), rumuńska gerontolog, zajmowała się biologicznymi przyczynami i skutkami starzenia się człowieka. Owocem jej badań nad procesami fizykochemicznymi było wprowadzenie w 1955 r. do profilaktyki i leczenia chorób wieku starczego preparatu o nazwie Gerovital, o którym wkrótce stało się głośno (jego późniejsza odmiana noszę nazwę Aslavital – od nazwiska badaczki). Korzystały z niego ponoć takie osobistości, jak Marlena Dietrich, Charlie Chaplin czy Charles de Gaulle, a także sama pani doktor, która żyła ponad 90 lat.

Trudno powiedzieć, czy sukces preparatów na bazie Gerovitalu polega na zjawisku placebo, czyli efekcie psychologicznym, czy też rzeczywiście specyfik ten przedłuża życie. Tak czy owak, należy uważać na podejrzanych sprzedawców ulicznych i domokrążców, którzy na sławie Any Aslan próbują nieuczciwie zarobić. Dzienna kuracja hamująca proces starzenia kosztuje około 50 €.

Niegdyś niewielka wioska – siedziba międzynarodowego obozu studenckiego – jest dzisiaj spokojnym miasteczkiem wczasowym. Powstało tam duże pole namiotowe z domkami, ale większość gości nocuje w willach i pensjonatach (kilka hoteli-bloków stoi na południe od jeziora Costineşti). Na przełomie lipca i sierpnia w Costineşti odbywa się festiwal jazzowy.

Do miasteczka można dotrzeć z Konstancy pociągiem do Mangalii (w lecie kilkanaście dziennie). Należy wysiąść na stacji Costineşti Tabără w samym centrum (wcześniejszy, główny dworzec usytuowany jest na peryferiach).

Centrum skupia się w pobliżu stacji kolejowej Costineşti Tabără (str. Garii) – jest tam poczta, punkt informacyjny rumuńskich kolei, niewielki dom towarowy, kafejka internetowa, kantor oraz wejście na duże pole namiotowe rozciągające się nad brzegiem jeziora Costineşti. Przy poczcie stoi tablica z planem miasteczka i podstawowymi informacjami.

Noclegi i gastronomia

Najwięcej hoteli i pensjonatów (oznaczone tabliczkami) jest w południowej części miejscowości, nieopodal plaży.

Admiral** (na północ od hotelu *Forum*, ☎0241/742850). Prawie 700 miejsc. Pokój 2-os. 32 €.

Forum** (na południowym końcu Costineşti, tuż przy plaży; ☎/fax 0241/734077, 724020). Jeden z droższych hoteli w miasteczku. Pokój 2-os. 45 €.

Stefania** (str. Tineretului 7; ☎0241/734070). Hotel średniej kategorii, blisko jeziora i morza. Pokój 2-os. 27 €. Przy hotelu kemping; 2-os. bungalow 10,50 €.

Vila Belvedere (☎0241/734016). Pensjonat usytuowany w południowej części miasteczka.

Noclegi w willi oraz w drewnianych dwuosobowych domkach. Pokój 2-os. w willi 20 €, w bungalowie 9 €.

Kemping Selena (str. Gari 29, obok parkingu). Przy głównej ulicy. Rozbicie namiotu 1 € plus 2,50 € od osoby.

NA POŁUDNIE OD COSTINEŞTI

Między Costineşti a Mangalią leży sześć bardzo popularnych w czasach socjalistycznych **kurortów** o antycznych nazwach: **Olimp**, **Neptun**, **Jupiter**, **Aurora**, **Venus** i **Saturn**, które ciągną się wzdłuż wybrzeża na przestrzeni około 14 km. Ośrodki te nie zawsze były dostępne dla wszystkich: wypoczywała w nich przede wszystkim partyjna śmietanka na czele z Ceauşescu, który w Neptunie miał willę słynącą z iście królewskiego przepychu. O ile Olimp i Neptun odstraszają nieco wielkimi socrealistycznymi budynkami, o tyle pozostałe kurorty wywierają znacznie lepsze wrażenie, bo więcej tam willi niż dużych hoteli. Komunistyczna infrastruktura służy z powodzeniem wczasowiczom, na szczęście już bez wyjątków. Powstają nowe obiekty, a stare pieczołowicie się remontuje, nie można też narzekać na brak dobrych restauracji i dyskotek.

Wszystkie ośrodki leżą obok siebie mniej więcej w tej samej odległości. Chcąc dostać się do jakiegokolwiek hotelu, najlepiej wziąć taksówkę z dworca w Neptunie albo już w Mangalii, ponieważ **orientacja** w siatce krótkich wprawdzie, ale licznych ulic w którymkolwiek z miasteczek nie jest prosta. Tylko w Neptunie większość hoteli skupia się przy głównej ulicy, na której południowym końcu są dwa jeziora: Neptun I i Neptun II.

175

W wymienionych miejscowościach nie ma informacji turystycznej ani nawet agencji organizującej wycieczki po okolicy, ale zadania te z powodzeniem przejęły hotele. Personel w zdecydowanej większości mówi po angielsku i z chęcią służy informacją w każdym zakresie.

Pociągiem z Konstancy lub Mangalii można dotrzeć jedynie do Neptuna (stacja Halta Neptun); do innych miejscowości kursują taksówki i minibusy. Z Mangalii jeżdżą minibusy aż do Olimpu przez Saturn, Aurorę, Venus, Jupiter i Neptun. Busy łączące Konstancę z Mangalią nie skręcają z głównej drogi w kierunku morza, przez co do Olimpu i Neptuna trzeba przejść około 3 km pieszo. W Venus w urzędzie pocztowym mieści się punkt CFR, gdzie można kupić z wyprzedzeniem bilet na pociąg.

Noclegi

Ze względu na bogactwo oferty (tanie i drogie hotele, pensjonaty i pola namiotowe) można zaryzykować przyjazd bez rezerwacji noclegu. Zawsze znajdzie się miejsce na którymś z pól namiotowych, czynnych od połowy maja do połowy lub końca września.

Hotele

Albert*** (Neptun; ☎0241/731514, fax 731130, hotelalbert@idilis.ro). 55 pokoi 2-os. oraz 7 apartamentów. Pokój 2-os. 47 €, apartament 75 € w sezonie.

Amfiteatru*** (Olimp; ☎0241/701032). Pokój 2-os. 42 €.

Belvedere (☎0241/701034, fax 701134), **Panoramic** (☎0241/701033, fax 701133), **Muntenia** (☎0241/731916, fax 731447), **Oltenia** (☎0241/731021, fax 731447). Grupa dwu- i trzygwiazdkowych hoteli w Olimpie; blisko morza. Pokój 2-os. 24–47 €.

Căsuţele Brateş-Greaca (Venus; ☎0241/731 702, fax 731028). Kompleks niewielkich domków wczasowych oferujący nocleg w przyzwoitej cenie. Pokój 2-os. 21 €.

Cupidon*** (Saturn; ☎/fax 0241/751168). Tania restauracja z barem. Pokój 2-os. 25 €.

Dana** (☎/fax 0241/731465), **Raluca** (☎0241/731502) i **Sanda** (☎0241/731501). Średniej klasy hotele przy głównej drodze w Venus, na północ od jeziora o tej samej nazwie. Pokój 2-os. 23–39 €.

Diament, **Meteor** i **Cometa**** (☎0241/731 080 – Diament, ☎0241/731306 – Meteor, ☎0241/731106 – Cometa). Trzy tańsze hotele w Jupiterze. Pokój 2-os. 23–32 €.

Doina*** (Neptun; ☎0241/701012, 701420). Ośrodek uzdrowiskowy z basenem z wodą morską, kortem tenisowym i placykiem do minigolfa. Pokój 2-os. 40 € poza sezonem.

Maramureş** (Olimp; ☎0241/731114). Duży budynek w pobliżu plaży. Nieopodal kort tenisowy; niezła restauracja. Pokój 2-os. 28 €.

Mioriţa (☎0241/701013, fax 701113), **Tomis** (☎0241/731121, fax 731447) i **Trajan** (☎0241/731122). Trzy z kilkunastu podobnych hoteli skupionych w Neptunie przy jeziorach Neptun I i Neptun II. Pokój 2-os. najwyżej 40 €.

Neptun (Neptun; ☎0241/731050, fax 731214). Komfortowe pokoje w willi. Pokój 1-os. 17,50 €, 2-os. 34 €.

Onix** (Aurora; ☎0241/731358, fax 731762). Sąsiad Topaza, nieco od niego droższy. Pokój 2-os. 50 € w sezonie.

Tismana*** (Jupiter; ☎/fax 0241/731803, tismana@mailcity.com). Dość drogi, ale wart swojej ceny. Domowa atmosfera, niezła i tania restauracja. Pokój 2-os. 35 €.

Topaz** (Aurora; ☎0241/731292). Obok hotelu Onix, podobny do niego choć tańszy. Pokój 2-os. 34 € w sezonie.

Kempingi

Olimp (Olimp; ☎0241/731314, fax 731447). Atrakcyjnie położony nad morzem (północna część Olimpu). Oprócz miejsc pod namiot na turystów czeka 140 domków 2-os. (14 €), nocleg w namiocie 1,20 €/os.

Saturn (☎0241/751380, fax 755559). Blisko morza. 2-os. bungalowy (9 €); nocleg w namiocie 1,30 €.

Wioska kempingowa Neptun (nad jeziorem Neptun, ok. 200 m od plaży; ☎0241/731220, fax 731447). Prawie 300 miejsc w skromnych 2-os. bungalowach i małych domkach z cegieł z osobnymi toaletami. Domek ceglany 12 €, bungalow 15 €, namiot 1,20 €/os. W pobliżu restauracja Rustic z dobrą kuchnią rumuńską.

Gastronomia i rozrywki

W każdym z ośrodków jest co najmniej kilkanaście restauracji i wiele barów, przy plażach stoją budki z przekąskami, a w większych kompleksach hotelowych znajduje się magazin mixt, gdzie można zaopatrzyć się w artykuły spożywcze. Spośród restauracji wyróżniają się **Ambasador** (latem często muzyka na żywo), **Calul Bălan** (pokazy muzyki i tańców ludowych) i **Insula** w Neptunie oraz **Four Seasons** w Jupiterze.

Bilard i kręgle W centrum Olimpu i Neptuna działają kluby, gdzie można bawić się przez całą noc.

Dyskoteki i kluby Spośród niezliczonych lokali warto wyróżnić Why Not (22.00–5.00) w Neptunie, Dunărea (całonocny, na plaży na wolnym powietrzu) w Saturnie oraz Captain Mondy's Club (21.00–4.00) w Jupiterze.

Gorące kąpiele *Băi Mezotermale* oferuje łaźnia przy hotelu *Adriana* w Venus (3,50 €/os.). Kuracjusze kąpią się w wodzie bogatej w siarkę i taplają w zdrowotnym błocie.

Jazda konna Stadnina koni (Herghelia Mangalia) w Venus oferuje kursy oraz przejażdżki (5 €/godz.). W Neptunie można wybrać się na przejażdżkę wozem zaprzęgniętym w konie.

Sporty wodne Żeglarstwo, surfing, wioślarstwo, jazdę na nartach wodnych oraz nurkowanie można uprawiać w każdym z kurortów. Niektóre hotele oraz kluby na plaży prowadzą wypożyczalnie sprzętu.

Informator

Internet Dostęp do Sieci oferują niektóre hotele (przeważnie jeden komputer z wolnym modemem), niekiedy odpłatnie nawet dla gości obiektu.

Poczta i telekomunikacja Urzędy pocztowe z automatami telefonicznymi są w Neptunie, Venus i Saturnie, przy głównych ulicach.

Pomoc medyczna Najbliższy szpital jest w Mangalii. Na plażach urządzono punkty pierwszej pomocy.

Wymiana walut i banki Banca Comercială Română, gdzie można pobrać pieniądze z bankomatu, wymienić walutę oraz zrealizować czeki podróżne, mieści się w centrum Neptuna. Pieniądze można ponadto wymienić w kantorach działających w większych hotelach.

MANGALIA

Mangalia powstała na ruinach antycznej kolonii Callatis (gr. piękność), założonej przez greckich Dorów pod koniec VI w. p.n.e. Miasto rozwijające się prężnie dzięki dogodnemu położeniu przeżyło okres największego rozkwitu w IV–III w. p.n.e. U schyłku IV w. p.n.e. zostało zdobyte i zniszczone przez perskiego króla Lizymacha. Pod rzymskim panowaniem podźwignęło się z upadku, ale po wycofaniu się wojsk z północno-wschodnich rubieży cesarstwa uległo Awarom, którzy nie pozostawili kamienia na kamieniu. Na ruinach wyrosła mała wioska rybacka i port, które w XIII w. pojawiły się w źródłach pod nazwą Pangalia. Turcy wymawiali tę nazwę jako Mangalia i tak już pozostało.

Mangalia zamyka od południa ciąg kurortów rumuńskiej riwiery, ale nie przypomina Mamai czy sąsiadów na północy. Tak jak Konstanca jest przede wszystkim miastem, a dopiero potem nadmorskim kurortem. Niestety, w czasach Ceaușescu wyburzono większość XIX-wiecznej zabudowy i zastąpiono ją brzydkimi blokami. Mangalia ma własny port, drugi co do wielkości

w kraju po Konstancy. Miłośników historii z pewnością zainteresują stanowiska archeologiczne i ciekawe muzeum. Pamiątką czasów panowania tureckiego jest meczet z muzułmańskim cmentarzem.

Centrum Mangalii rozciąga się pomiędzy rondem nieopodal Muzeum Archeologicznego (przy rondzie jest Reiffeisen Bank; kierując się na wschód str. Rozelor, dochodzi się do dużego hotelu *Mangalia* i do morza) a odległym o kilkaset metrów na południe hotelem *President*. Główna str. Constanței od ronda na str. V. Alecsandrii przechodzi w deptak wiodący do hotelu *President* i tureckiego meczetu. Równolegle do niej biegnie od ronda w kierunku granicy z Bułgarią str. Ștefan cel Mare.

Dworzec kolejowy jest oddalony o około 800 m od pierwszego ronda. Aby dostać się do centrum, po wyjściu ze stacji należy iść w prawo str. Constanței.

Informacji o okolicznych atrakcjach (po angielsku i niemiecku) można zasięgnąć w biurze informacji turystycznej w hotelu *Mangalia* lub w hotelu *President*. Po angielsku porozumiecie się również personel w agencji turystycznej Flux (str. G. Murnu 13; ☎0241/750473).

Spacer po mieście najlepiej rozpocząć od **Muzeul de Arheologie Callatis** (Muzeum Archeologiczne Callatis; str. Constanței, między rondami; ☎0241/758 872; codz. 8.00–20.00; 2,40 €, ulgowy 1,20 €). Prace archeologiczne w Mangalii rozpoczęto na początku ubiegłego stulecia. Odkryto resztki obwarowań z czasów greckich i rzymskich, a także fundamenty pokaźnej wczesnochrześcijańskiej bazyliki z VI w. (można je obejrzeć na tyłach hotelu *Mangalia* w pobliżu nadmorskiego bulwaru), obok których bije **źródełko Hercules** (Izvorul Hercules) – nieprzyjemny zapach bogatej w siarkę wody da się wyczuć już z daleka. Fragmenty innych starożytnych budowli wystawiono w muzeum. Na terenie rzymsko-bizantyńskiej nekropolii z IV w. nadal prowadzone są badania – do tej pory odkryto kilka sarkofagów, z których trzy pozostawiono na miejscu. W 1961 r. archeologowie znaleźli prawdziwy skarb – ponad 9 tys. monet, głównie rzymskich, bitych na miejscu i w Tomis.

Przy str. Constanței na odcinku zamkniętym dla ruchu kołowego (w samym centrum, niedaleko Piața Republicii z socrealistycznym budynkiem Casă de Cultură) można podziwiać ciekawy **pomnik** imitujący antyczną świątynię. Przy południowym końcu str. Constanței stoi XVI-

-wieczny **meczet Esmahana Sultana** (str. Oituz; codz. 10.00–19.00; 0,70 €). Wzniesiona w stylu mauretańskim świątynia, pomimo że była wielokrotnie przebudowywana, nie straciła swego uroku. Meczet otacza ogród, w którym kryją się tureckie nagrobki, zwieńczone wyrzeźbionymi turbanami – osobliwa enklawa Orientu w zdominowanej przez bloki Mangalii. Str. Otituz prowadzi dalej na wschód w stronę plaży do hotelu *President*. Przy wejściu widać odsłonięte i zabezpieczone **ruiny greckiej cytadeli**.

Noclegi

W Mangalii nie ma tak dużo hoteli jak w innych kurortach; zdecydowana większość usytuowana jest nad samym morzem. Najbliższe pole namiotowe funkcjonuje w miejscowości Saturn (zob. wyżej). Noclegi w kwaterach prywatnych (ok. 10 €/os.) organizuje biuro Antrec (str. G. Murnu 13, Bl. D, Ap. 21; ☎0241/759 473, fax 757400).

Mangalia*** (Matei Basarab 3; ☎0241/552 052–4, fax 632650, www.mangalia-turism.ro). Obok *Presidenta*, jeden z najbardziej komfortowych hotel w Mangalii. Na miejscu restauracja, pizzeria i bar. Pokój 1-os. 48 €, 2-os. 68 €.

Orion** (str. Teilor 11; ☎/fax 0241/751156), **Astra** (str. Teilor 9; ☎0241/751673, fax 632650) i **Zenit** (str. Teilor 7; ☎0241/751645, fax 632650). Trzy identyczne trzypiętrowe bloki o średnim standardzie. Łącznie 284 miejsca. Pokój 2-os. 55 € w sezonie.

President***** (str. Teilor 6; ☎0241/755861, fax 755695, www.hpresident.com). Wysoki standard z wszelkimi udogodnieniami. Przy wejściu odsłonięte ruiny dawnej greckiej cytadeli. Widok na morze. Pokój 1-os. 49 €, 2-os. 92 €, apartament 183 € w sezonie.

Gastronomia

W miasteczku nie brak restauracji różnych kategorii, jest mnóstwo pizzerii i fast foodów, ale pubów stosunkowo niewiele. Zakupy najlepiej zrobić na targu przy str. Vasile Alecsandrii. Targ rybny znajduje się przy str. Ştefan cel Mare, niedaleko restauracji *Callatis*.

Bel Ami Bar (przy rondzie, naprzeciwko restauracji *Petrom*). W menu głównie kuchnia włoska. Szybko i tanio.

Café del Mar (przy hotelu *President*). Ekskluzywna kawiarnia z widokiem na morze. Droga, ale pyszna kawa (0,70 €).

Café Goldmar (str. Constanţei 10, naprzeciwko ratusza). Przytulne wnętrze, na ścianach przedwojenne zdjęcia Mangalii. W sezonie piwo prosto z pipy.

Callatis Restaurant (str. Ştefan cel Mare). Dwupoziomowa restauracja z potrawami kuchni międzynarodowej; ceny nieco wygórowane.

Christopher Pub (str. Constanţei 22; ☎0788/421599). Lokal w stylu irlandzkim; na dole pub, na górze ekskluzywna restauracja. Przyjemny odpoczynek od upału i gwaru ulicy. Piwo (Tuborg i Carlsberg) z pipy 0,70 €.

Delta Restaurant (na rogu str. V. Alecsandrii i str. M. Eminescu). Kuchnia rumuńska; w lecie przyjemny ogródek.

Petrom Restaurant (przy pierwszym rondzie, nieopodal muzeum). Nowoczesny budynek, przestronne wnętrze; niezła kuchnia międzynarodowa.

Terasa Amicii Bar-Restaurant (przy nadmorskim bulwarze, za hotelem *Orion*). Taras z widokiem na morze; dwudaniowy posiłek 4–5 €.

Rozrywki

Kino letnie Farul (Grădină de Vară Farul; str. Constanţei, między muzeum a antyczną nekropolią). Czynne od połowy maja do października.

Sporty wodne W hotelu *Mangalia* i *President* można wypożyczyć sprzęt do jazdy na nartach wodnych i surfingu.

Wycieczki Biuro podróży w hotelu *Mangalia* organizuje wycieczki m.in. do Adamclisi, Murfatlaru, Histrii i delty Dunaju.

Informacje o połączeniach

Do Mangalii docierają pociągi z Konstancy (kilkanaście dziennie w lecie, kilka poza sezonem; 1,5 godz.). Miasteczko – końcowa stacja kolejowa rumuńskiego wybrzeża – ma w sezonie bezpośrednie połączenia z Bukaresztem, Jassami, Suczawą, Sybinem i Timişoarą. **Agenţie de Voiaj CFR** mieści się w budynku urzędu pocztowego przy str. Ştefan cel Mare 16. Minibusy kursujące między Mangalią a Konstancą zatrzymują się przy dworcu kolejowym i w centrum, przy str. Constanţei (nieopodal muzeum).

Informator

Internet *Internet Centrum*, w dużym betonowym budynku przy pierwszym rondzie (0,60 €/godz.).

Laboratorium fotograficzne Punkt Fuji, str. Ştefan cel Mare obok Banca Transilvania.

Poczta i telekomunikacja Urząd pocztowy mieści się przy str. Ştefan cel Mare 16 (pn.–pt. 7.00–20.00).

Wymiana walut i banki Reiffeisen Bank (przy pierwszym rondzie); Banca Comercială Română (str. Constanţei, naprzeciwko antycznej nekropolii); Banca Transilvania (str. Ştefan cel Mare, nieopodal restauracji *Callatis*) – przy wszystkich są bankomaty. Kantory można znaleźć przy str. Constanţei, a także w hotelach *Mangalia* i *President*.

MIĘDZY MANGALIĄ A GRANICĄ BUŁGARSKĄ

Z Mangalii do granicy z Bułgarią jest 10 km – po drodze mija się rybackie wioski 2 Mai i Vama Veche, które skutecznie opierają się masowej turystyce, mimo bardzo atrakcyjnego wybrzeża. Idealne warunki znajdą tam turyści, którym nie straszne nocowanie na plaży czy biwakowanie na dziko w nadmorskich chaszczach (czego zresztą prawo nie zabrania). 2 Mai to ulubiony cel wakacyjnych wypadów intelektualistów, polityków i artystów, którzy wynajmują pokoje w prywatnych domach. Nie ma tam hoteli, a tylko dwa pola namiotowe i kilka skromnych lokali gastronomicznych. Podobnie jest w Vama Veche, położonym zaledwie kilkaset metrów od granicy z Bułgarią. Noclegi w kwaterach prywatnych można rezerwować przez biuro Antrec w Mangalii (zob. wyżej). W sierpniu odbywa się tu największy w Rumunii festiwal rockowy, który ostatnio jest wyrazem protestu młodych ludzi przeciw planom rozbudowy miejscowości w gigantyczną stację turystyczną.

Całodobowe przejście graniczne w Vama Veche (rum. Stara Granica) obsługuje zmotoryzowanych i pieszych. Niestety, z granicy nie ma żadnego transportu do najbliższej bułgarskiej miejscowości Durankulak – odległość 6 km trzeba pokonać pieszo lub spróbować złapać okazję.

W Limanu, odległym o kilka kilometrów na południowy zachód od Mangalii, odkryto w 1986 r. unikatową w skali światowej ogromną jaskinię (Peşteră de la Movile). Znaleziono w niej 32 nieznane gatunki roślin i zwierząt oraz stworzenia żyjące tylko w głębinach morskich (5000 m p.p.m.). W jaskini trwają badania naukowe, dlatego nie można jej zwiedzać.

W DRODZE DO TULCZY

Trasa z Konstancy do Tulczy wiedzie obok Histrii, starożytnego miasta na półwyspie wcinającym się w jezioro Sinoie. Można tam podziwiać ruiny antycznych budowli oraz zwiedzić interesujące muzeum. Kilkadziesiąt kilometrów na północ od Histrii leży znane z bestseleru Andrzeja Stasiuka miasteczko Babadag – odbijając w nim na wschód, dociera się do ruin średniowiecznej twierdzy Enisala. Na zachód od miasta znajdują się tajemnicze wsie staroobrzędowców: Slava Rusă i Slava Cerchezǎ.

Histria

Powstanie Histrii datuje się na 657 r. p.n.e., kiedy przybyli tam koloniści z Miletu, jednego z najpotężniejszych miast jońskich w Azji Mniejszej. Dunajowi nowa kolonia zawdzięcza zarówno szybki rozwój gospodarczy (rybołówstwo i handel rybami), jak i nazwę (starożytni Grecy nazywali rzekę Istros). Niestety, decyzja o zbudowaniu miasta na wyspie w ówczesnej zatoce Sinoe była jedną z przyczyn jego upadku. Odcięcie portu od otwartego morza przez systematycznie wydłużającą się mierzeję oraz spłycenie zatoki w wyniku nawarstwiania się osadów niesionych przez Dunaj spowodowały utratę znaczenia gospodarczego Histrii. Na jej losie zaważył w 248 r. najazd Gotów i innych plemion germańskich, którzy złupili i doszczętnie zniszczyli dawną kolonię, która nigdy nie wróciła do minionej świetności – zresztą z powodu odsunięcia się morza od portu nie byłoby to opłacalne. Częściową odbudowę przeprowadzili Rzymianie, wznosząc z pozostałości greckich budowli zachowane do dziś mury.

W okresie wakacyjnym na parkingu przed muzeum można kupić starannie wykonane kopie antycznych naczyń i monet. W kiosku dostępne są pocztówki oraz foldery informacyjne w kilku językach.

Aby dotrzeć do Histrii, z głównej drogi Konstanca–Tulcza należy obok monastyru skręcić na wschód, o czym informują duże tablice. Od strony Konstancy można od razu jechać na północ przez Năvodari w kierunku Săcele (tu urodził się światowej sławy piłkarz Gheorghe Hagi) i kilka kilometrów za nią skręcić w prawo.

Z Konstancy do Histrii kursuje w lecie kilka autobusów dziennie (z Autogară Nord), ale często nie dojeżdżają one do ruin – wysiada się przy skrzyżowaniu, skąd trzeba podejść około 7 km (w takim wypadku najlepiej spróbować złapać autostop).

Turystyczną atrakcją Histrii są wykopaliska archeologiczne, które odsłoniły ruiny potężnego niegdyś miasta. Na kilku hektarach otoczonego siatką **Complexul Archeologic Histria** (codz. 8.00–20.00; 2,30 €, ulgowy 1,60 €, ten sam bilet do muzeum i na teren wykopalisk) można podziwiać resztki gmachów użyteczności publicznej i budynków mieszkalnych. Fragmenty murów i bram miejskich, łaźni z zachowanymi mozaikami, portale domów, bazylika oraz całe aleje kolumn dają wyobrażenie o dawnym wyglądzie osady. Na szczególną uwagę zasługują pozostałości greckiej świątyni z VI w. p.n.e. (we wschodniej części założenia). Ruiny bazyliki chrześcijańskiej z VI w. świadczą o ciągłości osadnictwa w Histrii i okolicach, pomimo spadku znaczenia portu i wcześniejszego wycofania się Rzymian. Materiał do wzniesienia bazyliki pozyskano ze starszych budowli greckich i rzymskich.

Zwiedzanie ruin Histrii, malowniczo położonych nad brzegiem limanu Sinoe ułatwiają liczne plany i tablice informacyjne. Cenne przedmioty i fragmenty budowli można obejrzeć w **muzeum** przed wejściem na teren kompleksu.

Babadag i Enisala

Miasteczko **Babadag** (tur. ojciec gór) jest przede wszystkim dogodną bazą wypadową. Można tam zanocować w tanim hotelu *Dumbrava** (str. Republicii, w samym centrum; ☎0247/561302; pokój 2-os. 13 €; w budynku działa dobra i tania restauracja), by następnie wyruszyć do Enisali. Przy okazji warto rzucić okiem na Ali Gazi Paşa Camii z 1526 r. – najstarszy **meczet** turecki w Rumunii (czynny zazwyczaj 9.00–14.00 oprócz piątków; 0,40 €, ulgowy 0,20 €). Pamiątki związane z kulturą dobrudzkich Turków i Tatarów prezentuje muzeum **Casă Panaghia** (wt.–nd. 10.00–18.00, w zimie zamknięte; 0,80 €, ulgowy 0,30 €).

W **Enisali**, oddalonej o około 6 km od Babadagu, po drodze do ruin warto odwiedzić interesujący miniskansen **Muzeul Gospodăria Tărănească** (wt.–nd. 10.00–18.00; 0,80 €, fotografowanie i filmowanie 2,40 €), który daje wyobrażenie o życiu chłopów na początku XX w.

Mniej więcej 2 km od zabudowań wznoszą się restaurowane obecnie ruiny **zamku** (dojazd 1 km asfaltową szosą na południe w kierunku Sălcioary, a potem polną drogą na szczycie wzniesienia w lewo na wschód; bezpł.) Rano, szczególnie jesienią, tereny te spowija gęsta mgła, co daje wprawdzie efekt tajemniczości, ale uniemożliwia podziwianie wspaniałych widoków na największe w Rumunii jezioro Razim i deltę Dunaju.

Niewiele wiadomo o przeszłości twierdzy w Enisali. Pierwszy zamek stanął we wczesnym okresie bizantyńskim (VII–VIII w.), a w XIII w. Genueńczycy wybudowali na jego miejscu nowy, o wiele potężniejszy. Warownia miała zapewnić włoskim handlarzom bezpieczną żeglugę po wodach delty i tej części Morza Czarnego. Od wschodu i południowego wschodu mury miały aż 3 m grubości i 6–7 m wysokości. Twierdza charakteryzowała się nieregular-

nym planem – od strony północno-wschodniej wznosiły się dwie prostokątne wieże, a ściana zachodnia była sztucznie wysunięta do przodu, poza pierwotny obrys murów. W latach 1389–1396 zamek przejęli Turcy, a następnie Mircea cel Bătrân. W 1416 r. do Enisali ponownie wkroczyli Turcy, ale na początku XVI w. opuścili warownię, która dawno straciła na znaczeniu ze względu na zamulenie portu przez wędrujący z wiatrem piasek z wydm.

Do Babadagu można bez problemu dostać się z Konstancy lub Tulczy zarówno pociągiem, jak i autobusem, ponieważ miejscowość leży na głównej trasie pomiędzy tymi dwoma miastami. Trudniej dotrzeć do Enisali: trzeba albo łapać okazję, albo czekać na minibus do wsi Jurilovca, który kursuje tylko dwa razy dziennie. Amatorom wędrówek zawsze zostają własne nogi.

Z WIZYTĄ U LIPOWIAN

Wizyta u staroobrzędowców zwanych w Rumunii **Lipowianami** (*lipoven* – od niewielkiej miejscowości Lipoveni na Bukowinie) to niezapomniane przeżycie. Przywiązani do ortodoksyjnej tradycji starowiercy trskliwie pielęgnują swoje obyczaje. Starsi mężczyźni noszą długie brody i unikają (przynajmniej teoretycznie) mocniejszych trunków. Lipowianie są zazwyczaj bardzo otwarci i chętnie opowiadają o swoim niełatwym życiu, a zrozumieć ich nietrudno, gdyż używają starego dialektu języka rosyjskiego.

Warto odwiedzić dwie wsie starowierców położone w pobliżu Babadagu. Do **Slava Rusă** można dotrzeć trasą nr 22D, a także z Babadagu, jadąc zniszczoną drogą z południowej części miejscowości na południowy zachód. W centrum wsi, po zachodniej stronie drogi, wznosi się jedyny na świecie żeński klasztor Starowierców. Z monastyrem wiążą się początki osady: założyli go mnisi spod Uralu, którzy przynieśli ze sobą słynącą łaskami kopię ikony Matki Bożej Kazańskiej. Wkrótce wokół klasztoru zaczęli osiedlać się Lipowianie, więc spragnieni spokoju mnisi przenieśli się do wybudowanego w lesie klasztoru Zaśnięcia Matki Bożej (2 km drogą gruntową z północnej części wsi). Opuszczone zabudowania zaczęły chylić się ku ruinie. Przybyłe w końcu XIX w. rosyjskie mniszki odnowiły klasztor.

Leżąca 8 km na północ wieś **Slava Cercheză** zamieszkana jest przez liczącą kilkaset osób społeczność starowierców.

W centrum wznosi się malownicza, pokryta polichromią cerkiew staroobrzędowców – *molenna*. Warto się tu zatrzymać i porozmawiać z miejscowym popem, który niezwykle życzliwie traktuje przybyszów. Ubrany zazwyczaj w rubaszkę brodaty mężczyzna wygląda jak bohater ruskiej bajki. Kolejną ciekawą osobą we wsi jest malarz ikon, p. Stefan Gurei (☎0745/417110), mieszkający na wschód od sklepu. Wizyta w pracowni będzie doskonałą okazją do zapoznania się z techniką pisania ikon i do zakupu oryginalnej pamiątki (ceny zaczynają się od ok. 12 €).

TULCZA

Miejsce, gdzie dziś rozciąga się Tulcza (Tulcea), było zamieszkane co najmniej od VII w. p.n.e., kiedy przybyli tam koloniści greccy z Miletu, wcześniej osiedli w Histrii. Podczas panowania rzymskiego rozwinęło się osiedle Aegyssus (archeologowie odkryli jego liczne ślady). Miało ono duże znaczenie strategiczne, ponieważ umożliwiało kontrolę ruchu między Morzem Czarnym a Dunajem. Nazwa Tulcea pojawia się w źródłach po raz pierwszy w 1694 r. Jej geneza nie jest jasna – przypuszcza się, że pochodzi od imienia jednego z tureckich bejów.

Tulcza to najważniejszy ośrodek przemysłowy i turystyczny regionu, nazywany Wrotami Delty. Portowe miasto jest bazą wypadową dla wszystkich zainteresowanych zwiedzaniem delty Dunaju. Wiele biur organizuje wycieczki po tym obszarze, ale z powodzeniem można robić to indywidualnie. Sama Tulcza nie oferuje zbyt wielu atrakcji, oprócz kilku muzeów z Muzeum Delty Dunaju na czele.

Centrum miasta rozciąga się na południowym brzegu Brațul Tulcea (ramię Dunaju), które dopiero po kilku kilometrach rozdziela się na ramię Suliny i św. Jerzego (Sf. Gheorghe). Na drugim brzegu jest niewielka dzielnica Tudor Vladimirescu. Dworce kolejowy i autobusowy oraz przystań promowa znajdują się w zachodniej części miasta, przy końcu nadrzecznej promenady (str. Portului) biegnącej wzdłuż południowego brzegu.

Informacji na temat delty Dunaju udzielają pracownicy biura informacji turystycznej działającego w bloku przy nabrzeżu (str. Gării 26; ☎/fax 0240/519130, tourisminfo_tulcea@yahoo.com; dojście ułatwiają znaki). W ARBDD (Administracja Rezerwatu Delty Dunaju; str. Portului 34a; ☎0240/518924, fax 518975, deltain-fo@tim.ro), gdzie trzeba kupić **zezwolenie** na wstęp do rezerwatu (0,60 €/dzień; jego brak karany jest wysokimi mandatami), można uzupełnić wiadomości o przyrodzie Delty. Punkt informacyjny funkcjonuje również w agencji turystycznej Eurodelta Travel (str. Isaccei 1; ☎0240/512761, fax 515032, www.eurodelta.ro).

W Tulczy warto zwiedzić przede wszystkim muzea w centrum (wszystkie czynne wt.–nd. 10.00–18.00 w lecie i 8.00–16.00 w zimie). **Muzeul de Ştinţele Naturii Delta Dunării** (Muzeum Delty Dunaju; str. Progresului 32, koło katedry; ☎0240/515866; 1,20 €, ulgowy 0,60 €) poświęcono niezwykłemu obszarowi ujścia Dunaju, ale oprócz wspaniałych okazów fauny i flory delty, można w nim także podziwiać egzotyczne motyle z Indii, Malezji i dżungli amazońskiej oraz ponad tysiąc eksponatów geologicznych. **Muzeul de Etnografie** (Muzeum Etnograficzne; str. 9 Mai 2; ☎0240/516204; 1,20 €, ulgowy 0,60 €) prezentuje m.in. tradycyjne stroje rumuńskie z Dobrudży z początku zeszłego stulecia, XIX-wieczne ubiory tureckie i przedmioty codziennego użytku, a także wiele wyrobów tradycyjnego rękodzieła. W **Muzeul de Arta** (Muzeum Sztuki; str. G. Antipa 2, koło hotelu *Delta*; ☎0240/513249; 1,20 €, ulgowy 0,60 €) zgromadzono obrazy i rzeźby znanych rumuńskich artystów i wiele pięknie zdobionych przedmiotów, jak wazy, meble i broń turecka z XVIII–XX w. Liczącą ponad 45 tys. eksponatów kolekcja **Muzeul de Istorie şi Arheologie** (Muzeum Historii i Archeologii; park Pomnika Niepodległości; ☎0240/513626; 1,20 €, ulgowy 0,60 €) obejmuje fragmenty budowli (wiele z inskrypcjami), ceramikę, szkło, monety i biżuterię znalezione na terenie Dobrudży.

Warto przejść się str. Gloriei na wzgórze z obeliskiem z 1904 r. zwanym **pomnikiem Niepodległości**, wzniesionym na cześć poległych w wojnie o niepodległość (1877–1878). Ze wzniesienia roztacza się ładny widok na Dunaj i całe miasto. Przy str. Independenţei stoi niezbyt ciekawy **meczet Azizie** z II połowy XIX w.

Noclegi

W Tulczy jest kilka hoteli, nie ma pola namiotowego, nie wolno też biwakować na dziko. Noclegi w kwaterach prywatnych organizuje Antrec (str. Păcii 121, Bl. 128, Sc. 1, Ap. 1; ☎/fax 0240/510463; ok. 8–10 €/os.). Latem można przenocować na łodziach cumujących przy promenadzie.

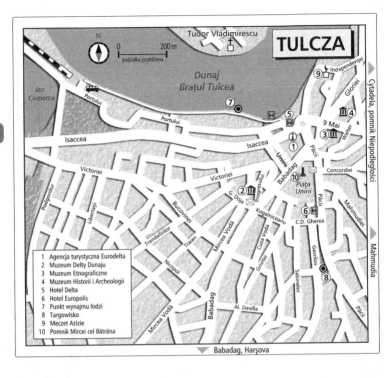

Legenda mapy:
1. Agencja turystyczna Eurodelta
2. Muzeum Delty Dunaju
3. Muzeum Etnograficzne
4. Muzeum Historii i Archeologii
5. Hotel Delta
6. Hotel Europolis
7. Punkt wynajmu łodzi
8. Targowisko
9. Meczet Azizie
10. Pomnik Mircei cel Bătrăna

Delta*** (str. Isaccei 2; ☎0240/514720–22, 516262, fax 516260, www.deltahotelro.com). Hotel malowniczo usytuowany nad rzeką. Wysoki standard, dobra restauracja, basen, siłownia. Pokój 1-os. 40 €, 2-os. 50 €, apartament 87 €.

Europolis** (str. Pācii 20; ☎0240/512443, www.europolis.ro). Dogodnie usytuowany niedaleko targowiska; średni standard. Pokój 1-os. 22 €, 2-os. 31,50 €.

Hera (w pobliżu kapitanatu portu; ☎0240/512114, transtour_tulcea@yahoo.com). Hotel na statku oferujący najtańsze noclegi tego typu. Czynny tylko w okresach, gdy jednostka nie wyrusza na wycieczkę; 7 €/os.

Ipo* (str. Portului 14; ☎0722/717196). Najtańsze noclegi w mieście, standard kiepskiego schroniska młodzieżowego. Ciepła woda tylko wieczorem. Pokój 2-os. 16 €, 3-os. 19 €, apartament 24 €.

Gastronomia

W Tulczy nie brakuje restauracji, zarówno tych drogich, jak i tańszych. Kilka niezłych knajpek działa przy nadrzecznej promenadzie. Po żywność najlepiej wybrać się na miejski targ Piaţa Veche naprzeciw portowego parkingu. Tam też działa całodobowy sklep.

Bar Tabac (str. Isaccei 7; ☎0240/519379). Najlepsza spośród kilku knajpek w okolicy. Tania kawa (0,25 €) i piwo (0,35 €).

Central (str. Babadag 4, Bl. A5, Sc. B; ☎0240/530160). W miarę tanio (np. zupa 0,50–0,75 €), wystrój bez rewelacji.

Royal Trident (str. Babadag, naprzeciwko poczty). Dwa w jednym: na dole pizzeria i piwiarnia, na piętrze ekskluzywna restauracja (w menu także dania rumuńskie).

Rolion (str. Faleza 1, na tyłach dworca autobusowego; ☎/fax 0240/511855). Dobra kuchnia rumuńska; jeden z najlepszych lokali przy promenadzie.

Scorpion (na dworcu autobusowym). Jedna z tańszych restauracji w mieście; niewyszukane menu.

Trident Aida Fastfood (str. Babadag 2, Bl. M2; ☎0240/519502). Lokal popularny wśród młodzieży; oprócz hamburgerów i frytek również dania włoskie, jak pizza czy spaghetti.

Wycieczki statkiem i łodziami

Wycieczki łodziami po delcie i Morzu Czarnym organizuje agencja Atbad (str. Babadag 11; ☎0240/514114, fax 517625, www.atbad.ro). Całodniową przejażdżkę po delcie oferuje Gheorghe Bode (☎0722/ 155768), którego łódź cumuje w pobliżu hotelu *Delta*. Wynajęcie 10-os. łodzi kosztuje 120 €, a więc cena wycieczki od osoby zależy od liczby chętnych. Wyprawa rozpoczyna się o 8.00 i kończy o 20.00. Za godzinę płaci się 12–15 €.

Kilkudniowe wycieczki po delcie organizują statki-hotele przy promenadzie (w zależności od standardu 20–60 €/os.). W Naviturze wycieczka w dni powszednie kosztuje 45 €/os., a w weekendy 55 €/os. (tyle płaci się w przypadku grupy co najmniej 12-os.).

Zwiedzanie delty połączone z wędkowaniem to specjalność Ecodelta SA (Piaţa Republicii 2; ☎0240/514660) oraz Silvodelta SA (str. Spitalului 32; ☎0240/513 279). Obie firmy załatwiają konieczne zezwolenia.

Rozrywki

Club 21 (str. Independenţei, między muzeum a meczetem Azizie). Młodzieżowy pub z dużym wyborem trunków.

Disco No 1 (przy promenadzie). Szalona zabawa od poniedziałku do soboty; wyłącznie techno i rap.

Istru Pub (str. Portului). Jeden z lepszych pubów w mieście. Oryginalne wnętrze, niezła muzyka, piwo (0,30–0,45 €).

Informacje o połączeniach

Tulcza to końcowa stacja linii kolejowej po tej stronie Dunaju. Nowoczesny dworzec kolejowy stoi na zachodnim krańcu promenady (str. Portului). Odjeżdża stamtąd zaledwie pięć **pociągów** dziennie: dwa do Konstancy, dwa do Bukaresztu i jeden do Medgidii. Agenţie de Voiaj CFR działa przy str. Babadag 4 (pn.–pt. 9.00–17.00).

Dworzec autobusowy, tuż obok kolejowego, w przeciwieństwie do swego sąsiada zajmuje brzydki socrealistyczny budynek. Kilkanaście **autobusów** i **minibusów** kursuje codziennie do Konstancy (3,50 €) i Bukaresztu (7,20 €), jeden do Braiły i Jass, dwa do Gałacza i kilka do Murighiolu i Măcina.

Z czterech stanowisk przy promenadzie odpływają **promy pasażerskie** państwowego przedsiębiorstwa żeglugowego Navrom **do Suliny** (codz. z wyj. sb. o 13.00; z powrotem w te same dni o 7.00; 5 €, wodolot 6,20 €), **Peripravy** (pn., wt., pt. 13.00; z powrotem wt., śr., czw., nd. 5.00; 6,10 €, wodolot 7,50 €) i **Sf. Gheorghe** pn., wt., czw., pt. 13.30; z powrotem wt., czw., pt., nd. 6.00; 5,30 €, wodolot 6,60 €). Bilety kupuje się w kasie dworca autobusowego

lub w budkach przy nabrzeżu. Promy zatrzymują się we wszystkich miejscowościach po drodze. Rejs do końcowych przystanków trwa 4–6 godz., dlatego powrót tego samego dnia byłby kłopotliwy, nawet jeśli udałoby się złapać odpowiednie połączenie. Wniosek jest prosty: zwiedzanie delty na własną rękę wymaga co najmniej jednego noclegu w którejś z miejscowości. Zmotoryzowani powinni zaparkować pojazd na strzeżonym parkingu przy promenadzie (3,10 €).

Co pół godziny między południową częścią Tulczy a dzielnicą Tudor Vladimirescu z przystani przy promenadzie kursują **łodzie pasażerskie**.

Informator

Apteka Str. Babadag 6, obok Agenţie de Voiaj CFR (czynna codz.), oraz w pływającym hotelu *Hera*.

Internet *Future Games*, str. Isaccea; 0,55 €/ godz.; wolne łącze.

Laboratorium fotograficzne Fujifilm, str. Unirii; duży wybór filmów.

Poczta i telekomunikacja Urząd pocztowy mieści się przy str. Babadag niedaleko skrzyżowania z str. G. Doja, naprzeciwko restauracji *Royal Trident* (pn.–pt. 8.00–20.00, sb. 8.00–12.00).

Wymiana walut i banki Reiffeisen Bank mieści się przy str. Issacea 4 oraz przy str. 9 Mai (w okazałej kamienicy obok muzeum), bankomat w hotelu *Europolis*, kantor i dwa bankomaty są w budynku z punktem CFR (str. Babadag 4).

Z TULCZY W GŁĄB DELTY DUNAJU

Delta Dunaju (delta Dunării) to jeden z najpiękniejszych rejonów Rumunii, gdzie rytm życia podporządkowany jest bez reszty ogromnej rzece. O wspaniałym krajobrazie rozpisywali się już starożytni podróżnicy, geografowie, historycy i poeci, których los, niekiedy wbrew ich woli, rzucił w te strony.

Dunaj rozlewa się na obszarze 5640 tys. m², płynąc trzema głównymi ramionami: najdłuższym północnym Kilią (Chilia, 120 km), uregulowanym środkowym Suliną (70 km) oraz południowym św. Jerzym (Sf. Gheorghe, 113 km). Delta Dunaju jest drugą co do wielkości deltą Europy (po ujściu Wołgi); rzeka niesie rocznie do Morza Czarnego 70 mln ton osadów (2 tony na sekundę). Region charakteryzuje się specyficznym mikroklimatem. W delcie Dunaju żyje 160 gatunków ryb i 300 gatunków ptaków, wielkim bogactwem wyróżnia się także szata roślinna (największy na świecie obszar porostu trzciny oraz unikatowy na skalę światową stary las dębowy Letea). Po całym terenie rozrzucone są osady ludzkie, często złożone z zaledwie kilku lepianek. Wydaje się, jakby czas stanął w miejscu – nawet lata socjalistycznych rządów nie przyniosły zasadniczych zmian, chociaż Ceauşescu planował „użyźnić" deltę i przekształcić ją w spichlerz kraju.

O ochronie regionu zaczęto myśleć na początku lat 80. XX w. – w 1983 r. część lasu dębowego Letea uznano za zabytek przyrody. Komuniści skutecznie blokowali wszelkie inicjatywy ekologiczne, dlatego dopiero po 1989 r. można było rozpocząć działania w tym kierunku. Od 1991 r. delta figuruje na Liście Światowego Dziedzictwa Kulturalnego i Przyrodniczego UNESCO, a w latach 1990–1994 na obszarze 580 tys. ha utworzono **Rezervaţia Biosferei Delta Dunării** (Rezerwat Biosfery Delty Dunaju). Wydzielono 18 stref ochrony ścisłej (o łącznej powierzchni ok. 50 tys. ha, co stanowi 8,7% obszaru), do których wstęp jest surowo wzbroniony. Pozostałe tereny można zwiedzać tylko pod warunkiem uzyskania pozwolenia od ARBDD (za symboliczną sumę 0,60 € na dzień), w czym pośredniczą biura podróży organizujące wycieczki po delcie.

W wioskach nie ma banków, bankomatów i kantorów (w niektórych hotelach można wymienić walutę), brakuje również kafejek internetowych. Urzędy pocztowe są tylko w Sulinie, Sf. Gheorghe i Murighiolu. O wymianie pieniędzy, sprawdzeniu poczty elektronicznej czy zakupie prowiantu i filmów fotograficznych trzeba pomyśleć w Tulczy.

Deltę Dunaju zwiedza się indywidualnie lub w ramach wycieczek zorganizowanych – promem pasażerskim (zob. s. 182), wynajętą łodzią lub kajakiem. Wypożyczenie małej dwuosobowej łódki kosztuje około 10 €/godz.

Orientacja w rejonie delty jest bardzo trudna – aby nie zgubić się w labiryncie kanałów, dopływów i nieskończonej ilości jezior, trzeba dobrze znać się na mapie i prawidłowo używać kompasu.

Wszelkie informacje na temat delty Dunaju uzyska się w agencjach turystycznych w Tulczy i w biurze ARBDD (zob. s. 181).

Noclegi i gastronomia

Baza noclegowa delty nie jest rewelacyjna, ale właśnie dzięki temu masowa turystyka nie zalewa jej tak, jak wody Dunaju. ARBDD dba o to, aby utrzymać pierwotny stan rozlewiska. Oprócz kilku hoteli w Tul-

czy (zob. wyżej), w niektórych miejscowościach ukrytych w morzu szuwarów działa w sumie kilkanaście hotelików i pensjonatów, niewiele jest również kempingów. Z reguły po zejściu z promu turystę nagabują miejscowi oferujący nocleg w swoich domach. Warto skorzystać, zwłaszcza że cena nie jest wysoka (3–8 €/os.).

Kto marzy o królewskiej uczcie, powinien zostać w Tulczy. Nieliczne restauracje są na ogół skromnie urządzone i takie też mają menu, ale zdarzają się wyjątki (na ogół w hotelach). W Sulinie warto polecić restaurację rybną **Marea Neagră** (str. Deltei 178; ☎0240/543139).

Astir (Sulina, w zachodniej części miasteczka). Najtańsze noclegi w Sulinie. Pokój 1-os. 7 €.

Farul (Sulina, nieopodal przystani). Motel; 40 miejsc; restauracja; niedrogo. Pokój 1-os. 11,50 €.

Lebăda (Crişan, ☎0240/543778). Najwyższy standard spośród wszystkich hoteli w regionie. Na molo restauracja. W ofercie wędkowanie, sporty wodne i wycieczki po delcie. Pokój 2-os. 32 €.

Pension Cormoran Nowoczesny hotel (114 miejsc). Pokój 2-os. ze śniadaniem 24 €.

Salcia (Maliuc). Hotel oferujący skromne pokoje. Pokój 1-os. 11 €, 2-os. 18 €.

Salcin (Crişan). Motel; 52 miejsca; restauracja z dobrą kuchnią rumuńską. Pokój 2-os. 18 €.

Sulina (Sulina, w centrum; ☎0240/543017). Niedrogo, a wygodnie. Dobra restauracja i bar. Pokój 1-os. 12 €.

Visconti (Sf. Gheorghe, str. Mircei Vodă 6; ☎0240/524726). Skromnie urządzone pokoje 2-os. 16 €.

Kemping Pelikan (Murighiol, na południe od miasteczka, nieopodal przystani promowej; ☎0240/516386). Można przenocować we własnym namiocie (2,40 €/os.) lub w drewnianym domku (4 €/os.). W tym samym kompleksie motel (11 €/os.), dobra restauracja i bar.

Z nurtem Suliny

Podróż z Tulczy do Suliny promem pasażerskim, który nie zapuszcza się na liczne malownicze jeziorka i boczne kanały, trwa mniej więcej 4 godziny (ok. 70 km). Wycieczki tą odnogą Dunaju (Braţul Sulina) należą do najpopularniejszych, a końcowy przystanek – miasteczko Sulina (ok. 6 tys. mieszkańców) to największe osiedle w delcie, nie licząc Tulczy.

Pierwszą miejscowością po drodze jest mała wioska rybacka **Partizani**. Po drugiej stronie kanału stoi kilkanaście chałup **Ilganii de Sus**. Zarówno w Partizani, jak i w następnej wiosce **Maliuc** można zanocować w niewielkich hotelach turystycznych (ok.

10 €/os.) – na tyłach wolno rozbić namiot. Z Maliuc płynie się przeważnie na północ, na **jezioro Fortuna**, gdzie amatorzy ornitologii zachwycają się wodnym ptactwem. Od akwenu kręta droga prowadzi do wioski **Mila 23** nad Starym Dunajem (Dunărea Veche). Tędy pływały statki, zanim na początku zeszłego stulecia nie uregulowano ramienia Suliny. Kierując się Starym Dunajem na południe, dociera się do ramienia Suliny i do długiej na prawie 9 km wioski **Crişan**. Przy przystani można popytać prywatnych przewodników o wycieczki na północ do starego **lasu dębowego Letea** (Pădurea Letea) lub na południe do **lasu Caraorman** (Pădurea Caraorman), gdzie leży również wioska o tej samej nazwie.

W lasach żyje wiele rzadkich ptaków i ssaków – uważne oko wypatrzy być może żbika. W Crişan działa Institutul Delta Dunării (Instytut Delty Dunaju) z niewielkim muzeum poświęconym delcie (wt.–nd. 8.00–16.00).

Z Crişan płynie się prosto do **Suliny**, która pomimo starożytnych korzeni nie jest bardziej interesująca od innych wiosek. Zabudowania chroni przed powodzią czterokilometrowy wał ziemny. W tej najdalej wysuniętej na wschód, a jednocześnie najniżej położonej (3,5 m p.p.m.) miejscowości Rumunii czuje się specyficzny portowy klimat. Warto przespacerować się długą piaszczystą **plażą**, obejrzeć **latarnię** z II połowy XIX w. oraz interesujący **cmentarz**, na którym pochowano zmarłych podróżnych, marynarzy i pracowników portu ze wszystkich stron świata. Obok położony jest cmentarz muzułmański i kirkut. Będąc w Sulinie, można wybrać się na wycieczkę łodzią wynajętą we wsi. Warto zobaczyć z bliska ujście Dunaju do Morza Czarnego (*vârsare*; najdalej na wschód położony punkt Rumunii i Półwyspu Bałkańskiego) wraz z wysuniętą głęboko w morze latarnią i sprawdzić, czy woda

jest tu słona czy słodka. Spośród wszystkich miejscowości w delcie, w Sulinie najłatwiej o nocleg.

Z nurtem św. Jerzego

Z Tulczy do **Sfântu Gheorghe** płynie się promem pasażerskim około 6 godzin (113 km). Wioska ta jest bardziej dostępna dla turystów niż inne osady delty, ponieważ wzdłuż rzeki aż do miejscowości Mahmudia i dalej Murighiol biegnie droga (mniej więcej połowa długości ramienia św. Jerzego – Sf. Gheorghe). W wielu miejscach można przesiąść się na prom lub wynająć prywatną łódź.

Pierwszą wioską po drodze jest **Nufăru**, gdzie odkryto ślady osady z XIII w. Następnie mija się malutkie Băltenii de Sus oraz Băltenii de Jos i po kilku kilometrach dociera do **Mahmudii**, kolejnej wioski o starożytnych korzeniach. Następny przystanek to **Murighiol**, ostatnia osada przy tej odnodze Dunaju (można tam również dotrzeć samochodem po kiepskiej drodze). W II w. n.e. istniał w tym miejscu warowny obóz rzymski. Nazwa wioski pochodzi z języka tureckiego – w czasach komunistycznych zmieniono ją na Independenţa, czyli Niepodległość. W Murighiol jest kilka hotelików-pensjonatów i pola namiotowe. Miejscowi przewoźnicy oferują wycieczki do osady **Uzlina** (ok. 2 godz.; 15 €), gdzie Ceauşescu wybudował willę, w której zatrzymywał się podczas polowań.

Położone na północny wschód od Uzliny **jeziora Uzlina** i **Isac** słyną z dużych kolonii pelikanów. Po drodze do Sf. Gheorghe przepływa się jeszcze obok osad **Dunavaţ** i **Ivancei**. W prostej linii obie wioski dzieli jedynie 28 km, ale drogą wodną trzeba pokonać aż 66 km.

Sf. Gheorghe żyje z rzeki, a dokładniej z połowu ryb, którym zajmują się wszyscy mieszkańcy. Zagubiona wśród piaszczystych wydm osada jest jednym z najład-

Delta na własną rękę

Wybierając się na samodzielną wyprawę łódką albo kajakiem z zamiarem nocowania w pensjonatach, hotelikach lub we własnym namiocie, trzeba się postarać o stosowne zezwolenie w biurze ARBDD (zob. s. 181). Tam też należy kupić mapę delty i sprawdzić, w których strefach można rozbijać namiot i rozpalać ognisko. Kto nie jest za pan brat z mapą i kompasem, nie powinien samotnie wiosłować po delcie, w której roi się od kanałów, dopływów, jeziorek i ślepych odnóg. Delta bowiem to rejon piękny, ale niebezpieczny dla kogoś, kto go nie zna. Oprócz mapy i kompasu, należy zabrać zapas wody (niefiltrowana woda z Dunaju jest niebezpieczna dla zdrowia), prowiantu oraz koniecznie środek przeciw insektom (namiot musi mieć szczelną moskitierę). W lecie, szczególnie podczas ciepłych lipcowych wieczorów, roje komarów potrafią zamienić miło zapowiadającą się wycieczkę w prawdziwy koszmar.

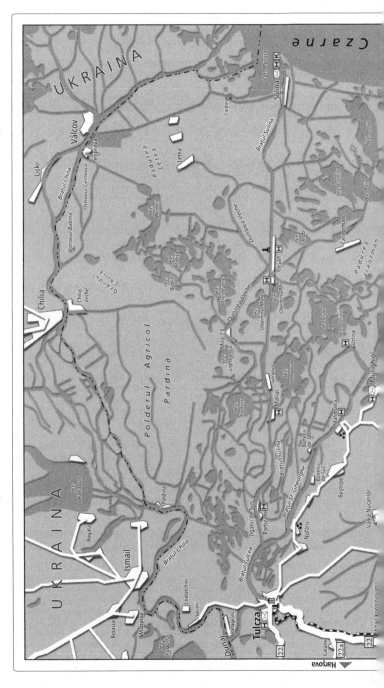

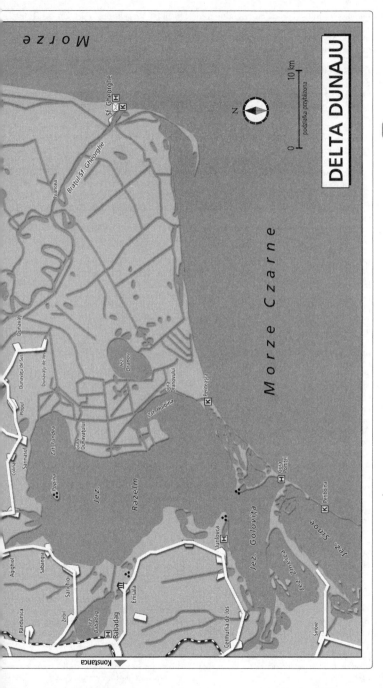

DELTA DUNAJU

podziałka przybliżona

0   10 km

niejszych miejsc w delcie, w dodatku z piękną plażą. Wioska słynie z jesiotrów – mieszkańcy Sf. Gheorghe dobrze zarabiają na eksporcie wysoko cenionego kawioru.

Z nurtem Kilii

Kilia (Brațul Chilia) jest najdłuższym (120 km) i najszerszym z trzech ramion, na które Dunaj rozdziela się w delcie. Na pewnym odcinku wytycza granicę między Rumunią a Ukrainą, a za miejscowością Periprava rozgałęzia się na kilkanaście odnóg, tworząc własną minideltę. Podróż promem pasażerskim z Tulczy do Peripravy trwa około 6 godzin.

Po drodze prom zatrzymuje się tylko w miejscowości **Chilia Veche**, która w starożytności nosiła nazwę Achillea. Już z daleka można zauważyć kościół z wysoką wieżą. W przeszłości osadę zamieszkiwali Grecy, Genueńczycy i Turcy. W XV w. Chilia była oddalona od morza zaledwie o 5 km – obecny dystans 40 km daje wyobrażenie o tym, jak szybko zmienia się krajobraz regionu. W Chilii można wynająć przewodnika i wraz z nim wybrać się na podbój **Grândul Chilia**, czyli stałego lądu z bogatym światem roślin i zwierząt (m.in. lisy oraz dziki).

Po drodze z Chilia Veche do Peripravy mija się **wyspy Babina** (Ostrovul Babina) i **Cernovca** (Ostrovul Cernovca), których ekosystem został poważnie naruszony przez Ceaușescu marzącego o przekształceniu delty w region rolniczy. Wyspy otoczono potężnymi groblami, a glebę przekopano i wypłoszono gniazdujące tam ptaki. Ale miłośnicy ornitologii i tak powinni tu przyjechać, ponieważ na wyspach zatrzymuje się wiele gatunków ptaków wędrownych. Na początku lat 90. ARBDD rozpoczęła program odnowy ekologicznej tej części delty, co w dużym stopniu się udało.

Periprava emanuje spokojem – spacerując pośród białych domków z niebieskimi framugami okien, odnosi się wrażenie, że wielki świat jest gdzieś daleko, a nie w odległej o jedyne 100 km Tulczy. Warto wybrać się do starego **lasu dębowego Letea** (Pădurea Letea).

Z TULCZY DO MOŁDAWII

Droga z Tulczy do Smârdanu lub I.C. Brătianu, gdzie zorganizowano przeprawę na drugą stronę Dunaju do Mołdawii (Mołdowy), biegnie przez malownicze tereny północnych stoków gór Măcin. Po drodze można zwiedzić kilka interesujących miejsc.

Niculițel W odległej o 28 km od Tulczy wiosce zachowały się ruiny (częściowo zrekonstruowane) wczesnochrześcijańskiej bazyliki z IV w. W 1971 r. znaleziono tam szkielety chrześcijańskich męczenników z IV w. – m.in. Zoticosa, Attalosa, Kamasisa, Filiposa. Przypuszcza się, że zginęli w czasach panowania cesarza Dioklecjana lub Licyniusza (I połowa IV w.) w pobliskim Noviodunum (dzisiejsza Isaccea). Szczątki świętych pochowano w monastyrze Cocoș.

Ruiny znajdują się około 500 m od centrum wsi, w przeszklonym budynku (☎0745/769874; wt.–nd. 8.00–12.00 i 14.00–18.00; 0,80 €, ulgowy 0,30 €, fotografowanie i filmowanie 1,30 €). Warto zwrócić uwagę na fragment pięknej mozaiki podłogowej.

Monastyry Cilic Dere i Cocoș Oba klasztory wybudowano w XIX w. W cerkwi kompleksu Cilic Dere powstało ciekawe muzeum etnograficzne. W monastyrze Cocoș zgromadzono ikony i stare księgi. Do zwiedzania udostępniona jest cerkiew, w której pochowano szczątki świętych męczenników znalezione w Niculițelu.

Isaccea 2,5 km na północ od miasteczka zachowały się ruiny rzymskiego obozu Noviodunum. Plan na tablicy informacyjnej daje wyobrażenie o jego wielkości. Jak dotąd odsłonięto spore fragmenty murów obronnych, ale prace archeologiczne wciąż trwają. Obecna nazwa pochodzi z czasów tureckich (Isac-Chivi oznacza „wieś Isaca"). Prawdopodobnie właśnie w okolicach Isaccei perski król Dariusz wybudował w 514 r. p.n.e. słynny most z okrętów, aby przedostać się na drugą stronę rzeki i wyruszyć na Scytów.

Tichilești Osobliwością tego niezbyt ciekawego ośrodka jest jedyne w Europie leprozorium – szpital i miejsce izolacji trędowatych. Kompleks powstał po koniec lat 30. XX w., kiedy w okolice przybyli chorzy wygnani z ukraińskiej Bukowiny. W czasach socjalizmu wszystkie osoby ze zdiagnozowanym trądem przesiedlano do kolonii Tichilești, otoczonej siatką i strzeżonej przez wartowników. Dzisiaj można tam wjechać bez przeszkód, niektóre pawilony świecą pustkami, ale gdzieniegdzie ktoś jeszcze mieszka. Wśród budynków wznosi się kościół. Mimo wszystko lepiej opanować ciekawość i nie wysiadać z samochodu. Podróżujący bez własnego środka transportu nie powinni się tam zapuszczać.

Garvăn 4,5 km na północ od wioski Jijila odkryto ruiny starożytnego obozu rzymskiego Dinogetia. W IV w. przeniesiono tam tymczasowo legiony I i II z Noviodunum i Troesmis (dzisiejsza Igliţa) w północnej Dobrudży. Wzniesiono grube mury (powstawały przez dwa stulecia) i kilka wież. W 559 r. obóz został zdobyty przez jedno z bułgarskich plemion i odbudowali go dopiero Bizantyńczycy między X a XII w. Miejsce zmieniło charakter – z warownego obozu przekształciło się w osadę miejską. Dzięki znaleziskom archeologicznym wiadomo, że mieszkańcy trudnili się łowiectwem, rybołówstwem, rolnictwem i hodowlą zwierząt.

Ruiny osady widać dobrze z drogi Jijila–I.C. Brătianu, a prowadzi do nich polna ścieżka.

Mołdawia

Zwiedzanie Mołdawii, szczególnie jej północnej części, czyli rumuńskiej Bukowiny, to niezwykła podróż w czasy średniowiecza. XV- i XVI-wieczne klasztory o zewnętrznych ścianach pokrytych freskami przywołują fascynującą historię krainy położonej pośród uroczych pagórków. Bukowina to miejsce szczególne dla Polaków za sprawą naszych rodaków zamieszkujących północ Rumunii od ponad dwustu lat. Zachodnia Mołdawia, czyli właściwie Karpaty Wschodnie, obfituje w ciekawe klasztory i miasteczka, do których często prowadzą malownicze kręte drogi. Najciekawszy trakt wiedzie przez

Główne atrakcje

- **Okolice Suczawy** – słynne malowane monastyry.
- **Polskie wioski** – Nowy Sołoniec, Kaczyca, Plesza i Pojana Mikului.
- **Jassy** – przepiękna cerkiew Trzech Hierarchów i malownicza starówka.
- **Târgu Neamţ** – imponujące ruiny twierdzy i pobliski monastyr **Neamţ**.
- **Focul Viu** – naturalny, płonący wyziew gazu ziemnego.

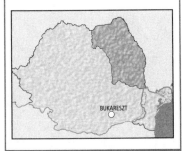

BUKARESZT

wąwóz Bicaz, którym płynie rzeka o tej samej nazwie. To jeden z najpiękniejszych wąwozów w całych Karpatach tworzący wrota między Mołdawią a Transylwanią. Na wschód od przełomu Bicazu leży ciekawe zabytkowe miasteczko Piatra Neamţ, a na północ – Târgu Neamţ z imponującymi ruinami zamku i monastyrami.

Na szczególną uwagę turystów zasługują Jassy, od XVI w. stolica Księstwa Mołdawskiego, a dziś jedno z największych miast kraju i centrum mołdawskiej kultury z najstarszym uniwersytetem w Rumunii, słynną cerkwią Trzech Hierarchów oraz założeniem obronnym utworzonym z ufortyfikowanych klasztorów. Jadąc z Jass na północ w kierunku Botoşani, mija się winnice Cotnari (powstaje tam jedno z najlepszych rumuńskich win) i niewielkie miasteczko Hârlău z cerkwią św. Jerzego. Przy granicy z Dobrudżą leży Gałacz – stary ośrodek naddunajski z zachowaną XIX-wieczną zabudową. Niedaleko Wołoszczyzny, na przedpolu gór Vrancea, warto odwiedzić niezwykły fenomen natury – rezerwat Focul Viu z płonącymi wyziewami gazu.

Historia

Państwo mołdawskie (Mołdawskie Księstwo, Hospodarstwo Mołdawskie, Mołdawia) w okresie największego rozkwitu przypadającego na I połowę XIV w. obejmowało tereny między deltą Dunaju, Dniestrem i Karpatami Wschodnimi. W starożytności rejon ten zamieszkiwali m.in. Scytowie, Bastardowie, Sarmaci oraz Dakowie. We wczesnym średniowieczu przemierzyły Mołdawię niemal wszystkie plemiona barbarzyńców maszerujące ze wschodu na zachód. Początek kształtowania się państwa mołdawskiego przypada na wiek X – jego rozwój został zahamowany przez najazd Pieczyngów. Potężna wówczas Ruś Kijowska zaanektowała ziemie mołdawskie, które następnie dostały się pod wpływ spadkobiercy Rusi – Księstwa Halickiego, to z kolei zostało podporządkowane Węgrom i jednocześnie stanowiło przedmiot sporu z Polską. Autonomię Księstwa Mołdawskiego udało się wywalczyć hospodarowi Bogdanowi I (1359–1365). W latach 1387–1497 Mołdawia była polskim lennem. Jej rozkwit rozpoczął się za rządów Aleksandra Dobrego (1400–1432) w okresie ścierania się wpływów Polski i Turcji. Ostatecznie w 1456 r. Porta Otomańska zdołała narzucić Mołdawii zwierzchnictwo. Walkę z groźnym sąsiadem podjął bez powodzenia Stefan III Wielki (1457–1504), najwybitniejsza postać w dziejach Mołdawii i jedna z największych w historii Rumunii. Wojewoda Stefan walczył również z Polską, odpierając wyprawę Jana I Olbrachta (1497) i kończąc tym samym formalną zależność lenną. Klęskę w Lasach Koźmińskich koło Czerniowiec upamiętnia porzekadło „za króla Olbrachta wyginęła szlachta" oraz krakowski Rondel (Barbakan), wybudowany z myślą o wzmocnieniu miejskich murów przed spodziewaną wyprawą odwetową Mołdawian i Tatarów. Późniejsze wojny z Polską o Pokucie zakończyły się klęską Mołdawian pod Obertynem (1531). Z dział zdobytych w tej bitwie wytopiono podobno dzwon Zygmunta.

Hospodar wołoski Michał Waleczny (1593–1601) wielokrotnie próbował zrzucić jarzmo tureckie i zjednoczyć księstwa naddunajskie. W I połowie XVII w. Mołdawia stanowiła obszar wspólnego panowania polsko-tureckiego, co było punktem zapalnym między tymi krajami, doprowadzającym często do starć zbrojnych. Pod koniec XVII w. zainteresowanie regionem zaczęli przejawiać carowie rosyjscy, a także Austria. Z rywalizacji zwycięsko wyszedł Wiedeń – w 1775 r. Księstwo Mołdawskie utraciło na rzecz Austrii Bukowinę, ale już w 1812 r. Rosja zaanektowała Besarabię. Wojna rosyjsko-turecka w latach 1828–1829 doprowadziła do sytuacji, w której Mołdawia, pozostając formalnie w imperium tureckim, uzyskała autonomię pod protektoratem rosyjskim. Ruchy narodowowyzwoleńcze w Europie w I połowie XIX w. (w szczególności Wiosna Ludów) spowodowały narastanie nastrojów niepodległościowych w księstwach naddunajskich. Traktat paryski z 1856 r. zezwolił na ujednolicenie ustrojów politycznych Mołdawii i Wołoszczyzny, a konferencja paryska z 1858 r. nadała naddunajskim księstwom wspólną konstytucję. Rok później hospodarem obu państw został Alexander Ioan Cuza (1820–1873). Za zgodą mocarstw ogłosił w 1861 r. zjednoczenie Mołdawii i Wołoszczyzny w jedno księstwo –

4

MOŁDAWIA

Śmierć hetmana

We wrześniu 1620 r. armia polska pod dowództwem 73-letniego hetmana wielkiego koronnego i kanclerza **Stanisława Żółkiewskiego** wyruszyła na pomoc hospodarowi mołdawskiemu Gąsparowi Grațiani, gdy na teren Mołdawii wkroczyła armia turecka sułtana Osmana II. Decydującą bitwę stoczono 18 i 19 września pod Cecorą (obecnie Țuțora), 15 km na południowy wschód od Jass. Po zwycięstwie Turków armia Żółkiewskiego wycofywała się nocami w stronę polskiej granicy. Trudy marszu, zmęczenie, głód i ciągłe ataki wroga wpłynęły na morale wojska: w obozie doszło do rozprzężenia i pojedyncze grupy żołnierzy zaczęły uciekać w kierunku granicy. Sytuację tę wykorzystali Turcy i Tatarzy, rozbijając z łatwością polską obronę. Żółkiewski nie skorzystał z możliwości ratunku na ofiarowanym koniu, przebijając go ponoć własną szablą ze słowami „Nie wsiądę, miło mi przy was umierać. Niech Pan Bóg nade mną wyrok swój, który uczynił, kończy". Okoliczności śmierci hetmana nie są znane, wiadomo jednak, że dzień po bitwie jego głowę zatknięto przed namiotem Iskander baszy, a następnie przewieziono do Konstantynopola zakonserwowaną w miodzie.

Na miejscu bitwy pod Cecorą nie ma żadnych pamiątek przeszłości, ale w niewielkiej wsi Sawki, kilka kilometrów na południe od miasta Ataki (obecnie Mołdowa) na miejscu śmierci hetmana postawiono pamiątkowy obelisk zwieńczony krzyżem. Na tablicy widnieje łacińska inskrypcja: „Przechodniu! Jeśli poganinem jesteś, nie żałuj kamienia, jeśli chrześcijaninem za wiarę Chrystusową, w kościele ofiary nie odmawiaj. Kiedykolwiek to miejsce nawiedzisz, jak słodko i pięknie umierać za Ojczyznę, ze mnie ucz". W czerwcu 1912 r. wzniesiono siedmiometrowy pomnik, który pomieścił we wnętrzu reszki dawnego monumentu (ufundowanego jeszcze przez żonę Żółkiewskiego). Ciało hetmana spoczywa w krypcie kolegiaty w Żółkwi (Ukraina). Na marmurowym nagrobku widnieje łaciński cytat z Wergiliusza: „Oby z kości naszych powstał mściciel".

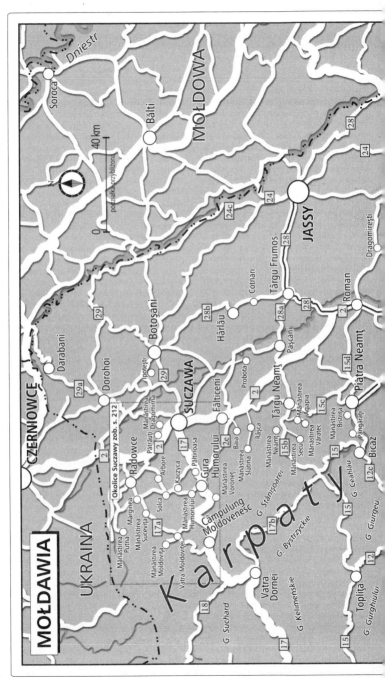

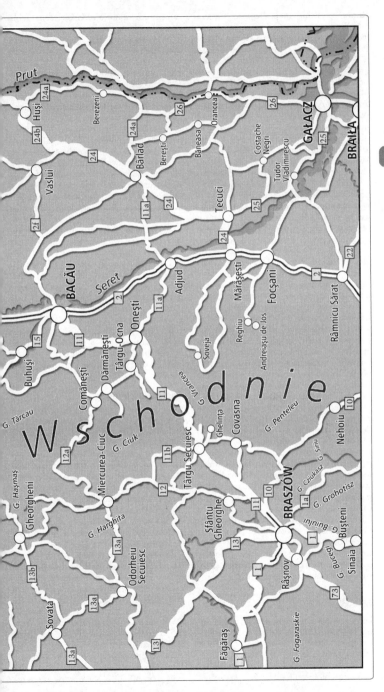

Prut

Huşi [24a]
[24b]
Berezeni
Vaslui
[21]
[24]
Bârlad
[24a]
Bereşti
[11a]
[24]
Băneasa
[26]
Orancea
[26]
GAŁACZ
BRAIŁA
[25]
Costache Negri
Tudor Vladimirescu
Tecuci [25]
[24]
BACĂU
Seret
Adjud
[2]
[11a]
Mărăşeşti
Focşani
Râmnicu Sărat
[2]
[22]
Oneşti
Târgu-Ocna
Reghiu
Andreiaşu de Jos
Soveja
Comăneşti
Dărmăneşti
Buhuşi
[15]
[11]
G. Tărcau
W s c h o d *n i e*
[12a]
G. Haşmaş
Gheorgheni
G. Harghita
Miercurea-Ciuc
G. Ciuc
G. Vrancea
Ghelinţa
Covasna
G. Penteleu
Nehoiu
[10]
[11]
[1b]
Târgu Secuiesc
[12]
[10]
[11]
BRASZÓW
G. Ciukasz
G. Siriu
[1a]
G. Grohotisz
Buşteni
G. Buzău
Sfântu Gheorghe
Odorheiu Secuiesc
[13a]
[13]
Râşnov
G. Bucegi
Sinaia
[73]
[13b]
Sovata
[13a]
[13a]
Făgăraş
[13]
[1]
G. Fogaraskie

Rumunię. Pełną niepodległość Rumuni wywalczyli, przyłączając się w 1877 r. do wojny rosyjsko-tureckiej po stronie caratu. Powstanie państwa usankcjonował pokój w San Stefano (3 marca 1878 r.). Poza jego granicami znalazło się jednak sporo terenów zamieszkanych przez Rumunów, m.in. Siedmiogród, Banat, Bukowina (należące do Austro-Węgier) oraz Besarabia (wchodząca w skład Rosji). Podczas I wojny światowej Rumunia wystąpiła po stronie Trójporozumienia. W połowie stycznia 1917 r. południowa część Mołdawii i cała Wołoszczyzna (a wraz nią złoża ropy) zostały zajęte przez wojska niemieckie. 10 grudnia 1917 r. Rumunia podpisała rozejm z państwami Trójprzymierza. Powojenne granice zatwierdziły traktaty pokojowe po konferencji paryskiej: Rumunia otrzymała cały Siedmiogród właściwy, północną Bukowinę, wschodnią część Banatu i południową Dobrudżę, a w 1920 r. Anglia, Francja i Włochy faktycznie uznały wcielenie Besarabii. W okresie międzywojennym Rumunia prowadziła politykę profrancuską, dążyła też do stworzenia systemu sojuszów regionalnych (Mała Entanta, Entanta Bałkańska). Pomimo prób zachowania neutralności, państwo stało się w czasie II wojny światowej sojusznikiem państw Osi, co spowodowało utratę części terytoriów (Siedmiogród, Besarabia, północna Bukowina, Dobrudża). Ziemie te udało się wprawdzie częściowo odzyskać, ale na Rumunię spadło prawdziwe nieszczęście, dostała się bowiem w strefę wpływów ZSRR. Okres 1947–1989 to jeden z najczarniejszych okresów w dziejach karpackiego kraju, naznaczony terrorem, przymusową ateizacją, rujnującą gospodarkę kolektywizacją rolnictwa i rabunkowym uprzemysłowieniem. W 1965 r. państwo zmieniło nazwę na Socjalistyczna Republika Rumunii (SRR). W tym samym roku zmarł komunistyczny przywódca Gheorge Gheorghiu-Dej, a schedę po nim przejął Nicolae Ceauşescu. Rewolucja z grudnia 1989 r. obaliła dyktatora i stała się początkiem okresu reform politycznych i ekonomicznych, które bardzo szybko zmieniły oblicze kraju.

JASSY

Jassy, położone tuż przy granicy z Mołdową, to jedno z największych po Bukareszcie miast Rumunii oraz ważny ośrodek kulturalno-naukowy i przemysłowy. Uroczą starówkę, jak wiele innych w Rumunii, otaczają bloki-molochy. Na szczęście w centrum dominuje XIX-wieczna zabudowa z wieloma zabytkami.

W Jassach zwiedza się przede wszystkim świątynie i muzea – na największą uwagę zasługuje cerkiew Trzech Hierarchów oraz muzeum historyczne i etnograficzne. Poza tym warto zobaczyć imponujący Pałac Kultury i jeden z monastyrów oraz przyjrzeć się XIX-wiecznym kamienicom i reprezentacyjnym budynkom.

W źródłach historycznych Jassy pojawiają się w II połowie XIV w. jako Jasski Torg (Jasski Targ). Już wtedy stały się ważnym ośrodkiem handlu, przystankiem kupców zmierzających na północ Europy i punktem celnym w drodze do Suczawy. Od połowy XVI w. przez trzy stulecia Jassy były stolicą Mołdawii, ale już wcześniej zyskały status ważnego ośrodka kulturalnego. Działali tu wybitni pisarze i mężowie stanu, jak Miron Costin czy Dimitrie Cantemir (hospodar mołdawski 1710–1711), którzy wnieśli wielki wkład w podwaliny rumuńskiej kultury. W 1641 r. hospodar Bazyli (Vasile) Lupu założył Szkołę Państwową, a w klasztorze Trzech Hierarchów powstała drukarnia wydająca książki w języku rumuńskim. W latach 1859–1862 Jassy były stolicą jednoczącej się Rumunii, właśnie w Mołdawii bowiem wybrano na księcia Aleksandra Iona Cuzę, który niespełna miesiąc później został księciem Wołoszczyzny.

Orientacja i informacje

Ścisłe centrum miasta stanowi Piaţa Unirii, od której odchodzi główna ulica – blvd Ştefan cel Mare. Wznoszą się przy niej m.in. katedra i cerkiew Trzech Hierarchów, a u wylotu ogromny Pałac Kultury. Od dworca kolejowego w stronę centrum biegnie str. Gării prowadząca do wielkiej Piaţa M. Eminescu. Aby dojść do Piaţa Unirii, należy ze str. Gării skręcić w prawo, w str. Arcu. Z Piaţa M. Eminescu szeroki blvd Carol I wiedzie na północny zachód obok uniwersytetu i parku Copou do ogrodu botanicznego.

Informacje o atrakcjach miasta i okolic oraz możliwościach noclegu można otrzymać w nowym centrum informacji turystycznej prowadzonym przez agencję Eurotravel (blvd Ştefan cel Mare 8, z boku budynku obok kawiarni *TakEat*; ☎07223 11831, promoturism@yahoo.com). Warto się tu również zaopatrzyć w przydatny plan miasta i foldery o okolicznych atrakcjach. Godne polecenia biura podróży to: Totem Tourism Travel Agency (str. Cuza Vodă 1A; ☎0232/213545, www.totem.ro)

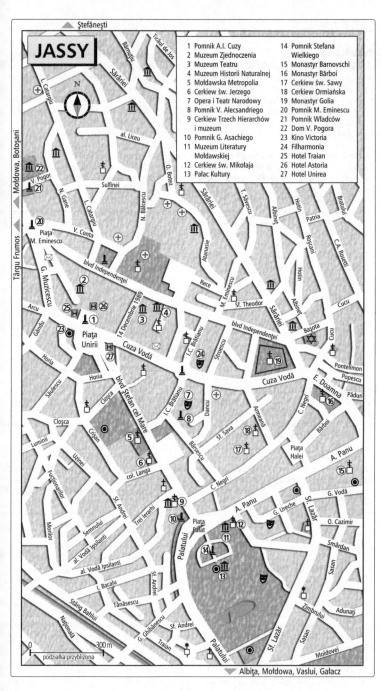

JASSY

1 Pomnik A.I. Cuzy
2 Muzeum Zjednoczenia
3 Muzeum Teatru
4 Muzeum Historii Naturalnej
5 Mołdawska Metropolia
6 Cerkiew św. Jerzego
7 Opera i Teatr Narodowy
8 Pomnik V. Alecsandriego
9 Cerkiew Trzech Hierarchów
   i muzeum
10 Pomnik G. Asachiego
11 Muzeum Literatury
   Mołdawskiej
12 Cerkiew św. Mikołaja
13 Pałac Kultury
14 Pomnik Stefana
   Wielkiego
15 Monastyr Barnovschi
16 Monastyr Bărboi
17 Cerkiew św. Sawy
18 Cerkiew Ormiańska
19 Monastyr Golia
20 Pomnik M. Eminescu
21 Pomnik Władców
22 Dom V. Pogora
23 Kino Victoria
24 Filharmonia
25 Hotel Traian
26 Hotel Astoria
27 Hotel Unirea

i Agenţia de Turism Mondo Phoenix (str. Sf. Lăzar 2–4; ☎/fax 0232/213365).

Zwiedzanie

Atrakcji w Jassach jest wiele, począwszy od kościołów poprzez pałace i pomniki, na kilku muzeach skończywszy. W zależności od tego, jak dokładnie będzie się zwiedzać poszczególne zabytki i oglądać zbiory muzealne, pobyt w miasteczku może trwać jeden, dwa lub kilka dni.

Wokół Piaţa Unirii W zabudowie Piaţa Unirii (plac Zjednoczenia) dominuje okazały brązowy **pomnik Alexandra Iona Cuzy** ustawiony w miejscu, gdzie celebrowano zjednoczenie Mołdawii i Wołoszczyzny. Obok wznosi się secesyjny gmach **hotelu Traian** (1882) zaprojektowany przez Gustawa Eiffela, twórcy słynnej wieży w Paryżu. Nieopodal hotelu, w dworku przy str. A. Lăpuşneanu 14 mieści się **Muzeul Unirii** (Muzeum Zjednoczenia). W 1812 r. przed i w trakcie swych rządów w budynku tym mieszkał wraz z rodziną Ion Cuza. W 2005 r. w placówce trwał remont i niewiele wskazywało na to, że stan ten szybko się zmieni. Wspomniana ulica to raj dla miłośników dziesiątej muzy: znajdują się na niej trzy kina.

Z Piaţa Unirii można pójść na wschód str. Cuza Vodă i skręcić w drugą w lewo str. V. Alecsandri, przy której pod nr. 5 ma siedzibę **Muzeul Teatrului** (Muzeum Teatru; ☎0232/315760; wt.–nd. 10.00–18.00; 0,50 €, ulgowy 0,25 €). W domu tym mieszkał Vasile Alecsandri (1821–1890), prekursor nowoczesnej literatury rumuńskiej. Warto podejść do odległego o kilkadziesiąt metrów **Muzeul de Istorie Naturală** (Muzeum Historii Naturalnej; blvd Independenţei 5; ☎0232/201339; wt.–nd. 10.00–17.00; 0,50 €, ulgowy 0,25 €). W XVIII-wiecznym budynku (w którym w 1859 r. Ion Cuza został ogłoszony księciem Mołdawii) mieszczą się ciekawe zbiory. Niestety, eksponaty opisane są tylko w języku rumuńskim.

Z Piaţa Unirii do Pałacu Kultury Idąc z Piaţa Unirii bulwarem Ştefan cel Mare, dociera się do okazałej prawosławnej katedry zwanej **Metropolia Moldovei** (Metropolia Mołdawska, zwana też Nową), słynącej z doskonałej akustyki. Świątynię zbudowano w latach 1833–1886 w stylu klasycystycznym, a malowidła ścienne wykonał Gheorghe Tattarescu. 14 października podczas święta patronki katedry, św. Paraskiewy, świątynia po brzegi wypełnia się

wiernymi. Setki tysięcy pielgrzymów z Rumunii i zagranicy oddają cześć świętej, całując ikonę z jej wizerunkiem. Niewielki budynek z boku to **Biserica Sf. Gheorghe** (cerkiew św. Jerzego) z 1761 r., zwana Starą Metropolią. Pełniła funkcję katedry przed oddaniem do użytku Nowej Metropolii. Warto zwrócić uwagę na ciekawe kapitele w kształcie ludzkich i zwierzęcych głów, wieńczące kolumny w przedsionku. Po drugiej stronie ulicy, za parkiem wznosi się okazały neobarokowy budynek **Opera şi Teatrul Naţional V. Alecsandri** (Opera i Teatr Narodowy im. V. Alecsandriego). Ozdobiony monumentalnym portykiem, jeden z najpiękniejszych gmachów w Rumunii, został zaprojektowany przez wiedeńskich architektów Ferdynanda Fellnera i Hermana Helmera, a wzniesiono go w latach 1894–1896. Przed operą stoi **pomnik Vasile Alecsandriego**, pisarza, założyciela i dyrektora placówki, który od 1862 r. był pierwszym w dziejach rumuńskim ministrem spraw zagranicznych.

Uwagę spacerujących blvd Ştefan cel Mare przyciąga przepiękna **Biserica Trei Ierarhi** (cerkiew Trzech Hierarchów; cerkiew i muzeum codz. 9.30–12.00 i 15.00–17.30; 0,55 €). W związku z restauracją zabytku cały budynek pokryty jest rusztowaniem. Francuski architekt Lecomte de Nouy, który odnawiał świątynię pod koniec XIX w., nazwał ją najbardziej interesującą i oryginalną budowlą sakralną Europy. Cerkiew wraz z zabudowaniami klasztornymi wzniesiono w ciągu zaledwie czterech lat (1635–1639) z inicjatywy hospodara Bazylego Lupu. W 1650 r. świątynia została splądrowana i spalona przez Tatarów, ale fundator od razu kazał ją odbudować. W roku 1686 wojska Jana III Sobieskiego, który chciał podporządkować sobie Mołdawię, spaliły cerkiew i cały zespół klasztorny. W kolejnych stuleciach historia się powtarzała – odbudowywana co jakiś czas świątynia wiele razy była niszczona. Z dużego kompleksu otoczonego murami zachowała się cerkiew (kilkakrotnie wznoszona niemalże od podstaw) i sala gotycka, pierwotnie służąca jako refektarz (jadalnia dla mnichów). Obecnie mieści się tam **muzeum**, w którym można podziwiać sprzęty liturgiczne i fragmenty starych fresków. Jednonawowa świątynia ma krótki transept (nawa poprzeczna) i niewielki przedsionek (narteks), do którego prowadzi dwoje drzwi (ozdobne portale). Jest to klasyczny plan mołdawski, według którego zbudowano większość cerkwi w regionie. Nawę, rozdzieloną na dwie części rzędem filarów, przykrywają dwie kopuły osadzone na wysokich ośmiokątnych bębnach z czterema okienkami. W świątyni spoczywają wybitne osobistości, m.in. Bazyli Lupu z rodziną, hospodar Dimitrie Cantemir oraz książę zjednoczonej Mołdawii i Wołoszczyzny Alexandru Ion Cuza. Tylko śladowa część fresków na wewnętrznych ścianach to XVII-wieczne oryginały wykonane przez artystów moskiewskich. Również ikonostas, aczkolwiek ciekawy, nie pochodzi z tamtego okresu. Największą uwagę zwraca niesamowita elewacja. Rzeźbione w kamieniu skomplikowane wzory geometryczne pokrywają całą powierzchnię ścian, nie pozostawiając ani centymetra wolnego miejsca. Ponad pasem w kształcie sznura otaczającym elewację mniej więcej w dwóch trzecich wysokości wyrzeźbiono mnóstwo ślepych arkad spoczywających na kształtnych kolumienkach.

Nieopodal cerkwi znajduje się szkoła oraz **pomnik Gheorghe Asachiego** (1788–1869), wybitnego pisarza, pedagoga i założyciela pierwszych w Mołdawii rumuńskojęzycznych instytucji oświatowych. Przed udaniem się w stronę widocznego z daleka Pałacu Kultury warto zajrzeć do niewielkiego **Muzeul de Literatură Veche al Moldovei** (Muzeum Dawnej Literatury Mołdawskiej; str. A. Panu 54; ☎0232/261070; pn.–pt. 10.00–18.00; 0,50 €, ulgowy 0,25 €) mieszczącego się w XVII-wiecznej Casa Dosoftei (Dom Dosoftei). W budynku tym Dimitre Dosoftei (1624– 1693), metropolita mołdawski, który wprowadził język rumuński do liturgii, założył drukarnię i wydał pierwszy rumuński mszał (ten zagorzały przeciwnik Turków przebywał pod koniec życia na uchodźstwie w Polsce). W muzeum można obejrzeć kilka egzemplarzy starych ksiąg kościelnych i rękopisy znanych mołdawskich pisarzy. Sam budynek jest jedną z niewielu zachowanych budowli cywilnych z XVII w. w Rumunii.

W pobliżu stoi **Biserica Sf. Nicolae** (cerkiew św. Mikołaja), ufundowana w 1491 r. przez Stefana Wielkiego. Świątynia znana jest również pod nazwą Biserica Domnească (cerkiew Pańska), ponieważ w przeszłości wchodziła w skład zabudowań dworskich, na ruinach których wzniesiono Pałac Kultury. Obecna cerkiew, wyłożona z zewnątrz różnokolorową ceramiką, to efekt wielokrotnej przebudowy. Od XVI w. w świątyni odbywała się większość ważnych ceremonii dworskich. Ostatnią renowację przeprowadził Lecomte de Nouy w latach 1888–1904.

Nie sposób przeoczyć ogromnego neogotyckiego **Palatul Culturii** (Pałac Kultury; str. Palatului 1; ☎0232/147402, palatis@mail.dntis.ro; wszystkie muzea wewnątrz wt.–nd. 10.00–18.00; 1,30 €, ulgowy 0,80 €, przy zwiedzaniu tylko części muzeów płaci się za każde 0,40 €, ulgowy 0,25 €). Potężny gmach wzniesiono według planu architekta J. Berindeiego w latach 1906–1925 w samym sercu dawnego średniowiecznego grodu na miejscu XV--wiecznego zamku-dworu, w którym rezydowali władcy Mołdawii. Jego ruiny (fragmenty murów i baszt) odkryto na początku lat 70. XX w. podczas budowy pobliskiego teatru letniego. W pałacu mieści się m.in. **biblioteka Gheorghe Asachiego** i cztery muzea. W **Muzeul de Istorie al Moldovei** (Muzeum Historii Mołdawii) oprócz ciekawych eksponatów (m.in. militaria, ceramika, ubiory z różnych epok i cenna kolekcja monet) można obejrzeć portrety wszystkich władców ziem rumuńskich od II połowy I w. n.e. **Muzeul Etnografic al Moldovei** (Muzeum Etnograficzne) przybliża życie mieszkańców wsi nie tylko z terenu Mołdawii, ale również z innych regionów Rumunii. W **Muzeul de Artă** (Muzeum Sztuki) zgromadzono dzieła rodzimych malarzy (m.in. N. Grigorescu, Th. Aman i Şt. Luchian), a także takich światowych sław, jak Anton van Dyck

Jassy – twierdza monastyrów

Sprawujący kontrolę nad Mołdawią Turcy zabronili wznoszenia zamków, które mogłyby stanowić punkt oporu dla dążących do samodzielności hospodarów. Dlatego też przenieśli stolicę księstwa z bronionej przez potężną twierdzę Suczawy do położonych na równinie Jass. Władcy mołdawscy konsekwentnie zmierzali jednak do umocnienia swoich siedzib, wznosząc od początku XVI w. ufortyfikowane monastyry, które w rezultacie utworzyły swoisty pierścień wokół miasta składający się z dwóch linii obronnych. Położoną w centrum Jass linię północną tworzyły monastyry: Trzech Hierarchów, Golia, św. Sawy oraz Barnovschi, a także położone pomiędzy nimi klasztory św. Jana Suczawskiego i Bărboi. Na wzgórzach na południe od centrum wzniesiono obronne klasztory-twierdze Cetăţuia i Galata.

czy Paolo Veronese. W sumie kolekcja liczy ponad 8 tys. obrazów. W **Muzeul Ştiinţei şi Tehnicii Ştefan Procopiu** (Muzeum Nauki i Techniki im. S. Procopiu) można podziwiać urządzenia techniczne z ostatnich dwóch wieków (warto zwrócić uwagę na oryginalne instrumenty). Przed Pałacem Kultury stoi konny **pomnik Stefana Wielkiego** z 1883 r.

Od Pałacu Kultury do monastyru Golia

Mniej więcej pół kilometra na wschód od Pałacu Kultury przy str. A. Panu wznosi się ciekawy **Mănăstirea Barnovschi** (monastyr Barnowski) z 1635 r. (warto zwrócić uwagę na oryginalny ganek prowadzący do wnętrza świątyni). Skręcając z str. Elena Doamna w prawo w str. Ghica Vodă i zaraz potem w lewo w str. Zlataust, dochodzi się do pomijanej w przewodnikach **Biserica Zlataust** (cerkiew św. Jana Złotoustego), zachwycającej pięknym nastrojowym wnętrzem, gdzie z mroku wyłaniają się ciekawe freski. W przedsionku zachował się oryginalny nagrobek w stylu rzymskim przedstawiający m.in. nimfę niosącą medalion z podobizną zmarłej, a poniżej szpaler płaczek żałobnych. Niedaleko od monastyru Barnovschi (należy iść na północ str. E. Doamna) kryje się **Mănăstirea Bărboi** (monastyr Bărboi) z I połowy XIX w. Na dziedziniec wchodzi się przez potężną dzwonnicę bramną z zegarem, od której odchodzą mury obronne wzmocnione na narożach niewysokimi basztami. Obecna cerkiew otoczona ogrodem, z ciekawymi malowidłami wewnątrz, powstała na ruinach świątyni z XVII w. Około 400 m na południowy zachód od monastyru, wznosi się **Biserica Sf. Sava** (cerkiew św. Sawy; str. C. Negri 41) z XVII w., zbudowana prawdopodobnie według planów konstantynopolitańskiego architekta Enachego. Masywna budowla z cegły na planie litery „L" bardzo różni się od charakterystycznych smukłych mołdawskich cerkwi z wydłużoną nawą. Dzwonnica, przez którą wchodzi się do środka, przypomina wieżę obronną. Wewnątrz można obejrzeć freski i piękny ikonostas, warto także zwrócić uwagę na stare szaty liturgiczne wystawione w szklanych gablotach. Skręcając w lewo z str. C. Negri w str. Armeană, dochodzi się do widocznej po lewej stronie niewielkiej **Biserica Armeană** (cerkiew Ormiańska) z końca XIV w., będącej najprawdopodobniej najstarszą budowlą sakralną w Jassach. Obecnie świątynia popada w ruinę, podobnie jak cmentarz, po którym pozostało zaledwie kilka nagrobków.

Otoczony potężnym murem z narożnymi okrągłymi basztami **Mănăstirea Golia** (monastyr Golia) wznosi się w pobliżu cerkwi Ormiańskiej (ok. 150 m na północ) przy str. Cuza Vodă 51. Już z daleka widać wielką 30-metrową bramę z dzwonnicą. Po wejściu na dziedziniec ukazuje się nietypowa cerkiew z licznymi kopułami (korpus pokryty rusztowaniami), wybudowana w stylu późnorenesansowym przechodzącym w barok. Pierwsze wzmianki o klasztorze pochodzą z roku 1564 – fundator monastyru Ion Golia za drugiego panowania Petru Rareşa (1541–1546) był rządcą na dworze, a niespełna 30 lat później pełnił urząd kanclerza u boku hospodara Petru Şchiopula (Piotr Kulawy). Golia przeznaczał środki na budowę co najmniej od 1564 r., ale cerkiew ukończono dopiero za panowania hospodara Stefana Lupu (1659–1661). Narożne baszty postawiono za rządów hospodara Duca (podczas dru-

Mihai Eminescu – od geniuszu do obłędu

Mihai Eminescu uchodzi za najwybitniejszego poetę rumuńskiego i jednego z głównych przedstawicieli liryki romantycznej w literaturze europejskiej. Jego życie i twórczość były charakterystyczne dla epoki, w której żył. Urodził się w miasteczku Ipoteşti nieopodal Botoşani w 1850 r. w niezbyt zamożnej rodzinie ziemiańskiej. Prawdopodobnie właśnie kiepskie warunki materialne zmusiły go do opuszczenia gimnazjum w Czerniowcach i przyłączenia się do wędrownej trupy teatralnej, dzięki czemu poznał cały kraj i zgłębił skomplikowany problem konfliktu rumuńsko-węgierskiego. Później Eminescu studiował filozofię i historię w Wiedniu, a w 1872 r. osiadł w Jassach, gdzie wstąpił do związku Junimea. Dzięki wsparciu finansowemu członków stowarzyszenia kontynuował studia w Berlinie. Na skutek rozwijającej się depresji przerwał naukę na nauki i wrócił do Jass, gdzie pracował kolejno jako dyrektor biblioteki, inspektor szkolny oraz redaktor i korektor miejscowej gazety. W 1877 r. przeniósł się do Bukaresztu i podjął pracę w konserwatywnym dzienniku „Timpul", z którego ideą kompletnie się nie zgadzał. Zmarł pogrążony w obłędzie w 1883 r., skłócony z życiem i niedoceniony przez współczesnych.

giego panowania w latach 1668–1672). Obwarowania i sama cerkiew bardzo spodobały się carowi Rosji Piotrowi Wielkiemu, który odwiedził Jassy w 1711 r. 20 lat później klasztor spłonął, a podczas odbudowy w 1738 r. trzęsienie ziemi spowodowało zawalenie się sklepienia. W 1754 r. przywrócono świątyni dawną świetność, ale w 1822 r. część budowli strawił kolejny pożar. Ogłoszona w 1863 r. sekularyzacja dóbr kościelnych dotknęła również ten monastyr – nie zdołał się już podnieść z ruiny i w 1900 r. został zamknięty. Prace restauracyjne rozpoczęto w 1943 r. i w 1947 r. klasztor udostępniono turystom, ale mnisi wrócili do niego dopiero w latach 90. XX w. We wnętrzu nie przetrwało wiele oryginalnych fresków, większość ocalałych pochodzi z XIX i XX w.

Przy wschodniej ścianie obwarowań stoi jedyny zachowany stary budynek przyklasztorny (prawdopodobnie z 1738 r.). Jest to **dom Iona Creangi** (1839–1889), wybitnego pisarza rumuńskiego, który mieszkał w nim przez kilka lat.

Bulwar Copou Spacer najlepiej rozpocząć od Piaţa M. Eminescu, pośrodku której stoi **pomnik** wybitnego rumuńskiego poety (zob. ramka).

W parku po północno-wschodniej stronie placu wznosi się ciekawy **pomnik Władców**. Z piedestału groźnie spoglądają założyciele księstwa mołdawskiego: Dragoş (1352–1353) i Aleksander Dobry (1400–1432), a towarzyszą im późniejsi wybitni władcy – Stefan Wielki (1457–1504) i Michał Waleczny (1593–1601). Ważną rolę w historii Mołdawii i Rumunii odegrali stojący obok Piotr Rareş (1527–1538, 1541–1546) i Jan Dzielny Władca (1572–1574). Uwagę zwraca brodaty Bazyli Lupu (1634–1653) oraz gładko ogolony, z długimi lokami, tarczą z herbem Mołdawii i księgą w ręku Dymitr Cantemir (1693, 1710–1711) – istny filozof pośród mołdawskich hospodarów.

Nieco dalej na północ przy str. V. Pogor 4, przecznicy odchodzącej od blvd Copou, stoi **Casă Pogor**, dom jednego z założycieli i członków towarzystwa literackiego Junimea (Młódź) Vasilego Pogora. Junimea powstała w 1863 r. w Jassach i z czasem przekształciła się w ugrupowanie polityczne, które miało swoich przedstawicieli w rumuńskim rządzie. Po powrocie na blvd Copou należy skierować się w prawo (na północ) w stronę reprezentacyjnego gmachu **Uniwersytetu Alexandra Iona Cuzy** z końca XIX w. Za nim rozciąga się

Grădina Copou (park Copou) z **Muzeul lui Eminescu** (Muzeum M. Eminescu; wt.–nd. 10.00–17.00; 0,50 €). Mihai Eminescu szukał natchnienia wśród lip parku Copou, a na drzewie, które upodobał sobie w szczególności, umieszczono tablicę pamiątkową. **Lipę Eminescu**, popiersie poety oraz jego ukochanej i muzy Veroniki Micle (również poetki) można oglądać nieopodal wejścia do parku obok dużych kamiennych lwów. W nowoczesnym budynku muzeum zgromadzono zdjęcia i rzeczy osobiste pisarza, pierwsze egzemplarze jego dzieł, rękopisy itp. Kilkaset metrów za parkiem Copou rozciąga się założony w połowie XIX w. **Grădina Botanica** (Ogród Botaniczny; str. D. Roşie; ☎0232/149620; 9.00–16.00; 0,45 €).

Poza centrum W znacznej odległości od centrum wznoszą się trzy monastyry – Galata, Cetăţuia i Frumoasa. Najwygodniej wynająć taksówkę (np. z Piaţa Unirii), co pozwoli za około 10 € zobaczyć wszystkie klasztory bez większych trudności. Zamieszkany przez mniszki kompleks **Biserica Mănăstirea Galata** (cerkiew i monastyr Galata), nazywany matką mołdawskich monasterów, wznosi się na wzgórzu na południe od centrum Jass. Założył go w 1583 r. hospodar Piotr Kulawy (został w nim pochowany). Cerkiew ma wiele wspólnych elementów ze świątyniami wołoskimi – szczególnie rzuca się w oczy sposób dekoracji ścian zewnętrznych. Pomiędzy ślepymi arkadami umieszczono różnokolorowe cegły i płytki ceramiczne, a elewację przedzielono horyzontalnie rzeźbionym gzymsem. Wnętrze można obejrzeć tylko w czasie nabożeństw. Niestety, oryginalne freski uległy zniszczeniu podczas pożaru w 1762 r. Ogień niszczył zresztą klasztor nie raz, dlatego obecna cerkiew ma niewiele wspólnego z oryginałem (ostatnią kompleksową odbudowę przeprowadzono w połowie XIX w.). Na dziedzińcu zachowały się ruiny zabudowań przyklasztornych i łaźni tureckiej oraz studnia.

Mănăstirea Cetăţuia (monastyr Cetăţuia) został również wybudowany na wzgórzu, i to wyższym niż klasztor Galata. Prowadzi do niego brukowana droga (str. Cetăţuia). Wije się malowniczo przez lasek, by w końcu wyjść na polanę, z której rozciąga się widok na majestatyczne mury monastyru. Budowa rozpoczęła się w 1669 r. – w ciągu zaledwie kilku miesięcy postawiono mury, baszty oraz dzwonnicę. Z greckiej inskrypcji nad portalem prowadzącym do nawy można się dowiedzieć, że „wzniesiono ten Dom Boży [...] w roku 7180 po stworzeniu świata i w roku 1672 po Wcieleniu Pańskim". Od 1670 do 1863 r. klasztor podlegał patriarsze Jerozolimy. Ponieważ położenie kompleksu, jego mury i baszty zapewniały dobrą obronę, często służył jako schronienie dla mieszkańców Jass przed wrogimi wojskami. W 1674 r. szukał w nim schronienia metropolita mołdawski Dosoftei; to samo uczynił hospodar Cantemir podczas ucieczki przed polskim królem Janem III Sobieskim w 1686 r. W okresie I wojny światowej klasztor służył jako szpital wojskowy.

Cerkiew utrzymana jest w stylu mołdawskim, z przedsionkiem, dwuczęściową nawą i absydą, choć zastosowano w niej wiele nowości, jak np. dzielące nawę łuki oparte na masywnych kolumnach czy kopuła nad pierwszą salą nawy. Od strony północnej za szybą ustawiono zabytkowe rzeźbione drzwi. Wyjątkowo dobrze zachowały się zabudowania przyklasztorne, wśród których szczególną uwagę zwraca dawny pałac hospodarski (północno-wschodnie naroże obwarowań) oraz surowy gotycki budynek służący pierwotnie tylko mnichom. Gdzieniegdzie prześwitują stare freski. Nad bramą monastyru widnieje duży herb Mołdawii, a nad nim współczesna mozaika przedstawiająca Matkę Boską z Dzieciątkiem.

Mănăstirea Frumoasa (monastyr Frumoasa) wznosi się na północnym końcu str. Cetăţuia. Jeszcze nie tak dawno kompleks był w kompletnej ruinie, a teraz jest sukcesywnie remontowany. Obecne założenie, pochodzące w całości z XIX w., zbudowano na miejscu kompleksu, który ufundował w I połowie XVIII w. hospodar mołdawski Grzegorza II Ghica. Przyklasztorna rezydencja zwana **Palatul după Ziduri** (Pałac za Murami) służyła mołdawskim władcom. Z zewnątrz cerkiew jest bogato zdobiona pilastrami, kolumnami, palmetowymi fryzami i wieloma ślepymi arkadami. Do świątyni wchodzi się przez dorycki portal. Wnętrze zdobią freski utrzymane przeważnie w kolorze żółtym, czerwonym i zielonym. Na zewnątrz przyciąga wzrok grobowiec Sturdzów z posągiem kobiety czuwającej nad wiecznym snem tej mołdawskiej rodziny szlacheckiej.

Noclegi

Jassy nie mogą się pochwalić dobrze rozwiniętą infrastrukturą turystyczną: wśród hoteli dominują te najdroższe, ale na szczęście znajdzie się też kilka tańszych.

Nocleg w kwaterach prywatnych organizuje biuro **Prospect Meridan** (str. Arcu 25, Sc. B, Ap. 3; ☎/fax 0232/211060), miejscowy przedstawiciel **Antrecu**.

Astoria*** (str. A. Lăpuşneanu 1, na tyłach hotelu *Traian*; ☎0232/233888, fax 244777, www.hotelastoria.ro). Pokój 1-os. 31 €, 2-os. 43 €, apartament 50 €.

Europa**** (str. A. Panu 26; ☎0232/242000, fax 242001, www.hoteleuropa.ro). Niedawno otwarty hotel w nowoczesnym przeszklonym budynku (na tyłach siedziba World Trade Center i kasyno) z restauracją (obiad ok. 14 €). Pokój 1-os. 95 €, 2-os. 120 €, apartament 180 €.

Casa Bucovineana** (str. Cuza Vodă 30–32; ☎0232/314493). Najtańsze noclegi w Jassach, na dodatek w centrum. Pokoje czyste i schludne, łazienki na korytarzu, ciepła woda całą dobę. Pokój 2-os. 13 €, 4-os. 21 €.

Moldova*** (str. A. Panu 31; ☎0232/260240, fax 255975, www.hotelmoldovaiasi.ro). Obiekt nie najnowszy, ale wciąż trzyma poziom. Pokój 1-os. 45 €, 2-os. 50 €, apartament 130 €.

Orizont** (str. G. Ureche 27; ☎/fax 0232/256070, 215037). Czyste pokoje z łazienkami i TV. Na parterze restauracja i kafejka internetowa (0,55 €/godz.). Pokój 1-os. 55 €, 2-os. 80 €, apartament 100 €.

Sport* (str. Sf. Lăzar 76, w południowej części miasta, za rzeką Bahlui; ☎0232/232800, fax 231540). W miarę tanie noclegi w schludnych pokojach (łącznie 50 łóżek). Pokój 2-os. 20 €, 3-os. 25 €, apartament 30 €.

Grand Hotel Traian**** (Piaţa Unirii 1; ☎0232/266666, fax 212187, www.hoteltraian.ro). Hotel w stylowym pałacyku zaprojektowanym przez samego Eiffela. Godna polecenia restauracja. Pokój 1-os. 55 €, 2-os. 70 €, apartament 240 €.

Unirea*** (Piaţa Unirii 5; ☎0232/240404, fax 212864, www.hotelunirea.ro). Socrealistyczne gmaszysko dominujące w zabudowie placu. Pokój 1-os. 35 €, 2-os. 50 €, apartament 60 €.

Gastronomia

W Jassach działa co najmniej kilkanaście dobrych restauracji – najlepsze są te w luksusowych hotelach, ale i samodzielne lokale nie pozostają daleko w tyle. Nie brak też fast foodów i kawiarni.

W przeszklonym budynku dawnego hotelu *Municipial* (blvd Independenţei, naprzeciwko kantoru IDM) działa targ spożywczy. Całodobowy Ada Supermarket stoi przy str. Arcu u wylotu z Piaţa Unirii, tuż obok biura Taromu. Na placyku wśród bloków pomiędzy str. Arcu i str. Silvestru (ok. 300 m na zachód od dworca kolejowego) otwarto niedawno dyskont spożywczy Billa.

Bary i restauracje

Bar Restaurant Center (blvd Ştefan cel Mare). Restauracja i fast food w jednym. Do wyboru menu à la McDonald (np. hamburger 0,60 €) i standardowe dania restauracyjne (dwudaniowy posiłek ok. 4 €). Tania pizza (1,80–2 €).

Bolta Rece (str. Rece 3). Stylowa knajpka (działająca podobno od 1786 r.) w starej parterowej kamienicy, specjalizująca się w tradycyjnej kuchni rumuńskiej. Bywali tu Eminescu i Creangă.

Clubul Bursei (str. A. Lăpuşneanu, na tyłach hotelu *Traian*). Jedzenie wprawdzie smaczne, ale nie warte takich pieniędzy (dwudaniowy obiad 4,50 €).

East Seventeen Camal (str. Cuza Vodă, nieopodal poczty). Jeden z najporządniejszych (tzn. najczystszych) fast foodów w Jassach. Surowa atmosfera wnętrza pasuje do niewyszukanych dań. Oprócz standardowych bułek z kotletem można posilić się również tanim obiadem (ok. 2,60 € za dwa dania), popijając piwem.

Family Pizza (str. I.C. Brătianu 10, przy Piaţa Teatralui). Duże, czyste i przyjemne wnętrze; oprócz pizzy również dania typu fast food.

Lactis Magazin Miorita 1 (blvd Independenţei 14). Tani lokal przypominający polskie bary mleczne. Gotowe dania wydaje się z blaszanych pojemników. Dwudaniowy posiłek 1,50–2 €.

McDonald (Piaţa Gării 4). Nieopodal dworca kolejowego, naprzeciwko charakterystycznej kamienicy z wysoką wieżą.

Metro Pizza (róg blvd Ştefan cel Mare i str. Silvestru, na południe od katedry). Smaczne pizze (cała ok. 2,10 €, kawałek 0,70 €).

Pizza Fastfood (str. Cuza Vodă, obok restauracji *Zefir*). Godny polecenia lokal wyróżnia się spośród wielu o podobnym profilu gustownym wnętrzem w stylu rustykalnym oraz niskimi cenami. Mała pizza 1,40 €, spaghetti 1,20 €, poza tym dość dobre zupy (0,70 €).

Select (Piaţa 14 Decembrie 1989 nr 2; ☎0232/210715, fax 216444). Najbardziej ekskluzywna restauracja w Jassach zajmuje XIX-wieczną kamienicę, w której kiedyś mieściło się kasyno. Na zewnątrz ogródek; w tym samym budynku również fast food i kawiarnia. Za dobry obiad trzeba zapłacić 5–7 €.

Unirea (obok hotelu *Unirea*, przy deptaku pomiędzy placem a blvd Independenţei). Kuchnia rumuńska w przyzwoitych cenach (dwudaniowy posiłek 3–5 €). Wystrój wnętrza z epoki Ceauşescu.

Zefir (str. Cuza Vodă 30–32; ☎0232/229853, obok hostelu *Casa Bucovineana*). Zadymiona knajpka urządzona w piwnicach. Kuchnia rumuńska; dosyć drogo. Na parterze dobry fast food.

Kawiarnie i cukiernie

Bar & Garden Corso (str. A. Lăpuşneanu, nieopodal Romtelecomu). Kuchnia międzynarodowa i duży wybór trunków; w lecie ogródek.

Bar Joker (róg str. Sf. Sava i str. Bârsescu). Przyjemny zwłaszcza latem, kiedy można sączyć trunki w miłym, zacienionym ogródku.

Cafenea Ad Hoc (str. A. Lăpuşneanu, obok Muzeum Zjednoczenia). Smaczna, ale droga (0,70 €) kawa i inne napoje gorące, a do tego kilka rodzajów ciast. Plus dobrze zaopatrzony barek.

Cofaterie Patiserie Moldova (str. C. Negri, obok poczty). Przestronna kawiarnia z równie obszernym menu obejmującym pyszne ciasta i desery. Kawa, niestety, nie smakuje rewelacyjnie, za to jest tania (0,35 €).

Patiseria Pati's (str. Cuza Vodă). Jedna z lepszych cukierni w Jassach; wyśmienite ciasta i desery w przyzwoitych cenach.

Rozrywki

Kino Victoria jest zlokalizowane przy Piaţa Unirii obok Agenţie de Voiaj CFR. Obok funkcjonuje kino Republica (str. Lăpuşneanu 12). Miłośnicy sztuki wysokiej mogą wybrać się do **opery i Teatru Narodowego** (Opera şi Teatrul Naţional V. Alecsandri, str. A. Bârsescu 18; ☎0232/117233). Melomani powinni zapoznać się z repertuarem **filharmonii** (Filarmonica; str. Cuza Vodă 29). Za bilet trzeba wprawdzie zapłacić nieco więcej (ok. 1,50 €), ale koncerty są tego warte.

Z rozrywek lżejszego kalibru **Night Club & Disco Noemi** (str. A. Panu; ☎0232/211628) gwarantuje zabawę do białego rana. Z kolei blisko hotelu *Unirea* mieści się kasyno *Select*.

Informacje o połączeniach

Samolot Tarom obsługuje loty pomiędzy Jassami a Bukaresztem (pn., wt., czw., pt. 7.00; 1 godz.; 42 €). Biuro mieści się przy str. Arcu 3 (☎0232/115239; pn.–pt. 9.00–17.00, sb. 9.00–12.00). Pomiędzy lotniskiem (str. Aeroportului 1; ☎0232/174059, 271590) a centrum kursują minibusy Taromu, ale lepiej (bo szybciej i niedrogo) skorzystać z taksówki.

Pociąg Dworzec kolejowy (☎0232/146 333) znajduje się niedaleko centrum, około kilometra na zachód od Piaţa Unirii. **Agenţia de Voiaj CFR** działa przy Piaţa Unirii 4 (☎0232/147673; pn.–pt. 8.00–20.00) między kinem Victoria a księgarnią Junimea.

Z Jass odjeżdża kilka pociągów dziennie do Bukaresztu i Roman, dwa do Oradei (przez Suczawę), jeden do Timişoary, Mangalii (przez Konstancę), Braszowa, Gałacza i Hârlau (przez Cotnari). Jest nawet jeden pociąg bezpośrednio do Putny, skąd można rozpocząć zwiedzanie bukowińskich monastyrów, a także do Kiszyniowa w Mołdowie.

Autobus Główny dworzec autobusowy (Iaşi Vest, Jassy Zachodnie; ☎0232/146 587) jest usytuowany około 1,5 km na północny zachód od dworca kolejowego, przy drodze wylotowej na Roman. Kursują tam mikrobusy i autobusy miejskie z Piaţa Unirii.

Turyści nie powinni dać się zwieść nowoczesnemu budynkowi dworca, ponieważ nie ma w nim ani poczekalni, ani kas biletowych, tylko... sklepy i biura (kasa jest na zewnątrz budynku). Z niewielkiego placu odjeżdżają autobusy do większych ośrodków w różnych zakątkach kraju: Piatra Neamţ (kilkanaście dziennie) i Botoşani (6 dziennie), Târgu Neamţ (6 dziennie; 2 godz.), Gałacza i Suczawy (4 dziennie; 2 godz.), Roman, Kiszyniowa i Bukaresztu (3 dziennie; 7 godz.; oprócz tego do stolicy kilka minibusów), Tulczy (3 dziennie), Braszowa, Câmpulung, Radowiec, Târgu Mureş i Vatra Dornei (po 1 dziennie).

Komunikacja miejska

W Jassach kursują tramwaje, trolejbusy i autobusy, ale poruszanie się po mieście byłoby utrudnione, gdyby nie prywatne minibusy, które skutecznie konkurują z komunikacją miejską. Zarówno na środki komunikacji państwowej, jak i na prywatny transport bilet jednorazowy kosztuje około 0,26 €. Bilety na tramwaje, trolejbusy i autobusy kupuje się w kioskach przy przystankach, a za przejazd minibusem płaci u kierowcy.

Informator

Apteki Duża apteka Sfânta Parascheva działa przy deptaku pomiędzy Piaţa Unirii i blvd Independenţei, obok restauracji *Unirea*. Apteka Ghitun – przy str. Cuza Vodă 27. SensiBlu (Sfântu Lăzar 49–50) działa non stop.

Internet Kafejka internetowa *Visualnet* (str. Garii, nieopodal *McDonalda*; 0,50 €/godz.) ma kilkanaście komputerów ze stałym łączem. Najbliżej ścisłego centrum jest kafejka *Discovery* (blvd Ştefan cel Mare, naprzeciwko cerkwi Trzech Hierarchów; 0,40 €/godz.).

Księgarnie Dobra księgarnia Junimea działa przy Piaţa Unirii, obok kina Victoria i biura CFR. Oferuje duży wybór anglojęzycznych książek i albumów o Rumunii, a także mapy.

Laboratorium fotograficzne Kodak Express ma punkt przy deptaku pomiędzy Piaţa Unirii i blvd Independenţei, na jego północnym krańcu. Drugi punkt – przy blvd Ştefan cel Mare obok Banca Comercială Română.

Poczta i telekomunikacja Główny urząd pocztowy (pn.–pt. 7.00–19.00, sb. 8.00–13.00) ma siedzibę przy str. Cuza Vodă w odnowionym pałacyku. Druga poczta działa przy str. Costache Negri obok kawiarni *Moldova*.

Zakupy Największy dom towarowy w mieście to supermarket Julius Mall (blvd T. Vlădimirescu).

Wymiana walut i banki W Jassach funkcjonuje oddział Banca Comercială Română (blvd Ştefan cel Mare 6, nieopodal punktu Kodak Express) oraz West Bank (str. Cuza Vodă, naprzeciw monastyru Golia). Kilka banków znajduje się przy wschodniej części ul. A. Panu. Punkty wymiany walut są przy blvd Ştefan cel Mare i blvd Independenţei. Kantor IDM mieści się przy blvd Ştefan cel Mare, kilkadziesiąt metrów od Piaţa Unirii oraz przy blvd Independenţei 6.

COTNARI

W drodze z Jass do Botoşani, które można traktować jako wrota Bukowiny, przejeżdża się przez słynne **winnice** w Cotnari.

Współczesne Cotnari to niewielka wioska oddalona o 70 km na zachód od Jass. W centrum stoi niewielka cerkiew ufundowana przez Stefana Wielkiego. Jednak to nie zabytki rozsławiły Cotnari w Europie, nie one są też powodem, dla którego turyści odwiedzają lub przynajmniej kojarzą to miejsce. Największym skarbem wioski jest produkowane w niej od setek lat wino.

Tradycja produkcji wina w regionie Cotnari liczy 2500 lat. Najstarsze ślady uprawy winorośli odnaleziono podczas wykopalisk na terenie słabo zachowanej tracko-dackiej osady warownej. Pierwszy kataklizm na winiarskie uprawy spadł w okresie rządów Burebisty (82–44 r. p.n.e.). Władca Daków nakazał zniszczenie plantacji, lecz mimo że wykonania rozkazu skrupulatnie pilnowano, przyzwyczajenie i potrzeby ludności okazały się silniejsze – tradycja winiarska przetrwała. Największy rozkwit, wówczas już miasta, a także upraw winnych krzewów przypada na okres rządów Stefana Wielkiego (1457–1504). W 1599 r. liczące 3500 domostw Cotnari było trzecim co do wielkości ośrodkiem Mołdawii, ustępując jedynie Suczawie i Bacău. Właścicielami winnic byli początkowo wolni chłopi, ale wraz ze wzrostem poddaństwa tracili oni swoje ziemie. Władcy często nadawali winnice dostojnikom państwowym, co doprowadziło do rozdrobnienia plantacji i osłabienia jakości winogron.

Częste wojny, przemarsze wojsk i wyludnianie się całych połaci kraju na początku XVII w. doprowadziło do prawie całkowitego zaniku plantacji. Dzieła destrukcji dopełniła sama przyroda: szkodniki tak spustoszyły uprawy, że w 1891 r. trzeba je było zniszczyć. Ale tradycja winiarska przetrwała – na początku XX w. rozpoczęto sadzenie nowych odmian lokalnych szczepów, odpornych na szkodniki.

Z tutejszych winogron wytwarza się doskonałe białe wina deserowe o dużej zawartości alkoholu i naturalnego cukru (ponad 50 g na litr). Ze względu na piękną bursztynową barwę, trunki z najsłynniejszego szczepu Grasă (dodatkową słodycz zyskuje się dzięki bardzo późnym zbiorom) można porównać do węgierskiego Furmintu. Wina Cotnari dobrze się starzeją i mogą być przechowywane właściwie bez ograniczeń. Cztery najważniejsze gatunki wina produkowane w Cotnari to Blanc Cotnari, Grasa de Cotnari, Tomaioasa (Busuioaca) de Moldova i Fetească Albă. Ostatnie jest jedynym winem wytrawnym, ale w opinii znawców lepiej kupować wina deserowe.

Aby skosztować wszystkich trunków, wystarczy udać się do głównego zakładu winiarskiego w Cotnari (pn.–pt. 7.30–16.00; 11 €). W specjalnie przygotowanej sali serwowane są cztery podstawowe gatunki wina. Chętni mogą obejrzeć całą linię produkcyjną i kupić wybrane trunki po promocyjnych cenach. Grupy zorganizowane powinny wcześniej zapowiedzieć się telefonicznie lub mailem (☎0232/730393, fax 730392, sales@cotnari.ro).

W Cotnari zatrzymują się pociągi osobowe kursujące z Jass w kierunku Hârlău (3 dziennie; 2 godz.) i autobusy oraz minibusy z Jass do Botoşani.

HÂRLĂU

Kolejną miejscowością na trasie do Botoşani jest Hârlău, w której warto obejrzeć ciekawą cerkiew św. Jerzego i ruiny zamku Stefana Wielkiego.

Hârlău jest jednym z najstarszych miast Mołdawii, wzmiankowanym w źródłach już w 1384 r. Hospodar Stefan Wielki (1457–1504) postawił tam zamek (a właściwie rozbudował warownię Piotra Muszatowicza z ok. 1385 r.) oraz kościół i od tego czasu miasto zaczęło się prężnie rozwijać. Po tym jak w 1624 r. zniszczono zamek w Jassach, a hospodar Radu Mihnea

przeniósł się do Hârlău, tamtejszy dwór po raz kolejny został powiększony. Popadł w ruinę w XIX stuleciu.

Współczesne Hârlău to zwyczajne prowincjonalne miasteczko z jednym kiepskim **hotelem Rareşoaia**** (str. Bogdan Vodă 1, przy rondzie; ☎0945/820098; pokój 1-os. 11 €, 2-os. 14,50 €), gdzie można niedrogo, ale i bez luksusów spędzić noc. Obok działa restauracja i bar, w pobliżu są również sklepy spożywcze.

W samym centrum, nieopodal ronda z pomnikiem Stefana Wielkiego, stoi ufundowana przez króla **Biserica Sf. Gheorghe** (cerkiew św. Jerzego), wzniesiona w 1492 r. z ciosanego kamienia i glazurowanych cegieł. Naokoło elewacji biegną ślepe nisze, a między nimi a dachem wkomponowano różnokolorowe okrągłe płytki ceramiczne z wizerunkami zwierząt i baśniowych stworów. Kompozycji dopełniają gotyckie okna. Klucze do wnętrza (ciekawe freski i ikonostas oraz interesujący piec kaflowy) można dostać w usytuowanym w pobliżu narożnym domu z drewnianym gankiem. Na tyłach świątyni są **ruiny dworu**, z którego pozostały jedynie fundamenty, część piwnic i jedno pomieszczenie. Około 300 m na wschód od ronda, w niewielkim ogrodzie, stoi **Biserica Sf. Dumitru** (cerkiew św. Dymitra) wybudowana za panowania Petru Rareşa w I połowie XVI w. i odnowiona przez Iordache Cantacuzina w 1779 r.

Do Hârlău można dostać się porannym pociągiem z Jass lub autobusem z Jass do Botoşani (kilka dziennie). Należy wysiąść w centrum miasteczka. Orientacja nie sprawi żadnego kłopotu – jedyna główna ulica prowadzi do ronda z pomnikiem Stefana Wielkiego i hotelem *Rareşoaia*.

BOTOŞANI

Botoşani jest wzmiankowane w źródłach po raz pierwszy w XV w. jako miejsce jarmarków. Zarówno Stefan Wielki, jak i jego następcy zbudowali tam dwory, po których jednak nie pozostał żaden ślad. Hospodar Petru Rareş wydał w Botoşani wiele dokumentów (m.in. dotyczące Bystrzycy czy Braszowa), a nazwa miejscowości wielokrotnie pojawiła się w kronikach Mirona Costina i Iona Neculce oraz w pismach Dimitrie Cantemira. Na początku XX w. miasto rozwinęło się gospodarczo, stając się dużym ośrodkiem przemysłowym. Nie było również pustynią kulturalną – w II połowie XIX ukazywało się tu kilkadziesiąt tytułów gazet. Obecnie miasto jest stolicą województwa (*judeţ*) Botoşani.

Centrum skupia się po dwóch stronach głównej arterii – Calea Naţională, która rozdziela biegnące z północy na południe str. Unirii i str. 1 Decembrie 1918. Na południowym krańcu str. Unirii rozciąga się park Mihai Eminescu, a na północy str. 1 Decembrie kończy się na Piaţa 1 Decembrie 1918 z pomnikiem postawionym ku czci żołnierzy walczących podczas I wojny światowej. Obie ulice to deptaki z XIX--wieczną zabudową.

W Botoşani nie ma zbyt wielu ciekawych zabytków, ale kto przejeżdża przez miasto po drodze z Suczawy do Jass lub odwrotnie, może miło spędzić w nim kilka godzin, zwiedzając muzea i ładną (choć przetrzebioną przez socjalistycznych architektów) starówkę. Nieopodal leży wieś **Ipoteşti** (na niektórych mapach Mihai Eminescu), w której urodził się wybitny poeta rumuński Mihai Eminescu. Można tam dotrzeć minibusem, najlepiej wczesnym rankiem – w południe mogą być problemy z powrotem. W udostępnionym do zwiedzania domu artysty (Casa memorială Mihai Eminescu; 10.00–18.00; 0,80 €) działa muzeum, biblioteka oraz Narodowe Centrum Studiów jego imienia (Centrul Naţional de Studii Mihai Eminescu; ☎0231/517602, fax 517404). Aby tam dotrzeć, wystarczy spytać któregokolwiek z miejscowych.

Zwiedzanie

Zabytkowa XIX-wieczna zabudowa zachowała się przede wszystkim przy str. Unirii i str. 1 Decembrie 1918. Spacer po mieście najlepiej rozpocząć od **parku Mihai Eminescu**. Tuż obok w imponującym klasycystycznym pałacu mieści się **Muzeul Judeţean** (Muzeum Okręgowe; str. Unirii 13; ☎0231/513446, fax 536989; wt.–nd. 9.00–17.00; 0,60 €, ulgowy 0,30 €). **Muzeul de Etnografie** (Muzeum Etnograficzne; str. Unirii 3; ☎0231/513446; 0,60 €, ulgowy 0,30 €) jest usytuowane nieopodal **teatru im. M. Eminescu** (Teatrul M. Eminescu; str. Teatrului 3; ☎0231/512184) i **filharmonii** (Filarmonica de Stat Botoşani; str. Teatrului 3).

Miłośnicy przyrody powinni zajrzeć do **Muzeul Ştiinţe Naturale** (Muzeum Historii Naturalnej; str. Cuza Vodă 42; ☎0231/611773; 0,60 €, ulgowy 0,30 €). Nieco dalej na północ, na Calea Naţionala przy str. 1 Decembrie 1918, tuż za dużym socrealistycznym domem handlowym, wznosi się jedna ze najstarszych świątyń w mieście – **Biserica Uspenia** (cerkiew Zaśnięcia Matki Boskiej) wybudowana

w 1552 r. z fundacji Eleny Rareş. Jest to duża budowla z dwiema kopułami (na bębnie jednej z nich umieszczono w późniejszych czasach zegar) i zewnętrznym freskiem na południowej ścianie przedstawiającym Zaśnięcie Maryi.

Zmierzając dalej na północ, dochodzi się do Piaţa 1 Decembrie 1918, w którego zabudowie dominuje **pomnik Żołnierzy Rumuńskich** z 1929 r. Aby dotrzeć do **Biserica Sf. Gheorghe** (cerkiew św. Jerzego; str. Balnari 14), należy przejść przez plac, kierując się na południe i skręcić w lewo. Podobnie jak cerkiew Zaśnięcia Matki Boskiej, także i ten przybytek został ufundowany w 1541 r. przez Elenę Rareş. Świątynię oraz stojącą obok dzwonnicę wybudowano z cegły i pokryto dachówką.

Noclegi i gastronomia

Baza noclegowa jest dosyć skromna. Dobre restauracje działają przy hotelach, poza tym wiele lokali gastronomicznych skupia się przy str. Unirea i Calea Naţională. Świeże i bardzo smaczne pieczywo można kupić w **piekarni** przy str. 1 Decembrie 1918 nr 50.

Rareş* (Piaţa 1 Decembrie 1918 nr 65; ☎0231/ 536453, fax 529712). Hotel w stylowej kamienicy; z okien pokoi widać Piaţa 1 Decembrie 1918. Pokój 1-os. 12 €, 2-os. 18 €, pokój 3-os. 20 €, apartament 25 €.

Unirea* (str. Unirii 16; ☎0231/517778, fax 514334, www.mariahotel.ro). Pokój 1-os. 55 €, 2-os. 70 €, apartament 80 €.

Tineret* (blvd M. Eminescu 48; ☎0231/584108, fax 584107). Skromny i niedrogi hotelik dla młodszych turystów (na dole dyskoteka). Pokój 2-os. 17 €, 4-os. 22 €.

Cofetarie (str. 1 Decembrie 1918 nr 24). Duży wybór wypieków i dobra kawa (0,50 €).

Pizzeria La Strada (str. Unirii 1). Ulubione miejsce spotkań miejscowej młodzieży. Zdarzają się problemy ze znalezieniem stolika. Średnia pizza 1,70 €.

Informacje o połączeniach

Dworzec kolejowy i autobusowy są oddalone o około 3 km od centrum, dlatego najwygodniej skorzystać z taksówki. Do innych miast Mołdawii najlepiej dojechać autobusem, ponieważ linia kolejowa biegnie najpierw na północ, a dopiero potem rozchodzi się w różnych kierunkach, przez co podróż pociągiem trwa o wiele dłużej. Botoşani ma bezpośrednie połączenia kolejowe z Bukaresztem (przez Roman, Bacău, Buzău i Ploeszti; 3 lub 2 dziennie), Jassami (przez Dorohoi; 1 dziennie) i Putną (przez Suczawę; 1 dziennie). Aby dostać się do Suczawy, należy pojechać do Vereşti (3 dziennie) i przesiąść się na pociąg do Suczawy (kilka dziennie).

Autobusy często kursują do Jass i Suczawy oraz Dorohoi. Prócz tego kilka minibusów dziennie jeździ do Bukaresztu.

Informator

Apteka Electra na str. Grivitei i Anca na Calea Natională działają non stop.

Poczta Str. Poştei 7, na wschód od Piaţa 1 Decembrie 1918.

Wymiana walut i banki Banca Comercială Română mieści się przy str. Unirii, na rogu str. Calea Natională. Kantory można znaleźć przy str. Unirii, Cuza Vodă i 1 Decembrie 1918.

SUCZAWA

Suczawa (Suceava), stolica rumuńskiej Bukowiny, leży na ważnej trasie turystycznej z Polski przez Ukrainę do Rumunii, Bułgarii i dalej do Turcji. Przebiega tędy także trasa tranzytowa z Rosji przez Ukrainę do Turcji. Turyści traktują miasto jako bazę wypadową do pobliskich monastyrów, z których słynie Bukowina. Dla polskich podróżników ma ono znaczenie także ze względu na bliskość Nowego Sołońca i Kaczycy (zob. s. 217), gdzie mogą porozmawiać z mieszkańcami w ojczystym języku (dogodnym punktem wypadowym do klasztorów i polskich wsi jest także Gura Humorului). W obu osadach oraz Suczawie prężnie działają Domy Polskie. W samym mieście, dawnej stolicy Księstwa Mołdawskiego, nie brak ciekawych zabytków. Jeszcze pod koniec XVII w., kiedy pod panowaniem tureckim Suczawa zaczęła tracić swe dawne znaczenie, było tam około 40 kościołów, z czego do dzisiaj zachowało się zaledwie kilka.

Wprawdzie Suczawa nie może pochwalić się zbyt dobrą bazą noclegową, ale ze znalezieniem miejsca do spania nie powinno być kłopotów. Na zwiedzenie całej rumuńskiej Bukowiny, czyli wszystkich najciekawszych klasztorów należy przeznaczyć co najmniej cztery dni, ale jeśli komuś bardzo się spieszy, może obejrzeć tylko wybrane monastyry, na co wystarczą trzy lub nawet dwa dni. Dużo zależy od środka transportu – najmniej kłopotów będą mieli posiadacze własnego samochodu.

Historia

W miejscu, na którym wznosi się dzisiejsze miasto, już w epoce neolitycznej istniała osada ludzka. Następnie tereny te zostały opuszczone – trzy stulecia później

zaczęli przybywać tam Słowianie. Miejscowość – już jako Suczawa i stolica Mołdawii – jest wzmiankowana w 1388 r. Pełniła ona tę funkcję od panowania Piotra I Muszatowicza (1375–1391) do 1566 r., kiedy to hospodar Aleksander Lăpuşneanu przeniósł stolicę do Jass. Nie obniżyło to jednak znaczenia Suczawy, ponieważ zarówno hospodar Aron (1591–1595), syn Aleksandra, jak i jego następca Stefan Răzvan (hospodar w 1595 r.) oraz wszyscy hospodarowie z rodziny Movilă (Mohyła) woleli rezydować właśnie tam. W mieście istniały wówczas dwa zamki-rezydencje: Varatic Scheia (o statusie osobnej miejscowości) i Cetatea de Scaun. Pierwsza, jedna z najstarszych twierdz w Mołdawii, po krótkim okresie rozkwitu została zburzona za panowania Aleksandra Dobrego (1400–1432), który zajął się rozbudową Cetatea de Scaun, skąd rządził całym krajem. W 1401 r. w Suczawie utworzono prawosławną metropolię mołdawską, co jeszcze bardziej podniosło prestiż ośrodka, oraz biskupstwo ormiańskie. Miasto było również ważnym punktem celnym na trasie mołdawskiej ze Lwowa do Białogrodu.

Największy rozkwit Suczawa przeżyła za Stefana III Wielkiego (Ştefan cel Mare, 1457–1504), pomimo że w tym okresie musiała stawiać opór licznym wojskom. W 1476 r. nadciągnął na Mołdawię Mehmed II Zdobywca z tureckimi żołnierzami, ale twierdza się nie poddała. Ucierpiało za to nieufortyfikowane miasto o głównie drewnianej zabudowie. Również Polacy pod wodzą króla Jana Olbrachta odeszli spod Suczawy w 1497 r. z niczym, po oblężeniu trwającym 21 dni. Twierdza suczawska nigdy nie została zdobyta siłą, aczkolwiek miasto było wielokrotnie zajmowane. Jan III Sobieski podczas swoich wypraw mołdawskich (1686 i 1691) wkroczył do Suczawy, a jego wojsko stacjonowało w monastyrze Zamca. Turkom twierdza poddała się w 1538 r. bez oporu, który nie miałby zresztą najmniejszego sensu, jako że większość kraju była już zajęta przez wojowniczych mahometan. W 1774 r. Austria otrzymała część Mołdawii – Bukowinę, co spowodowało włączenie Suczawy do państwa Habsburgów na półtora wieku. Podczas I wojny światowej wielu Rumunów uciekło z Bukowiny do Mołdawii, aby wstąpić do rumuńskiej armii.

Orientacja i informacje

Centrum miasta stanowi Piaţa 22 Decembrie i sąsiadujący z nią (oddzielony tylko kilkoma budynkami) park Centralny.

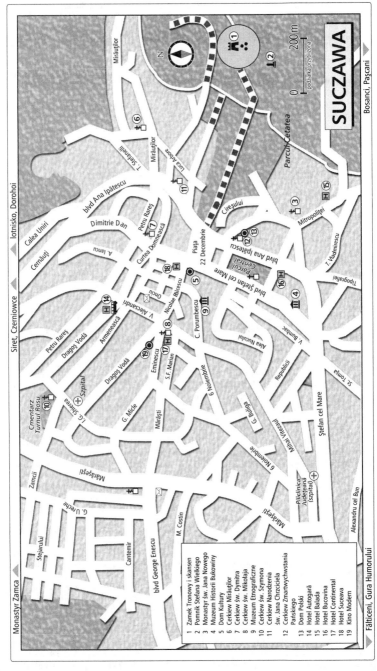

SUCZAWA

0   200 m

podziałka przybliżona

1 Zamek Tronowy i skansen
2 Pomnik Stefana Wielkiego
3 Monastyr św. Jana Nowego
4 Muzeum Historii Bukowiny
5 Dom Kultury
6 Cerkiew Mirăuţilor
7 Cerkiew św. Dymitra
8 Cerkiew św. Mikołaja
9 Muzeum Etnograficzne
10 Cerkiew św. Szymona
11 Cerkiew Narodzenia
   św. Jana Chrzciciela
12 Cerkiew Zmartwychwstania
   Pańskiego
13 Dom Polski
14 Hotel Autogară
15 Hotel Balada
16 Hotel Bucovina
17 Hotel Continental
18 Hotel Suceava
19 Kino Modern

Główną ulicą jest przelotowy blvd A. Ipătescu oraz biegnący równolegle do niego blvd Ştefan cel Mare. Obie arterie przebiegają obok Piaţa 22 Decembrie po jej przeciwnych stronach. Na **zakupy** najlepiej wybrać się na blvd Ştefan cel Mare, którego północna część jest zamknięta dla ruchu kołowego. Centrum handlowe Zimbru znajduje się na str. Universitătii, na zachód od centrum.

O atrakcje w Suczawie i okolicy można pytać w centrum informacji turystycznej na str. M. Eminescu 4–8 (infoturism@suceava.rdsnet.ro). Personel włada kilkoma językami i udziela również informacji o noclegach. W zaplanowaniu pobytu na Bukowinie pomoże biuro Juventus (blvd Ştefan cel Mare 53; ☎/fax 0230/229789).

Zwiedzanie

W Suczawie warto zwiedzić kilka cerkwi, ciekawe muzeum historyczne i etnograficzne oraz oddalone nieco od centrum ruiny Cetatea de Scaun. Na obejrzenie wszystkich obiektów wystarczy jeden dzień.

Na początek można się wybrać do **ruin Cetatea de Scaun** (Zamek Tronowy; 9.00–20.00; 1 €, ulgowy 0,50 €), usytuowanych na wschód od centrum na widocznym z daleka wzgórzu. Najlepiej podejść tam ścieżką prowadzącą spod *McDonalda* (obok Piaţa 22 Decembrie) przez park (ok. 10 min) bądź podjechać autem za strzałkami drogą asfaltową. Zamek był wzmiankowany po raz pierwszy w 1388 r., ale najprawdopodobniej powstał nieco wcześniej, zapewne po 1375 r., kiedy rządy w Mołdawii objął Piotr I Muszatowicz. Twierdza została wybudowana na planie prostokąta.

Aby wzmocnić konstrukcję, która miała udźwignąć ciężkie działa, w mury wkomponowano olbrzymie bale, długie na 10 m i szerokie na 2 m. Dodatkową ochronę stanowiły wieże (o ścianach grubości 4 m) ustawione na rogach i pośrodku muru oraz głęboka fosa od strony zachodniej. Dostęp do warowni umożliwiał most wsparty na kamiennych filarach prowadzący do niewielkiej umocnionej bramy.

Stefan Wielki postanowił jeszcze bardziej wzmocnić twierdzę, otaczając zamek pierścieniem dodatkowych murów o grubości 2 m z kilkoma dodatkowymi basztami. Przestrzeń pomiędzy dwoma pierścieniami fortyfikacji służyła jako wewnętrzny dziedziniec. Wykopano również nową fosę o szerokości 20 m, tym razem otaczającą twierdzę ze wszystkich stron. Przebudowa odniosła spodziewany skutek: w 1476 r. odparto atak Turków, a Stefan od razu pomyślał o... kolejnych zmianach. Do nowego pierścienia murów dodał jeszcze jeden, gruby na 2–4 m, z półkolistymi basztami, które nadały twierdzy kształt gwiazdy. Nowe umocnienia oparły się wojskom polskim w 1497 r. W II połowie XVI w. zamek został spalony przez Aleksandra Lapuşneanu. Hospodar Bazyli Lupu odbudował twierdzę w 1635 r., ale już w 1653 r. została ona ponownie obrócona w ruinę przez wojska polsko-siedmiogrodzkie, a wybuch prochu w 1675 r. dopełnił dzieła zniszczenia. Renowację zamku przeprowadzono na przełomie XIX i XX w. oraz w latach 60. XX w. Na terenie twierdzy odbywają się wystawy plenerowe. Obok ruin utworzono systematycznie rozbudowywany **skansen** (IV–X wt.–pt.

Styl mołdawski

Pojęcie stylu mołdawskiego jest nierozerwalnie związane z osobą hospodara Stefana III Wielkiego (1457–1504). Władca ten był nie tylko wielkim przywódcą politycznym i wojskowym, ale także hojnym mecenasem kultury. W okresie jego panowania prężnie rozwijało się budownictwo: z rozkazu hospodara wzniesiono wiele twierdz, świątyń i klasztorów, a w miastach powstawały rezydencje i dwory możnowładców.

Do dziś przetrwało ponad 30 budowli sakralnych (cerkwi i monastyrów) ufundowanych przez Stefana lub jego dostojników. Powstały one w stosunkowo krótkim czasie – większość w dwóch ostatnich dziesięcioleciach panowania. Cerkwie z tamtej epoki dzielą się pod względem architektonicznym na dwa rodzaje: podłużne z jedną absydą, wywodzące się z planów bazylikowych, oraz trójkonchowe, a zarazem trójdzielne, z wieżą nad nawą. Składają się najczęściej z części ołtarzowej, nawy, przednawia, a czasami także przedsionka. Większość cerkwi zbudowana jest według wzorca trójkonchowego z nawą zakończoną od wschodu trzema absydami – główną ołtarzową (za ikonostasem) oraz dwoma bocznymi zwanymi konchami (muszlami). Nowe elementy zdobnicze – krzyżujące się laskowania, reliefy i ażurowe maswerki – podpatrzono w krajach, z którymi Mołdawia utrzymywała ścisłe kontakty: Polsce, na Węgrzech i w Siedmiogrodzie. Widoczne są również bardzo silne wpływy sztuki Bizancjum.

10.00–18.00, sb. i nd. 10.00–20.00; 0,40 €, ulgowy 0,15 €,) prezentujący 25 zabudowań z regionu Bukowiny.

Do miasta można wrócić inną drogą przez **Parcul Cetatea** (park Zamkowy). Należy w tym celu skierować się ścieżką na południe obok wielkiego konnego **pomnika Stefana Wielkiego** i skręcić w prawo, w str. Mitropoliţei. Ulica ta doprowadzi do **Mănăstirea Sf. Ion cel Nou** (monastyr św. Jana Nowego), klasztoru pod wezwaniem patrona Bukowiny, którego szczątki spoczywają w **Biserica Sf. Gheorghe** (cerkiew św. Jerzego) na terenie kompleksu. Budowę świątyni rozpoczął syn Stefana Wielkiego, Bogdan III Ślepy (1504–1517), a zakończył jego wnuk Stefan IV Młody (1517–1527). Cerkiew zastąpiła w roli katedry wcześniejszą cerkiew metropolitalną Mirăuti (która się zawaliła) i utrzymała ten status do czasu przeniesienia stolicy Księstwa Mołdawskiego do Jass w 1566 r. Freski na ścianach zewnętrznych nie zachowały się w dobrym stanie, w przeciwieństwie do malowideł we wnętrzu. Relikwiarz, w którym umieszczono szczątki patrona (zginął śmiercią męczeńską w 1303 r.) pochodzi z XVI w. Gotycka kaplica, zajmowana obecnie przez sklepik z dewocjonaliami, powstała w 1629 r. z fundacji metropolity mołdawskiego Anastazego Crimcy. Wieżę bramną, przez którą wchodzi się na dziedziniec klasztoru, wzniesiono w 1589 r.

Kontynuując spacer str. Metropoliţei, dochodzi się do skrzyżowania z blvd A. Ipătescu (naprzeciwko rozciąga się park Centralny), a idąc dalej, do str. Ştefan cel Mare. 100 m dalej mieści się **Muzeul Naţional al Bucovinei** (Muzeum Historii Bukowiny; str. Ştefan cel Mare 33; wt.–nd. 10.00–18.00; 0,65 €). Wracając do centrum, wychodzi się na Piaţa 22 Decembrie otoczoną brzydkimi socrealistycznymi blokami. Po lewej wznosi się monumentalna Casa de Cultură (Dom Kultury). Po przejściu placu, a następnie skierowaniu się w lewo w blvd A. Ipătescu, po czym w prawo w str. Ştefanita Vodă, dociera się do **Biserica Naşterea Sf. Ioan Botezătorul** (cerkiew Narodzenia św. Jana Chrzciciela) ufundowanej przez hospodara Bazylego Lupu w latach 1642–1643. Oryginalność świątyni polega na połączeniu dzwonnicy i głównego budynku cerkwi jednym dachem. Równie ciekawe jest przejście z przedsionka do nawy: zamiast portalu są arkady wsparte na dwóch kolumnach. Na końcu str. L. Arbore wznosi się **Biserica Mirăuţilor** (cerkiew Mirauţilor), wybudo-

wana prawdopodobnie przez hospodara Piotra I Muszatowicza w latach 1375–1391. Pierwsza katedra mołdawska, w której odbywały się koronacje wojewodów, nie przetrwała, niestety, do naszych czasów. W I połowie XVI w. uległa zniszczeniu (status katedry zyskała wówczas cerkiew św. Jana Nowego) i odbudowano ją dopiero w latach 1898–1901, znacznie zmieniając architekturę założenia. W połowie lat 90. XX w. w świątyni odkryto groby Piotra Muszatowicza i Eudoksji Kijowskiej, pierwszej żony Stefana Wielkiego.

Do centrum najlepiej wrócić str. Mirăuţilor, po przejściu blvd Ana Ipătescu orientując się na widoczną już **Biserica Sf. Dumitru** (cerkiew św. Dymitra). Świątynia, zbudowana w latach 1534–1535 z fundacji Petru Rareşa, jest modelowym przykładem mołdawskiej cerkwi trójkonchowej (zob. s. 207). Freski zewnętrzne są bardzo wyblakłe, ale gdzieniegdzie da się rozpoznać poszczególne sceny. Z kolei malowidła wewnątrz świątyni zostały niedawno odrestaurowane i prezentują się imponująco. Warto zwrócić uwagę na scenę fundacji kościoła przez Petru Rareşa oraz przedstawienie Sądu Ostatecznego. W cerkwi znajdują się groby członków rodziny fundatora. Na wschodniej ścianie ogromnej dzwonnicy stojącej obok cerkwi umieszczono inskrypcję z herbem Mołdawii (da się go również zauważyć na tablicy erekcyjnej po prawej stronie drzwi wejściowych do świątyni).

Podążając na wschód pośród bloków str. Curtea Domnească, dojdzie się do skrzyżowania, po którego przeciwnej stronie jest dworzec autobusowy. Należy skręcić w lewo do ronda, przy którym stoi **Biserica Sf. Nicolae** (cerkiew św. Mikołaja) z połowy XVI w. Niedaleko, w starym mołdawskim domu przy str. C. Porumbescu 5 działa niewielkie **Muzeul de Etnografie** (Muzeum Etnograficzne; pn. 9.00–17.00, wt.–nd. 9.00–18.00; 0,40 €, ulgowy 0,10 €) z interesującą kolekcją ubiorów.

Nieco dalej od centrum (ok. kilometra od Piaţa 22 Decembrie, od dworca autobusowego należy iść str. Armenească na zachód, która obok cerkwi św. Szymona przechodzi w str. Zamcii prowadzącą do klasztoru) wznosi się bardzo interesujący **Mănăstirea Zamca** (monastyr Zamca). Była to najważniejsza budowla sakralna ormiańskiej mniejszości okręgu Suczawy oraz siedziba ormiańskiego biskupa. Wznoszenie klasztoru rozpoczęto w XVII w., chociaż niektórzy archeolodzy przypuszczają, że kościół stał w tym miejscu od XV w.

i został jedynie przebudowany. Wielkość i złożoność obiektu pozwala przypuszczać, że klasztor w ciągu stuleci miał wielu fundatorów. Pod koniec XVII w. mieściła się w nim kwatera główna wojsk polskich, które zajęły Suczawę w trakcie wyprawy mołdawskiej Jana III Sobieskiego. Stąd zapewne, od słowa „zamek", wzięła się obecna nazwa monastyru. Kompleks został ponoć tak zniszczony przez Polaków (ślady fortyfikacji ziemnych przetrwały do dziś), że na początku XVIII w. trzeba było przeprowadzić prace remontowe. Cerkiew wzniesiono na planie wydłużonego prostokąta. Prowadzą do niej dwa wejścia: jedno od strony północnej przez nawę, drugie od zachodu przez przednawie. Z zewnątrz świątynia prezentuje się skromnie, ale widać w niej mieszaninę elementów klasycystycznych i gotyckich oraz wpływy Orientu. Mury okalające kompleks mają kształt wydłużonego trapezu i podpierają je masywne przypory. Warto zwrócić uwagę na budynek, przez który wchodzi się na dziedziniec. W środku są dawne pomieszczenia mieszkalne i kapliczka św. Grzegorza. Kompleks zazwyczaj bywa zamknięty.

Casa Polonă (Dom Polski) wznosi się na tyłach cerkwi Zmartwychwstania Pańskiego przy str. A. Ipătescu (w tym samym budynku mieści się Dom Kultury im. Cypriana Porumbescu). Budowla powstała w latach 1903–1907 z myślą o licznej polskiej mniejszości zamieszkującej w owym czasie Suczawę i okolice (w 1910 r. w mieście żyło 749 Polaków). Od początku przy placówce działało Towarzystwo Polskiej Bratniej Pomocy i Czytelnia Polska, będąca rodzajem stowarzyszenia bukowińskich Polaków. Obie organizacje obchodziły w 2003 r. stulecie powstania. W okresie międzywojennym w Domu Polskim istniała grupa teatralna, zespół artystyczny, chór oraz biblioteka. Obchodzono rocznice świąt państwowych (3 maja i 11 listopada), a w okresie Bożego Narodzenia gromadzono się na spotkaniach opłatkowych i przygotowywano jasełka. Warto wiedzieć, że w sali Domu Polskiego – jedynej w mieście sali widowiskowej z prawdziwego zdarzenia – odbywały się przedstawienia, a w latach 30. XX w. mieściło się w niej miejskie kino.

W pierwszych miesiącach II wojny światowej Dom Polski stał się tymczasowym schronieniem dla wielu uchodźców wojskowych i cywilnych z terenów Rzeczypospolitej. W księdze pamiątkowej Czytelni Polskiej zachował się m.in. wpis generała Józefa Hallera: „W ciężkich czasach do-

pustu Bożego i dziejowego kataklizmu zatrzymawszy się w Domu Polskim, gdzie najlepsze serca polskie otwarły się dla niedolą dotkniętych Polaków, otwierając zarazem gościnne podwoje Domu Polskiego, wpisuję się z wiarą w przyszłość lepszą i jasną i z nadzieją w Bogu. Bóg zapłać Wam Kochani Rodacy".

Działalność Domu Polskiego zamarła w 1953 r. na skutek działań władz komunistycznych. Placówkę reaktywowano w 1992 r. Obecnie ma w nim siedzibę Stowarzyszenie Polaków w Suczawie (spadkobierca Czytelni Polskiej) oraz Związek Polaków w Rumunii – organizacja prężnie działające na rzecz integracji polskiej mniejszości bukowińskiej. Wydawane jest także polskie czasopismo – miesięcznik „Polonus".

Na południowych krańcach miasta znajduje się ormiańskie sanktuarium **Hagigadar**. Egzotycznie brzmiąca nazwa oznacza „świątynię spełnionych życzeń" i może dlatego pielgrzymują tu Ormianie z całego świata. Najwięcej wiernych pojawia się tu 15 sierpnia – w dniu Zaśnięcia Najświętszej Marii Panny. Cerkiew zbudowana przez Bogdana Donawakiana pochodzi z początku XVI w. Skromna, orientowana świątynia, otoczona murem zbudowanym na planie nieregularnego prostokąta, wznosi się na wzgórzu wyrastającym z dna doliny. Stromą ścieżką wśród płonących często świec warto wspiąć do furty w północnej części kamiennego muru – pielgrzymi zazwyczaj pokonują wzniesienie na kolanach, by złożyć w cerkwi karteczkę z życzeniem. Na dziedzińcu można zobaczyć niewielki dom pielgrzyma, drewnianą dzwonniczkę i niedawno odnowioną studnię. Miejsce zachwyca uduchowioną atmosferą i niezwykłym spokojem, choć położone jest na rogatkach tętniącego życiem miasta.

Aby dotrzeć do sanktuarium, trzeba kierować się na drogę wylotową w kierunku Fălticeni. Po 10 min od skrzyżowania na skraju miasta należy skręcić 100 m za salonem Škody (po lewej stronie nieczynna, niebieska stacja benzynowa) w bitą drogę w prawo. Następnie pieszo schodzi się kilkaset metrów do widocznego sanktuarium (brama i przedsionek otwarte 9.00–18.00; msze św.: czw. 16.30, pt. 9.30, tylko w czasie mszy św. można wejść do świątyni).

Noclegi

Miejsc noclegowych nie ma w Suczawie oszałamiająco dużo, ale to co jest, powinno wytrzymać nawet niespodziewany zalew turystów (a takiego nie było od dawna).

Autogară*. (str. V. Alecsandri 1, w budynku dworca, na piętrze; ☎0230/524340). Najtańsze noclegi w mieście. Niedrogo, ale czysto. Tylko pokoje 2-os. (10,50 €) z łazienkami i ciepłą wodą.

Balada*** (str. Mitropoliei 3; ☎0230/522146, fax 520087, www.balada.ro). Dość drogo. Pokój 1-os. 55 €, 2-os. 66 €, apartament 92 € (wszystkie ceny niższe o 5 €, jeśli pokój zarezerwuje się przez biuro podróży).

Bucovina** (blvd A. Ipătescu 5; ☎217048, fax 520250). Hotel w potężnym wieżowcu między parkiem Centralnym a domem handlowym Universal. Wysoki standard, aczkolwiek czasy świetności obiektu dawno minęły. Pokój 1-os. 23 €, 2-os. 32 €, apartament 50 €.

Continental*** (str. Mihai Vitezaul 4–6; ☎0230/210944, fax 227598, www.continental-hotels.ro). Hotel usytuowany na tyłach cerkwi św. Mikołaja. Pokój 1-os. 45 €, 2-os. 55 €, apartament 91 €.

Suceava** (na rogu str. N. Bălcescu 4 i Piața 22 Decembrie, naprzeciwko Domu Kultury; ☎0230/521079, fax 291766). Czysto i wygodnie. Pokój 1-os. 22 €, 2-os. 38 €, 3-os. 60 €.

Villa Alice*** (str. Simion Florea Marian 1; ☎0230/522254, 0723287898, villaalice2001@yahoo.com). Nieopodal hotelu *Continental*. Pokój 2-os. 18,50 €.

Gastronomia i rozrywki

W Suczawie działa mnóstwo lokali gastronomicznych, brakuje tylko tych o najwyższym standardzie (wyjątek stanowią restauracje hotelowe). Osoby przygotowujące jedzenie na własną rękę powinny wybrać się na targ nieopodal centrum, przy str. P. Rareş, gdzie kupią świeże owoce, warzywa oraz nabiał. Całodobowy sklep spożywczy Eurostela działa przy str. M. Eminescu 24.

Przy rondzie z cerkwią św. Mikołaja (skrzyżowanie str. N. Bălescu i V. Alecsandri) działa kino **Modern**. W każdy weekend w Domu Kultury (Piața 22 Decembrie) organizowana jest **dyskoteka**.

Admiral Cetate Niedroga restauracja z tarasem tuż obok twierdzy i skansenu. Wieczorami muzyka na żywo i imprezy taneczne.

Continental (blvd Ştefan cel Mare, strefa dla pieszych). Restauracja hotelu *Suceava*, jedna z najlepszych w mieście. Smaczne jedzenie we wnętrzach z minionej epoki. *Ciorba* 0,70–0,80 €, *gratar* około 1,30 €, dodatki 0,30–0,40 €.

Fast food i Bistro Select (między str. P. Rareş i Curtea Domnească, na wysokości targowiska). Warto zajrzeć do drugiego lokalu, który jest ładniejszy (sympatyczna niebieska sala) i tańszy (*ciorba* ok. 0,60 €, mała pizza 1,30 €).

McDonald (blvd A. Ipătescu, po wschodniej stronie Piața 22 Decembrie, obok głównego przystanku komunikacji miejskiej).

Melibea (blvd A. Ipătescu, obok *McDonalda*). Kawiarnia z pysznymi ciastami i dobrą kawą. Obszerne wnętrze.

Latino (str. Curtea Domnească, w pobliżu dworca autobusowego). Najlepsza restauracja w mieście: stylowy wystrój w drewnie, w lecie obiad można zjeść w ogródku. Menu dnia około 3 €.

Informacje o połączeniach

Samolot Z Suczawy latają samoloty do Bukaresztu (pn., wt., śr. i pt.). Bilet w jedną stronę kosztuje 42 €. Na lotnisko Salcea (☎0230/213146), odległe o około 15 km od miasta, można dostać się autobusem Taromu (biuro przy str. N. Bălcescu 5; ☎0230/214686, fax 214686).

Pociąg Suczawa ma dwa dworce kolejowe, oba znacznie oddalone od centrum miasta. Zdecydowana większość pociągów odjeżdża z Gara Suceava Nord. Do obu dworców można dostać się trolejbusami i MaxiTaxi (minibusy). Z Suczawy kursują pociągi do Jass (7 dziennie), Bukaresztu (6 dziennie), Kaczycy (3 dziennie), Timişoary (4 dziennie), Putnej (3 dziennie), Vatra Dornei (2 dziennie), Gałacza (3 dziennie) oraz Braszowa, Giurgiu, Gura Humorului, Konstancy, Mangalii i Oradei (po 1 dziennie).

Agenţie de Voiaj CFR mieści się przy str. N. Bălcescu 8 (☎0230/214335).

Autobus Dworzec autobusowy usytuowany jest w centrum miasta, na rogu ulic Armenească i V. Alecsandri, około 300 m na północny zachód od Piața 22 Decembrie. Odjeżdża z niego wiele autobusów, m.in. do Gura Humorului (kilkanaście dziennie), Bukaresztu (kilka dziennie; 8,50 €), Jass, Radowiec i Vatra Dornei (po 5 dziennie), Târgu Neamţ i Bystrzycy (3 dziennie), Czerniowiec, Konstancy i Piatra Neamţ (po 2 dziennie) oraz Kużu i Targu Mureş (1 dziennie). Oprócz tego codziennie kursuje autobus do Stambułu i Kiszyniowa oraz dwa razy w tygodniu (pn. i śr.; 20,50 €) do **Przemyśla** przez Ukrainę.

Komunikacja miejska

Po Suczawie kursują autobusy, trolejbusy i minibusy (jeden przejazd 0,25 €), ponieważ jednak centrum miasta jest niewielkie, większość turystów korzysta z komunikacji miejskiej tylko po to, aby dostać się na dworzec kolejowy (trolejbus #5 lub minibusy, tzw. MaxiTaxi) lub z dworca do miasta. Główny przystanek wszystkich trzech wymienionych wyżej środków transportu usytuowany jest po wschodniej stronie Piaţa 22 Decembrie, nieopodal *McDonalda*.

Informator

Apteki Cassandra na blvd 1 Decembrie 1918 nr 2 działa non stop. Duża apteka znajduje się przy Piaţa 22 Decembrie (północna pierzeja) obok biura Taromu.

Internet Najlepsza w mieście kafejka internetowa *Assist* (9.00–23.00) mieści się we wschodniej pierzei Piaţa 22 Decembrie (0,55 €/godz.).

Księgarnie W księgarni przy Piaţa 22 Decembrie (południowa pierzeja) można kupić książki dotyczące regionu oraz mapy.

Poczta i telekomunikacja Główny urząd pocztowy (pn.–pt. 7.00–20.00, sb. 8.00–13.00) usytuowany jest przy str. Onciu (nieopodal oddziału BCR i placówki Romtelecomu).

Wymiana walut i banki Reiffeisen Bank (na rogu Piaţa 22 Decembrie i blvd Ştefan cel Mare); Banca Comercială Română (róg str. Curtea Domnească i str. Onciu, obok poczty, oraz blvd Ştefan cel Mare, nieopodal muzeum). Pieniądze można wymienić w budkach między targowiskiem a str. Curtea Domnească. W domu handlowym Universal jest czynny kantor.

Zakupy Duży dom handlowy Zimbrul znajduje się na zachód od centrum przy str. Universitătii. Przy str. Ştefan cel Mare działa dom handlowy Bucovina.

OKOLICE SUCZAWY

Na północ od Suczawy warto zwiedzić monastyr Dragomirna i cerkiew w Pătrăuţi. O ile do pierwszego zabytku, opisanego w większości przewodników, turyści zaglądają dość często, o tyle do niewielkiej świątyni ufundowanej przez Stefana Wielkiego prawie nikomu nie chce się nadkładać drogi, a naprawdę warto.

Komunikacja pomiędzy Dragomirną i Pătrăuţi a Suczawą nie stwarza najmniejszych kłopotów. Do obu miejsc kursuje z dworca autobusowego w Suczawie kilka autobusów dziennie, ale trzeba pamiętać, że lepiej wybrać się na taką wycieczkę przed południem, aby uniknąć kłopotów z powrotem. Można także próbować łapać okazję.

Mănăstirea Dragomirna

W dolinie rzeki Dragomirna, zaledwie 12 km od Suczawy, wznosi się przepiękny **żeński klasztor** (1 €, ulgowy 0,50 €, fotografowanie 1,60 €, filmowanie 2,60 €; zob. s. 213). Aby się tam dostać, trzeba wyjechać drogą na Siret i na rogatkach miasta

skręcić w prawo do klasztoru (8 km kiepskiej początkowo drogi). Pierwszą budowlą, jaka stanęła w tym miejscu, była niewielka cerkiewka pod wezwaniem św. Eliasza i św. Jana Teologa zbudowana w 1602 r. z inicjatywy metropolity suczawskiego Anastazego Crimcy, który spoczął w jej podziemiach. Fundusze wyłożyli dwaj bracia, bojarzy Lupu i Simion Stroici. Jednocześnie w ciągu siedmiu lat wzniesiono wspaniałą Biserica Pogorârea Sf. Duh (cerkiew Zesłania Ducha Świętego). Wysokie na 10 m mury obronne z narożnymi basztami i bramą na jednym z boków zostały zbudowane w latach 1627–1635 z fundacji hospodara Mirona Barnovschiego. Monastyr przez wiele lat słynął jako ośrodek sztuki – metropolita Anastazy Crimca założył w nim szkołę dla miniaturzystów i kopistów. Pogłoski o zgromadzonych rzekomo w klasztorze bogactwach sprawiły, że stał się on celem łupieżczych wypraw. W 1653 r. monastyr złupili Kozacy Tymofieja Chmielnickiego (syna Bogdana), w 1691 r. „gościły” w nim wojska Jana III Sobieskiego, a w roku 1758 klasztor został zdobyty i obrabowany przez Tatarów. W 1863 r. Austriacy przekształcili zabudowania klasztorne na koszary. Dragomirna przetrwała jednak wszystkie zawieruchy dziejowe i dziś ponownie kwitnie w niej życie monastyczne. Najważniejszym zabytkiem kompleksu jest cerkiew główna, bardzo różniąca się pod względem architektonicznym od innych budowli sakralnych Bukowiny.

Oprócz oryginalnej bryły uwagę zwraca przebogata ornamentyka sztukaterii ścian zewnętrznych i smukłej wieży. Jak pisał Władysław Podlacha w 1912 r.: „Obfitość rzeźb i ich motywy na zewnętrznych ściankach latarni, sposób opracowania ślepych galeryi i perska forma łuków nad oknami przywodzą na myśl, mimo widocznych z drugiej strony reminiscencyi gotyckich, szczegóły małoazyatyckich świątyń chrześcijańskich, zostających pod wpływem sztuki ludów wschodnich. Tak charakterystyczne dla chrześcijańskiego i wczesno- -islamickiego budownictwa Małej Azyi profilowanie znalazło w Dragomirnej zastosowanie w przysciennych filarach, utworzonych z równolegle biegnących wałków, które w pewnych odstępach skracają się i przechodzą w inne miejsce. Wałki i profile obramień w nawie są pokryte polichromią, która daje im jeszcze więcej ożywienia przez wprowadzenie fantastycznych ornamentów, złożonych z drobnych linearnych elementów".

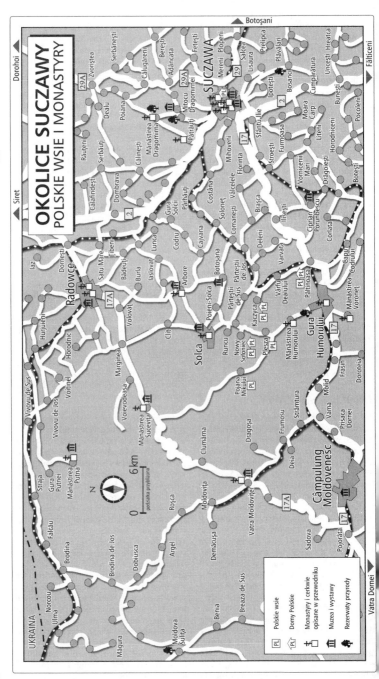

OKOLICE SUCZAWY
POLSKIE WSIE I MONASTYRY

Polskie wsie
Domy Polskie
Monastyry i cerkwie opisane w przewodniku
Muzea i wystawy
Rezerwaty przyrody

„... W nizinnej okolicy, gdzie góry i wstęgi lasów układają się w delikatne w swym rysunku tła, monastyr Dragomirna stwarza wrażenie potężnej twierdzy. Przechodząc przez bramę sklepioną krzyżowo-żebrowo powracamy w epokę średniowiecza z całym jej uporem, dosadnością i uduchowieniem. Cerkiew sprawia ogromne wrażenie. Jest to jedyny w Mołdawii zabytek, który można określić jako gotycki, chociaż zachowuje w zasadzie układ tradycyjny i obok gotyckiej wprowadza ornamentykę dotychczas nieznaną – renesansową i kaukaską zarazem. Trzeba jednak stanąć na wprost prezbiterium i spojrzeć na ową sylwetkę, która przypomina i statek, i kubiczny, płaski blok kamienny...".

R. Brykowski, T. Chrzanowski, M. Kornecki, *Sztuka Rumunii*, Wrocław 1979

Układ wewnętrzny świątyni również nie przypomina innych bukowińskich zabytków. Po wejściu do środka przybysza uderza niezwykła przestronność kojarzona raczej z kościołami o układzie bazylikowym. Podział poszczególnych części – przednawia, przedsionka i nawy został umiejętnie zaakcentowany filarami. Freski widoczne w nawie, jak pisał Władysław Podlacha, „nie budzą wysokiego interesu [zainteresowania – przyp. red.] ze względu na swoje wykonanie, stoją bowiem niżej od suczawickich [monastyr w Sucevity zob. s. 221 – przyp. red.]. Monumentalny charakter zatracił się w zbyt zredukowanych rozmiarach, a w większych figurach brak tego wykończenia, które znamionowały by zdolniejszą rękę". Mimo tej krytyki, warto zatrzymać się w nawie, aby podziwiać sceny z Nowego Testamentu ukazane za pomocą pędzla i farb. Złocony barokowy ikonostas ujawnia wyraźne wpływy sztuki rosyjskiej. W świątyni eksponowane są relikwie św. Jakuba Persa.

W **muzeum** urządzonym w budynkach klasztornych wystawiono zbiory związane z działalnością artystyczną monastyru. Najcenniejszymi eksponatami jest pięć rękopisów zdobionych miniaturami przez metropolitę Anastazego Crimcę.

Klasztor Dragomirna warto odwiedzić także ze względu na wyjątkową malowniczość otoczenia: niewielkie jeziorko od wschodu kompleksu zachęca do odpoczynku, a nawet biwakowania. Widok z pagórka powyżej stawu na zabudowania klasztorne to ulubiony motyw amatorów fotografii i malarstwa. 2 km od monastyru utworzono w 1973 r. **rezerwat Dragomirna** o powierzchni 131 ha, aby chronić wspaniałe okazy świerków, sosen, modrzewi, dębów, jaworów, jesionów i przede wszystkim buków. Jest on także ostoją wilków, żbików, jeleni i puchaczy. Noclegi można znaleźć w pobliżu klasztoru, na kempingu oferującym 11 dwuosobowych domków (☎0230/533838; 8 €/domek).

Pătrăuţi
Biserica Înălţarea Sf. Cruci (cerkiew Podwyższenia Krzyża Świętego) w Pătrăuţi jest najmniejszą świątynią ufundowaną przez Stefana Wielkiego. Datę konsekracji i osobę fundatora upamiętnia kamienna tablica w języku staro-cerkiewno-słowiańskim umieszczona nad wejściem od strony zachodniej. Historycy sztuki zgodnie zachwycają się wspaniałymi proporcjami świątyni. Układ architektoniczny jest typowy dla budowli fundowanych przez Stefana Wielkiego – większa absyda ołtarzowa i dwie mniejsze boczne łączą się z nawą, tworząc układ trójkonchowy. Kopułę przykrywającą nawę podtrzymują mołdawskie sklepienia – zastosowano je po raz pierwszy właśnie w Pătrăuţi i później z powodzeniem powielano. Dodatkową ozdobą są gotyckie obramowania okien, portal wejściowy i płytki ceramiczne poniżej gzymsu. Świątynia w Pătrăuţi jest cennym zabytkiem średniowiecznej mołdawskiej architektury, a usytuowanie na wzgórzu wśród drzew nadaje jej szczególny urok.

Freski zewnętrzne powstały po 1550 r., a ich wysoka wartość artystyczna wskazuje, że wyszły spod pędzla malarza greckiego. Na zewnątrz zachowały się jedynie fragmenty malowideł na fasadzie (*Sąd Ostateczny*), ich kolorystykę wspaniale wydobywają promienie zachodzącego słońca. Malowidła wewnątrz pochodzą z tego samego okresu, co sama świątynia. W kopule przedsionka umieszczono wizerunek Chrystusa Pantokratora, ale największą wartość ma Kawałkada Konstantyna Wielkiego (zwana też Kawałkadą Krzyża Świętego). Malowidło przedstawia rycerzy na koniach – chrześcijańskich wojowników stających do walki za wiarę. Nie przypadkiem taka właśnie tematyka pojawiła się w kościele ufundowanym przez Stefana Wielkiego, władca ten żył bowiem nadzieją stworzenia wielkiej koalicji antytureckiej, co jednak nigdy nie zostało zrealizowane. Według innej koncepcji Kawalkada Krzyża Świętego to przedstawienie Raju. Na ścianie po prawej stronie warto obejrzeć niezwykłą (zachowaną tylko częściowo) scenę tańca Salome. W nawie można podziwiać m.in. Maryję z Dzieciątkiem, Ukrzyżowanie oraz Chrystusa Pantokratora (na sklepieniu latarni) otoczonego aniołami, prorokami, patriarchami i apostołami. W górnych pendentywach latarni namalowano ewangelistów, a na ścianach bębna scenę narodzenia Jezusa, oczyszczenia Maryi i chrztu Jezusa.

Obraz fundacyjny (na południowej i zachodniej ścianie nawy) przedstawia Stefana Wielkiego wraz z rodziną wręczających Chrystusowi model cerkwi. To kolejna tajemnica świątyni: lico muru jest wyraźnie wypukłe, tak więc postać hospodara została przemalowana po nałożeniu kolejnej warstwy tynku. Być może Stefanowi Wielkiemu nie podobało się dzieło greckiego mistrza i nakazał rodzimemu malarzowi dokonać zmian. Obok Zbawiciela stoi św. Konstantyn. Zza ikonostasu wyłaniają się sceny związane z ustanowieniem Eucharystii, a poniżej postacie ojców Kościoła wschodniego.

Obok cerkwi wznosi się drewniana dzwonnica. Przy kamiennym stole zwanym stołem Stefana Wielkiego miał według tradycji przesiadywać sam hospodar (stół jest jednak znacznie młodszy). Klucze do zabytku udostępnia gospodarz mieszkający w pierwszym domu po północnej stronie świątyni.

Gura Humorului

Małe miasteczko, oddalone około 35 km na zachód od Suczawy, leży w niewielkiej dolinie u stóp gór Obcina u ujścia rzeczki Humor do Mołdawy (nazwa miejscowości znaczy właśnie „ujście Humoru"). Ze względu na dogodne połączenia z większością przyklasztornych miejscowości jest dobrą bazą wypadową do malowanych monastyrów. Trasę zwiedzania klasztorów warto zaplanować tak, by podczas podróży zajrzeć też do polskich wsi (zob. s. 216).

Gura Humorului odgrywała ważną rolę w czasach austriackich, kiedy to w osadzie kwaterował główny sztab wojska austriackiego, ale prawa miejskie otrzymała dopiero w 1904 r.

Centrum miejscowości stanowi Piaţa Republicii z charakterystycznym budynkiem hotelu *Best Western*. Główną ulicą, przy której skupia się handel i gastronomia, jest przelotowa Calea Bucovinei ciągnąca się ze wschodu na zachód. Przy

Piaţa Republicii arteria zmienia nazwę na str. Ştefan cel Mare.

Spacerując po miasteczku, można zajrzeć do **kościoła katolickiego** i **cerkwi prawosławnej** (obie świątynie z XIX w.) na południe od Piaţa Republicii.

Noclegi W Gura Humorului nie ma zbyt wielu hoteli, ale wiele rodzin prowadzi pensjonaty. Można też przenocować w kwaterach prywatnych (w sezonie turyści wyłapywani są przez właścicieli na dworcach lub przy parkingu pod monastyrem). O możliwości noclegu w gospodarstwach agroturystycznych należy pytać w biurach podróży w Suczawie.

Best Western Bucovina**** (Calea Bucovinei 4; ☎/fax 0230/207000, fax 207001, www.bestwesternhotels.ro). Najdroższy hotel w mieście z ekskluzywną restauracją. Pokój 2-os. 65 €.

Carpaţi** (str. 9 Mai 3; ☎0230/231103). Hotel w pobliżu poczty oferuje niezbyt schludne, ale tanie pokoje. Pokój 1-os. 7 €, 2-os. 11 €.

Casa Albă*** (Frasin, 6 km na zachód od Gura Humorului na trasie do Câmpulung Moldovenesc; ☎/fax 0230/340404, casa_alba@suceava.ro). Hotelik o wysokim standardzie i takich samych cenach. Pokój 1-os. 39 € (poza sezonem 30 €), 2-os. 46 € (poza sezonem 35 €).

Villa Ramona (str. Oborului 6; ☎0230/232996, fax 232133, www.ramona.ro). Pensjonat blisko centrum z 15 miejscami (m.in. 2 pokoje małżeńskie). Smaczna domowa kuchnia. Pokój 1-os. około 28 €, 2-os. 39 €.

Gastronomia Jak można się spodziewać po tak małej miejscowości, lokali gastronomicznych nie ma zbyt wiele i skupiają się one w ścisłym centrum. Tam też najłatwiej o sklepy spożywcze. We wtorki w Gura Humorului odbywa się wielki targ, na który zjeżdżają mieszkańcy okolicznych wiosek.

Central (Calea Bucovinei Bl. 3; ☎231435). Prosta miejscowa kuchnia. Dwudaniowy posiłek kosztuje około 3 €.

Fastfood (str. Ştefan cel Mare, obok dworca). Czysty i schludny, przypomina normalną restaurację. Hamburger 0,40 €, *ciorba* 0,45–1,10 €; duży wybór alkoholi.

Select (str. Bucovinei 1, na rogu str. 9 Mai). Smaczne i niedrogie dania kuchni międzynarodowej. Za obiad zapłaci się około 3,50 €.

Informacje o połączeniach Usytuowany przy str. Ştefan cel Mare dworzec kolejowy (ładny, odnowiony budynek) i sąsiadujący z nim autobusowy (obskurny gmach) są oddalone o kilka minut spacerem od centrum. Gura Humorului ma kilka połączeń kolejowych dziennie z Suczawą (także Jassami i Gałaczem) oraz Vatra Dornei (i położonymi dalej Klużem, Oradeą i Timişoarą).

Autobusy kursują do Arbore (1 dziennie), Borşy (3 dziennie), Botoşani (5 dziennie), Câmpulung Moldovenesc (5 dziennie), Klużu (2 dziennie), Piatra Neamţ (2 dziennie), Radowiec (2 dziennie) i Vatra Dornei (3 dziennie). Oprócz tego kilka autobusów dziennie jeździ do najbliższych miejscowości, jak Voroneţ czy Humor, oraz do bardziej oddalonych Kaczycy i Solcy.

Informator

Apteki Jedna z nielicznych aptek mieści się przy Calea Bucovinei, naprzeciwko kafejki internetowej.

Banki Bancă Comercială Română usytuowany jest przy str. Ştefan cel Mare, na zachód od Piaţa Republicii.

Internet Kafejka internetowa – przy Calea Bucovinei, naprzeciwko apteki (pn.–pt. 8.00–21.00, sb. 8.00–20.00, nd. 8.00–14.00; 0,55 €).

Laboratorium fotograficzne Fotolab Kodaka – przy Calea Bucovinei (pn.–sb. 8.00–18.00).

Poczta Calea Bucovinei 13, na rogu str. 9 Mai (obok restauracji Select).

Mănăstirea Voroneţ

Do Voroneţ dojeżdża kilka autobusów dziennie z Gura Humorului, ale odległość 4 km śmiało można pokonać na nogach. Z centrum należy skierować się na zachód str. Ştefan cel Mare i zgodnie z drogowskazem na Voroneţ skręcić w lewo.

Klasztor (1 €, ulgowy 0,50 €, fotografowanie 1,60 €, filmowanie 2,60 €) został ufundowany przez Stefana Wielkiego w 1488 r. na miejscu starej drewnianej cerkwi. Władca miał ponoć ulec prośbie eremity Daniela z Putnej (który jest tu pochowany). Tablica erekcyjna umieszczona nad drzwiami prowadzącymi z przedsionka do przednawia informuje, że cerkiew św. Jerzego zbudowano w zaledwie 3 miesiące i 21 dni. Freski wykonano dopiero w 1547 r. W 1786 r. Austriacy skasowali zakon, a świątynię zamienili na cerkiew parafialną – mnisi ponownie zasiedlili monastyr w 1990 r.

Świątynię zbudowano według wzoru pierwszych fundacji Stefana Wielkiego. Nawa z mołdawskim sklepieniem zakończona jest trójkonchową absydą, nad którą wznosi się wieża-latarnia. Malowidła wykonano ściśle według kanonu bizantyńskiego, a ich doskonały stan budzi zachwyt zwiedzających. Wartość fresków była jed-

nym z powodów wpisania kompleksu na Listę Światowego Dziedzictwa Kulturalnego i Przyrodniczego UNESCO.

W przedsionku warto zwrócić uwagę na dwie tablice – nagrobną metropolity Grigore Rosca i erekcyjną Stefana Wielkiego (nad wejściem do następnego pomieszczenia). W kopule przednawia umieszczono wyobrażenie Matki Boskiej z Dzieciątkiem i adorujących ich aniołów i świętych – Jana Damasceńskiego, Kosmasa, Józefa i Teofanesa. Przednawie zdobi także niezwykle interesujący cykl 28 scen z życia patrona cerkwi, św. Jerzego, a także obraz narodzin Maryi.

Najstarsze malowidła nawy i absydy pochodzą z końca XV i I połowy XVI w. Na uwagę zasługuje obraz fundacyjny na ścianie zachodniej przedstawiający Stefana Wielkiego z rodziną, ofiarowującego Chrystusowi model cerkwi. Na sklepieniu latarni widnieje Chrystus Pantokrator otoczony przez aniołów, Mojżesza, Dawida, Salomona, starotestamentowych patriarchów oraz ojców Kościoła prawosławnego: Bazylego Wielkiego, Jana Chryzostoma, Grzegorza Teologa i Mikołaja. Inne freski ukazują Zwiastowanie, Narodzenie Jezusa i Mękę Pańską. Charakterystyczne malowidła absydy przedstawiają sceny związane z ustanowieniem Eucharystii: łamanie chleba, dzielenie winem, Ostatnią Wieczerzę i umywanie stóp apostołom.

Sąd Ostateczny na zewnętrznej ścianie zachodniej uderza monumentalizmem, podobnie jak drzewo Jessego ze ściany południowej. Dekoracja malarska konch przedstawia niebiańską hierarchię z Chrystusem błogosławiącym, Maryją z Dzieciątkiem, aniołami, prorokami i postaciami świętych. Uwagę przykuwa często spotykana w malarstwie ikonowym grupa Deesis (Chrystus w otoczeniu Maryi i Jana Chrzciciela) nad drzwiami wejściowymi do cerkwi i postać św. Jerzego walczącego ze smokiem (na przyporze ściany południowej). Żywot patrona Bukowiny św. Jana Suczawskiego ukazano po wschodniej stronie drzwi wejściowych. W bramie dzwonnicy wiszą dwa dzwony pamiętające czasy fundatora.

W 1781 r. w bibliotece klasztornej odnaleziono tzw. Kodeks Woronecki, XVI-wieczny rękopis zawierający tłumaczenie Dziejów Apostolskich z języka staro-cerkiewno-słowiańskiego na lokalny dialekt języka rumuńskiego.

Choć wśród bukowińskich monastyrów można znaleźć zabytki o podobnej wartości artystyczno-historycznej, Voroneţ uważany jest za najpiękniejszy i najciekawszy. Pociągnęło to za sobą skomercjalizowanie tego miejsca: bilety są tu najdroższe (wprowadzono osobną taryfę za fotografowanie aparatem cyfrowym!), to samo dotyczy cen noclegów i pamiątek na straganach.

Noclegów najlepiej szukać w pobliskim Gura Humorului, ale miłośnicy pięknego otoczenia dysponujący grubym portfelem z pewnością chętnie zatrzymają się w pensjonacie *Casa Elena* (Voroneţ 8, na obrzeżach wioski; ☎0230/23065, webmaster@ casaelena.assist.ro; 70 miejsc), na który składa się kilka budynków.

Mănăstirea Humorului

Do Mănăstirea Humorului kursuje codziennie kilka autobusów z Gura Humorului, ale podobnie jak w wypadku monastyru Voroneţ bez kłopotów można dotrzeć tam pieszo (6 km).

Zespół klasztorny rozciąga się w dolinie rzeki Humor w miejscowości Mănăstirea Humorului (1 €, studenci 0,50 €, fotografowanie 1,60 €, filmowanie 2,60 €). Pierwszy kościół w tym miejscu został ufundowany przez dostojnika na dworze Aleksandra Dobrego na początku XV w. Obecny monastyr wzniesiono w 1530 r. z funduszy hospodara Petru Rareşa. O obronnym charakterze kompleksu świadczy wieża-dzwonnica z 1641 r. w północno-wschodnim narożniku dziedzińca. W 1786 r. Austriacy dokonali kasaty zakonu – mniszki wróciły do Humoru dopiero w 1990 r. Biserica Uspienska (cerkiew Zaśnięcia Matki Bożej), będąca sercem monastyru, została wpisana na Listę Światowego Dziedzictwa Kulturalnego i Przyrodniczego UNESCO. Nawę świątyni z trójkonchowym zakończeniem oddziela od przednawia komora grobowa (spoczywają w niej członkowie rodziny fundatora i dostojnik kościelny Jupin Toader). Freski powstały w 1535 r., a przy ich renowacji w latach 1971–1972 pracowali polscy konserwatorzy.

Zewnętrzne malowidła zachowały się najlepiej na ścianie południowej. Przedstawiają one sceny z akatystu, oblężenie Konstantynopola, żywot Mojżesza i św. Mikołaja. Na filarach otwartego przedsionka można podziwiać walkę św. Jerzego ze smokiem, a poniżej św. Demetriusza na koniu. Całą ścianę zachodnią zajmuje przejmująca scena Sądu Ostatecznego.

W kopule przednawia widać m.in. Maryję w otoczeniu aniołów i proroków, a także ojców Kościoła wschodniego. Ciekawe bizantyńskie przedstawienie Chrystusa Emanuela spoczywającego na łożu z czuwającymi aniołami, Maryją i św. Józefem można oglądać w komorze grobowej. Nawę główną zdobi fresk Chrystusa Pantokratora, sceny Męki Pańskiej oraz obraz fundacyjny. W absydzie przedstawiono wydarzenia związane z ustanowieniem Eucharystii: łamanie chleba, dzielenie winem, Ostatnią Wieczerzę oraz umywanie stóp apostołom. Warto zwrócić uwagę na ikonostas z II połowy XVI w. oraz stalle z tego samego okresu. W przykłasztornym muzeum eksponowany jest m.in. ewangeliarz z 1453 r. z miniaturami wykonanymi przez mnicha Nikodema. Cerkiew w pobliżu monastyru powstała niedawno, ale jej architektura wzorowana jest na najwybitniejszych przykładach stylu mołdawskiego.

Wzdłuż drogi prowadzącej do zabytku stoją kramy z wyrobami rękodzielniczymi (haftowane obrusy i koszule, dywany itp.).

We wsi funkcjonuje sporo gospodarstw agroturystycznych. Na prowadzonym przez państwa Leonarda i Elenę Butucea

Polacy na Bukowinie

W centrum rumuńskiej Bukowiny w kilku sąsiadujących ze sobą wioskach w trójkącie pomiędzy Radowcami, Suczawą i Gura Humorului żyją mówiący archaiczną polszczyzną potomkowie Polaków, którzy zaczęli przybywać w te rejony pod koniec XVIII w. Po górnikach z Bochni i Wieliczki osiadły tu rodziny z Czadcy (region na terenie dzisiejszej Słowacji). Migracje ułatwiał fakt, że zarówno Bochnia, Wieliczka, jak i region Czadcy oraz Bukowina leżały w jednym państwie – Austrii. Osady Nowy Sołoniec, Plesza i Pojana Mikuli to „kolonie" założone kilkadziesiąt lat później przez emigrantów ze wsi w okolicach Czerniowiec (obecnie na Ukrainie) i Siretu.

Bukowińscy Polacy stanowią dziś zintegrowaną kulturowo grupę. Związek Polaków w Rumunii oraz Domy Polskie organizują m.in. spotkania polonusów i naukę języka dla dzieci. Od początku lat 90. XX w. powstało mnóstwo zespołów pieśni i tańca biorących udział w festiwalu folklorystycznym „Spotkania Bukowińskie" w Pile i Jastrowiu.

Najliczniejsze polskie społeczności zamieszkują Pleszę, Nowy Sołoniec, Kaczycę oraz Pojanę Mikuli – w tej pierwszej niemal 100% mieszkańców to Polacy (nie licząc rumuńskich żon i mężów).

kempingu *A la Ferme* (☎094/959047, butucea@yahoo.com) nieopodal monastyru można tanio rozbić namiot lub przespać się w pokojach urządzonych w stylu rustykalnym. Kilkadziesiąt metrów przed klasztorem przy drodze prowadzącej do zabytku stoi *Casa Buburuzan* (☎0745/849832; pokój 1-os. 10 €), pensjonat prezentujący się w środku o wiele lepiej niż z zewnątrz. Tani nocleg można znaleźć w domu z niebieską tablicą „Cazare", poniżej klasztoru, po prawej stronie drogi.

Kaczyca

W 1785 r. w oddalonej o 15 km na północ od Gura Humorului Kaczycy (Cacica) odkryto sól kamienną. Wkrótce potem założono kopalnię i w 1792 r. sprowadzono rodziny górnicze z Wieliczki i Bochni, które miały się zająć wydobywaniem soli. Potomkowie owych górników żyją we wsi po dziś dzień, dlatego pytając o drogę do kopalni i sanktuarium, można bez obaw użyć ojczystego języka (nawet jeśli trafi się na Rumuna, z pewnością zawoła on kogoś, kto będzie rozumiał po polsku). Nazwa wsi pochodzi rzekomo od gnieżdżących się na okolicznych bagnach kaczek.

W osadzie warto zwiedzić przede wszystkim zabytkową **kopalnię** (Salină Veche Cacica; w centrum; 8.00–18.00; 1,80 €, ulgowy 0,90 €) z kaplicą, salą balową i sztucznym jeziorem (przypominającym te z Wieliczki). Po przeciwnej stronie drogi stoi kościół katolicki, będący jednym z największych **sanktuariów maryjnych** w Rumunii (msze św. nd. 11.00). Okazała świątynia w stylu neogotyckim z czterdziestometrową wieżą pochodzi z początku XX w. Wnętrze kryje przeniesiony ze Stanisławowa cudowny obraz Czarnej Madonny Kaczyckiej, replikę obrazu Matki Boskiej Częstochowskiej.

15 sierpnia każdego roku, w święto Wniebowzięcia Najświętszej Marii Panny, odbywa się w Kaczycy wielki odpust, na który przybywają tłumy pielgrzymów z całego kraju (nie tylko pochodzenia polskiego).

Około 500 m od głównej szosy Solca–Gura Humorului, nieopodal budynku poczty wznosi się **Dom Polski**, gdzie można zapytać o nocleg (ok. 7 €; kilka pokoi gościnnych; standard schroniskowy).

Do Kaczycy można się dostać zarówno autobusem, jak i pociągiem. Z Gura Humorului codziennie kursują do wsi trzy autobusy, również z Radowiec jeździ w te strony co najmniej kilka autobusów dziennie. Jadąc pociągiem z Suczawy (5 dzien-

nie), trzeba wysiąść na stacji Pârteştii de Sus (czyli w sąsiedniej wiosce), skąd do Kaczycy jest zaledwie kilkaset metrów (po wyjściu z dworca należy iść w prawo, na skrzyżowaniu z główną szosą skręcić w lewo, a następnie znowu w prawo lekko pod górę do centrum wsi).

Nowy Sołoniec

Nowy Sołoniec (Soloneţu Nou), kolejna osada, gdzie zdecydowana większość mieszkańców szczyci się polskim rodowodem, jest chyba najbardziej znany wśród globtroterów z naszego kraju, mimo że nie ma tam żadnych zabytków. Dogodne usytuowanie umożliwiające dotarcie do bukowińskich monastyrów przez okoliczne góry oraz niepowtarzalna atmosfera sprawiają, że w tutejszym Domu Polskim niemal codziennie pojawiają się turyści z plecakami. W środowisku podróżników, często zdających w Internecie relacje ze swych wypraw, Nowy Sołoniec otacza prawdziwa legenda. Na grupach dyskusyjnych przekonują oni, że pobyt w tej wsi to wręcz coś dziejowa. Można wprawdzie polemizować z tą tezą, ale nie da się zaprzeczyć, że Nowy Sołoniec to miejsce wyjątkowe.

Osadę założyło w 1834 r. 30 rodzin górali czadeckich przybyłych z północnej Bukowiny. W 1900 r., mimo emigracji wielu mieszkańców m.in. do Brazylii, wioska liczyła ponad 850 osób, z czego około 500 po II wojnie światowej wyjechało do Polski na tzw. ziemie odzyskane. Obecnie Nowy Sołoniec jest największą polską wsią na rumuńskiej Bukowinie.

Od głównej drogi Solca–Gura Humorului przebiegającej w okolicach Kaczycy prowadzi do Sołońca nowa asfaltowa szosa (ok. 8 km). Jej powstanie wiąże się z pobytem w 1996 r. Aleksandra Kwaśniewskiego, który na własnej skórze doświadczył niedogodności podróży błotnistą drogą wiodącą wówczas do Nowego Sołońca. Prezydent postanowił pomóc mieszkańcom wioski i w 2000 r. ukończono budowę nowej szosy, zwanej na cześć fundatora Drogą Aleksandra. Od 1995 r. działa we wsi **Dom Polski**, siedziba oddziału Stowarzyszenia Polaków, gdzie polski turysta jest zawsze mile widziany (nocleg ok. 7 €; kilka pokoi gościnnych). W szkole im. Henryka Sienkiewicza sołonieckie dzieci uczą się języka polskiego, a także poznają kulturę i historię Polski.

Do Nowego Sołońca najlepiej byłoby podjechać autostopem, ale ponieważ samochody docierają tam rzadko, ośmiokilometrową drogę od głównej szosy Solca–

Gura Humorului zapewne trzeba będzie pokonać piechotą (przy odrobinie szczęścia można zabrać się wozem konnym z którymś z okolicznych mieszkańców).

Solca

Nazwa wsi pojawia się po raz pierwszy w dokumentach kancelarii Aleksandra Dobrego w 1418 r. Metropolita mołdawski Jerzy Mohyła podarował osadę w 1598 r. monastyrowi Suceviţa. Kilkanaście lat później jej właścicielem został hospodar Stefan II Tomşa, który w 1615 r. ufundował klasztor z cerkwią św. Piotra i Pawła. Wraz z zajęciem Bukowiny przez Austrię do Solcy napłynęli Niemcy, Żydzi, Polacy i Ukraińcy. Mieszkał tam m.in. **Jakub Szela**, słynny przywódca buntu chłopskiego z 1846 r., który w okolicy otrzymał od Austriaków dobra ziemskie.

Opuszczony przez mnichów **monastyr** (1,20 €, fotografowanie 1,20 €, filmowanie 1,70 €) wznosi się w południowej części miasteczka. Cerkiew pochodzi z lat 1612–1622. Mnisi opuścili klasztor po kasacie dokonanej przez Austriaków w 1785 r. Dziedziniec otaczają podniszczone mury obronne z odrestaurowaną w ostatnich latach wieżą bramną.

Solca słynęła niegdyś z **browaru** założonego przez Austriaków w 1789 r., który działał do niedawna jako Fabrica de Bere Solca. Opustoszałe obecnie (ale wciąż pilnowane przez stróża) budynki przylegają do monastyru od strony zachodniej. W centrum osady wznosi się kościół katolicki z końca XIX w.

Przez Solcę przejeżdżają autobusy na trasie Gura Humorului–Radowce (kilka dziennie). Trzeba pilnować godzin powrotu, aby nie utknąć w osadzie na noc.

Arbore

Biserica Tăierea Capului Sf. Ioan Botezătorul (cerkiew Ścięcia św. Jana Chrzciciela; 1 €, ulgowy 0,50 €, fotografowanie 1,60 €, filmowanie 2,60 €) wznosi się tuż przy drodze Radowce–Solca. Świątynię (figurującą na Liście Światowego Dziedzictwa Kulturalnego i Przyrodniczego UNESCO) ufundował Luca Arbore, dostojnik na dworze Stefana Wielkiego. Budowano ją bardzo krótko – od kwietnia do sierpnia 1503 r. Cerkiew otacza drewniana palisada (nie ma zabudowań klasztornych), a na dziedziniec wchodzi się przez bramę--dzwonnicę z 1867 r. Po stronie wschodniej rozciąga się zabytkowy cmentarz, który wraz ze starymi drzewami tworzy wyjątkowy nastrój tego miejsca. U podnóża cerkwi

ustawiono drewnianą ławę przeznaczoną do składania żywności dla odkupienia zmarłych (tzw. pomana).

Wewnątrz świątynia składa się z dwóch pomieszczeń: przedsionka (z grobowcami rodziny Arbore – Luki oraz jego synów Teodora i Nikity) oraz nawy zakończonej szeroką absydą. Fresk w kopule przedsionka przedstawia Matkę Boską z Dzieciątkiem, a na ścianach widnieją ojcowie Kościoła prawosławnego.

W nawie warto zwrócić uwagę na kopułę z wizerunkiem Chrystusa Pantokratora i ewangelistów. Sklepienie absydy ozdobiono sceną Ukrzyżowania. Na ścianach absydy ołtarzowej przedstawiono – często spotykane w tym miejscu – sceny związane z ustanowieniem Eucharystii. Na dolnej części ściany wschodniej widnieją postacie ojców Kościoła wschodniego.

Datowane od około 1541 r. malowidła zewnętrzne można podziwiać na fasadzie i ścianie południowej. Do najciekawszych należy cykl przedstawiający męczeństwo św. Nikity, żywot św. Jerzego oraz stworzenie świata (nisza ściany zachodniej).

Nad wejściem widnieje typowy dla ikonografii bizantyńskiej wizerunek Chrystusa Emanuela spoczywającego na łożu w otoczeniu Matki Boskiej i aniołów. Na ścianie południowej uwagę zwraca przedstawienie akatystu i zachowane fragmenty Sądu Ostatecznego. Z kolei na ścianie zachodniej ukazano niebiańską hierarchię, a poniżej niej grupę Deesis (Chrystus z Maryją i Janem Chrzcicielem). Freski na ścianie północnej nie zachowały się.

Do Arbore kursuje jeden **autobus** dziennie z Gura Humorului i Radowiec. Ponieważ wieś leży na uboczu głównej drogi (2E), najlepszym, a niekiedy jedynym rozwiązaniem jest autostop lub własne nogi (odległość z Solcy wynosi 6 km, a od drogi Suczawa–Radowce 9 km).

RADOWCE I OKOLICE

Radowce (Rădăuţi) to niewielkie miasteczko, 39 km na północny zachód od Suczawy. Przejeżdża się przez nie w drodze z Suczawy do monastyru Putna, czy to podróżując pociągiem, czy też autobusem. Warto się tu zatrzymać, aby zwiedzić jedną z najstarszych mołdawskich cerkwi.

Miasto odegrało ważną rolę w kształtowaniu się państwa mołdawskiego, tutaj bowiem rezydował Bogdan I, wojewoda rumuński z Maramureszu i pierwszy hospodar mołdawski (1359–1365). Ponadto od XV do XVIII w. Radowce były siedzibą prawosławnego biskupa, jednego z najbardziej wpływowych mołdawskich hierarchów. Przez osadę przebiegał tzw. szlak mołdawski, czyli trakt handlowy ze Lwowa do Białogrodu nad Morzem Czarnym. Mimo to prawa miejskie Radowce otrzymały dopiero w 1819 r., wtedy też zaczęli licznie napływać obcokrajowcy (w okresie międzywojennym mieszkała tam najliczniejsza na Bukowinie społeczność żydowska; również Polaków było niemało).

Orientacja nie sprawia żadnych kłopotów. Centrum miasta stanowi Piața Unirii, na której schodzą się str. Ştefan cel Mare (prowadząca w kierunku Suceviţy) i str. Bogdan Vodă (biegnąca z północy na południe, na Suczawę). Na rogu ulic Bogdan Vodă i Ştefan cel Mare wznosi się charakterystyczny różowy budynek Muzeum Etnograficznego.

Zwiedzanie

Naprzeciwko parku z pomnikiem Stefana Wielkiego, przy str. Bogdan Vodă tuż obok przejazdu kolejowego wznosi się bardzo ciekawa **Biserica Sf. Nicolae** (cerkiew św. Mikołaja). Świątynia wybudowana w II połowie XIV w. przez wojewodę Bogdana I należy do najstarszych zabytków Bukowiny i jest najstarszą budowlą murowaną w Mołdawii. Spoczywa w niej wiele znamienitych osobistości, m.in. Bogdan I, jego syn Laţcu oraz hospodarowie Roman I, Stefan I i Bogdan II (ojciec Stefana Wielkiego).

Cerkiew zachowała pierwotny wygląd, jedynie Aleksander Lapuşneanu dobudował w 1559 r. przedsionek, przez który obecnie wchodzi się do świątyni. Surowa z zewnątrz, w środku stanowi ciekawą mieszankę elementów charakterystycznych dla kościołów gotyckich i świątyń obrządku wschodniego wzorowanych na kościołach bizantyńskich. Układ wnętrza nie jest klasycznym wzorem mołdawskim (który wówczas nie był jeszcze wykształcony); ma ono wprawdzie cztery części: przedsionek, przednawie, nawę oraz absydę, ale brakuje absyd bocznych (czyli układ nie jest trójkonchowy). Typowe dla kościołów łacińskich typu bazylikowego niższe nawy boczne nie spełniają swoich funkcji, ponieważ przez wyższą partię nawy głównej nie wpada światło (tzw. pseudobazylika).

Freski zostały odnowione w II połowie XIX w. – jedynie te w absydzie przetrwały do naszych czasów w pierwotnym stanie. Malowidła bardzo przyciemnił dym ze świec, ale większość scen można jeszcze rozpoznać (chociaż niekiedy z dużym trudem). W przednawiu uwagę zwraca sufit

z pięknym iluzjonistycznym przedstawieniem sklepienia niebieskiego.

Wracając do centrum, nie sposób przeoczyć monumentalnej **katedry prawosławnej** zbudowanej w latach 1926–1940. Po lewej stronie za kamienicą zajmowaną przez BCR mieści się **Muzeul de Etnografie** (Muzeum Etnograficzne; 9.00–18.00; 0,80 €, ulgowy 0,40 €) eksponujące stroje ludowe i wyroby ceramiczne z Radowiec i okolic. Podążając na zachód str. Ştefan cel Mare, dojdzie się do **Biserica Românо-Catolică** (kościół katolicki Najświętszej Marii Panny) z I połowy XIX w. Kolejną atrakcją miasta jest znana w Europie stadnina, w której hoduje się lipicany i huculy (str. Bogdan Vodă 114; na południowy wschód od centrum miasta; możliwość wykupienia jazd).

Noclegi i gastronomia

Zaplecze dla turystów to zaledwie dwa godne polecenia hotele i kilka lokali gastronomicznych, wśród których przeważają fast foody skupione w centrum miejscowości. Miejskie targowisko usytuowane jest na tyłach niebieskiej kamienicy przy str. Ştefan cel Mare.

Nordic (Piaţa Unirii 67; ☎0230/461643). Tańszy i skromniejszy niż *Casa Alba*. Pokój 2-os. 16 €.

Pensiune Turistica Casa Alba (str. Gării 9, tuż obok dworca kolejowego; ☎0230/561783). Najlepsze noclegi w mieście. Pokój 2-os. 19 €.

Casa Alba (w hotelu o tej samej nazwie). Smacznie i niedrogo. *Ciorba* 1,20 €, piwo 0,50 €.

Criss (str. Ştefan cel Mare, w pobliżu kościoła katolickiego). Dobra i niedroga kawiarnia.

Ivomar (Piaţa Unirii 20; ☎0230/463663). Tania restauracja specjalizująca się w kuchni rumuńskiej, obiad w granicach 3,50 €.

Informacje o połączeniach

Radowce to ważny węzeł komunikacyjny w tej części rumuńskiej Bukowiny; można się stamtąd dostać do wszystkich okolicznych monastyrów. Dworzec autobusowy mieści się na tyłach str. Ştefan cel Mare, dokładnie naprzeciwko bramy wjazdowej do zoo. Odjeżdżają z niego autobusy do Bukaresztu, Botoşani, Câmpulung Moldovenesc, Konstancy, Jass, Vatra Dornei (1 dziennie), Gura Humorului, Târgu Neamţ, Arbore, Suczawy, Suceviţy i Solcy (kilka dziennie).

Dworzec kolejowy usytuowany jest trochę bliżej centrum – aby dostać się do miasta, trzeba po wyjściu z budynku skierować się ulicą na północ (na wprost), aby po kilku minutach znaleźć się na str. Ştefan cel Mare, gdzie należy skręcić w prawo.

Z Radowiec odjeżdża kilka pociągów dziennie m.in. do Putnej i Suczawy. Przebieg linii kolejowej jest dość osobliwy: ponoć Radowce to jedyne miasto na świecie, w którym pociąg przejeżdża przez środek cmentarza.

Informator

Apteki W ścisłym centrum i na dworcu kolejowym.

Laboratorium fotograficzne Fotolab Kodaka – przy str. Ştefan cel Mare 19 w charakterystycznej żółtej kamienicy nieopodal kościoła.

Wymiana walut i banki Bancă Comercială Română zajmuje imponujący pałac miejski przy str. Bogdan Vodă (po południowej stronie muzeum). Kilka kantorów działa przy str. Ştefan cel Mare, w sąsiedztwie kościoła katolickiego.

Mănăstirea Putna

Jak głosi legenda, klasztor Putna został zbudowany w miejscu, gdzie upadła strzała wystrzelona z łuku przez Stefana Wielkiego. Strzelec musiał mieć dobre oko, bo lokalizacja jest wręcz idealna. Niewielka dolina otoczona lasami i przepływająca rzeka stanowią doskonałe otoczenie dla modlitewnego skupienia i kontemplacji. Podejmując decyzję o budowie klasztoru, władca kierował się ważnymi względami osobistymi – monastyr miał się stać miejscem pochówku jego, najbliższej rodziny i kolejnych panujących. Z planów utworzenia narodowego mauzoleum nic jednak nie wyszło, ponieważ późniejsi władcy chcieli spoczywać we własnych klasztorach. Dlatego w Putnej pochowano tylko Stefana, jego dwie żony – Marię Voichiţę i Marię z Man-

gop, syna – hospodara Bogdana III Ślepego oraz jego wnuka Stefaniţa. Monastyr został wzniesiony w latach 1466– 1469, świątynię konsekrowano w 1470 r., a budynki klasztorne i mury obronne ukończono w 1481 r. Zachowaną budowlą obronną z czasów fundatora jest wieża Skarbcowa w zachodniej części kompleksu. Składa się z kwadratowej części dolnej oraz dwóch ośmiobocznych kondygnacji górnych, na które prowadzą kręcone schody. Wąskie prostokątne otwory w grubych murach ujęto z zewnątrz w kamienne ozdobne obramowania. **Biserica Uspienska** (cerkiew Zaśnięcia Matki Boskiej) nie przetrwała do naszych czasów w pierwotnym kształcie, przebudowano ją najpierw po pożarze, a następnie najeździe Kozaków w 1653 r. Nie zmieniła się jednak bryła budynku, składająca się z przedsionka, przednawia i trójkonchowej nawy z komorą grobową. Warto zwrócić uwagę na dekoracje zewnętrzne: na zachodniej ścianie zachowały się smukłe okna o gotyckiej stylistyce, cały budynek opasany jest kamiennym sznurem, a mury podtrzymują potężne szkarpy. W północno-zachodniej części założenia wznosi się druga niewielka świątynia – **Biserica Sf. Apostoli Petru şi Pavel** (cerkiew św. św. Piotra i Pawła) z lat 1750–1760, w której obecnie odprawia się nabożeństwa w dni powszednie. Monastyr Putna gromadzi rzesze wiernych 2 lipca w święto Stefana Wielkiego, kanonizowanego w 1992 r. przez Synod Rumuńskiej Cerkwi Prawosławnej.

Muzeum klasztorne zgromadziło niezwykle interesującą kolekcję sztuki sakralnej od czasów powstania monastyru po

XIX w. Do najcenniejszych eksponatów należy ewangeliarz Stefana Wielkiego i misternie utkana kapa pogrzebowa (1477) jego żony Marii z Mangop. Zbiory obejmują także ikony i sprzęty liturgiczne z różnych epok. Na uwagę zasługuje jeden z trzech dzwonów (1490) ufundowanych przez Stefana.

Będąc w Putnej, warto zwiedzić **drewnianą cerkiew** w pobliżu nowej, murowanej świątyni i cmentarza. Prawdopodobnie jest ona najstarszym drewnianym kościołem na terenie Mołdawii, wzniesionym w 1468 r. być może na miejscu wcześniejszej świątyni z 1356 r. Pierwotnie cerkiew stała w Volovăț – przeniesiono ją do Putnej na rozkaz Stefana Wielkiego, ratując tym samym przed zniszczeniem ze strony Turków.

Dzieje wielu klasztorów związane są z postaciami świątobliwych mężów i niewiast. W czasach Stefana Wielkiego żył w Putnej eremita Daniel. Pod koniec życia wyprowadził się z klasztoru i zamieszkał w **pustelni-świątyni** wykutej w skale około 500 m na południe od monastyru w dolince rzeki Vițuă. Aby tam dotrzeć, trzeba z głównej drogi skręcić w prawo za drogowskazem „Cabana Putna". Dziś okolice pustelni są popularnym miejscem piknikowym i biwakowym i trudno tam odnaleźć dawną mistyczną atmosferę.

Do Putnej można się dostać **pociągiem** z Radowiec lub Suczawy (kilka dziennie). Dworzec kolejowy oddalony jest o około 2 km od klasztoru. Z Radowiec jeżdżą też do Putnej nieliczne autobusy (w sezonie nie więcej niż dwa).

Noclegi oferuje *Cabana Putna* (str. Manastirii 7; ☎0230/414123; domki 2- i 4-os.; ok. 4 €/os.) – schronisko nieopodal klasztoru, przy drodze do wsi. Jeszcze bliżej monastyru jest hotel *Putna* (str. Manastirii 16; 50 miejsc; pokój 1-os. 12,50 €) i kemping (rozbicie namiotu 3 €).

Z RADOWIEC DO CÂMPULUNG MOLDOVENESC

Po drodze do Câmpulung Moldovenesc zachowały się dwa malowane monastyry – Sucevița i Moldovița, przy których koniecznie trzeba się zatrzymać. Od Sucevițy szosa (odnowiona w 2004 r.) biegnie przez malownicze tereny gór Obcina Mare; jest kręta, czasami niebezpieczna i przekracza pasmo przełęczą Ciumârna (1109 m n.p.m.). Równie piękna trasa prowadzi z Vatra Moldoviței do Câmpulung Moldovenesc przez pasmo Obcina Feredeu (przełęczą Pașcanu; 1040 m n.p.m.).

Zanim jednak dotrze się do Sucevițy, przejeżdża się przez znaną z wyrobów ceramicznych wioskę **Marginea**. Produkuje się tam osobliwe czarne naczynia (o czym informuje przyjezdnych wielki dzban-pomnik). Ceramika z Marginei zdobiona jest ciekawymi geometrycznymi wzorami przywodzącymi na myśl średniowieczne wyroby staromołdawskie, odkrywane przez archeologów na całym obszarze rumuńskiej Bukowiny. W centrum działają spore warsztaty garncarskie, gdzie można przyglądnąć się pracy mistrzów, i sklepy z ceramiką. Warto zwrócić uwagę na harmonijną zabudowę wsi z drewnianymi, zadbanymi domkami i prowadzącymi do nich rzeźbionymi bramami.

Mănăstirea Sucevița

Malownicze położenie, ciekawa architektura i cenne freski w cerkwi sprawiają, że monastyr Sucevița (1 €, ulgowy 0,50 €, fotografowanie 1,60 €, filmowanie 2 €) odwiedzają co roku tysiące turystów. Kompleks, zaliczany do najpiękniejszych w Europie, wpisano na Listę Światowego Dziedzictwa Kulturalnego UNESCO.

Klasztor wzniesiono w latach 1595–1606 z fundacji biskupa radowieckiego i późniejszego metropolity mołdawskiego Jerzego Mohyły oraz jego brata Jeremiego, późniejszego hospodara mołdawskiego. Pod względem architektonicznym kompleks stanowi swoiste uwieńczenie ponadstupięćdziesięcioletniego okresu kształtowania się stylu mołdawskiego, dlatego bywa określany przez historyków sztuki testamentem starej sztuki mołdawskiej. Wydłużona absyda ołtarzowa wraz z absydami bocznymi tworzy układ trójkonchowy, nad którym wznosi się smukła wieża. Pomiędzy dwukopułowym przednawiem a nawą główną umieszczono komorę grobową, w której spoczywają fundatorzy monastyru. Rozwiązaniem niespotykanym w innych cerkwiach są przylegające do ściany południowej i północnej otwarte przedsionki. Świadectwo kontynuacji pierwotnego stylu stanowią gotyckie obramowania okien i smukłe przypory. Dziedziniec klasztoru o wymiarach 100 na 104 m otacza mur liczący 6 m wysokości i 3 m grubości. Uzupełnieniem doskonale zachowanych fortyfikacji jest potężna wieża bramna i cztery masywne baszty narożne.

Tym, co przyciąga turystów do Sucevițy, są przepiękne freski w dominującej tonacji czerwono-niebieskiej, datowane na lata 1595–1596, pokrywające zarówno ściany wewnętrzne, jak i zewnętrzne cerkwi. Róż-

„...Technicznemu wyszkoleniu i niezaprzeczonemu talentowi dekoratorskiemu wykonawcy fresków suczawickich musimy przeciwstawić pewien brak zrozumienia stosunków przestrzennych i psychologii widza. Obok fresków monumentalnej miary mamy mnóstwo drobnych scen, niedostępnych w górnych częściach cerkwi dla oka bez szkieł i wskutek tego bezużytecznych. Ściany przedsionka, przednawia i nawy są nimi wręcz zasiane. W przedsionku widać pokaźną liczbę scen ze Starego Testamentu, w przednawiu kalendarz figuralny, w nawie sceny z życia Zbawiciela i ilustracje wypowiedzianych przez niego przypowieści. Żadna ze scen, z wyjątkiem kilku większych w apsydach, nie pociąga ku sobie uwagi widza. Przy tym mają freski suczawickie w technice i kompozycji pokrewieństwo z dziełami emalierstwa bizantyńskiego; co również nie przysparza im wyższej wartości artystycznej..."
Antoni Podlacha, *Malowidła ścienne w cerkwiach Bukowiny*, Lwów 1912

norodność tematów i motywów dowodzi, że ich twórcy w równym stopniu znali rzemiosło malarskie, co dzieła wielkich teologów i ojców Kościoła. Poszczególne sceny charakteryzują się niezwykłą drobiazgowością, która czasami zaciemnia sens całości. Przedsionek zdobi m.in. bardzo dobrze zachowana scena Sądu Ostatecznego. W kopule można podziwiać Matkę Boską z Dzieciątkiem oraz anioły trzymające... znaki zodiaku. W przednawiu wyobrażony jest drugi synod Kościoła z 362 r., podczas którego obradowano nad błędami doktrynalnymi Macedoniusza. Pośrodku artysta umieścił cesarza Teodozjusza w otoczeniu czterech dostojników kościelnych. Na sklepieniu komory grobowej widać Maryję z Chrystusem, a na ścianach postacie proroków: Elizeusza i Eliasza oraz scenę Zwiastowania.

W kopule nawy głównej przedstawiono Chrystusa Pantokratora w otoczeniu aniołów, adorowanego przez proroków, patriarchów oraz apostołów. Na ścianie północnej widnieje scena Ukrzyżowania, a na południowej i zachodniej – największy ze wszystkich zachowanych w monastyrach obraz fundacyjny przedstawiający m.in. Jeremiego Mohyłę ofiarowującego Chrystusowi model cerkwi. Nad nim umieszczono Mękę Pańską.

Absydę zdobią sceny związane z ustanowieniem Eucharystii: łamanie chleba, dzielenie winem, Ostatnia Wieczerza, umywanie stóp apostołom, a także fragmenty akatystu oraz obrazy z życia Mojżesza. Na sklepieniu widoczna jest scena Wniebowstąpienia.

Cerkiew Suceviţa była ostatnią na Bukowinie, której ściany zewnętrzne ozdobiono freskami. Największe wrażenie wywiera malowidło na ścianie północnej – osobliwa drabina cnót monastycznych św. Jana Klimaka, widoczna zaraz po wejściu na teren klasztoru. Po drabinie łączącej ziemię z niebem kroczą w stronę Chrystusa mnisi będący alegoriami cnót. W marszu pomagają im chóry anielskie, ale nie wszystkim udaje się dotrzeć do celu – niektórzy na skutek słabości i pokus spadają w ogień piekielny. Freski w absydzie ołtarzowej i bocznej wyobrażają m.in. niebiańską hierarchię, Boga Ojca, Chrystusa jako Emanuela, proroków Starego Testamentu (Mojżesz, Aaron, Dawid, Salomon), Matkę Boską, Baranka Bożego i Jana Chrzciciela (przypora pod oknem). Na ścianie południowej umieszczono również monumentalny fresk przedstawiający drzewo Jessego, sceny z akatystu (zachodnia część ściany), Matkę Boską osłaniającą wiernych płaszczem oraz żywot Mojżesza. Freski w południowym przedsionku, prezentujące sceny z Apokalipsy i postać Jana Chrzciciela, pochodzą z XVII w. Na skutek niszczycielskiego działania wiatru i deszczu freski na ścianie zachodniej nie zachowały się.

W **muzeum** przyklasztornym zgromadzono wspaniałą kolekcję sprzętów i szat liturgicznych, m.in. kapę pogrzebową Jeremiego z 1606 r. oraz epitafium z 1597 r. ozdobione 10 tys. pereł.

Najpiękniej klasztor prezentuje się ze szczytu bezleśnego wzgórza widocznego na południe od murów, gdzie warto się wspiąć stromą ścieżką przechodzącą przez okopy z I wojny światowej (ok. 15 min).

Do Suceviţy można dostać się autobusem z Radowiec (3 dziennie; jeden kończy bieg, a dwa pozostałe jadą do Câmpulung Moldovenesc i Vatra Dornei). Jeśli do odjazdu pozostaje dużo czasu, można spróbować złapać okazję.

Noclegi oferuje ***Plaia de Dor*** (Poiana Mărului 341, ok. 2,5 km od klasztoru; ☎0230/417400, fax 417200, reservation@ plaidedor.ro; pokój 2-os. 37 €) – ekskluzywny hotel z krytym basenem i sauną.

Popas Turistic Bucovina (ok. 5 km na południe od Sucevity; ☎0230/417000, 417111, marioara@popas.ro) to duży kompleks turystyczny obejmujący hotel o wysokim standardzie (pokój 1-os. 32 €, 2-os. 39,50 € ze śniadaniem), dwuosobowe bungalowy (4 €/os.) oraz kemping (rozbicie namiotu ok. 2,50 €). Na terenie obiektu jest kryty kort tenisowy, a w pobliżu w zimie można zjeżdżać na nartach na stoku o długości 300 m (wyciąg orczykowy). Informacji o atrakcjach w okolicy i bazie noclegowej udziela małe centrum informacji turystycznej (str. Principala, koło zajazdu Sucevita; ☎0230/417083). Biuro organizuje też wycieczki po okolicy z miejscowym przewodnikiem.

Mănăstirea Moldovița

Pierwszy klasztor w miejscowości Vatra Moldoviței (1 €, ulgowy 0,50 €, fotografowanie 1,60 €, filmowanie 2,60 €) ufundował w latach 1402–1410 Aleksander Dobry na miejscu drewnianej cerkwi. Pod koniec XV w. monastyr uległ zniszczeniu na skutek osunięcia się ziemi. W pobliżu ruin w 1537 r. z inicjatywy hospodara Petru Rareşa postawiono nową cerkiew. W tym samym roku świątynię pokryto freskami, o czym informuje kamienna tablica erekcyjna na południowej ścianie. Wnętrze ma klasyczny układ: składa się z przednawia, komory grobowej oraz nawy głównej zakończonej trójkonchową absydą, nad którą wznosi się wieża-latarnia. Mury obronne powstały w latach 1532–1537. Kompleks klasztorny został wpisany na Listę Światowego Dziedzictwa Kulturalnego i Przyrodniczego UNESCO.

Oryginalne freski przemalowano częściowo w XVII w. Na ścianach zewnętrznych uwagę zwraca kompozycja niebiańskiej hierarchii (absyda główna i konchy boczne), wizerunek Baranka Bożego (górna część konchy wschodniej) oraz drzewo Jessego, akatyst i oblężenie Konstantynopola (ściana południowa). Słupy przedsionka zdobi m.in. wizerunek św. Jerzego walczącego ze smokiem, św. Merkurego i św. Demetriusza, sceny z Księgi Rodzaju i żywot św. Mikołaja. Na ścianie zachodniej namalowano piękną i sugestywną wizję Sądu Ostatecznego.

Na kopule przednawia można podziwiać Matkę Boską z Dzieciątkiem w otoczeniu aniołów i proroków, a w niszy nad drzwiami – Zwiastowanie. Sklepienie nawy głównej zdobi wspaniały wizerunek Chrystusa Pantokratora otoczonego aniołami, prorokami, patriarchami i apostołami. Symbole naj-

ważniejszych świąt prawosławnych – Zwiastowania, Narodzenia i Chrztu Chrystusa oraz Oczyszczenia Maryi – widnieją w latarni wieży. Na ścianie zachodniej można podziwiać doskonale zachowany obraz fundacyjny przedstawiający hospodara Petru Rareşa z rodziną ofiarowującego model świątyni Chrystusowi. Konchy boczne zajmuje scena Ukrzyżowania i Zesłania Ducha Świętego. Ogromne wrażenie wywiera oryginalny ikonostas z XVI w.

Do najcenniejszych eksponatów muzeum klasztornego należy tron hospodara Petru Rareşa, psałterz z 1614 r. oraz zbiór manuskryptów z XV w.

Noclegi W okolicach monastyru działa wiele gospodarstw agroturystycznych, wystarczy rozejrzeć się za tablicami reklamowymi i drogowskazami.

Mărul de Aur (po drodze od stacji kolejowej do monastyru; ☎0230/336180). Pokój 2-os. 17 €.

Pension Mireuta (str. Prinzipala 149, ok. 1 km od klasztoru w stronę Sucevity; ☎0230/336 427). Pokój 2-os. 24 €.

Informacje o połączeniach Do Moldovity nieco łatwiej się dostać niż do Sucevity, ponieważ kursują tam nie tylko autobusy, ale i pociągi. Wprawdzie jadąc od strony Sucevity, podróżny zdany jest wyłącznie na autobus lub autostop, ale wyruszając z południa lub z Suczawy, lepiej wybrać tańszy i niewiele wolniejszy pociąg. Suczawa ma kilka połączeń kolejowych z miejscowością Vama, gdzie należy się przesiąść na pociąg do Moldovity (3 dziennie). W Vamie zatrzymuje się także kilka pociągów jadących z zachodu, z Vatra Dornei w stronę Suczawy.

Należy pamiętać, że miejscowość, w której znajduje się klasztor, to Vatra Moldoviței, a nie odległa o kilka kilometrów na północ wieś Moldovița, gdzie pociąg kończy bieg.

Autobusem dojedzie się do Vatra Moldoviței z Câmpulung Moldovenesc i Gura Humorului, ale połączenia są bardzo rzadkie.

Câmpulung Moldovenesc

W czasach świetności Księstwa Mołdawskiego osada była punktem celnym dla kupców przybywających z Transylwanii do Mołdawii i ze względu na duże znaczenie tego szlaku szybko rozwinęła się w znaczący ośrodek handlowy. Câmpulung Moldovenesc był również ważnym punktem strategicznym, o czym świadczy dwukrotne zajęcie miejscowości przez wojska polskie pod koniec XVIII w. i osadzenie w niej garnizonu austriackiego za rządów Habsburgów. Prawa miejskie osada otrzymała w 1806 r.

Obecnie ze względu na zdrowy klimat Câmpulung Moldovenesc staje się popularnym miejscem wypoczynku zarówno w lecie, jak i zimie (działa tu mały wyciąg narciarski), chociaż infrastruktura turystyczna wciąż pozostawia wiele do życzenia. Główną ulicą miejscowości jest biegnąca ze wschodu na zachód przelotowa Calea Bucovinei (w centrum zmienia nazwę na Calea Transilvaniei). Spośród ciekawszych miejsc warto wymienić **Muzeul Arta Lemnului** (Muzeum Sztuki Drewnianej; Calea Transilvaniei 10; ☎0230/311 378; wt.–nd. 10.00–17.00), gdzie można obejrzeć ciekawe wyroby z drewna, niektóre pięknie rzeźbione. Kolekcję drewnianych łyżek eksponuje **Muzeul Etnografic Ioan Ţugui** (Muzeum Etnograficzne im. Iona Ţugui; Calea Transilvaniei 4; ☎0230/ 311315; wt.–nd. 9.00–17.00). W centrum miasteczka wznosi się **kościół katolicki** (msze św. pn.–sb. 18.00, nd. 10.00, 15.00, 17.00) z 1815 r., w którym odprawiana jest także liturgia prawosławna.

Noclegi Mimo niewielkiego wyboru, nie należy obawiać się kłopotów ze znalezieniem noclegu, ponieważ pensjonaty i największy hotel *Zimbrul* nigdy nie są pełne.

Casa Alba (str. C. Porumbescu 16; ☎0230/311 585). Drewniana willa z czystymi pokojami. Smaczna domowa kuchnia. Pokój 2-os. 28 € (latem) lub 36 € (zimą).

Motel Casa Ela** (str. Uzinei 10, dość skomplikowany dojazd, należy kierować się drogowskazami prowadzącymi od Calea Transilvaniei; ☎0230/312422). Ładny nowy budynek może pomieścić 20 osób w pokojach 2- i 3-os. (wszystkie z łazienkami). Na parterze całodobowa restauracja. Pokój 1-os. 22 € (bez śniadania).

Zimbru** (str. Calea Bucovinei 1–3; ☎0230/314 356, fax 314358, rarau-turism@xnet.ro). 160 miejsc, w cenę noclegu wliczone śniadanie. Pokój 1-os. 29 €, 2-os. 32 €, apartament 59 €.

Gastronomia Przy głównej ulicy znajdzie się kilka lokali gastronomicznych, ale niekoniecznie bardzo eleganckich. Najlepsze restauracje są w pensjonatach.

Eltoro Pub (Calea Bucovinei, w centrum). Nowocześnie i tandetnie, za to tanio. Pizza 1,70– 2,40 €, hamburger 0,80 €, piwo z beczki 0,50 €.

Popas Unirea (str. N. Bălcescu 26A; ☎0230/311 640). Niezła restauracja w pobliżu rzeki Mołdawy.

Informacje o połączeniach Do Câmpulung Moldovenesc można się dostać bezpośrednio pociągiem (kilka dziennie) lub autobu-

sem (5 dziennie) z Suczawy lub Vatra Dornei. Więcej autobusów przyjeżdża z Gura Humorului i Borşy. Dworzec kolejowy jest oddalony o około 10 minut na zachód od centrum (po wyjściu ze stacji należy pójść w lewo str. Garii, następnie skręcić w prawo w str. D. Cantimir prowadzącą do głównej ulicy Calea Bucovinei). Dworzec autobusowy usytuowany jest jeszcze bliżej centrum.

VATRA DORNEI

Położona na wysokości około 800 m n.p.m. Vatra Dornei słynie ze źródeł mineralnych oraz specyficznego klimatu – bogate w ozon powietrze i kąpiele błotne przyciągają do miejscowości licznych kuracjuszy od czasów Habsburgów. Nie ma tam wprawdzie szczególnie cennych zabytków, ale całe Vatra Dornei to jedno wielkie muzeum na wolnym powietrzu, istny XIX--wieczny skansen z mnóstwem secesyjnych budowli. W południowej części miasteczka działają dwa wyciągi narciarskie.

Miasteczko dzieli na pół rzeka Dorna – po jej północnej stronie rozciąga się park, naokoło którego ulokowały się liczne hotele i pensjonaty. Główną ulicą części południowej jest str. M. Eminescu, a północnej – str. Republicii, biegnąca na pewnym odcinku równolegle do rzeki. Obie części miasta łączy w centrum ulica-deptak Lucefarului i most – także zamknięty dla ruchu kołowego.

Pragnąc dowiedzieć się czegoś o miejscowych atrakcjach, najlepiej odwiedzić sprawnie działające centrum informacji turystycznej (str. Gării 2, naprzeciw dworca kolejowego Gara Băi, w centrum; ☎0230/ 372767, www.vatra-dornei.ro), gdzie można zaopatrzyć się w plany stacji i mapę tras turystycznych w okolicznych górach, a także znaleźć zakwaterowanie i zasięgnąć informacji na temat warunków panujących w górach, gdyż centrum prowadzone jest przez grupę ratowników Salvamontu.

Zimą Vatra Dornei chętnie odwiedzają narciarze. Wyciąg orczykowy (900 m długości) działa przy str. Pacii po zachodniej stronie parku, a większy, krzesełkowy (1500 m długości) jest oddalony od centrum w kierunku południowo-zachodnim (dochodzi tam str. Negreşti). Jest jeszcze krótki wyciąg dla początkujących amatorów białego szaleństwa. Lasek i łąki ponad kempingiem *Runc* to dobre tereny do uprawiania narciarstwa biegowego. Zazwyczaj w połowie lutego w miasteczku odbywa się festiwal *Serbările Zăpezi* (Święto Śniegu).

Zwiedzanie

W Vatra Dornei nie ma szczególnie cennych zabytków, ale nostalgiczny spacer wśród XIX-wiecznej zabudowy uzdrowiskowej jest bardzo przyjemny. Warto wybrać się do parku, by pospacerować aleją ozdobioną popiersiami wybitnych przedstawicieli rumuńskiej kultury, obejrzeć secesyjną altankę i podejść ścieżką do źródełka tryskającego spod imitacji fasady zamku zaprojektowanego przez zasłużonego dla rozwoju uzdrowiska Polaka Faustyna Krasuskiego w 1897 r. (co upamiętnia tablica z inskrypcją „Fecit Faustinus Nobilis Krasus, Anno MCCMXCVII"). Bogatą w związki mineralne wodę zaleca się osobom z problemami żołądkowymi, ale nie powinni jej pić chorzy na serce.

Na wschód od parku ma siedzibę **Muzeul de Ştiinţe ale Naturii şi Cinegetică** (Muzeum Historii Naturalnej; str. Unirii 3; ☎0230/371368; wt.–nd. 9.00–17.00; 0,40 €, ulgowy 0,20 €, zakaz fotografowania i filmowania) z kolekcją dotyczącą flory i fauny (zwłaszcza owadów) okolicznych gór. Kierując się z muzeum na zachód, w stronę mostu, nie sposób przeoczyć wspaniałego budynku pierwszego w Rumunii **kasyna** z 1896 r. (obecnie w remoncie). Idąc za mostem (po prawej można podziwiać bardzo oryginalny budynek dworca kolejowego z 1902 r.) do końca deptaku i skręcając w prawo, dociera się do **Muzeul de Etnografie** (Muzeum Etnograficzne; str. M. Eminescu 17; wt.–nd. 9.00–17.00; 0,40 €, ulgowy 0,20 €). Przy tej samej ulicy, nieco dalej na zachód (pod nr. 54) stoi opuszczona **synagoga tempel** w stylu mauretańskim.

Noclegi

W Vatra Dornei działa kilkadziesiąt hoteli i pensjonatów, a ponieważ czasy świetności i popularności kurortu dawno minęły, nocleg znajdzie się bez kłopotu o każdej porze roku.

Bucovina** (str. Republicii 35; ☎/fax 0230/375 005). Nieco dalej od centrum, za to niedrogo. Pokój 2-os. 29 €.

Camping Runc** (str. Runc 6, w lasku na wzgórzu przy zachodnim krańcu str. M. Eminescu, ok. 500 m od centrum; ☎0230/371892). Namiot 2,10 € od osoby, drewniany 2-os. domek 6,20 €. Ciepła woda we wspólnych łazienkach bez ograniczeń.

Intus** (str. Republicii 5B; ☎0230/375021, 375022, fax 375020, intus@suceava.iiruc.ro). Wysoki budynek z lat 70. XX w. z 290 miejscami w 145 pokojach. Możliwość skorzystania z kąpieli zdrowotnych. Pokój 1-os. 26 €, 2-os. 30,50 €.

Maestro*** (str. Republicii 46, obok kasyna; ☎/fax 0230/375288). Jedyny w swym rodzaju piękny odnowiony pałacyk oferuje kilkanaście pokoi. Niewiele łóżek, za to restauracja na 100 miejsc. W środku niewielki sklep sportowy ze strojami i sprzętem zimowym. Pokój 2-os. 31,50 €, 3-os. 43 €.

Musetti** (str. Republicii 10; ☎/fax 0230/375 379). Hotel we współczesnej willi. Nieduży, ale z dobrą restauracją. Pokój 2-os. 21 €, 3-os. 31,50 €; śniadanie 3,20 €.

Sport* (str. Republicii 33; ☎/fax 0230/371251). Skromne pokoje w przyzwoitych cenach. Pokój 5,50 €/os.

Vila Julia*** (str. Runc 3A, koło kempingu; ☎0230/375551, www.carpatiaturist.ro). Pensjonat kategorii *de lux* w przystępnej cenie: pokój 2-os. 26 €.

Vila Simina*** (str. Negreşti 42A, obok dolnej stacji wyciągu krzesełkowego; ☎0230/374562). Komfortowa willa z rozsądnymi cenami. Pokój 2-os. 21 €.

Vila Suhard (str. T. Vladimirescu 6; ☎371901). Willa-schronisko. Pokój 1-os. 8 €.

Gastronomia

Restauracji i fast foodów jest w Vatra Dornei co najmniej kilkanaście, przeważnie z kuchnią międzynarodową i włoską (pizze itp.). Najwięcej lokali mieści się przy str. Lucefarului, w północnej części miasta. Poza tym niemal w każdym hotelu działa restauracja (zazwyczaj świetna).

Żywiący się na własną rękę powinni zajrzeć na targowisko przy str. Oborului naprzeciwko dworca autobusowego.

Bristena (str. M. Eminescu 28; ☎0230/372338). W opinii miejscowych i przyjezdnych najlepsza cukiernia w województwie Suczawa.

Casa Bucovieana (str. V. Deac 2; ☎0230/375 195). Tradycyjna kuchnia bukowińska, obiad 7 €. Działa tu też pensjonat.

Des Amis (str. Lucefarului 15, koło Reiffeisen Bank; ☎0230/371280). Jedna z lepszych restauracji w mieście; obiad (duże porcje!) około 5 €.

Lactobar (str. Eminescu). Standard baru mlecznego i niskie ceny.

Valea Dornelor (str. M. Eminescu). Wystrój wprawdzie socrealistyczny (szczególnie meble), ale kuchnia całkiem niezła. Dwudaniowy obiad około 4 €. W weekendowe wieczory dyskoteka.

Informacje o połączeniach

W Vatra Dornei są dwa dworce kolejowe: główny, oddalony około kilometra na północ od śródmieścia (w stronę Suczawy) i drugi w samym centrum (Vatra Dornei Băi). Miejscowość ma połączenia kolejowe z Jassami (5 dziennie), Timişoarą (2 dziennie), Bystrzycą, Gałaczem, Oradeą i Suczawą (po 1 dziennie).

Dworzec autobusowy usytuowany jest we wschodniej części miasta, przy skrzyżowaniu str. 22 Decembrie i str. Oborului. Odjeżdżają z niego autobusy m.in. do Borşy (1 dziennie), Bystrzycy (3 dziennie), Gura Humorului (6 dziennie), Klużu (1 dziennie), Piatra Neamţ (2 dziennie), Suczawy (4 dziennie), Târgu Mureş (2 dziennie) i Târgu Neamţ (2 dziennie) oraz Gura Haiti (2 dziennie).

Informator

Apteki Przy str. Lucefarului w sąsiedztwie restauracji *Des Amis*.

Internet *Internet Club Ioana* mieści się przy str. M. Eminescu, obok oddziału BCR (0,40 €/ godz.); druga kafejka działa obok Reiffeisen Bank (str. Lucefarului).

Laboratorium fotograficzne Pro Digital na str. Unirii 45 i Lucefarului 14.

Poczta Urząd pocztowy (pn.–pt. 8.00–19.00, sb. 8.00–12.00) mieści się przy str. M. Eminescu.

Wymiana walut i banki Banca Comercială Română (str. M. Eminescu, naprzeciwko nieczynnego kina), Reiffeisen Bank (str. Lucefarului, koło apteki). Kantory m.in. przy targowisku i na dworcu autobusowym (w tym ostatnim warto sprawdzić kursy, bo bywają niekorzystne).

ZAPOMNIANE ZABYTKI

Na południe od Suczawy, w okolicach nieciekawego miasteczka Fălticeni (odległego od stolicy rumuńskiej Bukowiny o 22 km) zachowało się kilka zabytków-rarytasów, które z racji swej niedostępności lub braku informacji są mało znane i rzadko odwiedzane przez turystów. A warto tam zajrzeć, chociażby po to, by odetchnąć od komercji i wrzawy towarzyszących w sezonie popularnym bukowińskim monastyrom.

Mowa o ciekawych malowanych **monastyrach Răşca** i **Probocie**, ufortyfikowanym **klasztorze w Slatinie** oraz wsi **Baia**, pierwszej stolicy Mołdawii, w której Stefan Wielki ufundował jeden z pierwszych (a być może nawet pierwszy) w swej „karierze" kościołów.

Dojazd do wszystkich wymienionych miejsc może sprawiać kłopoty. Do Slatiny, Bai i Răşcy kursują z Fălticeni autobusy, ale tylko po dwa dziennie, rano i po południu, co oznacza problemy z powrotem. Lepiej przedstawia się sytuacja z dojazdem do wsi Probota położonej przy linii kolejowej. Jeździ tam pięć pociągów dziennie z Suczawy i jeden z Fălticeni (niestety wieczorem).

Zwiedzanie najlepiej zaplanować na dwa dni: pierwszy przeznaczyć na Slatinę, Baię i Răşcę, a drugi na Probotę, skąd można kontynuować podróż do Târgu Neamţ (przez Paşcani). Wytrawnym autostopowiczom być może uda się obejrzeć wszystko w ciągu jednego dnia.

Mănăstirea Slatina

Zespół klasztorny rozciąga się poza centrum, wśród starych drzew w cichej dolinie rzeki Suha Mica. Ufundował go w latach 1554–1561 hospodar Aleksander Lapuşneanu z przeznaczeniem na miejsce swojego pochówku (ponoć osobiście doglądał budowy). W kompleksie dominuje potężna bryła konsekrowana w 1558 r. **Biserica Schimbarii la Faţă a Domnului** (cerkiew Przemienienia Pańskiego) z przyporami i wieżą-latarnią nad kopułą nawy. Świątynia ma klasyczny układ wewnętrzny. Uwagę zwraca staranne wykończenie detali o renesansowej już manierze. Siedmiogrodzcy rzemieślnicy zastosowali nowe rozwiązania sztukatorskie, widoczne m.in. w obramowaniach okien i drzwi.

Wraz z cerkwią wzniesiono potężne obwarowania, doskonale zachowane do dziś. Nad wejściem widnieje płaskorzeźba z herbem Mołdawii. Malowidła powstały około 1560 r. – warto zwrócić uwagę na obraz fundacyjny w przednawiu przedstawiający fundatora wraz z rodziną w momencie przekazywania modelu cerkwi Chrystusowi. Aleksander Lapuşneanu, który pod koniec życia przywdział habit zakonny, spoczywa w cerkwi obok żony Ruxandry i córki Teofany. Misternie wykonany krzyż przed ikonostasem to dar fundatora. Co ciekawe, ściana ikonostasu nie jest jednolita, ale składa się z wielu płaszczyzn połączonych pod kątem prostym.

W obrębie kompleksu wznosi się druga cerkiew, tzw. trapeznia (1558). Pełniła ona funkcje pomocnicze, odprawiano w niej nabożeństwa w dni powszednie, a obecnie mieści się tam małe muzeum (wstęp bezpłatny).

Monastyr Slatina, mimo ogromnej wartości artystycznej, rzadko bywa odwiedzany przez turystów. Życie zakonne toczy się tu swoim rytmem: spokój, piękno przyrody, zapach kadzideł i nastrojowe prawosławne śpiewy nadają temu miejscu niepowtarzalną atmosferę. Pobyt na terenie klasztoru wieczorem, gdy mury oświetla zachodzące słońce, jest przeżyciem wręcz mistycznym.

Baia

Baia leży niedaleko Fălticeni (ok. 5 km), tak że ostatecznie można się tam dostać piechotą. Trudno uwierzyć, że ta zabita dechami wieś była pierwszą stolicą Mołdawii. Tutaj właśnie rezydował z ramienia Węgier wojewoda Dragosz, który po zwycięstwie nad swoim konkurentem Bogdanem z Radowiec zjednoczył na pewien czas dwa księstwa, tworząc efemeryczne, ale jednak pierwsze państwo mołdawskie. Źródła wzmiankują Baię (zwaną wówczas Moldaviae od przepływającej w okolicy rzeki Mołdawy, od czego wzięło nazwę całe państwo) po raz pierwszy w 1300 r., określając ją mianem miasta (*civitas*). Za Dragosza istniał w Moldoviae drewniany fort z wałem ziemnym, fosą i palisadą – była ona wówczas najważniejszym ośrodkiem handlowym i politycznym ziem mołdawskich, utrzymujący poprzez częściowe uzależnienie od Węgrów ścisłe stosunki z Siedmiogrodem. Po śmierci wojewody Baia szybko utraciła status stolicy księstwa. Bogdan, który ostatecznie zwyciężył syna Dragosza Balka, ustanowił stolicę jednoczącej się Mołdawii w Radowcach i od tego czasu datuje się powolny, aczkolwiek nieodwracalny upadek miasta.

W centrum wioski należy skierować się w prawą odnogę drogi (świeżo wyasfaltowaną) prowadzącą do **ruin katedry katolickiej** (po lewej). Gotycki kościół ufundował w 1410 r. Aleksander Dobry dla swojej żony Małgorzaty, katoliczki. Pięć lat później erygowano biskupstwo katolickie, a tym samym kościół stał się katedrą. Świątynia została spustoszona podczas najazdów tatarskich w XVII w. i ostatecznie zawaliła się w wieku XVIII. Dzisiaj podziwiać można tylko fragmenty murów, z których z trudem da się rozpoznać pierwotne jednonawowe założenie. Najlepiej zachowała się wieża kościelna.

Idąc dalej w tym samym kierunku i skręcając po około 600 m w prawo w polną drogę, dotrze się do wspaniałej **Biserica Albă** (cerkiew Biała). Prawdopodobnie jest to pierwsza świątynia ufundowana przez Stefana Wielkiego – wotum dziękczynne za zwycięstwo nad Węgrami dowodzonymi przez króla Macieja Korwina w 1467 r. Bitwa rozegrała się właśnie w tych okolicach i stąd się wzięło umiejscowienie cerkwi. Różni się ona pod względem architektonicznym od swych następczyń: jest wprawdzie trójkonchowa, składa się z nawy i przednawia, ale brakuje przedsionka, a boczne absydy są z zewnątrz niewidoczne (ukryto je w grubych ścianach świątyni). Elewację zdobią przyścienne arkady i niewielkie okna. Niewielka dzwonnica bramna, przez którą wchodzi się na teren kościoła, jest typowa dla europejskiego średniowiecza, jakby przeniesiono ją z XIII-wiecznej Francji.

Mănăstirea Râşca

Klasztor wznosi się w niewielkiej wiosce o tej samej nazwie. Fundatorem był hospodar Petru Rareş, ale niemały udział w jego powstaniu miał biskup miasta Roman – Makary. Niewielka cerkiew została zbudowana w latach 1540–1542 i powiększona od zachodu przez dobudowanie w latach 1611–1617 podłużnego przedsionka. Wnętrze składa się z nawy zamkniętej trójkonchową absydą i przedsionka. Rzadko spotykanym rozwiązaniem są dwie wieże, które, choć wzniesiono je w odstępie prawie 70 lat, nie różnią się wyglądem. Fortyfikacje wraz z bramą-dzwonnicą datuje się z XII w., a zabudowania klasztorne pochodzą z lat 1821–1842.

Malowidła cerkwi zostały wykonane w latach 1551–1552 r. przez Greka Stamatello Cotronasa. Warunki atmosferyczne, a także nieumiejętna konserwacja z połowy XIX w. sprawiły, że nie wszystkie freski zachowały się do naszych czasów. Najbardziej interesujące są malowidła zewnętrzne na południowej ścianie nawy: Sąd Ostateczny i drabina cnót monastycznych, której sceny wzorowano na dziele Jana Synajskiego (Klimaka) z VI w. n.e. Zewnętrzne ściany absydy zajmują sceny z życia św. Antoniego i św. Pachomiusza. Wewnątrz warto przyjrzeć się obrazowi fundacyjnemu przedstawiającemu Petru Rareşa z rodziną, ofiarującego Chrystusowi model świątyni.

Monastyr Râşca, podobnie jak nieodległy klasztor w Slatinie, oparł się komercjalizacji: wstęp jest bezpłatny, a turystów prawie nie ma. Nocleg można znaleźć w pomieszczeniach dla pielgrzymów.

Mănăstirea Probota

Pierwsza świątynia powstała około 1400 r. z fundacji hospodarów z dynastii Muszatowiczów. Odnowił ją Stefan Wielki z myślą o utworzeniu nekropolii swoich rodziców, co jednak nie zostało zrealizowane. Już tuż koniec XV w. cerkiew popadła w ruinę, ale na jej miejscu hospodar Petru Rareş ufundował nową, która stoi po dziś dzień. Prace rozpoczęto w 1530 r.; była to pierwsza kościelna fundacja Rareşa z przeznaczeniem na nekropolię rodzinną. Kompleks murów obronnych powstał około 1550 r., jednocześnie zbudowano piętrowy budynek połączony z dzwonnicą i pełniący funkcje mieszkalne i obronne. Burze dziejowe przez wieki szczęśliwie omijały oddalony od siedzib ludzkich monastyr. Dopiero komunistom udało się to, czego przez stulecia nie byli w stanie dokonać inni – w 1959 r. wygnali z klasztoru zakonników. Mnisi powrócili do Proboty w 1990 r., a od 1993 r. freski są restaurowane ze środków UNESCO.

Biserica Sf. Nicolae (cerkiew św. Mikołaja) składa się z nawy głównej zakończonej trójkonchową absydą. Nad nawą wznosi się rozbudowana u podstawy wieża-latarnia. Na zachodniej ścianie zachowały się cztery piękne gotyckie okna z maswerkami. Malowidła zewnętrzne wykonano w 1532 r. Najciekawszą kompozycją jest scena akatystu i drzewa Jessego (ściana południowa). W absydzie znajdują się fragmenty fresku przedstawiającego niebiańską hierarchię. Przedsionek cerkwi ma nietypowe dla regionu Mołdawii sklepienie – zajmuje je w całości piękna kompozycja Sądu Ostatecznego z 1532 r. Wydłużone gotyckie okna wpuszczają do przedsionka dużo światła, dzięki czemu poszczególne sceny są doskonale widoczne. W przednawiu warto zwrócić uwagę na sklepienie zamknięte dwoma kopułami. Kolejne pomieszczenie to komora grobowa z doczesnymi szczątkami fundatora monastyru Petru Rareşa (zm. w 1546 r.), jego żony Eleny (zm. w 1552 r.) i ich syna Ştefaniţa. Na zachodniej ścianie nawy umieszczono obraz fundacyjny przedstawiający Petru Rareşa z rodziną, ofiarującego model świątyni Chrystusowi.

TÂRGU NEAMŢ I OKOLICE

Do tego niewielkiego, ale sympatycznego miasteczka przyjeżdża się przede wszystkim po to, aby zwiedzić ruiny twierdzy (jednego z ciekawszych tego typu zabytków w Rumunii) oraz kilka okolicznych monastyrów. Osada, po raz pierwszy wzmiankowana w źródłach w 1408 r., prężnie rozwijała się pod ochronnym parasolem potężnego zamku. Od końca XIV w. była punktem celnym dla kupców prowadzących transakcje między Transylwanią a Mołdawią, a tym samym ważnym ośrodkiem handlowym (Târgu Neamţ znaczy Niemiecki Targ). Największy rozkwit miasteczko przeżyło za panowania Stefana III Wielkiego (1457–1504).

Centrum miasta stanowi skrzyżowanie ulic Ştefan cel Mare i M. Eminescu, przy którym rozciąga się niewielki placyk. Pierwsza prowadzi od strony Paşcani (ze wschodu), a druga przecina miasto z pół-

nocy na południe, biegnąc z Piatra Neamţ do Suczawy.

Wszystkie urzędy, banki i sklepy, a także apteka skupiają się w ścisłym centrum. Kawiarenkę internetową znaleźć można kilometr na wschód od śródmieścia przy skrzyżowaniu str. Ştefan cel Mare i str. T. Vladimirescu (nieopodal posterunku policji).

Zwiedzanie

Podążając od Piaţa M. Eminescu za drogowskazem do zamku, trafi się najpierw do **Muzeul de Istorie şi Etnografie** (Muzeum Historii i Etnografii; str. Ştefan cel Mare 37; ☎0233/662594; wt.–nd. 9.00–17.00; 0,65 €, ulgowy 0,32 €), którego kustosz nie przywiązuje wagi do oficjalnych godzin otwarcia. Komu dopisze szczęście, będzie mógł podziwiać około 4300 eksponatów, z czego 378 ma status zabytków dziedzictwa narodowego. W pierwszej i drugiej sali zorganizowano wystawę etnograficzną z przedmiotami codziennego użytku, dziełami sztuki ludowej oraz tkaninami, a w następnych pomieszczeniach można obejrzeć ciekawe eksponaty związane z historią miasta i okolic. Po przeciwnej stronie ulicy stoi **Casa Memorială Veronica Micle** (Dom Veroniki Micle), ukochanej Michała Eminescu (zob. s. 198). Również i on bywa częściej zamknięty niż otwarty (choć oficjalnie działa wt.–nd. 9.00–17.00; 0,65 €, ulgowy 0,32 €).

Dobrze oznakowana droga przez przedmieścia Târgu Neamţ (ok. 1,5 km do stóp wzgórza) prowadzi do **Cetatea Neamţului** (zamek Neamţ; wt.–nd. 9.00–18.00; 0,50 €, ulgowy 0,25 €). Twierdza została wzniesiona pod koniec XIV w. za panowania hospodara Piotra Muszatowicza, a jej powstanie ściśle wiąże się z historią Mołdawii. Do końca XIV w., kiedy to zaczęło krystalizować się samodzielne państwo mołdawskie, jego dotychczasowi władcy nie dysponowali murowaną twierdzą. Zjednoczenie ziem pod jednym berłem dało ekonomiczne podstawy do budowy fortyfikacji na wielką skalę, czego podjął się właśnie Piotr Muszatowicz. Warownie strzegły granic państwa i umożliwiały kontrolę nad handlem (funkcję tę od początku spełniał zamek Neamţ). Twierdza pojawia się w źródłach po raz pierwszy w 1395 r. – zamek odparł wówczas oblężenie króla węgierskiego Zygmunta Luksemburskiego.

Okres świetności twierdzy przypada na lata panowania Stefana Wielkiego. Podobnie jak w Suczawie, dobudował on pierścień murów z dodatkowymi półokrągłymi basztami. Udoskonalone umocnienia sprawdziły się podczas najazdu armii tureckiej dowodzonej przez Mehmeda II Zdobywcę w 1476 r. W II połowie XVI w. Turcy zniszczyli twierdzę w ramach osłabiania systemu obronnego poddanego im księstwa, ale już Jeremi Mohyła pod koniec stulecia odbudował zamek i osadził w nim garnizon, który jednak poddał się Michałowi Walecznemu w 1600 r. (jeszcze w tym samym roku twierdza została odbita przez przychylnych Mohyle Polaków). W 1641 r., za hospodara Bazylego Lupu zamek został pieczołowicie odremontowany, a wewnątrz murów utworzono klasztor. W 1674 r. Polacy ponownie zajęli twierdzę, ale już rok później z rozkazu hospodara Dymitra Cantacuzino została ona zburzona. Zniszczenia nie mogły być jednak duże, skoro ukrywała się w niej córka Bazylego Lupu – Ruxandra (pojmana i stracona przez Polaków po zdobyciu zamku). Kolejny raz Polacy pojawili się w Neamţ pod koniec XVII w. pod wodzą króla Jana III Sobieskiego. Twierdzę zajęto nie siłą, lecz podstępem – obrońcy otrzymali sfałszowany list napisany rzekomo przez hospodara, który nakazywał poddanie się garnizonu.

Ostatni raz zamek Neamţ odegrał rolę w historii w 1716 r., kiedy stacjonowali w nim Austriacy. Rok później wymaszerowali oni w głąb Mołdawii do Jass, aby pojmać hospodara Mihaila Racoviţę. Twierdza popadła w ruinę, ale już w 1866 r. otrzymała status zabytku.

Ogromne wrażenie na zwiedzających wywiera most prowadzący do warowni, wsparty na wysokich masywnych filarach. Sam zamek jest dziś dobrze zabezpieczoną ruiną i daje wyobrażenie o swej wspaniałej przeszłości.

Noclegi

Infrastruktura turystyczna nie przedstawia się imponująco, ponieważ większość turystów odwiedza miasto w ramach wycieczek zorganizowanych i nocuje w pobliskim Piatra Neamţ lub Suczawie.

Casa Arcaşului** (str. Cetatii, u podnóża zamkowego wzgórza; ☎0233/790699). Czyste pokoje z łazienkami. Pokój 2-os. 18 €.

Doina*** (str. M. Kogălniceanu 6-8; ☎0233/790 270, fax 790843, www.trustdoina.ro). Najlepszy hotel w mieście z całodobową restauracją (obiad od 8 €). Pokój 1-os. 35 €, apartament 40 €.

Pensjonat (bez nazwy; str. Ferrari 5, na tyłach bazaru, trzeba iść str. Ştefan cel Mare i zgodnie z drogowskazem „Cazare" skręcić w lewo; ☎0233/790940). Pokój 1-os. 10 €.

Gastronomia

Targ spożywczy jest usytuowany na tyłach str. M. Eminescu, nieopodal skrzyżowania ze str. Ştefan cel Mare.

Central (róg str. Măpăşeşti i str. Ştefan cel Mare). Pomimo nieciekawego wyglądu zewnętrznego i wystroju wnętrza, można tu naprawdę dobrze zjeść (obiad od 4 €). Na piętrze restauracja, na parterze niezły bar.

Fast food (bez nazwy; str. M. Eminescu, w przeszklonym budynku na piętrze). Niewielki wybór dań (kawałek pizzy 0,70 €), kawa, alkohole i ciasta.

Snack Bar Perla (str. Ferrari, po drodze do pensjonatu). Lokal z nieco przygnębiającym wystrojem i atmosferą, za to tani (zupa 0,25 €).

Informacje o połączeniach

Dojazd do Târgu Neamţ koleją jest nieco utrudniony, ponieważ niezależnie od punktu początkowego trzeba zawsze przesiąść się w Paşcani (32 km na wschód od Târgu Neamţ; 3 połączenia dziennie). Aby dostać się do miasta z dworca kolejowego (oddalonego nieco od centrum), należy pójść prosto str. Cuza Vodă, potem skręcić w prawo w str. T. Vladimirescu, która doprowadzi do głównej ulicy Ştefan cel Mare (przy posterunku policji). Kierując się w lewo, po kilkunastu minutach dotrze się do centrum.

Lepiej przedstawia się sytuacja z połączeniami autobusowymi. Kilka autobusów dziennie kursuje pomiędzy Târgu Neamţ i Agapią, Braszowem, Piatra Neamţ, Jassami, Paşcani, Roman, Suczawą oraz monastyrem Neamţ. Z dworca do centrum nie jest daleko, należy wyjść na str. Cuza Vodă i skręcić w prawo.

Mănăstirea Neamţ

Przybywającym do klasztoru (wstęp 1 €, ulgowy 0,50 €) od razu rzucają się w oczy potężne mury obronne oraz przedziwna budowla z nieproporcjonalnie wielką bożnicą stojąca naprzeciw wejścia. W tej architektonicznej osobliwości z 1836 r., dawnym baptysterium, działa obecnie sklep z dewocjonaliami.

Według niektórych źródeł (oraz lokalnych przekazów ustnych) klasztor Neamţ zbudowany na początku XIV w., może być najstarszym mołdawskim monastyrem. Ludzie opowiadają nawet o jeszcze starszej świątyni zwanej Białym Kościołem, postawionej całe stulecie wcześniej przez przybyłych znad Dunaju mnichów. Abstrahując od legend i niepewnych przekazów, nie ulega wątpliwości, że monastyr powstał grubo przed 1407 r. Z tego bowiem roku pochodzi dokument wydany przez Iosifa, pierwszego metropolitę mołdawskiego, w którym mowa jest o dobrach, księgach i skarbach klasztornych tutaj zgromadzonych. Pozwala to przypuszczać, że kompleks wybudowano pod koniec XIV w. za panowania Piotra Muszatowicza. Hojnie dofinansowywał monastyr Stefan Wielki. Od jego czasów stały na dziedzińcu dwie świątynie – ufundowana przez niego cerkiew oraz ta, postawiona przez brata jego prapradziadka, Piotra Muszatowicza. Po tej ostatniej zachowały się tylko fundamenty (widoczne na dziedzińcu w postaci ciemniejszych fragmentów). W 1795 r. cerkiew została całkowicie przebudowana (białe fundamenty), a następnie po przesunięciu o kilkanaście metrów umieszczona przez komunistów we wschodniej ścianie obwarowań (kamieni i cegieł użyto właściwie tylko jako budulca dla nowej świątyni). Od połowy XV w. monastyr był ważnym ośrodkiem kultury i nauki – z tamtejszej szkoły wyszło wielu znakomitych rumuńskich kronikarzy. Obecnie mieszka w nim 70 mnichów.

Cerkiew ufundowana przez Stefana to pierwszy przykład dojrzałego stylu mołdawskiego. W porównaniu z wcześniejszymi budowlami, bryłę wzbogacono o przedsionek i komorę grobową (niezachowaną – w XIX w. połączono ją z nawą) wkomponowaną między przednawiem i nawą. Nowe pomieszczenia powiększyły świątynię, nadając jej prawdziwie monumentalny charakter. Cerkiew wydaje się z zewnątrz nieco surowa (zwłaszcza po obejrzeniu malowanych klasztorów bukowińskich) – elewację zdobią gotyckie okna, przypory oraz biegnące naokoło pod zadaszeniem nisze, niegdyś ozdobione malowidłami. Dodatkowym elementem dekoracyjnym są kolorowe glazurowane cegły i okrągłe płytki ceramiczne wkomponowane tu i ówdzie (również w wieże z kopułą).

Malowidła z przedsionka i przednawia pochodzą prawdopodobnie z czasów Petru Rareşa (I połowa XVI w.), z kolei te w komorze grobowej, nawie oraz absydzie powstały za czasów Stefana Wielkiego (II połowa XVI w.). Freski nie zachowały się wprawdzie w pierwotnej postaci, ponieważ wielokrotnie ulegały zniszczeniu, a w 1830 r. zostały „odmalowane" przez mistrzów z Bukaresztu, ale wciąż tchną autentyzmem. Przemalowany ikonostas reprezentuje typowy barok.

Freski, pochodzące prawdopodobnie z czasów Aleksandra Dobrego (1400–1432), zdobią też przejście pod dzwonnicą

bramną (z tego okresu zachował się parter i część pierwszego piętra). Obok wieży jest wejście do **muzeum**, gdzie można obejrzeć m.in. stare sprzęty liturgiczne wykonane z gliny, zabytkowe ikony, szaty liturgiczne, ozdobne oprawy ksiąg oraz fragment drukarni, którą założono w klasztorze na początku XIX w.

Do klasztoru dojeżdża pociąg z Târgu Neamţ (kilka dziennie; 30 min; 0,60 €). Można też podjechać jednym z nielicznych autobusów do skrzyżowania, gdzie od głównej szosy Târgu Neamţ–Topliţa odchodzi lokalna droga, i podejść kilka kilometrów do monastyru. Dobrym rozwiązaniem jest autostop, a najlepszym (choć najdroższym) taksówka z Târgu Neamţ (klasztor jest oddalony o ok. 20 km od centrum).

Mănăstirea Secu

Klasztor nie należy do często odwiedzanych przez turystów zabytków, chociaż w pełni na to zasługuje. Jego dzieje sięgają połowy XVI w., kiedy to niejaki Zosim założył w tym miejscu monastyr i wybudował drewnianą **cerkiew**. Pierwsza wzmianka pisana pochodzi z 1582 r., następna z 1598 r. i w obu chodzi o to samo – nieporozumienia z sąsiednimi klasztorami Neamţ i Agapia. W 1602 r. stanęła murowana świątynia (o czym głosi inskrypcja) i w tym samym czasie lub nieco później wybudowano obwarowania i baszty. W klasztorze Secu kształcił się Varlaam, metropolita mołdawski w latach 1632–1653, wybitny animator kultury i pisarz społeczno-polityczny. Został tu też pochowany.

W 1691 r. w monastyrze kwaterowały wojska Jana III Sobieskiego, ale Polacy nie musieli zajmować kompleksu siłą. Inaczej sprawa się miała w 1821 r., kiedy to za murami schroniło się 350 Rumunów walczących z Turkami o niepodległość kraju. Po dwóch tygodniach obrońcy poddali się i wbrew obietnicom najeźdźców zostali natychmiast straceni. Przy okazji splądrowano monastyr, a wcześniej, na skutek ostrzału artyleryjskiego spłonęła cerkiew. Obecny wygląd świątyni jest efektem restauracji przeprowadzonych w latach 1821 i 1850. Przedsionek został dobudowany w 1847 r., a drugie drzwi w ścianie północnej później zamurowano. Malowidło na ścianie na prawo od wejścia przedstawia fundatora z miniaturą świątyni. Warto zwrócić uwagę na zabytkowe płyty nagrobne w nawie opatrzone datami 1617 i 1633.

Najstarsze budowle kompleksu usytuowane w południowej części założenia obejmują muzeum (1 €, ulgowy 0,50 €), refektarz (jadalnię) i dobudowane do wieży jednopiętrowe pomieszczenia mieszkalne. Większość zabudowań została profesjonalnie odnowiona, dzięki czemu monastyr wygląda jak w latach świetności.

Dotarcie do klasztoru nie jest łatwe, ponieważ nie kursują tam żadne autobusy. W Târgu Neamţ należy wsiąść w autobus w kierunku Poiana Teiului, wysiąść przy skrzyżowaniu z drogą prowadzącą do monastyru Secu i pozostałą odległość (4,5 km) pokonać pieszo. Szybszym i wygodniejszym sposobem dojazdu będzie autostop.

Mănăstirea Agapia

Według lokalnych przekazów dzieje **Agapia din Deal** (kościół Na Wzgórzu) sięgają XIV w., ale na skutek wielokrotnych zniszczeń z pierwotnego kształtu świątyni nic się nie zachowało. Pierwsze wzmianki pisane o założeniu pochodzą z 1437 r. Nową cerkiew na miejscu zniszczonej w nieznanych okolicznościach starej świątyni ufundował Petru Rareş i jego żona Elena w 1527 r. Wkrótce jednak budowla zawaliła się – kolejną postawił hospodar Petru Şchiopul (Piotr Kulawy) podczas swojego drugiego panowania (1582–1591), ale i ta nie przetrwała długo, zastąpiona w 1680 r. przez drewnianą cerkiew ufundowaną przez Anastazję, żonę wojewody Duca. Świątynia restaurowana w latach 1716 i 1793 stała do 1820 r., kiedy wybudowano nową, również drewnianą. Zaledwie rok później cerkiew spłonęła, w ciągu 10 lat zbudowano kolejną – tę również strawił pożar. W 1873 r. ukończono następną, która szczęśliwie stoi do dziś (powiększona w 1891 r. o kaplicę).

Drewniany **Agapia din Vale** (kościół W Dolinie; 1,20 €, ulgowy 0,60 €) powstał na początku XVII w., ale szybko (w latach 1642–1644) zastąpiono go cerkwią murowaną (zachowaną do czasów obecnych). Z tego samego okresu pochodzi dzwonnica i obwarowania. Świątynia powstała na planie zbliżonym do cerkwi Trzech Hierarchów w Jassach. Zawirowania historii doprowadziły do zmiany pierwotnego wyglądu – zachowały się jedynie grube mury cerkwi, dwie masywne kolumny między przednawiem a dawnym przedsionkiem, wszystkie trzy absydy (w których później wykuto okna), a także typowo mołdawska ośmiokątna kopuła. W połowie XIX w. dobudowano boczne zakrystie i nowy przedsionek. Z tego okresu pochodzą też wspaniałe malowidła ścienne wykonane przez Nicolae Grigorescu.

Z dotarciem na miejsce nie ma większych problemów: należy podjechać autobusem do miejscowości Săcăluşeşti, odległej od klasztoru o niecałe 3 km, albo spróbować dostać się bezpośrednim autobusem (tylko 2 dziennie; 40 min; 0,60 €) z Târgu Neamţ lub Piatra Neamţ. Autobusy podjeżdżają do Agapia din Vale, skąd do Agapia din Deal jest 25 min spaceru.

Mănăstirea Văratec

Klasztor (1 €, ulgowy 0,50 €) powstał w XVI w., ale jego obecny wygląd jest efektem przebudowy z XVIII w. Podobnie jak opisane wyżej monastyry, także ten zachwyca malowniczym położeniem wśród wzgórz Karpat Wschodnich. W budynkach klasztornych mieści się ciekawe muzeum, w którym wystawione są stare ikony. Na terenie kompleksu pochowano Veronikę Micle, ukochaną Mihai Eminescu, która w 1889 r. dwa tygodnie po śmierci poety popełniła samobójstwo.

Do Văratec kursują autobusy z Târgu Neamţ (przynajmniej 2 dziennie), ale osoby zwiedzające monastyr Agapia mogą bez obaw wybrać się tu piechotą.

PIATRA NEAMŢ

Piatra Neamţ leży w malowniczej dolinie otoczonej częściowo skalistymi wzgórzami o wysokości do 850 m n.p.m., od których wywodzi się ponoć nazwa miejscowości (w wolnym tłumaczeniu Niemiecka Skała). W mieście, oszpeconym przez socjalistyczne blokowiska, zachowało się kilka cennych zabytków. Warto także obejrzeć park i secesyjne kamienice.

Osadnictwo na tych terenach ma długą historię, ale miejscowość zyskała na znaczeniu w średniowieczu jako ośrodek handlowy pod nazwą Târg (Targ). Pod koniec XIV w. osada wspominana jest w źródłach jako Piatra lui Crăciun. Okres rozkwitu miasteczka przypada na panowanie Stefana Wielkiego, który wzniósł w nim dwór i inne ważne budowle.

Miasto rozciąga się pomiędzy trzema wzgórzami – Pietricicą na wschodzie (532 m n.p.m.), Cozlą na północy (850 m n.p.m.), gdzie powstał rezerwat przyrody, oraz Cârlomanem, zwanym też Cernegurą, na południu (617 m n.p.m.). Sercem Piatra Neamţ jest Piaţa Ştefan cel Mare oraz Piaţa Libertăţii otaczające niewielkie wzgórze z parkiem i charakterystyczną dzwonnicą. Na południe od Piaţa Ştefan cel Mare odchodzi str. Republicii prowadząca do dworca kolejowego (przy Piaţa

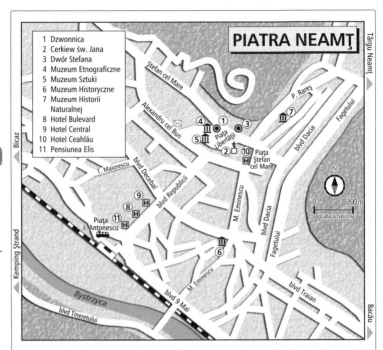

1 Dzwonnica
2 Cerkiew św. Jana
3 Dwór Stefana
4 Muzeum Etnograficzne
5 Muzeum Sztuki
6 Muzeum Historyczne
7 Muzeum Historii Naturalnej
8 Hotel Bulevard
9 Hotel Central
10 Hotel Ceahlău
11 Pensiunea Elis

I. Antonescu), którą mniej więcej w połowie długości przecina z zachodu na wschód szeroki blvd Decebal.

Informacja turystyczna działa w piwnicy biblioteki wojewódzkiej, naprzeciw hotelu *Central* (blvd Republicii 15; ☎/fax 0233/211524, cuart_2000@yahoo.com). W mieście działa też co najmniej kilkanaście **biur podróży** (można je znaleźć niemal w każdym hotelu), które organizują wycieczki po okolicy oraz udzielają informacji o atrakcjach w Piatra Neamţ i pobliskich miejscowościach. Pomocą służy m.in. Agenţia de Turism AS (str. Mihai Viteazul, Bl. I; ☎/fax 0233/231790) oraz Agenţia de Turism Forum (str. M. Eminescu 10; ☎/fax 0233/233190).

Zwiedzanie

Spacer po Piatra Neamţ najlepiej rozpocząć od wyniesionej ponad poziom Piaţa Ştefan cel Mare **Piaţa Libertăţii** – prawdziwego skarbca kultury i architektury. Turystom od razu rzuca się w oczy **dzwonnica** z 1499 r., która pierwotnie miała 19 m wysokości, ale w XIX w. skrócono ją o 4 m. Obok wznosi się zbudowana w ciągu zaledwie jednego roku (1497–1498) **Biserica Sf. Ioan** (cerkiew

św. Jana) ufundowana przez Stefana Wielkiego. Świątynia jest jedną z nielicznych sfinansowanych przez niego budowli, które zachowały się w niemal niezmienionym stanie. Cerkiew ma trójkonchowy układ, obejmujący przednawie, nawę i absydy: główną oraz boczne. Przednawie podzielone na dwie części podwójnym łukiem oświetlają dwa okna wykute w południowej ścianie. Pierwotnie przednawie i nawę dzieliła ściana, która nie wiadomo przez kogo i kiedy została usunięta. Cerkiew zbudowano z kamienia, cegły i terakoty, harmonijnie połączonych w całość. Na zewnątrz, nad portalem wejściowym przetrwał fragment malowidła przedstawiający Chrystusa na tronie. Wieża i cerkiew stały w obrębie murów **dworu** (wybudowanego przez Stefana), po którym zachowały się jedynie fragmenty. Można je obejrzeć po drugiej stronie ul. Ştefan cel Mare, przy szkole im. Petru Rareşa.

Po drugiej stronie placu wznoszą się efektowne budynki zajmowane przez **Muzeul de Etnografie** (Muzeum Etnograficzne; Piaţa Libertăţii 1; ☎0233/216808; wt.–nd. 10.00–18.00; 0,50 €, ulgowy 0,25 €) oraz **Muzeul de Artă** (Muzeum

Sztuki; 10.00–18.00; 0,50 €, ulgowy 0,25 €). Obie placówki prezentują ciekawe, aczkolwiek niezbyt bogate kolekcje.

Około 300 m na północ od Piaţa Libertăţii ma siedzibę **Muzeul Ştiinţe Naturale** (Muzeum Historii Naturalnej; str. P. Rareş 26; ☎0233/224211; wt.–nd. 9.00–18.00; 0,50 €) z ponad 40 tys. okazów flory i fauny, miejscowej i egzotycznej. Do **Muzeul de Istorie** (Muzeum Historyczne; str. M. Eminescu 10; ☎/fax 0233/217496, 218108; 10.00–18.00; 0,50 €, ulgowy 0,25 €) trzeba przejść około 500 m na południe od Piaţa Ştefan cel Mare str. M. Eminescu. Widoczny z daleka charakterystyczny budynek stojący przy dużym skrzyżowaniu kryje przebogate zbiory obejmujące okres po I wojnę światową. Działające nieopodal **Muzeul de Artă Eneolitica Cucuteni** (Muzeum Sztuki Neolitycznej Kultury Cucuteni; str. Ştefan cel Mare 3; 10.00–18.00; 0,50 €, ulgowy 0,25 €) eksponuje unikalną kolekcję ozdobnych przedmiotów wydobytych przez archeologów podczas wykopalisk na terenie Rumunii.

Noclegi

W mieście działa kilka hoteli o zróżnicowanym standardzie i rzadko zdarza się, aby w którymkolwiek zabrakło miejsc.

Bulevard** (blvd Republicii 38–40; ☎0233/235 010). Skromny, ale drogi hotel. Pokój 1-os. 21 €, 2-os. 23 €, 3-os. 45 €.

Central*** (Piaţa Petrodava 1–3; ☎0233/216 530, fax 223528, www.hotelcentral.ro). Porządny, duży hotel. Na miejscu dobra i niedroga restauracja (zupy 0,60–1,60 €, dania mięsne od 2,50 €, dodatki 0,25 €, kawa ok. 0,40 €, piwo od 0,60 €) oraz bardzo przyjemna kawiarnia. Pokój 1-os. 57 €, 2-os. 70 €.

Ceahlău*** (Piaţa Ştefan cel Mare 3; ☎0233/ 219990, fax 215540, www.hotelceahlau.ro). Wysoki socrealistyczny blok o średnim standardzie, za to w samym centrum. Pokój 1-os. 35 €, 2-os. 50 €, apartament 70 €.

Pensiunea Elis* (blvd Republicii 40; ☎0233/ 217940). Coś dla mniej wymagających: łazienki i WC na korytarzu (ciepła woda całą dobę), ascetycznie urządzone i czyste pokoje. Pokój 2-os. 17 €, 3-os. 27 €.

Gastronomia

Większość z licznych lokali gastronomicznych skupia się w ścisłym centrum. Warto zajrzeć do restauracji hotelowych.

Blue Café (Piaţa Kogălniceanu, naprzeciwko Muzeum Historycznego). Świetna kawiarnia z obszernym tarasem.

Cozla (Piaţa Ştefan cel Mare 5; ☎0233/234285). Zaskakująco drogo, ale uszczuplenie kieszeni

wynagradza przyjemna atmosfera (wnętrze to istny ogród botaniczny).

Diana Coffetarie & Restaurant (róg blvd Republicii i str. C. Hogaş). Na parterze tania cukiernia, na górze droższa kawiarnia i niezła restauracja (obiad 3,20–4,10 €).

Diesel (str. P. Rareş 21; ☎0233/222424). Relatywnie drogo, ale jedzenie znakomite (*ciorba* 1,10 €, dania mięsne 2 €, dodatki 0,50 €, pizza 2,70 €).

Lido (Piaţa I. Antonescu, obok dworca kolejowego). Jeden z lepszych lokali w mieście; przestronne wnętrze i miła obsługa. Ceny umiarkowane (dwudaniowy posiłek ok. 3,70 €).

Patisserie Paris i **Gelateria Halina** (blvd Decebal, blisko skrzyżowania z blvd Republicii). W lecie można zjeść dobre lody, a w zimie pyszne ciastka. Do tego kawa lub herbata.

Rozrywki

Teatrul Tineterului (Piaţa Ştefan cel Mare 1) wystawia sztuki zarówno rumuńskich, jak i zagranicznych autorów. **Kino** mieści się na rogu blvd M. Eminescu i Piaţa Ştefan cel Mare. Kto chce potańczyć, może wybrać się do **dyskoteki** *Club XXL* w dużym budynku przy Piaţa M. Kogălniceanu.

Informacje o połączeniach

Dworzec kolejowy znajduje się na południowym końcu blvd Republicii prowadzącego prosto do centrum (ok. 500 m). Piatra Neamţ nie ma zbyt wielu połączeń (5 dziennie do Bacău; 6 do Bicaz; 3 do Bukaresztu), dlatego jadąc z innych rumuńskich miast, najlepiej przesiąść się w Bacău.

Dworzec autobusowy usytuowany jest w sąsiedztwie kolejowego, kilkadziesiąt metrów na zachód. Odjeżdżają stąd autobusy m.in. do Câmpulung Moldovenesc, Gheorgheni, Klużu i Radowiec (po 1 dziennie), Agapii, Botoşani, Braszowa, Gałacza, Gura Humorului i Konstancy (po 2 dziennie), Bacău, Braiły, Roman i Suczawy (po 3 dziennie), Fălticeni i Târgu Neamţ (po 5 dziennie), Jass (7 dziennie) oraz Bukaresztu (kilkanaście dziennie).

Informator

Apteka Medica Farm przy blvd Decebal 14 działa najdłużej w mieście (w dzień powszedni do 20.00). Inna apteka znajduje się przy blvd Republicii, obok hotelu *Bulevard*.

Internet Kafejka internetowa *Little Las Vegas* mieści się w uroczym domku przy blvd Republicii 32 (0,50 €/godz.), ponadto z taniego (i wolnego!) połączenia można skorzystać w bibliotece wojewódzkiej obok centrum informacji turystycznej (0,10 €/godz.).

4

Laboratorium fotograficzne Foto Art funkcjonuje na Piaţa M. Kogălniceanu bl H4 (parter).

Wymiana walut i banki Banca Transilvania Română (Piaţa Ştefan cel Mare, również po północnej stronie Piaţa Libertăţii, w secesyjnej kamienicy na rogu str. Ştefan cel Mare i str. V.A. Ureche), Reiffeisen Bank (Piaţa Ştefan cel Mare 3, w hotelu *Ceahlău*). Kantory rozrzucone są po całym mieście (m.in. na rogu blvd Republicii i blvd Decebal, przy blvd Republicii naprzeciwko hotelu *Bulevard*, przy Ştefan cel Mare, obok BTR).

Zakupy Duży dom towarowy Winmarkt sąsiaduje z hotelem *Central* od strony zachodniej (Piaţa Petrodava).

Mănăstirea Bistriţa

Z Piatra Neamţ warto wybrać się na kilkugodzinną wycieczkę do ciekawego klasztoru Bistriţa. Według ludowych przekazów już w XIV w. stał w tym miejscu drewniany kościółek, ale pierwsza wzmianka w źródłach pochodzi z 1407 r. Przypuszcza się, że klasztor powstał w ostatnich latach panowania Aleksandra Dobrego (1400–1432) i z jego fundacji, na co wskazuje fakt, że wraz z małżonką Anną został tam pochowany. Następnie monastyr otoczył opieką Stefan Wielki, łożąc na jego utrzymanie i rozbudowę (z jego funduszy w 1498 r. wzniesiono dzwonnicę). W roku 1546 z inicjatywy Petru Rareşa kompleks odnowiono, rozbudowując pomieszczenia klasztorne. Przyczyną hojności hospodara było zdarzenie sprzed ośmiu lat – władca ukrył się w murach monastyru, uciekając przed Turkami. W II połowie XVI w. na miejscu starej cerkwi Aleksander Lăpuşneanu postawił nową (o czym głosi inskrypcja przy wejściu), stojącą po dziś dzień.

Duże wrażenie na zwiedzających wywiera wielkość świątyni, jak i całego kompleksu, a szczególnie murów z potężną bramą. Plan cerkwi zdradza pewne podobieństwa do świątyni ufundowanej przez Petru Rareşa w Probocie i ujawnia zmiany, jakie zaszły w mołdawskiej architekturze sakralnej w XVI w. Zewnętrzne ściany budowli pokrywały niegdyś freski, które szybko wyblakły, a dzieła zniszczenia dopełniło regularnie pobielanie ścian wapnem. Jedynymi elementami dekoracyjnymi są dziś wysokie smukłe arkady, nisze biegnące tuż pod zadaszeniem, przypory oraz gotyckie okna i portal wejściowy z inskrypcją i herbem Mołdawii. Do świątyni prowadzi dobudowany w XIX w. przedsionek, z którego przez ozdobny kamienny późnogotycki portal wchodzi się do przednawia. O malo-

widłach wewnątrz cerkwi nic właściwie nie wiadomo oprócz tego, że Aleksander Lapuşneanu prosił dożę weneckiego, aby ten przysłał mu jakiegoś mistrza biegłego w tej sztuce. Ikonostas ukończono w 1814 r.

W klasztorze Bistriţa powstał cerkiewno-słowiańsko-rumuński *Letopişeţ anonim al Moldovei*, jedno z pierwszych źródeł historiograficznych zawierające spis władców i feudałów mołdawskich od założenia państwa do XV w.

Nie ma, niestety, bezpośrednich połączeń autobusowych z Piatra Neamţ do Bistriţy, dlatego trzeba podjechać busem jadącym w stronę miasteczka Bicaz i wysiąść na skrzyżowaniu, gdzie w kierunku klasztoru odbija wąska szosa. Stąd do celu jest nie więcej niż 2 km. Jak zawsze, można też spróbować złapać okazję.

Mănăstirea Pângăraţi

W odróżnieniu od klasztoru Bistriţa monastyr Pângăraţi jest niewielkim miejscem kultu, jednak ze względu na bogatą historię i walory architektoniczne warto poświęcić mu chwilę uwagi podczas podróży doliną Bystrzycy.

Założycielem monastyru był pustelnik Symeon, który przybył tu w 1432 r. wraz z kilkoma mnichami z klasztoru Bistriţa. Przez mniej więcej 30 lat mnisi żyli w ziemiankach, potem Symeon dzięki wsparciu Stefana Wielkiego wzniósł drewnianą cerkiew pod wezwaniem św. Dymitra oraz kilka cel mieszkalnych. Podczas najazdu tureckiego w 1484 r. zniszczone zostały zabudowania, a mnisi przenieśli się do siedmiogrodzkiego klasztoru Caşin. Za czasów Aleksandra Lăpuşneanu, w latach 1560–1564, wyniesiono dzisiejszą filigranową cerkiew o nietypowej konstrukcji: mury kryją dwie świątynie wzniesione jedna nad drugą. Niezwykle ciekawa jest współczesna polichromia dolnej cerkwi klasztoru będąca swoistym panteonem rumuńskich świętych. W czasie I wojny światowej działał tu szpital, zamieniony później na sanatorium, a w 1956 r. założono w murach klasztoru stację biologiczno-geograficzną Uniwersytetu w Jassach. Mnisi wrócili do monastyru dopiero po 1990 r.

Dojazd do klasztoru Pângăraţi nie jest skomplikowany. Trzeba skręcić zgodnie ze strzałkami w centrum wsi Pângăraţi na północ i po około 1 km dociera się do murów monastyru. Innym wariantem jest oznaczony kierunkowskazem skręt pomiędzy wsiami Stejaru i Pângăraţi i dwukilometrowy spacer obok hydroelektrowni i tartaku (2 km).

GAŁACZ

Granicę południowej Mołdawii wyznacza w przybliżeniu droga krajowa nr 22, biegnąca z Gałacza na wschodzie (gdzie Dunaj zaczyna tworzyć deltę) przez Braiłę do Râmnicu Sărat na zachodzie, skąd niedaleko już do Buzău i Bukaresztu. Gałacz i odległa o 20 km na południe od niego Braiła (zob. s. 155) to wrota do delty Dunaju. Turyści traktują oba ośrodki jako przystanek w drodze z Mołdawii do Dobrudży lub na odwrót – warto się w nich zatrzymać, by podziwiać częściowo zachowaną XIX--wieczną zabudowę, świątynie oraz muzea.

Gałacz (Galați) leży nad Dunajem u ujścia Siretu i Prutu. W okolicach znaleziono ślady Scytów (przedmioty z VI–V w. p.n.e.) oraz Daków, ale pierwsza wzmianka o mieście jako niewielkim porcie pojawia się w XV w. Przypuszcza się, że już w XIV w. osada była ważnym ośrodkiem handlowym, w którym zatrzymywali się kupcy z Genui w drodze z Europy nad Morze Czarne. Miasto nie miało szansy rozwinąć się pod okupacją turecką (trwającą od początku XVI w.) – na stacjonujące w gałackim porcie tureckie okręty napadały zbrojne oddziały sprzeciwiających się obcemu panowaniu możnych, a także zwykłych rzezimieszków. Były one tak uciążliwe, że sułtan nakazał wojewodzie Lăpuşneanu uzbroić statki handlowe oraz przeszukać wszystkie miejsca, gdzie mogli ukrywać się napastnicy. Okres rozkwitu Gałacza przypada na XIX stulecie, kiedy to wiele państw utrzymywało w mieście swoje konsulaty (niektóre od końca XVIII w.). W latach 1837–1883 Gałacz miał status wolnego portu, co przyczyniło się do jego szybkiego rozwoju, a co za tym idzie, rozbudowy – powstawały wówczas nie tylko nowe kamienice, ale i fabryki. Miasto bardzo ucierpiało w czasie II wojny światowej – w wyniku walk i bombardowań zniszczeniu uległo około 5600 budynków.

Współczesne miasto to największy rumuński port rzeczny i prężny ośrodek przemysłowo-handlowy, co widać zwłaszcza na obrzeżach, gdzie dominuje industrialny krajobraz. Gałacz to także ważny ośrodek kulturalny z dużym uniwersytetem.

Główną ulicą jest str. Domnească, biegnąca z północy na południe, od parku CFR do brzegu Dunaju. Centrum skupione jest w południowej części arterii, przy skrzyżowaniu z blvd Brăilei, gdzie stoją hotele Dunărea i Galați.

Aby z dworców kolejowego i autobusowego dojść do centrum, należy udać się str.

Gării (pod górkę) w kierunku zachodnim i na str. Domnească skręcić w lewo.

Zwiedzanie

Najbardziej wartościowym zabytkiem Gałacza jest ufortyfikowana **Biserica Precista** (cerkiew Precista), która wznosi się na niewielkim wzgórzu nad Dunajem. Wybudowana w 1647 r. za panowania hospodara Bazylego Lupu od początku służyła jako miejsce schronienia w razie zagrożenia ze strony wrogich wojsk. Wprawdzie z fortyfikacji nic się nie uchowało, ale świątynia przetrwała w prawie niezmienionej formie (kilka razy była restaurowana, w tym raz gruntownie). Naokoło elewacji biegnie rzeźbiony pas dzielący bryłę na dwie nierówne części. Zarówno na górze, jak i na dole ściany ozdobione są ślepymi arkadami. Masywna wieża nad przedsionkiem służyła celom obronnym.

Warto zwiedzić **Muzeul de Istorie** (Muzeum Historyczne; róg str. Domnească i str. M. Iancu Fotea, naprzeciwko cerkwi greckiej; wt.–nd. 10.00–17.00; 1,40 €, ulgowy 0,70 €) z kolekcją przybliżającą dzieje ziem położonych u ujścia Dunaju. Nieco dalej na północ, przy str. Domnească, stoi imponujący budynek **uniwersytetu** (Universitatea Dunărea de Jos). Wprawdzie uczelnia powstała dopiero w 1974 r., ale na siedzibę otrzymała dostojny secesyjny budynek, do którego prowadzą szerokie schody. Przed gmachem uniwersytetu stoi pomnik **wilczycy kapitolińskiej** (płaskorzeźba na cokole przedstawia cesarza Trajana). Przy str. A.I. Cuza (równoległej do str. Domnească) wznosi się **Casă Cuza Vodă** (wt.–nd. 10.00–17.00; 0,60 €, ulgowy 0,30 €), dom pierwszego księcia zjednoczonej Rumunii. Kiedyś mieściło się w nim muzeum historyczne, a dziś można tam oglądać kolekcję poświęconą Ionowi Cuzie, który mieszkał w budynku stojącym wcześniej w tym miejscu (obecny pochodzi z 1882 r.).

W Gałaczu warto także obejrzeć **Biserica Mavromol** (cerkiew Mavromol; str. N. Bălcescu 126). Pierwsza świątynia stanęła w tym miejscu w 1685 r., a w 1776 r. hospodar Grigore Ghika założył tu pierwszą w kraju szkołę z językiem rumuńskim jako wykładowym. Około 200 m na północ od cerkwi pośród postkomunistycznych bloków stoi opuszczona i zaniedbana **synagoga**. Warto zwrócić uwagę nie tylko na zachowaną budowlę (w czasach rządów komunistów mieściła się w niej szkoła), ale również na oryginalne ogrodzenie zdobione motywem płonącej menory.

Noclegi

Hoteli jest w Gałaczu pod dostatkiem, od najtańszych po najdroższe, dlatego z noclegiem nie powinno być najmniejszego problemu, tym bardziej, że miasto nie cieszy się szczególną popularnością wśród turystów.

Alex*** (str. Aurorei 1; ☎0236/498063, fax 461166, www.pibunni.com). Duża willa z komfortowymi pokojami. Pokój 1-os. 36 €, 2-os. 41 €, apartament 45 €.

Dunărea** (str. Domnească 13; ☎0236/418041, fax 461050, www.hoteldunarea.ro). Tańszy sąsiad hotelu Galaţi. Pokój 1-os. 24 €, 2-os. 32 €, 3-os. 30 € (taniej, bo niższy standard), apartament 58 €.

Faleza** (str. Rosiori 1; ☎0236/473182, fax 461388). Charakterystyczny jasny budynek w stylu rumuńskiego socrealizmu, obok cerkwi Precista. Pokój 1-os. 24 €, 2-os. 33 €, apartament do 92 €.

Galaţi*** (str. Domnească 12; ☎0236/460040, fax 418854, www.hotelgalati.ro). W samym centrum; wysoki standard. Pokój 1-os. 44 €, 2-os. 88 €, apartament 130 €.

Hanul Pietei (str. Tecuci 46, przy Piaţa Centrala; ☎0236/310487). Najtańsze noclegi w mieście, ale na komfort nie ma co liczyć. Łazienki na korytarzu. Pokój 1-os. 5,30 €, łóżko w pokoju 6-os. 3,30 €.

Sport** (str. A.I. Cuza 76; ☎0236/414098). Przyzwoite pokoje warte swojej ceny. Pokój 2-os. 8,50 €, apartament 23,50 €.

Vega*** (blvd Marii Unirii 107; ☎0236/306080, fax 306081, www.vegahotel.ro). Ekskluzywny hotel nad Dunajem. Pokój 1-os. 59 €, 2-os. 77 €, apartament od 120 do 200 €.

Gastronomia

Większość lokali gastronomicznych skupia się przy str. Domnească i blvd Brăilei oraz przy nadrzecznej promenadzie. Przyzwoite restauracje są także w większości hoteli. Osoby żywiące się na własną rękę mogą zaopatrzyć się w artykuły spożywcze na dużej Piaţa Centrală przy str. Traian, na północny zachód od centrum.

Bon Ton (str. Domnească 15; ☎0236/499670). Niezbyt obszerne, ale przyjemne wnętrze stylizowane na dwudziestolecie międzywojenne; na ścianach przedwojenne zdjęcia Gałacza, w tle nastrojowa muzyka. Dosyć drogo.

Coffetarie Stef (obok restauracji Stef). Przyjemna, ale stosunkowo droga kawiarnia w cichym otoczeniu (kawa 0,60 €).

Continental Restaurant (na rogu str. I. Creangă i str. Fraternităţii). Bardzo porządny lokal z kuchnią rumuńską i międzynarodową. Drogo (obiad ok. 5 €).

Libertata 2000 (statek na Dunaju u wylotu str. Domnească). Jedna z licznych knajpek na wo-

dzie. Dobra kuchnia międzynarodowa. Dwudaniowy posiłek około 4 €.

Master (str. Domnească 34; ☎0236/413099, fax 326002). Na parterze bar i klub bilardowy, na piętrze ekskluzywna (ale relatywnie tania) restauracja. Miejsce godne polecenia.

Stef (str. Prelugirea Traian, naprzeciwko cerkwi ormiańskiej). Tanie specjały kuchni orientalnej.

Informacje o połączeniach

Pociąg Dworzec kolejowy usytuowany jest około 600 m na północny wschód od centrum (na wschodnim końcu str. Gării odchodzącej od str. Domnească). Gałacz ma połączenia kolejowe z Braiłą (kilkanaście dziennie), Bukaresztem (8 dziennie), Buzău (4 dziennie), Konstancą (2 dziennie) oraz Braszowem, Klużem, Suczawą i Timişoarą (po 1 dziennie). **Agenţie de Voiaj CFR** mieści się przy blvd Brăilei Bl. BR 2, około 500 m na zachód od hotelu Dunărea.

Autobus Dworzec autobusowy, oddalony o niecałe 300 m od kolejowego, mieści się w brzydkim, aczkolwiek fantazyjnym budynku u zbiegu str. A. Ipătescu i str. Dogărei. Obsługuje autobusy do Braiły, Bukaresztu i Konstancy (po kilkanaście dziennie), Jass (4 dziennie), Braszowa (3 dziennie) oraz Piatra Neamţ, Sybina i Ploeszti (1 dziennie).

Prom Promem osobowym i samochodowym można się dostać do wioski I.C. Brataniu, aby kontynuować podróż w głąb delty Dunaju. Przystań Trecere Bac jest usytuowana około 2 km na zachód od centrum. Aby tam dotrzeć, trzeba z blvd Brăilei skręcić na dużym rondzie (Piaţa Siderurgiştilor) w lewo, w blvd Closca, który prowadzi prosto nad Dunaj. Do przystani dojeżdża także autobus (nazwa krańcówki: Trecere Bac). Piechurzy wybiorą zapewne sympatyczny spacer nadrzeczną promenadą (biegnie równolegle do str. Falezei). Przewóz samochodu kosztuje 2,40 €, pasażer niezmotoryzowany zapłaci 0,80 €. Rejs trwa kilka minut.

Informator

Apteka Hygeia na str. Brăilei 223 działa non stop. Kolejna apteka działa w centrum, przy str. Domnească obok Banca Naţionala Română.

Internet Kafejka internetowa Thunder Net mieści się w budynku przy zbiegu ulic Prelungirea Traian i Domnească, w sąsiedztwie hotelu Vega (0,50 €/godz.).

Poczta i telekomunikacja Budynek poczty stoi przy str. G.I. Lahovary, przy południowo-wschodnim krańcu parku Eminescu. Siedziba

Romtelecomu (z licznymi budkami telefonicznymi) usytuowana jest na rogu str. Prelugirea Traian i blvd Brăilei.

Wymiana walut i banki Banca Naţionala Română z bankomatem mieści się w budynku na rogu str. Domnească i str. Freternitaţii. Bankomat jest też w gmachu uniwersytetu, a kantor – w każdym większym hotelu.

Zakupy Największy dom handlowy to Winmarkt-Modern na str. Domnească 20.

OKOLICE FOCŞANI

Położone na uboczu głównych szlaków turystycznych miasto nie ma zbyt wiele do zaoferowania, ale jest dogodnym miejscem zakwaterowania oraz bazą wypadową dla ciekawych wycieczek po nieodległej okolicy. Przede wszystkim warto odwiedzić mało znany rezerwat Focul Viu i ujrzeć niezwykłe zjawisko: płonący wyziew gazu ziemnego wydostającego się w naturalny sposób na powierzchnię ziemi.

Płonąca ziemia

Rezerwat „Żywy ogień" (Focul Viu) w Andreiaşu de Jos to prawdziwa gratka dla amatorów niezwykłości. Występują tu naturalne wyziewy węglowodorów, które zapalone płoną wysokim do 0,5 m płomieniem. Wysokość ognia zależy też od aktywności sejsmicznej podłoża. Warto wiedzieć, iż region gór Vrancea, w którym znajduje się rezerwat, słynie z trzęsień ziemi – tu znajdowało się epicentrum silnego wstrząsu w 1977 r., które zniszczyło wiele budynków w Bukareszcie i innych miastach w okolicy.

Do **Andreiaşu de Jos** można dojechać z Focşani autobusem (3 kursy dziennie) lub samochodem. W centrum wsi trzeba skręcić w lewo na wysokości cerkiewki i sklepu-baraku, przekroczyć potok i drogą pomiędzy domami iść w górę rzeki. Po pokonaniu dwu stromych serpentyn dochodzi się do polany pod lasem, zniszczonej przez osuwisko wywołane gwałtownymi opadami wiosną 2005 r. W jej górnej części znajduje się rezerwat „Żywy ogień". Warto przyjechać tu wieczorem, w okolicach 1 września, by zobaczyć ogromny targ i festiwal „żywego ognia". W okolicy jest sporo miejsca na rozbicie namiotu i wcale nie trzeba rozpalać ogniska...

Maramuresz

Kraina ciągnie się wąskim pasem wzdłuż granicy z Ukrainą od północno-zachodnich granic Rumunii do zachodniego krańca Bukowiny, czyli do przełęczy Przysłop. Główne miasta regionu: Satu Mare, Baia Mare i Syhot Marmaroski, mimo że nie są popularnymi miejscowościami wypoczynkowymi, mają całkiem nieźle rozwiniętą infrastrukturę turystyczną. Noclegów można również szukać w każdym mniejszym miasteczku czy wiosce – gospodarstw agroturystycznych nie brakuje.

W środkowej części Maramureszu, od Baia Mare do Borşy, przetrwało mnóstwo drewnianymi cerkwi (najstarsze pochodzą prawdopodobnie z XV w.). Świątynie o architekturze specyficznej dla regionu zwieńczone są często strzelistymi wieżami, a wiele z nich wpisano na Listę Światowego Dziedzictwa Kulturalnego i Przyrodniczego UNESCO.

W Maramureszu na co dzień widać tradycyjne stroje, niemal każda dolina chlubi się innymi, charakterystycznymi, noszonymi tylko przez mężczyzn nakryciami głowy, także wzory na kobiecych zapaskach są w każdej wsi różne. Region słynie z licznych festiwali folklorystycznych.

Na miłośników sportów zimowych czeka niewielki kompleks Staţiunea Borşa z nartostradą o długości ponad 2 km.

Nazwa krainy pojawiła się pierwszy raz w dokumentach węgierskich w 1199 r., ale już u schyłku X w. na terenie dzisiejszego Maramureszu istniały niewielkie feudalne państewka – wojewodaty. Miejscowi władcy musieli odpierać najazdy zarówno Węgrów, jak i Tatarów. Za czasów króla Ludwika, po klęsce wojewody Bogdana w 1359 r. Maramuresz dostał się pod panowanie węgierskie. Na stolicę regionu wyrosło niewielkie górnicze miasteczko Baia Mare. Na początku XVI w. cały region włączono do Transylwanii, a w 1699 r. – do Austrii. Maramuresz wrócił do Rumunii po I wojnie światowej na mocy układów pokojowych regulujących podział Austro-Węgier. W czasie II arbitrażu wiedeńskiego (sierpień 1940) Niemcy i Włochy zadecydowały o przekazaniu Węgrom północnego Siedmiogrodu wraz z Maramureszem. Ostateczną przynależność regionu do Rumunii uregulowały paryskie traktaty pokojowe (1947) zawarte między państwami alianckimi a byłymi europejskimi sojusznikami hitlerowskich Niemiec: Bułgarią, Finlandią, Rumunią, Węgrami i Włochami.

Główne atrakcje

- **Dolina Izy** – wioski-skanseny i przepiękne zabytkowe cerkwie.
- **Syhot Marmaroski** – muzeum-więzienie, ponura pamiątka czasów reżimu.
- **Săpânţa** – jedyny w swoim rodzaju Wesoły Cmentarz.
- **Hoteni i Sârbi** – barwne obrzędy ludowe podczas Święta Oracza.

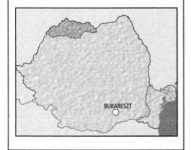

BUKARESZT

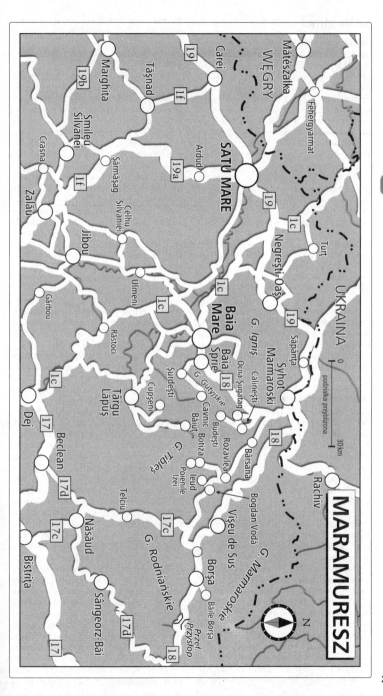

Mátészalka
WĘGRY
Fehérgyarmat
Carei
19
Marghita
19b
Taşnad
Smilęu
Silvaniei
1f
Crasna
Şărmăşag
Arduud
SATU MARE
19a
Zalău
1f
Celhu
Silvaniei
19
UKRAINA
Turţ
Negreşti-Oaş
1c
Jibou
Gârbou
Ulmeni
1c
Răstoci
Baia
Mare
Baia
Sprie
Săpânţa
G. Igniş
Calineşti
Syhot
Marmaroski
19
18
1c
G. Gutyiskie
Ocna Şugatag
18
Dej
Târgu
Lăpuş
Cupşeni
Şurdeşti
G. Guryiskie
Cavnic
Băiut
Budeşti
Rozavlea
Bârsana
1c
Beclan
17
Băiut
Botiza
Ieud
Poienile
Izei
Bogdan Vodă
Rachiv
17d
Telciu
17c
G. Tiblęş
Vişeu de Sus
Năsăud
17c
Borşa
Bistriţa
G. Rodniańskie
Baile Borşa
Przeł.
Prysłop
Sângeorz-Băi
17d
18
17
G. Marmaroskie

0
podziałka przybliżona
30km

MARAMURESZ

N

SATU MARE

Anonimowa kronika *Gesta Hugarorum* spisana na dworze króla węgierskiego Beli IV w XIII w. wspomina o ciężkich walkach toczonych przez Węgrów o twierdzę Satmar, jak pierwotnie nazywało się Satu Mare. Warownia poddała się dopiero po trzech dniach oblężenia. Wiadomo, że gród istniał w tym miejscu już w IX w., a osada wokół niego powoli, ale systematycznie się rozwijała. Już w XIII w. Satmar był ośrodkiem handlowym i militarnym obejmującym znaczny teren. W następnym stuleciu król Karol I Robert założył tu mennicę – odtąd miasto na szlaku handlowym prowadzącym m.in. do Wiednia i Krakowa było często wymieniane w źródłach jako ważne centrum regionu i pełniło tę rolę przez kolejne wieki.

„Satu Mare" (węg. Szatmárnémeti, niem. Sathmar) znaczy „duża wieś", ale czasy, kiedy miejscowość była liczącym się ośrodkiem przemysłowym, dawno minęły. Miasto nie cieszy się wielką popularnością wśród turystów, choć zatrzymuje się w nim sporo podróżujących samochodem w głąb kraju Polaków, aby wymienić pieniądze i zorientować się w cenach. Przy okazji warto rzucić okiem na klasycystyczną zabudowę (jak w innych rumuńskich miastach, otoczoną socrealistycznymi blokami).

Orientacja i informacje

Centrum Satu Mare skupia się na północnym brzegu rzeki Samosz (Someş). Serce miasta to Piaţa Libertăţii z okazałą katedrą rzymskokatolicką, od której odchodzą główne ulice: blvd Brătianu, str. 1 Decembrie 1918, str. A. Cuza, str. Ştefan cel Mare oraz str. C. Copoşu. Ratusz o fantazyjnym kształcie otwieracza do butelek, kolejny charakterystyczny punkt w panoramie Satu Mare, wznosi się na Piaţa 25 Octombrie, nieopodal rzeki. W zamierzeniu projektantów ekscentryczna konstrukcja ma przypominać postać górala z regionu Oaş w kapeluszu.

Najbardziej kompetentna **informacja turystyczna** działa przy biurze turystycznym **Accord** (str. I.C. Brătianu 7; ☎0261/737915, fax 717069, abt@accord-travel.ro). Można tam dostać mapy i broszury dotyczące regionu, kupić bilety na samolot, wypożyczyć samochód, wykupić wycieczkę krajoznawczą, zarezerwować nocleg w gospodarstwie agroturystycznym i wymienić pieniądze w kantorze. Przydatnych informacji udziela też **Agenţia de Turism** w hotelu *Aurora* przy głównym placu (Piaţa Libertăţii 11; ☎/fax 0261/711 178, aurora@aurora-sm.ro).

Zwiedzanie

W Satu Mare warto obejrzeć kilka kościołów, dwa muzea oraz zabytkowe kamienice. W zabudowie Piaţa Libertăţii dominuje barokowa **Catedrala romano-catolică** (katedra rzymskokatolicka; msze św. nd. 7.00, 9.00, 11.00) z końca XVIII w., zwieńczona imponującą kopułą. Fasadę, oflankowaną dwiema wysokimi wieżami dobudowanymi w I połowie XIX w., poprzedza klasycystyczny portyk wsparty na sześciu koryckich kolumnach. 100 m na zachód od katedry, przy str. 1 Decembrie 1918 stoi neoklasycystyczny **Palatul Episcopal Romano-Catolic** (Rzymskokatolicki Pałac Biskupi), który powstawał w kilku etapach, w latach 1828–1892. Jeszcze dalej na zachód przy tej samej ulicy wznosi się **Biserica Sf. Arhangheli Mihail şi Gavril** (cerkiew św. św. Archaniołów Michała i Gabriela), a u wylotu str. 1 Decembrie 1918 – duża **Catedrala ortodoxă** (katedra prawosławna) wybudowana według kanonów bizantyńskich. Obie świątynie pochodzą z XX w. Od katedry niedaleko już do **Muzeul de Istorie** (Muzeum Historyczne; blvd V. Lucaciu 21; wt.–pt. 10.00–18.00; 0,25 €, ulgowy 0,12 €, fotografowanie 5,60 €, filmowanie 8 €). Ze względu na trudności finansowe placówki udostępniono tylko część archeologiczną.

Muzeul Judeţean de Arta (Muzeum Sztuki; Piaţa Libertăţii 21; wt.–pt. 10.00–18.00; 0,25 €, ulgowy 0,12 €, fotografowanie 5,60 €, filmowanie 8 €) mieści się w zabytkowym pałacu z końca XVIII w., kilkadziesiąt metrów na południe od katedry. W północnej pierzei Piaţa Libertăţii wyróżnia się imponujący secesyjny **hotel Dacia** z 1909 r. Fasadę (na której widnieje herb Satu Mare) i salę koncertową zdobi bogata ornamentyka roślinna. Na tyłach hotelu (wejście od Pasaj Dacia), na dziedzińcu otoczonym kamienicami, wznosi się 45-metrowa Turnul Pompierilor (wieża Strażacka) z 1904 r. udostępniona do zwiedzania.

Pośrodku Piaţa Păcii stoi barokowa **Biserica reformată** (kościół ewangelicki) z wieżą, wybudowana w latach 1788–1807. Świątynia ma jedną nawę zakończoną półokrągłą absydą. Przed kościołem stoi pomnik Ferenca Kölcseyego, założyciela szkoły węgierskiej, której budynek widać tuż obok, na rogu Piaţa Păcii i str. Ştefan cel Mare. Kolejna świątynia w Satu Mare to **synagoga tempel** z 1920 r. (str. Decebal

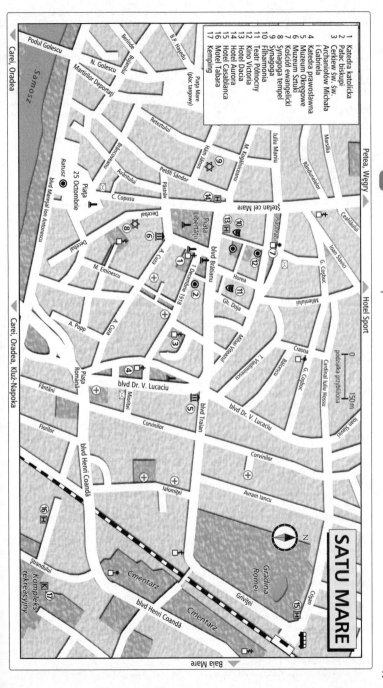

SATU MARE

1 Katedra katolicka
2 Pałac biskupi
3 Cerkiew św. św. Archaniołów Michała i Gabriela
4 Katedra prawosławna
5 Muzeum Okręgowe
6 Muzeum Sztuki
7 Kościół ewangelicki
8 Synagoga tempel
9 Synagoga
10 Filharmonia
11 Teatr Północny
12 Kino Victoria
13 Hotel Dacia
14 Hotel Aurora
15 Hotel Casablanca
16 Motel Tabara
17 Kemping

4, kilkadziesiąt metrów na południe od Piaţa Libertăţii), która przed II wojną światową służyła licznej społeczności żydowskiej. Poszukiwacze judaików powinni także zajrzeć na niewielką uliczkę Ham Janos, gdzie pod nr. 4 stoi druga synagoga (z XVIII w.) – zniszczona, ale wciąż imponująca wielkością.

Noclegi

Aurora*** (Piaţa Libertăţii 11; ☎/fax 0261/714 946, www.aurora-sm.ro). Hotel w wysokim bloku, z pokoi na górnych piętrach roztaczają się ładne widoki. Pokój 1-os. 40 €, 2-os. 70 €, apartament 90 €.

Casablanca* (str. Crişan 33A, naprzeciwko dworca autobusowego; ☎0261/768188, fax 768204). Widok z okien na okolice dworców nie jest zbyt ciekawy, ale przystępne ceny zachęcają do zatrzymania się na nocleg. Na miejscu restauracja i klub nocny. Pokój 2-os. 19 €, 3-os. 27 €.

Dacia** (Piaţa Libertăţii 8; ☎0261/714276, fax 715774, www.hoteldacia.alphanet.ro). Zabytkowy secesyjny pałacyk z początku XX w. Wygodne, obszerne pokoje, ale łazienki nieremontowane od 30 lat. Na dole niezła restauracja. Pokój 1-os. 37 €, 2-os. 48 €, apartament 58 €.

Kemping (str. Ştrandului, nieopodal kompleksu *Tabara*). Rozbicie namiotu 0,40 €/os., willa 13 €/2 os., bungalow 8 €.

Lux*** (str. Retazatului 23; ☎/fax 0261/710 655). Niewielki (zaledwie 5 pokoi 2-os.) ekskluzywny hotel z restauracją. Pokój 2-os. około 42 €.

Perla*** (str. L. Rebreanu 26; ☎0261/710794). Hotel o dosyć wysokim standardzie, z niezłą restauracją. Nieco oddalony od centrum. Pokój 1-os. 20 €, 2-os. 29 €, apartament 45 €.

Sport** (str. Mileniului 25; ☎0261/712959, fax 711604, dsjsm@datec.ro). Na północ od centrum. Czasy świetności ma za sobą, ale ceny pozostały dość wysokie. Lepiej omijać pokoje na parterze (gorszy standard). Pokój 1-os. 24 €, 2-os. 26 €, 3-os. 30 €.

Tabara (str. 24 Ianuarie 17; ☎0261/750472, fax 768305, agtabere@p5net.ro). Bardzo tanie, ale przyzwoite pokoje z łazienkami i TV w ośrodku wczasów dziecięcych. Pokój 2-os. 15 €. Przy hotelu kilkanaście bungalowów (2-os. 8 €).

Gastronomia

Complex Transilvania (Piaţa V. Lucaciu, róg str. V. Lucaciu i str. Mihai Viteazul). Niedroga restauracja i cukiernia z nowoczesnym wnętrzem i smacznym jedzeniem (obiad ok. 4 €).

Corso Restaurant (Piaţa Libertăţii 6; ☎0261/714726). Klasyczne rumuńskie menu (obiad ok. 3,50 €).

Crama Pietroasa (str. L. Rebreanu). Przyjemny pub-winiarnia w pobliżu hotelu *Perla*, w piwnicach starego satmarskiego domu, jakich pełno w okolicy. Wina z południowej Mołdawii.

Hello Margot (blvd Traian, u wylotu str. A. Iancu). Czysta pizzeria (także inne dania barowe) z przystępnymi cenami. Pizza około 1,90 € (zamawiając dużą, otrzymuje się bonus w postaci małej pizzy).

La Passione Pizzeria & Espresso Bar (na placyku przy Pasaj Dacia, obok wieży Strażackiej). Pizzę (ok. 1,90 €) konsumuje się w przyjemnym ogródku, z dala od gwaru ulicy.

Pizzeria Thalia (str. Horea, w sąsiedztwie teatru). Lokal popularny wśród młodzieży. Bardzo czysto, smaczna pizza (mała 1,50 €).

Plăcintarie (blvd Traian, naprzeciw pizzerii *Hello Margot*). Punkt gastronomiczny (okienko), gdzie sprzedają pyszne *plăcinty*, czyli smażone na oleju placki z różnorodnym nadzieniem (ok. 0,25 €).

Shanghai (str. V. Lucaciu 20). Restauracja chińska, zupy od 0,80 €, dania mięsne od 2,50 €, piwo od 0,50 €, butelka wina około 5 €.

Rozrywki

Miejska **filharmonia** (Filarmonica Dinu Lipatti) działa przy Piaţa Libertăţii 8, na tyłach hotelu *Dacia* (wejście od Pasaj Dacia). **Teatr Północny** (Teatrul de Nord, str. Horea 5) wystawia głównie sztuki w języku rumuńskim, ale także w węgierskim. **Kino** Victoria (Piăta Pacii, północny wylot Pasaj Dacia) ma trochę spóźniony repertuar, za to pozwala nadrobić zaległości bez obciążania budżetu (bilet 1,20 €).

Puby i kluby

Amazon Café Bar Bilard (str. G. Coşbuc 18, róg str. I. Hossu). Kilka stołów bilardowych, obszerne wnętrze i tanie piwo (0,35 €).

Blues Bar (róg str. Rândunelelor i Ştefan cel Mare). Niewielka spokojna knajpka z dobrą muzyką (piwo 0,30 €).

No patron pub (str. Corvinilor 11). Klimatyzacja i ogródek przy ulicy, atmosfera typowego pubu, zadymione piwnice, duży wybór alkoholi.

Viilor (str. A. Endre, w pobliżu Piaţa Eroilor Revoluţiei). Tania piwiarnia z niepowtarzalnym małomiasteczkowym klimatem.

Informacje o połączeniach

Samolot Satu Mare, choć to bynajmniej nie metropolia, ma własne lotnisko. Zawdzięcza to zapewne położeniu, jest bowiem najbardziej na północny zachód wysuniętym miastem Rumunii. Tarom oferuje przeloty do Bukaresztu (pn., śr., pt. 2 dziennie, sb. 1 dziennie; 68 € w obie strony; 1,5 godz.). Biuro Taromu mieści się przy Piaţa 25 Octombrie 9 (☎0261/712

795, fax 712795) obok agencji CFR. Na lotnisko (Aeroportu Satu Mare; 6 km na południe od centrum przy drodze do Klużu) kursuje autobus podstawiany przez agencję.

Pociąg Dworzec kolejowy mieści się przy str. Griviţei, około 1,5 km od Piaţa Libertăţii. Aby dostać się do centrum, trzeba po wyjściu z dworca skręcić w lewo, a następnie w prawo, w blvd Traian prowadzący do Piaţa Libertăţii. Satu Mare ma połączenia z Baia Mare (7 dziennie), Bukaresztem (4 dziennie), Klużem (4 dziennie), Mangalią (przez Konstancę, poł. VI–poł IX i 15 XII–31 XII 1 dziennie) i Timişoarą (2 dziennie).

Agenţie de Voiaj CFR usytuowana jest przy Piaţa 25 Octombrie 9, obok biura Taromu (☎0261/711002).

Autobus Dworzec autobusowy znajduje się tuż obok kolejowego, przy wschodnim końcu str. Crişan. Kilkanaście autobusów dziennie kursuje do Baia Mare, kilka do Oradei, Klużu i Syhotu. Dużo połączeń (np. do węgierskiego miasta Nyíregyháza) oferują firmy prywatne. Do Bukaresztu jeżdżą minibusy (przystanek przed budynkiem dworca kolejowego).

Informator

Apteki Jedna z lepszych aptek – na rogu str. V. Lucaciu i blvd Brătianu (naprzeciwko Okręgowego Muzeum Historycznego), inna na rogu str. Iuliu Maniu i str. Ştefan cel Mare.

Internet Przy blvd Traian 5 (0,40 €). Tania kafejka internetowa; niedrogo jest także w *Rambo* (str. G. Lazar).

Księgarnie Przy str. Horea, nieopodal teatru; przewodniki i mapy dotyczące Maramureszu i całej Rumunii.

Poczta i telekomunikacja Główny urząd pocztowy – w północnej pierzei Piaţa Păcii (róg str. Averescu; pn.–pt. 7.00–20.00, sb. 8.00–13.00).

Wymiana walut i banki Prócz Banca de Credit (róg str. Corvinilor i blvd Traian) i Banca Comercială Română (str. Horea 8–10, naprzeciwko teatru), kilka banków funkcjonuje przy Piaţa 25 Octombrie. Dwa kantory w budkach działają na rogu blvd Traian i str. Horea, przy okrągłym domu handlowym. Walutę można także wymienić w biurze Accord (zob. s. 240).

Zakupy Dom towarowy Someşul (Piaţa 25 Octombrie 12), sklep Target czynny non stop na Piaţa Libertăţii (południowo-zachodni narożnik), obok większy supermarket Unicarm.

BAIA MARE

Miasto Baia Mare (węg. Nagybánya, niem. Frauenbach) nad rzeką Săsar od średniowiecza jest stolicą Maramureszu i największym w Rumunii ośrodkiem wydobycia metali nieżelaznych (m.in. miedzi) oraz złota.

Okolice Baia Mare są zamieszkane nieprzerwanie od epoki brązu. Rzymianie, którzy dotarli do Dacji, nie zajęli wprawdzie dzisiejszego regionu Maramuresz, ale utrzymywali kontakty z miejscową ludnością. Około X w. tereny te zajęli Węgrzy. Baia Mare pojawia się w źródłach w 1329 r. pod nazwą „civitas Rivuli Dominarum", a następnie w 1347 r., kiedy otrzymała wiele praw związanych z górnictwem i handlem, a także zezwolenie na budowę zamku. Wszystkie przywileje zostały cofnięte, gdy król węgierski oddał okoliczne ziemie w lenno kniaziowi serbskiemu Lazarowiczowi (1389–1427). Przywrócono je dopiero za Jana Hunyadyego (1388–1456) i odtąd w miejscowości szybko rozwijało się górnictwo, a Baia Mare stało się jednym z ważniejszych ośrodków wydobycia w Transylwanii.

Złotnicy z Nagybánya (węg. Wielka Kopalnia) zyskali wkrótce sławę, a ich wyroby często pojawiały się na europejskich dworach monarszych, m.in. Wiednia czy Krakowa. W 1469 r. Maciej Korwin wydał zezwolenie na budowę kamiennych murów i baszt. W tym czasie do miasta i w okolice sprowadziło się sporo niemieckich kolonistów, tzw. Szwabów Satmarskich, którzy stopniowo napływali tam od co najmniej wieku. Mury Baia Mare zburzono po upadku powstania węgierskiego przeciw Habsburgom (1703–1711), na którego czele stał książę Siedmiogrodu Franciszek Rakoczy. W II połowie XIX w. powstało w Baia Mare wiele zakładów przemysłowych. Od 1919 r. miasto leży w granicach Rumunii (z przerwą w latach 1940–1944).

Współczesne Baia Mare to średniej wielkości ośrodek z dobrze zachowaną i pieczołowicie odnawianą starówką, naokoło której w epoce Ceauşescu wyrosły betonowe bloki. Te z kolei otoczone są przedmieściami, gdzie w latach 60. i 70. XX w. powstało wiele fabryk i zakładów przemysłowych, co na zawsze zmieniło krajobraz podnóża gór Igniş (Munţii Igniş).

Orientacja i informacje

Centrum miasta rozciąga się wokół Piaţa Revoluţiei i Piaţa Libertăţii. Oba place łączy str. G. Şincai, częściowo zamknięta dla

Map legend:

1 Muzeum Etnograficzne
2 Skansen
3 Kościół ewangelicki
4 Regionalne Muzeum Archeologiczno- -Historyczne
5 Dom Jana Hunyadyego
6 Wieża Stefana
7 Muzeum Sztuki
8 Baszta Rzeźników
9 Teatr Dramatyczny
10 Kino Dacia
11 Ratusz
12 Dom kultury
13 Hotel Carpaţi
14 Hotel Bucureşti
15 Hotel Maramureş

BAIA MARE

Satu Mare, lotnisko · Baia Sprie, Syhot Marmaroski

Satu Mare, Dej, dworce kolejowy i autobusowy

ruchu kołowego. Na południe od Piaţa Libertăţii biegnie str. Crişan, u wylotu której, pod basztą Rzeźników, ulokowano miejskie targowisko.

Jedynym źródłem **informacji** w Baia Mare jest biuro podróży Mara Holiday (blvd Unirii 11, w budynku hotelu *Mara*; ☎0262/226660, agentie@hotelmara.ro). Zajmuje się głównie organizacją wycieczek, ale można tam także dowiedzieć się czegoś ciekawego o regionie oraz kupić plan miasta i województwa (*judeţ*).

Zwiedzanie

Wszystkie ważne zabytki i miejsca warte odwiedzenia są usytuowane na osi północ–południe, od parku, Muzeum Etnograficznego i skansenu na północy, do baszty Rzeźników na południu. Zwiedzanie nie powinno zająć więcej niż kilka godzin.

Większość turystów zwiedza **Muzeul Etnografic şi Muzeul Satului** (Muzeum Etnograficzne i skansen; str. Dealul Florilor 1; ☎0262/412895; muzeum wt.–pt. 9.00–17.00, sb. i nd. 9.00–20.00; skansen 15 IV–15 XI; bilet do muzeum i skansenu w tej samej cenie: 1,30 €, ulgowy 0,80 €, fotografowanie 1,30 €) usytuowane na pół-

noc od centrum w parku Dealul Florilor (Kwiatowe Wzgórze), niedaleko stadionu. Muzeum mieści się w dużym klasycystycznym budynku. Największe zainteresowanie wzbudza ogromna prasa do wina, która zajmuje ponad połowę dużej sali. W skansenie zgromadzono 30 obiektów, m.in. cerkwie (każdy eksponat jest opisany). Przy wejściu działa stoisko z wyrobami rzemiosła ludowego.

Kierując się na południe, w stronę centrum, przechodzi się przez most na rzece Săsar. Już z daleka widać kościół ewangelicki, przed którym należy skręcić w lewo, aby dojść do **Muzeul Judeţean de Arheologie şi Istorie** (Regionalne Muzeum Archeologiczno-Historyczne; str. Monetăriei 1–3; ☎0262/211927; pn.–pt. 8.00–16.00, sb. i nd. 10.00–14.00; 1,30 €, ulgowy 0,80 €, fotografowanie 1,30 €) urządzonego w zabytkowym dworku, zbudowanym na miejscu dawnej mennicy. Przy Piaţa Libertăţii 18 (północno-wschodnia pierzeja) wznosi się **Casa Iancu de Hunedoara** (dom Jana Hunyadyego). Budynek stoi na miejscu, wzniesionego przez tego siedmiogrodzkiego wojewodę w XV w., masywnego piętrowego domu z dziedzińcem, który z czasem popadł w ruinę. Z Piaţa Libertăţii należy pójść na południe str. Crişan. Po chwili wyłania się najstarszy zabytek miasta i jednocześnie jego symbol – **Turnul Ştefan** (wieża Stefana) z II połowy XIV w., niedawno pieczołowicie odrestaurowana. Wzniesiona w stylu gotyckim budowla ma prawie 50 m wysokości. W przeszłości była częścią kościoła (katedra św. Stefana) z 1347 r. – obecnie na jego miejscu wznosi się niezbyt urodziwa współczesna (1982) cerkiew.

Przechodząc przez park na wschód, w stronę str. 1 Mai, dociera się do widocznej z daleka **Catedrala Sf. Treime** (katedra św. Trójcy) wzniesionej przez zakon jezuitów w latach 1717–1720. Utrzymany w stylu barokowym kościół przyciąga uwagę pięknymi oknami. Kilkadziesiąt metrów na południe znajduje się **Muzeul de Artă Decorativă** (Muzeum Sztuki; str. 1 Mai 8; wt.–nd. 10.00–16.30; 1,30 €, ulgowy 0,80 €, fotografowanie 1,30 €), gdzie można podziwiać dzieła rumuńskich (w tym miejscowych) artystów. Na placu targowym u południowego wylotu str. Crişan, w samym środku morza kramów stoi niewzruszenie XV-wieczna **Bastionul Măcelarilor** (baszta Rzeźników), bodajże jedyna pozostałość dawnych murów obronnych.

Nieopodal hotelu *Mara* działa **Muzeul de mineralogie** (Muzeum Mineralogiczne; blvd Traian 8; ☎0262/437651; wt.–sb. 9.00–17.00, nd. 9.00–14.00; 1 €, ulgowy 0,50 €) z ciekawą ekspozycją minerałów. Udostępniona w 1989 r. kolekcja liczy ponad 1100 eksponatów.

Noclegi

W Baia Mare nie ma wielkiego wyboru noclegów, za to prawie wszystkie hotele skupiają się w centrum lub bardzo blisko niego. Biuro Mara Holiday (zob. wyżej) wynajmuje miejsca w gospodarstwach agroturystycznych (ok. 10 €/os.).

Bucureşti** (str. Culturii 3; ☎0262/217290). Jeden z tańszych hoteli. Korytarz i klatki schodowe mogą odstraszać, ale pokoje są w lepszym stanie. Łazienki na korytarzu. Ceny jak na ten standard zdecydowanie za wysokie. Pokój 1-os. 18 €, 2-os. 25 €, 3-os. 29 €.

Carpaţi*** (str. Minerva 16; ☎0262/214812, fax 215461, www.hotelcarpati.ro). Hotel nad rzeką, z dobrą restauracją. Główny hol sprawia wrażenie tandety, ale to jest właśnie cała Rumunia. Pokój 1-os. 60 €, 2-os. 70 €, apartament 80 €.

Mara*** (blvd Unirii 11; ☎0262/226660, fax 221008, www.hotelmara.ro). Kolejny hotel o wysokim standardzie. Pokój 1-os. 56 €, 2-os. 70 €, 3-os. 53 €, apartament 97 €.

Maramureş** (str. Gh. Şincai 37A; ☎0262/216 555, fax 211022, www.hotelmaramures.ro). Bardzo przyzwoity, a przy tym niedrogi. Na miejscu dobra restauracja. Pokój 1-os. 45 €, 2-os. 55 €, 3-os. 65 €, apartament 70 €.

Sport* (blvd Unirii 14, przy kompleksie sportowym na południe od hotelu *Mara*; ☎0262/224 901). Skromnie i niedrogo. Pokój 1-os. 14 €, 2-os. 18 €.

Gastronomia

Baza gastronomiczna jest znacznie lepsza niż noclegowa – nie brakuje restauracji, fast foodów, barów, pubów oraz kawiarni.

Osoby żywiące się we własnym zakresie mogą robić zakupy na dużym targowisku przy południowym końcu str. Crişan (na południe od Piaţa Libertăţii), przy baszcie Rzeźników. Obok restauracji *Rapid* naprzeciwko dworca kolejowego, działa całodobowy sklep spożywczy.

Picasso (str. Podul Viilor 11, blisko kościoła ewangelickiego). Miejscowa klientela. Tanio: flaczki 1,40 €, menu dnia 1,80 €.

Bizonul Roşu (blvd Bucureşti 26A; ☎0262/435 716). Restauracja w stylu Dzikiego Zachodu, o czym zresztą świadczy nazwa (Czerwony Bizon). Jak na Rumunię dosyć drogo (obiad 4–6 €).

Bucureşti (na tyłach hotelu *Bucureşti*). Całkiem porządny lokal z kuchnią międzynarodową. Ceny umiarkowane: dwudaniowy posiłek 5 €.

Eda Café Bar (Piaţa Libertăţii, południowa pierzeja). Kawiarnia, gdzie można napić się nie tylko kawy, ale także piwa.

Lotos (blvd Traian 9–10). Pizza, kawa, herbata, lody, alkohole, a wszystko po umiarkowanych cenach.

Maracarn Restaurant (str. Victoriei 5, w pobliżu Muzeum Etnograficznego). Wysoki standard i takież ceny: *ciorba* 1,10 €, danie mięsne 1,50–2 €, dodatki około 1 €.

McDonald (róg blvd Bucureşti i blvd Unirii).

Pizza H (blvd Bucureşti 6; ☎0262/211012). Świetne miejsce na posiłek i dobrą kawę (0,50 €). Kompleks składa się z pizzerii, restauracji i kawiarni z ogródkiem. Obsługa mówi po angielsku. Omlet 0,55 €, lasagne 1,80 € mała margherita 1,50 €, średnia 2 €, duża 4,20 €, kawałek pizzy na wynos 1,10 €.

Pizza Plus (blvd Traian 13; ☎0262/434385). Lokal popularny wśród młodzieży. Niedroga i smaczna pizza (ok. 2,50 €), również inne włoskie specjały.

Pizza Restaurant Włoska restauracja obok hotelu *Carpaţi*; bardzo przyjemnie i czysto. Spaghetti od 2 €, dania mięsne od 4 €, kawa od 0,50 €.

Rapid (naprzeciwko dworca kolejowego). Dobre miejsce na posiłek. Stoliki na zewnątrz, piwo z beczki. *Ciorba* od 0,70 €, dania mięsne od 1,20 €.

Piwiarnie Wybór piwiarni w Baia Mare jest spory. Warto odwiedzić działający w północnej pierzei rynku lokal *Chez Philip* (Piaţa Libertăţii 4; ☎0262/272306) oraz miłą knajpkę *Nargilla* (str. Lucaciu 4), gdzie przy piwku można zapalić fajkę wodną (3,10 €), a właściciel deklaruje zniżkę dla Polaków. Latem zaprasza przyjemny ogródek piwiarni *Butoiaşul cu Bere* (str. G. Şincai, naprzeciwko policji), zimą zaś nieco mniej przytulne wnętrze (piwo 0,40–0,70 €). W północno-wschodnim narożu Piaţa Revoluţiei działa *Scottish Pub* – przyjemna knajpa w stylu szkocko-irlandzkim (ale guinnessa się tu nie uświadczy).

Rozrywki

Teatr Miejski (Teatrul Municipal; str. Crişan 4; ☎0262/211124) daje przedstawienia codziennie z wyjątkiem poniedziałków. **Kino** Dacia (Piaţa Revoluţiei 7, z placu trzeba wejść w uliczkę za *Scottish Pub*) ma przeważnie repertuar na czasie, a w dodatku jest tanie (0,50 €).

Informacje o połączeniach

Samolot Z lotniska Baia Mare (ok. 10 km na zachód od centrum, niedaleko miejscowości Tăuţii-Măgherăuş; ☎0262/293444) odlatują samoloty do Bukaresztu (wt. i czw. 2 dziennie, nd. 1 dziennie; ok. 73 € w obie strony; 1,5 godz.). Agencja Tarom (blvd Bucureşti 5; ☎0261/221624) zapewnia autobusy wahadłowe łączące miasto z lotniskiem oraz prowadzi sprzedaż biletów.

Pociąg Dworzec znajduje się około 1,5 km na zachód od centrum, przy zbiegu str. Gării i blvd Traian w nieciekawym socjalistycznym budynku. Baia Mare ma połączenia kolejowe z Satu Mare (11 dziennie), Klużem, Jibou (po 4 dziennie), Bukaresztem (przez Sighişoarę i Braszów), Budapesztem (po 2 dziennie) oraz Dej, Timişoarą i Mangalią (po 1 dziennie, Mangalia tylko poł. VI–poł. IX i 16 XII–31 XII).

Aby dostać się z dworca do centrum, trzeba pójść blvd Traian, na jego końcu (przy hotelu *Mara*) skręcić w blvd Unirii i po około 200 m skręcić w prawo w blvd Bucureşti, który prowadzi do Piaţa Revoluţiei, skąd już niedaleko do starówki. **Agenţie de Voiaj CFR** mieści się przy str. Victoriei 5–7 (☎0262/219113).

Autobus Dworzec autobusowy usytuowany jest tuż obok kolejowego w jeszcze brzydszym budynku. Z Baia Mare kursują autobusy m.in. do Complexul Borşa (1 dziennie), Băile Borşa (3 dziennie), Klużu (7 dziennie), Oradei (3 dziennie), Poienile de Sub Munte (1 dziennie; 3,60 €), Syhotu Marmaroskiego (9 dziennie), Bukaresztu (przez Sybin; 1 dziennie; 18 €; 10,5 godz.). Do tych samych miejscowości jeżdżą także prywatne busy (przystanek obok dworca). Informacje na temat godzin odjazdów autobusów i minibusów można uzyskać w kasie na dworcu.

Informator

Apteki Najbliżej dworca kolejowego – apteka w dużym bloku naprzeciwko, obok restauracji *Rapid*. Apteka całodobowa znajduje się na rogu str. Coşbuc i str. Republici. W centrum – przy Piaţa Libertăţii (na rogu str. Podul Viilor) oraz przy Piaţa Revoluţiei (pn.–pt. 8.00–20.00, sb. 9.00–14.00).

Internet *Ireal Internet Café* (w sąsiedztwie hotelu *Maramureş*, przy str. G. Şincai; 0,55 €/godz.). Inna kafejka internetowa mieści się przy Piaţa Revoluţiei (0,45 €/godz.).

Księgarnie Niezły wybór książek (w tym przewodników) w językach obcych oraz mapy okręgu oferuje księgarnia przy Piaţa Revoluţiei (północna pierzeja).

Laboratorium fotograficzne Sklep Kodak Ekspres (blvd Bucureşti, w okolicach kompleksu *Pizza H*).

Poczta i telekomunikacja Główny urząd pocztowy – blvd Bucureşti, w pobliżu hotelu *Bucureşti*; pn.–pt. 7.00–20.00, sb. 8.00–13.00. Inne – przy tej samej ulicy, około 100 m na zachód od restauracji *Bizonul Roşu*, a także przy blvd Traian, w pobliżu hotelu *Mara*.

Wymiana walut i banki Duże oddziały banków Comercială Română i Reiffeisen – w sąsiedztwie hotelu *Mara* (wschodni koniec blvd Traian). Banca Română pentru Dezvoltare – przy str. G. Şincai, nieopodal hotelu *Maramureş*. Przy tej samej ulicy jest kilka kantorów (np. IDM). Po wyjściu z dworca kolejowego łatwo trafić do kantoru w bloku naprzeciwko, obok apteki i restauracji *Rapid*.

Zakupy Dom towarowy Central (zachodnia pierzeja Piaţa Revoluţiei, naprzeciwko dawnego hotelu *Minerul*) nie imponuje rozmiarami, ale zaskakuje niskimi cenami.

Z BAIA MARE DO SYHOTU MARMAROSKIEGO

Na trasie jest kilka ciekawych wiosek z drewnianą zabudową i jej najcenniejszymi skarbami – wspaniałymi cerkwiami. Miejscowości w dolinach rzek Cosău i Mary zachowały o wiele więcej autentyzmu niż wsie w popularnej wśród turystów dolinie Izy. We wszystkich osadach przetrwały

Ludowi artyści w regionie Maramuresz szczególnie upodobali sobie drewno, czego dowodem są wspaniałe cerkwie oraz słynne rzeźbione bramy. Budowniczowie czerpali wzory ze sztuki gotyckiej i bizantyńskiej, z wielkim wyczuciem i smakiem łącząc je z elementami lokalnego folkloru.

Cerkwie wznoszono z drewna sosnowego, dębowego lub jodłowego, a ich konstrukcja przypomina w swym ogólnym zarysie kościoły katolickie. Mają najczęściej układ dwudzielny, utworzony z dwóch prostokątów, rzadziej – jednoprzestrzenny.

Cerkwie wieńczą kryte gontem strome dachy, nawiązujące do stylu gotyckiego. Nad przednawiem zazwyczaj wznosi się strzelista czworoboczna wieża zakończona arkadową izbicą i iglastym hełmem, zwykle zdobionym małymi wieżyczkami po bokach (podobnie jak hełm wieży w kościele Mariackim w Krakowie).

Opracowano m.in. na podstawie: Ryszard Brykowski, Tadeusz Chrzanowski, Marian Kornecki, Sztuka Rumunii

dawne zwyczaje, a ich mieszkańcy z dumą noszą ludowe stroje. Żywe tradycje folklorystyczne wyróżniają Maramuresz spośród innych regionów Rumunii.

Şurdeşti

Tę niewielką wioskę położoną około 20 km na południowy wschód od Baia Mare warto odwiedzić ze względu na **Biserica Sf. Arhangheli** (cerkiew św. św. Archaniołów) z 1724 r., jedną z najładniejszych i najbardziej typowych świątyń regionu, wpisaną na Listę Światowego Dziedzictwa Kulturalnego UNESCO. Cerkiew została zbudowana w całości z drewna dębowego bez użycia gwoździ, a sławę zawdzięcza strzelistej wieży o wysokości aż 54 m. Do niedawna była najwyższą drewnianą budowlą w Europie, ale prześcignęła ją o 2 m wieża cerkwi nowego monastyru w Bârsanie, a ostatnio cerkiew klasztorna w Săpânţy (75 m).

Zdobiące wnętrza malowidła pochodzą z 1810 r. Naniesiono je temperą jajeczną bezpośrednio na zagruntowane deski. Niestety, z powodu źle przeprowadzonej renowacji część polichromii uległa nieodwracalnemu zniszczeniu. Każdego dnia w samo południe z wieży cerkwi rozbrzmiewa głos dzwonu wzywającego na Anioł Pański. Zwyczaj ten ma bardzo długą tradycję i wiąże się z apelem papieża (ponieważ jest to świątynia obrządku unickiego), aby w ten sposób dziękować Bogu za odparcie przez Jana Hunyadego Turków spod Belgradu w 1456 r. Klucze do zabytku można otrzymać na plebanii nieopodal świątyni.

Do Şurdeşti niełatwo dotrzeć bez własnego samochodu. Z Baia Mare jeździ tam niewiele autobusów (przeważnie do Cavnic), więc najlepiej spróbować szczęścia autostopem. Jadąc samochodem z centrum Baia Sprie, trzeba skręcić z głównej drogi za drogowskazem Cavnic i Şurdeşti.

Doliny Cosău i Mary

Ocna Şugatag Zabudowa tego niewielkiego, sennego miasteczka ciągnie się wzdłuż jednej ulicy. Tutejsze źródła mineralne (znane od połowy XIX w.) przyciągają kuracjuszy, dlatego w okolicy powstało wiele gospodarstw agroturystycznych. Wody wykorzystuje się do leczenia m.in. chorób reumatycznych i kobiecych.

Średnia cena za **nocleg** w prywatnej kwaterze wynosi około 8 €/os. W miejscowości działa mniej więcej 30 pensjonatów, np.: *Casa Miller* (☎0262/374049), *Marianna* (☎0262/374131), *La Ghiţa* (☎0262/374214). Można również skorzystać z oferty nowoczesnego hotelu *Salina* (☎0262/374362, 374363; pokój 2-os. 28 €), hotelu *Bai Noi* (Ocna Şugatag 1), *Craiasca* (Ocna Şugatag 514) lub **kempingu** z nowymi bungalowami (6 €/os.). W lecie w miejscowości funkcjonuje kompleks basenów z ciepłą i zimną wodą. W miasteczku jest kilka nieźle zaopatrzonych sklepów czynnych do późnego wieczora.

Z Baia Mare i Syhotu kursuje do Ocna Şugatag tylko jeden autobus dziennie. Dobrym rozwiązaniem jest autostop, nieco gorszym dla portfela – wynajęcie taksówki.

Okolice Ocna Şugatag Do **Budeşti** warto przyjechać, by zwiedzić drewnianą Biserica Josani (cerkiew dolną św. Mikołaja) z 1643 r. z czterema dodatkowymi wieżyczkami dokoła głównej wieży (zabytek figuruje na Liście Światowego Dziedzictwa Kulturalnego i Przyrodniczego UNESCO). Spacerując po osadzie, trudno nie zwrócić uwagi na zabawne nakrycia głowy noszone przez mężczyzn. Ozdobione kolorową wstążką słomiane czapeczki-kapelusiki (*clop*), trzymają się na głowach dzięki gumce. Widok tak przystrojonych mężczyzn nie jest rzadkością nawet w dzień powszedni. Kto chce kupić sobie kapelusik na pamiątkę (za jedyne 3 €), powinien wybrać się na bazar przy Wesołym Cmentarzu w Săpânţy (zob. s. 250) lub do stoiska z rękodziełem ludowym w skansenie w Syhocie. Będąc w Budeşti, warto zwrócić uwagę na drewnianą zabudowę wioski, a zwłaszcza misternie rzeźbione bramy zdobiące niemal każdą zagrodę.

W **Calineşti**, wsi oddalonej od Ocna Şugatag o 7 km na wschód, stoją dwie cerkwie – Josani i Susani. Pierwsza pochodzi z 1663 r., drugą wzniesiono 20 lat później. Biserica Josani (cerkiew św. Mikołaja) nie przypomina innych świątyń regionu – tak jak cerkwie murowane, ma układ trójkonchowy, czyli trójabsydowy.

W **Mănăstirea** na uwagę zasługuje Biserica Sf. Arhangheli (cerkiew św. św. Archaniołów) wzniesiona w 1633 r. na terenie monastyru, którego zabudowania można podziwiać do dziś (z centrum wioski prowadzi tam polna droga, ok. 1 kilometr).

SYHOT MARMAROSKI

Syhot Marmaroski (rum. Sighetu Marmaţiei, węg. Máramorossziget), mały i senny prowincjonalny ośrodek, odegrał większą rolę w historii niż stolica regionu Baia Mare. Jest to najdalej na północ wysunięte rumuńskie miasto, położone u zbiegu Cisy, Izy i Ronişoary. W Syhocie nie ma wiele do obejrzenia, ale barokowe zabudowania wokół rynku, ciekawy skansen i słynne więzienie (dzisiaj muzeum), są wystarczającym powodem, aby chociaż na chwilę się tam zatrzymać.

Pierwsze wzmianki o mieście w źródłach pisanych pojawiają się w I połowie XIV w. Nazwa wywodzi się prawdopodobnie od dackiego słowa *seget* oznaczającego twierdzę. Od 1540 r. w Syhocie działała szkoła kalwińska – jedna z pierwszych węgierskich szkół w regionie. Wkrótce powstała szkoła rumuńska (również kalwińska). W późniejszych wiekach życie w wielonarodowym Syhocie toczyło się spokojnie. Miasteczko było modelowym wręcz przykładem zgodnego współistnienia różnych grup etnicznych, a co za tym idzie, wielu kultur.

W okresie komunizmu Syhot kojarzył się głównie z ciężkim więzieniem, w którym osadzano przedstawicieli rumuńskiej elity intelektualnej.

Orientacja i informacje Życie miasteczka skupia się przy długiej Piaţa Libertăţii, rozciągającej się między str. Traian (północna pierzeja) i str. I.M. de Apsa (połu-

Święto Oracza

Tânjua de pe Mara to jedno z najciekawszych wydarzeń folklorystycznych obchodzonych wiosną w regionie Maramuresz. Jest symbolem pracowitości rumuńskiego chłopa, a jednocześnie odbiciem przedchrześcijańskich tradycji związanych z równonocą wiosenną. Festiwal odbywający się corocznie na polu między **Sârbi** i **Hoteni** skupia mieszkańców dolin rzek Mary i Cosău oraz liczne grono turystów.

Inscenizacja obrzędu nawiązuje do dawnych tradycji. Rada najstarszych mieszkańców wioski wybiera najbardziej pracowitego gospodarza, który musi nie tylko dobrze uprawiać ziemię, ale także być dobrym człowiekiem, poważanym przez mieszkańców wioski i służyć innym za przykład. Uroczystości rozpoczynają się pod koniec kwietnia lub na początku maja. W dniu święta młodzieńcy uganiają się za pannami z wiadrami wody lub wrzucają je do rzeki, „aby rosły, rozkwitały i pozostały czyste jak górskie źródełko w zimie" (panny oczywiście, nie wiadra).

W tym czasie w domu wybrańca trwają intensywne przygotowania. Ławy przykrywa się kolorowymi pledami, kobiety gotują smakowite dania, a na podwórzu przygotowuje się miejsce na tańce. Młodzieńcy pomagają kobietom w ozdabianiu jarzma gałązkami brzozowymi i jodłowymi (drzewo to ma ogromne znaczenie w wierzeniach Rumunów) oraz kolorowymi wstążkami.

Główna ceremonia zaczyna się około południa po wyjściu z cerkwi – dwunastu lub więcej mężczyzn prowadzi swoje pługi do domu bohatera, którego następnie sadza się na bronie i wiezie w stronę rzeki. Kilku mężczyzn idzie obok, uniemożliwiając mu ucieczkę – gdyby się udała i wybraniec sam wszedł do wody, wszyscy pilnujący musieliby wykupić się jadłem i napitkiem. Ucieczka i związany z nią pościg są często bardzo widowiskowe, co dodaje obchodom szczególnego uroku.

Po kąpieli procesja dociera na pola, a wszyscy oracze z głównym sprawcą zamieszania na czele trzykrotnie okrążają rolę z bronami, zgodnie z kierunkiem wędrówki słońca. Następnie gospodarz zaczyna pierwszą w roku orkę, a potem wszyscy udają się do jego domu, aby tam biesiadować do późnej nocy.

Dwie cerkwie

Wiele wiosek Maramureszu ma dwie drewniane cerkwie, wybudowane przeważnie w różnym czasie. Aby szybko zorientować się, o którą świątynię chodzi, stworzono specjalny system – zamiast określać cerkiew imieniem patrona, mówi się o cerkwi górnej (Susani) lub dolnej (Josani). System sprawdza się bez zarzutu, ponieważ niemal wszystkie wioski leżą w górzystym terenie.

dniowa pierzeja). Pośrodku placu stoi cerkiew i duży budynek muzeum.

Informacja turystyczna mieści się przy głównym rynku Piaţa Libertăţii 21 (pn.–sb. 8.00–18.00; www.mtmm.ro) w sąsiedztwie kościoła katolickiego. Można się tam dowiedzieć o atrakcjach regionu, kupić mapy oraz dostać broszury, a także znaleźć nocleg w gospodarstwach agroturystycznych regionu (2 os. 13–16 €) i kupić wyroby miejscowych twórców ludowych. Biuro organizuje szereg ciekawych imprez folklorystycznych.

Zwiedzanie Przede wszystkim trzeba zobaczyć **więzienie-muzeum** i **Memorialul Victimelor Comunismului şi al Rezistenţei** (Pomnik Ofiar Komunizmu i Ruchu Oporu; str. Corneliu Copoşu 4; 9.30–18.30; ☎/fax 0262/316848, www.memorialsighet.ro; 1 €, ulgowy 0,50 €) oznaczone dużym pionowym szyldem z napisem „Memorial". Mieści się tam także Centru Internaţional de Studii Asupra Comunismului (Centrum Studiów nad Komunizmem). Muzeum założono w 1992 r. w dawnym więzieniu politycznym (sam budynek powstał pod koniec XIX w.), które działało tu od 1944 r. Na początku zarządzali nim Rosjanie, a w 1948 r. przejęła je komunistyczna Rumunia – wkrótce więzienie w Syhocie Marmaroskim stało się miejscem odosobnienia politycznych przeciwników reżimu.

W latach 1948–1955 zginęło tam 51 z około 200 osadzonych, wśród których były takie osobistości, jak Iuliu Maniu (przed II wojną światową lider Narodowej Partii Chłopskiej), czy Constantin Brătianu (przewodził Narodowej Partii Liberałów). W Syhocie więziono również prawosławnych i katolickich księży oraz kobiety. Wyjątkowo trudne warunki w celach (brak ogrzewania, zakaz wyglądania przez okno i leżenia na pryczach w ciągu dnia) to efekt przeniesienia do Rumunii wzorów sowieckich. Większość aresztantów miała ponad 60 lat (Maniu – 77, Braţianu – 84) i nie nadawała się do ciężkich robót (oficjalnie więzienie było specjalnym zakładem pracy). Sytuacja poprawiła się nieco w 1955 r.,

kiedy Rumunia została przyjęta do ONZ i zaczęła ją obowiązywać konwencja genewska. Więzienie w Syhocie działało do 1977 r.

Zwiedzającym udostępniono kilkadziesiąt sal, w których wystawiono dokumenty, fotografie i przedmioty należące do więźniów (osobne ekspozycje poświęcono Iuliu Maniu i Constantinowi Brătianu). W jednym z pomieszczeń znajduje się ekspozycja poświęcona polskiej „Solidarności". Na dziedzińcu stoi przejmujący pomnik **Cortegiul Sacrificătilor** (Konwój Ofiar).

W samym sercu miasta, pośrodku Piaţa Libertăţii powstało **Muzeul Maramureşean** (Muzeum Regionalne; 0,80 €, ulgowy 0,40 €, fotografowanie 0,80 €, filmowanie 2,60 €). Bogata kolekcja etnograficzna obejmuje bajecznie kolorowe stroje ludowe oraz przedmioty codziennego użytku. Kierując się na północ str. Basarabiei, nie sposób przeoczyć **synagogi** (str. Basarabiei 10) w stylu mauretańskim z II połowy XIX w. Skręcając w str. Mihai Viteazul, dociera się do **Casa Elie Wiesel** (dom Elie Wiesela; wt.–nd. 10.00–18.00; 0,80 €, ulgowy 0,40 €, fotografowanie 0,80 €), domu żydowskiego pisarza-noblisty (1986), który spopularyzował określenie „holocaust" w odniesieniu do eksterminacji Żydów podczas II wojny światowej, choć sam pisarz uważał to słowo za zbyt trywialne w porównaniu z żydowskim „Szoah" (zagłada). Urodzony w Syhocie Wiesel w wieku 15 lat został deportowany do obozu w Oświęcimiu. Oprócz pamiątek po odwiedzającym często miasto pisarzu eksponowana jest też ciekawa kolekcja dokumentująca dzieje miejscowych Żydów. Warto wiedzieć, iż w przedwojennym Syhocie stanowili oni 2/3 mieszkańców (w 1930 r. w mieście i okolicach żyło przeszło 34 tys. Żydów), wojnę przetrwały 3072 osoby, a obecnie mieszka tu 48 wyznawców religii mojżeszowej.

W okolicach Piaţa Libertăţii warto obejrzeć barokowy **kościół katolicki** (str. Traian, róg str. Plevnei) z 1736 r. oraz **węgierski kościół ewangelicki** z XVII w., dzisiaj zamknięty na cztery spusty.

Na wschodnich obrzeżach miasta usytuowane jest duże **Muzeul Satului Mara-**

mureşean (skansen; str. Dobaies 40, przy wylocie na Baia Mare; ☎0262/314229; wt.–nd. 10.00–18.00; 0,80 €, ulgowy 0,40 €, fotografowanie 0,80 €, filmowanie 2,60 €), gdzie można zobaczyć 40 obiektów. Najstarsze chałupy pochodzą z XVII i XVIII w. Na prawo od wejścia wznosi się wysoki, smukły obelisk w kształcie popularnej w rumuńskiej tradycji kolumny niebios – osi świata. Według rumuńskich naukowców tu właśnie jest geometryczny środek Europy. Biorąc pod uwagę fakt, iż podobne miejsca znajdują się także w Polsce, na Słowacji i Ukrainie, powyższą informację trudno traktować poważnie.

Noclegi W Syhocie jest kilka hoteli i moteli o średnim i wysokim standardzie. Z noclegiem nie powinno być kłopotów, bo miejscowość nie jest oblegana przez turystów. Większość gości zatrzymuje się tam po drodze do Săpânţy.

Motel Buţi★★ (str. S. Bărnuţiu 6; ☎/fax 0262/311035, motel.buti@mail.alphanet.ro). Nieopodal muzeum-więzienia; na miejscu restauracja, bar i sklep. 28 miejsc o średnim standardzie; pokój 2-os. 25 €, 3-os. 32 € (bez łazienki), apartament 39 €.

Motel Siesta★★★ (str. A. Iancu 42; ☎/fax 0262/311253, office@siesta.mm.ro). Na obrzeżach miasta, przy wylocie na Săpânţę. Wygodne i czyste pokoje (16 dwójek). Pokój 2-os. 29 €, apartament (4 łóżka) 45 €.

Perla Sigheteana★★★ (str. A. Iancu 65A, przy drodze do Săpânţy; ☎0262/310613, fax 310268). Hotel o wysokim standardzie, ale tylko 8 pokoi 2-os. (39 €).

Tisa★★ (Piaţa Libertăţii 8; ☎0262/312645). Pokoje o przyzwoitym standardzie i takiej cenie. Pokój 1-os. 17 €, 2-os. 22 €, apartament 32 €.

Gastronomia Najlepsze restauracje działają przy hotelach i w okolicach Piaţa Libertăţii. Targowisko usytuowane jest w północnej części miasta (dojście str. Besarabiei).

Elixir Café (str. Dragoş Vodă, przy pomniku Żołnierza). Połączenie kawiarni z włoską restauracją-barem, gdzie można zjeść m.in. pizzę i spaghetti. Ładny taras.

Iurca de la Călineşti (str. Dragoş Vodă 14, w pobliżu domu Elie Wiesel; ☎0262/318882). Najbardziej ekskluzywna restauracja w mieście o rustykalnych wnętrzach i przystępnych cenach. Na piętrze komfortowy, czterogwiazdkowy pensjonat: 2 os. 40 €.

Pizzeria Primavera (róg str. Basarabiei i str. Traian). Dobra, ale jak na Rumunię dosyć droga pizzeria (także inne włoskie dania). Pizza 2,50–3,50 €.

Snackbar Tineretului (str. Traian, południowa pierzeja Piaţa Libertăţii, obok BRPD). Smaczny i obfity obiad kosztuje około 3 €.

Informacje o połączeniach Oba dworce, kolejowy i autobusowy, usytuowane są w północnej części miasta, przy str. Gării, na północnym krańcu str. I. Maniu. Syhot ma połączenia kolejowe z Klużem (2 dziennie), Bukaresztem (przez Braszów), Timişoarą (przez Alba Iulia) i Vişeu de Sus (po 1 dziennie). **Agenţie de Voiaj CFR** mieści się przy Piaţa Libertăţii 25.

Lepiej przedstawia się sytuacja z autobusami: kilka dziennie kursuje do Baia Mare i Satu Mare oraz do wiosek: Bârsana, Botiza, Budeşti, Şăpânţa i Vişeu de Sus. Poza tym codziennie dwa autobusy jadą do Borşy, Ieud i Poienile de Sub Munte (7.15, 19.35).

Aby dostać się do centrum, trzeba pójść prosto na południe str. I. Maniu i na jej końcu skręcić w lewo, w kierunku widocznego kościoła.

Informator

Apteka Minerva na Piaţa Libertăţii 23; druga na str. I.M. de Apşa, przy wylocie str. Dragoş Vodă, przy pomniku Żołnierza.

Internet Kafejka internetowa *NetClub* działa przy str. I.M. de Apşa (wschodni kraniec, niedaleko Piaţa 1 Decembrie; 0,35 €/godz.). Naprzeciw Muzeum Komunizmu działa *Net Caffe* (tylko dwa komputery; 0,40 €/godz.)

Księgarnia Lucefarul znajduje się na str. Bogdan Vodă 10 – skromny wybór map i broszur dotyczących regionu.

Poczta i telekomunikacja Urząd pocztowy i rozmównica telefoniczna – str. I.M. de Apşa, naprzeciwko muzeum.

Wymiana walut i banki Banca Română pentru Dezvoltare (Piaţa Libertăţii, południowa pierzeja, naprzeciw cerkwi). Jeden z kantorów mieści się przy Piaţa Libertăţii, obok kościoła katolickiego. Bankomat jest przy hotelu *Tisa* (Piaţa Libertăţii 8).

SĂPÂNŢA

Z roku na rok coraz więcej turystów odwiedza tę niezwykłą miejscowość oddaloną o 12 km na wschód od Syhotu Marmaroskiego. Tym, co przyciąga tu obieżyświatów, jest jedyny w swoim rodzaju **Cimitirul Vesel** (Wesoły Cmentarz). Zabawność tego bądź co bądź smutnego ze swej natury miejsca kryje się w ikonografii nagrobków. Zmarłych uwieczniono w scenach obrazujących zawód wykonywany za życia, hobby, ulubiony sposób spędzania wolnego czasu lub przyczynę śmierci. Umieszczone poniżej rymowane epitafia streszczają życie zmarłego. Bardzo często zaczynają się od sformułowania w rodzaju: „Tu ja spoczywam, (imię i nazwisko zmarłego) się nazywam". Nagrobki ozdobione są ludowymi motywami w przyjemnym ciemnobłękitnym kolorze, który zaczęto nawet określać jako *alabastru din Săpânţa*.

Pomysłodawcą niecodziennych nagrobków był miejscowy artysta Ion Stan Pătraş. Pierwsze powstały w 1935 r. Po śmierci mistrza (1977) dzieło kontynuuje jego uczeń Dumitru Pop, do dziś mieszkający w wiosce. Fenomen Wesołego Cmentarza nie doczekał się jeszcze poważnego opracowania naukowego, choć powinien wzbudzić zainteresowanie nie tylko historyków sztuki, lecz także socjologów, etnografów czy wreszcie teologów. W kulturze europejskiej radosny stosunek do śmierci i pogodne godzenie się z wyrokami losu to rzecz rzadko spotykana.

Popularność niezwykłej nekropolii bezwzględnie wykorzystują miejscowi. Wysokie ceny biletów wstępu (0,80 €, ulgowy 0,40 €, wysokie opłaty za fotografowanie i filmowanie) oraz ludowych wyrobów na niezliczonych kramach nie mogą dziwić, skoro przed cmentarz często zajeżdżają autobusy z charakterystycznym znaczkiem UE.

Obok cmentarza wznosi się murowana cerkiew, a 300 m dalej (polną drogą na zachód) usytuowane jest **muzeum Iona Stana Pătraşa** (nr 380; 0,55 €, ulgowy 0,28 €). W niewielkim drewnianym domu można obejrzeć pamiątki i dzieła tego niezwykłego twórcy (część z nich zdobi zewnętrzne ściany budynku). Na podwórku stoi kamienne popiersie Pătraşa. Muzeum nie ma stałych godzin otwarcia, ponieważ opiekują się nim gospodarze mieszkający w domu na tym samym podwórzu. W małej galerii sprzedaje się piękne zdobione meble i miniaturki nagrobków. Pamiątki są, niestety, drogie – za najtańsze trzeba zapłacić 20 €.

Druga zabytkowa nekropolia przetrwała w południowo-zachodniej części wioski (dojście drogą od muzeum). Choć kolorowych nagrobków jest tu znacznie mniej niż na Wesołym Cmentarzu, warto chwilę pospacerować, bo całkowity brak turystów i malowniczy krajobraz stwarzają niepowtarzalną atmosferę.

Zwiedzając Săpânţę, nie można pominąć **nowego monastyru Săpânţa Perii** budowanego od kilku lat w leśnych ostępach. Aby do niego dotrzeć, należy podejść główną drogą na wschód od zakrętu do cmentarza i po około stu metrach skręcić w lewo, w drogę wiodącą do klasztoru. Ogromna, dwupoziomowa, drewniano-murowana cerkiew w stylu marmaroskim wywiera niesamowite wrażenie. Wieża cerkwi ma 75 m wysokości, co czyni ją najwyższym drewnianym budynkiem sakralnym na świecie. Nabożeństwa odbywają się na razie w dolnej cerkwi, gdzie można podziwiać kilkanaście malowanych na szkle ikon. Przy wjeździe do wsi od Syhotu znajduje się dobrze zachowany **kirkut**.

Specjalnością Săpânţy są wełniane pledy i tkane obrusy, eksponowane przed domostwami. Ceny w dużej mierze zależą są od umiejętności targowania się.

Dojazd do wioski nie nastręcza problemów, ponieważ z Syhotu Marmaroskiego do Săpânţy kursuje codziennie kilkanaście autobusów (niektóre kończą tam bieg, inne jadą dalej w stronę Satu Mare).

W okolicy działa mnóstwo **gospodarstw agroturystycznych** (ceny wahają się w granicach 8–12 € za nocleg). Miejsca godne polecenia to: *Cris & Maria* (☎0262/372 365) i *Anca* (☎0262/372148). Można również dogadać się z mieszkańcami w kwestii rozbicia namiotu. **Kemping Poeni** (str. Păstrăvăriei 632, 3 km na południe od centrum wioski; ☎/fax 0262/313818) oferuje 8 bungalowów (8 €/2 os.) i mnóstwo miejsca na rozłożenie namiotu (1,20 €/os.). Na miejscu jest bar i ogólnodostępny grill oraz schludne łazienki z gorącą wodą.

Z SYHOTU MARMAROSKIEGO DO BORŞY

Najbardziej malownicza trasa z Syhotu do Borşy prowadzi **doliną Izy**. Po drodze mija się kilka osad, w których można podziwiać drewniane cerkwie i misternie rzeźbione bramy. Podobnie jak w innych wsiach regionu, także tutaj przetrwały żywe tradycje ludowe.

Komunikacja będzie sprawiać nieco kłopotów, ponieważ większość autobusów i pociągi kursujące między Syhotem Marmaroskim a Borşą jeżdżą trasą nr 18, biegnącą równolegle do drogi w dolinie Izy. Jeśli nie uda się złapać któregoś z nielicznych autobusów z Syhotu, trzeba zdać się na autostop, który w tym regionie sprawdza się wyjątkowo dobrze (trzeba pamiętać o zapłacie równej w przybliżeniu cenie przejazdu autobusem).

Kogo na trasie zastanie noc, nie powinien się martwić. Niemal w każdej miejscowości od dawna prężnie działa agroturystyka (treba wypatrywać szyldów). Nawet jeśli nie znajdzie się pensjonatu, wystarczy popytać we wsi o nocleg i z pewnością natrafi się na gospodarza, który chętnie przyjmie strudzonego wędrowca pod swój dach.

Bârsana

Wioska, malowniczo położona na pagórkach wśród drzew, to jeden wielki skansen drewnianego budownictwa regionu Maramuresz. Z tego powodu chętnie odwiedzają ją turyści, na których czekają liczne gospodarstwa agroturystyczne.

Na wzgórzu, powyżej głównej drogi, wznosi się stara cerkiew z 1720 r. figurująca na Liście UNESCO. W 1997 r. rozpoczęto na wschód od wsi budowę żeńskiego kompleksu klasztornego **Mănăstirea Bârsana** (fotografowanie 2,30 €, filmowanie 3 €). Główna świątynia z wieżą o wysokości 56 m była do niedawna najwyższą drewnianą budowlą w Europie (zob. *Săpânţa*). Malownicze położenie w pagórkowatym terenie, piękna drewniana zabudowa utrzymana w lokalnym stylu, zadbane rabaty i trawniki oraz atmosfera modlitwy i zadumy przyciągają w to miejsce rzesze pątników i turystów.

Spośród wielu gospodarstw agroturystycznych warto polecić: *Cudrici* (☎0262/331059), *Dumbrava* (☎0262/331158), *Runcan* (☎0745/594308).

Rozavlea

Miejscowość pojawiła się w źródłach pisanych po raz pierwszy w 1374 r. jako siedziba wójta. Stojącą przy samej drodze **Biserica Sf. Arhangheli** (cerkiew św. św. Archaniołów) zbudowano w latach 1717–1720. Tradycja głosi, że wzniesioną ją na miejscu świątyni zniszczonej przez Tatarów. Na jej teren prowadzi piękne zdobiona brama. Szpary między balami wypełniono konopiami lub lnem. Ikonostas pochodzi z 1810 r., a cenne malowidła autorstwa mistrza Iona Plohoda z Dragomireşti z około 1720 r. Na pozostałościach fresków zdobiących ściany (w przedsionku) można prześledzić technikę ich powstawania – bezpośrednio na deski przyklejano płótno, następnie gruntowano je i malowano. Cerkiew w Rozavlei została wpisana na Listę Światowego Dziedzictwa Kulturalnego i Przyrodniczego UNESCO.

Obok świątyni wznosi się dzwonnica zbudowana na planie kwadratu, przykryta czterospadowym dachem. W centrum wioski jest miejsce nazywane Wzgórzem Mnichów, co może świadczyć, że niegdyś istniał tam monastyr.

Poienile Izei

Aby dojechać do wioski od strony Botizy, trzeba dysponować samochodem terenowym lub rowerem górskim (zimą jest to raczej niewykonalne). Odcinek ten można także pokonać pieszo (6 km) drogą wijącą się wśród malowniczych wzgórz. Przy braku czasu najlepiej wybrać asfaltową szosę, która odbija od drogi Şieu–Botiza.

Stara **Biserica Sf. Parascheva** (cerkiew św. Paraskiewy) z 1604 r. wznosi się na wzgórzu nieopodal cmentarza za nową murowaną świątynią. Wewnątrz przetrwały przepiękne malowidła z 1783 r. przedstawiające sceny ze Starego i Nowego Testamentu – już od wejścia uwagę przykuwa niezwykle dramatyczne wyobrażenie piekła na południowej ścianie przedsionka. Obraz jest swoistym komiksem z ułożonymi poziomo scenami (ogląda się je w kierunku wschód–zachód). Przed oczami widza kłębią się nagie postacie torturowane przez diabły.

Szczególnego uroku dodaje cerkwi (wpisanej na Listę Światowego Dziedzictwa Kulturalnego UNESCO) brak sztucznego oświetlenia – słońce przedostaje się do środka przez niewielkie okienka. Aby zwiedzić świątynię, należy zgłosić się do pobliskiego domu (nr 348). Wewnątrz nie wolno robić zdjęć (ale czasem udaje się uprosić klucznika).

Noclegi oferują m.in. gospodarstwa: *Adriana* (☎0262/334380) i *Ion de la Cruce* (☎0262/334365).

Bogdan Vodă

Wioska szczyci się długą historią sięgającą czasów średniowiecza. Jej obecna nazwa pochodzi od Bogdana I – pierwszego hospodara mołdawskiego, właściciela dóbr w okolicy. Konflikt z Ludwikiem Węgierskim zmusił go do przeniesienia się w 1359 r. do Mołdawii, gdzie po pokonaniu wiernego Węgrom władcy Balka objął tron. Przez długie wieki wieś nazywała się Cuhea i dopiero w 1968 r., w wyniku prac archeologów, którzy odkryli pozostałości siedziby władcy i cerkwi z XIV w., przemianowano ją na Bogdan Vodă.

Na szczególną uwagę zasługuje drewniana **Biserica Sf. Nicolae** (cerkiew św. Mikołaja) z 1718 r., a szczególnie zachowane w niej malowidła, które wykonano częściowo bezpośrednio na deskach, a po części na płótnie. Niestety, świątynia rzadko bywa otwarta (klucznik mieszka w domu na zachód od cerkwi), dlatego najlepiej przyjechać do wioski w niedzielę, kiedy w nowej murowanej cerkwi odprawiane są nabożeństwa. Wówczas często otwierana jest także stojąca obok stara świątynia. Warto zwrócić uwagę na podłużne okna w ścianie oddzielającej nawę od przedsionka. Dawniej umożliwiały one obserwowanie liturgii kobietom zgromadzonym w przedsionku, zwanym babińcem.

Ieud

Ieud to kolejna wioska-skansen, gdzie zachowały się dwie piękne cerkwie. Pierwsze wzmianki o osadzie pochodzą z 1364 r. W tym samym roku (niektórzy kwestionują ten fakt) konsekrowano jedną ze świątyń, co czyniłoby ją najstarszą tego typu budowlą w Rumunii (data wzniesienia świątyni także budzi kontrowersje).

Biserica din Deal (cerkiew Na Wzgórzu) stoi na wzniesieniu, otoczona starym cmentarzem. Prowadzi do niej polna droga wzdłuż potoku. Według starej tradycji niegdyś w tym miejscu stał klasztor. Na początku XIV w. książę Balcu wybudował w wiosce niewielki zamek i jednocześnie ufundował cerkiew. Malowidła autorstwa Alexandru Ponehalschiego pochodzą z 1782 r. W świątyni odkryto najstarszą książkę w języku rumuńskim – *Zbornicul de la Ieud*, zawierający katechizm i zbiór praw kościelnych. Dzieło powstałe w latach 1391–1392 zostało napisane przez kleryków z klasztoru w Sfânţi (obecnie przechowuje się je w Bibliotece Narodowej w Bukareszcie). Osobliwością cerkwi jest drabina, prawdopodobnie z końca XIV w. O klucze do zabytku najlepiej pytać w domach w sąsiedztwie.

Biserica din Vale (cerkiew W Dolinie) z 1717 r. to świątynia obrządku unickiego pod wezwaniem Matki Bożej. Jej cechą charakterystyczną jest brak przedsionka. Warto zwrócić uwagę na zamek drzwi wejściowych – wykonany w całości z drewna. Zabytek można oglądać w czasie nabożeństw.

W wiosce działa niewielkie prywatne **muzeum etnograficzne** (przy drodze prowadzącej wzdłuż potoku do cerkwi Na Wzgórzu).

Ieud jest doskonale przygotowane na przyjęcie turystów, a bogata oferta agroturystyczna przyciąga tu prawdziwe tłumy. Warto zaplanować dłuższy pobyt, bo w większości przypadków będzie to noc w starej marmaroskiej chacie z oryginalnym ludowym wystrojem. Godne polecenia gospodarstwa agroturystyczne to: *Iusco* (☎0262/336067) i *Chindriş* (☎0262/336197). Miejscowe kobiety specjalizują się w rękodzielnictwie – spod ich rąk wychodzą m.in. noszone przez mężczyzn czarne wełniane kamizelki. Można je bez problemu kupić, wystarczy zatrzymać się przy cerkwi, a już po chwili pojawią się Rumunki oferujące wytwarzane przez siebie cudeńka.

Vişeu de Sus

Vişeu de Sus, położone u zbiegu rzek Vaser i Vişeu, jest bramą do doliny Vaseru (Valea Vaserului), którą kursuje słynna leśna kolejka wąskotorowa Mocaniţa, docierająca do samego serca Gór Marmaroskich (zob. s. 386). To jedyny środek transportu, jakim można przemierzyć dolinę, służący zarówno miejscowym tartakom, ludności, jak i turystom. Samo miasteczko nie wyróżnia się niczym szczególnym, mimo że ma średniowieczne korzenie (pierwsze wzmianki pochodzą z 1365 r.).

Borşa

Niewielkie miasteczko, nad którym góruje majestatyczna sylweta Pietrosa Rodniańskiego, jak większość ośrodków przemysłowych, wywiera dość przygnębiające wrażenie – jedynym jasnym punktem jest ukryta pośród zabudowań drewniana cerkiew. Górnicze tradycje Borşy sięgają XIV w. W połowie XVIII w. przybyli w te okolice Niemcy (z kopalni słowackich i bawarskich), a później Austriacy. Do dziś można spotkać starsze osoby mówiące biegle po niemiecku. Na przełomie XIX i XX w. napłynęła tu duża grupa osadników żydowskich, po których pozostał tylko niewielki kirkut.

W miasteczku należy koniecznie zwiedzić zbudowaną w 1700 r. drewnianą **Biserica Sf. Arhangheli** (cerkiew św. św. Archaniołów) zdobioną freskami z 1765 r. Świątynia stoi u wylotu bocznej str. Etěrniţati (odchodzącej na północ od głównej str. Libertăţii), zasłonięta prawie całkowicie nową cerkwią. Do środka najłatwiej dostać się przed lub po zakończeniu liturgii (codz. 9.00).

Jednak to nie zabytki decydują o popularności Borşy wśród turystów, ale położenie, dzięki któremu jest dogodną bazą wypadową w Góry Rodniańskie (zob. s. 393) oraz Góry Marmaroskie (zob. s. 386). W miasteczku można uzupełnić prowiant, wymienić walutę, zjeść porządny obiad lub połączyć się z Internetem. W okolicy biją liczne źródła wód mineralnych.

Zabudowa Borşy skupia się przy głównej przelotowej ulicy (droga krajowa nr 18) i równoległej do niej rzece Vişeu. Centrum, które wyznacza miejsce ujścia rzecz-

„... Borsa jest właściwie wielką wsią; brudnych w niej domów wiele, czystych murowanych zaledwie kilka. Wstępując do niej zdziwieni byliśmy ogromną ilością żydów. Snuli się oni, zwyczajem orientalnym, gromadami po ulicach i widać było z całego ich zachowania się, że oni się tu za panów uważają. A jednak nie tak to jeszcze dawno, jak nam później opowiadano, kiedy ich Borsa liczyła zaledwie kilka rodzin. W krótkim czasie wywłaszczyli i wysadzili oni Rumunów z ich najlepszych pozycyj, a ci ostatni kryją się dziś po brzegach Borsy i po tych domkach rozrzuconych tam na stokach gór wysoko. Patrząc na te postacie, którym tak zupełnie zbywa na tej pewnej rycerskości, śmiałości i swobodzie ruchów, którą nawet u najnędzniejszego chłopka i przedmieszczanina napotykamy, wierzyć się nie chce, że ci ludzie umieją wszędzie podkopać z taką łatwością lud silny i swobodny..."

Hugo Zapałowicz, *Z Czarnohory do Alp Rodneńskich*, 1881

ki Ţăşla, to niewielki plac z apteką i kilkoma sklepami. Na zachód od placu biegnie str. Libertăţii, a na wschód – str. Victoriei.

Z Borşy można dotrzeć do Baia Borşa (zob. s. 389). Autobusy, busy, czy okazję najlepiej zatrzymywać na początku ulicy odchodzącej z centrum na północ (kilkanaście metrów od miejsca, gdzie do Vişeu wpada rzeczka Ţăşla). Niemal zawsze stoi tam grupka ludzi czekających na transport.

Noclegi i gastronomia Baza noclegowa Borşy pozostawia sporo do życzenia. Najbardziej okazale prezentuje się motel *Perla Maramureşului*** (str. Victorei 37; ☎0262/342539). W dużym, wyraźnie nawiązującym do stylu ludowego budynku jest 57 miejsc (pokój 2-os. 22 €). Posiłki zapewnia czynna całą dobę dwupoziomowa restauracja, gotowa obsłużyć jednocześnie setkę gości (jednodaniowy obiad 3 €, butelka Cotnari 2,80 €, kawa 0,60 €). W centrum Borşy działa, przypominający raczej akademik, hotel *Iezer** (str. Decebal 2; ☎0262/343430, fax 344044; pokój 2-os. 15 €, 3-os. 20 €).

Smaczny obiad można zjeść w restauracji *Seven Eleven* przy str. Victoriei 23 (frytki, porcja kurczaka, sałatka i sok 3,50 €). Powinni się tam zatrzymać wszyscy kawosze, bo espresso jest naprawdę wyśmienite, a kosztuje zaledwie 0,45 €.

Informator

Internet Kawiarnia internetowa nie jest łatwa do znalezienia: mieści się na tyłach niewielkiego

ciągu sklepów (m.in. punkt **Kodak Ekspress**) przy parkingu samochodowym w centrum miasta (przy str. Victoriei). W niewielkim pasażu trzeba wejść po betonowych schodach na pierwsze piętro. Miejsce to przypomina lokal serwujący alkohol w czasach prohibicji: stół bilardowy, jednoręki bandyta, kłęby dymu papierosowego (plus kilka komputerów pod ścianą). Na szczęście krew leje się tylko na ekranach monitorów (0,45 €/godz.).

Wymiana walut W miasteczku nie ma kantorów, walutę można wymienić u „koników" (w centrum, w okolicach parkingu samochodowego na str. Victorei) lub (także nieoficjalnie) w całodobowym sklepiku spożywczym w drewnianej budce przy str. Victorei (kilka metrów na zachód od restauracji *Seven Eleven*).

Complex turistic Borşa

Kilkanaście kilometrów na wschód od Borşy powstał niewielki ośrodek narciarski z trasą o długości ponad 2 km. W zimie bywa tam dosyć tłoczno (wyciąg XI–IV 9.00–17.00; wjazd na górę 2,60 €). W kompleksie stoi drewniana współczesna cerkiew, jest również kilka barów.

Noclegi oferuje m.in. *Cerbul*** (☎0262/344199, fax 343504), jeden z bardziej komfortowych hoteli w okolicy (pokój 2-os. 36 €, 3-os. 46,50 €, apartament 68 €). Taniej jest w pensjonacie *Mihali* (str. Bradet 2, niebieski budynek na początku ulicy; ☎0740/490397), gdzie nocleg w schludnym pokoju z TV (łazienka i kuchnia na korytarzu) kosztuje 13 €. Inne, nieco droższe pensjonaty to m.in. *Calin* (☎0262/344263) i *Cabana Ursu*.

6

Kriszana i Banat

Kriszana (Crişana) i Banat przez wieki należały do Węgier i cesarstwa habsburskiego, co wywarło wpływ na kulturę tych ziem. Granice państwowe dzielą Kriszanę na dwie części (większa przypada na Rumunię, mniejsza na Węgry), a Banat aż na trzy, bo kraina ta obejmuje także Wojwodinę należącą do Serbii i Czarnogóry oraz kilka wsi w okolicy Segedyna na Węgrzech. Kriszana i Banat to prawdziwy tygiel etniczny, zamieszkany głównie przez Rumunów i Węgrów, a także Serbów i Niemców. Tak jak w Transylwanii, większość miejscowości ma potrójne nazwy – rumuńską, węgierską i niemiecką. Od południowego wschodu Banat ograniczają Karpaty Południowe i Góry Banackie, a od wschodu i zachodu (podobnie jak Kriszanę) góry Apuseni oraz dolina rzeki Maruszy (Mureş). Zdecydowaną większość obu krain zajmują niziny – górzyste są jedynie ich wschodnie i południowe krańce.

Turyści zatrzymują się przeważnie w trzech głównych miastach: Oradei, Aradzie i Timişoarze, aby podziwiać sakralną i świecką architekturę okresu Habsburgów. Atrakcją regionu są uzdrowiska w pobliżu Oradei (Băile 1 Mai i Băile Felix) oraz liczne jaskinie (największą sławą cieszą się Jaskinia Niedźwiedzia oraz jaskinia Meziad).

Historia

Ziemie historycznego Banatu leżą obecnie na terytorium Rumunii, Jugosławii i Węgier. W okresie starożytnym obszar ten zamieszkiwali Dakowie i już w 106 r. został on włączony do nowo utworzonej prowincji rzymskiej – Dacji. W okresie wędrówek ludów przez Banat przemaszerowały zastępy Gotów i Wandalów, a po nich słowiańskie plemiona Sklawinów i Antów. W IX w. tereny te objęte były wpływami bułgarskimi, co przyspieszyło powstawanie pierwszych państewek feudalnych, które w X w. musiały się poddać Węgrom. Ich panowanie trwało do 1552 r., kiedy to Banat i inne terytoria węgierskie zostały zajęte przez Turcję i utworzono tu paszałyk ze stolicą w Timişoarze.

Klęski imperium osmańskiego w wojnach z Austrią pod koniec XVII w. zmusiły Turków do oddania Węgier w 1699 r. (pokój w Sremskich Karłowicach), a po zwycięstwach księcia Eugeniusza Sabaudzkiego także Banatu (1718 r., pokój w Požarevacu). Dwa lata później dzielnica

Główne atrakcje

- **Oradea** – secesyjne kamienice i pałace z okresu habsburskiej świetności.
- **Băile Felix** – kąpiele zdrowotne w znanym kurorcie.
- **Jaskinia Niedźwiedzia** – jedna z najpiękniejszych rumuńskich jaskiń.
- **Timişoara** – spacer uroczliwymi ulicami „Małego Wiednia".
- **Lipova** – monumentalny kościół z cudownym obrazem Czarnej Madonny.
- **Przełom Dunaju** – jedna z najpiękniejszych i największych dolin w Europie.

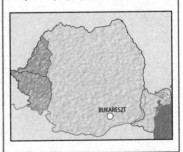

BUKARESZT

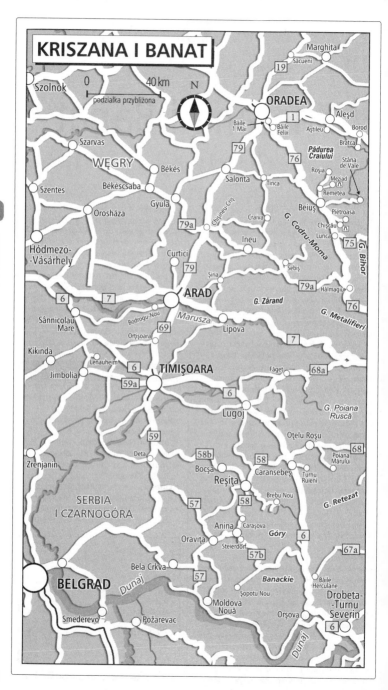

KRISZANA I BANAT

0   40 km   N

podziałka przybliżona

weszła w skład cesarstwa austriackiego, a w 1778 r. formalnie wcielono ją do Węgier. Stan ten został potwierdzony po utworzeniu w 1867 r. dualistycznej monarchii austro-węgierskiej. Aby zaludnić opustoszały podczas tureckiej okupacji teren, a także chronić konfliktową granicę, zaczęto sprowadzać na te tereny kolonistów z wielu terenów monarchii. I tak przybyli do Banatu Niemcy zwani Szwabami Banackimi, Węgrzy, Czesi, Słowacy, Serbowie, Chorwaci, Bułgarzy i Ukraińcy. Traktat z Trianon (4 czerwca 1920 r.) regulujący kwestię podziału Austro-Węgier po I wojnie światowej przyznał Rumunii cały Siedmiogród i wschodni Banat. Część zachodnia przypadła Królestwu SHS (Królestwo Serbów, Chorwatów i Słoweńców; zwanemu od 1929 r. Królestwem Jugosławii), a przy Węgrzech zostało jedynie dziewięć wsi. W czasie II wojny światowej większość Szwabów Banackich przesiedlono do Niemiec, a znaczna część tych, którzy pozostali, wyjechała tam po 1989 r.

ORADEA

Przepływający przez centrum miasta Szybki Keresz (Crişul Repede) wraz z Białym i Czarnym Kereszem (Crişul Alb i Negru) nadaje nazwę całej krainie – Kriszanie. Oradeę (węg. Nagyvárad, niem. Grosswardein) dzieli od granicy z Węgrami zaledwie kilkanaście kilometrów, dlatego często zatrzymują się tam turyści podróżujący z Europy Zachodniej do Rumunii. Podobnie jak Timişoara, Oradea jest miastem, gdzie zatrzymał się czas, co widać szczególnie w centrum. Świetnie zachowane XIX-wieczne kamienice i inne budowle z okresu habsburskiej świetności to prawdziwy skansen pośród socrealistycznych bloków z lat 70. i 80. XX w.

Historia

Dzieje miasta sięgają ponad 1000 lat w przeszłość, kiedy na tych terenach istniało księstwo słowiańskiego wodza Menumoruta ze stolicą w Biharei, nieopodal Oradei (resztki ziemnej fortecy zachowały się do dziś kilka kilometrów na północ od miasta). Wkrótce po ciężkich walkach ziemie te zostały zajęte przez książąt wywodzących się z węgierskiej dynastii Arpadów. Pod koniec XI w. król węgierski Władysław I Święty (1077–1095) założył biskupstwo w Varadinum (dzisiejsza Oradea), co znacznie podniosło rangę miasta, które stało się ważnym ośrodkiem religijnym i kulturowym. W 1241 r. Varadinum znisz-

czyli Tatarzy. Twierdza została szybko odbudowana i dodatkowo ufortyfikowana. W przywracaniu miastu dawnej świetności pomagali kolonizatorzy z całej Europy. Po krótkiej okupacji tureckiej (1660–1692) Oradeę włączono do cesarstwa Habsburgów. Polityka Austrii w zakresie administracji, ekonomii, kultury i religii konsolidowała państwo, zapewniając obywatelom względny dobrobyt, który nie ominął miasta nad Kereszem. Wiek XIX był okresem największego rozkwitu Oradei – jako ważny ośrodek na szlaku między Wiedniem a Transylwanią rozwijała się ona nie tylko pod względem gospodarczym, ale również kulturalnym, naukowym i politycznym. Pamiątką prosperity są wspaniałe secesyjne budynki, dzięki którym Oradea zwana była „Paryżem nad brzegiem Kereszu".

Orientacja i informacje

Centrum miasta skupia się przy dwóch placach oddzielonych korytem Szybkiego Kereszu. Południowy, większy to Piaţa Unirii, przy której stoją trzy kościoły, hotel *Czarny Lew* i ratusz. Po drugiej stronie rzeki rozciąga się Piaţa Regele Ferdinand (znana również jako Piaţa Republicii) z reprezentacyjnym gmachem teatru, od którego odchodzi na północ atrakcyjny deptak Calea Republicii.

Od Piaţa Unirii prowadzą na wschód dwie równoległe ulice – str. Independenţei (bliżej rzeki) oraz str. T. Moşolu – biegnące obok parku (Piaţa 1 Decembrie) wprost do XIX-wiecznej twierdzy, przy której jest duże targowisko.

Informacja turystyczna działa w twierdzy (Piaţa Independenţei 39; ☎/fax 0259/435140, cetate@rdsor.ro). W Oradei działa przynajmniej kilkanaście biur podróży organizujących nie tylko wycieczki po okolicy (m.in. do jaskiń), ale także noclegi w gospodarstwach agroturystycznych w pobliskich wioskach. Warte polecenia agencje: **Agenţia de Turism Oasis** (blvd Magheru 17; ☎/fax 0259/479186), **Alegros Tours** (str. V. Alecsandri 2; ☎0259/467881), **Panda Tours** (str. I. Vulcan 6; ☎0259/477222).

Zwiedzanie

W Oradei warto obejrzeć kilka świątyń różnych wyznań oraz muzea, z których najciekawsze to **Muzeul Ţării Crişului** (Muzeum Kraju nad Kereszami; blvd Dacia 1–3, wejście od str. Şirul Canonicilor; ☎0259/412724, fax 479918, muzeultariicrisurilor@yahoo.com; wt., czw. i sb. 10.00–15.00, śr., pt. i nd. 10.00–18.00; 0,85 €,

257

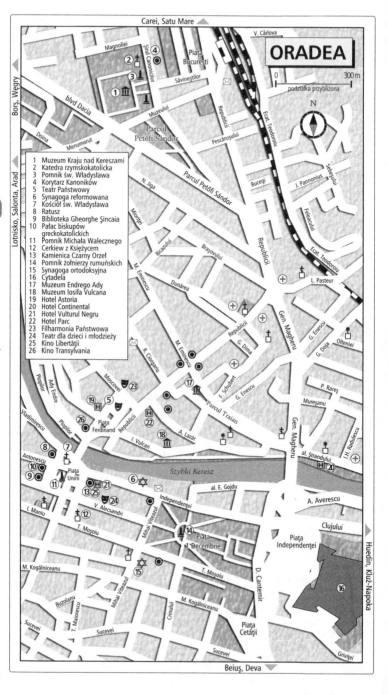

ORADEA

1 Muzeum Kraju nad Kereszami
2 Katedra rzymskokatolicka
3 Pomnik św. Władysława
4 Korytarz Kanoników
5 Teatr Państwowy
6 Synagoga reformowana
7 Kościół św. Władysława
8 Ratusz
9 Biblioteka Gheorghe Şincaia
10 Pałac biskupów greckokatolickich
11 Pomnik Michała Walecznego
12 Cerkiew z Księżycem
13 Kamienica Czarny Orzeł
14 Pomnik żołnierzy rumuńskich
15 Synagoga ortodoksyjna
16 Cytadela
17 Muzeum Endrego Ady
18 Muzeum Iosifa Vulcana
19 Hotel Astoria
20 Hotel Continental
21 Hotel Vulturul Negru
22 Hotel Parc
23 Filharmonia Państwowa
24 Teatr dla dzieci i młodzieży
25 Kino Libertăţii
26 Kino Transylvania

ulgowy 0,40 €). Placówka mieści się w barokowym pałacu biskupim z II połowy XVIII w. zaprojektowanym przez wiedeńskiego architekta Antona Hillebrandta. Budowla ma 365 okien, a najpiękniejszym pomieszczeniem jest owalna sala bankietowa. Pałac biskupi w Oradei to najwybitniejsze dzieło Hillebrandta, a także jeden z najważniejszych barokowych zabytków w Rumunii. Obok wznosi się **Catedrala romano-catolica** (katedra rzymskokatolicka) z lat 1750–1779 zaprojektowana po części również przez Hillebrandta. Wewnątrz tej największej barokowej świątyni w kraju można podziwiać malowidła Joanna Nepomuka (msze św. nd. 8.00 w jęz. węgierskim, 10.00 w jęz. rumuńskim i 11.30 w jęz. niemieckim). **Pomnik św. Władysława** przed pałacem i katedrą jest repliką oryginału z końca XIV w. Po drugiej stronie str. Şirul Canonicilor stoi XVIII-wieczny budynek z długimi na ponad 100 m arkadami, zwany **Şirul Canonicilor** (Korytarz Kanoników), od którego pochodzi nazwa całej ulicy.

Od muzeum do centrum najlepiej przejść Calea Republicii, podobnie jak sąsiednie ulice dosłownie usianej secesyjnymi kamieniczkami i willami. Przechodząc przez Piaţa Regele Ferdinand, warto zwrócić uwagę na neoklasyczny budynek **Teatru Państwowego** (Teatrul de Stat) z końca XIX w. Idąc przez most, nie sposób nie zauważyć na wschodzie ogromnej kopuły **Sinagoga neologă** (synagoga reformowana) z 1878 r. Na Piaţa Unirii uwagę przyciąga barokowa **Biserica romano-catolica Sf. Ladislau** (kościół św. Władysława) z lat 1723–1733 i ciekawy **ratusz** za nim. Dalej na południe stoi okazały gmach **biblioteki wojewódzkiej im. Gheorghe Şincaia** (Piaţa Unirii 3) i **pałac biskupów grecko-katolickich** z 1904 r. Bibliotekę wybudowano w 1905 r. na miejscu budynku, w którym podczas kampanii węgierskiej 1849 r. rezydował gen. Józef Bem.

Przed biblioteką i pałacem stoi **konny pomnik Michała Walecznego**, hospodara wołoskiego, siedmiogrodzkiego i mołdawskiego. **Biserica cu Lună** (cerkiew Z Księżycem) na południowo-wschodnim rogu Piaţa Unirii została wybudowana w latach 1784–1790 według projektu Jakoba Erdera. W wieży umieszczono w połowie czarną, a w połowie złotą kulę o średnicy 3 m, która za pomocą mechanizmu zegarowego wskazuje fazy Księżyca. W północno-wschodnim rogu placu rzuca się w oczy wspaniała **kamienica Vulturul Negru** (Czarny Orzeł). Wewnątrz powstał pasaż handlowy łączący Piaţa Unirii z str. Independenţei oraz str. V. Alecsandri – prawdziwa perła kryszańskiej secesji. Jest w nim hotel (remontowany), kino, kawiarnie, puby, sklepy i mieszkania.

Kierując się z Piaţa Unirii na wschód str. Independenţei lub str. V. Alecsandri, dojdzie się do Piaţa 1 Decembrie z dużym **pomnikiem Żołnierzy Rumuńskich** poległych w II wojnie światowej. Przy odchodzącej od placu-parku na południe str. M. Viteazul stoi ciekawa **Sinagoga ortodoxa** (synagoga ortodoksyjna) z 1890 r., utrzymana w stylu mauretańskim. Kilkaset metrów na wschód od Piaţa 1 Decembrie można obejrzeć z zewnątrz **cytadelę** (Cetatea Oradiei). Niewidoczne fragmenty fundamentów pochodzą z XI w. Po zniszczeniu pierwotnej budowli przez Tatarów, w XIV i XV w. wzniesiono nową twierdzę, którą całkowicie przebudowano w XVI, XVII i XVIII w.

W Oradei powstały muzea dwóch wybitnych osobistości. W niewielkim domku w samym środku parku działa **Muzeul memorial Ady Endre** (Muzeum Endre Adyego; Parcul Traian 1; wt., czw., sb. 16.00–18.00, śr., pt., nd. 10.00–14.00; 0,80 €, ulgowy 0,40 €), poświęcone wybitnemu węgierskiemu poecie i publicyście (1877–1919), który spędził w Oradei kilka lat. **Muzeul memorial Iosif Vulcan** (Muzeum Iosifa Vulcana; str. I. Vulcan 14; wt., czw., nd. 10.00–15.00, śr., pt., sb. 10.00–14.00 i 16.00–18.00; 0,80 €, ulgowy 0,40 €) zajmuje budynek we wschodniej części Piaţa Libertăţii, nieopodal rzeki. Iosif Vulcan (1841–1907) był rumuńskim poetą, dramaturgiem i publicystą. W założonym przez niego w 1865 r. piśmie „Familia" publikowali najwybitniejsi przedstawiciele rumuńskiej literatury, m.in. Mihai Eminescu, Georgie Coşbuc czy Vasile Alecsandru.

Noclegi

Ze znalezieniem noclegu w Oradei nie powinno być najmniejszego problemu – są tam zarówno tańsze, jak i droższe hotele, chociaż wśród tych pierwszych nie ma zbyt dużego wyboru. Najbliższe pole namiotowe jest w kurorcie Băile 1 Mai (zob. s. 261).

Astoria** (str. Teatrului 1–2; ☎0259/430508). Tani hotel w samym centrum. Pokój 1-os. 20 €, 2-os. 30 €.

Continental**** (Alea Ştrandului 1; ☎0259/418656, fax 411280, oradea@continentalhotels.ro). Jeden z bardziej ekskluzywnych hoteli w mieście, usytuowany nad rzeką, nieopodal twierdzy. Basen. Pokój 1-os. 57 €, 2-os. 79 €, apartament 100 €.

Eden*** (str. Cantacuzino 4, obok stadionu, ok. 300 m na zachód od głównego dworca kolejowego; ☎/fax 0259/479799, www.eden.rdsor.ro). Hotelik z dobrą restauracją; wysoki standard. Pokój 1-os. 36 €, 2-os. 45 €.

Internat Caritasu (Şirul Canonicilor 23, naprzeciwko muzeum; ☎0259/416836, fax 412760). Najtańsze noclegi w mieście (4 €/os.); czynne tylko latem.

Parc* (Calea Republicii 5; ☎0259/411699, fax 418410). Hotel w budynku dawnego kasyna z I połowy XIX w.; w samym centrum. Czyste pokoje z łazienką, telefonem i barkiem. Pokój 1-os. 30 €, 2-os. 53 € (bez łazienki o 9 € mniej).

Vulturul Negru (str. Independenţei 1; ☎0259/449259). Najpiękniejszy hotel w centrum, w monumentalnej kamienicy. Wielkie wrażenie na gościach robi hol, z którego prowadzą schody na górne piętra. Obecnie trwa tu generalny remont (planowany do końca 2006 r.).

Gastronomia

Oradea to miasto uniwersyteckie, stąd mnogość restauracji, barów i pubów. Wieczorami, szczególnie w weekendy, w kawiarniach i klubach spotkać można wielu studentów, zarówno Rumunów, jak i Węgrów. Zakupy najlepiej robić na targowisku w sąsiedztwie twierdzy (str. Griviţei). Kto nie ma ochoty na spacer w kierunku cytadeli, może zaopatrzyć się w sklepie spożywczym Beauty World w kamienicy Vulturul Negru.

Capitolium (str. A. Iancu, ok. 150 m od Piaţa Unirii). Po jednej stronie ulicy działają obok siebie pizzeria i restauracja (osobne lokale), a po drugiej bistro. Wszystkie domki pomalowane są z zewnątrz na różowo.

Cofetaria Trandafilor (Calea Republicii, w sąsiedztwie kościoła). Można się tu napić taniej i smacznej kawy (0,40 €) oraz zjeść kebab (okienko obok; czynne do piątej).

En Vogue Restaurant (Parcul Traian 13). Jedna z lepszych restauracji w centrum. Obiad 3,50–6 €.

Kawiarnia (lokal bez nazwy w kamienicy na rogu Calea Republicii i str. M. Eminescu). Różnorodne wypieki i gorące napoje.

La Galleria Restaurant (str. I. Madách 1–5, naprzeciwko teatru; ☎0259/475490). Jedna z lepszych restauracji w mieście, mimo niekoniecznie miłych dla ucha syntezatorowych koncertów. Na ścianach obrazy. Dobry dwudaniowy posiłek to wydatek rzędu 6 €.

McDonald (Calea Republicii 30, przy skrzyżowaniu z str. N. Jiga). Obszerne wnętrze; nieco oddalony od centrum.

Taverna Bar & Restaurant (kamienica na rogu str. Republicii i str. M. Eminescu, wejście od strony str. M. Eminescu 2; ☎0745/144604). Dość ekskluzywna i jednocześnie popularna restauracja z rustykalnym wystrojem. Dwudaniowy posiłek od 6 €.

Transilvania Restaurant (Piaţa Regele Ferdinand). Największy lokal gastronomiczny w mieście. Ogromna secesyjna sala robi duże wrażenie; jedzenie także.

Rozrywki

Koncerty w **Filharmonii Państwowej** (Filarmonica de Stat; str. Moscovei 5; ☎0259/457528) odbywają się także w lecie, a na afiszach często pojawiają się nazwiska węgierskich kompozytorów. Pobliski **Teatr Państwowy** (Teatrul de Stat, Piaţa Regele Ferdinand; ☎0259/236592, 417864) wystawia sztuki dla dorosłych, a przy str. V. Alecsandri 8 działa **teatr dla dzieci i młodzieży** (wejście przez pasaż Vulturul Negru; ☎0259/433398).

W kamienicy Vulturul Negru mieści się kilkusalowe **kino Libertăţii** (str. Independenţei 1) z repertuarem premierowym. Starsze filmy wyświetla **kino Transylvania** (wąskie wejście w zachodniej części Piaţa Regele Ferdinand; w 2005 r. nieczynne z powodu remontu).

Puby i kluby

Chanson Café (Parcul Traian 1, w piwnicach muzeum Endre Adyego). Świetny pub z dobrą muzyką, często koncerty na żywo lub na dużym ekranie z DVD.

Fashion Pub i Art Café (str. Patrioţilor, naprzeciwko teatru). Dwa sąsiadujące lokale: pierwszy na wieczory, drugi na poranki. W obu przyjemna atmosfera.

Irish Kelly's Pub (str. Republicii, naprzeciwko hotelu *Parc*). Znakomity efekt współpracy kilku zaprzyjaźnionych Irlandczyków. W środku można poczuć się jak w prawdziwej irlandzkiej knajpie. Piwo 0,70 €.

Marlyn Café & Drink Bar (str. I. Madách 1–5, obok restauracji *La Galleria*). Niewielka i bardzo przyjemna kawiarenka z wnętrzem à la dwudziestolecie międzywojenne.

Puby w pasażu Vulturul Negru (Piaţa Unirii 2–4) *Lord's Club* (☎0744/243558) przyciąga miłośników rocka (w ciągu dnia kawiarnia), *Downtown Café & Bar* (☎0788/369864) zwolenników techno, popu i rapu, a *Mirage* amatorów muzyki w stylu disco polo.

The Bridge (al. E. Gojdu 2, nad rzeką przy pomoście dla pieszych; ☎0259/472644). Obszerny pub i pizzeria w jednym (prowadzi także sprzedaż na telefon). Popularny szczególnie wśród młodzieży.

Informacje o połączeniach

Samolot Z Oradei odlatują do Bukaresztu dwa samoloty od poniedziałku do piątku i jeden samolot w sobotę (ok. 2 godz.; 75 €). Lotnisko (Aeroportul Oradea – ORM) ulokowanie jest na południowo-zachodnich obrzeżach miasta (ok. 4 km od centrum) przy drodze do Aradu (Calea Aradului; ☎0259/116082). Biuro Taromu (Piaţa Regele Ferdinand 2, w samym centrum; ☎/fax 0259/231918) oprócz sprzedaży biletów zapewnia transport między miastem a lotniskiem.

Pociąg Dworzec kolejowy jest oddalony o 2 km na północ od centrum miasta (Piaţa Bucureşti, dojście Calea Republicii). Oradea ma połączenia z Klużem (8 dziennie), Băile Felix (7 dziennie), Aradem (6 dziennie), Budapesztem, Satu Mare i Timişoarą (po 3 dziennie), Bukaresztem (2 dziennie), Baia Mare, Braszowem, Gałaczem, Jassami (przez Suczawę), Mangalią, Târgu Mureş oraz Valea lui Mihai (po 1 dziennie). **Agenţie de Voiaj CFR** ma siedzibę przy str. I. Madách 1–5 (przy Piaţa Regele Ferdinand, wejście od strony Calea Republicii; ☎0259/130578).

Do centrum najlepiej podjechać tramwajem (#1 i 4) – można wysiąść przy północnym końcu Calea Republicii (#4 na przystanku przy McDonaldzie) lub pojechać dalej (#1) naokoło starówki do Piaţa Unirii, co trwa kilkanaście minut dłużej. Bilet na dwa przejazdy kosztuje 0,20 €. Dojazd środkami komunikacji publicznej do przejścia granicznego pozwala zaoszczędzić sporo pieniędzy (taksówkarze żądają przesadzonej zapłaty za kilkunastokilometrowy kurs). Trzeba wsiąść w tramwaj #1 (czerwona cyfra) jadący na zachód i na pętli pod mostem przesiąść się w tramwaj #1 (czarna cyfra), który dojeżdża do krańcówki obok fabryki chemicznej. Stąd kursują busy (ok. 0,50 €).

Autobus W przeciwieństwie do większości ośrodków, dworzec autobusowy nie jest usytuowany w okolicach głównego dworca kolejowego, lecz w południowo-wschodniej dzielnicy Valenţa (str. Războieni; ☎0259/418998), nieopodal stacji kolejowej Oradea Est. Kursują stamtąd autobusy do ważniejszych miast w Transylwanii, a także Aradu i Timişoary oraz Bukaresztu. Przejazdy autokarowe do Budapesztu (ok. 15 €) organizują biura podróży (autobusy odjeżdżają przeważnie spod głównego dworca kolejowego).

Z dworca do centrum można się dostać minibusem, autobusem kursującym na Piaţa Unirii lub taksówką (ok. 1,50 €).

Informator

Apteki Całodobowa apteka usytuowana jest w pałacu, przy moście łączącym Piaţa Regele Ferdinand z Piaţa Unirii. Poza tym kilka aptek można znaleźć przy Calea Republicii.

Internet Kafejka *Internet Club* działa w odnowionym pałacyku przy Piaţa Regele Ferdinand (tuż nad rzeką, str. E. Ady; 0,55 €/godz.). Kolejna kawiarenka jest usytuowana przy str. T. Moşolu 3 (0,50 €/godz.).

Laboratorium fotograficzne Kodak Pro Photo Center mieści się przy str. Republicii 7 (na rogu str. A. Lazăr, nieopodal hotelu *Parc*), a Kodak Express przy Piaţa Unirii, obok cerkwi św. Mikołaja.

Poczta i telekomunikacja Główny urząd pocztowy z rozmównicą telefoniczną usytuowany jest przy str. R. Ciorogariu. Oddział Romtelecomu można znaleźć na tyłach bloku z klubem *Liberty O.K.* na początku str. Republicii (trzeba przejść pasażem na podwórze).

Wymiana walut i banki Przy Calea Republicii 14 sąsiadują ze sobą Volksbank z bankomatem i kantor. Punkty wymiany walut działają też w większych hotelach.

BĂILE 1 MAI I BĂILE FELIX

Obie miejscowości leżą około 8 km na południe od Oradei, przy drodze do Devy. Znane od dawna zdrowotne właściwości lokalnych wód oraz klimatu przyciągają do kurortów nie tylko mieszkańców Oradei, ale całej Rumunii. Chętnie przyjeżdżają tam także obcokrajowcy, zwłaszcza Węgrzy i Niemcy. W Băile Felix, uznawanym za bardziej renomowany i zdominowanym przez masową turystykę, działa ponad 20 hoteli, z czego zdecydowana większość powstała w czasach socjalistycznych. Băile 1 Mai, sprawiające wrażenie bardziej zaniedbanego, najczęściej odwiedzają rodziny wypoczywające w gospodarstwach agroturystycznych, na kempingach lub w nielicznych niewielkich hotelach.

Gorące źródła, bogate m.in. w siarkę, wapń, fosfor i sód, wykorzystuje się przy leczeniu chorób układu nerwowego, pokarmowego, układu ruchu oraz chorób skóry. Temperatura wody w Băile Felix, położonym wśród bukowych i olchowych lasów na wysokości 140 m n.p.m., waha się w granicach 20–48°C. W starszym Băile 1 Mai (125 m n.p.m.) temperatura wody jest bardziej wyrównana (30–31°C). W położonym w parku uzdrowiskowym stawie zasilanym przez gorący potok Petea żyje biało kwitnąca, rzadka subtropikalna lilia *Numphaea lotus thermalis* oraz słodkowodny ślimak *Melanopsis perreyssii* – oba gatunki są reliktami z trzeciorzędu.

W obu ośrodkach orientacja nie przysparza najmniejszych kłopotów: w każdym jest główna ulica, przy której skupiają się hotele, baseny termalne oraz sklepiki. Pod względem infrastruktury lepiej rozwinięte jest Băile Felix, gdzie działa poczta, niewielki dom handlowy i targowisko, a nawet kafejka internetowa. Dojeżdża tam pociąg z Oradei (7 dziennie; kilkanaście minut), podczas gdy do Băile 1 Mai można się dostać tylko autobusem z pętli tramwajowej (#4) lub autostopem.

W Băile Felix powstało kilka kąpielisk, z których największą popularnością cieszy się Ştrand Termal należące do hotelu International (codz. 7.00–17.00; 1,30 €; temperatura wody 31–32°C) oraz największe Ştrand Felix (codz. 9.00–20.00; 1,30 €) przy hotelu Apollo, w północnej części uzdrowiska. W Băile 1 Mai jest właściwie tylko jedno porządne kąpielisko – przy kempingu na wschodnim końcu kurortu (1 €).

Noclegi i gastronomia

O ile z noclegiem nawet w szczycie sezonu (lipiec i sierpień) nie powinno być większego kłopotu, o tyle lokali gastronomicznych nie ma zbyt wiele. Przy lepszych hotelach i pensjonatach działają restauracje, przeważnie całkiem przyzwoite. Warto polecić **restaurację i pizzerię** *Art* w centrum Băile Felix. W obu uzdrowiskach nie brak budek z *plăcintami* (naleśniki), a w Băile Felix można się zaopatrzyć w świeże owoce i warzywa na niewielkim targowisku w centrum.

International*** (najlepiej widoczny hotel w Băile Felix, w południowej części kurortu; ☎0259/318445, fax 318449, www.sctfelix.ro). Największym plusem jest basen termalny, z którego goście hotelowi korzystają bezpłatnie. W sezonie pokój 1-os. 56 €, 2-os. 70 €. Poza sezonem można liczyć na znaczne upusty.

Kemping Campare Venus (Băile 1 Mai, przy głównej ulicy). Dużo miejsca na namioty (1,80 €/os.) oraz kilkanaście bungalowów (5 €/os.). Drugi kemping (z basenami termalnymi) jest kilkaset metrów dalej, za niewielkim parkiem (drożej).

Lotus** (wschodnia część Băile Felix, przy drodze z dworca kolejowego do hotelu *Padiş*; ☎0259/318361, fax 318399, www.felixspa.ro). Niezły hotel z rozsądnymi cenami tylko poza sezonem (30% taniej). Pokój 1-os. 36 €, 2-os. 45 €, apartament 81 €.

Padiş** (najwyżej położony hotel w Băile Felix, nad hotelem *Continental*; ☎0259/318549, fax 319139, sindrrofelix@rdslink.ro). Duży kompleks obok parku; tani hotel bez luksusów. Pokój 2-os. od 13 do 20 €, śniadanie 1,90 €.

President**** (Băile Felix, 2 km na południe od centrum; ☎0259/318381, fax 318581, www.baile-felix.ro). W zacisznym miejscu, nieco oddalony od basenów termalnych, ale dysponujący pokojami ze specjalnymi wannami. Pokój 1-os. 45 €, 2-os. 50 € (ze śniadaniem).

Termal*** (Băile Felix, w pobliżu stacji kolejowej; ☎0259/318214, fax 318478, agtfelix@rdslink.ro). Własny kryty basen termalny (osoby spoza hotelu 2,40 €); komfortowe pokoje. Pokój 1-os. 56 €, 2-os. 70 €, apartament 126 €.

JASKINIA MEZIAD I NIEDŹWIEDZIA

Obie jaskinie są niezwykle interesujące, ale trudno dostać się do nich na własną rękę. W najlepszej sytuacji będą ci amatorzy speleologii, którzy dysponują własnym środkiem transportu. Droga do jaskiń jest dosyć dobrze oznaczona, po części asfaltowa, a po części bita, ale powolna jazda nie powinna grozić urwaniem zawieszenia. Warto wziąć ze sobą latarkę, ponieważ jaskinia Meziad nie jest oświetlona (przewodnik dysponuje kilkoma lampami karbidowymi). Jaskinia Niedźwiedzia to jedna z nielicznych grot w Rumunii oświetlonych światłem elektrycznym.

Trasa do położonej w górach Padurea Craiului (Królewski Las) **jaskini Meziad** (Peştera Meziad; 1,20 €) wiedzie z Beiuş, skąd przez wieś Rimetea dociera się do osady Meziad, gdzie w domu nr 117 (po prawej stronie drogi w górnej części wioski) trzeba znaleźć pana Dorela, zajmującego się oprowadzaniem, albo wcześniej umówić się telefonicznie z innym przewodnikiem – Bennym Papa (☎0740/866417). W środkowej części osady, nad potokiem, zaobserwować można interesujące piece do wypalania wapna. Do nieczynnego schroniska *Meziad* prowadzi droga wiodąca dnem ślicznej doliny Valea Peşteri (25 min). Kilometr dalej, nad prawym brzegiem potoku, znajduje się opisana po raz pierwszy w 1859 r. jaskinia (4750 m długości, trzy poziomy). Otwór wejściowy, z którego wypływa rzeczka, ma wysokość mniej więcej 25 m. Zaraz po wejściu turysta staje w ogromnej sali o długości prawie 80 m, z trzema poziomami (przewodnik prowadzi zwiedzających przez główny, czyli środkowy). Jaskinię można także zwiedzać samodzielnie, ale należy uważać na niebezpieczne uskoki i śliskie podłoże. Interesujące nacieki da się dostrzec już w sali wejściowej, ale wraz z zagłębianiem się w mroczne czeluście stają się one coraz bardziej malownicze. Uwaga na nietoperze!

Za najpiękniejszą z rumuńskich jaskiń uchodzi **Jaskinia Niedźwiedzia** (Peştera Urşilor; wt.–nd. 10.00–17.00; 1,40 €, ulgowy 0,70 €; czas zwiedzania ok. 45 min) zachwycająca niezliczonymi stalaktytami i stalagmitami, których wiek ocenia się nawet na 50 tys. lat. Nazwa groty pochodzi od niesamowitej historii, która rozegrała się mniej więcej 15 tys. lat temu. Grupa około 140 niedźwiedzi jaskiniowych (*Ursus spelaeus*) spokojnie zamieszkiwała jaskinię, dopóki pewnego dnia nie urwał się głaz, zamykając zwierzęta w środku jamy. Uwięzione zwierzęta zaczęły pożerać się nawzajem. Ich kości znaleźli robotnicy wydobywający marmur, którzy przypadkowo odkryli jaskinię w 1975 r. (udostępniono ją do zwiedzania w 1980 r.). Tragiczne dzieje niedźwiedzi opowiadają przewodnicy w salach, gdzie z myślą o turystach pozostawiono część kości.

Planując zwiedzanie Jaskini Niedźwiedziej, warto zabrać ciepłe ubranie, ponieważ w środku panuje dość niska temperatura (10°C). Grota ma 1500 m długości (do zwiedzania udostępniono 847 m chodników i pomostów) i składa się z dwóch poziomów, z których dolny objęty jest ochroną w ramach rezerwatu i jest zamknięty dla turystów.

Na zwiedzenie obu jaskiń należy przeznaczyć cały dzień (wypad z Oradei lub przystanek w podróży w głąb Rumunii). Głównym problemem jest kiepski dojazd, dlatego warto skorzystać z usług biur podróży w Oradei, które latem organizują wycieczki za około 10 € od osoby. Jeśli przegapi się autobus, pozostaje wynajęcie taksówki lub podróż autostopem.

Do wsi Meziad kursuje jeden autobus dziennie z miasteczka Beiuş (do Beiuş kilka autobusów i 2 pociągi dziennie z Oradei; 4 godz.), oddalonego od wioski o około 18 km. W mieście działa tani **hotel Crişul Negru*** (str. I. Ciordaş 2; 2-os. 14 €, 4-os. 24 €. Z Meziad do schroniska i jaskini prowadzi szlak oznaczony niebieskimi trójkątami (ok. 40 min marszu). Do wioski Chişcău, niedaleko której mieści się wejście do Jaskini Niedźwiedziej, również kursuje jeden autobus dziennie z Beiuş.

STÂNA DE VALE

Kurort Stâna de Vale (1210 m n.p.m.), oddalony o 25 km na wschód od Beiuş, cieszy się popularnością zarówno w zimie, jak i w lecie. Bogate w ozon powietrze, wolne od zanieczyszczeń i alergenów, oraz dogodne położenie umożliwiające penetrowanie gór Apuseni (wycieczki w masyw Vlădeasy i na płaskowyż Padiş, zob. str. 492) sprawiają, że Stâna de Vale jest oblegane przez turystów. W zimie działa tam wyciąg narciarski o długości 650 m (obok jest wypożyczalnia i szkółka narciarska).

Noclegi oferuje pole namiotowe oraz kilka pensjonatów i hoteli. Najlepszym hotelem jest dwu- i trzygwiazdkowa *Idolina**** (☎/fax 0259/322583; www.transilvaniatour.ro; pokój 1-os. 43 €, 2-os. 50 €). Całkiem przyzwoite są tańsze (12–15 €/os.) hotele-pensjonaty *Excelsior* i *Mariana* oraz *Vila Cerbul* z dobrą restauracją naprzeciwko hotelu *Iadolina*.

Do stacji można dojechać minibusem z Beiuş (przystanek w centrum; 1,40 €), a ostatecznie autostopem.

ARAD

Arad położony nad rzeką Maruszą (Mureş), około 20 km od granicy z Węgrami, jest ważnym ośrodkiem przemysłowym i handlowym oraz węzłem komunikacyjnym na trasie Bukareszt–Budapeszt.

W źródłach historycznych Arad wzmiankowany jest po raz pierwszy w połowie XII w., ale wiadomo, że osada istniała już kilka wieków wcześniej. Dzięki położeniu na prowadzącym przez Budapeszt szlaku między Transylwanią a środkową Europą, Arad szybko rozwinął się w ważny ośrodek handlowy. W 1550 r. zajęli go Turcy: dużą część mieszkańców wymordowali, dzieci wzięli w jasyr, a zabudowania spalili. Turcy pozostali w Aradzie przez 150 lat (z niewielkimi przerwami). Kolejny rozkwit miasto przeżyło na początku XIX w. i przez całe stulecie bujnie się rozwijało. Od połowy wieku zaczęły powstawać wielkie fabryki, które zmieniły charakter Aradu, zarówno pod względem struktury ludności, jak i wyglądu. Właściciele zakładów przemysłowych budowali piękne kamienice (w większości zachowane do dziś), wznoszono też imponujące budynki użyteczności publicznej, czego najlepszym przykładem jest stojący w samym centrum teatr.

Orientacja i informacje

Mimo że Arad jest sporym miastem (180 tys. mieszkańców), wszystko, co interesuje turystę, czyli hotele, restauracje i zabytki, skupia się w ścisłym centrum. Z południa na północ biegnie blvd Revoluţiei, którego środkiem ciągnie się park i jeżdżą tramwaje. Arteria zaczyna się przy teatrze (Piaţa A. Iancu), a kończy przy dworcu kolejowym (Piaţa Gării).

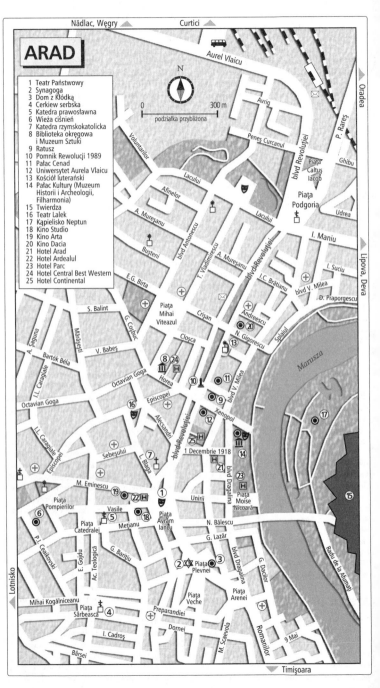

ARAD

1 Teatr Państwowy
2 Synagoga
3 Dom z Kłódką
4 Cerkiew serbska
5 Katedra prawosławna
6 Wieża ciśnień
7 Katedra rzymskokatolicka
8 Biblioteka okręgowa
   i Muzeum Sztuki
9 Ratusz
10 Pomnik Rewolucji 1989
11 Pałac Cenad
12 Uniwersytet Aurela Vlaicu
13 Kościół luterański
14 Pałac Kultury (Muzeum
   Historii i Archeologii,
   Filharmonia)
15 Twierdza
16 Teatr Lalek
17 Kąpielisko Neptun
18 Kino Studio
19 Kino Arta
20 Kino Dacia
21 Hotel Arad
22 Hotel Ardealul
23 Hotel Parc
24 Hotel Central Best Western
25 Hotel Continental

Rzeka Marusza opływa półwysep z twierdzą we wschodniej części miasta. Prowadzi tam most Decebala (Podul Decebal), który jest przedłużeniem str. N. Bălcescu zaczynającej się przy Piaţa A. Iancu, oraz dwa pomosty dla pieszych z parku Europejskiego (Parcul Europa) rozciągającego się wzdłuż rzeki na północ od mostu Decebala.

Profesjonalna **informacja turystyczna Infotour** mieści się przy blvd Revoluţiei 84–86 (☎0257/270277, turism@primariaarad.ro; IV–IX pn.–pt. 9.00–19.00, sb. 9.00–16.00, X–III pn.–pt. 9.00–17.00, sb. 9.00–14.00). Biuro udziela informacji o noclegach, atrakcjach turystycznych, trasach górskich oraz prowadzi sprzedaż map, planów miast i broszur. Obsługa zna angielski, włoski i francuski.

Poza tym w Aradzie nie brak biur turystycznych, w których zainteresowani uzyskają pomoc w znalezieniu noclegu oraz dowiedzą się więcej o okolicznych atrakcjach. Warte polecenia są m.in.: **Sirius** (blvd Revoluţiei 55–57; ☎0257/255445, fax 281336) i **Zărandul** (blvd Revoluţiei 76; ☎0257/256276, fax 257279; mapy i broszury dotyczące regionu).

Zwiedzanie

Spacer po mieście najlepiej rozpocząć od Piaţa A. Iancu, przy którym wznosi się neoklasycystyczny (wielokrotnie przebudowywany) gmach **Teatru Państwowego** (Teatrul de Stat; blvd Revoluţiei 103) z 1874 r. Około 300 m na południe, przy Piaţa Plevnei, stoi **synagoga** (wejście od str. Sinagogei) wybudowana w latach 1827– 1834, a naprzeciwko osobliwa **Casa cu Lacăt** (Dom z Kłódką). Nazwa tej skromnej kamienicy z 1815 r. pochodzi od narożnej niszy z obręczą zamkniętą kłódką (podobno przetrzymywano tam praktykantów cechu kowalskiego, dopóki nie przyjęto ich do korporacji). Aby dojść do barokowej **Biserica Ortodoxă Sârbă** (cerkiew serbska św. św. Piotra i Pawła; Piaţa Sârbească), trzeba iść na zachód str. Cozia, na jej końcu skręcić w lewo, a następnie na str. Preparandiei w prawo. Świątynia powstała w latach 1698–1702, a jej smukła kopuła pierwotnie była podobno złocona. Przy wejściu na dziedziniec warto zwrócić uwagę na ładny portal spoczywający na dwóch kolumnach, który wygląda jak miniaturowy łuk triumfalny.

Str. Acad. Teologică prowadzi z Piaţa Sârbească do Piaţa Catedralei. W jej wschodniej pierzei wznosi się barokowa **Catedrala ortodoxă română Sf. Ioan Botezatorul** (katedra prawosławna św. Jana

Chrzciciela; Piaţa Catedralei 1) z II połowy XIX w. Utrzymane w stylu bizantyńskim malowidła wewnątrz świątyni pochodzą z 1966 r. Około 200 m na zachód od placu, przy skrzyżowaniu str. Rusu Şirianu i str. P.I. Ceaikovski stoi masywna (25 m wysokości) zabytkowa **wieża ciśnień** (Turnul de apă) z 1896 r., ozdobiona oknami i balkonikami, która wygląda jak fragment średniowiecznego zamku. Wkrótce ma tu powstać muzeum wodociągów.

Przy północnym końcu Piaţa A. Iancu, już przy blvd Revoluţiei uwagę zwraca piękne wkomponowana w kamienicę neorenesansowa **Catedrala romano-catolică** (katedra rzymskokatolicka) z początku XIX w. W secesyjnym budynku **Biblioteca Judeţeană A.D. Xenopol** (biblioteka okręgowa; str. Gheorghe Popa 2–4) z 1913 r. mieści się **Muzeul de Artă** (Muzeum Sztuki; II piętro; ☎0257/256503; wt.–nd. 9.00– 17.00; 0,50 €, ulgowy 0,25 €), w którym można podziwiać m.in. rumuńską sztukę użytkową (często wystawy czasowe). Przy blvd Revoluţiei 75 wznosi się imponujący neorenesansowy **Palatul Primăriei** (ratusz) z 54-metrową wieżą. Budowla powstała w latach 1872–1874, a szwajcarski zegar zawieszono cztery lata później. Naprzeciwko, w pasie zieleni pośrodku blvd Revoluţiei stoi **pomnik** na cześć rewolucji 1989 r. Ratusz flankują dwa równie monumentalne obiekty – **pałac Cenad** (po lewej, stojąc twarzą do ratusza) z końca XIX w. oraz pochodzący nieco później z tego samego okresu rokokowy gmach **Uniwersytetu im. Aurela Vlaicu** (uczelnia mieści się w nim od 1990 r.). Kilkaset metrów na północ od pałacu Cenad wznosi się **Biserica luterană** (kościół luterański; blvd Revoluţiei 61), zwana też czerwonym kościołem (Biserica Roşie) ze względu na kolor ceglanej fasady. Ukończona w 1906 r. świątynia jest utrzymana w stylu neogotyckim.

Zbudowany w latach 1911–1913 **Palatul Cultural** (Pałac Kultury; Piaţa G. Enescu 1) to niezwykła mieszanka stylów: klasycznego renesansu włoskiego, francuskiego gotyku i baroku. Z kolei ornamentyka holu głównego to czysta secesja. Wewnętrzne malowidło na kopule przedstawia Układ Słoneczny i kometę Halleya. W pałacu mieści się filharmonia i bardzo ciekawe **Muzeul de Arheologie şi Istorie** (Muzeum Historii i Archeologii; ☎/fax 0257/281847, 280114; wt.–nd. 9.00–17.00; 0,50 €, ulgowy 0,25 €) z działem historii naturalnej.

Na półwyspie otoczonym rzeką Maruszą w latach 1762–1783 wzniesiono dużą **twierdzę**, zaprojektowaną na wzór umocnień budowanych przez architekta i marszałka Francji Sebastiana Vaubana (1633–1707). Forteca powstała na planie sześcioramiennej gwiazdy, ma trzy rzędy podziemnych kazamatów i wiele fos, które w razie konieczności były napełniane wodą. Do warowni prowadzi barokowa brama. W tym samym czasie co twierdza powstała kaplica wewnątrz murów (dzisiaj w ruinie). Obecnie w fortecy mieści się baza wojskowa, dlatego zabytek nie jest udostępniony zwiedzającym. W przylegającej do warowni od południa dzielnicy Subcetate, przy polu namiotowym, rozciąga się niewielki park, gdzie stoi **pomnik** ku czci 13 węgierskich generałów straconych w 1849 r. za udział w rewolucji.

Noclegi

Na liczbę obiektów noclegowych w Aradzie nie można narzekać, ale tych najtańszych jest bardzo mało. Większość hoteli mieści się w centrum lub jego najbliższych okolicach. Biuro **Antrec** (str. V. Milea 17; ☎/fax 0257/254046, lucian.grozav@gmail.com) organizuje noclegi w gospodarstwach turystycznych (zazwyczaj ok. 10 €/os.).

Arad** (blvd Decebal 9; ☎/fax 0257/280894, www.hotelarad.tourconsult.ro). W odremontowanej kamienicy w centrum. Pokój 1-os. 45 €, 2-os. 50 €, apartament 65 €.

Ardealul** (blvd Revoluţiei 98; ☎0257/280840, fax 281845). Hotel w centrum, naprzeciwko teatru. Zróżnicowany standard i cennik. Pokój 1-os. 27 €, obniżony standard 20 €, 2-os. 36/25 €.

Baza Sportivă (str. S. Toth, tuż przy moście Decebala; ☎0257/281354). Skromne, nie zawsze czyste pokoje (5 €). Kort tenisowy (4 €/godz.).

Central Best Western*** (str. Horia 8; ☎0257/256636, fax 256629, central@inext.ro). W centrum, ale w cichej okolicy. Pokój 1-os. 60 €, 2-os. 65 €, apartament 100 €.

Continental**** (blvd Revoluţiei 79–81; ☎0257/281700, fax 281094, www.continental-hotels.ro). Najlepszy hotel w mieście. W wieżowcu w samym centrum, nieopodal ratusza. Pokój 2-os. 73 €.

Parc*** (blvd Dragalina 25; ☎0257/280820, fax 280725, parc@inext.ro). Nad rzeką, z widokiem na twierdzę po drugiej stronie. Pokój 1-os. 55 €, 2-os. 65 €, 3-os. 75 €.

Rareş** Przyjemny i niedrogi motel przy drodze wylotowej na Oradeę, około 2,5 km od centrum. Pokój 2-os. z łazienką 19 €, bez łazienki 13 €, apartament 34 €.

Gastronomia

Restauracji, pizzerii, fast foodów, barów i kawiarni jest w Aradzie bez liku. W menu lokali gastronomicznych dominuje kuchnia rumuńska, włoska i chińska.

Osoby żywiące się na własną rękę powinny odwiedzić duże targowisko na Piaţa Catedralei, niedaleko centrum (drugie działa na Piaţa M. Viteazul). Przy blvd Revoluţiei, naprzeciwko kościoła luterańskiego, jest całodobowy supermarket Shelly.

Ambiente (Piaţa A. Iancu 11, u wylotu str. Bariţiu). Kuchnia rumuńska i międzynarodowa. Smacznie i tanio.

Cafè Bar Dennis (róg str. S.C. Pop i str. V. Goldiş, przy Piaţa Catedralei). Bar z minionej epoki, coś dla miłośników lokalnych klimatów.

Gardenia Kebab Café Bar (Piaţa A. Iancu 12; ☎0257/281623). Klasyczny fast food, w którym można także napić się piwa.

Gelateria Restaurant i **Diplomat Café** (blvd Revoluţiei 52–56). W pierwszym lokalu serwują dobre włoskie lody, w drugim pyszną kawę (0,50 €).

La Pizza (blvd Revoluţiei 85–87; ☎0257/210 466). Czysty i przestronny lokal, gdzie serwują dobrą pizzę.

Libelula (blvd Revoluţiei 49–53, w długim bloku). Najlepsza kawiarnia w mieście. Pyszne ciasta 0,40–1 €.

Master Pizza (str. Horia 5; ☎0257/254761). Pizza i inne włoskie specjalności, jak spaghetti czy lasagne.

McDonald Róg blvd Revoluţiei i str. Horia.

Perfect Kebap (str. Cloşca 9). Tani i smaczny kebab.

Pizza Drive (str. Metianu 6; ☎0788/302009, 0723/404247). Niezłe pizze; także dostawa na telefon.

Santa Maria (blvd Dragalina 4, naprzeciwko filharmonii). Tania knajpka, skromne wnętrze, w sam raz na przekąskę w biegu.

Snack Bar i Fastfood Angelia (str. Revoluţiei, przy kościele katolickim). Dwa lokale, proste potrawy, tanio.

Sori Restaurant & Bar (Piaţa A. Iancu 4, u wylotu str. N. Bălcescu; ☎0257/281478). Porządny lokal z rozsądnymi cenami. Obok restauracji działa tańszy bar i pub.

Wings (Piaţa A. Iancu 10, południowa pierzeja). Dość drogo – dwudaniowy posiłek co najmniej 5 €. Wieczorem restauracja zmienia się w angielski pub.

Rozrywki

Filharmonia (Filarmonica; Piaţa G. Enescu 1; ☎0257/281554) ma siedzibę w budynku Pałacu Kultury. Miłośnicy teatru mają do wyboru **Teatr Państwowy** (Teatrul de Stat; blvd Revoluţiei 103; ☎0256/280 016, 280018), pośrodku Piaţa A. Iancu, na południowym końcu blvd Revoluţiei, oraz **Teatr Lalek** (Teatrul de Marionete; str.

Episcopiei 15; ☎0257/280974). W Aradzie jest kilka kin: Studio (str. V. Goldiş, kilkadziesiąt metrów na zachód od Piaţa A. Iancu), Arta (str. V. Alecsandri 2, obok dawnego hotelu Mureşul) i Dacia (blvd Revoluţiei 49–53, między szpitalem a kościołem luterańskim).

Miłośnicy aktywnego wypoczynku powinni odwiedzić **kąpielisko Neptun**. Na kompleks na półwyspie z twierdzą składa się kilka niedużych basenów, przystrzyżone trawniki, bary i kawiarenki.

Większość ciekawych lokali rozrywkowych skupia się przy str. Unirii. Kto chce potańczyć, niech zajrzy do **dyskoteki Amnesia Club** (str. Cozia, w budynku synagogi), gdzie w niektóre weekendy miksują didżeje z Bukaresztu.

Informacje o połączeniach

Samolot Z Aradu kursuje stosunkowo dużo samolotów, zarówno do Bukaresztu, jak i za granicę. Miasto ma połączenia ze Stuttgartem (pn. i śr.), Weroną (wt., śr. i pt.) oraz Bukaresztem (wt., śr., pt. i sb.; 48 € w jedną stronę). Lotnisko przy Calea Bodrogului jest oddalone zaledwie o 3 km na zachód od centrum (☎0257/254440, 252564, fax 254482). Tarom (str. Unirii 1; ☎/fax 0257/280777, 211777) zapewnia transport między miastem a lotniskiem.

Pociąg Ładny budynek dworca z żółtej cegły wznosi się około 2 km na północ od centrum (Piaţa Gării 8–9; ☎0257/237111) na końcu blvd Revoluţiei, gdzie dojeżdżają tramwaje #1, 3 lub 6. Arad jest ważnym węzłem kolejowym, stąd duża liczba połączeń. Z miasta odjeżdża kilkanaście pociągów dziennie do Timişoary, kilka do Budapesztu, Bukaresztu i Oradei, dwa do Baia Mare, Mangalii (przez Konstancę), Sybina i Russe. Punkty **Agenţie de Voiaj CFR** mieszczą się przy str. Unirii 1 (☎0257/282 190, 280977) oraz Piaţa Catedralei.

Autobus Niewielki dworzec autobusowy usytuowany jest kilkaset metrów na południowy zachód od dworca kolejowego, na rogu Calea A. Vlaicu i Calea 6 Vânători (☎0257/273323). Odjeżdża stamtąd dużo autobusów do Niemiec, Włoch, Węgier (przede wszystkim Budapesztu), a nawet Francji, a także m.in. do Satu Mare i Timişoary. Bilety kupują się w agencjach turystycznych, których mnóstwo działa w centrum (najwięcej przy blvd Revoluţiei) oraz w budce na dworcu. Minibusy do Bukaresztu, Oradei, Devy i Sybina odjeżdżają sprzed budynku dworca kolejowego.

Informator

Apteki Co najmniej kilka aptek działa przy blvd Republicii. Dwie sieci Sensiblu znajdują się na blvd Revoluţiei 43 i 93. Dobrą renomą cieszy się apteka przy Piaţa A. Iancu u wylotu str. N. Bălcescu (naprzeciwko restauracji Sori).

Internet Internet Club Café (str. Tribunul Dobra 8, między Piaţa A. Iancu a Piaţa Plevnei) ma niewiele komputerów i niezbyt szybkie łącze (0,45 €/godz.). Kafejka Pronet działa przy blvd Revoluţiei 77 (0,50 €/godz.).

Laboratorium fotograficzne Punkt Fujifilm jest w kamienicy we wschodniej pierzei Piaţa A. Iancu, a przy blvd Republicii, naprzeciwko hotelu Continental, działa Agfa Profifoto. Laboratorium Enigma znajduje się na blvd Revoluţiei 80.

Poczta i telekomunikacja Główny urząd pocztowy i rozmównica telefoniczna mieszczą się w budynku przy blvd Revoluţiei 44 (pn.–pt. 7.00–20.00, sb. 8.00–13.00), naprzeciwko szpitala. Druga poczta jest bliżej ścisłego centrum, przy str. M. Eminescu.

Wymiana walut i banki Przy Piaţa A. Iancu działa Banca Ţiriac, a przy blvd Revoluţiei 72 (naprzeciwko ratusza) – Banca Comercială Română. Zarówno przy placu, jak i przy ulicy ulokowało się także kilka kantorów (np. obok hotelu Ardealul).

Zakupy Dom towarowy Aradul stoi przy blvd Revoluţiei, obok kościoła katolickiego, a duży Magazinul Ziridava jest oddalony kilkaset metrów na północ (naprzeciwko poczty głównej; 8.00– 20.00). W pobliżu kościoła luterańskiego (blvd Revoluţiei) znajduje się sklep ze sprzętem turystycznym.

OKOLICE ARADU

W okolicach Aradu warto zobaczyć kilka interesujących, a mało znanych i zwykle pomijanych w przewodnikach miejsc. Monastyr **Hodoş Bodrog**, zamek w **Şirii** oraz miasteczka **Ineu** i **Lipova** leżą w znacznych odległościach od siebie, dlatego najłatwiej zwiedzać je własnym samochodem (ale zdeterminowani turyści poradzą sobie, korzystając z transportu publicznego).

Po drodze z Şirii do Lipovej leży wioska **Covăsinţ** z okazałymi cygańskimi willami i pałacami (w zdecydowanej większości niedokończonymi). Te osobliwe budowle są niezwykłym przeglądem trendów w romskiej architekturze, ale uwaga z robieniem zdjęć – ktoś może żądać za nie słonej zapłaty, i to niekoniecznie dyplomatycznie.

Mănăstirea Hodoş Bodrog

Około 15 km na zachód od Aradu wznosi się jeden z najstarszych zabytków architektury w Rumunii. Osada Bodrogu została wymieniona w źródłach pisanych po raz pierwszy w 1135 r., a monastyr – w 1177 r. Obecna cerkiew pochodzi, według mnichów, z II połowy XIV w., ale należałoby raczej datować ją na XV stulecie. W toku dziejowych zawieruch związanych przede wszystkim z inwazjami tureckimi monastyr bardzo ucierpiał, także cerkiew była kilka razy gruntownie restaurowana. Na początku XVII w. remont świątyni sfinansował biskup Sawa I Brancovici, metropolita siedmiogrodzki (1656–1683), który rezydował najpierw w Lipovej, a potem w Ineu. Ostatnią wielką renowację połączoną z nieznaczną przebudową przeprowadzono w 1766 r. (na bębnie świątyni osadzono wówczas barokową kopułę). Malowidła ścienne wykonano w XVII w. Stare mury cerkwi można podziwiać od strony północnej, ponieważ elewacja południowej jest otynkowana. Smukła dzwonnica i druga cerkiew (z dwiema kopułami) to zabytki niższej klasy. W XIX w. zmieniono bieg zagrażającej zabudowaniom monastyru rzeki Maruszy, która dawniej płynęła na południe od klasztoru.

Do Bodrogu Nou można dostać się z Aradu pociągiem (5 dziennie, z powrotem 6 dziennie) lub rzadziej kursującym autobusem (na Sânnicolau Mare, Felnac lub Periam).

Lipova

W Lipovej (ok. 30 km na wschód od Aradu) można się zatrzymać w drodze z Aradu do Devy. Pierwsze wzmianki pisane o osadzie o nazwie Lipva lub Lippua pojawiły się w latach 1315–1318. Współczesna miejscowość powstała z połączenia trzech wiosek: Lipovej, Radnej i Şoimoş, które dzisiaj mają status dzielnic. Najciekawsza pod względem architektury oraz najbardziej nastrojowa jest Stara Lipova (na południowym brzegu rzeki), która zachowała klimat prowincjonalnego habsburskiego miasteczka o skomplikowanym układzie.

Widoczna z daleka dawna **cerkiew** katedralna stała w tym miejscu już w XIV w. Z pierwotnej budowli przetrwały wprawdzie tylko fundamenty, ale warto rzucić okiem na wieżę z rokokowym hełmem z 1735 r. oraz fragmenty malowideł odsłonięte spod tynku. Przy rynku zachował się dawny **turecki kryty bazar** (*bedesten*) z długimi niskimi arkadami z XVII w., w których handluje się do dziś. Jest to jedyny tego typu budynek zachowany w Rumunii.

W ciągnącej się wzdłuż głównej drogi dzielnicy Radna wznosi się ogromny (60 m długości) barokowy kościół należący do **Mănăstirea franciscană** z 1756 r. (klasztor Franciszkanów), zwany też Mănăstirea Maria Radna (msze św. nd. 8.30 i 10.30). Wewnątrz kryje się cudowny obraz Czarnej Madonny z warsztatu malarza Romandiniego von Zassano (XVII w.). Jest to popularny cel pielgrzymek katolików różnych narodowości mieszkających w południowo-zachodniej Rumunii.

Na wzgórzu, mniej więcej 2 km na wschód od Radnej, w dzielnicy Şoimoş wznosi się **twierdza**, a właściwie jej imponujące ruiny. Zamek wybudowany w II połowie XIII w. strzegł doliny Maruszy i okolicznych ziem Banatu przed Tatarami, a potem Turkami. Miał wieże, dwa dziedzińce (zewnętrzny i wewnętrzny) i wiele pomieszczeń. Całość otaczały głębokie fosy i grube mury. Podczas powstania w XVI w. porwani przez Gheorgha Doję chłopi zajęli twierdzę na kilka miesięcy. W 1688 r. zdobył ją (częściowo już jako ruinę) austriacki generał Karaffa. Górujące nad okolicą pozostałości warowni do dziś robią duże wrażenie. Warto dla pięknego widoku na Maruszę i lesiste góry Zărand przespacerować się do ruin (ok. 10 min stromą ścieżką).

Kilka kilometrów na południe od Lipovej leży niewielkie uzdrowisko **Băile Lipova**. Na początku XX w. z całego kraju zjeżdżali tam kuracjusze z zamiarem korzystania z terapii balneologicznych. Po II wojnie światowej w miasteczku powstało centrum kardiologiczne, które działało z powodzeniem do lat 70. XX w. Obecnie jedyną pamiątką po czasach świetności jest niewielki kompleks z kilkoma basenami i zakład wytwarzający wodę mineralną.

Noclegi oferuje kompleks *Băile Lipova* (☎0257/563139), dysponujący kilkoma nowymi bungalowami (16 €/2 os.) i polem namiotowym (7 €/os.). Na miejscu są trzy baseny, sauna i niezła restauracja. 500 m na północ od centrum Lipovej działa kompleks *Faleza* (18,50 €/os.).

Z Aradu do Lipovej kursuje 12 pociągów dziennie (stacja kolejowa w Radnej). Poza tym można tam bez problemu dojechać autobusem (kilkanaście dziennie do samej Lipovej lub Radnej albo w kierunku Devy).

Şiria

W tej niewielkiej wsi warto obejrzeć ruiny **zamku** (30 min piechotą z centrum) malowniczo położone na wzgórzu. Romantycznym duszom na pewno spodobają się zarówno pozostałości XIV-wiecznej twierdzy, jak i widok na płaską Wielką Nizinę

Węgierską. W źródłach pisanych Şiria wzmiankowana jest po raz pierwszy w 1169 r. Zygmunt Luksemburski, król węgierski i cesarz niemiecki (1387–1437), podarował osadę wraz z twierdzą i 110 innymi wioskami serbskiemu despocie Georgowi Brabkoviciowi. W XV w. rezydował tam niejaki wojewoda Stefan, który nie podporządkował się koronie węgierskiej (w jego ślady poszedł inny władca – Bogdan). Później na zamku Şiria panem został Jan Hunyady (1388–1456), węgierski wódz i polityk, wojewoda siedmiogrodzki w latach 1441–1446. Król węgierski Maciej Korwin (1458–1490) przekazał Şirię rodzinie Batorych, którzy zarządzali nią do 1613 r. Ponad 150 lat później zamek zdobyli powstańcy chłopscy z Horei. Zniszczony podczas walk o jego odzyskanie, zaczął popadać w ruinę. Obecnie wzgórze jest królestwem lotniarzy i miłośników paraglajdingu. Podnóża gór Zărand słyną z winnic, w których produkuje się doskonałe białe wina aradzkie.

Z Aradu do Şirii kursuje 6 pociągów dziennie (kierunek Ineu). Z autobusami sprawa przedstawia się znacznie gorzej (najczęściej 1 dziennie). Spod dworca głównego w Aradzie jeżdżą do Ineu (przez Şirię) prywatne minibusy.

Ineu

W źródłach pisanych Ineu pojawia się po raz pierwszy w 1214 r. (jako „villa Ineu"), kilka wieków później osada rozwinęła się w znaczący ośrodek handlowy z dużym targowiskiem. **Zamek**, który w połowie XVI w. dostał się w ręce tureckie, wzniesiono w XIV w. Odbita z rąk Osmanów u schyłku XVI w. warownia stała się ważną twierdzą graniczną Siedmiogrodu. Turcy zagarnęli jednak Ineu ponownie – w latach 1658–1693 stacjonowali już w nowym, wzniesionym w 1652 r. na planie kwadratu z czterema narożnymi basztami zamku, który stoi do dziś. **Kościół katolicki** w samym centrum miasteczka pochodzi z połowy XVIII w.

Orientacja w Ineu nie przysparza większych kłopotów. Główną ulicą jest str. Republicii, biegnąca ze wschodu na zachód, od stacji benzynowej Lukoil do stacji benzynowej Petrom. W centrum stoją naprzeciwko siebie dwie świątynie – kościół katolicki i cerkiew prawosławna. Od tego miejsca na południe biegnie Calea Traian, a za mostem po prawej stronie widać zamek.

Przenocować można w hotelu (a raczej skromnej noclegowni) **Moara cu Noroc** (str. Republicii 21, w pobliżu kościołów;

☎0257/511108; 5,50 €/os.). Przy str. Republicii działa kilka podejrzanych knajpek, odwiedzanych głównie przez miejscowych.

Z Aradu do Ineu kursuje 6 pociągów dziennie (1,5 godz.). Autobusów jest znacznie mniej – czasami jeden, a czasami dwa dziennie. Spod Dworca Głównego w Aradzie jeżdżą do Ineu minibusy (kto się spóźni, niech popyta kierowców, którzy mogą skusić się na ofertę, jeśli zainteresowanych będzie co najmniej pięć osób, w przeciwnym wypadku lepiej wziąć taksówkę). Zawsze też pozostaje autostop, zwłaszcza że na odcinku Arad–Ineu panuje stosunkowo spory ruch.

TIMIŞOARA

Timişoara (węg. Temesvár, niem. Temeschburg) to wielonarodowa stolica Banatu. Wśród 325 tys. mieszkańców są Rumuni, Węgrzy, Niemcy, Serbowie i inni – w sumie ponad dziesięć narodowości.

Po raz pierwszy w źródłach pisanych Timişoara pojawia się w 1212 r. jako *castrum regium Themes* – dwa lata później *castrum*, czyli warowny obóz (prawdopodobnie twierdzę) zniszczyli Tatarzy. W XIII w. pod odbudowaną warownią zaczęli się osiedlać rzemieślnicy i chłopi z różnych krajów. Osada szybko się rozwijała i już w XIV w. była ważnym ośrodkiem handlowym i militarnym Banatu.

W 1316 r. w Timişoarze rezydował król węgierski Karol I Robert, a miasto było przejściowo faktyczną stolicą Węgier. Następnie zamek przeszedł w ręce Jana Hunyadego (1388–1456), węgierskiego regenta i wojewody siedmiogrodzkiego. W 1522 r. prężnie rozwijającą się miejscowość zajęli Turkowie. Po 164 latach przepędził ich austriacki książę Eugeniusz Sabaudzki, a Timişoara na 200 lat znalazła się pod panowaniem Austrii.

Stolica województwa Timiş kojarzy się obecnie przede wszystkim z rewolucją 1989 r. 20 grudnia po krwawych zamieszkach Timişoara została ogłoszona pierwszym wolnym miastem w Rumunii (Primul Oraş Liber). Powodem wybuchu buntu było zorganizowane przez budzącą grozę tajną policję Securitate przymusowe przesiedlenie węgierskiego pastora ewangelickiego Lászlo Tőkösa. Miasto jest usiane pomnikami na cześć ofiar rewolucji, a przed katedrą, na schodach której strzelano do mieszkańców miasta, stale składane są kwiaty i zapalane znicze.

Timişoara, podobnie jak Oradea i Arad, zachowała atmosferę habsburskiego mia-

6

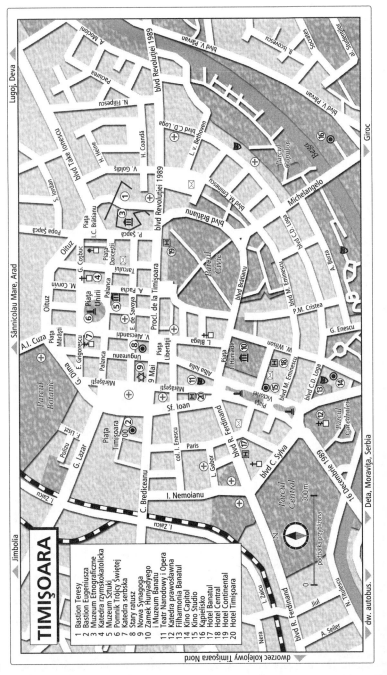

TIMIŞOARA

1 Bastion Teresy
2 Bastion Eugeniusza
3 Muzeum Etnograficzne
4 Katedra rzymskokatolicka
5 Muzeum Sztuki
6 Pomnik Trójcy Świętej
7 Katedra serbska
8 Stary ratusz
9 Nowa Synagoga
10 Zamek Hunyadyego
   i Muzeum Banatu
11 Teatr Narodowy i Opera
12 Katedra prawosławna
13 Filharmonia Banatul
14 Kino Capitol
15 Kino Studio
16 Kąpielisko
17 Hotel Banatul
18 Hotel Central
19 Hotel Continental
20 Hotel Timişoara

sta, głównie dzięki licznym zabytkom z tamtego okresu. Spacer wśród barokowej zabudowy, starych kościołów i wspaniałych XIX-wiecznych kamienic to niezapomniana podróż w przeszłość – nie bez przyczyny Timişoara nazywana była niegdyś Małym Wiedniem.

Orientacja i informacje

Centrum skupia się w okręgu wyznaczonym przez granice ogromnej cytadeli, z której zachowały się tylko fragmenty. Wzdłuż dawnych murów biegną obecnie szerokie aleje. Najważniejszymi placami w centrum są: Piaţa Unirii (serce starówki), oddalona od niej o 200 m na południe Piaţa Libertăţii oraz wybiegająca poza obręb niegdysiejszej twierdzy, długa Piaţa Victoriei, czyli ciągnący się z północy na południe szeroki deptak. W południowo--zachodniej części centrum rozciąga się Parcul Civic (park Miejski), przy którym stoi charakterystyczny wysoki gmach hotelu *Continental*.

Aby dotrzeć piechotą do centrum z dworca kolejowego lub autobusowego, trzeba kierować się na wschód: z dworca Timişoara Nord należy iść blvd Republicii, a z autobusowego str. Splaliul T. Vladimirescu wzdłuż kanału do czwartego z kolei mostu (Podul Traian), następnie w lewo nad kanałem blvd 16 Decembrie 1989, który doprowadzi do Piaţa Libertăţii.

W podwórzu naprzeciwko centrum handlowego Bega działa profesjonalne **biuro informacji turystycznej** (Info-turism, Centrum de informare; str. Proclamatia de la Timişoara 5; ☎0256/437973; pn.–pt. 10.00–20.00, sb. 10.00–14.00), w którym można dostać mapy i broszury oraz uzyskać informacje o atrakcjach (np. muzeach) i repertuarze kinowym i teatralnym. Personel włada angielskim, niemieckim i francuskim. Możliwe, że w 2006 r. centrum zostanie przeniesione do budynku opery.

W mieście działa wiele biur podróży, które organizują wycieczki w bliższe i dalsze okolice oraz pomagają znaleźć nocleg. Należą do nich m.in.: **Colibri** (str. C.D. Loga 2; ☎0256/201200) i **Recreation** (Calea Martirilor 1 AB; ☎0256/491480, fax 294293, office@recreation.ro, www.recreation.ro).

Zwiedzanie

Stare Miasto rozciąga się w obrębie dawnej **cytadeli**, z której do dzisiaj w całości zachował się tylko jeden bastion – **Bastionul Theresia** (bastion Teresy; wschodnia część

miasta, na południe od Piaţa Dr. I.C. Bratianu); drugi pozostaje w ruinie – **Bastionul Eugeniu** (bastion Eugeniusza; zachodnia część miasta, przy Piaţa Timişoara 700). Twierdza w Timişoarze istniała na pewno w 1266 r., z tego roku pochodzą bowiem pierwsze wzmianki w źródłach pisanych. Nową murowaną warownię wybudował w I połowie XIV w. król węgierski Karol I Robert. Wódz węgierski Jan Hunyady nakazał wzmocnić ją oraz wybudować nowy kasztel. Nowe mury Timişoary oparły się zarówno inwazji tureckiej w 1479 r., jak i chłopskim powstańcom pod wodzą Gheorgha Doi 35 lat później. Twierdza uległa dopiero drugiemu atakowi tureckiemu w 1522 r. XVII-wieczny turecki kronikarz Evila Celebi opisał warownię jako pięciokątne założenie z trzema wieżami i murami długimi na 8 km, a grubymi na 1,50 m. Do pięciu potężnych bram prowadziły zwodzone mosty. W latach 1724–1765, kiedy Timişoara należała do Austrii, na miejscu dawnej twierdzy wzniesiono cytadelę na planie gwiazdy, wzorowaną na projektach marszałka Vaubana. Składało się na nią dziewięć radialnie w stosunku do siebie położonych bastionów, potrójnej grubości mury oraz głębokie fosy. Twierdza ograniczała rozwój miasta, dlatego w XIX w. podjęto decyzję o jej rozbiórce (podobna sytuacja była w Krakowie).

W bastionie Teresy mieści się dzisiaj **Muzeul de Etnografie** (Muzeum Etnograficzne; wejście od str. Popa Şapcă 4; ☎0256/134967; wt.–nd. 9.00–18.00; 0,80 €, ulgowy 0,40 €) zo ciekawą kolekcją sztuki i rzemiosła ludowego (warto zwrócić uwagę na bramę marmaroską oraz stroje mniejszości narodowych z terenu Banatu).

Sercem starówki jest **Piaţa Unirii**, przyjemny rynek z ładnymi starymi kamienicami i barokową **Catedrala romano-catolică** (katedra rzymskokatolicka; msze św. nd. 9.00 w jęz. węgierskim, 10.00 w jęz. niemieckim, 11.30 i 18.30 w jęz. rumuńskim) wzniesioną w latach 1737–1773 według projektu znanego wiedeńskiego architekta Fischera von Erlacha. Warto zwrócić uwagę na barokowy portal. Dwa ołtarze harmonijnie łączą elementy baroku i rokoka.

Południowa pierzeja rynku jest zdominowana przez duży, odnawiany obecnie **barokowy pałac** z 1754 r. z bogato, ale proporcjonalnie zdobioną fasadą. Niegdyś rezydował w nim prefekt Timişoary, a przez pewien czas budynek służył również miejscowemu biskupowi. W zachodnim skrzydle pałacu mieści się **Muzeul de Artă** (Muzeum Sztuki; wejście od str. Mercy 2;

wt.–nd. 10.00–18.00; 0,80 €, 0,40 €). Na środku placu stoi wykonany z piaskowca piękny **pomnik św. Trójcy** z 1740 r., dzieło Johana Antoniego i Jana z Hansen. Kolumna upamiętnia ofiary epidemii dżumy, która nawiedziła miasto w latach 1738–1739. Naprzeciwko katedry katolickiej widać **Biserica sârbească** (katedra serbska; wejście od str. E. Ungureanu 14) wybudowaną w 1734 r. jako kościół farny. Piękne malowidła wewnątrz świątyni wykonał w XIX w. Constantin Daniel. Obok katedry stoi pałac biskupi.

Z Piaţa Unirii należy się skierować na południe w stronę Piaţa Victoriei. Idąc str. E. Ungureanu, mija się barokowy **stary ratusz** wybudowany w latach 1731–1734 na miejscu tureckiej łaźni (hammam). Na placu, zwanym obecnie **Piaţa Libertăţii**, torturowano i stracono przywódcę powstania chłopskiego z 1514 r. Gheorgha Doję (podobno jego najbliżsi współtowarzysze musieli przed własną egzekucją zjeść rozczłonkowane ciało nieszczęśnika). Około 100 m na zachód od Piaţa Libertăţii stoi utrzymana w stylu mauretańskim **Nowa Synagoga** (1863–1865), zwana też **Sinagoga din Cetate** (Synagoga w Twierdzy), ponieważ wzniesiono ją na terenie dawnej cytadeli. Ceglana fasada wnosi trochę odmienności do zdominowanej przez barok zabudowy starówki.

Przy północnym krańcu Piaţa I. Huniade stoi **Castelul Huniazilor** (pałac Hunyadych), najstarszy zabytek w mieście. Pierwszy zamek wzniesiono w tym miejscu w latach 1307–1315 z fundacji króla Karola Roberta, a w latach 1443–1447 Jan Hunyady wybudował na fundamentach zamku Karo-

la nowy kasztel, od którego wzięła się jego obecna nazwa. Zamek, otoczony kwadratowym dziedzińcem, ma wysoki parter i dwa piętra. Wojewoda Hunyady sprowadził tu swoją rodzinę i możnych z całego kraju, którzy w przerwach między bitwami bawili się i ucztowali w murach wspaniałej rezydencji. W XVIII w., zwyczajem militarnego państwa austriackiego, zamek zamieniono na arsenał i kwatery wojskowe. Jego pierwotny kształt jest kwestią sporną, ale wiadomo, że był wielokrotnie przebudowywany (ostatni raz w 1856 r.) m.in. ze względu na częste pożary. W zamku mieści się **Muzeul Banatului** (Muzeum Banatu; Piaţa I. Huniade 1; ☎0256/191339; wt.–nd. 10.00–17.00; 0,80 €, ulgowy 0,40 €) z dwiema ekspozycjami: historyczną i poświęconą historii naturalnej (obie warte obejrzenia).

Kilkadziesiąt metrów na zachód od zamku rozciąga się **Piaţa Victoriei**, arena krwawych wydarzeń rewolucji grudniowej 1989 r. Zgromadzony tłum próbowano rozpędzić czołgami i za pomocą agentów Securitate, co skończyło się rozprzestrzenieniem protestów na cały kraj, a w konsekwencji, obaleniem ustroju. W oczy rzuca się charakterystyczny budynek **Teatru Narodowego i Opery** (Teatrul Naţional şi Opera) z końca XIX w. Neobizantyńskie elementy dodano podczas odbudowy po pożarze w 1920 r. Na drugim końcu placu wznosi się kontrastująca z resztą zabudowy duża **Catedrala ortodoxă** (katedra prawosławna; blvd Ferdinand 1). Świątynia reprezentuje monumentalny styl mołdawski, charakterystyczny dla krainy odległej o setki kilometrów. Wybudowano ją w latach 1936–1940 według projektu znanego

---

Pomniki Timişoary

Ze względu na wydarzenia z grudnia 1989 r. Timişoara bywa nazywana miastem męczenników. Spacerując po szerokich ulicach, turysta na każdym kroku natyka się na pomniki przypominające o dramacie rewolucji, dzięki której upadł komunistyczny reżim Ceauşescu. Do protestujących zebranych na Piaţa Unirii i Piaţa Victoriei strzelano bez skrupułów, a widzów rozpędzano czołgami. Zginęły setki osób.

Jednym z najbardziej przejmujących pomników jest stojący w pobliżu Piaţa Timişoara 700 (przy cerkwi greckokatolickiej) **Omul Ţintă** (Człowiek-Cel), ponadtrzymetrowej wysokości człowiek-szkielet z brązu z uniesionymi do góry rękami, o twarzy emanującej spokojem. Monument przed hotelem *Central* to **Martirii** (Męczennicy) – stos martwych ciał na marmurowym piedestale. Duże wrażenie robi **Învingătorul** (Zwycięzca), posąg człowieka podnoszącego w geście zwycięstwa prawą rękę ze złamanym mieczem, podczas gdy lewa ręka i noga zostały amputowane. Przy niemal wszystkich pomnikach zawsze leżą świeże kwiaty.

Większość ofiar zamieszek w Timişoarze spoczywa na **Cimiturul Eroilor** (Cmentarz Bohaterów), wydzielonej kwaterze głównego cmentarza miejskiego (Calea Lipovei, ok. 1 km na północ od centrum miasta). Jest to kompleks z kilkudziesięcioma grobami i mauzoleum z wiecznym ogniem.

architekta Iona Traianescu. Katedra zaskakuje nie tylko rozmiarami i kolorowym zadaszeniem, ale także przepięknymi malowidłami i rzeźbami. W podziemiach urządzono ciekawe muzeum ikon. Na placu przed wejściem stoi pomnik poświęcony ofiarom przewrotu 1989 r. Zachodnią i wschodnią pierzeję Piaţa Victoriei zdominowały monumentalne gmachy, m.in. **pałac Lloyd** (niegdyś najbardziej luksusowy hotel w mieście) i **Lofler**.

Na północno-wschodnich obrzeżach miasta, około 6 km od centrum, powstał skansen **Muzeul Satului Bănăţean** (Alea Padurea Verde, wyjazd w kierunku Lugoju, koło kempingu; ☎0256/225588; V–X wt.–nd. 10.00–17.00; 1,20 €, ulgowy 0,60 €). Na obszarze ponad 17 ha zgromadzono ciekawą, choć niewielką, kolekcję wiejskich gospodarstw (najstarsze z przełomu XVIII i XIX w.). Na uwagę zasługuje drewniana cerkiew, wiejski dom kultury oraz szkoła z początku XX wieku.

Noclegi

W Timişoarze można dosłownie przebierać w ofercie hoteli (brakuje jednak najtańszych).

Banatul*** (blvd Republicii 7, w pobliżu północnego końca Piaţa Victoriei; ☎0256/491903, fax 490130). Pokój 1-os. 30 €, 2-os. 40 €, 3-os. 50 €, apartament 50 €. Na parterze dobra restauracja.

Central** (str. N. Lenau 6; obok Piaţa Victoriei; ☎0256/190091, fax 190096, central@online. ro). Pokój 2-os. 50 €, apartament 100 €.

Clubul Sportiv Voinţa (str. T. Vladimirescu 20A, nad kanałem, w pobliżu pomostu dla pieszych; ☎0256/493090). Kusząca oferta dla oszczędnych. Wprawdzie nie zazna się tu luksusów (łazienki na korytarzu), ale ceny są naprawdę atrakcyjne. Łóżko w pokoju 2- i 4-os. 4 €.

Continental**** (blvd Revoluţiei 1989 nr 5; ☎0256/494144, fax 494145, agentie@hotelcontinental.ro). Wieżowiec w centrum miasta. Na miejscu basen, restauracja i klub nocny ze striptizem. Pokój 1-os. 65 €, 2-os. 70 €, apartament 130 €.

Excelsior**** (str. Romulus 36; ☎0256/303304, fax 274274). Nieduży, ale bardzo nowoczesny hotel z 27 pokojami 2-os. i 3 apartamentami. Nieco oddalony od centrum. Pokój 1-os. 55 €, 2-os. 55 €, apartament 100 €.

Kemping International (Aleea Pădurea Verde 6, wejście od Calea Dorobantilor 63; ☎0256/208 925, fax 225596). Kemping usytuowany jest na wschodnich obrzeżach miasta, przy wyjeździe na Lugoj, po lewej stronie drogi. Z centrum dojeżdża tam trolejbus #11 (z Piaţa Mărăşti) oraz autobus #26 (spod bastionu Teresy). 2-os. bungalow 14,50 €, 4-os. 28 €; nocleg w namiocie 2,40 €/os.

Nord** (blvd G.I. Dragalina 47; ☎0256/497504, fax 491621). Stosunkowo tani hotel w bezpośrednim sąsiedztwie Dworca Kolejowego Timişoara Nord. Pokój 1-os. 18 €, 2-os. 32 €, 3-os. 46 €.

Reghina*** (str. Cozia 91; ☎0256/191166, www.hotel-reghina.ro). Na południe od centrum. Pokój 1-os. 45 €, 2-os. 50 €, apartament 2-os. 63 €, apartament 83 €.

Timişoara*** (str. Mărăşeşti 1–3, przy Piaţa M. Eliade; ☎0256/498854, fax 499450, www.hoteltimisoara.ro). Hotel w samym centrum, obok opery. Pokój 1-os. 52 €, apartament 90 €.

Gastronomia

Jak przystało na duże miasto, w Timişoarze (zwłaszcza w centrum) nie brakuje lokali gastronomicznych na każdą kieszeń. Przy Piaţa Unirii i w jej najbliższych okolicach działa kilka przyjemnych kawiarni.

Kto chce żywić się na własną rękę, niech wybierze się na Piaţa Timişoara 700, na duże targowisko w obrębie dawnej twierdzy (ok. 200 m na zachód od Piaţa Libertăţii) lub na jeszcze większy targ w sąsiedztwie dworca autobusowego. W mieście działają dwa duże sklepy całodobowe: Stil (róg str. Mărăşeşti i str. G. Lazar) oraz Cardinal (przy str. V. Babes, obok apteki).

Cimminelu (str. L. Blaga 1). Znakomita lodziarnia i bar w jednym.

Cofetaria Trandafirul (str. Proclamatia de la Timişoara 5, w tej samej kamienicy co informacja turystyczna). Bardzo porządna kawiarnia i cukiernia. W lecie pyszne lody. Dosyć drogo (kawa 0,70 €).

Crama Bastion (str. Hektor 1, wewnątrz bastionu Teresy; ☎0256/221199). Popularna wśród zagranicznych turystów. Smaczna kuchnia (dwudaniowy posiłek ok. 4 €).

Casa cu Florii (róg Piaţa Victoriei i blvd Regele Ferdinand, naprzeciwko katedry prawosławnej). W typie polskiego baru mlecznego. Dwudaniowy posiłek około 3 €.

Grădina Banaţeana Świetna restauracja nad brzegiem Begi przy moście Podul Episcopiei. Najlepsze *mici* w mieście!

Grizzly Restaurant, Cofetarie, Bar (str. Ungureanu 9). Trzy w jednym: po smacznym i tanim posiłku można zjeść dobre ciastko i napić się gorącej herbaty; duży wybór alkoholi.

Lloyd (Piaţa Victoriei 2; ☎0256/294949, office@lloyd.ro). Najbardziej ekskluzywna restauracja w imponującym pałacu miejskim w pobliżu teatru (obiad 9–12 €).

Marele Zid Chinezesc (str. V. Alecsandri 2; ☎0256/132188). Dla znudzonych rumuńską kuchnią. Jak to bywa w chińskich restauracjach – duże porcje.

McDonald (Piaţa Victoriei 1). W kamienicy obok opery.

Pappilon Café (str. Regimentul 5 Vănători12). Kolejna przyjemna kawiarnia z dobrą kawą.

Pizzeria Cora (str. E. de Savoya 13, na rogu str. Mărăşeşti, nieopodal synagogi; ☎0256/491197). Smaczna pizza i inne włoskie dania; dostawa na telefon.

Prét-á-Manger Fastfood (str. Alba Iulia). W typie *McDonalda*, ale z przyjemniejszą atmosferą.

Time Café (str. Mercy 9, naprzeciwko kafejki internetowej *Argus*). Chłodne nowoczesne wnętrze i świetna kawa.

Violeta (Piaţa Victoriei 6, koło katedry). Kawiarnia o typowo socrealistycznym wnętrzu. Bardzo popularna ze względu na smaczne wypieki i przystępne ceny.

Rozrywki

Filharmonia Banatul (Filarmonica Banatul; blvd C.D. Loga 2; ☎/fax 0256/492521).

Kasyna *Bastion* (str. Hektor 1, w bastionie Teresy; ☎0256/497544); *Timişoara* (w hotelu o tej samej nazwie).

Kina Cinema Capitol (blvd C.D. Loga 2; ☎0256/193396; dzieli budynek z filharmonią); Cinema Studio (róg str. N. Lenau i Piaţa Victoriei, w sąsiedztwie hotelu *Central*); Cinema Timiş (Piaţa Victoriei, południowy kraniec placu; ☎0256/191290).

Teatr i opera Teatr Narodowy i Opera (Teatrul Naţional şi opera Română din Timişoara, str. Mărăşeşti 2; ☎0256/499908, bilety rozprowadza Agenţia Teatrală w tym samym budynku, ☎0256/201286); Niemiecki Teatr Państwowy (Teatrul German de Stat, str. Mărăşeşti 2, w budynku Teatru Narodowego; ☎0256/201 291, fax 201293), Węgierski Teatr Państwowy Csiky Gergely (w budynku Teatru Narodowego; ☎0256/434814), Teatr dla Dzieci i Młodzieży Merlin (Teatrul pentru Copii şi Tineret Merlin; blvd Regele Carol 1, ok. 500 m na wschód od dworca autobusowego; ☎0256/294794).

Puby i kluby

Club XXI (Piaţa Victoriei 4, obok restauracji *Lloyd*). To właściwie porządna restauracja z ogródkiem na głównym placu. Wieczorami muzyka ludowa na żywo.

Club 30 (Piaţa Victoriei 7; ☎0256/201115). Ukryte wejście przy sklepie Leonardo, w południowo-wschodnim narożu Piaţa Victoriei. Często koncerty live; występują muzycy jazzowi, bluesowi i inni. Obsługa w garniturach i odpowiednie do tego typu miejsc ceny.

Crama Cetatii (Piaţa Timişoara 700, w pozostałościach po bastionie). Pośród grubych murów dawnej cytadeli miło jest się latem napić zimnego piwa w zacienionym ogródku.

Java Coffee House (str. A. Pacha 6). Ekskluzywna kawiarnia i pub, niedaleko Piaţa Unirii. Również kafejka internetowa.

La Timişoerana (str. V. Alecsandri, obok chińskiej restauracji). Piwiarnia z drewnianymi ławami, styl country. Tanie piwo Timişoerana (0,45 €).

Lemon Piano Bar (str. Alba Iulia 1). Na parterze przyjemna kawiarenka, w piwnicach świetny ogromny pub podzielony na kilka części. Sala z pianinem dla amatorów bluesa i jazzu, wydzielona część dla miłośników reggae i disco.

Infomacje o połączeniach

Samolot Timişoara ma najwięcej połączeń lotniczych z Bukaresztem (pn., śr. 4 dziennie; wt., czw.–sb. 3 dziennie; nd. 2 dziennie; 1 godz. 15 min; ok. 75 €). Ponadto odlatują stąd samoloty do kilku miast we Włoszech, do Monachium (codz.) i Stuttgartu oraz Budapesztu (wt., czw., sb.), Kiszyniowa (pn.–sb.) i Nowego Jorku (pn. i czw.) z przesiadką w Bukareszcie.

Lotnisko (Aeroportul International Timişoara; str. Aeroport 1, Giarmata; ☎0256/493639, fax 493123) jest oddalone o mniej więcej 12,5 km na północny wschód od centrum. Spod biura Taromu (blvd Revoluţiei 1989 nr 3–5; ☎0256/490150, 432 876, fax 190150) kursują na lotnisko autobusy. W hotelu *International* (blvd C.D. Loga 44) mieści się biuro Austrian Airlines (☎0256/490320, fax 494605; pn.–pt. 9.00–17.00).

Pociąg Timişoara ma kilka dworców kolejowych – zdecydowana większość pociągów przybywa na stację Timişoara Nord, 2 km na zachód od centrum (str. Gării 3). Miasto jest ważnym węzłem kolejowym, ma połączenia z Aradem (7 dziennie), Baia Mare (1 dziennie), Bukaresztem (9 dziennie), Jassami (3 dziennie), Klużem (3 dziennie), Curtici (przy granicy z Węgrami; 2 dziennie), Gałaczem, Syhotem Marmaroskim, Târgu Jiu i Mangalią (po 1 dziennie). Prócz tego codziennie odjeżdża jeden pociąg do Belgradu (rano) i Budapesztu.

Agenţie de Voiaj CFR (☎0256/191889) zajmuje niewielkie pomieszczenie (łatwo przeoczyć wejście) przy str. N. Paulescu koło Piaţa Victoriei.

Autobus W porównaniu z dworcem kolejowym i częstotliwością kursowania pociągów dworzec autobusowy w Timişoarze wypada blado. Jest nieduży, obskurny i obsługuje niewiele połączeń. Mieści się przy Splaiul Tudor Vladimirescu, około 600 m na południe od dworca kolejowego Nord (dojście str. I. Dragalina, za mostem w prawo – dworzec autobusowy wyłania się po 300 m, przy targowisku).

Najwięcej autobusów kursuje za granicę, przede wszystkim do Budapesztu, Belgradu, Kiszyniowa i Stambułu. Jeśli chodzi o połączenia krajowe, z Timişoary można dostać się do Aradu, Lugoju, Râmnicu Vâlcea, Sybina i Syhotu Marmaroskiego.

Komunikacja miejska

Transport publiczny jest w Timişoarze stosunkowo dobrze rozwinięty. W godzinach 5.00–23.30 po mieście kursują tramwaje, autobusy i trolejbusy. Bilety (jednorazowy 0,25 €) kupuje się w kioskach RATT-u (Regia Autonoma de Transport Timişoara), ulokowanych przy najważniejszych przystankach.

Tramwaje linii #1 i 8 kursują z dworca kolejowego do centrum, na Piaţa Libertăţii i do hotelu Continental, a dalej: #1 jedzie na północ, z kolei #8 do południowych dzielnic miasta. Do centrum dojedzie się też trolejbusami #11, 14 i 18, które przejeżdżają przez Piaţa Regina Maria, obok Piaţa Timişoara 700 i przez Piaţa Mărăşti – z pierwszego blisko jest na deptak Piaţa Victoriei, z drugiego do Piaţa Libertăţii, a z trzeciego do Piaţa Unirii, centrum starówki.

Informator

Apteki Sensiblu na Piaţa Victoriei 7 (wschodnia pierzeja) działa całą dobę. Jedna z większych aptek mieści się w dużej kamienicy przy Piaţa Sf. Georghe (przy zachodnim krańcu str. Proclamatia de la Timişoara).

Internet Cyber Net (str. Hektor 2, w murach bastionu Teresy; bardzo szybkie łącze; 0,50 €/godz.), Java Cofee House (str. A. Pacha 6; 0,70 €/godz.), Argus Net Café (str. Mercy 4, naprzeciwko kawiarni Time; 0,55 €/godz.), Skynet (str. E. de Savoya, w pobliżu pizzerii Cora).

Księgarnie Noi (str. Hektor 2, w bastionie Teresy, obok kafejki internetowej Cyber Net) oferuje duży wybór obcojęzycznej literatury, w tym przewodniki po Rumunii, dział antykwaryczny. Wiele tytułów obcojęzycznych ma także księgarnia Emil Cioran (róg ulic F. Mercy i Proclamatia de la Timişoara) oraz księgarnia Mihai Eminescu (Piaţa Victoriei 2, zachodnia pierzeja).

Laboratorium fotograficzne Sklepy Kodak Express i Agfa Profifoto usytuowane są obok siebie, pośrodku wschodniej pierzei Piaţa Victoriei.

Poczta i telekomunikacja Główny urząd pocztowy (pn.–pt. 7.00–20.00, sb. 7.00–13.00) jest przy blvd Revoluţiei 2, kilkadziesiąt metrów na wschód od hotelu Continental. Druga,

mniejsza poczta – przy str. Dr. N. Paulescu, w pobliżu hotelu Banatul. Placówkę Romtelecomu można znaleźć przy blvd M. Eminescu odchodzącym na wschód od Piaţa Victoriei.

Wymiana walut i banki Citibank i Alpha Bank mają siedziby po sąsiedzku przy str. Popa Şapcă 1 i 2. Banca Comercială Română mieści się przy Piaţa Sf. Gheorghe, a Banca Comercială Ion Ţiriac przy Piaţa Unirii 3. Bankomat BCR jest przy hotelu Nord, w pobliżu Dworca Kolejowego Timişoara Nord. Kantory można znaleźć przy recepcjach większych hoteli i przy głównych ulicach miasta (dobre kursy ma kantor przy Piaţa Victoriei, obok kawiarni Violeta).

Zakupy Dom towarowy Bega (str. Proclamatia de la Timişoara, naprzeciwko biura informacji turystycznej). Dobrze zaopatrzone sklepy ze sprzętem górskim znajdują się koło poczty głównej (Nootka; blvd Revoluţiei 4, róg z Mihai Eminescu) i na str. C. Telbisz (na tyłach sklepu Bega).

LUGOJ

Drugie miasto województwa Timiş (50 tys. mieszkańców) leży 60 km na wschód od Timişoary. Rzeka Temesz (Timiş) dzieli miejscowość na dwie części: na brzegu wschodnim (prawym) znajduje się starówka, na lewym osiedla mieszkaniowe i kilka zakładów przemysłowych. Miasto słynie z najlepszego w kraju prywatnego Uniwersytetu Drăgan, założonego przez kontrowersyjnego przemysłowca I.C. Drăgana.

Historia

Na terenie miasta odnaleziono pozostałości osady neolitycznej. Pierwsza wzmianka o Lugoju pojawia się w dokumentach w 1334 r. W późniejszych wiekach osada pozostawała w cieniu nieodległej Timişoary i mimo położenia na ważnym szlaku handlowym oraz prężnej działalności cechów rzemieślniczych spełniała jedynie funkcję prowincjonalnego ośrodka. Po zajęciu Banatu przez Austrię okolicę zasiedlono wielonarodową ludnością, a w Lugoju zbudowano koszary, co w pewnym stopniu wpłynęło na rozwój miasta. Dziś to typowe, banackie miasto zamieszkuje 80% Rumunów, 11% Węgrów, 5% Niemców i inne banackie narodowości. Będąc w pobliżu, warto zatrzymać się na chwilę w obrębie przyjemnej starówki, gdzie kryje się kilka godnych uwagi obiektów.

Orientacja

Centrum miasta, ulokowane na prawym brzegu Temeszu, graniczy od północy z drogą przelotową Timişoara–Orşova.

Stacja kolejowa (str. Gării 1; ☎0256/359 679) usytuowana jest 1,5 km na południowy wschód. Aby znaleźć się w rejonie starówki, trzeba ze stacji pójść str. Banatului na wschód, skręcić w lewo na str. Cuza Vodă i po 150 m w prawo na str. 6 Martie (most na Temeszu), która doprowadza do centrum.

Zwiedzanie

Stojąca na Piaţa Drăgan **cerkiew greckokatolicka** została wybudowana w latach 1835–1854. We wnętrzu przykuwa uwagę klasycystyczny ikonostas oraz wspaniałe witraże wykonane w Czechach. Wysoka wieża służyła dawniej jako punkt obserwacyjny. Wizytówką miasta jest **cerkiew prawosławna** (Piaţa Victoriei) wzniesiona w stylu wiedeńskiego baroku, charakterystycznym dla habsburskiego Banatu (np. cerkiew w Lipovej). Dwie wysokie, charakterystyczne wieże (56 m) dominują w panoramie miasta. Obok stoi **dzwonnica** cerkwi św. Mikołaja ufundowanej w 1403 r. przez bojarską rodzinę Perianu. Naprzeciwko zwraca uwagę ciekawy **zajazd pocztowy** z początku XVII w. Przy końcu str. 20 Decembrie 1989 znajduje się duży budynek prywatnego Uniwersytetu Drăgan.

Noclegi

Baza noclegowa nie należy do najlepiej rozwiniętych, ale ruch turystyczny jest tu raczej niewielki i ze znalezieniem noclegu nie powinno być problemu.

Dacia*** (str. A. Mocioni 7, w kamienicy na wschód od dworca kolejowego; ☎0256/352740, fax 350671, turism.dacia@xnet.ro). Pokój 1-os. 30 €, 2-os. 58 €, apartament 65 €.

Timiş** (str. Mocioni 20–22, w secesyjnej kamienicy niedaleko hotelu *Dacia*; ☎0256/355 045, fax 350671, turism.dacia@xnet.ro). Pokój 1-os. 45 €, 2-os 48 €, 3-os. i apartament 60 €.

Tirol** (str. Salcâmului 15, na obrzeżach miasta przy drodze na Devę; ☎0256/353832, fax 354183). Pokój 2-os. 20 €, 3-os. 25 €, 4-os. 35 €.

REŞIŢA

Liczące 84 tys. mieszkańców miasto jest stolicą banackiego województwa (*judeţ*) Caraş-Severin. Reşiţa co prawda nie obfituje w zabytki, ale dla turysty może być świetną bazą wypadową w góry Semenic oraz do dwóch wsi: **Steierdorfu** koło Aniny, zamieszkanego przez przybyłych z niemieckojęzycznych krain Europy Szwabów Banackich, i **Caraşovej** z ciekawą enklawą słowiańską – Karaszowianami.

Orientacja i informacje

Reşiţa ma wydłużony kształt i schowana jest pomiędzy lesistymi masywami gór Dognecei na zachodzie i Semenic na wschodzie. Wzdłuż rzeki Bârzava biegnie główna arteria miasta: prowadzący z zachodu blvd Timişoarei zmienia nazwę na str. Revoluţiei din Decembrie i dociera w okolice rynku. Przedłużeniem jest okrążająca centrum miasta str. Randunici, która przechodzi w str. Libertăţii i zmierza w kierunku Aniny. Od drogi odchodzą dwa ważne odgałęzienia: do Oraviţy przez Lupac (na wysokości centrum) i w serce gór Semenic – do Văilug i dalej do stacji turystycznej Semenic (ok. 1400 m n.p.m.). Centrum miasta skupia się wokół rynku (Piaţa 1 Decembrie 1918), który pomimo blokowej zabudowy robi dobre wrażenie.

Co ciekawe, mieszkańcy Reşiţy, ze względu na nieskomplikowany układ drogowy w ich mieście, uznawani są za najgorszych kierowców w Rumunii, którzy nie potrafią jeździć w innych miejscowościach kraju. Rozpoczynające numer rejestracyjny literki „CS" (Caraş-Severin) interpretowane są zazwyczaj jako „CataStrofa".

Informacja turystyczna działa w wieżowcu IPC przy Piaţa 1 Decembrie 1918 nr 7 (III piętro), lecz często bywa zamknięta. Pomocą służy także personel położonego nieopodal hotelu *Semenic* (Piaţa 1 Decembrie 1918 nr 2; ☎0255/213481).

Historia

Teren miasta zasiedlony był już w czasach prehistorycznych. Wykopaliska odsłoniły tu ślady osad neolitycznych oraz skarb złożony z kilkuset monet rzymskich. Do końca XVIII w. w dolinie Bârzavy znajdowało się kilka niewielkich wsi, a w latach 1769–1771 wybudowano hutę żelaza, która z czasem rozrosła się do rozmiarów największego zakładu przemysłowego w Rumunii. Rudę żelaza wydobywano w pobliskich górach Dognecei, czego pamiątką są liczne kopalnie i kilka zbiorników zaporowych ukrytych w masywie. W miejscowych zakładach wyprodukowano w 1873 r. pierwszą rumuńską lokomotywę, a dzięki kapitałowi wiedeńskich inwestorów miasto zaczęło się intensywnie rozwijać. Po rewolucji grudniowej 1989 r. przedsiębiostwa w Reşiţy zaczęły upadać, co wpłynęło na znaczny wzrost bezrobocia w skali całego kraju.

Zwiedzanie

W mieście znajduje się tylko jeden obiekt godny uwagi: **Muzeum Lokomotyw Parowych** (Muzeul Locomotivelor cu Abur) w niewielkim parku po północnej stronie Calea Timişoarei (po lewej stronie, jadąc od Bocşy). Na wolnym powietrzu zebrano 15 parowozów wyprodukowanych w miejscowej fabryce. Uwagę przyciąga malutka lokomotywa na postumencie – najstarsza wyprodukowana w Rumunii.

Noclegi

Baza noclegowa Reşiţy nie należy do bogatych, jednak ze względu na znikomy ruch turystyczny ze znalezieniem noclegu nie powinno być problemów nawet w środku lata.

Semenic** (Piaţa 1 Decembrie 1918 nr 2; ☎/fax 0255/213481). Hotel w zachodniej części rynku z doskonałą restauracją *Salon Roşu* (kuchnia rumuńska i międzynarodowa; obiad od 6 €). Pokój 2-os. 30 €, apartament 57 €.

Femma & Negroş** (str. Cireşului 27; tablica informacyjna po lewej stronie drogi przy wyjeździe na Aninę; ☎0255/221900). Niewielki pensjonat oferujący pokoje 2-os. za 21 €.

Monyfeith** (str. Cireşului 38, w sąsiedztwie *Femma & Negroş*; ☎0255/218597). Kolejny pensjonat z rodzinną atmosferą. Pokój 2-os. 24 €, 3-os. 28 €.

Gastronomia

Oprócz restauracji przy hotelu *Semenic* warto polecić następujące lokale:

Aristocrat (str. I.L. Caragiale 1–2; ☎0255/212 2233). Świetna restauracja na wschód od rynku. Kuchnia rumuńska i międzynarodowa w przystępnych cenach (obiad od 6 €).

Capriccio (Piaţa 1 Decembrie 1918, z tyłu domu handlowego Nera; ☎0255/222580). Przyjemna pizzeria i restauracja w jednym. Obok mniejsza pizzeria *Florio*.

ToTo (Piaţa 1 Decembrie 1918, w centrum handlowym Nera). Trochę więcej niż zwyczajny fast food. Można się tu napić dobrej kawy i przekąsić coś na szybko.

Rozrywki

Club FF (str. Libertăţii 40, w budynku domu kultury). Najlepszy klub w mieście z dobrą muzyką i gorącymi dyskotekami.

Exe (blvd Republicii, w kompleksie Victoria). Przyjemne, ładnie umeblowane wnętrze z miłą atmosferą. Czynne non stop.

Informator

Apteki W mieście brak aptek całodobowych. Profarm (str. Revoluţiei din Decembrie 4), Refarm (str. I.L. Caragiale 5).

Laboratorium fotograficzne Foto Expres działa na blvd Republicii 21.

Wymiana walut i banki Placówki największych banków skupione są w okolicy Piaţa 1 De-

cembrie 1918. Kantor znajduje się w centrum handlowym Nera.

Zakupy Dom handlowy Nera (Piaţa 1 Decembrie 1918) oferuje bogaty wybór towarów. Na parterze działa supermarket spożywczy Artima.

PRZEŁOM DUNAJU

Dunaj, druga pod względem długości rzeka Europy, płynie między Karpatami a Górami Wschodnioserbskimi ogromnym przełomem (rum. Defileul Dunării lub Clisura Dunării – z tureckiego i serbskiego *klisura* znaczy wąwóz, serb. Đerdap), jednym z największych i najpiękniejszych na kontynencie. Wielka poprzeczna dolina została wycięta w miejscu oligoceńsko-mioceńskiej morskiej cieśniny, która do początku czwartorzędu łączyła basen panoński z pontyjsko-kaspijskim. Charakterystyczna jest jej niezwykła długość (135 km) i duże wysokości wapiennych urwisk (Veliki Štrbac; 768 m n.p.m.). Rzeka wpływa w przesmyk niedaleko miejscowości Baziaş (na 1075. km), 3 km poniżej ujścia Nery – odtąd stanowi granicę Rumunii z Serbią, a opuszcza go dopiero za zaporą Żelaznych Wrót (Porţile de Fier) w Gura Văii (na 940. km). Przed utworzeniem zbiornika akumulacyjnego Porţile de Fier szerokość koryta kształtowała się od 150 (w Cazaneli Mici) do 2150 m (poniżej Greben, na 998. km), a głębokość od 6,5 m (na południowy zachód od Tisoviţy) do 45 m (w punkcie Prigrada Calnic w Cazanele Mari). Prędkość nurtu w przełomie osiągała miejscami do 5 m/s. Lustro wody w jeziorze zostało spiętrzone do poziomu 63–69,5 m n.p.m., sięgając ujścia Temeszu w okolicach Belgradu, 150 km w górę rzeki. Obecnie prędkość przepływu waha się od 0,35 m/s wzdłuż toru żeglugowego do 0,2 m/s w zatokach.

Formacje geologiczne przecinane przez Dunaj są bardzo różnorodne, budując mozaikę warstw w różnym wieku. Podstawę stanowią łupki krystaliczne (Berzasca, Cozla, Dubova), a następnie skały wylewne w postaci występujących miejscowo serpentynitów i porfirów (np. Vf. Trescovaţ koło Şviniţy). Granity można odnaleźć m.in. między Valea Iuţii i Plavişeviţą lub koło Ogradeny. Wapienie pojawiają się między Coronini i Liborajdeą (południowy kraniec wielkiego synklinorium Reşiţa–Moldova Nouă), a dalej w Şviniţy i w Cazane – wszędzie tworzą atrakcyjne krajobrazowo urwiska. Dzięki takiej mozaice geologicznej w górach w rejonie przełomu spotyka się węgiel, azbest i rudy kruszców, eksploatowane od najdawniejszych czasów.

U ujścia dopływów powstały terasy aluwialne, na których ludzie założyli osiedla, pastwiska, sady i ogrody. Umiarkowany klimat wiąże się z wpływem Morza Śródziemnego – zimy są łagodne i wilgotne, a lata stosunkowo suche. Średnia roczna temperatura przekracza 11°C, zimą spada nieznacznie poniżej 0°C, a latem osiąga 22°C, dochodząc czasami do 40°C. Suma opadów rocznych wynosi 1200 mm.

Łagodny klimat i zróżnicowanie skalnego podłoża, a zwłaszcza występowanie wy-

Historia Orszowy

Pierwsza wzmianka o dzisiejszej Orszowie pochodzi z czasów podboju Dacji przez Rzymian i potwierdza istnienie w roku 157 osady Tsierna, która wkrótce rozwinęła się w miasto Dierna, pełniące funkcję ośrodka rzemieślniczego, handlowego, administracyjnego i wojskowego regionu. Istniały tu wówczas warsztaty artystycznej obróbki metalu, szkła, ceramiki i biżuterii. Dużą rolę odgrywał punkt celny na bitej drodze, łączącej tutejszy port z głównym węzłem komunikacyjnym Dacji – Apulum (Alba Iulia) przez Tibiscum (dziś opłotki wsi Jupa koło Caransebeş).

Po wycofaniu się z Dacji w 271 r., Rzymianie wiele razy próbowali zająć północny brzeg Dunaju, podejmując wyprawy odwetowe przeciwko Gotom, Jazygom i Karpom. Za czasów Konstantyna Wielkiego odbudowano bazę dunajskiej floty i wzniesiono murowaną twierdzę, zniszczoną około 440 r. przez Hunów. Odnowiona za Justyniana (527–565) jako Zernez, została doszczętnie zniszczona przez Awarów w latach 568–573.

W X w. banacki książę Glad zbudował feudalną twierdzę Urscia, zdobytą później przez Węgrów. Jego następca, wojewoda Ahtum, na początku XI w. uległ przewadze króla Stefana I. Od 1230 r. twierdza należała do półautonomicznego okręgu granicznego – Banatu Seweryńskiego, powołanego przez węgierskiego króla Andrzeja II. Złupioną w 1241 r. przez Tatarów warownię kazał w 1244 r. odbudować Bela IV, który trzy lata później osadził tu joannitów. W latach 1260–1263 Banat Seweryński znalazł się w rękach Bułgarów.

Nasilenie ataków otomańskich za panowania sułtana Mahometa I (1413–1421), który przekroczył linię Dunaju, zdeterminowało Zygmunta Luksemburskiego do przyłączenia regionu do Węgier. Ban Sewerynu, Filippo Scolari z Toskanii (zwany Pippo Spano), potężnie ufortyfikował Orszowę. Dla obrony regionu sprowadzono Krzyżaków, którzy jednak nie byli w stanie wykonać zadania.

Walki o przełom Żelaznych Wrót i Clisuri trwały bardzo długo, a zostały wznowione przez Sulejmana Wspaniałego, który w roku 1521 zdobył Belgrad, w 1522 – Orszowę, a w 1524 – Severin. Po zwycięstwie Turków nad Węgrami pod Mohaczem (1526) Banat Seweryński przestał istnieć, stając się Komitatem Seweryn ze stolicą w Orszowie, a od roku 1553 orszowskie posiadłości powierzono paszy rezydującemu w mieście Timişoara. Panowanie Turków w regionie trwało przez ponad 200 lat; później region znalazł się pod wpływem Austrii i Austro-Węgier.

Złotym wiekiem Orszowy było XIX stulecie. W 1829 r. otwarto jedną z głównych agencji Austriackiego Towarzystwa Żeglugi Parowej, które zmonopolizowało komunikację rzeczną przez katarakty razem z ruchem handlowym i pasażerskim między Wiedniem a Orszową. Statek parowy „Arno" należący do towarzystwa dokonał w roku 1830 pierwszego przepłynięcia między skałami Żelaznych Wrót. W 1832 r. inżynier Paul Vásárhely zrealizował pierwsze studium regulacji biegu Dunaju przez przełom Cazanele. Orszowa stała się ważnym punktem w transporcie kolejowym Austro-Węgier, ukończono również budowę linii kolejowej Timişoara–Orszowa oraz dworca. Po roku 1890 powstał wielki port towarowy oraz rafineria ropy, która zaopatrywała cały Banat i Wojwodinę.

W latach 1890–1896 uregulowano tor żeglugowy Dunaju poprzez wysadzenie niektórych skał w biegu rzeki, wzniesienie kamiennych grobli oraz 17 kanałów. Wzdłuż prawego brzegu położono odcinek torów kolejowych, po których poruszały się dwie potężne lokomotywy – ich zadaniem było ułatwienie statkom i barkom płynącym w górę rzeki bezpiecznego pokonania kanału. Około 1890 r. powstała stocznia MFTR, funkcjonująca do stycznia 1919 r., kiedy podczas wycofywania się z Orszowy okupacyjnych wojsk serbskich zdemontowano wszystkie urządzenia i przetransportowano do Belgradu jako zdobycz wojenną.

Osiągnięcia gospodarcze Orszowy znalazły przełożenie w rozwoju urbanistycznym. Niestety, miasto znacznie ucierpiało w wyniku szeroko zakrojonych operacji wojskowych I wojny światowej i nigdy nie osiągnęło takiego rozwoju jak w najlepszych czasach, a to, co zostało, znalazło się pod wodą.

stawionych na ekspozycję słoneczną wapiennych obszarów, wpływa na zróżnicowanie przyrodnicze tego zakątka. Wśród 1700 gatunków roślin złożonych występują gatunki euroazjatyckie, ciepłolubne, a także endemity i relikty. Do endemitów należą m.in.: tulipan *Tulipa hungarica* ssp. *undulatifolia*, ostnica *Stipa danubialis*, mokrzyca *Minuartia hirsuta* ssp. *cataractarum*, szczeć *Cephalaria uralensis* ssp. *multifida*, goździk *Dianthus giganteus* ssp. *banaticus*, len *Linum uninerve* i sosna czarna banacka (*Pinus nigra* ssp. *banatica*). Spośród roślin rzadkich godne odnotowania są: zanokcica kończysta *Asplenium onopteris*, piwonia *Paeonia triternata*, *Petrorhagia illyrica* ssp. *haynaldiana*, mydlnica *Saponaria glutinosa*, mokrzyca *Minuartia capillacea*, rzeżucha *Cardamine graeca*, cieciorka *Coronilla emerus* ssp. *emeroides*, powój *Convolvulus elegantissimus*, *Ferula heufelii*, mieczyk *Gladiolus illyricus*, lucerna *Medicago arabica*, koniczyna *Trifolium purpureum*, silnie trujący wawrzynek *Daphne laureola*, kłoń *Acer monspessulanum*, *Heliotropium supinum*, jasieniec *Jasione heldreichii*, złoć *Gagea bohemica*, śródziemnomorska trawa *Vulpia ciliata* i wydmuchrzyca *Elymus panormitanus*.

Na wyjątkowe bogactwo tutejszej fauny składa się przeszło 5 tys. gatunków. Zachowały się również relikty glacjalne, jak jaszczurka żyworodna (*Lacerta vivipara*) i żmija zygzakowata (*Vipera berus*). Oprócz nich można spotkać padalca zwyczajnego (*Anguis fragilis*), zaskrońca zwyczajnego (*Natrix natrix*) i gniewosza plamistego (*Coronella austriaca*). Szczególnie ważne są gatunki śródziemnomorskie: skorpion karpacki (*Euscorpius carpathicus*), grzebieniuszka *Pelobates syriacus*, żółw grecki (*Testudo hermanni*), okularowiec *Ablepharus kitaibelii*, jaszczurka murowa (*Lacerta muralis*), jaszczurka zielona (*Lacerta viridis*) – największa ze środkowoeuropejskich, wąż *Coluber caspius*, żmija nosoroga (*Vipera ammodytes*), jerzyk skalny (*Apus melba*), jaskółka skalna (*Ptyonoprogne rupestris*) i cierlik (*Emberiza cirlus*).

Wody jeziora zaporowego cieszą się dużą sławą wśród wędkarzy, którzy łowią w nich ogromne sumy, sandacze, karpie i karasie.

Na obszarze przylegającym do przełomu powołano Park Krajobrazowy Żelaznych Wrót (Parcul Natural Porţile de Fier) o powierzchni 115,6 tys. ha. Najciekawsze miejsca pod względem turystycznym i naukowym to rezerwaty przyrody: Gura Văii-Vârciorova (305 ha), Faţa Virului (6 ha), Cracul Crucii (2 ha), Cracul Găioara (5 ha), Valea Mare (1 179 ha) i Cazanele Dunării (215 ha). Ochroną są również objęte niezwykle cenne skamieniałości koło wsi Şviniţa (95 ha) i Bahna (10 ha).

Jeśli chodzi o zabytki, w regionie dominują twierdze i ruiny budowli z różnych okresów historycznych. W większości są to rzymskie *castrum*, odnowione w średniowieczu przez Turków lub Austriaków. W jaskini Cuina Turcului oraz okolicy odkryto pozostałości kultury śródziemnomorskiej sprzed 15–20 tys. lat. Istnieją dowody na wędrówkę Scytów przez przełom w VII i IV w. p.n.e., ale bez wątpienia najwięcej śladów pozostawili Rzymianie. Są wśród nich m.in. dwie tablice na prawym, serbskim brzegu rzeki, w skalistym masywie Gospodin, poniżej ujścia doliny Sirinea: Tabula lui Tiberiu (33–34 r. n.e.) oraz Tabula lui Domiţian (75–80 r. n.e.). Tablica Tyberiusza (104 r. n.e.) została umieszczona kilka metrów nad poziomem jeziora, u wylotu z Cazanele Mici. W 1833 r. pod kierunkiem hrabiego Istvána Széchenyiego i inżyniera Paula Vásárhelyego rozpoczęto budowę na rumuńskim brzegu szosy, łączącej Orszowę z Baziaş. Dziś zmodernizowana DN57 jest obok drogi wodnej główną arterią komunikacyjną regionu.

Pierwszą miejscowością po drodze, skręcając ze szosy DN6/E70 Timişoara–Craiova–Bukareszt, jest **Orszowa** (Orşova), nazywana nową perłą Dunaju, przycupnięta na łagodnych zboczach gór Almaj nad zatoką Orşova, u ujścia rzeki Czerna.

Najciekawszym zabytkiem miasteczka jest żeński **monastyr Sfânta Ana**, stojący na niezwykle widokowym Dealu Moşului (Wzgórze Przodków), wzniesiony w latach 1936–1939, a ufundowany przez znanego publicystę Pamfila Şeicaru (1894–1980) jako wyraz wdzięczności dla Boga, który w czasie I wojny światowej ocalił mu życie (jako młody podporucznik wraz z towarzyszem został zasypany w okopie). Klasztor poświęcono pamięci wszystkich bohaterów, którzy zginęli za Wielką Rumunię, natomiast wezwanie upamiętnia matkę dziennikarza, która miała na imię Anna. Budowa monastyru była poprzedzona wytyczeniem Drumul Eroilor (Droga Bohaterów) z centrum starej Orszowy. Siedem dębowych kaplic i ławeczki, które przy niej stały, uległy zniszczeniu w latach 60. XX w. W okresie powojennym założono tu ośrodek wypoczynkowy dla dzieci, a w roku 1990 obiekt zyskał charakter religijny.

Szosa z Orszowy początkowo wspina się na przełęcz i schodzi serpentynami do zamieniającej się w letnisko miejscowości **Eşelniţa** nad potokiem Ieşelniţa wpadają-

Płaskorzeźba Decebala

Na brzegu Dunaju, w skale nad zatoką Mraconia wyrzeźbiono ogromną głowę Decebala, która ma 40 m wysokości i 25 m szerokości. Pomysł uwiecznienia ostatniego dackiego króla jest wzorowany na skalnych wizerunkach czterech najpopularniejszych prezydentów USA w Mount Rushmore (Południowa Dakota).

Koordynacją dwóch sześcioosobowych zespołów alpinistów zajmował się włoski rzeźbiarz Mario Galeoti. W ciągu dziesięciu lat pracy na wiszących stanowiskach wykorzystywano młoty pneumatyczne i zużyto tonę dynamitu. Rzeźbiarzom dokuczało upalne słońce, a jeden z nich został pokąsany przez jadowitą żmiję. Dzieło ukończono w 2004 r. Dumny Decebal wbija groźny wzrok w przeciwległy brzeg Dunaju, gdzie 2 km w dole rzeki, tuż nad linią wody jest Tabula Traiana z roku 104 n.e., znacząca triumfalny pochód rzymskich legionistów.

Monument pochłonął ponad milion dolarów i został sfinansowany przez rumuńskiego przemysłowca osiadłego we Włoszech – Iosifa Constantina Drăgana.

cym do zatoki o tej samej nazwie. Następnie brzegiem szerokiego w tym miejscu jeziora, dookoła zatoki Ogradena zmierza w stronę zwężenia doliny, wprost pod urwiste wapienne ściany. Niespodziewanie droga wyprowadza na most nad zatoką Mraconia (Golful Mraconia) i niczym norweski fiord wrzyna się w wąską, skalistą dolinę. Z głębi zatoki wyłania się gigantyczna **płaskorzeźba Decebala** wykuta w jasnej wapiennej skale, zawieszonej nad taflą zielonkawej wody.

Na zakręcie za mostem wzniesiono w ostatnich latach **cerkiew Mraconia**, malowniczo wyrastającą nad wodą. W okolicy zaczyna się najbardziej spektakularna część przełomu – **Cazanele Mici** (Małe Kotły). Dolina między szczytami Ciucaru Mic a Mali Štrbac (rum. Ştirbaţul Mic) przekracza 200 m głębokości, a opadające skalne ściany zbliżają się do siebie na odległość zaledwie 150 m. Według legendy sławny hajduk Harambaşa, niczym Janosik w Pieninach, zdołał ujść pogoni, przeskakując na drugą stronę Dunaju.

Po drugiej stronie zwężenia otwiera się piękna zatoka Dubova (Golful Dubova). Szosa przechodzi w tym miejscu między gładką, miejscami przewieszoną ścianą Ciucaru Mic, a widokową skałką (wejście dość niebezpieczne) wznoszącą się nad brzegiem jeziora.

Za skałami z prawej strony ukazuje się wylot doliny, którą można podejść na przełęcz (ok. 275 m n.p.m.), a z niej skierować się w prawo na krasowy płaskowyż **Ciucaru Mic** (310 m n.p.m.). Z krawędzi urwiska rozpościera się widok na Cazanele Mari po drugiej stronie zatoki Dubova. Powrót do szosy tą samą drogą (cała trasa ok. 1,5 godz.).

Dalej szosa okrąża zatokę i dochodzi do turystycznej wioski **Dubova**, malowniczo położonej u stóp Ciucaru Mare. Podobnie jak w przypadku innych miejscowości wzdłuż brzegu Dunaju, które znalazły się pod wodą spiętrzonego jeziora, osada przeniosła się na tereny leżące powyżej. Zatopieniu uległa również stara droga wiodąca przez **Cazanele Mari** (Wielkie Kotły) – najefektowniejszy przesmyk Dunaju, wycięty między szczytami Ciucaru Mare a Veliki Štrbac (rum. Ştirbaţul Mare; 768 m n.p.m.).

Obecnie można pokonać ten odcinek łodzią, wypływając z Dubovej (lub z Orszowy). Zwężenie Cazanele Mari jest w południowo-wschodniej części zatoki – przesmyk ma 3,8 km długości i 170–350 m szerokości.

Przepływając przez zwężenia Cazane, Dunaj tworzył ogromne wiry, przypominające gotującą się kipiel – od tego wzięła się nazwa kotłów, której nie sposób odmówić trafności. Wirująca wraz z odłamami skalnymi woda wydrążyła w dnie rzeki potężne kotły eworsyjne. Największy z nich jest bez wątpienia najgłębszą tego typu formacją na kontynencie, jednak różne źródła podają rozbieżne dane liczbowe. Pewnym wydaje się fakt, iż jego dno leży poniżej poziomu morza, czyli stanowi kryptodepresję i jest jednocześnie najniższym punktem w Karpatach.

Po przepłynięciu 2,2 km wzdłuż skał dopływa się pod Pânza Curii, gdzie można przycumować u stóp zalesionego zbocza, zaledwie kilka metrów pod schowanym za drzewami wylotem **Peştera Veterani** (Jaskinia Weteranów; 73 m n.p.m.).

Po pokonaniu kolejnych 500 m wzdłuż brzegu można się przedostać przez wysoki, częściowo zatopiony otwór Peştera Ponicova (62 m n.p.m.) do skałki, do której można przycumować. **Peştera Ponicova** (lub Peştera Gura Ponicovei) została wydrążona przez wody potoku Ponicova w wapiennym masywie Ciucaru Mare i stanowi najdłuższą (1666 m) jaskinię w Przełomie Dunaju. Eksploracja wymaga podstawowego wyposażenia speleologicznego i doświadczenia w turystyce jaskiniowej. Temperatura w grocie utrzymuje się na poziomie 11°C.

Podążając od zbiornika dolną Galeria Ogaşului Ponicova, można wyjść po drugiej stronie w Cheile Ponicovei (dojście od szosy Dubova–Plavişeviţă). Oprócz tego tunelu, którym podczas dużych opadów przepływa woda potoku Ponicova, jaskinia ma korytarze i sale w części górnej – nieaktywnej: Sala Mare, połączona ze środkową częścią przez Galeria Scării (Galeria Drabiny), posiada osobne wejście przez Galeria Liliecilor (Galeria Nietoperzy). Aby się dostać tamtędy do środka, należy podejść piarżyskiem z orograficznie prawej strony górnego otworu tunelu aż do drabiny wyprowadzającej na Poiana Popii, a od drabiny skręcić w lewo ścieżką prowadzącą do wylotu galerii.

Najlepiej zachowana i najbogatsza szata naciekowa, m.in. trawertynowe zbiorniki z perłami jaskiniowymi, znajduje się w trudniej dostępnej Sala Coloanelor i Galeria Concreţiunilor.

W dalszej części Cazanele Mari widnieje wysoko zawieszony w ścianie Ciucaru Mare wylot **Peştera lui Climente**, a pod wodą ukrywa się wejście do jaskini **Cuina Turcului** (Kuchnia Turecka) – obie dostarczyły wielu materiałów do badania osadnictwa prehistorycznego w przełomie.

Nowa szosa z Dubovej omija Cazanele Mari i przechodzi górą przez siodło po przeciwnej stronie masywu Ciucaru Mare. Z siodła warto odbyć wycieczkę na szczyt **Ciucaru Mare** (318 m n.p.m.; znaki żółtego paska) – tym celu trzeba się skierować

ścieżką, która prowadzi od bufetu na południowy wschód, po czym podejść na krawędź krasowego płaskowyżu.

Wapienie wieku kredowego, pięknie ułowicone w dolnej partii, tworzą w części górnej litą pokrywę, z rozwiniętymi formami krasu powierzchniowego. Najpełniej są reprezentowane lejki krasowe o przeważnie okrągłym zarysie, średnicy 50–170 m i głębokości 3–21 m.

Muntele Ciucaru Mare stanowi część rezerwatu „Cazanele Dunării", utworzonego dla ochrony tulipana (*Tulipa hungarica*), który wiosną ubarwia na żółto urwiska, oraz kosaćca (*Iris reichenbacii*). Na wapiennych zboczach i ścianach kotłów Cazane rozwija się różnorodna flora z licznymi endemitami i reliktami roślinności ciepło- i sucholubnej z końca pliocenu. Powierzchnię plateau porastają przeważnie krzaki lub las, pomiędzy którymi występują obszary trawiaste.

Najwyższy punkt jest nieco z prawej strony, bardziej na południe. Warto się zbliżyć do krawędzi urwiska opadającego do wód jeziora i przejść wzdłuż niego nad zatokę Dubova. Odcinek dostarcza wspaniałych widoków, które nie znajdują swojego odpowiednika w Karpatach. Wrócić będzie najprościej tą samą drogą.

Szosa, sprowadzając z siodła w stronę dawnej miejscowości **Plavişeviţă**, przecina dolinę Ogaşul Ponicova, który napotykając wapienny masyw, tworzy dzikie krasowe jary, przechodzi pod naturalnym mostem, przecina Peştera Ponicova i wpada pod lustrem jeziora do Dunaju. Wąwozem **Cheile Ponicovei** można zejść do tunelu opisanej wyżej groty – trasa wiedzie od kamieniołomu zabagnioną łąką i dalej dnem wąwozu obok wielkich głazów do szerokiego wlotu groty.

Jaskinia Weteranów

Znaleziska w okolicach Peştera Veterani (Jaskinia Wetaranów) świadczą o wykorzystywaniu jej od czasów prehistorycznych. Przypuszcza się, że Dakowie urządzili w niej sanktuarium boga Zamolxisa.

Obok wejścia oraz wewnątrz widać pozostałości kamiennego muru, a na dnie pieczary znajduje się wyłożona kamieniami Fântâna Turcului (Studnia Turecka), w której zbiera się przesiąkająca woda. Jaskinię obwarował austriacki oddział weteranów z Caransebeş, wykorzystujący ją w czasie walk z Turkami w 1692 oraz 1788 r. Mieściła 700 żołnierzy, którzy mogli zabarykadować się w jej wnętrzu. Badania wykazały, że niektóre elementy ufortyfikowania są jeszcze starsze, gdyż pochodzą z XIII w. Niewykluczone, że tuż za pierwszym murem po lewej stronie, w miejscu zwanym Comoara Pemului (skarb Pemului) jakiś szczęśliwiec odnalazł ozdoby i monety ze srebra, ukryte tam przez hajduków.

Grota jest oświetlona światłem dziennym i rozproszonym, wpadającym przez otwór wejściowy oraz skalne okno – Fereastra – z prawej strony.

Banacka ropa

Od Liubcova do Moldova Nouă rozciąga się kraina stacji benzynowych, które powstawały w połowie lat 90. XX w., w czasie nałożonego na Jugosławię embarga, gdy mieszkańcy okolicznych wiosek trudnili się przemytem paliwa za granicę. Efekty tego biznesu widać w postaci pięknych willi i zaparkowanych przed nimi samochodów.

Szosa schodzi nad brzeg jeziora, którego będzie się trzymać aż do Moldova Veche. Akwen jest tu znacznie szerszy, krajobraz staje się łagodniejszy, ale nadal jest pięknie. Za byłą miejscowością **Tisoviţa** (w prawo odgałęzienie dróg do górniczych osad Eibenthal i Baia Nouă; w tej pierwszej zaczyna się szlak łączący pięć czeskich wiosek w Banacie, wyznakowany przez Klub Czeskich Turystów) droga osiąga **Iuţi** – najbardziej na południe wysunięty kraniec banackiego cypla. Z wody wystają baszty, będące pozostałością średniowiecznej twierdzy **Tri Cule** (Trzy Baszty). Kolejne ruiny wznoszą się w **Şviniţy**. Zwężenie **Greben** między grzbietami Greben po stronie serbskiej i Vraniul po stronie rumuńskiej – w głębi po prawej stronie, ponad łagodną linią grzbietów wyrasta trapezowa sylwetka skalnego wzgórza Trescovăţ (754 m n.p.m.), stanowiącego potężną wychodnię porfiru o niemal pionowych ścianach. Z kolei naprzeciw otwiera się widok w górę wąwozu Boljetinskiej Rzeki, mieniącego się wszystkimi odcieniami czerwieni. Dalej Dunaj przecina drugi po Cazane pas mezozoicznych wapieni, mocno zde-

fragmentowaną strefę Şviniţa–Svinecea, rozciętą dolinami Sirinea i Berzasca. Obejmuje ona część obszaru gór Almaj wraz z ich najwyższym skalistym szczytem, Svinecea Mare (1224 m n.p.m.).

W wapiennym masywie Gospodin po stronie serbskiej są umieszczone tablice Tyberiusza i Domicjana, upamiętniające budowę rzymskiej drogi.

Z prawej strony otwiera się **wylot doliny Sirinea** – prowadziła nią do niedawna leśna kolejka wąskotorowa, przecinająca krasowy jar Cheile Sirinea. Po drugiej stronie doliny przycupnęła na grzbiecie czeska wieś Bigăr (ok. 15 km).

Za ujściem doliny Sirinea leży górnicza osada **Cozla**, a za nią **Drencova**. Wystające z wody mury są pozostałościami średniowiecznej twierdzy Dranco. Wieś **Berzasca** rozlokowała się u wylotu doliny o tej samej nazwie. W czasach Nicolae Ceauşescu miejscowi pracowali przy eksploatacji lasów i w górnictwie; dziś obie gałęzie podupadły.

Góry oddalają się, pozostawiając płaskie tarasy wzdłuż brzegu, a krajobraz staje się monotonny. W zamieszkałej przez Serbów miejscowości **Liubcova** odgałęzia się droga w górę doliny potoku Oraviţa, wiodąca do kolejnej czeskiej wsi – Ravensca. Kawałek dalej otwiera się wylot następnej doliny – Gornea. Prowadząca nią szosa mija osadę Gornea oraz wieś Sicheviţa i doprowadza do zamieszkałej przez Czechów osady Gârnic (czynne wapienniki). W pobliżu skrzyżowania zachowały się pozostałości po rzymskim *castrum*.

W dalszym biegu Dunaju zaznacza się kolejne przewężenie: po stronie rumuńskiej tworzy je wschodni kraniec gór Lo-

Peştera cu Muşca

System korytarzy Peştera cu Muşca liczy 254 m i składa się z części aktywnej oraz krótkiej Galeria Uscată (Galeria Sucha). Tę drugą można bez problemu zwiedzić – odgałęzia się od głównej osi jaskini w prawo, tuż obok wejścia, i jest odgrodzona murem fortyfikacyjnym postawionym w 1800 r.

Nazwa pieczary pochodzi od meszki (mustyka) kolumbackiej (*Simulium columbaczense*). Według legendy, ten żądny krwi owad narodził się z jednej z siedmiu głów smoka odrąbanej gdzieś w górze rzeki Czerna przez Iovana Iorgovana. Odcięta głowa spłynęła do Dunaju i razem z nim trafiła do Gaura cu Muscă. Odtąd przez otwór jaskini co rok wylatywał rój meszek, który napadał na bydło z naddunajskich pastwisk i wysysając krew, powodował jego pomór. Trzymając się legendy, niektórzy publicyści pisali, że owad rozmnażał się w jaskini o tej nazwie oraz w innych grotach przełomu Dunaju, ale w czasie badań nie znaleziono tu ani jednego mustyka. Za to stwierdzono, że rozwój jajeczek i larw odbywał się w wodach płynących, na resztkach roślinnych, które unosiły się przy brzegu i w spiętrzeniu potoku pod wspomnianą jaskinią. Po utworzeniu wielkiego jeziora zaporowego środowisko, w którym rozwijały się larwy, zaniknęło, a wraz z nim krwiożercze owady.

cvei. Urwisty skalny masyw stanowi południową część najrozleglejszego i najbardziej zwartego obszaru wapiennego w Rumunii, tzw. synklinorium Reşiţa–Moldova Nouă. Obejmuje ono niemal całe góry Aninei oraz większą część gór Locvei, a jego powierzchnia to aż 807 km^2. Najwyższym szczytem gór Locvei jest Corhanul Mare (735 m n.p.m.).

W ścianie skalnego przełomu, dwadzieścia parę metrów ponad taflą jeziora, w pobliżu źródła ze smaczną wodą jest wejście do Peştera cu Muşca (Jaskinia z Meszką; 92 m n.p.m.).

Niedaleko pieczary ponad taflę jeziora wyrasta ostra wapienna skałka Babacai. Niebezpieczeństwo żeglugi przez przełom Dunaju zostało ostatecznie zażegnane z chwilą zbudowania Żelaznych Wrót, oddalonych od tego miejsca o 100 km.

Widoczna po serbskiej stronie wspaniała średniowieczna **twierdza Golubac** została zbudowana prawdopodobnie w II połowie XIII w. przez Węgrów na miejscu rzymskiego obozu, na niedostępnej skale ponad wodami Dunaju. Z powodu strategicznego położenia o warownię walczyły wojska tureckie, węgierskie, serbskie i austro-węgierskie. Podczas próby zdobycia twierdzy przez króla Zygmunta Luksemburskiego w roku 1428 zginął sławny polski rycerz – Zawisza Czarny.

Twierdza **Sf. Ladislau** (św. Władysława) na rumuńskim brzegu utraciła znaczenie z powodu sąsiadki – jej pozostałości zachowały się nad wsią Coronini (nazwisko generała armii austro-węgierskiej), dawną Pescari.

W **Coronini** odgałęzia się droga do leżącej na grzbiecie wsi Sfânta Elena. W 1824 r. zamieszkali tutaj pierwsi osadnicy sprowadzeni z Czech do prac leśnych. Za Coronini otwiera się rozległa kotlina, w której leży **Modova Veche** (Stara Moldova), w czasach dackich Mudava, obecnie port rzeczny i przystań statków pasażerskich.

Pośrodku Dunaju leży rozległa wyspa – **Ostrovu Moldova Veche** (przed uformowaniem jeziora liczyła ok. 15 km^2), powstała w wyniku akumulacji piasku rzecznego przed 9 tys. lat. Piaski utworzyły podłużne wydmy w formie wałów o długości około 1,5 km i szerokości 100 m – ich wysokość względna na wzgórzu Dealul Umca (105 m n.p.m.) sięga 30 m.

W Moldova Veche w prawo odchodzi droga do pobliskiego górniczego miasta i centrum administracyjnego regionu – **Moldova Nouă**, gdzie kończy się zwiedzanie jednego z najciekawszych zakątków kraju. Z niego szosą na północ, w poprzek gór Locvei przez Cărbunari i Sasca Montană, można się przedostać na drugą stronę Karpat, do miasta Oraviţa.

6

KRISZANA I BANAT | Przełom Dunaju

Transylwania

Siedmiogród jest geograficznym i kulturowym centrum kraju. Wspaniałymi zabytkami zachwycają nie tylko duże miasta o bogatej historii – liczne malownicze wsie i miasteczka także kryją niezwykłe perełki architektoniczne. Kraina ma wiele do zaoferowania miłośnikom górskich wędrówek – od północy i od południa otaczają ją Karpaty Wschodnie i Południowe, a od zachodu góry Apuseni.

Główne atrakcje

- **Sybin** – niepowtarzalny klimat średniowiecznej starówki.
- **Braszów** – wspaniale zachowana starówka i słynny Czarny Kościół.
- **Sighişoara** – niezwykły lipcowy festiwal w średniowiecznej scenerii.
- **Bran** – zamek dla amatorów wampirycznych klimatów.
- **Viscri** – urokliwa wioska-skansen, wpisana na listę zabytków UNESCO.
- **Raşnov** – potężny zamek chłopski, nazywany „rumuńskim Carcassonne".
- **Sinaia** – zamki Hohenzollernów, siedemnastowieczny monastyr i ośrodek narciarski z kolejką linową.

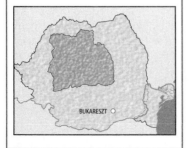

BUKARESZT ○

Siedmiogród, znany bardziej jako Transylwania, kojarzy się głównie z legendarną postacią krwiożerczego Draculi, który w XIX-wiecznej powieści Brama Stokera sieje postrach wśród mieszkańców okolic. Rumuni sprytnie wykorzystali sławę wampira i w jednym z zamków (z którym Dracula nie miał nic wspólnego) urządzili domniemaną siedzibę potwora, przyciągającą tłumy żądnych wrażeń turystów. Co ciekawe, prawdziwy zamek w Poienari, w którym książę Wład przebywał przez jakiś czas, nie wzbudza większego zainteresowania.

Ale nie tylko miejsca mniej lub bardziej związane z Draculą sprawiają, że Transylwania cieszy się tak wielką popularnością wśród przyjezdnych. Region słynie ze wspaniałych średniowiecznych miast, jak Braszów czy Sybin. Festiwal średniowieczny w Sighişoarze, podczas którego wąskimi uliczkami przechadzają się ludzie przebrani w dawne stroje, to okazja do niezwykłej podróży w czasie i dobrej zabawy przy różnorodnej muzyce. Pomiędzy miastami rozsiane są warowne kościoły i chłopskie zamki wprawiające w zachwyt niezwykłą architekturą. Zimą zaludniają się znane ośrodki narciarskie: Sinaia i Poiana Braşov. Odwiedzają je przede wszystkim mieszkańcy Bukaresztu, ale nie brak także gości z zagranicy.

Siedmiogród to istny tygiel etniczny i kulturowy. Obecnie zamieszkują go głównie Rumuni, ale np. w położonej na północnym wschodzie Szeklerszczyźnie dominują Szeklerzy, mówiący specyficzną węgierską gwarą. Zwarte skupiska mniejszości węgierskiej można również spotkać w okolicach Klużu, u podnóży Gór Zachodniorumuńskich i w północnej części regionu.

Historia

W latach 106–271 Siedmiogród był częścią rzymskiej prowincji Dacji. W okresie wędró-

Obecnie obie nazwy stosuje się zamiennie. Starsza – Transylwania – pochodzi od łacińskiego *Trans Silvania*, co dosłownie oznacza „zalesie", a w wolnym tłumaczeniu „kraj za lasem", ponieważ w średniowieczu trzeba było przebyć gęste bory i lasy, aby dotrzeć tu od zachodu. Nazwę tę przejęli Węgrzy (Erdély), z kolei wśród Niemców ukształtowało się określenie Siebenbürgen, czyli „siedem grodów" (stąd polski Siedmiogród) – od siedmiu miast założonych jakoby przez przybyłych w XIII w. kolonistów niemieckich. W rzeczywistości było to siedem okręgów administracyjnych i sądowych wolnej prowincji Königsboden, skupionych wokół jej stolicy – Hermannstadt (dzisiaj Sybin). Część z nich założyli już wcześniej Węgrzy, a nowi osadnicy nadali im własne, niemieckie nazwy.

Wielką siódemkę grodów tworzyły: Sighişoara (Schäßburg), Sebeş (Mühlbach) oraz miejscowości, które na przestrzeni dziejów utraciły znaczenie – Orăştie (Broos), Miercurea Sibiului (Reußmarkt), Nocrich (Leschkirch), Cincu (Großschenk) i Rupea (Reps).

wek ludów pojawili się tam m.in. Goci, Hunowie, Gepidowie, Longobardowie, Awarowie, a po nich Słowianie i Bułgarzy. Później na przeszło 1000 lat region dostał się pod panowanie węgierskie. Madziarzy zaprowadzili w Siedmiogrodzie chrześcijaństwo, ustanawiając biskupstwo w Alba Iulia. Aby zabezpieczyć wschodnią granicę państwa, królowie węgierscy osadzili w Transylwanii tzw. Szeklerów, a także kolonistów niemieckich z Flandrii, znad Mozeli i Renu i z innych części Niemiec (wszystkich Niemców siedmiogrodzkich nazywano Sasami).

W celu obrony granic państwa i chrystianizacji pogańskich koczowników Andrzej II sprowadził w 1211 r. na ziemie siedmiogrodzkie Krzyżaków, którzy jednak po konflikcie z królem zostali 14 lat później wypędzeni na Pomorze. W latach 1241–1242 i 1284–1285 Transylwania została doszczętnie złupiona przez najazdy tatarskie, ale większym zagrożeniem okazali się Turcy osmańscy, którzy po raz pierwszy raz pojawili się w Siedmiogrodzie w 1395 r. Zmagania z nimi wyznaczyły oś polityki węgierskiej, a także innych państw środkowo-wschodniej Europy na wiele kolejnych stuleci.

Na dzieje Siedmiogrodu składają się również liczne konflikty wewnętrzne o podłożu narodowościowym i społecznym. W 1437 r. wybuchło powstanie chłopskie w Bobâlnie (węg. Alparét). Po początkowych sukcesach rebelianci ponieśli klęskę. 2 lutego 1438 r. zwycięzcy obradowali na sejmie w miejscowości Turda nad „zniszczeniem i wykorzenieniem złości i buntu przeklętych chłopów". Na wiecu tym powołano „unię trzech nacji": szlachty węgierskiej i szeklerskiej oraz patrycjatu saskiego, w wyniku czego rdzenni mieszkańcy tych ziem – Rumuni – zostali całkowicie pozbawieni prawa decydowania o swoim losie.

Ekspansyjna polityka turecka coraz bardziej zagrażała suwerenności Węgier. Prowadzone (ze zmiennym szczęściem) przez Jana Hunyadyego walki nie uchroniły krajów Korony św. Stefana od klęski. Po upadku Budy (1541) Węgry zostały podzielone na trzy części: habsburską na zachodzie, środkową pod kontrolą turecką oraz Siedmiogród, który uzyskał częściową autonomię. Ziemie te znalazły się w kręgu zainteresowania zarówno Polski, jak i Habsburgów, ale faktyczną kontrolę nad nimi zaczęli sprawować Turcy. Lata 1613–1629 określane są w dziejach Siedmiogrodu mianem „złotego wieku", a to za sprawą Gábora Béthlena. Podczas wojny trzydziestoletniej władca ten sprzymierzył się z Czechami i wystąpił zbrojnie przeciw cesarzowi niemieckiemu i królowi Węgier Ferdynandowi II. Rządy Béthlena to okres kulturalnego i gospodarczego rozkwitu regionu. Następca Béthlena, Jerzy I Rakoczy (1593–1648), obrał sobie za cel zjednoczenie ziem węgierskich opanowanych przez Habsburgów i Turcję, a w swych działaniach opierał się na sojuszu ze Szwecją i Francją. Pod jego rządami Transylwania zyskała silną pozycję polityczną i gospodarczą.

Książęta siedmiogrodzcy wysunęli się na czoło węgierskiego ruchu narodowego, zmierzającego do odbudowy krajów Korony św. Stefana w ich dawnych granicach. Kontynuatorem tej polityki był Jerzy II Rakoczy (1621–1660), który w polskich przekazach historycznych zaistniał jako bezlitosny łupieżca z okresu potopu szwedzkiego. Za działania niezgodne z interesem Turcji Jerzy II został pozbawiony przez sułtana praw do Siedmiogrodu (zmarł wskutek ran odniesionych w bitwie pod Floreşti). W 1690 r. Transylwanię przekształcono w niezależną od Węgier prowincję habsburską. Rządy au-

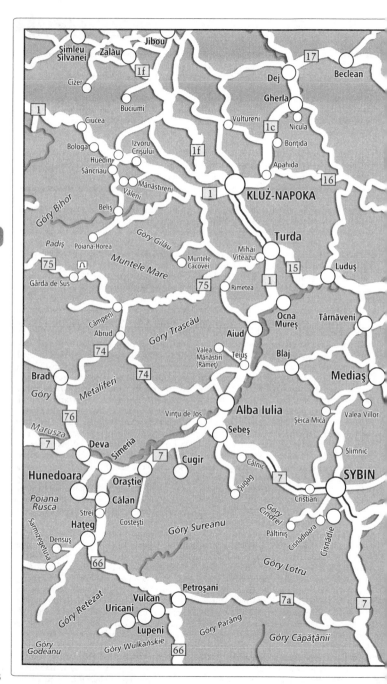

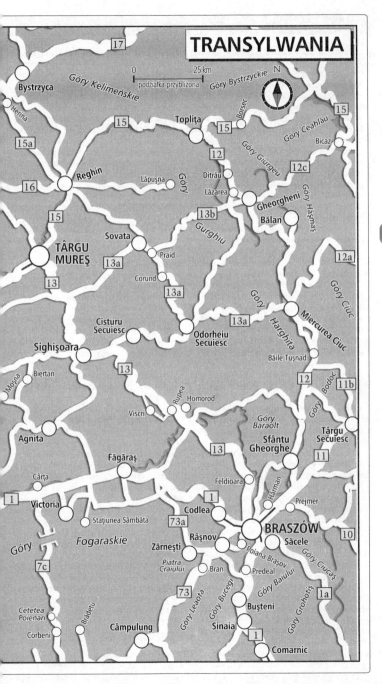

Twierdza Europy

"...Siedmiogród – ogrodzony prawie niedostępnymi od południa i wschodu, a także od północy wyniosłymi łańcuchami górskimi, oddzielony znacznie łagodniejszymi barierami terenowymi od zachodu – prezentuje się jako naturalna twierdza, zwrócona szczególnie silnie ku południowemu wschodowi. I istotnie, minione stulecia nadały tej ziemi charakter fortecy, o której zawładnięcie toczono zawzięte boje. Niektórzy historycy chcą w niej widzieć wysunięty bastion zachodnioeuropejskiej kultury, nazywany zgoła "twierdzą Europy" (stał się nią na pewno u schyłku średniowiecza), ale była też ona bramą, łączącą Wschód z Zachodem i Południem, a ta właśnie rola nadała jej szczególne piętno. Stając się w swoim czasie pograniczem, jeśli nie światów, to w każdym razie kultur, ziemia ta odegrała w ciągu stuleci rolę wielkiego placu zmagań, i to nie tylko militarnych, ale ideowych, społecznych i w końcu narodowościowych. Tu ścierały się wpływy Kościoła rzymskiego i prawosławia, a silnie zakorzeniony od w. XVI protestantyzm sprawił, iż dziś jeszcze te trzy wyznania z sobą ściśle rywalizują i przyczyniają się do lokalnych już obecnie separacji kulturalno-obyczajowych. [...] Tu rywalizowały zachowując odrębną świadomość trzy odmienne kulturowo nacje: prastarych gospodarzy Rumunów, Węgrów i węgierskich Szeklerów oraz siedmiogrodzkich Sasów, potomków zachodnich kolonistów".

Ryszard Brykowski, Tadeusz Chrzanowski, Marian Kornecki, *Sztuka Rumunii*

striackie opierały się głównie na węgierskiej magnaterii, katolickim duchowieństwie i częściowo na mieszczaństwie saskim. Ważnym wydarzeniem było powołanie Rumuńskiego Kościoła Greckokatolickiego. Nastąpiło to po dwuletnich obradach (1698–1700) synodu prawosławnego w Alba Iulia, na którym opracowano zasady unii z Rzymem. W 1729 r. tron biskupi objął Jan Innocenty Micu-Klein, jedna z najciekawszych i najbarwniejszych postaci XVIII-wiecznej Rumunii. Domagał się przyznania Rumunom statusu czwartej "nacji", obok Węgrów, Szeklerów i Sasów. Idee Micu bardzo szybko rozpowszechniły się wśród rumuńskiej ludności Siedmiogrodu wraz z pojęciem *neamul românesc* (naród rumuński).

W 1784 r. wybuchło powstanie chłopskie, którego głównym celem było zniesienie pańszczyzny i uznanie praw narodowych. Na jego czele stanęli Horea, Cloşca i Crişan. Po drobnych sukcesach buntownicy ponieśli militarną klęskę. Rumuńska historiografia uznaje wydarzenia z lat 1784–1785 za pierwszą narodową insurekcję Rumunów. Węgiersko-rumuński epilog Wiosny Ludów okazał się tragiczny dla obu narodowości. Każda z nich miała swoje racje: Węgrzy dążyli do niepodległości, uznając Siedmiogród za część swoich ziem, a Rumuni domagali się utworzenia własnego państwa i nie wyobrażali sobie, by w jego granicach nie znalazła się Transylwania. Zwołane dwukrotnie Zgromadzenie Narodowe Rumunów nie poparło rewolucji Węgrów. Za sukcesami militarnymi powstańców szły działania dyplomatyczne mające na celu porozumienie z Ru-

munami. Plany te zostały zniweczone przez wojska rosyjskie, które przyszły Habsburgom z pomocą. Armia powstańcza musiała skapitulować wobec przewagi wroga. Po utworzeniu w 1867 r. dualistycznej monarchii austro-węgierskiej Transylwanię przyznano Węgrom, którzy w stosunku do ludności rumuńskiej prowadzili intensywną politykę madziaryzacji.

Zjednoczenie ziem rumuńskich (Mołdawia i Wołoszczyzna) w 1859 r. przez Alexandru Iona Cuzę nie objęło Siedmiogrodu. Nie zgodzili się na to przywódcy mocarstw, uznając te ziemie za integralną część Węgier. W 1918 r. Transylwanię opanowała armia rumuńska, która później zdławiła komunistyczną rewolucję Beli Kuna. Stan ten został usankcjonowany przez traktat z Trianon (4 czerwca 1920 r.) regulujący kwestie podziału Austro-Węgier po I wojnie światowej. Podczas II arbitrażu wiedeńskiego w sierpniu 1940 r. Niemcy i Włochy przekazały Węgrom północny Siedmiogród wraz z Maramureszem. W 1944 r. na tereny te wkroczyły wojska radzieckie i rok później sporne ziemie ponownie przyłączono do Rumunii. Takie rozwiązanie potwierdziły ostatecznie paryskie traktaty pokojowe (1947) zawarte między państwami, które zwyciężyły w II wojnie światowej, a byłymi sojusznikami hitlerowskich Niemiec w Europie.

KLUŻ-NAPOKA

Kluż (rum. Cluj-Napoca, węg. Kolozsvár, niem. Klausenburg) to największe miasto i jeden z najważniejszych ośrodków gospodarczych i kulturalno-naukowych Transylwanii. Wśród nich około 350 tys. mieszkańców dominują Rumuni i Węgrzy, co od razu rzuca się w oczy – wystarczy posłuchać rozmów na ulicach lub obejrzeć szyldy sklepowe czy tabliczki z podwójnymi nazwami ulic. Duża liczba studentów sprawia, że Kluż tętni życiem, a turysta nie ma kłopotu ze znalezieniem taniego noclegu, świetnych knajpek i miłego towarzystwa.

Miasto położone nad Małym Samoszem (Someşul Mic) może poszczycić się licznymi zabytkami, z których najważniejsze to kościół św. Michała i stojący przed nim konny pomnik Macieja Korwina. Turystów przyciąga również przepiękny ogród botaniczny.

Drugi człon rumuńskiej nazwy – Napoka – dodano w 1974 r. z okazji rocznicy 1850 lat nadania praw miejskich, aby dodać miastu splendoru i podkreślić jego rumuńskie korzenie poprzez nawiązanie do dackich i rzymskich początków (taką nazwę nosiła osada dacka i obóz rzymski). Zabieg ten służył reżimowi Ceauşescu prowadzącemu politykę dyskryminacji mniejszości narodowych.

Historia

Za czasów Daków na miejscu współczesnego Klużu istniało osiedle znane pod tracko-scytyjską nazwą Napoca, którą przejęli przybyli na te ziemie na początku II w. n.e. Rzymianie. W 124 r. osada otrzymała status *municipium*, czyli miasta, a za cesarza Komodusa (ok. 180 r.) podniesiono ją do rangi rzymskiej kolonii. Po wycofaniu się Rzymian z Dacji miasto – w przeciwieństwie do wielu innych ówczesnych ośrodków – nie podupadło, lecz wciąż zamieszkane przez rzymsko-dacką ludność przetrwało aż do zajęcia tych terenów przez Węgrów. W 1213 r. pojawia się w źródłach wzmianka o „Castrum Clus", czyli „zamku wśród wzgórz". Drugi człon nazwy rozpowszechnił się i w XV w. dokumenty odnotowują przekształcone określenie „Cluj".

W połowie XII w. na zaproszenie króla węgierskiego Gejzy II (1141–1162) w okolice zaczęli przybywać niemieccy koloniści. Najazd Tatarów w 1241 r. doszczętnie zniszczył Kluż, który długo nie mógł dźwignąć się z upadku. Wreszcie w 1316 r. król Karol I Robert nadał osadzie prawa miejskie, co wraz z uzyskaniem w 1405 r. statusu wolnego miasta królewskiego zapoczątkowało szybki rozkwit ośrodka. Król Zygmunt Luksemburski (1387–1437) wydał zgodę na budowę obwarowań i wkrótce Kluż otoczył pierścień potężnych murów,

których dobrze zachowane pozostałości można podziwiać po dziś dzień.

Kluż bardzo wcześnie stał się ważnym ośrodkiem życia religijnego i kulturalnego. W 1550 r. powstała drukarnia, a w 1580 r. w klasztorze Franciszkanów – jezuickie kolegium z trzema fakultetami (teologia, filozofia i prawo). Nowo zakładane szkoły ugruntowały pozycję Klużu jako najważniejszego siedmiogrodzkiego ośrodka naukowego. Odkąd Transylwania uzyskała formalną autonomię (II połowa XVI w.) miasto pełni rolę jej stolicy. Wprawdzie w okresie okupacji austriackiej (1690–1860) rezydencja gubernatora mieściła się w Sybinie, ale fakt ten nie osłabił rangi Klużu. W czasach Austro-Węgier miasto znów było stolicą regionu, a w 1920 r. na mocy traktatu w Trianon wraz z całą Transylwanią zostało włączone do państwa rumuńskiego.

Orientacja i informacje

Centrum miasta skupia się w kwadracie między str. A. Iancu na południu (przy Cmentarzu Centralnym – Cimitirul Central), krótką str. Petru Maior z Piaţa L. Blaga na zachodzie, Małym Samoszem na północy oraz Piaţa A. Iancu i Piaţa Ştefan cel Mare na wschodzie z ogromną cerkwią, teatrem i operą. Sercem miasta jest Piaţa Unirii, rynek z charakterystycznym kościołem św. Michała pośrodku.

Od Piaţa Unirii biegnie na północ str. Regele Ferdinand, która za rzeką zamienia się w str. Horea prowadzącą prosto do dworca kolejowego i autobusowego.

W **Continental Tours** (str. Napoca 1, przy hotelu *Continental*; ☎0264/191441, fax 193977), punkcie informacyjnym i biurze podróży, można dowiedzieć się więcej o okolicznych atrakcjach, zarezerwować nocleg i wykupić wycieczkę. Pomocą służy także personel hostelu *Retro* (str. Potaissa 13; ☎0264/450452, 408549, retroinn@rdslink.ro).

Zwiedzanie

Na zwiedzanie Klużu warto przeznaczyć więcej niż jeden dzień, zwłaszcza jeśli zamierza się dokładnie obejrzeć liczne muzea, świątynie i pałace oraz odpocząć w ogrodzie botanicznym.

Piaţa Unirii i okolice Najważniejszy zabytek to stojąca pośrodku placu **Biserica romano-catolică Sf. Mihail** (kościół rzymskokatolicki św. Michała). Świątynia jest pierwszym w Transylwanii kościołem halowym (wszystkie nawy mają jednakową wyso-

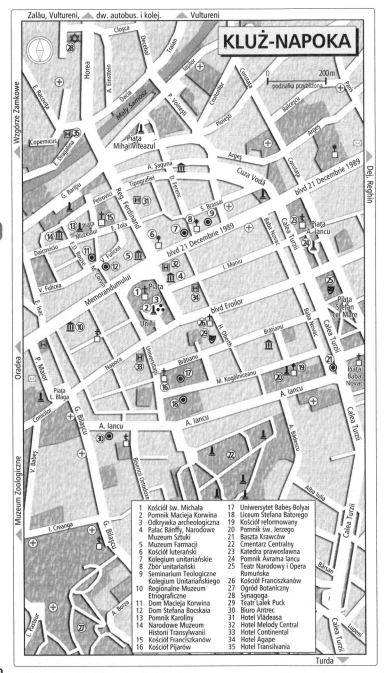

KLUŻ-NAPOKA

Zalău, Vultureni, dw. autobus. i kolej. — Vultureni

0 — 200 m
podziałka przybliżona

1. Kościół św. Michała
2. Pomnik Macieja Korwina
3. Odkrywka archeologiczna
4. Pałac Bánffy, Narodowe Muzeum Sztuki
5. Muzeum Farmacji
6. Kościół luterański
7. Kolegium unitariańskie
8. Zbór unitariański
9. Seminarium Teologiczne Kolegium Unitariańskiego
10. Regionalne Muzeum Etnograficzne
11. Dom Macieja Korwina
12. Dom Stefana Bocskaia
13. Pomnik Karoliny
14. Narodowe Muzeum Historii Transylwanii
15. Kościół Franciszkanów
16. Kościół Pijarów
17. Uniwersytet Babeş-Bolyai
18. Liceum Stefana Batorego
19. Kościół reformowany
20. Pomnik św. Jerzego
21. Baszta Krawców
22. Cmentarz Centralny
23. Katedra prawosławna
24. Pomnik Avrama Iancu
25. Teatr Narodowy i Opera Rumuńska
26. Kościół Franciszkanów
27. Ogród Botaniczny
28. Synagoga
29. Teatr Lalek Puck
30. Biuro Antrec
31. Hotel Vlădeasa
32. Hotel Melody Central
33. Hotel Continental
34. Hotel Agape
35. Hotel Transilvania

Turda

kość; budowę ukończono w 1580 r. po ponad 200 latach od rozpoczęcia) i drugim co do wielkości (po Czarnym Kościele w Braszowie). Długie, pięciokątnie zakończone prezbiterium zamyka nawę główną, a dwie znacznie mniejsze pseudoabsydy dodano na końcu naw bocznych. Początkowo planowano wzniesienie dwóch wież flankujących fasadę, ale ostatecznie powstała tylko jedna, która prawdopodobnie runęła na skutek pożaru w XVIII w. Odbudowano ją w XIX w. w stylu neogotyckim (liczy 80 m wysokości).

Warto zwrócić uwagę na portal prowadzący do zakrystii (1528), jeden z najznakomitszych zabytków renesansowych w Transylwanii. Jego twórca pochodził prawdopodobnie z południowych Niemiec – cała świątynia zdradza wpływ szkół architektonicznych z tego regionu, które z kolei czerpały z dorobku włoskiego gotyku i renesansu. W bazach kolumn widoczne są herby miasta i fundatora. Filary ozdobiono różnorodnymi motywami, od postaci ludzkich przez pnącza i inne rośliny do masek okalających kapitele. Naukowcy spierają się o to, kogo przedstawia popiersie mężczyzny trzymającego w ręku inskrypcję z imieniem fundatora Johannesa Clyna. We wnętrzu warto zajrzeć do kaplicy Schleyniga (nawa południowa), gdzie można oglądać jedne z niewielu w miarę dobrze zachowanych fresków (w okresie reformacji większość posągów i malowideł zniszczono). Malowidła pochodzą z I połowy XV w. i przedstawiają cykl pasyjny.

Kościół św. Michała odegrał ważną rolę w historii Transylwanii. Kilkadziesiąt razy zbierał się w nim siedmiogrodzki sejm, w 1551 r. królowa Izabela Jagiellonka (córka Zygmunta Starego) oddała koronę węgierską Habsburgom, tu również odbywały się wybory siedmiogrodzkich książąt.

Przed świątynią stoi okazały konny **pomnik Macieja Korwina** wykonany pod koniec XIX w. przez I. Fadrusza, ale ustawiony na rynku dopiero w 1902 r. Wśród postaci składających hołd wielkiemu monarsze jest władca Siedmiogrodu i król Polski, Stefan Batory. Monument otrzymał jedną z głównych nagród na wystawie światowej w Paryżu w 1896 r. Nieopodal pomnika można obejrzeć **odkrywkę archeologiczną** zainicjowaną przez byłego antywęgierskiego burmistrza miasta Gheorghe Funara z nacjonalistycznej partii Wielka Rumunia (România Mare). Jego pierwotnym zamierzeniem było usunięcie pomnika Korwina pod pretekstem wykopalisk, ale ostatecznie prace przerwano.

We wschodniej pierzei rynku w zbudowanym w latach 1774–1785 **pałacu Bánffy** należącym niegdyś do grafa Georga Bánffyego mieści się **Muzeul Naţional de Artă** (Narodowe Muzeum Sztuki; Piaţa Unirii 30; ☎0264/596953; w lecie śr.–nd. 12.00–19.00, zimą 11.00–18.00; 0,95 €, ulgowy 0,47 €). Późnobarokowy budynek z bogato zdobioną fasadą zaprojektował

Klużańskie ciekawostki

Kluż miał szczęście do ciekawych mieszkańców. Na przełomie XIX i XX w. osiadł tam profesor **Emil Racoviţă** (1868–1947), urodzony w Jassach naukowiec, absolwent zoologii na paryskiej Sorbonie. Był pionierem speleologii i po wielu doświadczeniach badawczych (brał m.in. udział w wyprawie polarnej na statku „Belgica", który utkwił na 12 miesięcy między potężnymi krami u wybrzeża Antarktydy; w tej samej wyprawie uczestniczyli Polacy, Henryk Arctowski i Bolesław Dobrowolski), objął profesurę na wydziale zoologii uniwersytetu w Klużu. W 1920 r. utworzył tam Instytut Speleologii – pierwsza tego typu placówkę na świecie.

Słynną mieszkanką Klużu, bliższą polskim sercom, jest **Kazimiera Iłłakowiczówna** (1892–1983), poetka i tłumaczka, osobista sekretarka Józefa Piłsudskiego i urzędniczka międzywojennego Ministerstwa Spraw Zagranicznych. Przed 1939 r. często odwiedzała Rumunię, ale dopiero po wybuchu II wojny światowej los rzucił ją do Klużu, gdzie przebywała osiem lat. Uczyła języków obcych dzieci rumuńskie i węgierskie (w tym latorośle gubernatora północnego Siedmiogrodu), zyskując miano „pani od języków". Tłumaczyła również rumuńską poezję, m.in. Michai Eminescu.

Kontrowersyjną postacią jest **Gheorghe Funar**, niedawny burmistrz miasta, który wsławił się nacjonalistycznymi poglądami, próbując (niekiedy z powodzeniem) wprowadzić je w życie właśnie w Klużu. Solą w oku był dla niego pomnik Macieja Korwina, nakazał więc dekorować plac masztami i ławkami w kolorach rumuńskiej flagi. To właśnie z inicjatywy burmistrza tuż przed pomnikiem powstało stanowisko archeologiczne – wykopaliska miały stać się pretekstem do usunięcia obelisku.

pochodzący z Sybina architekt Johann Eberhardt Blaumann. W przeszłości w pałacu gościły znakomite osobistości, m.in. cesarze Franciszek I i Franciszek Józef, a także Franciszek Liszt, który dawał tu koncerty. Wśród ciekawych eksponatów uwagę przyciąga XVI-wieczny ołtarz. Na dziedzińcu funkcjonuje latem przyjemny ogródek piwny. Nieco dalej na północ, przy rogu str. Horea, w starym budynku apteki z 1572 r. urządzono **Muzeul Farmaciei** (Muzeum Farmacji; Piața Unirii 28; ☎0264/597567; pn.–sb. 10.00–16.00; 0,50 €, ulgowy 0,25 €). Naprzeciwko wznosi się **Biserica evangelică-lutherană** (kościół luterański) z I połowy XIX w.

Podążając dalej na wschód blvd 21 Decembrie 1989, dochodzi się wkrótce do **kolegium unitariańskiego** założonego w 1557 r. Po przeciwnej stronie str. D. Ferenc stoi barokowa **Biserica unitariană** (zbór unitariański) z końca XVIII w. Kolejną pamiątką po arianach jest pobliskie **Seminarul teologic liceal unitarian** (Seminarium Teologiczne Kolegium Unitariańskiego) przeniesione w to miejsce na początku XX w.

Po przeciwnej stronie Piața Unirii biegnie na zachód str. Memorandumului, przy której, 150 m od rynku, działa **Muzeul Etnografic al Transilvaniei** (Muzeum Etnograficzne Siedmiogrodu; str. Memorandumului 21; ☎0264/592344). W czasie aktualizacji przewodnika muzeum było nieczynne z powodu remontu.

Z Piața Unirii do Piața Muzeului Z północno--zachodniego naroża Piața Unirii odchodzi na północ str. M. Corvin. U jej wylotu stoi dom z I połowy XIV w., w którym przyszedł na świat król **Maciej Korwin** (Casa Matei Corvin; str. M. Corvin 6; wejście możliwe tylko na korytarz i dziedziniec oficjalnie między 12.00 a 13.00). Jest to jeden z najcenniejszych zabytków i najstarszy piętrowy budynek w Klużu. Wzniesiony w stylu gotyckim jako budynek mieszkalny, przeszedł dwie gruntowne renowacje w 1884 i 1943 r. Obecnie mieści się w nim Akademia Sztuk Pięknych (Universitatea de Arta), stąd ograniczone godziny i przestrzeń zwiedzania. Narożny dom naprzeciwko to **Casa Bocskai** (str. M. Corvin 4), miejsce urodzenia księcia Siedmiogrodu Stefana Bocskaia (1557–1606). Wcześniej w budynku była drukarnia (założona w 1550 r.), w której luterański pastor Gáspár Heltai wydawał pierwsze książki w języku węgierskim.

Kierując się dalej na północ, dochodzi się do Piața Muzeului, dawnego rynku saskiego miasta. **Pomnik Karoliny** z 1831 r.,

na środku, upamiętnia wizytę w Klużu cesarza Franciszka i jego żony Augusty Karoliny w 1817 r. W południowo-wschodniej pierzei ma siedzibę **Muzeul Național de Istorie al Transilvaniei** (Narodowe Muzeum Historii Transylwanii; str. C. Daicoviciu 2; ☎0264/591718; wt.–nd. 10.00–16.00; 0,60 €, ulgowy 0,30 €, fotografowanie 1,40 €) działające od połowy XIX w. Mieści się tu ekspozycja stała obejmująca okres od paleolitu do 1918 r. Na drugim piętrze prezentowane są wystawy czasowe. Pobliski monument upamiętnia **Constantina Daicoviciu**, rumuńskiego archeologa i historyka (1898–1977), profesora klużańskiego uniwersytetu.

Po drugiej stronie placu wznosi się klasztorna **Biserica Franciscanilor** (kościół Franciszkanów). Ukończona w I połowie XVI w. świątynia należała pierwotnie do dominikanów, których wypędzono z Klużu w 1556 r. na fali reformacji. Dopiero w 1693 r., kiedy triumfy święciła kontrreformacja, klasztor dostał się w ręce jezuitów, a w 1725 r. osiedli w nim franciszkanie. Po II wojnie światowej w budynkach klasztornych założono szkołę muzyczną.

Z Piața Unirii do baszty Krawców Odchodząca od placu str. Universității prowadzi obok **Biserica Piariștilor** (kościół Pijarów) uważanej za pierwszą realizację barokową nie tylko w Klużu, ale i w całym Siedmiogrodzie. Świątynię wznieśli w I połowie XVIII w. jezuici, a w 1776 r. kościół został przejęty przez pijarów. Idąc dalej na południe, trzeba skręcić w pierwszą ulicę w lewo (str. M. Kogălniceanu), gdzie po lewej widać duży neorenesansowy budynek **Universitatea Babeş-Bolyai**, drugi co do wielkości (po budapeszteńskim) uniwersytet w kraju. Uczelnię założono w 1872 r. jako szkołę węgierską, a po 1918 r. przejęli ją Rumuni. Obecna nazwa to owoc kompromisu: Victor Babeş był rumuńskim biologiem, a Farkas Bolyai – wybitnym węgierskim matematykiem, który dał podstawy geometrii nieeuklidesowej. Naprzeciwko uniwersytetu wznosi się okazały budynek węgierskiego **Liceul Ştefan Bathory** (Liceum Stefana Batorego) chlubiącego się trzystuletnią tradycją (w 1727 r. cesarzowa Maria Teresa założyła tu szkołę z wydziałami prawa i medycyny).

Niecałe 300 m dalej na wschód stoi węgierska **Biserica reformată** (kościół reformowany). Świątynia, której budowę rozpoczęto w 1486 r. za panowania króla Macieja Korwina, należy do największych gotyckich kościołów jednonawowych w tej części Europy. Warto zwrócić uwagę na przepiękną, delikatnie zdobioną renesansową ambonę z 1648 r. wykonaną przez Benedicta i Eliasa Nicolae. Nie sposób nie zauważyć usytuowanego przed wejściem **pomnika św. Jerzego**, kopii monumentu stojącego dziś na Hradczanach w Pradze, a wykonanego w 1373 r. przez słynnych w całej Europie brązowników – węgierskich braci Marcina i Jerzego z Kłużu.

Kierując się wciąż na wschód str. M. Kogălniceanu, dochodzi się do ocalałego fragmentu **murów**, na końcu którego wznosi się **Bastionul Croitorilor** (baszta Krawców). Jest to jedyna w całości zachowana wieża miejskich obwarowań z połowy XV w.

Na południowy zachód od wieży rozciąga się **Cimiturul Central** (cmentarz miejski), gdzie spoczywa wiele wybitnych osobistości, w zdecydowanej większości Węgrów, ale również Rumunów. Założona ponad 400 lat temu nekropolia należy do najładniejszych w Siedmiogrodzie. Od wschodu przylega do niej żydowski kirkut.

Piața A. Iancu i Piața Ştefan cel Mare Sąsiadujące ze sobą place, 400 m od rynku w kierunku wschodnim, to obok Piața Unirii najbardziej charakterystyczne punkty miasta. W zabudowie Piața A. Iancu dominuje przykryta ogromną kopułą **Catedrala ortodoxă română** (katedra prawosławna) wzniesiona w latach 1923–1933 w stylu bizantyńskim. Przed świątynią stoi oryginalny **pomnik Avrama Iancu**, XIX-wiecznego przywódcy rumuńskiego ruchu narodowego w Siedmiogrodzie, powstały z inicjatywy byłego burmistrza Gh. Funara.

Na Piața Ştefan cel Mare przykuwa uwagę monumentalny gmach **Teatrul Naţional şi Opera Română** (Teatr Narodowy i Opera Rumuńska). Dla siedmiogrodzkich Rumunów była to swoista świątynia ojczystego języka i myśli narodowej. W neobarokowym budynku wzniesionym w 1906 r. według planów austriackich architektów Fellnera i Hellmera mieścił się początkowo Siedmiogrodzko-Węgierski Teatr Narodowy. W maju 1919 r. zastąpił go Rumuński Teatr Narodowy.

W drodze z Piața Unirii na Piața A. Iancu i Ştefan cel Mare, przy blvd Eroilor mija się **Biserica Minoriţilor** (kościół Franciszkanów) zbudowaną w 1779 r. przy wsparciu cesarzowej Marii Teresy. Świątynia służyła kolejno różnym wyznaniom i swego czasu zyskała miano „pięknego kościoła" od przychodzącej tam na nabożeństwa urodziwej ormiańskiej młodzieży.

Przebudowy w stylu barokowym dokonał pochodzący z Sybina architekt Blaumann.

Inne obiekty Mniej więcej kilometr na południowy zachód od Piața Unirii na powierzchni około 14 ha rozciąga się **Grădina Botanică** (Ogród Botaniczny; str. Republicii 42; ☎0264/592152; 8.00–19.00, zimą 9.00–16.00; 0,40 €, ulgowy 0,18 €), założony w 1920 r. przez profesora miejscowego uniwersytetu Aleksandra Bozę. Wśród niezliczonych okazów flory z całego świata na szczególną uwagę zasługuje rozarium i ogród japoński. Nieco bliżej Piața Unirii, przy str. Clinicilor 5–7, ma siedzibę **Muzeul Zoologic** (Muzeum Zoologiczne; ☎0264/595739, fax 431858; pn.–pt. 9.00–15.00, sb. i nd. 10.00–14.00; 0,40 €, ulgowy 0,20 €) z kolekcją 300 tys. eksponatów. Głównie są to przedstawiciele świata owadów, ale nie brakuje też większych zwierząt, poczynając od pięciokilogramowego homara, na krokodylu nilowym kończąc.

Aby podziwiać panoramę miasta, warto wspiąć się na **Cetăţuia** (Twierdza). W I połowie XVII w. zbudowano tam warownię (zachowane fragmenty murów), a dziś stoi hotel *Transilvania*.

Przy str. Horea, około 300 m na północ od rzeki stoi **synagoga** z 1887 r. w stylu mauretańskim. Niewielkie wieżyczki świątyni wieńczą nieproporcjonalnie duże kopuły.

Będąc w Kłużu, warto zajrzeć do oddalonego nieco od centrum w kierunku północno-zachodnim **Parcul Etnografic al Transilvaniei** (Park Etnograficzny Transylwanii; str. Tăietura Turcului; ☎0264/586776; 10.00–18.00; 1 €, ulgowy 0,50 €) zwany parkiem etnograficznym Romulusa Vuia, na cześć założyciela – profesora miejscowego uniwersytetu. Z jego inicjatywy w 1929 r. powstał pierwszy w Rumunii skansen. Można tu obejrzeć 12 gospodarstw, 5 warsztatów chłopskich i 31 urządzeń technicznych z terenu Transylwanii, Maramureszu i Salaszu.

Rozciągająca się na zachodnich obrzeżach miasta dzielnica **Mănăştur** (dojazd spod dworca kolejowego tramwajem #101 i 102) to dawna wioska, wchłonięta przez miasto przed 1894 r. Pierwsze wzmianki o niej (a dokładniej o kościele Benedyktynów) pochodzą z 1222 r. Gliniane obwarowanie nie uchroniło obiektu przed spaleniem przez Tatarów w 1241 r. Po drugim napadzie tatarskim w 1285 r. mnisi opuścili klasztor, ale już w 1296 r. rozpoczęto odbudowę świątyni, zakończoną dopiero na początku XVI w. W 1466 r. z rozkazu króla Macieja Korwina zniszczono otaczające kościół mury obronne – ich fragmenty wraz z pozostałościami jednej z baszt przetrwały po dziś dzień. Z oryginalnych XV-wiecznych zabudowań na klasztornym dziedzińcu zachowała się jedynie kaplica, służąca obecnie jako prezbiterium i zakrystia. Według inskrypcji z 1508 r. był to kościółek z dwiema wieżami przy zachodniej fasadzie. W 1896 r. do starej świątyni dodano dużą neogotycką nawę, przez co budowla zmieniła kształt, nie tracąc charakterystycznego romańsko-gotyckiego wyglądu. Klasycystyczna kaplica po wschodniej stronie wzgórza pochodzi z 1831 r.

Noclegi

W Kłużu nie brak hoteli w każdej kategorii cenowej, z czego większość jest usytuowana w centrum. Ze znalezieniem miejsca w droższych obiektach nie ma problemów, nieco gorzej przedstawia się sytuacja z tanimi noclegami, zwłaszcza w lecie, gdy Rumunię odwiedza najwięcej turystów z plecakami i ograniczonym budżetem.

Przedstawicielstwo **Antrec** mieści się przy Piaţa A. Iancu 15 (☎0264/406363, cluj@antrec.ro). Nocleg w gospodarstwach agroturystycznych w okolicach miasta kosztuje mniej więcej 10 €/os.

Agape**** (str. I. Maniu 6; ☎0264/406523, 0724/251101). Ekskluzywny hotelik 100 m od Piaţa Unirii, ale pokoje urządzono niezbyt gustownie. Lepiej prezentuje się restauracja. Pokój 1-os. 66 €, 2-os. 100 €, apartament 121 €.

Continental** (str. Napoca 1; ☎0264/591441, fax 593977, www.continentalhotels.ro). We wspaniałej kamienicy-pałacu przy samym rynku. Świetna restauracja. Pokój 1-os. 57 €, 2-os. 72 €, apartament 86 €.

Hostel Retro** (str. Potaissa 13; ☎0264/450 452, 408549, retroinn@rdslink.ro). Schronisko młodzieżowe zrzeszone w Hostelling International. Tanio i przyzwoicie, łazienki na korytarzu. Miejsce w pokoju 2-os. 14 €, w sali sypialnej 10,50 €, śniadanie 2,50 €. Zniżka 10% dla posiadaczy legitymacji HI.

Junior** (str. Căii Ferate 12; ☎0264/432028). Skromny pensjonat w pobliżu dworca kolejowego. Pokój 2-os. 25 €, 3-os. 31 €.

Kemping Făget (☎0264/196227; tylko VI–IX). Kilka kilometrów na południe od miasta (dojazd autobusem #35 z Piaţa Mihai Viteazul, trzeba wysiąść trzy przystanki przed pętlą i podejść ok. 2 km), na południowy zachód od drogi do Turdy. Kilkadziesiąt domków 2- i 4-os. oraz mnóstwo miejsca na namioty. Nocleg w domku 12 €/os., w namiocie 2 €/os.

Melody Central** (Piaţa Unirii 29; ☎0264/ 597465, 597468, www.hcm.ro). W wielkiej na-

rożnej kamienicy w samym centrum. Pokój 1-os. 40 €, 2-os. 55 €, apartament 80 €.

Meteor** (blvd Eroilor 29; ☎0264/591060, fax 191061, www.hotelmeteor.ro). 65 łóżek w kilkudziesięciu pokojach. Świetna restauracja. Pokój 1-os. 30 €, 2-os. 35 €, apartament 50 €.

Onix** (str. Septimiu Albini 12; ☎0264/414 076, fax 414057, www.hotelonix.ro). Daleko od centrum. We wszystkich pokojach wanny z hydromasażem. Pokój 1-os. 54 €, 2-os. 62 €, apartament 71 €.

Pax* (Piaţa Garii 1–3; ☎0264/432927, fax 433729, www.hotelpax.ro). Naprzeciwko dworca kolejowego. Pokoje czyste, ale skromne. Pokój 1-os. 24 €, 2-os. 35 €, 3-os. 40 €.

Rimini**** (str. Cometei 20A; ☎/fax 0264/438 385, www.rimini.ro). Jeden z bardziej eleganckich hoteli w Kłużu; przyjemna atmosfera, wysoki standard. Pokój 1-os. 45 € (w willi) lub 65 € (w hotelu), 2-os. 70 €, apartament 113 €.

Transilvania**** (str. Calarasilor 1–3; ☎0264/ 432071, www.turismtransilvania.ro). Najwyżej położony (na Wzgórzu Zamkowym; Twierdzy) hotel w mieście. Drogo, najczęściej zatrzymują się tam biznesmeni. Pokój 1-os. 50 €, 2-os. 65 €.

Villa Eunicia** (str. E. Zola 2; ☎0264/594067, vilaeeuniciamail@yahoo.com). W centrum. 18 miejsc o średnim standardzie. Pokój 1-os. 33 €, 2-os. 41 €, apartament 48 €.

Vlădeasa* (str. Regele Ferdinand 20; ☎0264/ 594429, fax 594429, km0@codec.ro). Tani skromny hotel nieopodal Piaţa Unirii. Pokój 1-os. 25 €, 2-os. 35 €, apartament 45 €.

Gastronomia

Restauracji, pizzerii oraz fast foodów jest w Kłużu (zwłaszcza przy str. Napoca) pod dostatkiem. Nie brakuje również świetnych kawiarni i pubów, gdzie można posłuchać dobrej muzyki w towarzystwie miejscowych studentów.

Osoby żywiące się na własną rękę powinny wybrać się na duże miejskie targowisko między str. Ploieşti i str. Argeş, nieopodal Piaţa Mihai Viteazul. Market spożywczy Yellow przy str. Napoca działa do północy, a Top Drink (blvd Eroilor, w pobliżu hotelu *Meteor*) to dobrze zaopatrzony całodobowy sklep monopolowy.

Acapulco 2000 Fastfood (str. J. Bolyai i str. Napoca 17; ☎0264/598725). Całkiem eleganckie bistro; smacznie i tanio.

Beijing (str. A. Iancu 12–14). Restauracja chińska – duże porcje, względnie tanio.

Cofetaria Pralina (str. Horea, obok hotelu *Pax*). Duży wybór ciastek i smaczna kawa.

Cofetaria Tineretului (str. Universităţii 3, obok księgarni). Przyjemne miejsce o wystroju z początku lat 80. XX w. Wyjątkowo smaczna kawa (0,55 €).

El Greco Fastfood i **sklepik z gogoşi** (str. P. Maior, naprzeciwko poczty). Pierwszy oferuje m.in. hamburgery i frytki, w drugim można zjeść słodkie *gogoşi* (rumuńskie pączki).

Ema (str. Potaissa 10). Nastawiona na gości z usytuowanego naprzeciwko schroniska *Retro*, dlatego w menu dominują dania niezbyt wyszukane, ale smaczne i przede wszystkim tanie. Również alkohole.

Escorial i **Ursus** (Piaţa Unirii 23, *Escorial* ☎0264/196909). Dwie zbliżone standardem restauracje na rynku. Dobra kuchnia, przystępne ceny.

Family Fastfood (blvd Eroilor). Czyste i schludne bistro czynne całą dobę.

Hubertus Restaurant (blvd 21 Decembrie 1989 nr 22, pomarańczowa kamienica; ☎0264/596743). Bardzo elegancka restauracja z międzynarodowym menu. Za wytworność trzeba jednak zapłacić (obiad 7–10 €).

Hungry Bunny (Piaţa Unirii 12; ☎0264/430 121). Amerykańskie potrawy z kurczaka oraz inne szybkie dania. Czynne do późna.

McDonald (Piaţa Mihai Viteazul, wschodnia pierzeja).

Pescarul Restaurant (str. Universitǎţii 3, obok kina Arta). Niedroga restauracja w centrum (obiad ok. 2–3 €).

Pizzeria Y (Piaţa Unirii 2, w bramie; ☎0744/551849). Bardzo smaczne pizze i inne włoskie specjały.

Privighetoarea Restaurant Cofetarie (str. Regele Ferdinand 16; ☎0264/593480). Smaczne dania kuchni rumuńskiej oraz pizze. Wszystko po przystępnych cenach.

Rozrywki

Filharmonia Filharmonia Państwowa Transylwania (Filarmonica de Stat „Transilvania", str. E. de Marttone 1; ☎0264/430063; sprzedaż biletów: Agenţia de Bilete, zob. poniżej *Teatry i opery*).

Kina Cinema Arta (str. Universitǎţii 3), Cinema Victoria (blvd Eroilor 51). Filmy wyświetlane są najczęściej w wersji oryginalnej z napisami; bilety 1,20 €.

Teatry i opery Teatr Narodowy i Opera Rumuńska (Teatrul Naţional şi Opera Românǎ, Piaţa Ştefan cel Mare 24, ☎0264/591799; sprzedaż biletów: Agenţia de Bilete, Piaţa Ştefan cel Mare 24, ☎0264/595363, wt.–pt. 10.00–17.00); Węgierski Teatr Państwowy i Opera Węgierska (Teatrul Maghiar de Stat şi Opera Maghiara; str. E. Isac 26–28; ☎0264/593464); Teatr Lalek Puck (Teatrul de Pǎpuşi Puck; str. I.C. Brǎtianu 23; ☎0264/195992).

Puby i kluby

Art Club (Piaţa Ştefan cel Mare 14; ☎0264/595 032). Kawiarnia i pub z miłą atmosferą, świetne miejsce na krótki odpoczynek podczas zwiedzania miasta. Piwo 0,65 €.

Club 30 Plus (str. A. Iancu 29; ☎0264/431618). Dyskoteka.

Club Salsa (str. Dacia 2; ☎0744/639267; czynne non stop). Dyskoteka dla miłośników muzyki flamenco i salsy.

Diesel Club (Piaţa Unirii 17; ☎0264/598441, w kamienicy zabytkowej plebanii katolickiej). Jeden z najlepszych pubów w mieście: muzyka na żywo (jazz, rock i blues) i relatywnie tanie piwo (0,85 €).

Etno Club, Bar & Grill (str. Memorandumului 21). W podwórzu Muzeum Etnograficznego; latem na tarasie, poza sezonem w piwnicach.

Euphoria (Piaţa Muzeului 4; ☎0264/439253). Klasyczny piwniczny pub.

Galant (str. S. Todutǎ 11, przy ulicy dochodzącej do rzeki; ☎0264/587441; 22.00–5.00). Klub nocny.

Hard Rock Pub (str. Republicii 110; ☎0264/439 359; 9.00–3.00). Cięższy i lżejszy rock, dużo decybeli, spory wybór alkoholi.

Onix (str. S. Albini 12, przy hotelu *Onix*; 22.00–6.00). Klub nocny.

Oscar Club (str. I. Klein 23). W pobliżu schroniska młodzieżowego, ale raczej dla osób z grubszymi portfelami.

Informacje o połączeniach

Samolot Tarom oferuje przeloty do Bukaresztu (pn.–sb. 2 dziennie; 88 € w obie strony) oraz do Frankfurtu i Mediolanu (3 tygodniowo); Carpatair do Budapesztu, Monachium, Rzymu i Stuttgartu (kilka tygodniowo), a Austrian Airlines do Wiednia (pn., wt. i pt.).

Biuro Taromu mieści się przy str. Mihai Viteazul 11 (☎0264/130116, fax 432524), obok Agenţie de Voiaj CFR. Carpatair (☎0264/416016) ma siedzibę na lotnisku, około 10 km na północ od centrum, za dzielnicą Someşeni. Na lotnisko (Aeroportul Internaţional; str. Traian Vuia 149; ☎0264/416702, fax 416712) kursuje autobus Taromu, ale można tam dojechać autobusem miejskim #8 (z Piaţa Mihai Viteazul).

Pociąg Dworzec kolejowy jest oddalony o 1,5 km na północ od centrum (Piaţa Garii 1–3, u wylotu str. Horea; ☎0264/136 238). Kluż jest ważnym węzłem kolejowym, odjeżdża stamtąd wiele pociągów: m.in. do Braszowa (1 dziennie), Bukaresztu (7 dziennie), Bystrzycy (5 dziennie), Gałacza (1 dziennie), Jass (2 dziennie), Mangalii (VI–IX; 2 dziennie), Oradei (5 dziennie), Satu Mare (3 dziennie), Sybina (II połowa XII; 1 dziennie), Syhotu Marmaroskiego (3 dziennie), Târgu Mureş (2 dziennie) i Timişoary (4 dziennie).

Poza tym z Klużu kursują dwa pociągi dziennie do Budapesztu (ok. 6,5 godz.).

Str. Horea prowadzi z dworca do centrum prosto na Piaţa Unirii (ok. 20 min marszu), można też podjechać tramwajem (#101 i 102, najlepiej wysiąść na przystanku przed rzeką, drugim z kolei; stąd jest około 500 m do Piaţa Unirii) albo trolejbusem (#3, 4 i 9, wysiąść na pierwszym przystanku za rzeką).

Agenţie de Voiaj CFR mieści się w bloku przy Piaţa Mihai Viteazul 20 (☎0264/432001, 534009; pn.–pt. 7.00–19.00), nieopodal biura Taromu.

Autobus W Klużu są dwa dworce autobusowe – większość autobusów dalekobieżnych odjeżdża z dworca nr 2 (Autogară nr 2; ☎0264/435277, 435278) usytuowanego kilkaset metrów na północny zachód od kolejowego, przy str. G. Bruno 3–5 (trzeba przejść wiaduktem nad torami). Kluż ma połączenia z Turdą, Zalău i Câmpeni (kilka dziennie), Baia Mare i Oradeą (2 i 3 dziennie) oraz Sybinem i Braszowem (po 2 dziennie). Kilka razy w tygodniu kursują także autobusy do Budapesztu (15 €).

Informator

Apteki Remedium (blvd 21 Decembrie 131) czynna jest całą dobę, a kolejne działają na Piaţa Libertăţii 31 (☎0264/194606), blvd 21 Decembrie 1989 (nieopodal hotelu *Central Melody*), str. Napoca (naprzeciwko baru *Acapulco 2000*), Piaţa Ştefan cel Mare (obok kawiarni *Opera*).

Internet Blvd 21 Decembrie 1989 nr 20 (w pobliżu restauracji *Hubertus*; 0,55 €/godz.); *Someş Internet & Café Bar* (str. I. Maniu 1; 0,60 €/godz.); *Astral Internet* (str. I. Maniu 4; 0,55 €); *Goldnet* (str. J. Bolyai, przy wylocie blvd Eroilor; 0,50 €/godz.); *Virtual World* (blvd Eroilor, nieopodal hotelu *Meteor*); *Net Zone* (Piaţa Muzeului 5); w pobliżu dworca kolejowego obok kawiarni *Pralina*.

Księgarnie Librărie Phoenix (str. I. Maniu 6, obok hotelu *Agape*) – duży wybór książek anglo- i niemieckojęzycznych; Universităţii (str. Universităţii 1, na rogu z Piaţa Unirii).

Laboratoria fotograficzne Fuji Film Center w domu towarowym Sora (zob. *Zakupy*); Fuji Film Image Service (róg str. H. Oberth i str. I.C. Brătianu); Kodak Express (zachodnia pierzeja Piaţa Unirii, obok pubu *Harley Davidson*).

Poczta i telekomunikacja Główny urząd pocztowy ma siedzibę przy str. Regele Ferdinand 33 (pn.–sb. 7.00–19.00). Mniejsza poczta jest przy Piaţa L. Blaga (obok biblioteki).

Wymiana walut i banki Banca Comercială Română (blvd 21 Decembrie 1989 nr 16); Banca Română pentru Dezvoltare (Piaţa Unirii 7); Banca Transilvania (blvd Eroilor 36); Banc Post (str. Regele Ferdinand 33, nieopodal poczty); kantor IDM (str. Napoca 25); kolejny kantor – w domu towarowym Sora (zob. niżej *Zakupy*).

Wypożyczalnie samochodów Top Car (str. Clinicilor 33; ☎0264/450500, fax 450709) wypożycza dacie za 28 €/dzień, ople od 38 €/dzień. Rodna Car Rental (str. Traian 62; ☎0745/636063, fax 416773, office@rodna-trans.ro) jest droższa.

Zakupy Dom towarowy Sora (blvd 21 Decembrie 1989 nr 5, blisko Piaţa Unirii); dom towarowy Central (str. Regele Ferdinand 22–26, na rogu str. Tipografiei; pn.–pt. 8.00–21.00, sb. 9.00– 13.00); sklep górski ATTA na str. Moţilor (przedłużenie str. Memorandumului) i Mountain Experts na str. A. Şaguna 24 (przecznica blvd Regele Ferdinand).

OKOLICE KLUŻU-NAPOKI

Huedin

Spokojne, przeciętnej urody miasteczko (węg. Bánffyhunyad) w samym sercu regionu Kalatoszeg (podobnie jak Szeklerszczyzna we wschodniej Transylwanii, zamieszkane głównie przez Węgrów), jest traktowane przez turystów jako punkt wypadowy w góry Apuseni. Warto zwiedzić ciekawą **Biserica reformată** (kościół ewangelicki) przy głównym placu. Historia świątyni sięga początków XIII w., ale jej obecny wygląd to efekt przebudowy przeprowadzonej w XVII w. po najazdach tatarskich. Kościół słynie z drewnianych kasetonów na suficie z II połowy XVIII w. Przed świątynią stoi pomnik największego węgierskiego poety Sandora Petőfiego w kształcie tradycyjnej dla Szeklerów *kapjafy* – drewnianego nagrobka w kształcie słupa.

Izvoru Crişului

Dzieje miejscowości (węg. Körösfo) oddalonej o 7 km na wschód od Huedinu sięgają XIII w., ale główna fala osadników przybyła w te okolice w XVI stuleciu. Warto zwiedzić **kościół z 1764 r.** z ciekawym kasetonowym stropem. Przechowywany wewnątrz turecki dywan został zdobyty ponad 100 lat wcześniej przez Jerzego II Rakoczego i podarowany jednej z rodzin w zamian za okazaną pomoc. Przy głównej drodze stoją niezliczone stragany z wyrobami lokalnego rzemiosła. Wioska słynie z fantazyjnych przedmiotów z drewna, ale można w niej kupić ceramikę nawet z odległego o ponad 200 km szeklerskiego Corundu czy też równie dalekiego Hurezu.

Mănăstireni

We wsi (węg. Magyaryerőmonostor), około 17 km na południowy wschód od Huedinu, zachował się piękny **kościół** ufundowany na początku XII w. przez rodzinę Gyeröffych dla klasztoru Benedyktynów. Po najeździe Tatarów w 1241 r. mnisi otoczyli kompleks murem obronnym. Klasztor uległ kasacie w II połowie XVI w. w czasach triumfu reformacji, kiedy mieszkańcy regionu masowo przechodzili na kalwinizm. Pierwotnie fasadę kościoła flankowały dwie wieże, z których do dzisiaj zachowała się tylko jedna. Jej hełm z jedną dużą wieżyczką i czterema mniejszymi na narożach wieńczy drewnianą galerię. Uroku całości założenia dodają biforiowe (z kolumienką pośrodku) okna. W świątyni kryją się ciekawe malowidła i drewniane płaskorzeźby, a na zewnątrz uwagę przykuwają rzeźby w niszach: lwy z ludzką głową i kobieta karmiąca węże.

Văleni

Oddalona o około 12 km od Huedinu wioska (węg. Magyarvalko), sąsiadująca od zachodu z Mănăstireni, szczyci się jednym z najładniej położonych i **najstarszych kościołów** w Kalatoszeg. Świątynię zbudowano pod koniec XI w., a w II połowie XIII w. przejęli ją franciszkanie. Zakonnicy, podobnie jak ich współbracia z sąsiedniego Mănăstireni, musieli opuścić to miejsce w II połowie XVI w., kiedy mieszkańcy wsi przeszli na kalwinizm. Droga do kościoła na wzgórzu prowadzi przez cmentarz.

Sâncraiu

Wioska (węg. Kalotaszentkirály) leży przy drodze do Beliş, 6 km na południe od Huedinu, u stóp Vlădeasy (1836 m n.p.m.). To doskonałe miejsce na wypoczynek, z bogatą ofertą agroturystyczną. Nazwa osady pojawiła się w źródłach po raz pierwszy w 1288 r. i z tego mniej więcej okresu pochodzi kościół kalwiński utrzymany w podobnym stylu co świątynie w okolicznych wioskach. Sânicraiu, zamieszkana w 90% przez Węgrów, słynie z wyrobów rzemieślniczych. W pobliskiej osadzie **Săcuieu** na wzniesieniu zwanym Bożym Wzgórzem (Dealul Domnului; 950 m n.p.m.) rośnie rzadko spotykana w Europie sekwoja.

Beliş

Miejscowość wypoczynkowa (węg. Béles) zajmuje malownicze wzniesienie nad jeziorem Fântânele. Można z niej podziwiać piękny widok na góry Gilău. Po drodze z Huedinu do Beliş przejeżdża się przez przełęcz Negru (1099 m n.p.m.). W Beliş działa mnóstwo pensjonatów i kilka hoteli, jest też pole namiotowe (zob. *Noclegi*).

Bologa

Sympatyczna wioska (węg. Sébesvar), 10 km na zachód od Huedinu, szczyci się dobrze zachowanymi ruinami **średniowiecznego zamku**. W przeszłości był tu rzymski obóz warowny Resculum, który chronił pobliskie kopalnie złota. W zamku, wzmiankowanym po raz pierwszy w 1322 r., prawdopodobnie zmarł Jerzy II Rakoczy po powrocie z przegranej bitwy z Turkami pod Floreşti w 1660 r. Aby dojść do ruin, trzeba skręcić za murowanym domem (z tabliczką informującą, że wybudowano go w 1930 r.) w lewo. Warto także obejrzeć **młyn wodny** (*moară de apă, ştează*) używany przez gospodarzy do dziś – ogromny kocioł, przez który z wielką siłą przedziera się woda, służy do... prania. Młyn jest oddalony o kilka minut marszu od wspomnianego wyżej murowanego domu (idąc na południe, trzeba skręcić w lewo zgodnie z drogowskazem).

Ciucea

W Ciucei (węg. Csusca), 20 km na zachód od Huedinu, w domu, w którym w latach 1915–1917 mieszkał wybitny rumuński poeta i polityk, założono **Muzeul Memorial Octavian Goga** (Muzeum Oktawiana Gogi; wejście przez bramę przy drodze przelotowej niedaleko podejścia do cerkwi; wt.–nd. 10.00–18.00; 0,45 €, ulgowy 0,22 €). Wcześniej dom należał do przyjaciela Gogi, również wielkiego poety – Endre Adyego. W pobliżu można obejrzeć grobowiec, w którym spoczywa Goga wraz z rodziną. Nieopodal, na terenie monastyru, stoi przeniesiona spod Klużu XVI--wieczna **drewniana cerkiew**. Aby do niej trafić, trzeba przejść przez kompleks muzealny lub skierować się bezpośrednio z ulicy po schodkach do góry.

Noclegi

W niemal każdej z opisanych wiosek działają motele i pensjonaty agroturystyczne; wystarczy wypatrywać szyldów lub pytać mieszkańców. Za taki nocleg nie powinno zapłacić się więcej niż 10 €. O miejsce najłatwiej w miejscowości Beliş, przyciągającej najwięcej turystów i najbardziej skomercjalizowanej.

Katharsis-Geomolean** (Beliş, str. Principală 51, ok. 3 km od jeziora; ☎0264/598247). Pensjonat oferuje czyste i schludne pokoje z łazienkami. Pokój 1-os. 21 € (ze śniadaniem).

Montana** (Huedin, str. A. Munteanu 71; ☎0264/353090, 354370). Motel za miastem, przy drodze na Kluż. Pokój 2-os. 16 €, 3-os. 24 €.

Romanţa** (Bologa 13; ☎/fax 0264/255064, romanta@internet.ro). Pensjonat, mniej więcej w połowie drogi z Huedinu do Ciucei, przy stacji kolejowej Bologa. Pokój 1-os. 10,50 €.

Staţiunea Fântânele** (Beliş, www.turism-transilvania.ro). Kompleks kilku hotelików i pensjonatów (m.in. *Vila Bianca* i *Vila Radu*) nad samym jeziorem. Pokój 2-os. 28–41 €, śniadanie 3,50 €.

Informacje o połączeniach

Na trasie Kluż–Ciucea kursuje codziennie kilka pociągów (6 osobowych, 5 pośpiesznych; 1,5 godz.), które zatrzymują się również w Huedinie (1 godz.; kilkaset metrów na zachód dworzec autobusowy). Do przystanku Bologa (oddalonego o ok. 1,5 km od wioski) można dojechać tylko pociągiem osobowym. Do Izvoru Crişului pociągi nie docierają.

Do opisanych wyżej miejscowości dojeżdżają autobusy (2 dziennie z Kłużu do Oradei oraz kilka autobusów i minibusów do Huedinu i Ciucei). Z Huedinu na południe (w stronę Beliş) kursują minibusy (z przystanku nieopodal kościoła), można też spróbować pokonać ten odcinek autostopem. Do Văleni i Mănăstireni najlepiej dotrzeć pieszo (od drogi Huedin–Beliş) lub podjechać autostopem (ale jeździ tam mało samochodów).

TURDA

Turda (węg. Torda, niem. Thorenburg), prowincjonalne miasteczko 34 km na południe od Kłużu, szczyci się długą historią. Mimo że jest jednym z najstarszych ośrodków Transylwanii, turyści najczęściej traktują je jako punkt wypadowy do słynnego wąwozu oraz w okoliczne góry Trascăul.

Potaissa, czyli starożytna Turda, była niejednokrotnie wzmiankowana w źródłach jako ważny ośrodek handlowy i nie mniej ważny punkt strategiczny. Szczególne znaczenie uzyskała za panowania Rzymian. W latach 167–168, kiedy stacjonował tam Legio V Macedonica, wzniesiono obwarowania, a obóz wraz z osadą otrzymał rangę *municipium* (miasto), a następnie kolonii. Według XVIII-wiecznego kronikarza, jedna z bram starożytnych obwarowań przetrwała do 1604 r. (inna aż do 1821 r.). Ostatecznie twierdzę rozebrali mieszkańcy wioski, którzy z odzyskanego budulca wznosili swoje chałupy. Archeolo-

dzy odsłonili pokaźny, wart zobaczenia, fragment rzymskiego miasta.

Informacja turystyczna działa w odremontowanej kamienicy przy Piaţa 1 Decembrie 1 (ok. 150 m na południe od muzeum; ☎/fax 0264/314611; pn.–sb. 9.00–18.00, www.cit.turda.ro).

Nazwa Turda pojawia się w dokumentach po raz pierwszy w 1075 r., kiedy król węgierski Gejza I podarował część dochodów z tamtejszej kopalni soli klasztorowi Benedyktynów z terenów dzisiejszej Słowacji. Najazd tatarski na środkowo-wschodnią Europę nie oszczędził Turdy, która jednak szybko podniosła się ze zniszczeń. W 1291 r. nadano jej kilka praw gwarantujących wolność handlu i administracji. Z czasem miasteczko zaczęło podlegać bezpośrednio królowi. Kopalnia soli przyciągała osadników z Węgier i Niemiec. W 1514 r. miejscowi chłopi przyłączyli się do powstania Jerzego Doży, a w 1550 r. Turdę zajęli Austriacy. Unowocześnili oni kopalnię, w której eksploatacja trwała do lat 30. XX w. W tym okresie powstawały fabryki i zakłady przemysłowe wydobywające i wykorzystujące nowo odkryty gaz ziemny.

Centrum miasteczka to wydłużona Piaţa Republicii, ciągnąca się od skrzyżowania str. A. Iancu i str. Castanilor na północy do str. Libertăţii na południu, gdzie w pobliżu nowej cerkwi przepływa niewielka Pârâul Racilor. Kilkaset metrów dalej rzeka wpada do Ardżeszu (Argeş/Arieş).

W Turdzie zatrzymują się autobusy kursujące z Kłużu do Alba Iulia (i dalej do Sybina lub Devy); miasto ma kilkanaście połączeń dziennie. Przystanek jest w samym centrum (Piaţa Republicii), przy kościele katolickim.

Koleją można dojechać do oddalonej o 10 km na wschód Câmpia Turzii, gdzie należy się przesiąść. Zatrzymują się tu pociągi kursujące między Kłużem a Alba Iulia i Sighişoarą (kilkadziesiąt dziennie).

Zwiedzanie

Jednym z najcenniejszych zabytków jest **Biserica reformată Turda Veche** (kościół ewangelicki; str. B.P. Haşdeu 1, w parku przy południowym końcu Piaţa Republicii) z 1400 r. Jednonawowa świątynia stanęła na miejscu starszej, mniejszej. Uwagę przyciąga 60-metrowa wieża (zbudowana w latach 1904–1906) oraz ciekawy portal wejściowy. Nieopodal wznosi się **Reşedenţa principilor** (pałac książęcy, zwany pałacem Batorych), najstarsza budowla Turdy pochodząca prawdopodobnie z początku XV w. Po przebudowie w 1560 r. stała się ulubioną rezydencją władców Transylwanii. Do 1759 r. w pałacu zbierał się siedmiogrodzki sejm. Obecnie mieści się tu od wielu lat remontowane **Muzeul de Istorie** (Muzeum Historyczne; str. B.P. Hașdeu 1; otwarte zostanie prawdopodobnie wiosną 2006 r.). Przy północnym krańcu rynku wznosi się **Biserica romano-catolică** (kościół rzymskokatolicki; Piața Republicii 54) datowany na lata 1498–1504. Z pierwotnej trzynawowej świątyni pozostało niewiele, bo w wyniku dziejowych zawieruch była ona wielokrotnie przekształcana (obecny wygląd to efekt renowacji z 1822 r.).

Na północ od centrum, w dzielnicy Turda Nouă znajduje się największa atrakcja miasta: **kopalnia soli** (Salina Turda; str. Salinelor 54B; ☎0264/311690, www.salinaturda.com; 9.00–15.00; 2,10 €, ulgowy 1,05 €, podziemia zwiedza się indywidualnie), która powstała w czasach rzymskich i w szczytowym okresie eksploatacji (XVI w.) przynosiła mieszkańcom wielkie zyski. Od co najmniej XVIII w. sól wydobywano w pięciu głównych szybach. Od XIX w. kopalnia traciła na znaczeniu na rzecz kopalni w Ocna Mureș (20 km na południe od Turdy). Zamknięta w 1932 r. kopalnia w Turdzie, w czasie II wojny światowej służyła jako schron. Turystom udostępniono długi (917 m) chodnik Franciszka Józefa wybudowany w 1853 r., którym wchodzi się do kopalni. Ogromne wrażenie robi potężne wyrobisko Rudolf o długości 80 m, szerokości 50 m i głębokości 40 m. Na dół schodzi się po drewnianych schodach. Spacer po zawieszonej na wysokości 13. piętra galeryjce to nie lada przeżycie. Wspaniale prezentuje się stąd stary szyb Teresy w kształcie ogromnego dzwonu. Warto pamiętać o ciepłych ubraniach, bo temperatura w środku nie przekracza 12°C. Dojazd za strzałkami od centrum w kierunku Klużu 1 km, potem skręt w prawo, w str. Salinelor. Wejście do kopalni z prawej strony po 500 m.

Niedaleko kopalni, również w dzielnicy Turda Nouă wznosi się **Biserica reformată fortificată Turda Nouă** (ewangelicki kościół warowny; Piața Besarabiei 12) z potężnymi murami obronnymi, wybudowana w 1504 r. prawdopodobnie na miejscu starszej świątyni. Podobieństwo do świątyni katolickiej w Starej Turdzie pozwala przypuszczać, że oba obiekty zostały zaprojektowane przez tych samych budowniczych. W kolejnych wiekach kościół (zwłaszcza wnętrze) wielokrotnie przekształcano. Szczególnie dużo zmian przeprowadzono

w XIX w. – m.in. odbudowano barokową dzwonnicę zburzoną w XVII w.

Kilkaset metrów na zachód od centrum można obejrzeć stanowisko archeologiczne z fundamentami **rzymskiej twierdzy**, w której stacjonował Legio V Macedonica. Rozległe wykopaliska prezentują się wspaniale na tle widocznego Wąwozu Turdziańskiego. Aby tam dotrzeć, trzeba od kościoła rzymskokatolickiego na str. G. Coșbuc dojść do str. Traian, a następnie skręcić w lewo, w str. T. Aman, potem w prawo i stromą, zniszczoną drogą dochodzi się do rozległej terasy. W tym miejscu należy zboczyć nieco w lewo, w kierunku żółtych tabliczek opisujących poszczególne części miasta.

W odległości 2 km na wschód od śródmieścia rozciąga się dzielnica **Băile Sărate**, niewielkie uzdrowisko znane od I połowy XIX w. Kilka słonych jeziorek to pozostałość po dawnych wyrobiskach soli. W Băile Sărate można zażyć zdrowotnych kąpieli i zwiedzić niewielki **Parcul zoologic** (ogród zoologiczny).

Noclegi i gastronomia

Baza turystyczna nie jest zbyt imponująca. Dobre restauracje działają przy obu wymienionych niżej hotelach. Na coś słodkiego najlepiej wpaść do kawiarni *Rusalca* przy Piața Republicii 37 lub do cukierni *Fornetti* naprzeciw kościoła reformowanego i muzeum.

Obok hotelu *Potaissa* jest duży sklep spożywczy Gina. Miejskie targowisko rozciąga się na tyłach kamienic przy wschodniej pierzei rynku (na południowym końcu pasażu w dużej kamienicy).

Arieșul** (Drumul Ceanului 2E; ☎0264/316 844, fax 314569). Największy hotel w Turdzie (100 miejsc), w oddalonej o 2 km na wschód od centrum dzielnicy Băile Sărate. Pokój 2-os. 24 €.

Castelul Printul Vânător**** (str. S. Sulutiu 4/6; ☎0264/316850, fax 311711, huntercastle@hotmail.com). Porządny hotel w oryginalnym budynku. Pokój 1-os. 51 €, 2-os. 51 €, apartament 62 €.

Potaissa** (Piața Republicii 6; ☎0264/311691, fax 311772). W samym centrum; eleganckie pokoje. Pokój 2-os. 25 €, apartament 30 €.

Informator

Apteka Piața Republicii 15 (zachodnia pierzeja).

Internet Kafejka internetowa *Matrix* – w kamienicy przy Piața Republicii 16 (0,50 €/godz.).

Poczta i telekomunikacja Główny urząd pocztowy i rozmównica telefoniczna – przy Piața 1 Decembrie 1918 nr 33 (na południe od Piața Republicii).

Wymiana walut i banki Banc Post (Piaţa Republicii 24, wschodnia pierzeja), Banca Română pentru Dezvoltare (str. Libertăţii 4), Banca Comercială Română (Piaţa 1 Decembrie 1918 nr 28). Kilka kantorów działa przy Piaţa Republicii i str. Libertăţii.

Zakupy Dom handlowy Big – str. Libertăţii, zaraz za rzeczką i nową cerkwią.

NA ZACHÓD OD TURDY

Wąwóz Turdy

Cheile Turzii (Wąwóz Turdy) dzieli od miasta około 5 km (w kierunku zachodnim). Autem nadkłada się nieco drogi, przejeżdżając przez wioskę Mihai Viteazul. Jej nazwa upamiętnia Michała Walecznego, księcia Mołdawii i Wołoszczyzny, który został tam zamordowany w 1601 r. Uwaga! W 2005 r. z powodu remontu mostu na Arieszu do parkingu powyżej wąwozu docierało się oznaczonym tablicami objazdem od strony północnej.

Wąwóz, którego dnem płynie niewielka rzeka Hăşdate, nie jest imponująco długi, ale jego strome wapienne skały o wysokości do 300 m wyglądają wyjątkowo malowniczo. Wśród okolicznych skałek wytyczono kilka tras wiodących do ciekawych grot i jaskiń.

Przy wejściu do wąwozu znajduje się schronisko (nieczynne w 2005 r.), kemping (*Cabana Cheilie Turzii*) i dyżurka Salvamontu (kierownikiem placówki jest Polak, Octavian Brătila zwany Bulinelem). Podczas wakacji za wstęp pobiera się niewielką opłatę. Wąwóz Turdy cieszy się popularnością wśród miłośników wspinaczki skałkowej i speleologii.

Do wąwozu nie dociera komunikacja publiczna. Najlepiej wsiąść w Turdzie przy Piaţa Republicii w autobus jadący do Corneşti lub wiosek położonych dalej na zachód (kierunek Câmpeni) i wysiąść przy skrzyżowaniu z drogowskazem do wioski Cheia i wąwozu. Stamtąd trzeba podejść pieszo około 3,5 km.

Rimetea

Ta wyjątkowo urocza wioska (węg. Torockó, niem. Eisenburg) leży u stóp majestatycznej skalistej Piatra Secuiului (1281 m n.p.m.).

Dzieje osadnictwa w okolicach sięgają średniowiecza, kiedy to odkryto złoża złota, ale prawdziwy rozwój wsi nastąpił w XIV w. wraz z przybyciem niemieckich kolonistów-górników. Obecnie Rimetea przekształca się w elitarny ośrodek turystyczny, odwiedzany głównie przez przybyszów z Węgier i Niemiec. Podczas zwiedzania nie należy ograniczać się do efektownego rynku otoczonego starannie odrestaurowanymi kamieniczkami z XIX w., ponieważ we wsi zachowało się sporo o wiele starszych drewnianych chałup (niektóre w opłakanym stanie). Wytrwali wędrowcy z pewnością natrafią na **młyn wodny** (*moară de apă*), zasilany wodami niewielkiej rzeki. Ciekawym obiektem jest również **Biserica unitariană** (kościół unitariański) z XVIII w.

W południowej części rynku (pod nr. 34) ma siedzibę niewielkie **Muzeul de Etnografie** (Muzeum Etnograficzne; wt.–nd. 9.00–17.00; 0,70 €, ulgowy 0,35 €) z ciekawą kolekcją strojów ludowych.

W Rimetei nie ma hotelu, ale gospodarstwa agroturystyczne wyrastają jak grzyby po deszczu. Przenocować można właściwie w co drugim domu (10–15 €/os.), a trudności ze znalezieniem miejsca mogą wystąpić tylko w lecie.

Do wioski kursuje jeden autobus dziennie z Turdy, lepiej więc skorzystać z autobusów jadących do Câmpeni, wysiąść przy skrzyżowaniu z drogą odbijającą na południe do Rimetei i łapać autostop lub pokonać 5 km piechotą.

Jaskinia Lodowa Scărişoara

Położona niedaleko wioski Gârda de Sus na wysokości 1200 m n.p.m. Jaskinia Lodowa Scărişoara (Peştera Gheţarul de la Scărişoara; od świtu do zmierzchu; 1,20 €), odkryta w 1863 r. przez austriackiego geografa Adolfa Schmidla, jest jedną z najbardziej znanych jaskiń Rumunii. Sławę zawdzięcza utrzymującemu się we wnętrzu przez cały rok lodowi tworzącemu kilkumetrowe stalagmity. Strome drewniano-żelazne schody prowadzą w dół przez 48-metrowy, prawie pionowy lej. Na szczęście trasa jest oświetlona, a turystów prowadzi przewodnik. Jaskinię zwiedza się o określonych godzinach lub po zebraniu odpowiedniej liczby chętnych.

W środku jest bardzo zimno (w lecie ok. 0°C, w zimie nawet do -8°C), a wytyczone do jaskini strome szlaki wymagają sporej sprawności. Należy pamiętać o ciepłym ubraniu i solidnym obuwiu. Kilka minut od jaskini, w centrum wsi **Gheţar**, działa punkt informacji turystycznej i niewielka ekspozycja sztuki ludowej w tradycyjnej chacie z ciekawym, słomianym dachem typowym dla regionu Gór Zachodniorumuńskich.

Noclegi oferuje przyzwoity **pensjonat Gârda** (☎0258/777167; pokój 1-os. 13,50 €), w centrum przy skrzyżowaniu z drogą do jaskini.

Aby dostać się do Scărişoary, należy wykorzystać rzadkie połączenia między Beiuş i Câmpeni (autostop sprawdza się w tym rejonie bardzo dobrze) i wysiąść we wsi Gârda de Sus. Stamtąd trzeba pokonać piechotą około 8 km żwirową drogą, ewentualnie wybrać jeden z licznych, dobrze utrzymanych szlaków turystycznych prowadzących na płaskowyż Scărişoara.

NA POŁUDNIE OD TURDY

Aiud

Aiud (węg. Nagyenyed, niem. Grossenyed) jest niewielkim miasteczkiem rozciągniętym po obu stronach rzeki o tej samej nazwie. Warto zatrzymać się w nim przynajmniej na godzinę, by zwiedzić ciekawy warowny kościół i starą bibliotekę. Kto chciałby zabawić dłużej (choćby po to, by skosztować znakomitego wina z pobliskich winnic), może skorzystać z oferty schroniska młodzieżowego.

Najstarsze ślady siedzib ludzkich pochodzą z czasów prehistorycznych. W czasach rzymskich istniała tu osada o nazwie Brucla. Źródła pisane wzmiankują Aiud w 1299 r. Pierwsze obwarowania zbudowano w latach 1333–1334, ale twierdza z prawdziwego zdarzenia (z licznymi basztami należącymi do poszczególnych cechów) stanęła dopiero w XV w. W 1662 r. przeniesiono do Aiud uczelnię założoną 40 lat wcześniej w Alba Iulia przez władcę siedmiogrodzkiego Gabriela Béthlena. W okresie komunizmu w miasteczku funkcjonowało ciężkie więzienie, w którym osadzano przeciwników systemu.

Główną ulicą Aiud jest biegnąca z północy na południe przelotowa str. Transilvaniei, która przy Piaţa Cuza Vodă zmienia nazwę na str. T. Vladimirescu. W zabudowie rynku dominuje stary kościół warowny i charakterystyczna nowa cerkiew.

Warowne kościoły siedmiogrodzkie

„...Nieodłącznym pejzażem architektonicznym Siedmiogrodu są obronne kościoły i zamki chłopskie. Narastające od końca XIV w. zagrożenie ze strony państwa ottomańskiego wymusiło przygotowanie kraju przed kolejnymi najazdami wroga. Prace fortyfikacyjne przebiegały najintensywniej na pograniczu południowym. Prym w tych działaniach wiodły gminy saskie budując i umacniając liczne twierdze chłopskie (zamki refugialne), wznoszone w obronnych miejscach, często też wokół inkastelowanych (przygotowanych do obrony) kościołów. W XV w. większość świątyń saskich została silnie obwarowanych, a opieka nad nimi została powierzona całej lokalnej społeczności. Wewnątrz obwodu murów budowano zawsze szereg pomieszczeń mieszkalnych i użytkowych. W razie zagrożenia wszyscy mieszkańcy mogli się schronić i mieszkać przez dłuższy czas za umocnieniami.

Ostatnim miejscem oporu był silnie obwarowany kościół. Umocnione wieże, często z drewnianą galerią, prezbiterium z nadbudowanymi piętrami obronnymi, z otworami strzelniczymi i innymi elementami architektury obronnej i wewnętrzna studnia czyniły ze świątyni prawdziwy donżon.

[...] Cechą charakterystyczną tych chłopskich zamków był brak w ich obrębie tak typowego dla zamków feudalnych palatium, zastępowanego tu budynkami niejako użyteczności publicznej, służącymi wspólnocie wiejskiej (np. szkoła!), i tak charakterystycznymi schronami dla ludzi i dobytku. Warto zwrócić również uwagę, iż owe warownie chłopskie cechowała uporczywa dążność do umacniania niemal każdego elementu w sposób pozornie spontaniczny, w rzeczywistości uwarunkowany zarówno praktycznymi doświadczeniami, jak i zaangażowaniem całej społeczności. Widzimy więc w chłopskich warowniach Siedmiogrodu wprost niewiarygodne nagromadzenie i spiętrzenie urządzeń obronnych, które pozornie, wbrew zasadom jednolitej „programowej" koncepcji, zostały zagęszczone i zwielokrotnione jakby w nadmiarze: owe koncentryczne lub stopniowo narastające, stosowane do sytuacji terenowej ciągi murów, nierzadko niezwykłej grubości i wysokości, gęsto umacniane flankującymi basztami i zdominowane budowlami wieżowymi, górującymi nad całością. Same mury przepruwano strzelnicami, często w kilku kondygnacjach, uzupełniano hurdycjami, machikułami i nadwieszonymi wykuszami. [...] Szczególnie silnie obwarowane bramy uzupełniano dziełami zewnętrznymi i blokowano kolejnymi opuszczanymi bronami, a całość otaczały przeszkody ziemno-wodne. Te wszystkie czynniki decydowały o stopniu obronności, a w konsekwencji narzuciły specyficzne oblicze architekturze...".

Ryszard Brykowski, Tadeusz Chrzanowski, Marian Kornecki, *Sztuka Rumunii*

Zwiedzanie Wznoszący się w samym sercu miasteczka **Cetatea din Aiud** (kościół warowny; klucze można dostać w bramie na drugim piętrze) miał powstać na miejscu wcześniejszego grodu, zniszczonego podczas najazdu tatarskiego w 1241 r. Świątynia i obwarowania pochodzą z początku XV w., ale cały kompleks był wielokrotnie przebudowywany. Mury, w przeszłości otoczone fosą, sięgają wysokości 8 m, a średnica całego założenia ma około 350 m.

Dzisiaj w obrębie murów stoją dwa kościoły – starszy reformowany i młodszy ewangelicki (XIX w.). Pierwszą trójnawową świątynię z gotyckimi elementami wieńczy 64-metrowa wieża. Wnętrze przekształcono w stylu renesansowym, następnie barokowym, a na początku XIX w. dodano empory (boczne galerie) oraz filary oddzielające nawy. Jeszcze później powstały wejścia od strony północnej i południowej. W czasach reformacji kościół przejęli kalwini, a druga XIV-wieczna świątynia – utrzymana wówczas w oryginalnym stylu romańskim – przypadła luteranom. Uległa ona zniszczeniu i na jej miejscu wybudowano w XIX w. nowy niewielki kościół, który obecnie również zaczyna chylić się ku upadkowi. Od 1780 r. w Aiud mieściło się biskupstwo kalwińskie, przez co kościół tego wyznania zyskał rangę katedry.

W jednym z budynków przy murach utworzono **Muzeul de Istorie** (Muzeum Historyczne; wt.–pt. 9.00–17.00, sb. 9.00–13.00; 0,40 €), gdzie można obejrzeć skromną kolekcję związaną z dziejami kompleksu.

Kilkadziesiąt metrów na północ od warownego kościoła wznosi się dawne **Béthlen Kolégium** (Kolegium Gabora Béthlena; str. G. Béthlen 1), obecnie szkoła średnia i biblioteka. Początkowo kolegium miało siedzibę w Alba Iulia, ale po zniszczeniu przez Turków w 1658 r. zostało przeniesione do Aiud, gdzie działało do 1869 r. Dzieło księcia Béthlena, który gromadził książki na potrzeby uczelni, kontynuowali kolejni mecenasi, dzięki czemu biblioteka w Aiud jest ważną placówką naukową współczesnej Rumunii. Księgozbiór liczy ponad 65 tys. egzemplarzy, w tym wiele średniowiecznych rękopisów i oryginalnych cennych dzieł z XV i XVI w. Oprócz szkoły i biblioteki w okazałym gmachu dawnego kolegium mieści się **Muzeul de Stiințe ale Naturii** (Muzeum Historii Naturalnej; na 1. piętrze; wt.–pt. 9.00–17.00, sb. i nd. 9.00–13.00; 0,45 €).

Barokowa **Biserica romano-catolică** (kościół rzymskokatolicki) przy Piața Cuza Vodă została wybudowana w latach 1726–1727 przez franciszkanów. Wieża świątyni, początkowo sięgająca do wysokości dachu, została podwyższona w 1896 r. Ołtarz pochodzi z 1735 r.

Na wzgórzu w południowo-wschodniej części miasteczka wznosi się złożony z krzyży 18-metrowy **pomnik Kalwaria Aiud**, upamiętniający ofiary komunizmu zamęczone w tutejszym więzieniu.

Noclegi i gastronomia Jedynym obiektem noclegowym w miasteczku jest zrzeszone w Interyouth Hostel **schronisko młodzieżowe Svájci Ház Panzió** (str. G. Doja 53A; ☎/fax 0258/860867; 10,50 €/os., zniżka 10% dla posiadaczy legitymacji HI). Aby tam dotrzeć z centrum, trzeba iść na północ str. G. Béthlen (odbija od str. Transilvaniei tuż przy kościele warownym) i za parkiem skręcić w lewo, w polną drogę między zabudowaniami.

Posiłki oferuje niezła **restauracja Moților** (Piața Cuza Vodă 13), gdzie dania kuchni rumuńskiej i międzynarodowej można popić tanim lokalnym piwem Crown. Na deser i dobrą kawę najlepiej wpaść do **kawiarni Flora** (Piața Cuza Vodă, przy rzece).

Informacje o połączeniach Dworzec kolejowy jest oddalony o około 1,5 km na północny wschód od centrum. Aby dojść do rynku – Piața Cuza Vodă – należy po wyjściu z budynku iść str. Gării, następnie skręcić w prawo w str. Stadionului i zaraz w lewo w str. I. Maniu, przy której działa targowisko. Str. I. Maniu prowadzi prosto do str. Transilvaniei – skręcając nią w lewo, dojdzie się do rynku. Aiud ma kilkadziesiąt połączeń dziennie z Klużem, Timişoarą (przez Alba Iulia i Devę) oraz Jassami, Gałaczem i Bukaresztem. Latem w miasteczku zatrzymuje się pociąg (1 dziennie) z Oradei do Mangalii.

Z dworca autobusowego w pobliżu więzienia przy str. Bailor codziennie odjeżdża kilkanaście autobusów w kierunku Klużu i Alba Iulia oraz do Blaj. Aby z dworca dotrzeć do centrum, trzeba pójść kilkaset metrów na południe str. I. Maniu.

Informator

Apteka Str. Transilvaniei 4, nieopodal rynku.

Bank Banca Comercială Română, str. Transilvaniei, w pobliżu apteki i posterunku policji.

Internet Kafejka internetowa – w kamienicy przy Piața Cuza Vodă 16.

Poczta i telekomunikacja Poczta – str. Transilvaniei 62; placówka Romtelecomu – naprzeciwko Kolegium Béthlena.
Zakupy Targowisko – str. I. Maniu, kilkaset metrów na północ od Piaţa Cuza Vodă.

Teiuş

Dawna niemiecka nazwa miejscowości – Dreikirchen – oznacza „Trzy Kościoły". Wszystkie świątynie stoją do dziś. Najstarsza, **Biserica reformată** (kościół reformowany), powstała w XIII w. jako katolicka bazylika. Później kościół przebudowano w stylu gotyckim, ale wieża i ściany nawy środkowej pochodzą z pierwszej fazy budowy. **Biserica romano-catolică** (kościół rzymskokatolicki) ufundował w połowie XV w. wojewoda siedmiogrodzki i regent Węgier Jan Hunyady, ale budowę ukończono dopiero za rządów jego syna Macieja Korwina. Piękny zachodni portal pochodzi z późniejszego okresu. Na tympanonie (trójkątne pole nad portalem) widnieje inskrypcja z datą powstania świątyni – 1448 r.

Równie ciekawa co dwie poprzednie świątynie jest **Biserica ortodoxă** (cerkiew prawosławna) z XVI w. Prace archeologiczne prowadzone w 1964 r. na cerkiewnym cmentarzu dowiodły, że rumuńskie osadnictwo w Teiuş sięga X w.

Noclegi oferuje **hostel Perla***** (obok cerkwi prawosławnej, przy skręcie do Râmeţ, wejście od podwórza; ☎0258/851900; pokój 2-os. 16 €, apartament 32 €) ze świetną restauracją: *ciorba de burtă* kosztuje tu 1,70 €.

Do Teiuş można dojechać zarówno autobusem, jak i pociągiem (miasteczko jest ważnym węzłem kolejowym).

Mănăstirea Râmeţ

Kompleks klasztorny wznosi się 18 km na zachód od Teiuş w malowniczej dolinie rzeki Geoagiu. Jego nazwa pochodzi prawdopodobnie od eremitów (Eremiţi), którzy mieli tu swoją pustelnię. Zgodnie z tradycją monastyr założyli dwaj mnisi Ghenadi i Romulus w 1214 r., jednak źródła tego nie potwierdzają. Niedawno odkryta inskrypcja na mniejszej cerkwi (na prawo po wejściu na dziedziniec) zawiera datę wybudowania świątyni (1377), imię autora fresków (Mihula z Crişul Alb) oraz arcybiskupa Ghelasie (beatyfikowany w 1992 r.). Freski na ścianach należą do najstarszych w kraju – w niektórych miejscach odkryto aż siedem warstw kolejno przykrywanych malowideł (ostatnia pochodzi z XIX w.). O wieku zabytku świadczy archaiczny sposób oddzielenia prezbiterium od nawy dwoma grubymi filarami.

Ranga kompleksu wzrosła po założeniu szkoły (prawdopodobnie w XV w.), która działała nieprzerwanie do 1762 r., kiedy klasztor zniszczyli austriaccy najeźdźcy. Zawieruchy dziejowe co rusz zakłócały spokojne życie mnichów (później mniszek). Za czasów niepodległej Rumunii nastąpiła chwila oddechu, jednak wkrótce po nastaniu rządów komunistycznych w monastyrze urządzono schronisko turystyczne, a siostry wypędzono do Aiud, gdzie musiały pracować fizycznie. W 1969 r. otwarto **muzeum** (brak stałych godzin zwiedzania; 0,30 €) z cenną kolekcją ikon malowanych na drewnie i szkle.

Nowa Biserica sf. Petru şi Pavel (cerkiew św. św. Piotra i Pawła) powstała w latach 1982–1992. Jej styl reprezentuje typowy dla współczesnej architektury rumuńskiej eklektyzm; w tym wypadku połączono style mołdawski i wołoski. Warto zwrócić uwagę na wyobrażenie Sądu Ostatecznego, gdzie po stronie potępionych widać twarze Lenina i Stalina, opisanych jako „zaciemniacze dusz". Obecnie w klasztorze mieszka i pracuje prawie sto sióstr.

Do monastyru Râmeţ dotrzeć niełatwo, bo autobusy kursują tu rzadko (z Teiuş lub Alba Iulia; w sumie 4 dziennie). Najlepiej spróbować dojechać autostopem lub wynająć w Teiuş taksówkę (10–15 € w obie strony po dziurawej drodze).

ALBA IULIA

Alba Iulia (węg. Gyulafehérvár, niem. Karlsburg lub Weissenburg) to średniej wielkości miasto (ok. 70 tys. mieszkańców) nad rzeką Maruszą (Mureş). Turyści przybywają tam, aby zwiedzić ogromną twierdzę, w której murach kryje się kilka interesujących zabytków. Najciekawszy i najcenniejszy – romańska katedra – łączy w sobie historię i kulturę dwóch zaprzyjaźnionych narodów: Węgrów i Polaków. Rumunom Alba Iulia kojarzy się przede wszystkim z wydarzeniami 1918 r., kiedy to w miasteczku uchwalono przyłączenie Transylwanii do kraju. Najlepiej przyjechać tu jesienią, kiedy żółte liście kasztanów i światło słoneczne nadają twierdzy i zabytkom piękną złocistą barwę.

Historia

Dzieje Alba Iulia sięgają starożytności, kiedy do Dacji wkroczyli Rzymianie i na miejscu dzisiejszego miasta założyli obóz Apulum, który rozwinął się w jeden z waż-

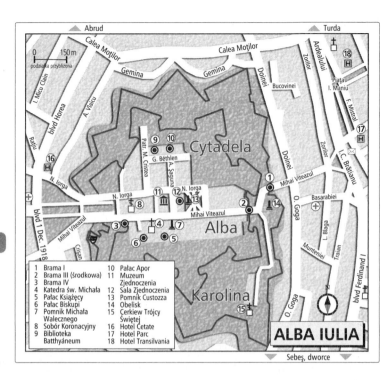

Alba Iulia

1 Brama I	10 Pałac Apor
2 Brama III (środkowa)	11 Muzeum
3 Brama IV	Zjednoczenia
4 Katedra św. Michała	12 Sala Zjednoczenia
5 Pałac Książęcy	13 Pomnik Custozza
6 Pałac Biskupi	14 Obelisk
7 Pomnik Michała	15 Cerkiew Trójcy
Walecznego	Świętej
8 Sobór Koronacyjny	16 Hotel Cetate
9 Biblioteka	17 Hotel Parc
Batthyáneum	18 Hotel Transilvania

niejszych ośrodków regionu. W okresie największego rozkwitu Apulum było politycznym, gospodarczym i administracyjnym centrum Dacji – faktyczną stolicą prowincji. Po wojnach z Decebalem Rzymianie zbudowali *castrum*, czyli twierdzę, w której stacjonował Legio XIII Gemina. Po wycofaniu się Rzymian z Dacji nadeszły ciężkie czasy, ponieważ przez miasto prowadził szlak wędrówek wojowniczych plemion. Z okresu, kiedy tereny te zamieszkiwali Słowianie i Protorumuni, pochodzi nazwa Bălgrad, czyli Białogród, która przyjęła się również po rumuńsku, węgiersku i niemiecku.

Najazd tatarski z 1241 r. całkowicie zrujnował miasto, zamieszkane od co najmniej dwóch wieków przez Węgrów (w II połowie XI w. utworzono tam biskupstwo). Mieszkańcy odbudowali obwarowania i wzmocnili je dodatkowymi murami i palisadą. W 1437 r. podczas najazdu tureckiego Alba Iulia została zniszczona po raz kolejny, jednak podźwignęła się z upadku w stosunkowo krótkim czasie (niewiele ponad 100 lat) i została stolicą nowo utworzonego Księstwa Siedmiogrodu.

Książę Mołdawii i Wołoszczyzny Michał Waleczny (Mihai Viteazul) zdołał na krótko zjednoczyć oba księstwa z Transylwanią, czego symbolem była jego wizyta w Alba Iulia w 1599 r., podczas której nazwał się „księciem Wołoszczyzny, Transylwanii i całej Mołdawii". Po jego śmierci, niespełna dwa lata po tym wydarzeniu, Alba Iulia została przez Węgrów zrównana z ziemią. Te trudne chwile przetrwało utworzone przez Michała Walecznego prawosławne biskupstwo.

Czasy panowania księcia Gabriela Béthlena (1613–1629) to okres rozwoju architektonicznego i kulturalnego. Na miejscu zniszczonego miasta powstały nowe dzielnice, a w 1622 r. utworzono Akademię, na której wykładano astronomię, matematykę, fizykę i filozofię. W roku 1658 nadciągnęli Turcy, czego skutkiem była kolejna katastrofa, scharakteryzowana zwięźle przez jednego z ówczesnych kronikarzy: „w mgnieniu oka wszystko obróciło się w popiół…". Alba Iulia z trudem dźwigała się z ruin, z tego powodu Akademię przeniesiono do Aiud.

Od 1698 r., kiedy w Alba Iulia zebrał się prawosławny Święty Synod w celu podpisania unii z Rzymem, w mieście rezydował metropolita unicki, a rok później wraz z całą Transylwanią ośrodek znalazł się pod panowaniem Austriaków.

W 1785 r. miasto było świadkiem ostatecznego rozprawienia się z przywódcami powstania chłopskiego, Horeą i Cloşcą, których po straszliwych torturach stracono na oczach 2500 ściągniętych siłą chłopów. Przez następne 130 z górą lat Alba Iulia leżała na uboczu ważnych wydarzeń. Powróciła na karty historii 1 grudnia 1918 r., kiedy to obradujące w mieście Wielkie Zgromadzenie Narodowe Rumunów przy aplauzie kilkudziesięciotysięcznego tłumu uchwaliło przyłączenie Transylwanii do Królestwa Rumunii. Tam też w 1922 r. koronowano na króla Rumunii Ferdynanda I.

W czasach komunistycznych wokół miasta wyrosło kilka fabryk. Do dziś w okolicy uprawia się winorośl i drzewa owocowe, która to tradycja sięga czasów rzymskich.

Orientacja i informacje

Głównymi ulicami Alba Iulia są: okalający cytadelę blvd Ferdinand I, biegnący wschodnią stroną twierdzy od dworców kolejowego i autobusowego na południu do skrzyżowania z Calea Moţilor (na wysokości Piaţa Naţiunii przechodzi w str. I.C. Brătianu, a następnie str. Ardealului), Calea Moţilor (od strony północnej) oraz blvd Horea ciągnący się w stronę dworców i okrążający cytadelę od zachodu i południa (przy Piaţa Unirii przechodzi w blvd 1 Decembrie 1918).

Centrum dolnego miasta (u stóp twierdzy od strony wschodniej) stanowi Piaţa Natiunii i wychodząca od niej na północ str. I.C. Brătianu, a centrum górnego miasta – Piaţa Unirii i biegnący na zachód blvd Transilvaniei z potężną cerkwią.

W **biurze informacji turystycznej** (str. Regele Ferdinand I nr 14; ☎/fax 0255/813 736, idan@apulum.ro; pn.–pt. 9.00–15.00) można otrzymać informacje o noclegach i okolicznych atrakcjach w języku francuskim i angielskim. W Alba Iulia nie ma zbyt wielu biur turystycznych; jednym z lepszych jest **J'infotours** (str. Parcului 3; ☎/fax 0258/819885, jinfotoursalba@easynet.ro).

Zwiedzanie

Najcenniejsze zabytki Alba Iulia skupiają się w obrębie cytadeli. Zwiedzanie miasta nie powinno zająć więcej niż pół dnia.

Cytadelę Alba Karolina (nazwa pochodzi od cesarza Karola VI) budowano 14 lat, począwszy od 1714 r. Projekt włoskie-go architekta Viscontiego realizowało 20 tys. robotników z okolic Alba Iulia oraz kilkudziesięciu mistrzów z Banatu. Mury siedmiokątnej twierdzy mają 12 km długości (wliczając odcinek wyburzony, by mógł powstać sobór), pomiędzy nimi wzniesiono siedem bastionów, a powierzchnia wnętrza ma ponad 70 ha. Cytadela do dziś służy celom militarnym – jej wschodnią część zajmuje baza wojskowa.

Warto zwrócić uwagę na trzy bramy (pierwotnie było ich sześć) wykonane przez wiedeńskiego architekta Johanna Königa. Największe wrażenie robi wspaniała manierystyczna **brama środkowa** (brama III) zwieńczona konnym pomnikiem Karola VI. Brama II wyróżnia się skromną elegancją.

Cytadelę wzniesiono na ruinach średniowiecznej twierdzy z początku XVI w. (jej pozostałości widać w murach po południowej stronie), która z kolei stanęła na miejscu XIII-wiecznych obwarowań. Na tym jednak nie koniec – w czasach rzymskich był tu warowny obóz Legionu XIII Gemina.

Biserica Sf. Mihai Jednym z najcenniejszych zabytków cytadeli jest katedra św. Michała zbudowana na miejscu zniszczonej przez Tatarów w 1241 r. XI-wiecznej romańskiej bazyliki. Prace przebiegały w dwóch etapach w latach 1241–1291 i 1320–1356 r. Zatrudniono mistrzów z Europy Zachodniej, którzy nadali świątyni późnoromański styl. Podczas powstania Sasów w 1277 r. niedokończona świątynia spłonęła wraz z 2 tys. uwięzionych wewnątrz robotników i wiernych. Mimo tej tragedii prace kontynuowano i już na początku XIV w. przeprowadzono przebudowę – wydłużono absydę nawy głównej (katedra była trzynawowa), dodając trzy gotyckie przęsła z oknami reprezentującymi ten sam styl. Wykonano także nowy ołtarz. Jan Hunyady (1388–1456) sfinansował remont wnętrza świątyni z zamiarem urządzenia w nim rodzinnego grobowca.

W burzliwych dziejach katedry zaznaczyły się najazdy Tatarów, Turków, oddziałów austriackiego generała Castalda oraz generała Basty i Mojżesza Szekelego (przywódca powstania węgierskiego w 1603 r.). Zniszczenia naprawiono za panowania księcia siedmiogrodzkiego Béthlena (1613–1629). W latach 1718–1737 nad zachodnim portalem dodano prostą wimpergę, czyli dekoracyjny szczyt, w którym umieszczono dwie nisze z posągami świętych (figury świętych widnieją również po obu stronach wimpergi) oraz dekoracyjny relief. Wieżę budowano przez cztery wieki: część postawiono w XIV w., kolejną za Jana Hunyadyego, a prace ukończył Gabor Béthlen. Na zewnątrz warto zwrócić uwagę na romański portal południowy z II połowy XIII w. (drugi portal po tej stronie wybito w 1906 r.). Od północnej strony do świątyni wchodzi się przez przepiękny portal należący do arcyciekawej **kaplicy Lazoniusa**, gotycko-renesansowej przybudówki z 1512 r.

Wewnątrz, w prawej nawie bocznej kryją się gotyckie **grobowce rodziny Hunyadych**, uszkodzone podczas najazdów tatarsko-tureckich. Po bokach sarkofagu Jana Hunyadyego umieszczono płaskorzeźby prezentujące jego walki z Turkami. Ciekawe są pozostałości pierwotnego kościoła. W południowej części tej samej nawy zachował się fragment starej absydy z XII w. (należący niegdyś do baptysterium), a w południowym końcu transeptu (nawa poprzeczna) widać oryginalną rozetę z XIII w. Z tego samego stulecia pochodzi płaskorzeźba przedstawiającą archanioła Michała walczącego ze smokiem zdobiąca obie ściany nawy głównej. Północna część transeptu zdominowana jest przez freski z XIV oraz XVI w.

W nawie północnej (na lewo po wejściu do świątyni) można obejrzeć grobowce kilku biskupów z XIV–XV w. oraz siedmiogrodzkich dostojników, jednak najważniejszym elementem tej części świątyni jest **kaplica królewska** z sarkofagami Izabeli Jagiellonki oraz jej syna Jana Zygmunta Zápolyi. Izabela, córka króla polskiego Zygmunta Starego, była żoną króla Węgier Jana Zápolyi. Po jego śmierci została węgierską regentką, ponieważ ich syn Zygmunt Pogrobowiec nie mógł samodzielnie rządzić krajem ze względu na młody wiek. Izabela, zmuszona przez politycznych przeciwników do ucieczki do Polski w 1551 r., pięć lat później wróciła do Siedmiogrodu i ponownie objęła regencję, która trwała do jej śmierci w 1559 r. W południowej nawie pochowano Arona Martona, pochodzącego z Szeklerszczyzny charyzmatycznego biskupa, który sprzeciwiał się naruszaniu praw człowieka podczas II wojny światowej i w czasie rządów komunistów.

W latach 1550–1700 katedra w Alba Iulia należała do unitarian (kontynuujących tradycje ariańskie) i kalwinów, po czym zwrócono ją katolikom. Budowla łączy elementy gotyku, renesansu i baroku, ale jest uznawana za zabytek późnorenesansowy.

Palatul Principilor Na przełomie XIV i XV w. obok katedry św. Michała wzniesiono Pałac Książęcy zwany też Pałacem Biskupim (Palatul Archiepiscopiei). Pierwsza nazwa odnosi się do funkcji, jaką pełnił budynek przez większość czasu od powstania niezależnego Księstwa Siedmiogrodzkiego (ze stolicą w Alba Iulia), druga nawiązuje początków gmachu, który został ufundowany przez lokalnych biskupów z przeznaczeniem na siedzibę kurii. Obecnie kompleks dzieli się na Pałac Biskupi (wejście od zachodniej strony katedry) z jednym dziedzińcem oraz Pałac Książęcy z dwoma dziedzińcami (wejście w pobliżu **pomnika Michała Walecznego**). W połowie XVI w. pałac został odremontowany i przebudowany w stylu renesansowym przez Izabelę Jagiellonkę i Jana Zygmunta Zápolyi. Prace były kontynuowane przez rodzinę Batorych. Od listopada 1598 do sierpnia 1599 r. przebywał tam Michał Waleczny podejmujący starania na rzecz zjednoczenia Rumunii. W 1601 r. pałac zrujnowały oddziały austriackiego generała Basty, w latach 1630–1648 gmach odbudowano, jednak w latach 1658 i 1662 znów uległ zniszczeniu, podpalony przez Turków. Odbudowano go za rządów Austriaków, którzy urządzili w nim koszary. Obecnie jest mieszanką stylu renesansowego i barokowego.

Catedrala Încoronării Monumentalny sobór Koronacyjny wzniesiono w latach 1921–1922. Wkrótce po ukończeniu budowy w świątyni odbyła się koronacja Ferdynanda I. Cerkiew łącząca wiele tradycyjnych rumuńskich stylów architektonicznych reprezentuje tzw. styl narodowy, popularny w I połowie XX w. (jego wybitnymi przedstawicielami byli architekci Ion Mincu i Petre Antonescu).

Kompleks składa się z Catedrala episcopală Sf. Treime (katedra św. Trójcy) stojącej pośrodku dziedzińca ograniczonego od północy i południa portykiem, dwóch pawilonów od strony wschodniej (rezydencja prawosławnego biskupa Alba Iulia) i z ogromnej 58-metrowej dzwonnicy od strony zachodniej, którą flankują krótkie ganki kolumnowe. W przednawiu cerkwi można podziwiać neobizantyńskie malowidła Costina Petrescu przedstawiające Michała Walecznego i jego żonę Stancę.

Sobór Koronacyjny to wyraz dbałości o rumuńskie interesy w Alba Iulia, która tak bardzo zapadła w serce Węgrom – wybudowanie go tuż obok katolickiej (czyli kojarzonej z Węgrami) katedry św. Michała świadczy o przemożnym pragnieniu przypisania dziejów Alba Iulia, a co za tym idzie również całej Transylwanii, wyłącznie rumuńskiej historii.

Biblioteka Batthyáneum W 1772 r. katolicki biskup Alba Iulia Ignacy Batthyány założył w budynku dawnego klasztoru Trynitarzy bibliotekę (w północnej części cytadeli), która do dziś nosi jego imię. Obecnie jest bardzo ważną rumuńską placówką naukową z księgozbiorem liczącym ok. 60 tys. woluminów, z czego 1230 to rękopisy, a 530 inkunabuły, czyli książki z pierwszego okresu rozwoju drukarstwa. Z wielu bezcennych dzieł warto wymienić chociażby *Codex Aureus* (rękopis z VIII w.), *Liber de bello jugurthino* (rękopis z X w.) czy *Cosmographię* Ptolemeusza (inkunabuł z 1482 r.). Nie mogło zabraknąć zabytków rumuńskich, jak *Palia de la Orąştie* (Stary Testament z Orasztie, 1582), *Noul Testament* (Nowy Testament, Alba Iulia 1648), *Biblia de la Bucureşti* (Biblia z Bukaresztu, 1688) czy *Descriptio Moldaviae* (Opis Mołdawii, 1716) Dimitra Cantemira.

Muzeul Unirii i Sala Unirii W samym środku twierdzy, na tyłach soboru Koronacyjnego wznoszą się dwa budynki – **Muzeum Zjednoczenia** (☎0255/813300; wt.–nd. 9.00–17.00; 0,80 €, ulgowy 0,40 €, kasa do 16.30) i Sala Zjednoczenia (te same godziny otwarcia i ceny biletów). Pierwszy powstał w 1851 r., a w 1877 r. otwarto muzeum, w którym zgromadzono kolekcję archeologiczno-etnograficzną (ciekawe eksponaty z czasów prehistorycznych, starożytnych i średniowiecza oraz interesująca kolekcja numizmatyczna). Dzieje zjednoczenia Rumunii przedstawiono w budynku naprzeciwko, czyli w **Sali Zjednoczenia**, zbudowanej w 1898 r. jako kasyno wojskowe dla austriackich żołnierzy stacjonujących w cytadeli. To właśnie tam 1 grudnia 1918 r. dokonało się zjednoczenie Transylwanii z Królestwem Rumunii, kiedy Wielkie Zgromadzenie Narodowe Rumunów uchwaliło ustawę akcesyjną. W parku przy Sali Zjednoczenia stoi **pomnik Custozza** z 1906 r., poświęcony rumuńskim i węgierskim żołnierzom służącym w armii austriackiej podczas bitwy pod Custozzą w 1866 r.

Obelisk i drewniana cerkiew Przed bramą III wznosi się wysoki obelisk poświęcony przywódcom powstania chłopskiego z 1784 r. – Horei, Cloşce i Crişanowi, których więziono, torturowano, a następnie

stracono w cytadeli (Crişan wcześniej popełnił samobójstwo w celi). Wysoki na 22,5 m pomnik postawiono w 1937 r. Warto z tego miejsca przejść na południe do ukrytej w zacisznym zakątku drewnianej Biserica Sf. Treime (cerkiew Trójcy Świętej) z 1992 r. utrzymanej w stylu marmaroskim.

Noclegi

W Alba Iulia jest niewiele hoteli – brakuje szczególnie tych tańszych. Oszczędni mogą zatrzymać się na kempingu lub w gospodarstwie agroturystycznym (pytać w biurze informacji turystycznej i J'infotours).

Cetate** (str. Unirii 3; ☎0258/811780, fax 831501). Hotel tuż przy cytadeli, po jej zachodniej stronie. Pokój 1 os. 44 €, 2-os. 57 €, apartament 80 €.

Flamingo** (str. Mihai Viteazul 6; ☎0258/816 354). Pensjonat u stóp twierdzy, po jej wschodniej stronie. Czysto i schludnie. Pokój 2-os. 16 €, 3-os. 24 €.

Hanul cu Berze** (str. Republicii 179; ☎/fax 0258/810129). W północnej części miasta; domowa atmosfera. Jedynym mankamentem jest dosyć duża odległość od centrum. Pokój 2-os. 21 €.

Hanul Dintre Sălcii* (ok. 2 km na południe od dworca kolejowego, przy drodze do Sebeş, za mostem; ☎0258/812137). Skromne pokoje 13 €/2 os., 20 €/3 os.

Parc** (str. Primăverii 4; ☎0258/811723, 816642, fax 812130, www.hotelparc.ro). Hotel o wysokim standardzie, we wschodniej części miasta. Pokój 1-os. 28 €, 2-os. 58 €, apartament 48 €.

Transilvania** (Piaţa I. Maniu 22; ☎0258/812 052). Jeden z droższych hoteli w mieście. Pokój 1-os. 50 € (wysoki standard), 2-os. 35 €.

Gastronomia

Większość lokali gastronomicznych w Alba Iulia specjalizuje się w kuchni włoskiej. Tradycyjne restauracje najłatwiej znaleźć przy hotelach i pensjonatach (najlepsza przy hotelu *Cetate*). W okolicach twierdzy jest sporo kawiarni.

Supermarket Dacia znajduje się przy blvd 1 Decembrie 1918 (nieopodal skrzyżowania ze str. V. Goliş), świeże warzywa i owoce oraz nabiał można kupić na targowisku (na tyłach Banc Post przy Calea Moţilor).

Brăc Café (str. 1 Decembrie 1918, w południowo-zachodniej części twierdzy). Spotykają się tu zarówno młodzi, jak i starsi, aby napić się dobrej kawy lub zimnego piwa przy stoliku z widokiem na cerkiew i katedrę.

Dal Baffo Ristorante Italiano (Calea Moţilor, pasaż Unirea; ☎0258/815331). Jedna z lepszych (a na dodatek tanich) włoskich restauracji w mieście. Obiad od 4 €.

La Pas (str. A. Şaguna, w samym środku cytadeli). Niewielka kawiarnia z przyjemnym wnętrzem i spokojną muzyką.

Paradis (blvd Transilvaniei). Niezłe pizze (1,10 € za porcję), na deser kilka rodzajów deserów lodowych.

Pizzeria Spaghetteria Roberta (blvd Transilvaniei, obok kafejki internetowej *Atlantis*). Włoskie dania po rozsądnych cenach.

Snack Bar Atomic (blvd Transilvaniei). Szybkie dania i piwo.

Terasa Cetatii (str. Mihai Viteazul, obok pensjonatu *Flamingo*). Przyjemny zacieniony ogródek i tanie piwo. Czynne tylko latem.

Terasa Topvar (róg str. Mihai Viteazul i str. O. Goga). Latem można posiedzieć w zacienionym ogródku. Kufel słowackiego Topvara produkowanego w Rumunii za 0,40 €.

Rozrywki

Berăria Bianca (str. I. Maniu, niedaleku Piaţa I. Maniu). Tania piwiarnia (kufel 0,50–0,80 €).

Blue Hours (blvd Transilvaniei). Niezłe miejsce na wieczorną zabawę przy muzyce pop i rap.

Kino Dacia (róg blvd Transilvaniei i blvd Revolutiei 1989). Repertuar nieco spóźniony, ale za to tanie bilety (1,30 €).

Informacje o połączeniach

Pociąg Dworzec kolejowy jest oddalony o około 1,5 km na południe od centrum (blvd 1 Decembrie 1918 nr 1). Aby dostać się do śródmieścia, po wyjściu z budynku należy iść prosto, na pierwszym dużym skrzyżowaniu (ze stacją benzynową) również prosto do Piaţa Unirii, czyli wejścia do cytadeli od strony zachodniej, lub skręcić w prawo w blvd Ferdinand I prowadzący do Piaţa Natiunii, skąd niedaleko już do twierdzy (trzeba skręcić w lewo).

Z Alba Iulia odjeżdżają pociągi m.in. do Budapesztu (2 dziennie), Bukaresztu (6 dziennie; 9 godz.), Curtici (2 dziennie), Devy (2 dziennie), Gałacza (1 dziennie), Hunedoary (2 dziennie), Jass (2 dziennie; ponad 11 godz.), Kłużu (4 dziennie; 3 godz.), Sybina (4 dziennie), Syhotu Marmaroskiego (1 dziennie), Teiuş (12 dziennie), Timişoary (4 dziennie; 5 godz.) i Târgu Mureş (3 dziennie). Ponadto codziennie kursuje jeden pociąg do **Krakowa** (18 godz.).

Agenţie de Voiaj CFR mieści się przy str. Moţilor 1 (☎0258/816678; pn.–pt. 8.00–19.00).

Autobus Dworzec autobusowy jest tuż obok kolejowego. Z Alba Iulia kursują autobusy m.in. do Aiud (5 dziennie), Blaj (4 dziennie), Bukaresztu (6 dziennie), Kłużu (kilkanaście dziennie), Devy (2 dziennie), Oradei (2 dziennie), Sybina (4 dziennie), Timişoary (1 dziennie), Târgu Mureş (1 dziennie) i Valea Mănăstirii (monastyr Rămeţ; 3 dziennie).

Informator

Apteka HelpNet na blvd Traian, koło kina Dacia, działa całą dobę. Niewielka apteka jest przy blvd Transilvaniei, nieopodal *Snack Bar Atomic*, druga przy blvd Horea (obok restauracji *Horea*), dwie kolejne przy str. Ardealului, blisko skrzyżowania z Calea Moţilor.

Internet Jedna z niewielu kafejek internetowych działa przy blvd 1 Decembrie 1918, przy skrzyżowaniu z blvd Transilvaniei (0,40 €/godz.), *Parc* przy str. F. Mistral (0,50 €/godz.), a kawiarenka *2009* koło hotelu *Cetate*, na blvd Horia.

Laboratorium fotograficzne Kodak Express – przy blvd 1 Decembrie 1918, obok kafejki internetowej; Fujifilm (duży wybór filmów) – na rogu Calea Moţilor i str. Zorilor. Dobrze zaopatrzone jest laboratorium Foto Miki w pasażu Cetate.

Poczta i telekomunikacja Główny urząd pocztowy i telekomunikacyjny – przy str. Titulescu (pn.–pt. 8.00–18.00, sb. 8.00–13.00), druga poczta – przy blvd Transilvaniei 28.

Wymiana walut i banki Reiffeisen Bank (str. I.C. Brătianu, nieopodal Piaţa Natiunii), Banca Comercială Română (róg blvd Transilvaniei i blvd Revolutiei 1989), Banc Post (str. Ardealului, przy Piaţa I. Maniu, Calea Moţilor naprzeciwko domu towarowego Unirea), Banca Transilvania (obok domu towarowego Unirea). Kantory można znaleźć przy Piaţa Natiunii i jego najbliższych okolicach.

Zakupy Duży dom towarowy Unirea wznosi się przy str. Tudor Vladimirescu 1, przy skrzyżowaniu ze str. Ardealului (pod ulicą utworzono pasaż handlowy).

DEVA

Deva (węg. Dèva, niem. Diemrich lub Schlossberg), stolica województwa Hunedoara, jest niewielkim miastem w malowniczej dolinie Maruszy (Mureş) w południowo-zachodniej Transylwanii, pomiędzy górami Poiana Ruscă na południu a górami Metaliferi na północy. Warto tu zajrzeć ze względu na dominujące w krajobrazie okolicy ruiny XIII-wiecznego zamku, do których można wygodnie dojechać nową kolejką. Przy okazji nie zaszkodzi zwiedzić muzea u stóp wzgórza.

Najstarsze ślady osadnictwa w okolicach Devy pochodzą z neolitu (4000–

1800 p.n.e.). Na wzniesieniu, w miejscu gdzie dzisiaj są ruiny zamku, odnaleziono ślady cywilizacji dackiej i rzymskiej. W średniowieczu u stóp wzgórza rozwinęło się osiedle chronione przez twierdzę, wzmiankowaną w źródłach pisanych w 1269 r., jako „castrum Deva". Na początku XIV w. miejscowość stała się siedzibą wojewody, a dokumenty z 1371 r. mówią już o „districtus castri Deva". Na początku XV w. król węgierski podarował twierdzę razem z 56 okolicznymi wioskami Janowi Hunyadyemu. Za jego panowania Deva stała się ważnym ośrodkiem administracyjnym i handlowym, później jej znaczenie spadło, o czym świadczy brak oporu przed Turkami. Na pozostawionych przez nich ruinach wyrósł nowy zamek i osada, a za Gábora Béthlena Deva odzyskała dawne znaczenie – w 1621 r. ten siedmiogrodzki książę przekształcił XVI-wieczny pałac w swoją rezydencję.

Podróżnym zbliżającym się do Devy już z daleka rzuca się w oczy **Cetatea** (twierdza) na Wzgórzu Zamkowym (371 m n.p.m.), które jest nekiem wulkanicznym. Ze źródeł wynika, że wzniesiono ją w połowie XIII w. jako zamek królewski. W czasie powstania chłopskiego w 1784 r. warownia – należąca wówczas do właścicieli okolicznych wsi – przeżyła oblężenie buntowników dowodzonych przez Horię. Doskonale ufortyfikowana twierdza okazała się niemożliwa do zdobycia, prawie 100 chłopów pojmano i natychmiast stracono. Zamek opuszczono dopiero w 1849 r. Podobno dowódca, austriacki pułkownik Würm, tuż przed oddaniem twierdzy rozkazał wysadzić składy amunicji. Obecnie twierdza jest udostępniona turystom, w lecie na dziedzińcu zamku działa bufet. Dotarcie do ruin jest bardzo łatwe: wystarczy wsiąść do otwartej w 2005 r. **kolejki szynowej** (8.00–20.00, w lecie do 22.00; 1 €, ulgowy 0,25 €) pokonującej na dystansie 370 m wysokość 80 m, wysiąść na górnej stacji i przespacerować się (5 min) do ruin. Szczególną uwagę należy zwrócić na żmije – gady upodobały sobie zamkowe wzgórze. Tuż obok dolnej stacji znajduje się szkoła sportowa, w której uczyły się światowej sławy gimnastyczki: m.in. Nadia Comaneci.

Pałac Magna Curia, zwany również Castelul Béthlen (kasztel Béthlena) wzniesiono w I połowie XVI w. w stylu renesansowym. Później wielokrotnie go przebudowywano i dziś w architekturze rezydencji przeważa barok. W 1938 r. w pałacu urządzono **Muzeul Civilizaţiei Dacice şi Române** (Muzeum Cywilizacji Dackiej i Rzymskiej; blvd 1 Decembrie 39; ☎/fax 0254/212200). W budynku obok mieści się **Muzeul Ştinţe ale Naturii** (Muzeum Historii Naturalnej; wt.–nd. 9.00–17.00; 0,50 €, ulgowy 0,25 €).

Oprócz twierdzy warto zwiedzić **Mănăstirea Franciscanilor** (klasztor Franciszkanów; obecnie szkoła) z lat 1721–1735. Z tego samego okresu pochodzi **kościół klasztorny** (str. Progresului 14). Na północ od Piaţa Unirii wznosi się ciekawa neogotycka **Biserica reformată** (kościół reformowany; str. G. Bariţiu 5) z 1910 r. zbudowana na miejscu świątyni katolickiej z przełomu XIV i XV w. Przed Domem Kultury na Piaţa Victoriei stoi **pomnik** ostatniego dackiego króla Decebala (87–106).

Orientacja i informacje

Centrum miasta skupia się w okolicach blvd 1 Decembrie, biegnącego od Wzgórza Zamkowego na północy do Piaţa Victoriei na południu. Od wzgórza do Piaţa Unirii blvd 1 Decembrie jest strefą wyłącznie dla pieszych. Druga ważna arteria, blvd Decebal, prowadzi prawie równolegle do blvd 1 Decembrie, ale bliżej dworca kolejowego. Obie ulice łączą się przy Piaţa Arras w południowej części miasta i biegną dalej jako blvd 22 Decembrie.

W Devie nie ma oficjalnej **informacji turystycznej**, ale działa kilka biur turystycznych – niektóre pośredniczą także w rezerwacji noclegów (szczególnie w gospodarstwach agroturystycznych). Należą do nich m.in. **Borza** (str. A. Vlaicu 25; ☎0254/216 183, fax 219380), **Mareea** (str. A. Iancu bl. HI, sc. D, na parterze; ☎/fax 0254/234423, 234473, mareea@zappmobile.ro).

Noclegi

W Devie nie ma zbyt wiele hoteli; brakuje zarówno tych z najwyższej półki, jak i najtańszych, ale nie powinno być kłopotu ze znalezieniem noclegu, bo miasto nie jest oblegane przez turystów. Kto chciałby zatrzymać się w gospodarstwie agroturystycznym, powinien skontaktować się z panem Ionem Poca – przedstawicielem OVR (Opération Villages Roumains; str. G. Enescu bl. 2, Sc. A, Ap. 5; ☎/fax 0254/216 499, ioanpoca@yahoo.com).

Decebal** (str. 1 Decembrie 37A, w pobliżu muzeum; ☎0254/212413, apollo.deva@k.ro). Hotel o średnim standardzie, tuż pod Wzgórzem Zamkowym. Pokój 2-os. 35 €, apartament 55 €.

Deva** (str. 22 Decembrie 110; ☎0254/225920, fax 226183, www.unita-turism.ro). Hotel nieco oddalony od centrum. Pokój 1-os. 44 €, 2-os. 55 €, apartament 79 €.

Sarmis** (Mareşal Averescu 7; ☎0254/214730, fax 215874, www.unita-turism.ro). W centrum. Standard i ceny takie same jak w hotelu *Deva* (oba prowadzone przez tę samą firmę).

Sub Cetate*** (str. 1 Decembrie 1918 37B; ☎/fax 0254/212535, www.subcetate.ro). Nazwa pensjonatu (Pod Twierdzą) w pełni odpowiada rzeczywistości. Przyjemne pokoje, miła domowa atmosfera. Pokój 2-os. 31 €.

Gastronomia

Najwyższy standard reprezentują restauracje hotelowe, a kto chce szybko przekąsić coś taniego, powinien wybrać się w okolice domu towarowego Central, gdzie działa kilka snack-barów.

Osoby żywiące się we własnym zakresie mają do wyboru supermarket Eximtur przy str. Horia (u wylotu str. A. Iancu) oraz miejskie targowisko (między blvd Decebal a str. I.L. Caragiale).

Amigo Café (Piaţa Unirii, róg z blvd 1 Decembrie). Popularne miejsce spotkań młodzieży. Smaczna kawa 0,50 €.

Bar Pub Réno (na rogu Piaţa Unirii i blvd 1 Decembrie). Można tu zjeść coś na szybko, ale przede wszystkim napić się alkoholu.

Bistro Fast (blvd 1 Decembrie 18, obok restauracji *Viena*). Tanie dania à la *McDonald*.

Bulevard (blvd Decebal, blok obok katedry prawosławnej). Jedna z lepszych restauracji w mieście, w dodatku niedroga.

Castelo (róg blvd 1 Decembrie i str. A. Vlaicu). Dania kuchni rumuńskiej i międzynarodowej po przystępnych cenach.

Club (Piaţa Unirii). Bardzo smaczne obiady, o czym świadczy długi czas oczekiwania na zamówienie (dwudaniowy posiłek 3–4 €). Na tyłach ogródek.

Dolce Vita (blvd Decebal, w pobliżu katedry prawosławnej). W menu głównie dania kuchni rumuńskiej. Obiad 3–5 €.

Marco Polo (blvd 1 Decembrie, obok agencji CFR). Dania włoskie: pizza, spaghetti i lasagne.

McDonald (Piaţa Gării). Tuż przy dworcu kolejowym.

Terasa Tata (blvd Decebal, niedaleko Banc Post). Ładnie urządzony całoroczny taras i duży wybór dań. Lokal godny polecenia.

Viena (blvd 1 Decembrie 18). Poza typowymi daniami kuchni rumuńskiej w menu znaleźć można coś włoskiego. Smaczna pizza (porcja 1,50 €).

Rozrywki

Kino Patria W miarę aktualny repertuar (ok. miesiąc opóźnienia w stosunku do Polski) i oczywiście tanie bilety (1 €).

Magic Bar (blvd 1 Decembrie). Można tu pograć w bilard (0,50 €/godz.) i dostać w zęby od miejscowych żulików.

Informacje o połączeniach

Pociąg Dworzec kolejowy usytuowany jest w północno-wschodniej części miasta przy Piaţa Gării. Aby dostać się do centrum, należy iść prosto około 300 m blvd I. Maniu.

Deva leży na ważnej trasie z Rumunii do zachodniej Europy, dlatego odjeżdża stąd mnóstwo pociągów krajowych i sporo międzynarodowych: Arad (kilka dziennie), Bukareszt (kilka dziennie; 8 godz.), Budapeszt (3 dziennie), Curtici (przy granicy z Węgrami; 3 dziennie), Gałacz (1 dziennie), Giurgiu (przy granicy z Bułgarią; 1 dziennie), Jassy (3 dziennie; przez Suczawę; 12,5 godz.), Kluż (1 dziennie), **Kraków** (1 dziennie; 17 godz.), Mangalia (2 dziennie; tylko latem i 16–31 XII), Saloniki (1 dziennie), Timişoara (kilka dziennie), Syhot Marmaroski (1 dziennie), Wiedeń (1 dziennie).

Agenţie de Voiaj CFR mieści się przy blvd 1 Decembrie, bl. A (☎0254/218887; pn.–pt. 8.00–19.00), nieopodal kina Patria.

Autobus Dworzec autobusowy usytuowany jest tuż obok kolejowego. Miasto ma połączenia z Alba Iulia (2 dziennie), Aradem (1 dziennie), Bukaresztem (kilka dziennie), Hunedoarą (kilkanaście dziennie), Klużem (1 dziennie), Oradeą (4 dziennie), Râmnicu Vâlcea (4 dziennie; tylko pn. i pt.), Sybinem (4 dziennie), Timişoarą (kilka dziennie), a nawet odległym Târgu Mureş (1 dziennie). Do niektórych miejscowości oprócz autobusów kursują mikrobusy.

Informator

Apteki Całodobowa apteka mieści się na rogu Piaţa Unirii i blvd 1 Decembrie, inne apteki to m.in. Artemis (blvd Decebal bl. 24) i Humanitas (blvd 22 Decembrie bl. 7).

Internet *Smart Internet Café* (Piaţa Unirii; 0,60 €/godz.), *Café@Virtual.Net* (blvd Decebal, nieopodal restauracji *Dolce Vita*), kafejka bez nazwy (blvd 1 Decembrie, naprzeciwko kina).

Laboratorium fotograficzne Sklepy Fujifilm i Kodak Express – blvd Decebal, nieopodal Piaţa I.C. Brătianu.

Poczta i telekomunikacja Urząd pocztowy – blvd Decebal (Bl. 16) obok Piaţa I.C. Brătianu; Romtelecom – na rogu blvd 1 Decembrie i blvd I. Maniu.

Wymiana walut i banki Banc Post – w przeszklonym budynku przy blvd Decebal, naprzeciwko Piaţa I.C. Brătianu; Banca Agricolă – przy blvd I. Maniu 18; kantory – róg blvd Decebal i blvd M. Kogălniceanu oraz w centrum handlowym Ulpia (w okolicy są też cztery bankomaty).

Zakupy Duży dom towarowy Central (Complex Comercial Central) – przy skrzyżowaniu blvd Decebal i blvd I. Maniu; nowoczesny Ulpia Shopping Center – blvd 22 Decembrie, naprzeciwko szpitala.

HUNEDOARA

Hunedoara (węg. Vajdahunyad, niem. Eisenmarkt), nieco większa od Devy, leży nad Cerną, dopływem Maruszy (Mureş). Mimo że właśnie od tej miejscowości pochodzi nazwa województwa (judeţul Hunedoara), nie jest jego stolicą. Przyczyn takiego stanu rzeczy należy zapewne upatrywać w dużej odległości od ważnych, sięgających czasów średniowiecza szlaków handlowych, które przebiegały przez Devę (wschód–zachód) i Călan (północ–południe).

Większość turystów przybywa do Hunedoary, by zwiedzić wspaniały **średniowieczny zamek** (wt.–nd. 10.00–18.00, pn. 9.00–13.00; 0,55 €, ulgowy 0,30 €, fotografowanie 0,70 €, filmowanie 3,80 €). Warownia – symbol węgierskiego panowania w Siedmiogrodzie – była siedzibą Jana Hunyadego i jego syna Macieja Korwina (węgierska nazwa zamku brzmi Vajdahunyad).

Już od II połowy XIX w. Hunedoara była ośrodkiem hutnictwa żelaza, ale huta stała w znacznej odległości od zamku. W czasach Ceauşescu, który wykorzystał fakt występowania w rejonie złóż żelaza i węgla kamiennego, obok hut oraz kopalni wyrósł ogromny kombinat skupiający przemysł chemiczny, metalurgiczny, elektrotechniczny, zakłady produkcji maszyn i materiałów budowlanych, a także przemysł lekki. (Projektantami kilku działów huty są polscy inżynierowie). Powstały również tartaki, fabryki mebli i zakłady produkujące żywność. Obiekty przemysłowe przesłoniły zamek i niemiłosiernie zeszpeciły krajobraz. Zakłady upadły po 1989 r.

Zamek zwieńczony licznymi wieżami i wieżyczkami stoi na skale, w miejscu XIV-wiecznego kasztelu. Jego historia jest ściśle związana z dziejami rodu Hunyadych (rum. de Hunedoara, węg. Huniady). W 1409 r. król Zygmunt Luksemburski podarował zamek miejscowemu kniaziowi Voicu Hunyadyemu w podzięce za liczne zasługi oddane węgierskiej Koronie. Jego syn Jan (rum. Iancu) wraz z żoną Elżbietą przebudowali i ufortyfikowali kasztel i uczynili zeń swoją siedzibę, w której stacjonowało również wojsko. Twierdzę odziedziczył syn Jana, król Węgier Maciej Korwin, a później trafiła ona w ręce innych możnych rodów (m.in. Gabriela Béthlena) i była wielokrotnie przekształcana, powiększana oraz upiększana.

W XVIII w. zamek przeszedł na własność państwa i wkrótce otrzymał status zabytku. Po nieudolnych i niepotrzebnych restauracjach pod koniec XIX w. oraz w latach 1907 i 1917, został gruntownie odremontowany w 1956 r.

Jan Hunyady – pogromca Turków

Choć Jan Hunyady (1385–1456; węg. Janos Huniady, rum. Iancu de Hunedoara) pochodził z rumuńskiej rodziny, czuł się Węgrem i z narodem Madziarów złączył swoje losy. Jego ojciec Voicu był dworzaninem królewskim, który za zasługi wojenne otrzymał posiadłość w Siedmiogrodzie – Hunedoarę. Młody Jan pełnił rozmaite funkcje dyplomatyczne i wojskowe na dworze Zygmunta Luksemburczyka. W zamian za poparcie kandydatury Władysława Warneńczyka Hunyady został w 1441 r. wojewodą Siedmiogrodu, dochodząc do ogromnego majątku (dziesiątki miast, zamków i wsi). Bardzo szybko ujawniły się jego zdolności dowódcze – pierwszy raz pobił Turków w 1442 r., a przeprowadzona w następnym roku wraz z Warneńczykiem kampania antyturecka spowodowała wyparcie napastników za Bałkany. Wbrew przestrogom wojewody siedmiogrodzkiego, król po namowach legata papieskiego zdecydował się kontynuować wojnę. Bitwa pod Warną (1444) zakończyła się przegraną wojsk chrześcijańskich i śmiercią młodego władcy Węgier (jednocześnie króla polskiego).

Jan Hunyady, który stanął na czele państwa jako regent, przeprowadził szereg reform gospodarczych, społecznych i wojskowych. Przygotowywana pieczołowicie kampania przeciwko Turcji zakończyła się klęską armii Hunyadego na Kosowym Polu (1448). Upadek Konstantynopola w 1453 r. zmusił Węgry do obrony swoich posiadłości. Wielka wyprawa sułtana Mehmeda II z 1456 r. zakończyła się jeszcze jednym wspaniałym zwycięstwem siedmiogrodzkiego wojewody – wiktoria pod murami Belgradu zażegnała niebezpieczeństwo na kilka dziesięcioleci. Niedługo potem Jan Hunyady zmarł na skutek epidemii panującej w obozie. Sława obrońcy krajów Korony św. Stefana spadła na syna i w 1458 r. Maciej Korwin został wybrany królem Węgier.

Pierwszą fazę budowy zamku przeprowadzono w XIV w., drugą w czasach Jana Hunyadyego (XV w.), a ostatnią za rządów Gábora Béthlena (XVII w.). Długotrwała budowa przesądziła o wyglądzie twierdzy: podstawa jest gotycka, a dodawane stopniowo elementy – barokowe lub renesansowe. Na zewnątrz uwagę przyciąga wysunięta daleko poza główną bryłę **wieża Neboisa** („nie bój się") wzniesiona w drugim etapie budowy. Prowadzi do niej umieszczony wysoko na murach krużganek. Do zamku wchodzi się przez bramę w wieży w zachodniej części, ale najpierw trzeba pokonać przerzucony wysoko nad rzeką długi drewniany most. Najsłynniejszym pomieszczeniem jest piękna gotycka **Sala Rycerska** z krzyżowo-żebrowym sklepieniem wspartym na dwóch rzędach ośmiokątnych filarów z granitu. Łacińska inskrypcja na jednym z nich informuje, że komnata powstała w czasach Jana Hunyadyego w 1452 r. Nad Salą Rycerską znajduje się identycznej wielkości Sala Sejmowa z tego samego okresu, przebudowana na polecenie Gábora Béthlena (który m.in. podzielił pomieszczenie na trzy części). Warto rzucić okiem na XV-wieczną gotycką **kaplicę** nad bramą.

Drugi cenny zabytek Hunedoary to XV-wieczna **Biserica ortodoxă Sf. Nicolae** (cerkiew św. Mikołaja). Przywilej pozwalający na budowę świątyni przyznał rumuńskim mieszkańcom podzamcza Maciej Korwin. Cerkiew powstawała w kilku fazach i była wielokrotnie przebudowywana, co nie dodało jej uroku. Jak informuje zachowana inskrypcja, malowidła wykonali w latach 1634–1654 mistrzowie Stan i Constantin.

Noclegi oferuje **hotel *Rusca***** (blvd Dacia 10; ☎0254/717575, fax 712002, www.hotelrusca.ro; pokój 1-os. 29 €, 2-os. 49 €, apartament 65 €) dysponujący 106 pokojami. Idąc od dworca, trzeba z blvd Libertăţii skręcić w blvd Dacia, który prowadzi prosto do ronda z pomnikiem Jana Hunyadyego, przy którym stoi hotel.

Posiadacze namiotu mogą przenocować nad rzeką pod zamkiem, gdzie latem funkcjonuje dzikie pole namiotowe (należy to wcześniej uzgodnić z obsługą zabytku, w czym pomoże drobny datek). Latem obok studni przy wejściu do zamku działają budki z jedzeniem i napojami.

Dworzec kolejowy i **przystanek autobusowy** są usytuowane przy głównej ulicy, przelotowym blvd Libertăţii. Aby dostać się do zamku, należy po wyjściu z dworca skręcić w prawo i po dotarciu do placu,

przy którym stoi cerkiew, ponownie skierować się w prawo, przez rzekę i pod górę (str. C. Bursa; w sumie ok. 2 km).

Do Huneodary można się dostać pociągiem z Simerii (kilka dziennie; 20 min; do Simerii kursują pociągi i autobusy z Devy) lub autobusem z Devy (kilkanaście dziennie) albo Teiuş (1 dziennie; przez Alba Iulia).

OKOLICE HUNEDOARY

Sarmizegetusa

W wiosce położonej około 16 km na południowy wschód od miasteczka Haţeg (przy drodze nr 68 na Caransebeş) zachowały się ruiny stolicy rzymskiej prowincji Dacji – Colonia Ulpia Traiana Augusta Dacica (codz. od wschodu do zachodu słońca; 1 €, ulgowy 0,50 €). Dzięki inskrypcjom znana jest dokładna data powstania kolonii – lata 106–107, zaraz po zakończeniu podboju Dacji przez cesarza Hadriana.

Miasto zajmowało 32 ha, a jego głównymi ulicami były przecinające się pod kątem prostym Cardo Maximus (na osi północ–południe) oraz Decumanus Maximus (na osi wschód–zachód). Ulice krzyżowały się w pobliżu *forum* (najważniejszy plac rzymskich miast otoczony budynkami użyteczności publicznej i przeważnie kolumnadą), którego pozostałości można podziwiać do dziś. Spośród budowli miejskich zachowały się jeszcze ruiny lekko eliptycznego **amfiteatru**, który mógł pomieścić 5 tys. widzów.

Ulpia Traiana otaczały mury; za nimi rozciągało się osiedle (*villae*) zamieszkane przez rzemieślników i biedniejszych kupców, którzy wznosili świątynie i budynki użyteczności publicznej. Poza murami znajdował się również cmentarz (*sepulcreta*).

Po drugiej stronie szosy powstało bardzo ciekawe **Muzeul Sarmizegetusa** (Muzeum Sarmizegetusa; codz. 9.00–17.00; 1 €, ulgowy 0,50 €) z kolekcją znalezisk ze starożytnego miasta oraz zdjęciami i rycinami przedstawiającymi historię wykopalisk (ruiny odkryto już w 1516 r.).

Na trasie Haţeg–Caransebeş (lub Oţelu Roşu) kursuje kilka autobusów i minibusów dziennie (nie da się dojechać pociągiem). Warto spróbować szczęścia z autostopem – jest to ruchliwa szosa używana przez miejscowych.

Densuş

Cerkiew w Densuş należy do najoryginalniejszych zabytków w kraju. Wzniesiono ją w XIII w. z budulca pozyskanego w ruinach Ulpia Traiana, co sprawiło, że odbiega architekturą od większości rumuńskich cerkwi. Przede wszystkim zbudowana jest na planie centralnym (rzadkość wśród rumuńskich świątyń prawosławnych), charakterystycznym raczej dla kościołów ormiańskich niż bizantyńskich – podobnie jak stożkowy kamienny dach przykrywający nawę (zamiast kopuły). Wieża składa się z kilku segmentów i schodkowo zwęża się ku górze.

Liczne dobudówki sprawiają, że świątynia wydaje się niedokończona i nie tworzy jednolitej całości. Od wschodu znajduje się półokrągła absyda. W XIV i XV w. przy południowej ścianie dodano kolejne pomieszczenia, m.in. zniszczoną obecnie kaplicę. Z przedsionka dobudowanego po stronie zachodniej zachował się tylko fragment ściany.

Imienia fundatora świątyni nie udało się ustalić – źródła wspominają tylko o ważnym żupanie z Densuş. Na początku XV w. inni lokalni władcy – Çostea, Nicolae i Dionisie – wstąpili na służbę u Jana Hunyadyego. Na ich zlecenie artysta Ştefan wykonał w 1443 r. malowidła ścienne, których resztki widnieją na kolumnach i w absydzie (w trakcie pisania przewodnika freski poddawano renowacji).

W murach cerkwi uważne oko dostrzeże kamienne elementy z dawnego rzymskiego miasta z wyrzeźbionymi symbolami lub łacińskimi napisami. Oryginalne okrągłe okienka to fragmenty rzymskich kanałów – ściekowych i systemu ogrzewania.

Do Densuş kursują z miasteczka Hațeg minibusy, ale tylko dwa dziennie (przed i po południu), dlatego najlepiej podjechać autobusem relacji Hațeg–Caransebeş (lub Oțelu Roşu), wysiąść po 7 km we wsi Toteşti i pozostałe 6 km pokonać autostopem lub piechotą.

Strei

W wiosce Strei, 2 km na południe od miasteczka Călan, 8 km na wschód od Huneodary (przy drodze krajowej E79) zachował się zabytkowy XIII-wieczny **kościół**. Pozostałości fresków, datowane na XIV w., należą do najcenniejszych malowideł średniowiecznych w Rumunii. Podobnie jak w przypadku cerkwi w Densuş, również tutaj użyto budulca z ruin Ulpia Traiana. Drugą wspólną cechą obu świątyń jest zwieńczenie wieży – charakterystyczny stożek pomiędzy trójkątnymi szczytami. Na tym jednak podobieństwa się kończą. Plan cerkwi w Strei świadczy o tym, że pierwotnie był to romański kościół katolic-

ki. Do wnętrza, złożonego z niewielkiej prostokątnej nawy i kwadratowej absydy, wchodzi się przez wieżę ze skromnym romańskim portalem pokrytym polichromią. Innymi elementami romańskimi są biforiowe okna przedzielone kolumienką i krzyżowe sklepienie prezbiterium.

Strei ma połączenia kolejowe i autobusowe z Simerią (kilka dziennie; 25 min), kursują tam także minibusy z Hunedoary (również kilka dziennie; 10–15 min). Wieś leży 2 km na południe od stacji.

Orăştie

Niewielkie senne miasteczko (węg. Szászváros, niem. Broos) 35 km na wschód od Devy, przy głównej drodze z Transylwanii na zachód kraju, jest jednym z najstarszych miejsc osadnictwa niemieckich kolonistów, którzy przybyli na te tereny na początku XIII w. W połowie stulecia osiedle zostało splądrowane przez Tatarów, a w 1420 r. przez Turków, którzy wzięli w jasyr 20 tys. mieszkańców. Świadczy to o dużym znaczeniu ośrodka, który był ponadto jednym z siedmiu okręgów administracyjnych i sądowniczych podległych stolicy w Hermannstadt (dziś Sybin), skąd wzięła się nazwa Siedmiogród (zob. ramka s. 285). W 1582 r. Urban Coresi wydrukował tu Stary Testament (rum. Palia de la Orăştie).

Najważniejszym zabytkiem w Orăştie jest **kościół warowny** (wejście od str. Bălcescu; o klucze pytać w kamienicy po drugiej stronie ulicy, w Domu Wspólnoty Ewangelickiej – Evangelische Gemeindehaus). W obrębie jego murów stoją właściwie dwie świątynie. Kościół reformowany wybudowano na przełomie XIV i XV w. na fundamentach wcześniejszej romańskiej bazyliki katolickiej, która z kolei stanęła na miejscu wczesnoromańskiej rotundy (jej ślady ujawniły wykopaliska archeologiczne). Świątynia pierwotnie należała do katolików, a po przejęciu przez węgierskich kalwinów w 1581 r. użytkowana była wspólnie przez kalwinów, saskich luteranów i węgierskich arian, dopóki w latach 1820–1823 nie powstał tuż obok nowy **kościół ewangelicki**. Obwarowania obu świątyń (zachowane w kiepskim stanie) powstały w XVI w., otaczała je niezbyt głęboka, ale szeroka fosa, nad którą przerzucono zwodzony most.

Obok kompleksu powstało niewielkie **Muzeul de Etnografie şi Artă Populară** (Muzeum Etnograficzne i Sztuki Ludowej; Piața A. Vlaicu 1; wt.–nd. 10.00–18.00; 0,25 €).

Przenocować można w przyjemnym pensjonacie *Mini Hotel* (str. N. Bălcescu 30; ☎/fax 0254/241574, jorja@deva.ii-ruc.ro; pokój 1-os. 15 €, 2-os. 31 €, apartament 42 €). Nieopodal, przy str. Stadionu-lui 1A, stoi niewielki **pensjonat Şura** (☎/fax 0254/247222; pokój 2-os. od 16 do 21 €). Bogatą ofertą noclegów dysponuje uzdrowisko **Geoagiu-Băi** w górach Metaliferi (ok. 25 km od Orăştie). Najciekawszym miejscem w obiekcie są łaźnie rzymskie położone wewnątrz trawertynowego „krateru".

Dworzec kolejowy usytuowany jest w północnej części miasta, około 1,5 km od centrum ograniczonego trójkątem ulic: przelotową str. Eroilor, odchodzącą od niej na południe str. Bălcescu oraz łączącą obie str. Armatei. Aby tam dojść, należy po wyjściu z dworca skierować się prosto str. Gării, potem skręcić w prawo, w str. Unirii (główna ulica przechodząca później w str. Eroilor) i kilkaset metrów dalej skręcić w lewo, w str. Bălcescu, która prowadzi do warownego kościoła.

W Orăştie zatrzymują się pociągi kursujące między Transylwanią a zachodnią Rumunią (kilkanaście dziennie), dzięki czemu miasto ma połączenia z Devą, Sybinem, Alba Iulia i Sighişoarą. Jest też kilka pociągów do Bukaresztu i Timişoary i jeden do Huneoary (z Teiuş).

Autobusy z Devy zatrzymują się w centrum, w pobliżu dużej nowej cerkwi wzorowanej na kościele Hagia Sophia (Piaţa Victoriei). Dworzec (str. Grădiştei) mieści się w południowo-zachodniej części miasta.

Sarmizegetusa Regia i dackie twierdze w Costeşti

Kilkadziesiąt kilometrów na południe od Orăştie zachowały się ruiny starożytnej dackiej stolicy Sarmizegetusy (Sarmizegetusa Regia) oraz należące do jej systemu obronnego twierdze w Costeşti. Na terytorium rozciągającym się pomiędzy Maruszą (Mureş) na północy a górami Şureanu (Munţii Şureanu) na południu oraz rzeką Cugir na zachodzie Dakowie stworzyli system obronny złożony z kilku obsadzonych wojskiem warownych twierdz, które miały bronić stolicy położonej w górach Orăştie. Najlepiej zachowanym elementem są twierdze w Costeşti. Zarówno Sarmizegetusa, jak i twierdze w Costeşti figurują na Liście Światowego Dziedzictwa Kulturalnego i Przyrodniczego UNESCO.

Sarmizegetusa Regia, założona w I połowie I w. p.n.e., była stolicą Dacji za panowania królów Burebisty i Decebala. Mimo że Rzymianie nigdy nie wkroczyli na te te-

Decebal – ostatni władca Daków

„Zręczny w wojnie i pokoju, wiedzący kiedy atakować, a kiedy się cofać, mistrz w zastawianiu pułapek, mężny w boju, umiejący wykorzystać zwycięstwo i wyjść cało z klęski" – tak scharakteryzował Decebala (?–106) Kassjusz Dion, grecki historyk z przełomu II i III w. Całe życie Decebala upłynęło pod znakiem wojen z Rzymianami. Ekspansywna polityka Italii w kierunku Dunaju rozpoczęła się około 80 r. p.n.e. Przeciwstawił się jej z powodzeniem wybitny władca Burebista – do rozprawy z nim przygotowywał się w Rzymie sam Juliusz Cezar. Historia nie dała jednak szansy na konfrontację przeciwników: Cezar został zamordowany (44 r. p.n.e.), a Burebista w niewyjaśnionych okolicznościach obalony. Nie przyniosło to jednak spokoju na linii Dunaju: walki podjazdowe z plemionami geto-dackimi prowadzili kolejni rzymscy cesarze, a za panowania Domicjana (81–96) wybuchł otwarty konflikt zbrojny.

W 87 r. armia rzymska przekroczyła Dunaj po moście pontonowym. Wobec niebezpieczeństwa król Durus zrzekł się władzy na rzecz Decebala. Prowadzone ze zmiennym szczęściem działania zbrojne doprowadziły do korzystnego dla Daków pokoju (89). Oprócz oficjalnego uznania swej władzy, Decebal otrzymał dotację pieniężną i pomoc techniczną w postaci rzymskich fachowców. Lata pokoju upłynęły obu stronom na przygotowaniach do ostatecznej rozprawy. W 96 r. w Rzymie został zamordowany Domicjan i po krótkim okresie rządów Nerwy (96–98) władzę objął Marcus Ulpius Trajanus, bardziej znany jako Trajan (98–117). Ten wybitny dowódca rozpoczął swoje rządy od walk z wrogami cesarstwa. W 101 r. ruszyła pierwsza wyprawa przeciwko Decebalowi zakończona niekorzystnym dla niego pokojem z 102 r., który okazał się tylko zawieszeniem broni. Do decydującego starcia doszło w 105 r. Przewaga Rzymian okazała się miażdżąca: oblegli oni resztki armii Decebala w stolicy państwa Daków Sarmizegetusie. Miasto broniło się do lata 106 r. Decebalowi udało się wprawdzie zbiec przed kapitulacją, ale ścigany przez Rzymian i opuszczony, wkrótce popełnił samobójstwo. Po jego śmierci Dacja stała się jedną z rzymskich prowincji. W Rzymie odbyły się wspaniałe igrzyska, bito monety i medale upamiętniające wiktorię cesarza, a na Forum Romanum stanęła słynna kolumna – dzieje zwycięskiej kampanii przedstawia 200-metrowy spiralny relief na jej trzonie.

reny, zbudowano ją według rzymskich wzorców. Miasto na wzgórzu (ok. 1000 m n.p.m.) składało się z twierdzy, części przeznaczonej tylko na świątynie (*sanctuarium*) oraz dzielnicy mieszkalnej. Całość otaczały mury o wysokości 2,5 m.

Twierdze Costeşti i Blidaru, oddalone od Sarmizegetusy o 15 km, wzniesiono na wzgórzach o wysokości 561 i 705 m n.p.m. Otaczały je obwarowania złożone z wałów ziemnych, palisad i murów (o grubości do 3 m) z trzema potężnymi bastionami. Ostatnim miejscem oporu w razie ewentualnego oblężenia były zbudowane w najwyższym punkcie dwie wieże mieszkalne z kamienia i cegły. Na wieże wchodziło się po drabinie. Mury miały specjalną konstrukcję: przestrzeń między podwójnymi ścianami z cegły wypełniano kamieniami i ziemią. Zewnętrzne ściany łączono grubymi balami. Do ruin twierdzy Blidaru można dojść od schroniska (8 €/os.; bufet) położonego powyżej wsi Costeşti. Po przejściu mostu na potoku Gradiştea skręca się w lewo i kierując się szlakiem niebieskiego paska, stromo podchodzi na zalesiony grzbiet, który doprowadza po 40 min do pozostałości twierdzy. Do ruin Costeşti trzeba iść od mostu w prawo za znakami żółtymi.

Wieś Costeşti jest oddalona o 18 km na południe od Orăştie, a Sarmizegetusa leży 15 km dalej (za wioską Grădiştea de Munte). Początkowy odcinek drogi pokrywa dziurawy asfalt, który za Costeşti zmienia się w zbity żwir. Autem osobowym można jechać jeszcze około 5 km, potem można je zostawić przy zrujnowanych zabudowaniach na polanie. Zwiedzanie obu miejsc bez własnego środka transportu nie należy do łatwych zadań, ponieważ z Orăştie do Costeşti kursują tylko dwa autobusy dziennie. Dalej trzeba liczyć na autostop lub pozostałe do Sarmizegetusy 15 km pokonać pieszo.

PETROŞANI

Górnicze miasto znajduje się na trasie tych turystów, którzy wybierają się w środkową i zachodnią część Karpat Południowych. Oprócz okolicznych gór w mieście nie ma zbyt wiele atrakcji, dlatego najczęściej traktowane jest jako baza noclegowa i aprowizacyjna przez wędrowców podążających w Parâng, Vâlcan czy Retezat.

Petroşani leży w głębokiej kotlinie u zbiegu rzek Jiu de Est i Jiu de Vest, które odtąd noszą nazwę Jiu. Historia miasta nie obfitowała w wielkie wydarzenia. Do

końca XVII w. okoliczna ludność utrzymywała się głównie z pasterstwa. Po odkryciu bogatych pokładów węgla kamiennego nastąpił gwałtowny rozwój miasta, które stało się wraz z pobliskimi miejscowościami największym zagłębiem górniczym w Rumunii. Po II wojnie światowej w okolicznych górach natrafiono na wiele cennych surowców (m.in. miedź i uran).

Miasto ciągnie się południkowo wzdłuż lewego brzegu rzeki Jiu. Nowe centrum ograniczone jest obwodnicą (*Drumul de tranzit*) od zachodu i podnóżem gór Parâng od wschodu. Główna ulica miasta, blvd 1 Decembrie 1918, na pewnym odcinku pełni rolę reprezentacyjnego deptaku z wyglądającymi nieźle blokami z lat 70. XX w. Dworzec kolejowy znajduje się około 1 km od centrum w kierunku północnym.

Informacja turystyczna prowadzona przez pana Romeo Roşia (str. A. Iancu 12; ☎/fax 0254/542771, www.turisminfovaleajiului.ro), służy materiałami i informacjami o bazie noclegowej oraz atrakcjach miasta i gór. Na str. N. Bălcescu od tego pod nr. 2 jedyne w kraju **Muzeul Mineritului** (☎0254/541744; wt.–pt. 9.00–16.00, sb. i nd. 9.00–15.00; 0,25 €, ulgowy 0,12 €). Ciekawa ekspozycja obejmuje oryginały i makiety urządzeń górniczych (niektóre produkowane w sądeckim Nowomagu). W muzeum organizowane są też interesujące wystawy czasowe.

Dużą atrakcją turystyczną miasta jest kolejka krzesełkowa (8.00–16.00; 2 €), prowadząca z doliny Maleia na grzbiet gór Parâng. Dojazd do dolnej stacji z północnej części miasta (strzałki na Voinease) jest dobrze opisany. Kurs taksówką z dworca kosztuje nie więcej niż 7 €.

Noclegi oferuje *Onix*** (str. 1 Decembrie 1918 nr 73; ☎0254/544613, www.cnh.ro; pokój 1-os. 13 €, 2-os. 20 €, 3-os. 26 €), niedrogi hotel w centrum miasta. Przenocować można również w *Petroşani*** (str. 1 Decembrie 1918 nr 110; ☎0254/542801, fax 545383; pokój 1-os. 26,50 €, 2-os. 35 €, apartament 67 €).

SEBEŞ I OKOLICE

Osadę (węg. Szászsebes, niem. Mühlbach) założyli w I połowie XII w. Szeklerzy, a rozwój miejscowości nastąpił wraz z przybyciem osadników niemieckich pod koniec stulecia. Nazwa Malembach pojawia się w źródłach pisanych w 1245 r., a w 1364 r. Sebeş określane jest już jako miasto (*civitas*). W średniowieczu było ono ważnym ośrodkiem ekonomicznym i politycznym regionu, jednym z okręgów administracyjnych i sądowych wolnej prowincji królewskiej Königsboden ze stolicą w Hermannstadt (jest zatem jednym z miast, od których wywodzi się nazwa Siedmiogród; zob. ramka s. 285). Podczas Wiosny Ludów i rewolucji węgierskiej Sebeş dwukrotnie zajmowały wojska gen. Józefa Bema.

Usytuowana w centrum **Biserica evanghelică** (kościół ewangelicki; wt.–sb. 10.00–13.00 i 15.00–17.00, nd. 15.00–17.00, zakaz zwiedzania podczas nabożeństw) musiała powstać przed 1241 r. – kroniki odnotowują, że w tym właśnie roku Tatarzy napadli na miasto, niszcząc świątynię. Pierwotnie była to trzynawowa romańska bazylika z trzema wieżami (prócz wieży na zachodniej fasadzie miała jeszcze dwie boczne niedokończone; zapewne zniszczone przez Tatarów i nigdy nieodbudowane). Podczas prac restauracyjnych w XIII w. nawa środkowa została podwyższona i nakryta kopułą, a nawy boczne poszerzono. Dzisiaj wszystkie trzy nawy mają wspólny dach. Na zewnątrz uwagę przykuwają gotyckie okna oraz posągi w przyporach i pomiędzy nimi. W XIV–XV w. kościół otoczono murem. Późnogotycka Kapela Sf. Iacob (kaplica św. Jana) stojąca obok świątyni pochodzi z XIV w.

Wnętrze zabytku przedstawia wysoką wartość artystyczną. Stary romański chór został w XIV w. zastąpiony większym, gotyckim wspartym na ostrych łukach. Warto zwrócić uwagę na wspaniały – największy w Transylwanii – renesansowy ołtarz z I połowy XVI w. Ciekawa jest również gotycka ambona ze skomplikowaną dekoracją maswerkową i barokowym baldachimem. W świątyni można także podziwiać piękną kolekcję anatolijskich (tureckich) dywanów z XV–XVII w.

W północnej pierzei rynku stoi **Dom Zápolyi**, dwupiętrowa żółta kamienica z II połowy XV w., zwana również Domem Wojewodów. Przez długi czas pałac był rezydencją siedmiogrodzkich wojewodów, w tym Jana Zápolyi, który miał tu umrzeć w 1540 r. Wiele razy obradował w nim także siedmiogrodzki sejm. Pasaż za bramą prowadzi na dziedziniec z loggią, której arkadowe łuki dodano dopiero w 1962 r. w trakcie prac renowacyjnych. Obecnie w budynku mieści się **Muzeul Orăşenesc** (Muzeum Miejskie; Piaţa Primăriei 3; pn.–pt. 10.00–17.00, sb. i nd. 11.00–17.00; 0,55 €, ulgowy 0,30 €) z kolekcją historyczną i etnograficzną.

Z murów, które okalały niegdyś całą starówkę, nie przetrwało zbyt wiele: kilka wież i resztki umocnień o długości około 1,5 km. Najciekawszy fragment zachował się przy str. Traian (odbija na południe od blvd L. Blaga, na wschód od rynku), gdzie widać wieżę i pokaźne mury. Wznoszone od XIII w. obwarowania z kamienia i cegły umocniono ośmioma wieżami, którymi opiekowały się cechy rzemieślnicze.

Noclegi oferuje jeden skromny hotelik z restauracją – **Dacia** – usytuowany poza miastem (w kierunku na Sybin, str. Drumul Sibiului 100; ☎0258/733136, fax 732743; pokój 2-os. 35 €).

Przez Sebeş przebiega linia **kolejowa** Braszów–Arad i Braszów–Timişoara. Codziennie odjeżdża stamtąd kilka pociągów m.in. do Sybina i Bukaresztu oraz Devy. Aby dotrzeć do Alba Iulia, trzeba się przesiąść w Vinţu de Jos. Obok dworca kolejowego jest **autobusowy**, skąd można dojechać do większych miast południowej Transylwanii oraz m.in. do Klużu.

Vinţu de Jos

Na zachodnim skraju małej wioski, wzmiankowanej po raz pierwszy w 1248 r., warto obejrzeć romantyczne ruiny cennego zabytku: **pałacu Martinuzzi** z I połowy XVI w., którego nazwa pochodzi od budowniczego i właściciela György Martinuzziego, siedmiogrodzkiego kardynała i polityka, zarządcy Transylwanii w latach 1541–1551. Rezydencję – niczym twierdzę – otaczała fosa i ziemne wały.

Budowlę utrzymaną w stylu renesansowym zaprojektował włoski mistrz Domenico z Bolonii. Resztki kunsztownych płaskorzeźb okiennych widać w zachowanym głównym portalu, gdzie widnieje wołoski herb. Aby dojść do zabytku, trzeba w centrum skręcić z głównej drogi w str. M. Eminescu (przy aptece i sklepie spożywczym) i podążać nią aż do końca zabudowań. Po prawej stronie zwraca uwagę klasycystyczny kasztel.

Vinţu de Jos leży na skrzyżowaniu linii kolejowych wschód–zachód i północ–południe, dzięki czemu ma bardzo dobre połączenia z resztą kraju. Najwięcej pociągów kursuje do Sybina, Timişoary i Aradu oraz Teiuş, można też dostać się do Klużu czy Târgu Mureş. Poza tym do Vinţu codziennie jeździ kilka autobusów z Sebeş.

Câlnic

Nie bez powodu twierdza w wiosce Câlnic figuruje na Liście Światowego Dziedzictwa Kulturalnego i Przyrodniczego UNESCO. Wzmiankowany po raz pierwszy w 1269 r. obiekt zachował się do naszych czasów

Duchy z pałacu Martinuzzi

Kiedy w 1551 r. kardynał Martinuzzi zginął skrycie zamordowany przez generała Castalda z rozkazu austriackiego cesarza, nad okolicą zebrały się ciemne chmury. Według ówczesnych kronik, które z rezerwą traktowały wszelkie legendy, zwłoki kardynała zostały ukryte przez zbrodniarzy na pałacowym strychu i spoczywały tam, dopóki miejscowi nie zaalarmowali biskupa w Alba Iulia. Wówczas zabrano ciało i pochowano je w grobowcu katedry św. Michała.

Nie tylko Martinuzzi marnie tu skończył. Niedługo po tym wydarzeniu śmierć w pałacu znalazł książę Aron Tiranul (Tyran), który rządził Mołdawią w latach 1591–1595. Przez dwa lata Aron był więziony w Vinţu, aż w końcu z rozkazu siedmiogrodzkiego wojewody Zygmunta Batorego został otruty. Legenda mówi, że nieszczęśnik spoczywa na wzgórzu nad przepływającą w pobliżu Maruszą w krypcie powstałej jeszcze za czasów Petru Rareşa, księcia mołdawskiego z I połowy XVI w.

Zgodnie z legendą opowiadaną przez starszych mieszkańców wioski, po obu morderstwach w oknach i wieży przy zachodniej fasadzie pałacu pojawiały się duchy, które przeraźliwie wyły. Na tym jednak krwawe dzieje zamku się nie skończyły.

Podobno pałac był jednym z miejsc, gdzie cesarzowa austriacka Maria Teresa (1717–1780) zabawiała się z licznymi kochankami. Wielu z nich miało zginąć w okrutnych mękach. Po upojnej nocy monarchini uruchamiała specjalny mechanizm, wprawiający w ruch ukryte pod podłogą długie sztylety, które z impetem wbijały się w ciało nieszczęśnika. Następnie zwłoki potajemnie wrzucano do Maruszy, korzystając z tunelu łączącego podziemia pałacu z rzeką (odkryli go niedawno robotnicy drogowi). Podobno zawsze, gdy od strony zamku nadciągają ciemne chmury, daje się słyszeć przejmujące wycie.

w bardzo dobrym stanie, a odkryte murowania nadają mu niepowtarzalny klimat średniowiecznej siedziby. Zamek składa się z potężnej wieży mieszkalnej (donżon – ostatni punkt oporu) otoczonej murem z dwiema basztami (w północnej jest brama). Początkowo była to siedziba szlachecka, ale w 1430 r. odkupili ją od właścicieli miejscowi chłopi i przekształcili w punkt obrony. Od północnej strony zachowały się cele dla poszczególnych rodzin. Niższy mur zewnętrzny dobudowano wraz z barbakanem na początku XVI w. Z tego samego okresu pochodzi maleńka kaplica (wewnątrz pozostałości fresków) wzniesiona na fundamentach wcześniejszej konstrukcji. Całość założenia otaczała fosa.

Fundacja opiekująca się twierdzą przygotowała w zachowanych celach kilka pokoi gościnnych (13 €/os.). Taniej przenocuje się w pobliskiej plebanii z XVI w. (7,50 €), gdzie mieszkają kustosze zabytku. Gospodarzy można poprosić o wskazanie miejsca na rozbicie namiotu (2,50 €).

Do wioski kursuje tylko jeden autobus dziennie z Sebeş, ale można też podjechać pociągiem osobowym lub przyspieszonym (od strony Sebeş i Sybina; kilka dziennie) do stacji Cut (Cut Halta), oddalonej o około 4 km na północ od Câlnic. Kto chce, może spróbować złapać autostop; od drogi wojewódzkiej E68 (E81) do Câlnic jest tak samo daleko, jak z dworca kolejowego w Cut.

SYBIN

Chlubiący się wspaniałą historią i zabytkami Sybin (rum. Sibiu, węg. Nagyszeben, niem. Hermannstadt) odegrał ważną rolę w dziejach Transylwanii. Dziś ten spory ośrodek (170 tys. mieszkańców) jest znaczącym centrum kultury, nauki i przemysłu. Ale większość turystów przybywa tu ze względu na niepowtarzalny klimat świetnie zachowanej starówki. Intensywne restauracje zabytków są efektem przyznania miastu przez Unię Europejską tytułu Kulturalnej Stolicy Europy w 2007 r. Sybin to również dogodna baza wypadowa w pobliskie Góry Fogaraskie (Munţii Făgăraşului).

Historia

Sybin był wzmiankowany w źródłach po raz pierwszy pod koniec XII w. jako Cibinium, w XIII w. używano nazwy Hermanni nadanej przez niemieckich kolonistów przybyłych w połowie XII w. (w niespełna dwa stulecia zasiedlili oni Saksonię Siedmiogrodzką, w obrębie której znalazło się kilka znaczących miast). W 1241 r. Sybin został zniszczony przez Tatarów, ale dzięki silnej pozycji ekonomicznej, jaką zapewnił mu rozwój handlu, szybko dźwignął się z ruin.

Pierwsze mury zaczęto wznosić prawdopodobnie w I połowie XII w., jeszcze przed najazdem Tatarów, ale były to tylko obwarowania otaczające obecny ewange-

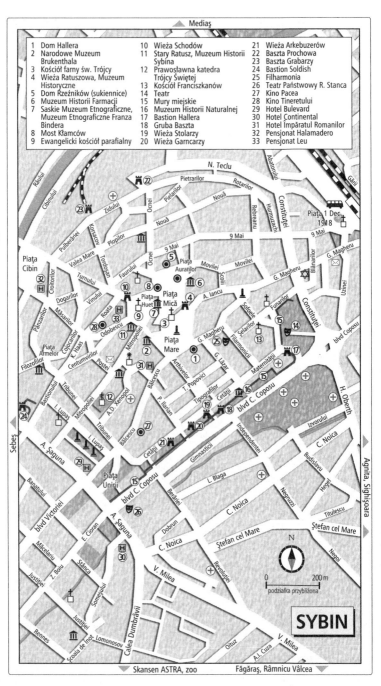

Mediaş

1 Dom Hallera
2 Narodowe Muzeum Brukenthala
3 Kościół farny św. Trójcy
4 Wieża Ratuszowa, Muzeum Historyczne
5 Dom Rzeźników (sukiennice)
6 Muzeum Historii Farmacji
7 Saskie Muzeum Etnograficzne, Muzeum Etnograficzne Franza Bindera
8 Most Kłamców
9 Ewangelicki kościół parafialny
10 Wieża Schodów
11 Stary Ratusz, Muzeum Historii Sybina
12 Prawosławna katedra Trójcy Świętej
13 Kościół Franciszkanów
14 Teatr
15 Mury miejskie
16 Muzeum Historii Naturalnej
17 Bastion Hallera
18 Gruba Baszta
19 Wieża Stolarzy
20 Wieża Garncarzy
21 Wieża Arkebuzerów
22 Baszta Prochowa
23 Baszta Grabarzy
24 Bastion Soldish
25 Filharmonia
26 Teatr Państwowy R. Stanca
27 Kino Pacea
28 Kino Tineretului
29 Hotel Bulevard
30 Hotel Continental
31 Hotel Împăratul Romanilor
32 Pensjonat Halamadero
33 Pensjonat Leu

SYBIN

licki kościół parafialny. W następnych stuleciach pierścień murów sukcesywnie się rozszerzał, tak że do XV w. objął również Dolne Miasto (Oraşul de Sus). Sybin był broniony na tyle dobrze, że Turkom nie udało się go zdobyć podczas oblężenia w latach 1438 i 1442. O znaczeniu handlu i rzemiosła może świadczyć fakt, że w 1376 r. istniało tam aż 19 cechów – ich liczba podwoiła się w XVII i XVIII w. Sybińscy kupcy zajmowali się wymianą handlową pomiędzy wschodnią i zachodnią Europą. Miasto wciąż się rozwijało; w części górnej (Oraşul de Sus) mieszkali zamożni kupcy i arystokracja, dolną zajmowali rzemieślnicy i biedota. Jednocześnie wciąż wzmacniano i rozszerzano fortyfikacje. Na planie z 1699 r. widnieje 39 obronnych wież, cztery bastiony i dwa barbakany oraz system fos i sztucznych jezior, które umożliwiały zatopienie dolnego miasta w obliczu nadciągającego niebezpieczeństwa.

Sybin zasłynął jako ważny ośrodek nauki i kultury. W mieście urodził się wielki humanista Nicolaus Olahaus (1494–1568), który przyjaźnił się z Erazmem z Rotterdamu. Pierwsza szkoła powstała już w 1380 r., a w 1525 r. założono Studium generale Cibinense, zamienione w 1692 r. na kolegium jezuickie. Wzmianki o pierwszej bibliotece pochodzą z 1300 r., a w 1529 r. założono drukarnię, z której wyszła pierwsza drukowana książka w języku rumuńskim – Catehismus Filipa Moldoveanu.

Podczas Wiosny Ludów w pobliżu miasta rozgrywały się ważne dla Siedmiogrodu wydarzenia, w których brał udział generał Józef Bem, walczący mężnie po stronie Węgrów.

XIX stulecie to kolejny okres rozkwitu w dziejach Sybina: zakładano fabryki, wybudowano duży browar, a miasto zaczęło się rozrastać poza murami.

Orientacja i informacje

Orientacja w Sybinie, mimo że nie jest to małe miasto, nie sprawia trudności, ponieważ większość zabytków i hoteli skupia się w okolicach Piaţa Mare (Duży Rynek) i Piaţa Mica (Mały Rynek), innymi słowy w granicach Górnego i Dolnego Miasta (Oraşul de Sus, Oraşul de Jos). Centrum to oba wspomniane wyżej rynki, z których ulice rozchodzą się prawie koncentrycznie. Główną arterią handlową jest zamknięta dla ruchu kołowego str. N. Bălscescu, ciągnąca się z Piaţa Mare na południowy zachód w kierunku parku przy Piaţa Unirii i dużego hotelu Bulevard.

W księgarni Friedrich Schiller przy Piaţa Mare działa profesjonalna oficjalna **informacja turystyczna** (Centrul de Informare al Turistilor; Piaţa Mare 7; ☎0269/208913, fax 208811, turism@sibiu.ro; pn.–pt. 9.00–17.00, sb. 10.00–13.00).

Zwiedzanie

Przy **Piaţa Mare**, o wymiarach 142 na 93 m, stoi wiele interesujących budowli. Kilka z otaczających rynek kamienic pamięta średniowiecze. Warto zwrócić uwagę na charakterystyczne okna dachowe nazywane przez mieszkańców „oczami miasta". Najstarszą kamienicą jest gotycko-renesansowa **Casa Haller** (Dom Hallera; Piaţa Mare 10, południowa pierzeja) z 1470 r. Budynek należał do Petrusa Hallera, burmistrza Sybina. W zachodniej pierzei rynku (nr 4–5) wznosi się **Muzeul Naţional Brukenthal** (Narodowe Muzeum Brukenthala; wt.–nd. 10.00–18.00; 1,40 €, ulgowy 0,70 €). Barokowy budynek muzeum z 1785 r. (warto zwrócić uwagę na ozdobny portal) powstał jako rodzinna rezydencja barona Samuela von Brukenthala, który w latach 1777–1787 był gubernatorem Siedmiogrodu. Okazały pałac wygląda jakby przeniesiono go z Wiednia. Wewnątrz można podziwiać prywatne zbiory barona (zgromadził ponad 1000 obrazów) udostępnione w 1817 r., dzięki czemu sybińskie muzeum jest najstarszym tego typu obiektem w Rumunii (7 lat starszym od National Gallery w Londynie!). Oprócz obrazów wielkich mistrzów europejskich XV–XVIII w., są tu dzieła rumuńskich artystów z XIX i XX w. Interesujący jest **dział etnograficzny** i **sztuki ludowej** z ozdobnymi tkaninami, strojami ludowymi, oryginalnymi przedmiotami z drewna oraz ikonami malowanymi na szkle.

W północnej pierzei rynku dominuje **Biserica Parohiala Romano-Catolică Sf. Treime** (kościół farny św. Trójcy; Piaţa Mare 3), której budowę rozpoczęli jezuici w 1726 r., a już w 1733 r. konsekrował ją siedmiogrodzki biskup Georg von Zorger. Zarówno z zewnątrz, jak i wewnątrz świątynia prezentuje klasyczny styl barokowy. Pierwotnie we wnętrzu nie było malowideł, a okna miały bezbarwne szyby. Dopiero w 1904 r. malarz Ludwig Handler z Monachium pokrył ściany freskami (tylko ten za ołtarzem głównym powstał wcześniej, bo w 1777 r.). Wieżę dodano w 1738 r. W kościele spoczywa generał Otto Ferdinand de Abensberg, głównodowodzący armią austriacką w Transylwanii w latach 1744–1747.

Nieco dalej na wschód wznosi się **Turnul Sfatului** (wieża Ratuszowa), pozostałość po XIII-wiecznej budowli. Wielokrotnie ją przekształcano, a obecny stan to efekt XVI-wiecznej przeróbki (po tym jak częściowo się zawaliła) i XIX-wiecznej restauracji, kiedy zmieniono ostatnie piętro wraz z poddaszem. Wieża pełniła funkcję bramy w drugim pierścieniu murów, a obecnie mieści niewielkie **Muzeul de Istorie** (Muzeum Historyczne; 10.00–17.00; 0,35 €) z kolekcją broni z zbiorem dokumentów oraz innych przedmiotów związanych z historią Sybina. Z góry roztacza się fantastyczny widok na miasto i okolice.

Przejście pod wieżą Ratuszową prowadzi na **Piaţa Mică**, drugie historyczne centrum miasta, wyróżniające się wyjątkową malowniczością. Podobnie jak Piaţa Mare otaczają ją średniowieczne kamienice, z których najciekawszy jest żółty, niski i wydłużony, ozdobiony arkadami **Halele Măcelarilor** (dom Rzeźników) z połowy XV w., zwany również Casa Artiştilor (dom Artystów), ponieważ jest w nim galeria sztuki. W jednej z kamienic we wschodniej pierzei urządzono **Muzeul de Istorie a Farmaciei** (Muzeum Historii Farmacji; Piaţa Mică 26; ☎0269/213156; wt.–nd. 9.00–17.00, zimą 9.00–16.00; 0,65 €, ulgowy 0,32 €). W siedzibie najstarszej rumuńskiej apteki (założonej w 1569 r.) można obejrzeć dwa laboratoria z przeróżnymi zabytkowymi instrumentami medycznymi (ponad 6 tys. eksponatów) oraz Salę Homeopatii, gdzie Samuel Cristian Hahnemann (1755–1843) prowadził badania nad tą gałęzią medycyny.

Po drugiej stronie rynku ma siedzibę **Emil Sigerus Muzeul de Etnografie Saseasca** (Saskie Muzeum Etnograficzne Emila Sigerusa; Piaţa Mică 12; ☎0269/218195, fax 218060; wt.–nd. 10.00–18.00, 0,60 €, ulgowy 0,30 €, fotografowanie 1,70 €), które powstało w 1997 r. Część z 7 tys. eksponatów pochodzi z prywatnej kolekcji Emila Sigerusa, miłośnika kultury i sztuki ludowej oraz promotora turystyki w Transylwanii. Obok, w Casa Hermes (kamienica Hermesa) z XIV w. od 1993 r. ma siedzibę **Muzeul Etnografic Franz Binder** (Muzeum Etnograficzne Franza Bindera; Piaţa Mică 11; ☎0269/218195; codz. 9.00–17.00, 0,60 €, ulgowy 0,30 €). Kolekcja jedynej tego rodzaju placówki w Rumunii obejmuje eksponaty z całego świata (do najcenniejszych należy egipska mumia sprzed 2,5 tys. lat).

Nad ulicą oddzielającą północną pierzeję rynku od zachodniej wznosi się **Podul Minciunilor** (most Kłamców) – pierwszy odlany z żelaza most w Rumunii (1859). Wedle legendy, most runie, jeśli przejdzie po nim kłamca. Jak widać, w Sybinie nie ma kłamców albo boją się tędy przechodzić. Największym kusicielem losu był chyba Nicolae Ceauşescu, który z mostu wygłaszał przemówienia do mieszkańców miasta.

Most prowadzi do Piaţa Huet, której większą część zajmuje najcenniejszy zabytek miasta – **Biserica Parohiăla Evanghelică** (ewangelicki kościół parafialny) z charakterystyczną wieżą (tzw. Ferula) i towarzyszącymi jej czterema mniejszymi wieżyczkami. Świątynia powstawała w latach 1320–1520 i do 1544 r. była użytkowana przez katolików. Wzniesiono ją na miejscu wyburzonej romańskiej bazyliki. W 1448 r. dodano kaplicę przy zachodniej ścianie, tak że wieża znalazła się w środku budowli. W 1471 r. znowu rozpoczęto przebudowę: poszerzono zakrystię, a nad południową nawą wybudowano emporę (galeria). Powiększono również kaplicę, która uzyskała obecny wygląd. W 1494 r. dokończono wieżę, nad którą prace ciągnęły się przez ponad 100 lat. Północny i południowy przedsionek przy wejściu powstały na początku XVI w.

We wnętrzu warto zwrócić uwagę na fresk na północnej ścianie chóru. Jest to scena ukrzyżowania Chrystusa namalowana w 1445 r. przez mistrza Johannesa von Rosenau, w której widać wyraźne wpływy wczesnorenesansowej sztuki włoskiej i niderlandzkiej. W 1650 r. malowidło odrestaurował Georgio Herman. Wysoką wartość artystyczną mają kute drzwi do zakrystii (1471) i wykonana z brązu chrzcielnica z 1438 r. W 1585 r. Sybin otrzymał pierwsze w swej historii organy. W 1672 r. zastąpiono je obecnym instrumentem z ponad 6 tys. piszczałek, wykonanym we Frankfurcie nad Odrą.

Pod jedną z ponad 60 płyt nagrobnych umieszczonych w świątyni spoczywa Mihnea cel Rău (Michał Zły), syn Włada Palownika, zamordowany przed kościołem w 1510 r.

Turnul Scărilor (wieża Schodów) po północnej stronie kościoła to jedna z najstarszych budowli w Sybinie, wzniesiona w XIII w. jako brama w pierwszym pierścieniu murów prowadząca do Dolnego Miasta.

Kierując się z Piaţa Huet na wschód str. Mitropoliei, dochodzi się po minucie do **Muzeul de Istorie al Municipiului Sibiu** (Muzeum Historii Sybina; str. Mitropoliei 2; ☎0269/218143; wt.–nd. 10.00–18.00;

0,90 €, ulgowy 0,45 €) urządzonego we wspaniałym **Primăria Veche** (Stary Ratusz). Budowla powstała w II połowie XV w. z funduszy burmistrza Thomasa Altenbergera, częściowo jako jego prywatna rezydencja. W 1545 r. inny gospodarz miasta, Johann Lulai, przebudował ratusz, przystosowując go do swoich potrzeb (dodał więcej pomieszczeń mieszkalnych). Część obiektu – mały pałac zwrócony w stronę dolnego miasta – wkomponowano w mury, a w mocno obwarowanym skrzydle można zauważyć gotyckie arkady (na parterze). Interesujący dziedziniec przywodzi na myśl polską odmianę gotyku i renesansu. Na narożnej wieży pochodzącej z pierwszego etapu budowy widnieje herb Altenbergera. Wschodnia część ratusza powstała w XVII w. – stylistyka okien nawiązuje do wcześniejszych gotyckich obramowań. Łacińska inskrypcja nad bramą wejściową to pamiątka wizyty w Sybinie austriackiego cesarza Józefa II w 1783 r. W muzeum można podziwiać bogate zbiory z okresu średniowiecza i czasów nowożytnych.

Dalej na zachodzie, również przy str. Mitropoliei, wznosi się okazała **Catedrala ortodoxă Sf. Treime** (prawosławna katedra Trójcy Świętej) zbudowana w latach 1902–1906 na miejscu kościoła greckiego. Jej twórcy, Virgil Nagy i Joseph Kamer z Budapesztu, wzorowali się na konstantynopolitańskiej świątyni Hagia Sophia, a malowidła wewnątrz cerkwi wykonali Octavian Smigelschi i Arthur Coulin. Wchodząc z ciemnego przednawia do oświetlonej licznymi oknami w kopule nawy, utrzymanej w zielono-czerwonej tonacji, staje się przed wspaniałym złoconym ikonostasem. Rygorystycznie kwadratowy rzut nawy głównej łagodzą architektoniczne dodatki i wyjątkowo bogate zdobienia: ciasne nawy boczne i galerie, empora nad przednawiem oraz niewielkie nisze po bokach ołtarza, a także masywny pozłacany żyrandol (sprowadzony z Wiednia), który zwisa z kopuły o średnicy 15 m.

Architekturę katedry cechuje eklektyzm (łączenie elementów różnych epok i prądów) i nowatorstwo w sztuce cerkiewnej, wyrażające się chociażby w wielkim półokrągłym oknie wybitym w fasadzie, co pozbawia wnętrze charakterystycznego dla świątyń prawosławnych półmroku i tajemniczości.

Na wschód od Piața Mare zachowały się jeszcze dwa interesujące kościoły. Przy str. Selărilor wznosi się **Biserica Franciscanilor** (kościół Franciszkanów) wybudowana w XIV w. jako świątynia jednonawowa z wielokątną absydą i niewielką dzwonnicą. Od strony północnej mury są podparte masywnymi przyporami. Przed reformacją kościół należał do zakonu klarysek i dopiero w 1716 r. przeszedł na własność franciszkanów. W 1776 r. zawalił się chór, lecz szybko go odbudowano. W tym samym czasie dodano zachodnią fasadę, a do wnętrza wstawiono dwa ołtarze. Obok cennych ołtarzy i malowideł oraz późnobarokowego wystroju, uwagę przykuwa prawdziwa perełka – drewniana figura Matki Boskiej z Dzieciątkiem, wykonana w 1400 r. **Biserica Ursulinelor** (kościół Urszulanek; str. Magheru) z 1478 r. również ma jedną nawę, a absyda jest z zewnątrz sześciokątna. Przy świątyni zamiast wieży nad fasadą umieszczono miniaturową dzwonnicę. Zabytek zdradza silne wpływy gotyku (widoczne choćby w portalu wejściowym), a wschodnią i północną ścianę podpierają charakterystyczne przypory. Kościół wzniesiony przez dominikanów po zwycięstwie reformacji w 1543 r. przeszedł na własność miasta. Następnie świątynię przekazano luteranom, a w klasztornych zabudowaniach urządzono szkołę. Urszulanki przejęły kompleks w 1728 r. i nadały gotyckiemu wnętrzu charakter barokowy, z trzema ołtarzami i malowidłami ściennymi przedstawiającymi sceny z żywotów świętych.

Na południe od Piața Mare ciągną się dobrze zachowane **mury miejskie** (prowadzi tam str. Gh. Lazar). Po drodze mija się **Muzeul de Istorie Naturala** (Muzeum Historii Naturalnej; str. Cetății 1; ☎0269/213156; wt.–nd. 10.00–18.00; 1,30 €, ulgowy 0,65 €), jedną z najstarszych i największych tego typu placówek w Rumunii. Kolekcja założonego w 1849 r. muzeum liczy ponad milion eksponatów, co stanowi prawie jedną trzecią zbiorów ogólnokrajowych.

Około 150 m na północny wschód od muzeum stoi masywny **bastion Hallera**, którego nazwa pochodzi od XVI-wiecznego burmistrza miasta Petrusa Hallera. Druga nazwa – brama Zwłok – powstała w czasie epidemii szalejącej pod koniec XVI w., kiedy to przez wybite w ścianach otwory wyrzucano ciała zmarłych.

Na wschód od muzeum, przy str. Cetății przetrwało kilka wież. **Turnul Gros** (Gruba Baszta), najlepiej widoczna od zewnętrznej strony murów, to rodzaj barbakanu wzniesionego w XVI w. i wystającego daleko poza obręb murów (niedawno została odrestaurowana i oświetlona). Od 1788 r. baszta była siedzibą pierwszego sybińskiego teatru (Sala Thalia). Nieco dalej wznosi się **Turnul Dulgherilor** (wieża Stolarzy), która zamykała obwarowania ciągnące się od południowego zachodu. Jej fundamenty oraz większość sąsiednich murów wzniesiono z kamienia na początku XV w. (pozostała część umocnień powstała w połowie XVI w. z cegły). Kolejna baszta w tym ciągu, połączona z wieżą Stolarzy murem z wewnętrzną galerią, to **Turnul Olărilor** (wieża Garncarzy), zbudowana w XVI w. w ramach poprawiania i wzmacniania murów okalających miasto. Ma kwadratową masywną podstawę, a w murach widać wiele otworów strzelniczych. Osobno stoi **Turnul Archebuzierilor** (wieża Arkebuzerów) z II połowy XV w., zbudowana na planie ośmiokąta. Po arkebuzerach (strzelcach) obowiązki obrony tej części murów spadły na cech tkaczy.

Na obrzeżach miasta jest usytuowane duże **Muzeul Civilizaţiei Populare Tradiţionale ASTRA** (Muzeum Kultury Ludowej ASTRA; Calea Răşinarilor, w lesie Dumbrava Sibiului; V–X pn.–pt. 10.00–18.00, sb. i nd. 10.00–19.00; 2,20 €, ulgowy 1,10 €, przewodnik w jęz. angielskim 6,20 €, fotografowanie 2,20 €, filmowanie 10 €). Zachwycający skansen, otwarty w 1967 r. w malowniczej okolicy, przybliża dawne wiejskie urządzenia techniczne, za pomocą których przetwarzano żywność i wyrabiano przedmioty codziennego użytku. Na rozległym terenie stoją drewniane zagrody, budynki gospodarcze, cerkwie, młyny i warsztaty. Ze względu na ogromną ilość obiektów i wielkość terenu na zwiedzanie trzeba przeznaczyć min. 3 godz.

Do skansenu dojeżdżają tramwaje i trolejbusy (#1 i 4) kursujące z Sybina w kierunku Răşinari (na tramwaju napis Răşinari). Trzeba wysiąść na następnym przystanku za **zoo** (również warte odwiedzin; 10.00–19.00; 0,60 €), naprzeciwko którego stoi charakterystyczny hotel *Palace*.

Noclegi

W mieście jest sporo hoteli, i to w każdej kategorii cenowej. Najlepiej – ze względu na ceny i atmosferę – zatrzymać się w pensjonacie.

Bulevard** (Piaţa Unirii 10; ☎0269/216060, fax 210158, www.bulevard.atlassib.ro). Hotel o średnim standardzie, ale za to bardzo okazały z zewnątrz. Niedaleko centrum. Bardzo dobra restauracja. Pokój 1-os. 30 €, 2-os. 50 €, apartament 60 €.

Continental*** (Calea Dumbrăvii 2–4; ☎0269/218100, fax 210125, www.continentalhotels.ro). Nieco oddalony od centrum; wysoki standard. Pokój 1-os. 58 €, 2-os. 58 €, apartament 86 €.

Halamadero** (str. Măsarilor 10, w Dolnym Mieście, nieopodal targowiska; ☎0269/212 509). Pensjonat z najtańszymi noclegami (15 miejsc) w pobliżu centrum. Dodatkowym atutem jest sąsiedztwo taniego sklepu z winem Dionysos. Nocleg w skromnym pokoju kosztuje 10 € (bez śniadania).

Împăratul Romanilor*** (str. N. Bălcescu 2–4; ☎0269/216500, fax 213278, hir@rdslink.ro). W ładnym pałacyku w centrum (50 m od Piaţa Mare). Pokój 1-os. 55 €, 2-os. 80 €, apartament 100 €.

Kemping Dumbrava** (str. Padurea Dumbrăva 14; ☎0269/214022). Obok restauracji *Hanul Rustic*, 3 km na południowy zachód od centrum, w stronę skansenu. Noclegi w wygodnych domkach kempingowych, 26 €/2 os. ze śniadaniem. Nocleg w namiocie 2,60 €/os.

Leu** (str. Moş Ioan Roată 6; ☎0269/218392, fax 213975). Pensjonat blisko centrum, na terenie Dolnego Miasta. Tylko 27 miejsc; bardzo przyjemna atmosfera. Pokój 1-os. 13 €, 2-os. 21 €, 3-os. 31 €.

Palace Dumbrava*** (Calea Dumbrăvii 1, naprzeciwko zoo, przy drodze do skansenu; ☎0269/218086, fax 242222, www.palacedumbrava.ro). Niewielki hotel z 22 pokojami i restauracją. Pokój 1-os. 65 €, 2-os. 75 €.

Parc* (Scoala de Inot 1–3; ☎0269/424455, fax 423559). W południowo-wschodniej części miasta, około 15 min do centrum, nieopodal stadionu. Standard przeciętny. Pokój 1-os. 30 €, 2-os. 40 €, apartament 75 €.

Sport-Tineret** (str. O. Goga 2; ☎0269/233 673). Blisko stadionu; średni standard. Pokój 1-os. 25 €, 2-os. 25 €, apartament 40 €.

Silva** (Al. Eminescu 1; ☎0269/243985, fax 216304, www.hotelsilvasibiu.com). Przy wschodnim krańcu parku Sub Arini, w sąsiedztwie stadionu, obok hotelu *Parc*. 80 miejsc. Pokój 2-os. 50 €, apartament 70 €.

Gastronomia

Na brak restauracji w Sybinie nie można narzekać, chociaż tych tańszych nie ma zbyt wiele. Najlepsze są restauracje hotelowe; większość tanich knajpek i fast foodów działa w Dolnym Mieście. W Sybinie jest też kilka dobrych pubów i kawiarni. Latem wzdłuż deptaku N. Bălcescu ciągnie się rząd ogródków piwnych.

Jedzenie najlepiej kupować na Piaţa Cibin, gdzie działa duże targowisko w charakterystycznym, żółtym budynku. Kilka sklepów spożywczych można znaleźć przy str. N. Bălcescu. Największym marketem spożywczym jest Univers All w południowej części miasta, na lewo od drogi do Cisnădie (Allea Sevis 2A). Sklep Dionysos Vinurii de Paneciu (9.00–17.00) oferuje kilka rodzajów win z beczki po przystępnych cenach (0,80–1,30 €/l); można je wlać do własnej butelki (taniej).

Bufţanica Restaurant (str. N. Bălcescu 45; ☎0269/231100). W sąsiedztwie księgarni M. Eminescu. Lokal stylizowany na myśliwską chatę. Charakterystycznym elementem wystroju jest ogromny piec kaflowy. Zupy od 0,70 €, drugie danie około 4 €.

Carpaţii (str. Tg. Vinului). Tani lokal w Dolnym Mieście, gdzie działa sporo podobnych przybytków (obiad ok. 2–3 €).

Ciao Italia (Piaţa Mică, tuż obok *Chill Out Club*). Pizzeria i restauracja. Przyjemnie i dość tanio; pizza podawana błyskawicznie.

Crama Sibiu Vechii i **Restaurant Bavaria** (str. P. Ilarian 3; ☎0269/431971). Dwie sąsiadujące ze sobą niezłe restauracje. Pierwsza specjalizuje się w kuchni rumuńskiej (jak głosi napis: „Restaurant Specific Romanesc", poza tym jest to jedna z najstarszych restauracji w Sybinie), w drugiej można skosztować dań niemieckich.

Mara Restaurant (str. N. Bălcescu 21). Niewielki lokal z międzynarodowym menu, również dania typu fast food.

Pizzerie Unicum (str. N. Bălcescu 38; ☎0269/210872). Obszerny podłużny lokal; duży wybór włoskich specjałów.

Reschner's Clavier Restaurant (Piaţa Mică 17, w sąsiedztwie Muzeum Etnograficznego). Dobra, dosyć droga restauracja. Za dwudaniowy obiad trzeba zapłacić od 6 €.

Union Restaurant (Piaţa Mică 7). Klasyczny socrealistyczny lokal ze smacznym jedzeniem (obiad ok. 3–4 €).

Rozrywki

Filharmonia Państwowa (Filarmonica de Stat; str. Filarmonici; ☎/fax 0269/235115). Przy Piaţa Unirii, obok teatru.

Kina Pacea (str. N. Balcescu 29; ☎0269/217021) i Tineretului (str. A. Odobescu 5; ☎0269/210906). Aktualny repertuar i tanie bilety. Warto polecić niekonwencjonalne kino Tineretului, gdzie zamiast kinowych foteli są sofy i stoliki.

Teatry Teatr Państwowy Radu Stanca (Teatrul de Stat Radu Stancu; blvd Spitalelor 2, przy Piaţa Unirii, ☎0269/210092, fax 210532). Sztuki po rumuńsku i niemiecku. Przedsprzedaż biletów przy str. N. Bălcescu 17 (☎0269/217575; pn.–pt. 10.00–17.00, sb. 10.00–13.00).

Puby i kluby

Art Café (str. Filarmonici 2, w budynku filharmonii). Artystyczna kawiarnia-pub z bardzo przyjemną atmosferą. Świetna kawa (0,45 €).

Crama Pub National (Piaţa Mică, obok Muzeum Etnograficznego). W zacisznym minio-

gródku można wypić piwo (0,60 €) lub coś bezalkoholowego.

Disco Belissima (str. Gladioleor 7; ☎0269/231806). Dyskoteka.

Informacje o połączeniach

Samolot Tarom oferuje połączenia z Bukaresztem (pn.–śr., pt. i sb.; 74 € w obie strony) i Monachium (6 tygodniowo). Carpatair (biuro na lotnisku; ☎0269/229161) obsługuje loty do kilku miast we Włoszech (w tym do Rzymu) oraz do Monachium i Stuttgartu. Lotnisko jest oddalone o mniej więcej 5 km na zachód od centrum (Şos. Alba Iulia 73; ☎0269/229235), agencja Tarom (str. N. Bălcescu 10, niedaleko agencji CFR; ☎0269/211157; pn.–pt. 8.00–18.00, sb. 8.00–14.00) zapewnia autobusy wahadłowe, można też skorzystać z taksówki (ok. 2 €).

Pociąg Dworzec kolejowy jest usytuowany w północno-wschodniej części miasta, przy Piaţa 1 Decembrie 1918, około kilometra od centrum. Do Piaţa Mare prowadzi stamtąd str. Gh. Magheru. Sybin ma połączenia z głównymi rumuńskimi miastami, takimi jak Arad (5 dziennie), Bukareszt (4 dziennie; ok. 6 godz.), Braszów (6 dziennie; 2,5 godz.), Copşa Mică (gdzie można się przesiąść na pociąg międzynarodowy; 2 dziennie), Krajowa (2 dziennie), Făgăraş (3 dziennie), Mangalia (tylko latem i 16 XII–31 XII; 1 dziennie), Mediaş (4 dziennie), Râmnicu Vâlcea (3 dziennie), Târgu Mureş (3 dziennie), Timişoara (4 dziennie), Vinţu de Jos (gdzie można się przesiąść na pociąg międzynarodowy; 3 dziennie).

Agenţie de Voiaj CFR mieści się przy str. N. Bălcescu 6 (☎0269/212085), nieopodal biura Taromu, w narożnej kamienicy.

Autobus Z dworca autobusowego (obok kolejowego, przy Piaţa 1 Decembrie 1918 nr 6; ☎0269/217757) można się dostać do wszystkich ważniejszych miast kraju (kilka autobusów dziennie do Klużu, Alba Iulia, Bukaresztu, Braszowa, Mediaş, Piteşti, Râmnicu Vâlcea, Sighişoary, Târgu Mureş; jeden do Devy) oraz podgórskich miejscowości (góry Cindrel), takich jak Rășinari czy nawet dalej, do wysoko położonego Păltinişu. Trasy międzynarodowe obsługują autokary licznych biur podróży (m.in. do Budapesztu i większych miast w Niemczech).

Informator

Apteki San Marco (str. N. Iorga 52) działa całą dobę. Farmasib na rogu str. Cetăţii i str. N. Bălcescu, druga przy Piaţa Mare.

Internet Turyści w Sybinie mogą mieć kłopoty z dostępem do Sieci. Jedna z niewielu kafejek działa przy str. Tribunei (nieopodal baru *Sory*; 0,50 €/godz.), inna w sąsiedztwie Muzeum Brunkenthala, na rogu str. Mitropoliei i Piaţa Mare (uwaga: wolne łącze i podejrzane towarzystwo).

Laboratorium fotograficzne Sklep Kodak Express przy str. N. Bălcescu 22, w sąsiedztwie pizzerii *Unicum*.

Poczta i telekomunikacja Główny urząd pocztowy (jedyna poczta w obrębie starówki) – w reprezentacyjnej kamienicy przy str. Mitropoliei 14; rozmównica telefoniczna Romtelecomu – na rogu str. N. Bălcescu i str. P. Ilarian.

Wymiana walut i banki Volksbank (str. N. Bălcescu 24), Reiffeisen Bank (obok kina Pacea), Banca Comercială Română (str. N. Bălcescu 11), kantor IDM przy Piaţa Mică (zachodnia pierzeja, obok Muzeum Etnograficznego).

Wypożyczalnie samochodów Biuro Travel and Servis przy str. Tribunei 11, obok baru *Sory* (☎0269/244569, www.romaniarentacar.ro).

Zakupy Sklep turystyczno-sportowy Action Sport działa przy str. A. Iancu, nieopodal kościoła Urszulanek. Oryginalną pamiątkę z Sybina (np. ikonę lub ludowe wyroby rzemieślnicze) można kupić w sklepie-galerii Art-Antic przy Piaţa Huet 1. Przy Piaţa Unirii 10 stoi dom towarowy Dumbrăva.

OKOLICE SYBINA

Cisnădie

Pośrodku tej niewielkiej miejscowości (węg. Nagydisnód, niem. Heltau), około 7,5 km na południe od Sybina, stoi widoczny z daleka romański kościół warowny z charakterystyczną masywną wieżą (str. Cetăţii 1–3; 8.00–20.00; kluczami dysponuje pan Johann Bell; wejście przez główną bramę). Trójnawowa **Biserica Sf. Walpurga** (bazylika św. Walpurgii) pochodzi z XIII w., ale dopiero dwa stulecia później otoczono ją murami. Wtedy też przebudowano kościół, nadając mu obronny charakter. Nad prezbiterium dodano cztery piętra, które pełniły funkcję wieży obronnej; tym samym celom służyły odchodzące od korpusu kościoła po północnej i południowej stronie skrzydła pseudotranseptu (nawa poprzeczna, niewidoczna od wewnątrz) z licznymi otworami strzelniczymi. W obu dobudówkach umieszczono portale prowadzące do świątyni. Najważniejszym punktem ostrzału była ogromna wieża zachodnia (59 m wysokości), której obecny wygląd pochodzi z 1751 r. Na obwarowania składa się podwójny pierścień murów (pierwotnie między nimi była fosa) z przy-

legającymi do ściany zewnętrznej budynkami. W jednym z nich mieści się otwarte w 1974 r. **Muzeul Industriei Textile** (Muzeum Włókiennictwa; wt.–nd. 8.00–16.00; 1 €, ulgowy 0,50 €; klucze u kustosza, pani Bârsu, która pracuje w ratuszu naprzeciwko kościoła, przy Piaţa Revoluţiei). W innym zorganizowano **informację turystyczną** (str. Cetăţii 1; ☎0269/561236, cos@logn.ro; wt.–pt. 9.00–17.00, sb. 9.00–15.00), gdzie można dowiedzieć się ciekawych rzeczy o kościele, kupić mapy i książki o Transylwanii oraz najbliższych okolicach Sybina, a także znaleźć nocleg w pensjonacie agroturystycznym. Personel mówi po niemiecku i słabo po angielsku.

Noclegi w pensjonatach agroturystycznych można rezerwować za pośrednictwem biura informacji turystycznej (zob. wyżej), której personel wysyła gości przede wszystkim w okolice Cisnădioary. Działa tam kilka pensjonatów, m.in. *Salištea* (str. Valea de Argint 105; ☎0744/978 308, antobizna@yahoo.com; 18 €/os.).

Cisnădioara

Turyści przybywający do wioski (węg. Kisdisnód, niem. Michelsberg), odległej 2 km na zachód od Cisnădie, już z daleka dostrzegają wzgórze ze słabo widocznym spoza drzew romańskim kościółkiem. Surowa w formie **Biserica Sf. Mihai** (kościół św. Michała) wzniesiona na początku XIII w. (pierwsza wzmianka pochodzi z 1223 r.) zalicza się do siedmiogrodzkich perełek zarówno ze względu na wiek, jak i architekturę. Ponadto zachowała się w świetnym stanie. Jej główna, krótka i szeroka nawa jest zamknięta kwadratowym prezbiterium z absydą, boczne, znacznie węższe nawy również są zakończone absydami, ale dużo mniejszymi. Płaski strop wspiera się na filarach dzielących wnętrze na regularne segmenty. Warto zwrócić szczególną uwagę na główny portal o układzie schodkowym, którego łuk iluzorycznie wspiera się na ośmiu półkolumnach zakończonych prostymi kapitelami. Po bokach portalu widać poszerzające całość puste i ślepe arkady. Pod koniec XIII w. kościół został otoczony niezbyt masywnymi, za to wysokimi murami. Pierwotnie przy zachodniej fasadzie świątyni miały stać dwie wieże, ale planów tych nigdy nie udało się zrealizować.

W **Muzeul Sătesc** (Muzeum Wsi; codz. od świtu do zmierzchu; 0,50 €) na dole we wsi można obejrzeć przedmioty codziennego użytku, wyroby lokalnego rzemiosła i dzieła sztuki ludowej z XIX i XX w.

Păltiniş

Uzdrowisko, około 33 km na południowy zachód od Sybina, w górach Cindrel (Munţii Cindrel), jest najwyżej usytuowaną **stacją klimatyczną** w Rumunii (1442 m n.p.m.), w której leczy się schorzenia dróg oddechowych (powietrze mocno nasycone jodem i ozonem). Pierwsze schronisko powstało tam w 1880 r. z inicjatywy Siedmiogrodzkiego Stowarzyszenia Karpackiego (Siebenbürgischer Karpaten Verein), a kilkanaście lat później miejscowość zyskała sławę kurortu – pierwszego w rumuńskich górach. W okolicach wytyczono szlaki turystyczne (przeważnie kilkugodzinne), a w samej osadzie zaczęły powstawać drewniane wille sybińskich arystokratów – do najładniejszych należy Casa Turistilor (1894) i Casa Medicilor (1895). Păltiniş cieszy się popularnością do dziś, zarówno w lecie, jak i w zimie, kiedy to można korzystać z kilku tras narciarskich (o długości 2–5 km, różnica wzniesień do 275 m, oświetlone stoki) i wyciągów (w tym krzesełkowego).

Noclegi organizuje agencja turystyczna Păltiniş z Sybina. Można wybrać nocleg w jednym z trzech hoteli lub którymś z licznych pensjonatów w willach (łącznie ponad 650 miejsc). **Kompleks Cindrel**** (☎/fax 0269/574057, hotel_cindrel@hotmail.ro) składa się z kilku obiektów. Za dwuosobowy pokój trzeba zapłacić 30 €, podobnie jest w **kompleksie Casa Turistilor**** (wille nr 16, 17 i 18; łącznie 106 miejsc; dobra restauracja). Relatywnie tanie noclegi (w granicach 12 €) oferuje pensjonat *Sina* (nr 20; 18 miejsc) oraz *Gaudeamus* (bardzo ładna, stara drewniana willa nr 13; 33 miejsca).

Cristian

Wioska (węg. Kereszténysziget, niem. Grossau) oddalona o około 11 km na zachód od Sybina jest zasiedlona od XIII w. (pierwsza wzmianka w źródłach pisanych w 1223 r.). Oprócz Niemców, którzy założyli osadę, mieszkali w niej również Rumuni.

Romański kościół warowny w centrum wsi powstał w XIII w. jako trójnawowa bazylika (z jedną wieżą), ale do naszych czasów niewiele z niej pozostało. Obecny stan to efekt przebudowy z lat 1480–1495, podczas której nadano świątyni późnogotycki charakter. Warto zwrócić uwagę na sieciowe sklepienie w nawie i barokowy ołtarz z 1719 r. Kościół i mury obronne najbardziej efektownie prezentują się od strony południowej (trzeba przejść przez most nad rzeczką Cibin) – doskonale widać

stamtąd masywną ośmioboczną wieżę z 1580 r.

W Cristianie działa co najmniej kilka **gospodarstw agroturystycznych**. Miłą atmosferą (dziedziniec, arkadowe ganki) wyróżnia się **hotel Spack***** (II str. nr 9; ☎0269/579262; pokój 1-os. 13 €, dzieci 3–11 lat 11 €, śniadanie wliczone w cenę).

Slimnic

Warto wybrać się do tej sporej, położonej na północ od Sybina (18 km) wsi, by zwiedzić ruiny chłopskiej warowni usytuowanej na wzgórzu, w centrum miejscowości. Dociera tu niewielu turystów, jest tanio i spokojnie, dlatego zwiedzanie slimnickiego zamku może być alternatywą dla skomercjalizowanej twierdzy w Râşnovie koło Braszowa.

Pierwsza wzmianka o miejscowości Slimnic (niem. Stolzenburg, węg. Szelindek) pojawia się w 1282 r. w związku z potwierdzeniem przywilejów dla miejscowego proboszcza Reinaldusa. Twierdza była wielokrotnie rozbudowywana m.in. z powodu rosnącej liczby mieszkańców wsi, którzy znajdowali w zamku schronienie podczas oblężeń. W XV w. powiększono warownię, wyposażono ją w machikuły i ulepszono hurdycje. W części północno--zachodniej nadbudowano masywną wieżę (zachowały się trzy zabytkowe dzwony), a na dziedzińcu wzniesiono duży bazylikowy kościół gotycki. Budowli nigdy nie dokończono. W XIX w. rozebrano fragmenty twierdzy, materiału zaś użyto do wzniesienia murów cmentarza.

Do ruin dochodzi się z centrum wsi, spod kościoła ewangelickiego (tablica ze strzałką), początkowo zniszczoną drogą 400 m do góry, potem dodłuż zachodniej części murów do niepozornej bramy. Mieszka tu opiekun zabytku, który za symboliczną opłatą (0,25 €) wpuszcza na teren zamku. Możliwość rozbicia namiotu.

Informacje o połączeniach

Spośród wszystkich wyżej wymienionych miejscowości w okolicach Sybina najtrudniej dostać się do **Cisnădioary**, a to ze względu na rzadkie połączenia (2 autobusy dziennie z Sybina). Najlepiej wsiąść w autobus do **Cisnădie** (kilkanaście dziennie; 20 min) i stamtąd przejść około 2 km na zachód. Do **Păltiniş** kursują trzy autobusy dziennie (#22) spod dworca autobusowego lub przystanku przy str. 9 Mai (1,5 godz.). Dostęp do wsi **Slimnic** zapewniają autobusy kursujące do Mediaş i Sighişoary. Z kolei do **Cristianu** oprócz kilku autobusów, kursuje z Sybina 7 pociągów dziennie.

FĂGĂRAŞ I OKOLICE

Făgăraş jest prowincjonalnym miasteczkiem (ok. 45 tys. mieszkańców) u stóp Gór Fogarskich (Munţii Făgăraşului), mniej więcej w połowie drogi między Sybinem a Braszowem. Niektórzy turyści traktują je jako bazę wypadową w góry, zwiedzając przy okazji średniowieczny zamek.

Miejscowość pierwotnie była zasiedlona przez Rumunów, a w XII w. przybyli na te tereny koloniści niemieccy. Ich potomkowie szybko zdobyli przewagę liczebną i przez pewien okres była to typowa saska osada. Jej nazwa pojawia się w źródłach po raz pierwszy w 1222 r., ale jako miasto (*civitas*) jest określana dopiero w 1393 r. Przez pewien czas (od 1660 r.) Făgăraş było siedzibą władców Transylwanii, kilka razy odbywały się tam siedmiogrodzkie sejmy. Od 1657 r. działała szkoła, a w 1827 r. została założona biblioteka. Do 1737 r. w miejscowości rezydował biskup grecko-katolicki (następnie biskupstwo przeniesiono do Blaju). Początkowo Făgăraş należało do Węgier, potem do Austrii, a od 1918 r. wraz z całą Transylwanią jest częścią Rumunii.

Sercem miasteczka jest warowny **zamek** (wt.–pt. 9.00–18.00, sb. i nd. do 17.00, 0,25 €), którego budowę rozpoczęto w 1310 r. Twierdza ma kształt nieregularnego trapezu z czterema masywnymi basztami na narożach. Całość otacza głęboka i szeroka fosa. Warownia stanęła na miejscu drewnianego kasztelu z I połowy XII w., spalonego przez Tatarów w 1241 r. W XV–XVII w. nowy zamek był wielokrotnie rozbudowywany: nadano mu renesansowy charakter i obok twierdzy w Devie uchodził za jedną z najlepszych fortyfikacji w Transylwanii. Źródła mówią o luksusowym wnętrzu, niestety, niewiele z owego splendoru przetrwało do naszych czasów. W XVIII w. rezydencję zamieniono na koszary, pozbawiając ją wszystkich ozdób i pięknych mebli. W czasach komunistycznych w twierdzy urządzono ciężkie więzienie dla więźniów politycznych. Obecnie część zamku zajmuje ciekawe **muzeum** (Muzeul Ţării Făgăraşului, godziny otwarcia te same co zamku).

Noclegi

Flora** (str. V. Alecsandri 12; ☎/fax 0268/215 103). Przyzwoity standard; pokój 1-os. 18 €, 2-os. 22 €.

Meridian** (naprzeciwko dworca kolejowego; ☎0268/212409). Raczej skromnie. Pokój 2-os. 15 €, pokój 3-os. bez łazienki 15 €.

Montana*** (Negoiu 98; ☎/fax 0268/212327). Pokój 1-os. 21 €, 2-os. 27 €, apartament 32,50 € (ze śniadaniem).

Staţiunea Sâmbăta

Ośrodek oddalony o 10 km na południowy zachód od Victorii jest dogodną bazą dla wyruszających w Góry Fogaraskie (możliwość noclegu oraz szlaki wprost na szczyt Moldoveanu). Przed wyruszeniem na wycieczkę warto zwiedzić interesującą **Mănăstirea Brâncoveanu** (klasztor Brâncoveanu; 10.00–17.00; 1 €) zbudowany z fundacji hospodara wołoskiego Constantina Brâncoveanu w latach 1700–1701 na miejscu wcześniejszej drewnianej cerkwi. Monastyr z kamienia i cegły miał się stać bastionem kościoła prawosławnego w Transylwanii rządzonej już przez katolickich Habsburgów. Miejsce również zostało wybrane nieprzypadkowo – w niedostępnych wówczas górach. Niestety, Austriacy dotarli do klasztoru i całkowicie go zniszczyli w 1795 r. Remont okazał się możliwy dopiero po niemal 130 latach. Wtedy to zebrano fundusze na restaurację, a właściwie odbudowę całego kompleksu, co trwało ponad 10 lat. Udało się odtworzyć atmosferę XVIII-wiecznego monastyru utrzymanego w stylu włoskiego renesansu. Powtórne poświęcenie odbyło się po II wojnie światowej, w 1946 r. W przyklasztornych zabudowaniach mieści się **muzeum ikon na szkle** (czynne w godzinach otwarcia monastyru) z eksponatami pochodzącymi z XVIII i XIX w. Są tam również stare dokumenty i księgi, pierwsze egzemplarze siedmiogrodzkich gazet, ubiory mnichów oraz naczynia liturgiczne.

Noclegi

Cabana Sâmbăta (ok. 1 km od klasztoru). Noclegi w drewnianych domkach (4 €/os.); można też rozbić namiot.

Cabana Valea Sâmbatei (kontakt przez biuro podróży Step by Step w Braszowie: ☎0268/315756, info@simbata.ro). Schronisko wysoko w górach (1400 m n.p.m.), około 2,5 godz. marszu od *cabany Sâmbăta* (szlak oznakowany czerwonymi trójkątami). Nocleg w pokojach 3- i 4-os. 5,20 €, w pokojach 6- i 8-os. 3,60 €.

Complex Turistic Sâmbăta (nieopodal monastyru). Kilkanaście bungalowów (4 €/os.) Obok niewielka restauracja.

Floarea Reginei (☎0268/242511, 0721/275874 hotel@sambata.ro). Około 1,5 km od monastyru. Jedyny hotel w okolicy; 16 pokoi o średnim standardzie. Pokój 2-os. 24 €.

Cârţa

Wioska leży mniej więcej w połowie drogi między Făgăraşem a Sybinem, kilkaset metrów na północ od drogi krajowej nr 1 (E86), nad rzeka Alutą (Olt). Zachowały się w niej pozostałości po **opactwie** założonym w 1223 r. Był to jeden z najważniejszych klasztorów cystersów w ówczesnej Europie południowo-wschodniej. Zgodnie z regułą przejętą od św. Benedykta i zmodyfikowaną przez św. Bernarda z Clairvaux, a streszczającą się w słowach *ora et labora* (módl się i pracuj), zakon wspierał rozwój gospodarczy poprzez lepszą organizację rolnictwa i rzemiosła, krzewił poszanowanie pracy i stronił od nadmiernego przepychu. To ostatnie przejawiało się w architekturze budowanych przez cystersów założeń klasztornych. Charakteryzowały się one skromnym wystrojem, a konstrukcja całości podkreślała podział zakonników na dwie grupy: kapłanów i braci (bez święceń kapłańskich). Kościoły były trójnawowymi bezwieżowymi bazylikami ze służącym kapłanom transeptem, dużym prezbiterium i przylegającymi doń kaplicami – do braci „należała" pozostała część świątyni. Budynki klasztorne także były podzielone: zachodnią część zajmowali przeważnie bracia, a wschodnią kapłani; każda z nich miała nie tylko osobne dormitoria, ale również refektarze (jadalnie).

Klasztor został opuszczony w II połowie XV w., zniszczony przez wielokrotne najazdy tatarsko-tureckie przetrwał w ruinie do czasów współczesnych. Ale nawet jego dzisiejszy stan daje wyobrażenie o monumentalności założenia. O ile z budynków przyklasztornych pozostały tylko resztki, o tyle z kościoła zachowało się duże wielobocznie zamknięte prezbiterium z podłużnymi oknami i rozetami (obecnie gospodarzą w nim ewangelicy). W budowli widać elementy wczesnego gotyku, chociaż cystersi początkowo stronili od takich nowinek i przez długi czas wznosili świątynie typowo romańskie. Na miejscu nawy głównej, pomiędzy prezbiterium a zrujnowaną ścianą fasady z ogromną rozetą i portalem oraz przylegającą wieżyczką (ta część pochodzi z ostatniej fazy budowy z XIV w.), powstał cmentarz żołnierzy niemieckich poległych w I wojnie światowej.

Informacje o połączeniach

O ile z dostaniem się do Făgăraşu (dworzec kolejowy ok. 1,5 km na południe od centrum, dojście str. Gării) i Cârţy nie ma najmniejszego problemu (liczne autobusy z Sybina i Braszowa do Făgăraşu i kilkana-ście pociągów dziennie zarówno do Făgăraşu, jak i Cârţy), o tyle dojazd do Sâmbăty jest nieco utrudniony. Najlepiej podjechać tam minibusem z Victorii (rzadkie kursy) lub spróbować szczęścia autostopem (do wioski Viştişoara, a stamtąd do Sâmbăty ok. 5 km piechotą).

BRASZÓW

Braszów (rum. Braşov, węg. Brassó, niem. Kronstadt, łac. Corona) leży w środkowej Rumunii na granicy trzech krain – Transylwanii, Mołdawii i Wołoszczyzny. Jest trzecim co do wielkości miastem kraju (ok. 320 tys. mieszkańców) oraz jednym z ważniejszych ośrodków gospodarczych, ale nie to interesuje przybywających tu obieżyświatów. Braszów to miejsce wręcz kultowe dla turystów z całego świata, którzy interesują się środkowo-wschodnią Europą – śmiało można go porównać do naszego Krakowa.

Kronstadt lub, jak kto woli, Miasto Stalina (Oraşul Stalin; taka nazwa obowiązywała w latach 1950–1960) czaruje wyjątkową atmosferą – rewelacyjnie zachowana starówka, mnóstwo świetnych restauracji i pubów, przyjemne kawiarnie na rynku w sąsiedztwie ratusza i słynnego Czarnego Kościoła sprawiają, że nie chce się stąd wyjeżdżać.

Historia

Braszów po raz pierwszy pojawia się w źródłach w 1271 r. jako osada o nazwie Brasu. Z kolei dokumenty z 1336 r. mówią o miejscowości Corona, skąd wzięła się późniejsza niemiecka nazwa Kronstadt (niemieccy osadnicy przybyli w te okolice na początku XIII w.). W 1395 r., kiedy miasto zyskało renomę ważnego ośrodka handlowego utrzymującego polityczne i gospodarcze stosunki z Mołdawią i Wołoszczyzną, Zygmunt Luksemburski zlecił budowę obwarowań.

Braszów dążył do zjednoczenia się z resztą ziem, na których żyli Rumuni, mimo że wśród mieszkańców przeważali Sasi (mieszkający w obrębie murów, w przeciwieństwie do Rumunów z dzielnicy Schei). W październiku 1600 r. braszowianie hucznie witali przejeżdżającego przez miasto Michała Walecznego, a w 1688 r. bezskutecznie poderwali się przeciwko austriackiemu panowaniu – był to ostatni bastion oporu w Transylwanii. Miasto znacznie ucierpiało na skutek działań wojennych, a na domiar złego niespełna rok później doszczętnie spłonęło.

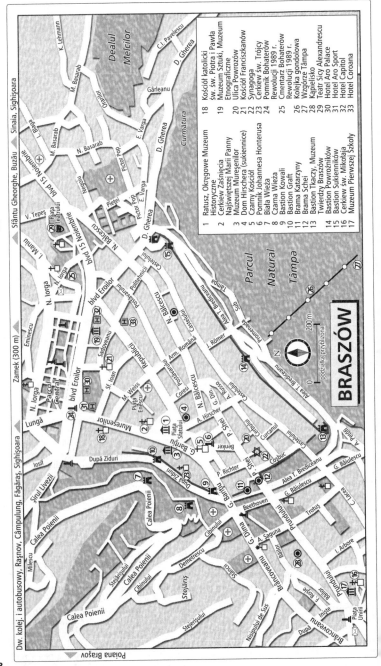

BRASZÓW

1 Ratusz, Okręgowe Muzeum Historyczne
2 Cerkiew Zaśnięcia Najświętszej Marii Panny
3 Muzeum Mureşenilor
4 Dom Hirschera (sukiennice)
5 Czarny Kościół
6 Pomnik Johannesa Honterusa
7 Biała Wieża
8 Czarna Wieża
9 Bastion Kowali
10 Bastion Graft
11 Brama Katarzyny
12 Brama Schei
13 Bastion Tkaczy, Muzeum Twierdzy Braszów
14 Bastion Powroźników
15 Bastion Sukienników
16 Cerkiew św. Mikołaja
17 Muzeum Pierwszej Szkoły

18 Kościół katolicki św. św. Piotra i Pawła
19 Muzeum Sztuki, Muzeum Etnograficzne
20 Ulica Powrozów
21 Kościół Franciszkanów
22 Synagoga
23 Cerkiew św. Trójcy
24 Pomnik Bohaterów Rewolucji 1989 r.
25 Cmentarz Bohaterów Rewolucji 1989 r.
26 Kolejka gondolowa
27 Wzgórze Tâmpa
28 Kąpielisko
29 Teatr Sicy Alexandrescu
30 Hotel Aro Palace
31 Hotel Aro Sport
32 Hotel Capitol
33 Hotel Coroana

Dw. kolej. i autobusowy, Raşnov, Câmpulung, Făgăraş, Sighişoara

Poiana Braşov

Zamek (300 m)

Sfântu Gheorghe, Buzău

Sinaia, Sighişoara

Parcul Natural Tâmpa

0   200 m

podziałka przybliżona

Braszów odegrał ważną rolę podczas rewolucji w 1848 r. Spotykali się tam działacze rewolucyjni z Mołdawii i Muntenii (część Wołoszczyzny). W 1850 r. otwarto pierwsze rumuńskie liceum (koszty budowy pokryli miejscowi Rumuni i prawosławny metropolita Andrei Şaguna). Od 1544 r. w mieście działała jedna z najstarszych szkół reformacyjnych w Transylwanii – szkoła Honterusa, tutaj też wydrukowano pierwszą książkę w języku rumuńskim. W XIX w. do Braszowa zawitała technika, co spowodowało jego szybki rozwój. Końcem 1987 r. w zakładach „Czerwony Sztandar", produkujących ciężarówki Roman, wybuchł strajk, który wkrótce rozszerzył się na inne fabryki w mieście. W czasie krwawej rewolucji 1989 r. miasto było jednym z głównych ośrodków oporu przeciwko reżimowi Ceauşescu.

Orientacja i informacje

Centrum skupia się wokół Piaţa Sfatului z ratuszem pośrodku i widocznym w głębi Czarnym Kościołem. Od południowego wschodu góruje nad rynkiem wzgórze Tâmpa (955 m n.p.m.). Charakterystycznym punktem w topografii Braszowa jest ograniczający starówkę od strony północnej duży park Centralny, obok którego przejeżdża się w drodze z dworca kolejowego lub któregoś z dworców autobusowych. Do rynku prowadzą stamtąd dwie główne ulice: od północy str. Mureşenilor biegnąca dalej jako str. G. Bariţiu, a od południa str. Republicii, główna arteria handlowa zamknięta dla ruchu kołowego.

Do starej rumuńskiej dzielnicy Schei prowadzi z obrębu murów na zachód str. Poarta Schei: najpierw przechodzi się przez bramę Schei, a następnie trzeba podążać str. Prundului do Piaţa Unirii, centrum tej części miasta. Przy placu wznosi się charakterystyczna cerkiew św. Mikołaja, najcenniejszy zabytek w dzielnicy.

Profesjonalna **informacja turystyczna** mieści się w ratuszu (Piaţa Sfatului 30, wejście od południa; ☎0268/419078, infoturismbv@yahoo.com) i dysponuje bogatą bazą noclegową w mieście i okolicach. Obsługa włada językiem angielskim, francuskim i węgierskim. Warto zajrzeć również do **ABC Trading** (w hotelu *Aro Palace*, blvd Eroilor 27; ☎0268/477172; firma zawiaduje kilkoma hotelami w mieście), **J'info Tours** (Piaţa Sfatului 12–14; ☎0268/414421, fax 414400, jinfotur.bv@fx.ro) oraz **Magellan Travel & Turism** (str. Mureşenilor 8; ☎0268/478150, 478250, fax 478445, magellan@rdsbv.ro).

Zwiedzanie

Obejrzenie wszystkich zabytków i zwiedzenie muzeów może zająć cały dzień, gdyby ktoś jednak chciał lepiej poznać to niezwykłe miasto, powinien zostać znacznie dłużej.

Piaţa Sfatului Pośrodku rynku stoi okazała **Casa Sfatului** (ratusz). Gmach wzmiankowany w źródłach po raz pierwszy w 1420 r. pierwotnie należał do cechu kuśnierzy – pobudowali się dookoła starszej wieży, z której ostrzegano mieszkańców przed zbliżającym się niebezpieczeństwem. Pod koniec XV w. budynek przekształcono na siedzibę władz miejskich. Dzisiejszy wygląd to efekt odbudowy po wielkim pożarze z 1689 r. oraz modyfikacji przeprowadzonych w latach 1770–1774 w stylu barokowym. W latach 1525–1528 dobudowano trzy kondygnacje wieży, dzięki czemu obecnie ma ona 58 m wysokości. W ratuszu mieści się **Muzeul Judeţean de Istorie** (Wojewódzkie Muzeum Historyczne; ☎0268/472363, www.istoriebr.ro; wt.–nd. 9.00–17.00; 0,75 €, ulgowy 0,37 €, fotografowanie 2,80 €, filmowanie 5,50 €). Kolekcja obejmuje pamiątki najdawniejszego osadnictwa (m.in. narzędzia z kamienia łupanego), antyczne zbroje i broń, a także rozmaite ciekawostki, jak chociażby pierwsze rumuńskie krosno (1823), czy najstarsza tokarka (1868).

W kamienicy (dawny dom parafialny) w północno-wschodniej pierzei kryje się wejście do **Biserica ortodoxă Adormirea Maicii Domnului** (cerkiew Zaśnięcia Najświętszej Marii Panny; Piaţa Sfatului 3) zbudowanej w latach 1895–1896 z polecenia metropolity Bartolomea Baiulescu. Jest to wierna kopia wiedeńskiego kościoła Greckiego, z tą różnicą, że nad domem parafialnym wznosi się typowo bizantyńska wieża.

Po zachodniej stronie rynku mieści się **Muzeul Memorial Casa Mureşenilor** (Muzeum Mureşenilor; Piaţa Sfatului 25; ☎0268/477864; wt.–nd. 10.00–15.00; 0,50 €, ulgowy 0,25 €) poświęcone rodzinie Jakuba Mureşanu, który w 1838 r. założył „Gazeta de Transilvania". Ekspozycja obejmuje liczne dokumenty, listy, gazety i fotografie oraz XIX-wieczne meble należące zarówno do Jakuba, jak i innych członków jego utalentowanej rodziny. Miejsce to ma szczególną wymowę dla Rumunów – Andrei Mureşanu napisał bowiem słowa hymnu narodowego *Deşteaptă-te Române*.

Warto zwrócić uwagę na charakterystyczną pomarańczową **Casa Hirscher**

(Dom Hirschera; Piaţa Sfatului 14, róg Piaţa Sfatului i str. Hirscher). Podłużny budynek z arkadami powstał w 1545 r. i służył wielu cechom i kupcom, którzy wystawiali tam swoje towary (podobnie jak krakowskie Sukiennice). Obecnie mieści się w nim m.in. słynna restauracja *Cerbul Carpaţin* oraz ekskluzywna galeria handlowa.

Czarny Kościół i okolice Od Domu Hirschera niedaleko już do największej atrakcji Braszowa – dominującej w pejzażu miasta **Biserica Neagră** (Czarny Kościół; Curtea Honterus 2; pn.–sb. 10.00–17.00; wstęp płatny). Osobliwa nazwa nawiązuje do zniszczeń po pożarze z 1689 r. („opaleniznę" usunięto po części podczas kilku renowacji przeprowadzonych w XX w.). Świątynia powstała na początku XIV w. na miejscu starszego kościoła lub kaplicy zniszczonej przez Tatarów w 1241 r. Jest to późnogotycki trzynawowy kościół halowy, którego stan niewiele zmienił się od czasu konsekracji (schyłek XV w.), pomimo generalnej odbudowy po pożarze. Spłonęły wówczas wszystkie elementy drewniane – pozostała jednak gotycka inskrypcja nad portalem z datą ukończenia budowy.

Czarny Kościół jest największą gotycką świątynią w Transylwanii, lub – co brzmi bardziej efektownie – największym gotyckim kościołem między Wiedniem a Stambułem i najdalej wysuniętym na wschód tego typu obiektem w Europie. Jego długość wynosi 89 m, szerokość 38 m, a wysokość wieży – 65 m. Do wnętrza prowadzi sześć portali reprezentujących różne style architektoniczne od gotyku po renesans. Kamienną konstrukcję wzmacniają liczne przypory, w których umieszczono posągi świętych (jedyny oryginał to figura św. Piotra w przyporze południowej ściany – pozostałe przeniesiono do wnętrza świątyni i zastąpiono kopiami).

Wnętrze składa się z trzech naw rozdzielonych filarami. Dwie potężne kolumny dźwigają łuk rozpostarty pomiędzy nawą a prezbiterium. Na tympanonie portalu południowo-wschodniego zachowały się freski – utrzymane w stylu gotyckim, ale zdradzające wyraźne wpływy północnowłoskiego renesansu. W sąsiedztwie malowidła przedstawiającego adorację Maryi z Dzieciątkiem przez św. Barbarę i św. Katarzynę można zobaczyć herb króla Macieja Korwina i jego żony Beatrycze (kruk), co pozwala datować malowidła na II połowę XV w. Brązową chrzcielnicę wykonał w 1472 r. mistrz Jakub z Sighişoary na zlecenie pastora Johannesa Reudela. Jeden z filarów jest ozdobiony herbem rodowym Korwinów, a poniżej widnieje herb Braszowa (ten dodano dopiero po pożarze w 1689 r.).

Na szczególną uwagę zasługuje kolekcja ponad 100 orientalnych kobierców (większość pochodzi z Anatolii w Azji Mniejszej), głównie z XVII w. Darowali je na rzecz świątyni miejscowi kupcy jako wotum dziękczynne za szczęśliwie zakończone wyprawy. Cennym elementem wyposażenia są organy z 1839 r. zbudowane z 4 tys. piszczałek (najlepiej przyjść na cotygodniowy koncert) oraz najcięższy w Siedmiogrodzie ruchomy dzwon o wadze 6 ton.

Po zachodniej stronie kościoła stoi **pomnik Johannesa Honterusa**, zwanego „braszowskim Lutrem", a w południowo--zachodnim narożu placu przed świątynią – gmach Şcoala Honterus (szkoła Honterusa), założonej jako gimnazjum reformowane w 1542 r.

Mury miejskie Obwarowania starówki pochodzą z XV i XVI w. Według niektórych przekazów Jan Hunyady (1385–1456) polecił braszowianom zburzyć twierdzę na wzgórzu Tâmpa, a odzyskany materiał wykorzystać do budowy murów. Na wzgórzu rzeczywiście odkryto ruiny zamku zniszczonego w 1455 r. Według bardziej prawdopodobnej wersji miasto kazał obwarować Zygmunt Luksemburski, król Węgier i senior Hunyadego. XVI-wieczne źródła opisują Braszów jako miejscowość o potężnych murach z licznymi wieżami i 32 bastionami, z których część przetrwała do dziś. Patrząc z rynku, dostrzega się przede wszystkim dwie wieże obserwacyjne na przeciwległym w stosunku do Tâmpy wzgórzu (czyli na północnym zachodzie), należące do założenia obronnego, ale niebędące elementem murów. Południowa **Turnul Alb** (Biała Wieża) to wzniesiona w okresie 1460–1494 półokrągła baszta o wysokości 14 m z licznymi otworami strzelniczymi, oddalona o 60 m od obwarowań. Wewnątrz pięknie odnowionej budowli otwarto niedawno muzeum (10.00–18.00; 0,50 €, ulgowy 0,25 €). Północna **Turnul Negru** (Czarna Wieża) powstała mniej więcej w tym samym czasie, ale jest niższa (9 m) i na kwadratowym rzucie. Spłonęła w 1599 r. i podobnie jak Czarny Kościół wzięła nazwę od sadzy osiadłej w czasie pożaru na ścianach. Między murami a rzeką płynącą u stóp wzgórza ciągnie się mroczna i tajemnicza (szczególnie późnym wieczorem) uliczka După Ziduri (Za Murami). Idąc nią od zachodu, docie-

Wybitny humanista (1498–1549) urodzony w Braszowie studiował na uniwersytecie w Wiedniu oraz Krakowie (tam też wykładał oraz pracował jako nauczyciel Izabeli Jagiellonki, córki króla Zygmunta Starego i późniejszej królowej węgierskiej), następnie przebywał w Bazylei. Zajmował się kosmografią, wydał m.in. słynne dzieło *Rudimentorum Cosmographiae* (Kraków, 1530) i pierwszą mapę Transylwanii (Bazylea, 1532). Pracował jako pedagog, ale największą sławę zyskał jako luterański reformator Siedmiogrodu, krzewiciel protestantyzmu. Założył w Braszowie pierwszą w dziejach Transylwanii drukarnię (ok. 1539) oraz gimnazjum (1542).

ra się do **Bastionul Fierarilor** (bastion Kowali) z 1529 r., mieszczącego archiwum państwowe, które przechowuje cenne średniowieczne dokumenty. Podążając wzdłuż murów na północ, dochodzi się do Czarnej Wieży **Bastionul Graft** (bastion Graft).

Idąc od bastionu Kowali na południe Aleea T. Brediceanu w stronę wzgórza Tâmpa, najpierw natrafi na wspaniałą Poarta Ecaterina (brama Katarzyny) z 1559 r., jedno z niewielu zachowanych oryginalnych wejść w średniowiecznych obwarowaniach. W bramie wyróżnia się manierystyczna główna wieża z czterema małymi wieżyczkami w narożach u podstawy hełmu i stary herb miasta na frontonie. W pobliżu stoi barokowa **Poarta Schei** (brama Schei) w kształcie łuku triumfalnego z trzema przejściami z początku XIX w.

Południowo-wschodnie naroże obwarowań zajmuje masywny **Bastionul Ţesătorilor** (bastion Tkaczy), wzniesiony na przełomie XV i XVI w. na skrzyżowaniu obwarowań pod wzgórzem Tâmpa i oddzielających dzielnicę saską (Juni) od rumuńskiej (Schei). W tej najlepiej zachowanej baszcie braszowskich murów urządzono **Muzeul Cetatea Braşovului** (Muzeum Twierdzy Braszów; str. G. Coşbuc 9; ☎0268/472368; wt.–nd. 9.00–17.00; 0,50 €, ulgowy 0,25 €), gdzie jedną z atrakcji jest makieta XVII-wiecznego Braszowa wykonana pod koniec XIX w. Oprócz tego zgromadzono tu turecką broń, a także fotografie oraz rysunki bram i bastionów z zachodnich murów miejskich (ciągnących się wzdłuż obecnego parku Centralnego), wyburzonych w całości w XIX w. Przy fragmentach murów u podnóża wzgórza Tâmpa (przy str. Tiberiu Brediceanu) zachowały się ponadto **Bastionul Frânghierilor** (bastion Powroźników) z 1416 r., jeden z najstarszych w mieście i mocno nadgryziony zębem czasu, oraz **Bastionul Postăvarilor** (bastion Sukienników) wybudowany w latach 1450–1455 dla cechu złotników.

Dzielnica Schei Brama Schei prowadzi do starej dzielnicy o tej samej nazwie zamieszkanej w średniowieczu i czasach późniejszych wyłącznie przez Rumunów, podczas gdy w dzielnicy zwanej Juni, położonej u stóp wzgórza Tâmpa, w obrębie murów, mieszkali osadnicy sascy. Str. Prundului prowadzi do centrum dzielnicy – Piaţa Unirii ze starą zabudową. W porównaniu z wymuskanymi okolicami ratusza dzielnica Schei jest nieco zaniedbana i rzadziej odwiedzana przez turystów, dzięki czemu panuje tam szczególna atmosfera, tak lubiana przez miłośników egzotycznych zakątków Europy Środkowej. Najważniejszym zabytkiem jest **Biserica Sf. Nicolae** (cerkiew św. Mikołaja). Świątynia stanęła na miejscu wcześniejszej cerkwi wzmiankowanej w 1399 r. w bulli papieża Bonifacego IX. W Schei mieszkał kapłan Vasile, pierwszy kronikarz Transylwanii piszący w języku rumuńskim.

Według przekazu kronikarza Radu Tempea II, budowa murowanej cerkwi (obok starszej drewnianej) ruszyła w 1521 r. na zlecenie wołoskiego wojewody Neagoe Basaraba i trwała przez całe XVI stulecie (prace ukończono w 1594 r.). Świątynia była wielokrotnie rozbudowywana, w XVIII w. dodano absydę i przedsionek ufundowane przez mołdawskich i wołoskich książąt. Architekci najwyraźniej wzorowali się na kościołach saskich – cerkiew św. Mikołaja jest typową świątynią prawosławną, o czym świadczy choćby strzelista wieża nakryta spadzistym dachem. W stylu budowli można dostrzec elementy bizantyńskie, gotyckie i renesansowe. Malowidła wewnątrz pochodzą z I połowy XVIII w. Drewnianą cerkiew rozebrano w latach 1781–1783, a na jej miejscu postawiono krzyż z kamienia.

Obok kościoła stoi budynek najstarszej **rumuńskiej szkoły**, wzmiankowanej w dokumentach po raz pierwszy w 1495 r. (pisał o niej Radu Tempea II). Pierwotnie w szkole nauczano w języku cerkiewno-słowiańskim, a od 1559 r. po rumuńsku. Obecny gmach powstał w 1597 r. przy udziale m.in. mołdawskiego władcy Arona. W latach 1760–1761 przebudowano go w stylu barokowym i przy okazji dodano jedno piętro. W okresie 1556–1580 w Braszowie działał drukarz Coresi, którego książki (tłumaczył również dzieła ówczesnych pisarzy i klasyków na język rumuński) są najstarszymi zabytkami rumuńskiej literatury. W urządzonym w budynku **Muzeul Primei Şcoli Româneşti** (Muzeum Pierwszej Szkoły Rumuńskiej; Piaţa Unirii 2–3; ☎0268/143879; wt.–nd. 10.00–18.00; 0,50 €, ulgowy 0,25 €) zgromadzono ponad 4 tys. egzemplarzy książek, z których wiele wydrukowano lub przepisano właśnie tutaj. Ponadto można obejrzeć tysiące rzadkich dokumentów oraz najstarszy znany list napisany po rumuńsku.

Inne obiekty W północno-wschodniej części miasta, na Dealul Cetăţii (Wzgórze Zamkowe) wznosi się **zamek** zbudowany w I połowie XVII w. na miejscu starszego o ponad stulecie kasztelu. Należał on do systemu obronnego miasta – jako pierwszy punkt oporu miał ostrzegać oraz chronić braszowian przed niebezpieczeństwem. Dzisiaj w twierdzy o czterech basztach mieści się ekskluzywna restauracja.

W północnej części miasta, na rogu dwóch dużych ulic: Lunga (biegnie od parku Centralnego na północ) i Stadionului stoi **Biserica Sf. Bartolomeu** (kościół św. Bartłomieja; str. Lunga 247; nd. 11.00–18.00) – najstarszy zabytek w Braszowie. Bazylikowa budowla wznoszona od 1260 r. w stylu wczesnych świątyń cysterskich ma romański charakter z elementami wczesnego gotyku. Na południowej stronie wieży można podziwiać zegar słoneczny, a w środku warto zwrócić uwagę na pozostałości fresków. Kościół otaczają masywne mury.

Przy str. Mureşenilor 19–21 wznosi się najbardziej reprezentacyjna barokowa budowla Braszowa: **Biserica romano-catolică Sf. Petru şi Pavel** (kościół rzymskokatolicki św. św. Piotra i Pawła) powstała w latach 1776–1882 na ruinach wcześniejszej świątyni. Architekt Iosif Carol Lamach dał upust swojej wyobraźni przy finansowym wsparciu cesarzowej austriackiej Marii Teresy. Fasadę zdobią bogate ornamenty – od geometrycznych po roślinne. Kamienny herb na łuku przedstawia symbole Transylwanii i Braszowa.

Przy blvd Eroilor w miejskim pałacu otoczonym przez dwa socrealistyczne bloki naprzeciwko budynku władz miejskich mają siedzibę dwa muzea – **Muzeul de Arta** (Muzeum Sztuki; blvd Eroilor 21; ☎0268/477286, www.mab.ro; wt.–nd. 10.00–18.00, zimą 9.00–17.00; 0,65 €, ulgowy 0,38 €) i **Muzeul de Etnografie** (Muzeum Etnograficzne; blvd Eroilor 21A; ☎0268/143 990; wt.–nd. 10.00–18.00; 0,65 €, ulgowy 0,38 €). W pierwszym można obejrzeć zbiory sztuki rumuńskiej (m.in. obrazy słynnego impresjonisty Nicolae Grigorescu) i zagranicznej, również użytkowej, jak piękne europejskie kryształy i porcelanę oraz orientalne wazy i statuetki z Chin, Tybetu czy Persji. Muzeum Etnograficzne prezentuje stroje ludowe, zabytkowe krosno i czarno-białe fotografie przedstawiające życie siedmiogrodzkiej wsi.

Pomiędzy ulicami Cerbului i Poarta Schei biegnie wąziutka **str. Sforii**, uchodząca za najwęższą ulicę w środkowo-wschodniej Europie. Jej szerokość (a raczej wąskość) wynosi niewiele ponad 1,30 m. Nazwa – ulica Powrozów – wzięła się od profesji mieszkańców zajmujących się kręceniem sznurów. Str. Sforii to pozostałość oryginalnej średniowiecznej zabudowy miasta – powstała prawdopodobnie

Królewski apetyt

Z Braszowem wiąże się wiele legend. Jedna z ciekawszych dotyczy króla Macieja Korwina (1443–1490). Gdzieś w obrębie murów Starego Miasta stoi gościniec, na którego murze jeszcze w zeszłym stuleciu widnieć miała płaskorzeźba przedstawiająca koronę. Pewnego razu Maciej w przebraniu zwykłego podróżnego zatrzymał się tam, aby wybadać nastroje panujące wśród poddanych. Przysłuchując się rozmowom, zjadł sześć jaj i wypił szklankę wina. Przed odejściem napisał na świstku papieru rymowankę, którą zostawił między naczyniami. Podczas sprzątania gospodarz znalazł kartkę, na której widniało:

Hic fuit Matthias Rex
comedit ova sex,

co w wolnym tłumaczeniu znaczy:
„Tu Maciej król przebywał
i sześć jajek spożywał".

w czasach, kiedy wznoszono miejskie obwarowania.

Na rogu ulic Sf. Ioan i Sadoveanu stoi **Biserica Franciscanilor** (kościół Franciszkanów) z 1725 r. Organy wewnątrz świątyni pochodzą z 1729 r.

Przy str. Poarta Schei, w głębi pomiędzy kamienicami, wznosi się reprezentacyjna **synagoga** (str. Poarta Schei 27; zazwyczaj 9.00–12.00, o klucze pytać w biurze gminy żydowskiej, w bramie obok głównego wejścia do świątyni) z 1901 r. Żydzi uzyskali pozwolenie na osiedlenie się w Braszowie w 1807 r., 19 lat później założyli gminę, a w 1864 r. otworzyli własną szkołę. W 1910 r. kahał liczył niewiele ponad 1250 dusz, a tuż przed II wojną było ich już dobrze ponad 4 tys. Obecnie w Braszowie mieszka około 200 Żydów.

Kolejne ciekawe miejsce kryje się w najbliższym sąsiedztwie Piaţa Sfatului. Przez bramę kamienicy nr 12 (przy str. G. Bariţiu) wchodzi się na podwórze z niewielką **Biserica ortodoxă Sf. Treime** (cerkiew św. Trójcy) wzniesioną w latach 1787–1789 z funduszy ofiarowanych przez braszowskich kupców i kilku rumuńskich bojarów.

Naprzeciw hotelu *Aro Palace*, między blvd Eroilor a blvd 15 Noiembrie stoi **pomnik Bohaterów Rewolucji 1989 r.** – bogato rzeźbiony okazały krzyż w stylu marmaroskim. Naprzeciwko, obok poczty, rozciąga się niewielki **Cimiturul Eroilor** (cmentarz Bohaterów), gdzie spoczywają ofiary rewolucji.

Po zwiedzeniu braszowskiej starówki, koniecznie trzeba spojrzeć na nią z lotu ptaka ze **wzgórza Tâmpa** (955 m n.p.m.). Aby dostać się na szczyt, należy podejść biegnącą u podnóża od strony miasta str. T. Brediceanu i mniej więcej na wysokości bastionu Powroźników wspiąć się po schodach do kolejki terenowej Telecabina Tâmpa, która wywozi chętnych na sam wierzchołek (pn. 12.00–18.00, wt.–pt. 9.30–18.00, sb. i nd. 9.30–19.00; w górę 1,60 €, w dół 1 €). Wagonik 20-os. pokonuje długości 573 m i wysokość 320 m. Z górnej stacji (restauracja) można przejść na południe do punktu widokowego usytuowanego koło napisu „Braşov". Widać stąd doskonale regularny układ saskiej dzielnicy Juni i chaos rumuńskiej części Schei.

Specjalne wydarzenia

W mieście odbywa się wiele festiwali — prawie w każdym miesiącu dzieje się coś ciekawego. W kwietniu są obchodzone **Dni Braszowa**. Do najbardziej znanych imprez należy **Junii Braşovului**. Nazwa „Juni" oznacza mieszkańca dzielnicy Schei – zgodnie z tradycją dwie niedziele po Wielkanocy Junii powinni przebrać się w odświętne stroje i przemaszerować przez bramę Schei do rejonu zwanego *intre chetri* („między skałami"), czyli położonej w obrębie murów saskiej dzielnicy, gdzie na Piaţa Sfatului zaczyna się zabawa przeciągająca się do późnego wieczora. Nie wiadomo skąd wzięła się ta tradycja, ale w tym jednym dniu w roku Rumuni mieli prawo przebywania na terenie dzielnicy saskiej. Junii podzieleni są na kilka grup w zależności od wieku i noszonego stroju. Odbywający się końcem sierpnia **Festiwal Złotego Jelenia** (Cerbul de Aur) to jeden z większych i ważniejszych festiwali muzycznych w Rumunii. W 2005 r. występowali na nim m.in. Joe Cocker i Natalie Imbruglia. Podczas **Narodowego Festiwalu Piwa** obchodzonego początkiem października leje się mnóstwo złocistego trunku i panuje wesoła atmosfera. Na trzeci tydzień listopada przypada organizowany od 12 lat przez stowarzyszenie **Mediateca Norbert Detaeye** festiwal muzyczny o tej samej nazwie. Odbywają się wówczas wystawy fotografii i liczne koncerty (w repertuarze króluje blues), na ulicach występują artyści, muzycy, tancerze oraz aktorzy.

Noclegi

W Braszowie, jak przystało na duży i znany ośrodek turystyczny, nie brak hoteli i hotelików, wśród których nawet najbardziej wybredny turysta znajdzie coś dla siebie. Poniżej wymieniono najciekawsze oferty.

Kwatery prywatne (państwo Maria i Grigo Bolea; str. P. Rareş 2; ☎0268/311962; 10–15 €). Pani Maria czeka na dworcu kolejowym na turystów i oferuje im miejsca (w sumie ok. 70 łóżek) w domach rozrzuconych po Braszowie, w większości w samym centrum lub jego okolicy. Państwo Bolea prowadzą również własny **pensjonat** (str. Dealul Melcilor 1; ☎0268/311962, 0744/816970, mariagrig_bolea@yahoo.com).

Aro Palace★★★★ (blvd Eroilor 9; ☎0268/478800, fax 478889, arobv@aro-palce.ro). W dużym nowoczesnym wieżowcu – chyba najlepiej oświetlonym budynku w Braszowie. Drogo. Pokój 1-os. 85 €, 2-os. 110 € (w cenę wliczone śniadanie).

Aro Sport★ (str. Sf. Ioan 3; ☎0268/478800, www. aro-palace.ro). Miejsce idealne dla „plecakowców" – tanie i w samym centrum. Pokój 1-os. 10 €, 2-os. 12,50 €. W pokojach umywalki; toalety i prysznice na korytarzach. Na parterze doskonała cukiernia.

Capitol*** (blvd Eroilor 19; ☎0268/418920, fax 472999, www.aro-palace.ro). Blisko rynku, wysoki standard. Pokój 1-os. 82 €, 2-os. 82 €.

Coroana** (str. Republicii 62; ☎0268/477448, fax 418469). Hotel blisko rynku, w pięknej starej kamienicy; noclegi w klimacie z końca XIX w. Pokój 1-os. 60 €, 2-os. 60 €, apartament 100 €.

Kemping Dârste (Calea Bucureşti 285; ☎0268/ 315863, 256501). Najtańsze noclegi w mieście (a właściwie pod miastem – ok. 10 km na południowy wschód od centrum, przy drodze do Bukaresztu). Rozbicie namiotu 2,80 €, a nocleg w bungalowie 4 €/os.

Elvis Villa (str. Democratiei 2B; ☎0268/514296, 514296). Jedna z najtańszych noclegowni w mieście (11 €/os., w mniejszych salach 12,50 €/os.). Dogodne położenie (nieopodal Piaţa Unirii), przyjemna atmosfera. Dojazd z dworca kolejowego autobusem #4 do krańcówki.

Stadion* (str. Cocorului 12; ☎0268/333761). Tanio, skromnie i daleko od centrum (w sąsiedztwie drogi na Bukareszt, w pobliżu stadionu I.C.I.M. i fabryki traktorów). Pokój 2-os. 20 €.

Gastronomia

W Braszowie jest dużo restauracji i jak to bywa w Rumunii, sporo z nich specjalizuje się w kuchni włoskiej. Mnóstwo lokali (większość o wysokim standardzie) skupia się przy rynku, zwłaszcza w południowo-wschodniej pierzei.

Żywność można kupić na targowisku przy str. N. Bălcescu obok domu towarowego Star. W lecie stoiska są na zewnątrz, a w zimie zakupy robi się w środku (wejście do hali od strony północnej). Obok wejścia do hali targowej jest też zejście do całodobowego supermarketu Hard Discount.

Bistro de L'Arte (Piaţa Enescu 11; ☎0268/473 994). Gustownie urządzona restauracja w romantycznym zaułku. Kuchnia międzynarodowa, wysoki standard (ceny adekwatne), miejsce przy stoliku wskazuje sympatyczna kierowniczka sali. Fondue burgundzkie z dodatkami 17 € (porcja dla 3 osób), spaghetti bolognese 2,80 €, espresso 0,60 €.

Cerbul Carpaţin (Piaţa Sfatului 12; ☎0268/143 981). W Domu Hirschera; najsłynniejsza i chyba najdroższa restauracja w Braszowie. W menu wyłącznie dania rumuńskie (obiad od 8 €), czasami wieczorami odbywają się występy grup folklorystycznych. W piwnicach urządzono winiarnię.

Şirul Vămii (str. Mureşenilor 18; ☎0268/477 725). Restauracja i pub (w piwnicy; piwo od 0,60 €); obiad można zjeść na wysokim tarasie (dwudaniowy posiłek od 6 €).

Club New York (str. Republicii 55, w sąsiedztwie McDonalda; ☎0268/478548). Dość dobra restauracja z międzynarodowym menu, do

której wchodzi się przez ogromną beczkę. Można tam zjeść również coś na szybko; dosyć drogie drinki.

Crama (Piaţa Sfatului 12). Duża ekskluzywna restauracja w kamienicy z 1545 r. Stylizowane wnętrze, dość drogo (obiad od ok. 8 €).

Gustari (Piaţa Sfatului 14; ☎0268/475365, 317421). Gustowne wnętrze; zupy od 0,80 €, kawa 0,60 €.

Ischia Tour (str. G. Bariţiu 2, w podwórzu; ☎0268/ 478693). Typowa restauracja włoska: stylizowany wystrój, zapach czosnku, bazylii i octu winnego (obiad od 6 €).

La Pizza (róg str. Republicii i str. M. Weiss 17; ☎0268/475765). Świetna nowoczesna pizzeria (kawałek pizzy ok. 1,50 €).

La Republique (str. Republicii 33, w sąsiedztwie księgarni G. Coşbuc). Można tam zjeść francuskie naleśniki i napić się dobrego drinka.

Mado (blvd Republicii 10; ☎0268/475385). Restauracja i bar. Szef kuchni poleca pyszne, ale dość drogie dania, a także zestawy specjalne – porcja kurczaka, frytki i coca-cola 4 €, duża pizza 3 €, zestaw śniadaniowy 3,50 €, cappuccino 1 €.

McDonald (w północnej części str. Republicii pod nr. 57–59). **McDrive** przy wylocie na Bukareszt.

Pizza Roma (str. A. Hirsher 2). Kolejna gustownie urządzona knajpka. Pizza margherita 2,20 €, pizza roma 3 €, sałatka frutti di mare 2,80 €. Drogo, ale w okolicy znajdują się tańsze lokale.

Rozrywki

Filharmonia Państwowa Filharmonia Gheorghe Dimy (Filarmonica de Stat Gheorghe Dima; str. A. Hirscher 10; ☎0268/141378 fax 150960). Częste koncerty, szczególnie w lecie.

Kina Modern (str. Griviţei 47); Patria (str. 15 Noiembrie 50; najlepsze w mieście). Filmy wyświetlane są najczęściej w wersji oryginalnej z napisami.

Teatry Braszowski Teatr Liryczny (Teatrul Liric Braşov, str. Operetei 51; ☎0268/115990; w repertuarze głównie musicale), Teatr Sicy Alexandrescu (Teatrul Sică Alexandrescu, Piaţa Teatrului 1; ☎0268/116154; zdarzają się opery); lalkowy teatr dla dzieci (Teatrul Arlechino; w budynku filharmonii; ☎0268/142873). Przedsprzedaż biletów: Agenţie de Teatrală (str. Republicii 4).

Puby i kluby

Aquarium (Piaţa Teatrului 1; ☎0722/228124). Dyskoteka.

Aurora (Piaţa Sfatului 4, północno-wschodnia pierzeja rynku; ☎0268/476916). Pub z tanim piwem, pizzą i dobrą muzyką.

Dane's Pub (str. Republicii, w sąsiedztwie apteki Eurofarmacie). Niezbyt gustowny wystrój (mieszanka współczesności z komunizmem), ale wypije się tu dobrą kawę (0,40 €).

Blitz Club (str. M. Kogălniceanu 13; ☎0268/477 780). Dyskoteka.

Chill Out Café Opium (str. Republicii 2; ☎0268/ 410701). Bardzo popularny i przyjemny bar-pub.

Disco Pimen (str. Nicopole 54; ☎0268/153082). Gorące rytmy do białego rana.

No Problem (str. Saturn 32; ☎0268/311934). Dyskoteka.

Pub Festival 39 (str. Mureşenilor 23, tuż obok kościoła katolickiego; ☎0268/478664, cafenea@ festival39.com). Lokal bardzo popularny (w sezonie warto wcześniej zarezerwować stolik). Wnętrze stylizowane na lata 20. XX w.

Informacje o połączeniach

Pociąg Główny dworzec kolejowy usytuowany jest w północno-wschodniej części miasta przy blvd Gării 5 (☎0268/410233), na północnym krańcu blvd Victoriei. Działa tam apteka, kafejka internetowa, supermarket, kioski i kantor, a na stacji zawsze kłębi się tłum. W biurze Wasteels można kupić bilety międzynarodowe. Do centrum dojeżdża autobus #4, a z centrum do dworca kursują autobusy z przystanku przy targu miejskim (#4, str. N. Bălcescu, przystanek Star, od domu towarowego o tej samej nazwie). Oprócz dworca głównego są jeszcze dwa na obrzeżach Braszowa, gdzie zatrzymują się tylko pociągi osobowe (dworzec Bartolomeu, naprzeciwko kościoła o tej samej nazwie, str. Făgăraşului 2, oraz dworzec Dârste w południowo-wschodniej części miasta, przy drodze na Bukareszt).

Braszów jest ważnym węzłem kolejowym, dzięki czemu można się stąd dostać do wszystkich ważniejszych miast Rumunii, m.in. do Aradu (4 dziennie), Bukaresztu (kilkanaście dziennie; ok. 2 godz.), Curtici (przy granicy z Węgrami; 3 dziennie), Deju (2 dziennie), Făgăraş (4 dziennie), Gałacza (1 dziennie), Jass (2 dziennie), Klużu (4 dziennie), Mangalii (tylko latem i 16–31 XII; 4 dziennie przez Konstancę), Mediaş (1 dziennie), Ploeszti (2 dziennie), Satu Mare (3 dziennie), Sybina (5 dziennie), Syhotu Marmaroskiego (1 dziennie), Târgu Mureş (3 dziennie), Teiuş (6 dziennie), Timişoary (1 dziennie) i Oradei (2 dziennie). Do Sighişoary można dojechać wszystkimi pociągami jadącymi na północ, m.in. do Klużu, Târgu Mureş, Mediaş lub Teiuş, a do Sinai tymi zmierzającymi na południe, w kierunku Ploeszti i Bukaresztu.

W Braszowie zatrzymuje się kilka pociągów międzynarodowych, m.in. do **Krakowa** (ok. 22 godz.), Budapesztu (ok. 10 godz.), Bratysławy (ok. 14 godz.) oraz Pragi (ok. 19 godz.).

Agenţie de Voiaj CFR mieści się przy str. Republicii 53, na rogu str. M. Sadoveanu (☎0268/477018, fax 470696; pn.–pt. 8.00–18.00, sb. 8.00–14.00).

Autobus W Braszowie jest kilka dworców autobusowych. Z głównego – Autogară 1 (☎0268/150670) – usytuowanego obok dworca kolejowego odjeżdżają autobusy i minibusy tylko do kilku głównych miast Rumunii (kilkanaście dziennie do Bukaresztu i Ploeszti, kilka do Braiły, Buzău, Gałacza, Klużu, Sybina i Târgu Mureş, po jednym do Câmpulungu, Jass, Piatra Neamţ, Târgovişte). Pobliski terminal międzynarodowy obsługuje kursy do Budapesztu, Kiszyniowa, Stambułu i Europy Zachodniej.

Autobusy do Făgăraş, Branu, Curtea de Argeş i Râşnova oraz Piteşti odjeżdżają z dworca Autogară 2 na rogu str. Stadionului i str. A. Iancu (☎0268/163192), nieopodal dworca kolejowego Bartolomeu.

Przy zachodnim krańcu blvd Eroilor nieopodal budynku biblioteki jest duży przystanek autobusowy (Livada Poştei), z którego odjeżdża m.in. sporo autobusów do Poiany Braşov (#20; 0,45 €) i Cristianu (0,32 €).

Komunikacja miejska

Po Braszowie kursują autobusy i trolejbusy pn.–pt. 5.30–24.00, sb. i nd. 6.00 do 22.30. Rozkład jazdy (częstotliwość odjazdów mniej więcej co 10 min) oraz plan komunikacji powinny wisieć na przystankach, ale często bywają zdarte. Bilet kosztuje 0,18 €, trzeba go skasować zaraz po wejściu do pojazdu.

Informator

Apteki Duża apteka Eurofarm mieści się przy str. Republicii 27, podobna przy str. Lungă 8. Hyron przy tej samej ulicy, ale trochę bliżej rynku (str. Republicii 18; ☎0268/410361).

Internet *Young Internet Café* (0,55 €/godz.) działa w domu sąsiadującym z bramą Schei od strony wschodniej; *Blue Club Internet* (róg str. N. Bălcescu i str. Armata Română) ma kilkanaście komputerów i szybkie łącze (0,45 €/godz.), *California Café* (str. Sf. Ioan; 0,40 €/godz.).

Księgarnie W księgarni George Coşbuc (str. Republicii 29, obok knajpki *La Republique*) można kupić obcojęzyczne książki i przewodniki oraz ciekawe albumy ze zdjęciami z Rumunii; największa w mieście jest księgarnia okręgowa przy blvd Eroilor 33 (urządzono tam także czy-

telnię); warto również zajrzeć do Librărie Coresi przy str. Mureşenilor.

Laboratorium fotograficzne Sklep Kodak
Express – przy str. Republicii 34 (nieopodal
hotelu *Coroana*).

Poczta i telekomunikacja Główny urząd
pocztowy znajduje się przy str. N. Iorga 1 (obok
budynku obecnego ratusza), poczta przy Piaţa
Unirii 7.

Taksówki Najrzetelniejsze firmy taksówkarskie
to: Bratax (☎0268/333232, 311515), Martax
(☎0268/313040), Ro (☎0268/319999, 319977),
Rey (☎0268/411111) oraz Tod (☎0268/321
111). Po taksówkę można zadzwonić albo podejść na postoju do samochodu oznaczonego
nazwą i logo firmy.

Wymiana walut i banki Volksbank (róg blvd
Eroilor i str. Republicii), Citibank (w budynku
hotelu *Capitol*; bankomat), Banca Comercială
Ion Ţiriac (str. M. Weiss 20), Banca Română
pentru Dezvoltare (str. Mureşenilor). Przy
dworcu kolejowym stoi bankomat Banc Postu;
kantoru King Exchange należy szukać przy str.
Mureşenilor w pobliżu kościoła katolickiego.

Wypożyczalnie samochodów Hertz (blvd 15
Noiembrie 50A; ☎0268/471485), Aviroms
(blvd Eroilor 9; ☎0268/413775), Astra Tours
(str. G. Bariţiu 26; ☎0268/151461).

Zakupy Sklep turystyczno-sportowy Ascent jest
tuż obok Czarnego Kościoła. W pobliżu znajduje się też sklep Sport Virus (str. G. Bariţiu 24).
Duży trzykondygnacyjny dom towarowy Star
stoi przy str. N. Bălcescu 62, obok targowiska.

OKOLICE BRASZOWA
Bran

Ta ciekawa miejscowość (węg. Törcsvár,
niem. Törzburg), 40 km na południowy
wschód od Braszowa, figuruje w programie
większości wycieczek do Rumunii. Sławę
zawdzięcza malowniczo położonemu śre-
dniowiecznemu zamkowi, doskonale wyko-
rzystanemu przez lokalny przemysł turystyczny. Reklamowany jako rodowa siedziba Włada Palownika, czyli sławetnego
Drakuli (zob. s. 136–137), przyciąga corocznie tysiące turystów. Jak można się do-
myślać, stopień komercjalizacji osiąga tam
szczyty; podobizny Włada można kupić
niemalże w każdej postaci – jako nadruk na
koszulkach, znaczkach, rzeźbione w drewnie, odlane w gipsie itp. Z pewnością warto tam zajrzeć, bo sam obiekt jest pięknie
położony, ma ciekawą architekturę i średniowieczne korzenie.

Zamek (Traian Mosoiu 498; ☎0268/238
333; pn. 12.00–18.00, wt.–nd. 10.00–17.30;
2,40 €, ulgowy 1,20 €, fotografowanie
3,20 €, filmowanie 9,80 €) wzniesiono

z rozkazu króla Ludwika I Andegaweńskie-
go w latach 1377–1382. Miał strzec przełęczy górskich i szlaków na trasie Siedmiogród–Wołoszczyzna, przede wszystkim
przed Turkami. Ochroną ważnego traktu
handlowego byli zainteresowani szczególnie mieszczanie braszowscy, którzy przejęli twierdzę w 1498 r. Historia milczy na temat jej dalszych losów. W 1921 r. zamek
stał się letnią rezydencją królowej Marii
i jej rodziny i pozostał nią aż do 1947 r.

Po względem architektonicznym jest to
górska warownia składająca się z kilku roz-
budowanych baszt z niewielkim dziedzińcem, w którym wykopano głęboką na 57 m
studnię. W połowie XV w. Jan Hunyady,
doceniając strategiczne położenie zamku,
kazał go rozbudować i wzmocnić obwarowania. Późnogotyckie portale pochodzą
z końca XV w. – prawdopodobnie wykonali je ci sami kamieniarze, którzy wykańcza-
li Czarny Kościół w Braszowie. W 1619 r.
warownia częściowo spłonęła, lecz po kilku
latach została odrestaurowana przez Gabora Béthlena. Ciekawostką architektoniczną z tego okresu jest typowo polska attyka w kształcie jaskółczego ogona. Po
gruntownej przebudowie przeprowadzonej
w latach 1886–1888 w duchu propagowa-
nym przez francuskiego teoretyka architektury średniowiecznej Viollet-le-Duca
zamek wygląda po prostu bajkowo.

W Branie nie ma żadnych problemów
z **noclegiem**, ponieważ niemal w każdym
domu przygotowano pokoje dla gości.
Warto wybrać się do **Centrul Agroturistic
Bran** (str. Principală 504C; ☎0268/238308,
fax 236360, ca_bran@yahoo.com, www.tu-
rism-bran.ro) pośredniczącego w wynaj-
mie prywatnych kwater w gospodarstwach
agroturystycznych zarówno w Branie, jak
i okolicach. Biuro ma mnóstwo ofert na
każdą kieszeń (8–20 €/os.). Sporą popularnością cieszy się kompleks agrotury-
styczny *Vila Bran* (str. Sohodol 271A;
☎0268/236866, vilabran@xnet.ro), który
oferuje nie tylko noclegi (11,50 €/os.), ale
także dobre obiady we własnej restauracji.
Miłym i nie najdroższym miejscem jest
Vila Bradul (☎0724/416485; 13 €/os.).

Globtroterzy mogą przenocować na
półdzikim polu namiotowym przy głównej
drodze na południe od zamku (należy podejść ok. 300 m drogą w stronę Câmpulungu). Z tego miejsca zabytek prezentuje się
najokazalej.

Bran jest miejscem tak popularnym, że
z dostaniem się tam nie ma najmniejszego
problemu. Co pół godziny od rana do późnego popołudnia z Autogară 2 w Braszo-

wie odjeżdżają autobusy zatrzymujące się pod samym zamkiem (ok. 1 godz.; 0,50 €).
Z powrotem autobusy kursują z taką samą częstotliwością.

Râşnov

Udając się z Branu do Braszowa, przejeżdża się przez niewielkie miasteczko Râşnov (węg. Barcarozsnyó, niem. Rosenau). Warto się tam zatrzymać, aby zwiedzić ogromny **zamek chłopski** (8.00–20.00; 2,40 €, ulgowy 1,20 €, fotografowanie/filmowanie 1,50 €) na stromym wzgórzu. Pierwszą twierdzę wznieśli w tym miejscu prawdopodobnie Krzyżacy, a po wygnaniu ich z Siedmiogrodu przejęły ją pobliskie gminy saskie z Râşnova, Cristianu i Vulcanu w celu obrony przed najazdami Turków i Tatarów.

Kompleks ma dość skomplikowaną formę i składa się z kilku ciągów murów dostosowanych do ukształtowania terenu. Zamek zdobyto po raz pierwszy dopiero w 1612 r. Wewnątrz powstało prawdziwe miasteczko nasuwające skojarzenia ze słynnym Carcassonne: kościół, plebania, zabudowania mieszkalne i pomieszczenia gospodarcze. Wodę czerpano z głębokiej na 146 m studni wydrążonej w latach 1625–1640. Dzięki niej można było przetrwać długie miesiące, a nawet lata oblężenia. Jednak to właśnie brak wody zmusił obrońców w 1612 r. do kapitulacji. Twierdza popadła w ruinę na początku XIX w. wskutek trzęsienia ziemi.

Kompleks jest świetnie zachowany i odrestaurowany. Obecni opiekunowie zabytku zdają sobie sprawę z jego atrakcyjności i bardzo o niego dbają (kwiaty w oknach, rabaty, równo przystrzyżone trawniki, dobre oznakowanie dojazdu przez miasteczko). W obrębie murów powstało niewielkie **muzeum**, a także stylizowana na karczmę niedroga restauracja. Dojście do zamku od parkingu u podnóża góry zajmuje 15 min dość forsownego marszu. Można wybrać krótszy wariant – po schodach, które rozpoczynają się na tyłach niewielkiego budynku Casa de Cultură (Dom Kultury). Drugi parking (0,25 €/godz.) znajduje się tuż przy murach warowni.

W centrum Râşnova wznosi się gotycki **kościół ewangelicki** z freskami datowanymi na koniec XV w.

Świetny pensjonat *Casa Contełui* (str. N. Bălcescu 16–18; ☎0268/235802; ok. 15 €/os.) nie tylko oferuje noclegi, ale także organizuje m.in. górskie wędrówki oraz zawody paintballu. Dla turystów z namiotem przygotowano **kemping** u stóp twier-

dzy, przy drodze do Poiany Braşov (4,20 €/os.), przy parkingu, z którego prowadzi droga do zamku. Obok stoi niewielki **hotel** *Cetate* (☎0268/230266) z czystymi i schludnymi pokojami (2-os. 23 €). W obiekcie działa restauracja i bar.

Przez Râşnov przejeżdżają autobusy z Braszowa do Branu (co 30 min z Autogară 2; ok. 15 min; 0,50 €), które równie często jadą w drugą stronę. Ponadto do Râşnova można dojechać z Braszowa pociągiem (5 kursów dziennie w kierunku miejscowości Zărneşti; 25 min). Zamek najlepiej zwiedzić w drodze powrotnej z Branu.

Hărman

Hărman (węg. Szászhermány, niem. Honigberg), słynący z warownego kościoła, pojawił się na kartach historii po raz pierwszy w 1240 r. przy okazji przejęcia wioski przez cystersów z Cârţy (zob. s. 327). To prawdopodobnie mnisi wznieśli romański kościół św. Mikołaja, którego fragmenty zachowały się do dziś (łuk między chórem a nawą umieszczony na pilastrach z koryncimi kapitelami). Do wnętrza (klucze u pana Petru Dinersa w mieszkaniu, w bramie; wt.–nd. 9.00–12.00 i 13.00–18.00; ☎0268/387438; wprawdzie nie ma ustalonej opłaty, ale opiekunowi wypada zostawić parę lei za fatygę) wchodzi się przez ganek na moście z 1814 r. Pierwotnie był to zwodzony pomost przerzucany nad okalającą obwarowania fosą.

Kościół wzniesiono na planie trzynawowej bazyliki z kwadratowym prezbiterium zakończonym półkolistą absydą oraz przylegającymi do chóru dwiema kaplicami. Te ostatnie wykazują wyraźne cechy architektury cysterskiej. Północna pełni dziś rolę zakrystii (warto zwrócić uwagę na wczesnorenesansowy portal), a w południowej zachowało się oryginalne beczkowe sklepienie i gotyckie obramowanie okien. Masywna 50-metrowa wieża powstała dopiero w XIV w., ale biforiowe (dzielone kolumienką) okna to element typowo romański – być może architekt chciał nawiązać do korzeni kościoła, przebudowanego już wówczas w stylu wczesnogotyckim. Unikalne w skali Siedmiogrodu są tzw. cele refugialne dobudowane bezpośrednio do ścian kościoła.

Obwarowania z siedmioma basztami datuje się na XIII w., później były wielokrotnie rozbudowywane (m.in. w XV w. podwyższono i pogrubiono mury). W pomieszczeniach po wewnętrznej stronie murów (zachowały się tylko te w części poludniowej, od strony wejścia) chronili się chłopi i ich rodziny. Podobno gród był 47 razy oblegany i ani razu nie został zdobyty.

Nocleg można znaleźć w parafii ewangelickiej (8 €/os.; kontakt z opiekunem kościoła – panem Dinersem). Do Hărmanu z Braszowa kursują minibusy, ale wygodniej dojechać tu koleją. Przez wioskę przejeżdża codziennie 12 pociągów (w kierunku Sfântu Gheorghe; 15 min).

Prejmer

Wioska (węg. Prázsmár, niem. Tartlau) wchodziła w skład ziem nadanych Krzyżakom przez króla Andrzeja II. Jej nazwa pojawia się w źródłach po raz pierwszy w czasach panowania króla Beli IV (1235–1270). Władca przekazał tereny po wojowniczym zakonie rycerskim znacznie spokojniejszemu zgromadzeniu – cystersom z Cârţy. Kościół w Prejmerze (wt.–pt. 9.00–17.00, sb. 9.00–15.00; 1 €), podobnie jak gród kościelny w Hărmanie, jest podręcznikowym przykładem budowli warownej. Wznieśli go Krzyżacy około 1218 r. na charakterystycznym dla architektury bizantyńskiej planie krzyża równoramiennego (greckiego). Wkrótce świątynia zatraciła pierwotny kształt, ponieważ podczas przebudowy w latach 1461–1512 wydłużono nawę główną. Budowla zyskała wówczas także gotyckie sześciopolowe sklepienia, obramienia okien i kaplice od strony zachodniej. Na przecięciu naw wznosi się wieża o ośmiobocznym przekroju z charakterystycznymi maswerkami.

Wewnątrz warto zwrócić uwagę na drewniany ołtarz z połowy XV w. oraz wczesnorenesansowe stalle (ławy dla duchownych w prezbiterium) wykonane w latach 1515–1526. Zapewne kościół bardzo wcześnie przeszedł na własność okolicznych mieszkańców, którzy w niespokojnych czasach musieli mieć miejsce do obrony. Pierwsze mury miały 3 m grubości, ale kolejne najazdy wroga wymusiły ich rozbudowę. Na przełomie XIV i XV w. pogrubiono je do 4,5 m i podwyższono do 14 m (w najwyższym punkcie). Od ich wewnętrznej strony na kilku kondygnacjach przygotowano cele dla 270 rodzin. Z XVI w. pochodzi dodatkowy dziedziniec od strony głównego wejścia, otoczony murem i tworzący rodzaj barbakanu. Znajdowały się na nim pomieszczenia gospodarcze oraz szkoła. Obwarowania zewnętrzne o średnicy 70 m otaczała fosa. Imponujący zespół architektoniczny figuruje na Liście Światowego Dziedzictwa Kulturalnego i Przyrodniczego UNESCO.

Tanie noclegi w Prejmerze oferuje schronisko (str. Mică 6; ok. 7 €/os.) prowadzone przez miejscowych ewangelików; informacja również na plebanii.

Mimo że z Braszowa do wsi jeżdżą minibusy, lepiej podjechać tam pociągiem, który kursuje o wiele częściej (6 dziennie; 20 min).

Feldioara

Ta niewielka senna wioska (węg. Földvár, niem. Marienburg), 15 km na północ od Braszowa, ciągnie się właściwie wzdłuż jednej szerokiej ulicy z plantami pośrodku. Na jej wschodnim krańcu wznosi się stary **kościół**. Świątynia pochodzi z końca XIII w. i mimo kilku przeróbek, zachowała gotyckie elementy.

Trudno uwierzyć, że przed wiekami wioska nosiła nazwę Marienburg (Malbork). Nie jest to zbieg okoliczności, ponieważ była siedzibą Zakonu Szpitala Najświętszej Marii Panny Domu Niemieckiego w Jerozolimie, lepiej znanego jako zakon krzyżacki. Po wojowniczych rycerzach sprowadzonych przez króla Andrzeja II pozostały ruiny zamku wzniesionego na niewielkim wzgórzu na wschód od centrum w latach 1211–1225.

Feldioara leży na trasie Braszów–Sighişoara, dzięki czemu z dojazdem nie ma kłopotów. Przez wioskę przejeżdża kilka autobusów dziennie (do Sighişoary lub Rupei) i zatrzymuje się 9 pociągów (z Braszowa; 20 min) zmierzających na północ.

Poiana Braşov

Poiana Braşov jest najpopularniejszym i najbardziej ekskluzywnym kurortem narciarskim w Rumunii. Miejscowość położona około 12 km na południowy zachód od Braszowa na wysokości 1030 m n.p.m. u stóp majestatycznego Postavăru (1799 m n.p.m.) stanowi mekkę amatorów białego szaleństwa z Rumunii i Europy Zachodniej, a ostatnio również z Ukrainy i Rosji.

Sezon narciarski trwa mniej więcej od początku grudnia do końca marca, chociaż czasami można zjeżdżać jeszcze pod koniec kwietnia (dzięki sztucznemu naśnieżaniu). Latem zaglądają tu nieliczni miłośnicy jazdy konnej, górskich wędrówek oraz turystyki rowerowej.

Osadę założono pod koniec XIX w., a już w 1906 r. uzyskała status kurortu zimowego. Trzy lata później odbyły się tu pierwsze w Rumunii zawody narciarskie. W okresie międzywojennym Poiana Braşov stała się popularnym miejscem wypoczynku rumuńskiej elity, zaczęły powsta-

Krzyżacy – zakon wiecznie żywy

Zakon Szpitala Najświętszej Marii Panny Domu Niemieckiego w Jerozolimie, bardziej znany w Polsce jako zakon krzyżacki, został założony w 1190 r. w Palestynie. Wkrótce stał się zakonem rycerskim z mistrzem i kapitułą na czele. Jego głównym zadaniem miała być opieka nad pielgrzymami, chorymi oraz walka z niewiernymi. Napór muzułmanów na Ziemię Świętą sprawił, że zakonnicy pojęli decyzję o przeprowadzce do Europy. Wielki mistrz Herman von Salza – zaufany zarówno cesarza, jak i papieża, porozumiał się z królem węgierskim Andrzejem II (1205–1235) i w 1211 r. przeniósł zakon na te tereny z myślą o obronie południowej granicy Siedmiogrodu przed Połowcami. Ambicja zbudowania silnego państwa, wznoszenie murowanych zamków (choć mieli pozwolenie na drewniane) i wprowadzanie własnej administracji podatkowej wywołało konflikt z królem. Kampania z lat 1224–1225 doprowadziła do usunięcia Krzyżaków z Węgier. Rok później rozpoczął się nadwiślański okres w historii zgromadzenia – trwał następne kilkaset lat, a jego skutki geopolityczne dało się odczuć jeszcze w 1939 r.

Przedziwne były losy zakonu krzyżackiego, którego potęga militarna i gospodarcza została złamana w 1410 r. pod Grunwaldem. Kolejne wojny i pokoje z Polską osłabiały coraz bardziej jego pozycję, co w końcu doprowadziło do sekularyzacji i hołdów poddańczych (1525 i 1561) złożonych jagiellońskim władcom. Część zakonników nie podporządkowała się tym decyzjom i przeniosła do Niemiec, gdzie dosięgła ich kasata ogłoszona w 1809 r. przez Napoleona. Krzyżacy znaleźli schronienie na dworze Habsburgów w Wiedniu i w 1918 r. kapituła podjęła decyzję o przekształceniu zakonu z rycerskiego w duchowny. Anschluss (przyłączenie) Austrii do Rzeszy w 1938 r. zmusił Krzyżaków do przeniesienia się do podziemia. W 1947 r. rząd austriacki ponownie zalegalizował zakon – obecnie zgromadzenie ma domy w Austrii, Belgii, Niemczech, Włoszech, Słowenii i na Morawach. Zakonnicy zajmują się działalnością duszpasterską, oświatową i charytatywną.

wać luksusowe wille, ale dobra passa skończyła się wraz z wybuchem II wojny światowej. Z tego względu Poiana nie zdążyła się tak rozbudować, jak chociażby Sinaia. W czasach rządów komunistów postawiono kilka hoteli-molochów służących partyjnemu aktywowi.

Przy wielu hotelach działają sklepy turystyczne lub wypożyczalnie sprzętu. Wypożyczenie nart z butami i kijkami na cały dzień to koszt rzędu 12 €, a więc niewiele drożej niż w Polsce. Przy głównym placu (przystanek autobusowy) można wykupić przejażdżkę quadem (23 €/godz.). Kierowca wiezie pasażera (w pojeździe mieści się jedna osoba) po okolicznych lasach i polach. Dobra zabawa gwarantowana, ale ta cena!

Orientacja i informacje Poiana Brașov jest niewielkim ośrodkiem, gdzie orientacja nie przysparza problemów. Jeszcze do niedawna nie było tu nazw ulic, a i teraz nie wszystkie są nazwane, a jeśli już, to przeważnie jednym z członów jest słowo „Poiana" odmieniane w różnych przypadkach. Od przebiegającej z północy na południe głównej arterii odchodzi kilka przecznic na wschód i zachód, które przeważnie szybko się kończą jakimś hotelem. Centrum stanowi wielki parking, gdzie zatrzymują się autobusy z Braszowa. Aby dojść do któregoś z wyciągów, trzeba po wyjściu na główną ulicę skręcić w prawo (na południe) i następnie w lewo do wyciągu nr 1 lub pójść dalej prosto do wyciągu głównego.

Informacji o trasach udziela obsługa wszystkich hoteli oraz biur podróży, np. **Poiana Brașov** (*Vila Narcisa;* ☎0268/262 389, fax 150504) lub **Alpin** (w hotelu *Alpin;* ☎0268/262435). Te ostatnie organizują ponadto różne formy aktywnego wypoczynku oraz wycieczki, m.in. do Râșnova i Branu. W wielu ośrodkach działają szkółki narciarskie (tydzień nauki kosztuje mniej więcej 50 €, dzieci 40 €). Instruktorów w szczycie sezonu jest ponad stu, wielu mówi po angielsku, niemiecku, francusku czy rosyjsku. Niestety, nie ma żadnego mówiącego po polsku, ale też w Zakopanem na próżno by szukać instruktora władającego językiem rumuńskim…

Oficjalna **informacja turystyczna** mieści się w kompleksie *Favorit*, przy str. Poiana Ursului (po lewej stronie drogi, jadąc od centrum), personel pomoże w znalezieniu hotelu i udzieli informacji o warunkach na stokach. Poianę warto wirtualnie odwiedzić jeszcze w Polsce pod adresem www.poiana-brasov.com.

Poczta, rozmównica telefoniczna, apteka oraz pogotowie ratunkowe są przy kompleksie *Favorit*. Pieniądze można wymienić w kantorze działającym pod egidą hotelu *Alpin*.

Wyciągi i nartostrady Poiana Braşov oferuje dobrą zabawę zarówno początkującym narciarzom czy snowboardzistom, jak i tym zaawansowanym. Przygotowano dla nich 10 tras o różnej długości (najdłuższa ma 3,8 km, najkrótsza 350 m, różnica wzniesień do 775 m) i zróżnicowanym stopniu trudności. Narciarzy wywożą na górę dwie kolejki linowe, kilka wyciągów krzesełkowych oraz liczne orczyki. Najwyższy punkt to Cristianul (1690 m n.p.m.) w masywie Postavărul, skąd zjeżdża się łączonymi trasami.

Wyciągi są czynne od 9.00 do 16.00. Po zmroku można jeździć na oświetlonych stokach. Wyjazd na górę kolejką linową kosztuje 8 punktów, wyciągiem krzesełkowym 6 punktów, a orczykiem 2 punkty. Za 10 punktów płaci się 3,40 € (dzieci 1,90 €), za 80 punktów – 24 € (dzieci 14 €).

W kurorcie są trzy główne punkty orientacyjne. Kolejka linowa i orczyk wyruszają spod hotelu *Teleferic* w południowej części miejscowości, kolejna stacja jest w pobliżu hotelu *Bradul* (wschodnia część Poiany), a następny orczyk zaczyna się jeszcze bardziej na północ za hotelem *Poiana*. Z dziećmi można pojeździć na oślej łączce (trasa nr 8, Slalom Poiana, 575 m długości, różnica wzniesień 217 m) obsługiwanej przez orczyk w pobliżu kompleksu *Favorit* (str. Poiana Ursului).

Noclegi i gastronomia W Poianie nie ma tak dużo miejsc noclegowych, jakby się mogło wydawać – w sumie działa tam niewiele ponad 30 hoteli i pensjonatów. Lepiej będzie nocować w Braszowie (pół godziny jazdy autobusem) – nie dość, że noclegi są tam znacznie tańsze, to jeszcze jest ciekawa oferta rozrywek, w przeciwieństwie do Poiany.

Równie kiepsko przedstawia się sytuacja z gastronomią: przy wyciągach stoją jakieś marne budy, a przy głównej ulicy może dwie restauracje (warto polecić lokal *Şura Dacilor*; ☎0268/262327), ale większość turystów stołuje się w restauracjach hotelowych (które zresztą są najlepsze). Na życie nocne nie ma co liczyć, trzeba wybrać się do Braszowa.

W północno-zachodniej części Poiany, przy drodze do Râşnova (pierwsza ulica w prawo, jadąc od strony Braszowa) powstał kompleks kilku hoteli, z których największe i najbardziej charakterystyczne to *Vila Alexandra**** (pomarańczowy budynek; ☎0268/262203, pensiuneaalexandra@home.ro; w zimie pokój 1-os. 54 €, 2-os. 68 €, apartament 104 €), *Alpin**** (☎0268/262343, fax 262435, www.hotelalpin.ro; pokój 1-os. 42 €, 2-os. 55 €, apartament 140 €) i *Ciucaş*** (☎0268/262181, fax 26236, www.hotelciucas.ro; pokój 1-os. 60 €, 2-os. 69 €, apartament 150 €).

Drugi podobny kompleks usytuowany jest po drugiej stronie kurortu przy jednym z wyciągów. Wśród obiektów zarządzanych przez firmę **Ana** (☎0268/407330, fax 407332, rezervari-brasov@anahotels.ro) znajdują się trzy- i czterogwiazdkowe: **hotel *Sport*** (☎0268/407330, fax 407332; pokój 1-os. 80 €, 2-os. 80 €, apartament 110 €), hotel *Brad**** (te same ceny) oraz nieco tańszy **hotel *Poiana****** (pokój 1-os. 45 €, 2-os. 55 €, apartament 72 €). Domowa atmosfera panuje w *Vila Pinul şi Mesteacănul* (przy drodze do kompleksu hoteli *Ana*; ☎0268/262547, 0724/256533; pokój 2-os. ok. 40 €), a najtańsze noclegi oferuje przypominający schronisko górskie *Poiana Ursului** (str. Poiana Ursului, północno-wschodnia część kurortu przy starej drodze do Bukaresztu; ☎/fax 0268/262216; pokój 2-os. 16 €, 3-os. 20 €).

Informacje o połączeniach Z Braszowa z przystanku Livada Poştei (obok budynku biblioteki wojewódzkiej) co 20 min (6.30–24.00) kursują do Poiany autobusy (#20; 0,49 €). Z drogi rozciągają się ładne widoki. W czasie podróży ukazuje się oczom efektowna panorama Braszowa. Szosa wije się serpentynami pod górę, aby po 30 min jazdy łagodnie opaść do Poiany Braşov. Za taksówkę nie powinno się zapłacić więcej niż 10 €, co po rozłożeniu na trzech czy czterech pasażerów jest bardzo rozsądnym rozwiązaniem, zwłaszcza jeśli ma się dużo bagaży.

DOLINA PRAHOVY

Na południe od Braszowa w kierunku Ploeszti wije się doliną Prahovy droga przez góry, która zaczyna się za kurortem Predeal oddalonym o niewiele ponad 20 km od miasta. Dalej rzeka płynie pomiędzy najwyższymi szczytami tej części masywu – górami Bucegi (Munţii Bucegi) na zachodzie i górami Baiaului (Munţii Baiaului lub Gârboa) na wschodzie. Położony tam kurort Buşteni jest najlepszym punktem wypadowym w masyw Bucegi. Kilka kilometrów dalej na południe leży najbardziej popularny po Poianie Braşov rumuński ośrodek zimowy – Sinaia, o wiele ciekawszy ze względu na wspaniałe pałace i zabytkowy monastyr.

W każdej z wymienionych miejscowości można miło i aktywnie spędzać czas w zimie, ale tylko Sinaię warto odwiedzić również latem (Buşteni traktuje się przede wszystkim jako bazę do górskich wycieczek). W wymienionych ośrodkach jest mnóstwo hoteli, pensjonatów i kwater prywatnych, a ponadto są one znacznie tańsze od podobnych w Poiane Braşov.

Predeal

Ta najwyżej położona miejscowość w Rumunii (1040 m n.p.m.) znajduje się na przełęczy łączącej Karpaty Południowe i Wschodnie. W okolicy wytyczono kilka nartostrad o długości od 100 m do 2,5 km, obsługiwanych przez siedem wyciągów narciarskich (kolejki linowe, krzesełkowe i orczyki). Większość to trasy o małym i średnim stopniu trudności, dlatego prawdziwi zawodowcy rzadko tam zaglądają. Na stokach przeważają rodziny z dziećmi, a w szczycie sezonu – uczestnicy niezliczonych kolonii.

Aby dotrzeć do wyciągów (*teleschi*), trzeba z str. M. Săulescu skręcić na wschód w str. Teleferic (w południowej części ośrodka) i pójść nią do samego końca. Przy wyciągu działa wypożyczalnia sprzętu i szkółka narciarska.

Większość hoteli i pensjonatów, a także restauracje, dworzec kolejowy i poczta skupiły się przy przelotowej str. M. Săulescu. Drugą główną ulicą jest odchodzący na wschód (str. M. Săulescu biegnie z północy na południe) blvd Libertăţii. Pieniądze można wymienić w hotelach lub kilku kantorach przy str. M. Săulescu.

Z Braszowa do Predealu kursuje kilkadziesiąt pociągów dziennie (30 min), oprócz tego można tam dojechać autobusem jadącym w kierunku Sinai i Ploeszti. W Predealu zatrzymuje się nawet pociąg relacji **Kraków**–Bukareszt.

Noclegi i gastronomia Większość hoteli i pensjonatów jest ulokowana przy głównych ulicach: str. M. Săulescu i blvd Libertăţii. Zarówno miejsc noclegowych, jak i lokali gastronomicznych w Predealu nie brakuje. Na wyróżnienie zasługują restauracje *Belvedere* (blvd Libertăţii 106) i *Carmen* (str. M. Săulescu 121).

Belvedere*** (blvd Libertăţii 102; ☎0268/456 505, fax 465871, www.hotelbelvedere.ro). Pokój 2-os. 48 €.

Carpaţii** (str. N. Bălcescu 1–3; ☎0268/456283, fax 455411). Tanio. Nocleg około 12 €/os.

Don Sergio** (str. Teleferic 10; ☎/fax 0268/455 091, don_sergio@zappmobile.ro). Pensjonat w drewnianym domu z kilkoma pokojami, niedaleko wyciągu. Pokój 2-os. 23 €.

Orizont*** (str. Trei Brazi 6; ☎0268/455150, www.hotelorizont.ro). Komfortowy hotel z 300 miejscami. Pokój 1-os. 27 €, 2-os. 32 €.

Vila Calimaneşti (str. M. Viteazul 14; ☎0268/456 312). Jeden z wielu skromnych i schludnych pensjonacików. Dobra domowa kuchnia. Pokój 1-os. 11 €, 2-os. 18 €.

Vila Geo (str. G. Coşbuc 21; ☎0721/903861, contact@geo.lacasata.ro). 12 miejsc w pięciu pokojach. Pokój 1-os. 13 €, 2-os. 20 €.

Do **tanich hoteli i pensjonatów** (15–20 €/os.) należą: hotel *Bulevard*** (str. M. Săulescu 129; ☎0268/456002), hotel *Robinson** (str. Muncii 6; ☎/fax 0268/456753; 2 os. 34 €), hotel *Predeal*** (str. Muncii, naprzeciwko *Robinsona*; ☎0268/456705, fax 455433), hotel *Timiş* (sos. Naţionala 7; ☎0268/456244), *Vila Bucegi* (str. Muncii 11; ☎0268/456705), *Vila Plopul* (str. Libertăţii 67; ☎0268/456705), *Vila Banat* (blvd Libertăţii 36; ☎0268/456705).

Buşteni

Miejscowość położona 10 km na południe od Predealu reklamuje się jako najbardziej malowniczy z kurortów w dolinie Prahovy. Wciśnięty pomiędzy skaliste szczyty: Caraiman (2484 m n.p.m.) na zachodzie i Baiul Mare (1895 m n.p.m.) na wschodzie, robi na turystach duże wrażenie.

Największą atrakcją Buşteni jest **kolejka linowa** (*telecabina*; na tyłach hotelu *Silva*; 8.00–15.45; 5,40 € w jedną stronę, dzieci 3,25 €; wjazd na górę ok. 15 min), dzięki której można się dostać na wysokość grubo ponad 2000 m n.p.m. Od stacji końcowej prowadzi kilkudziesięciominutowy szlak na **Caraiman**, gdzie stoi ogromny 40-metrowy **żelazny Krzyż Bohaterów** (Crucea Eroilor) ustawiony w latach 1926–1928 na cześć żołnierzy poległych w I wojnie światowej. Z góry roztacza się fantastyczny widok. W pobliżu końcowej stacji kolejki znajdują się ciekawe głazy (jeden z nich, przypominający z profilu staroegipskiego Sfinksa, widnieje na banknocie 5 RON) oraz grupa ogromnych skalnych grzybów – **Babele**.

W miasteczku działa wiele porządnych hoteli i pensjonatów. Jednym z popularniejszych i tańszych hoteli w centrum jest *Caraiman** (blvd Libertăţii 89; ☎0244/320156, fax 320121), który oferuje raczej skromne pokoje za 9 €/os. Większego komfortu można oczekiwać w *Silva*** (str. Telecabinei 24; ☎/fax 0244/320027, www.hotelsilva.com; pokój 2-os. 32 €, apartament 45 €).

Buşteni ma takie same połączenia co Predeal i Sinaia, ponieważ podobnie jak te dwie miejscowości leży na głównej trasie Bukareszt–Braszów. Można tam dojechać autobusem zarówno z Braszowa, jak i Sinaii (o wiele częstsze kursy; kilkanaście minut; 0,35 €).

Sinaia

Sinaia, położona na wysokości 800–1000 m n.p.m., prawie 50 km od Braszowa, zamyka od południa dolinę Prahovy. To niewielkie miasteczko słynie z zamku Peleş – kompleksu położonego na stokach lesistych wzgórz, pięknie prezentującego się na tle wysokich szczytów gór Bucegi. Dzięki malowniczemu położeniu Sinaia zyskała przydomek Perły Karpat. Miejscowość powstała pod koniec XVII w., kiedy wzniesiono tam klasztor, od którego wzięła się nazwa ośrodka. Sinaia to także świetny ośrodek narciarski. O jej popularności najlepiej świadczą niezliczone drewniane stragany ustawione przy drodze wylotowej w kierunku Braszowa.

Aby pojeździć na nartach, najlepiej wyjechać kolejką linową na miejsce zwane Furnică (Cota 2000), skąd wytyczono kilka tras o zróżnicowanym poziomie trudności.

Orientacja i informacje Główny trakt Sinai to biegnący na osi północ–południe blvd Carol I, równolegle do którego kilkadziesiąt metrów na wschód ciągnie się przelotowa Calea Prahovei przechodząca obok dworca kolejowego. Aby dostać się z dworca do śródmieścia, należy skierować się w górę schodkami prowadzącymi do blvd Carol I prosto do parku z muzeum. Skręcając w lewo, dojdzie się do ścisłego centrum z hotelami, restauracjami, bankami, kantorami, **pocztą z rozmównicą telefoniczną** oraz kinem (Cinema Perla) i domem towarowym Win Markt. **Kafejka internetowa** mieści się w klubie Greenpoint (blvd Carol I nr 41; 0,45 €/godz.) naprzeciwko hotelu Montana; w tym samym budynku na parterze działa **sklep Kodak Express**.

W centrum jest też przystanek autobusowy, z którego odjeżdżają autobusy do Braszowa (kilka dziennie), przez Buşteni i Predeal. Południowy kraniec Sinai wyznaczają charakterystyczne gmachy hoteli International (nowoczesny) oraz Păltiniş (imponujący pałac miejski).

Miasteczko rozpościera się na południowo-wschodnich zboczach gór Bucegi, na zachód od blvd Carol I. Dolna stacja **kolejki linowej** (telecabina; wt.–nd. 8.30–17.00; na samą górę – Cota 2000 – 6,40 € w obie strony, dzieci 3,10 €) znajduje się przy str. Cuza Vodă, na tyłach hotelu Montana.

Informacji udziela pan Mihnea Mihail Şuţu z agencji Dracula's Land (blvd Carol I nr 14; ☎/fax 0244/311441, mihneasutu@yahoo.com), który pomoże rozwiązać każdy problem.

Sinaia leży na trasie Bukareszt–Braszów i zatrzymują się tam wszystkie pociągi (co najmniej kilkanaście dziennie). Należy pamiętać, aby nie wysiąść na stacji Halta Sinaia Sud, oddalonej od centrum o około 2 km na południe. Autobusy odjeżdżają z przystanku w centrum, kilkanaście dziennie kursuje do Braszowa (nieco ponad 1 godz.).

Zwiedzanie Sinaia zawdzięcza popularność **zamkowi Peleş** wzniesionemu pod koniec XIX w. przez Karola I Hohenzollerna, pierwszego rumuńskiego monarchę, jako jego letnia rezydencja. Przy budowie zamku zaprojektowanego przez wiedeńskich architektów pracowali rzemieślnicy z różnych krajów: Francuzi, Niemcy, Włosi, Anglicy, Czesi, Węgrzy, Grecy, Turcy, Albańczycy, a nawet Polacy. Całe założenie, z wyjątkiem pałacu Foişor, reprezentuje z pewnymi modyfikacjami styl niemieckiego renesansu. Z kolei w 160 pomieszczeniach kompleksu łączą się elementy włoskiego i angielskiego renesansu przemieszane z barokiem i rokoko oraz architekturą hiszpańsko-mauretańską. Założenie składa się z kilku budynków, ale tylko dwa z nich udostępniono zwiedzającym, a w pozostałych urządzono hotele i restauracje (zob. niżej). W budynku głównym, czyli w **pałacu Peleş** (śr.–pt. 10.00–18.00, sb. 9.00–17.00; 2,60 €, ulgowy 1,30 €; zwiedzanie tylko z przewodnikiem), którego pomieszczenia same w sobie przedstawiają wysoką wartość artystyczną, powstało muzeum, gdzie można oglądać obrazy mistrzów włoskich i holenderskich oraz kopie flamandzkiej, włoskiej i niemieckiej szkoły malarstwa XVI i XVII w. Najciekawsze komnaty to Sala Główna (zwana też Salą Honorów), Sala Broni, Gabinet, Biblioteka, Sala Konferencyjna i Sala Teatralna oraz Salon Turecki. W pałacu odbywają się również wystawy czasowe. Warto zwrócić uwagę na liczne posągi ustawione na zewnątrz (najciekawszy z nich przedstawia królową Elżbietę, żonę Karola I). Nieco dalej na północny zachód, w nastrojowym zakątku, wznosi się **pałac Pelişor** (śr.–pt. 10.00–19.00, sb. 9.00–17.00; 2,20 €, ulgowy 1,10 €). Zbudowano go kilka lat później niż pałac Peleş dla pary książęcej Ferdynanda i Marii.

Przy str. Mănăstirii, niedaleko parku wznosi się **monastyr Sinaia** postawiony w latach 1690–1695 z fundacji Michała Cantacuzino, brata wołoskiego hospodara Şerbana Cantacuzino (1678–1688). Michał przez pewien czas przebywał w Jerozolimie, zwiedził też klasztor św. Katarzyny na Synaju. Po powrocie do kraju, pełen religijnego zapału postanowił założyć monastyr, nazwany od półwyspu i góry klasztorem Sinaia. Przy konsekracji w 1695 r. obecny był hospodar wołoski Constantin Brâncoveanu, znany z religijności i licznych fundacji klasztornych. Niebagatelne sumy przeznaczył również na powstanie tego klasztoru.

Warto wiedzieć, że z monastyrem Sinaia jest związana pierwsza wzmianka o rumuńskiej ropie naftowej. Akt zakupu ziemi z 1702 r. wspomina o polu w lesie, wodzie, drzewach owocowych i studni z ropą. Następne źródła z 1709 i 1733 r. mówią o kupnie kolejnych hektarów ziemi, na której znajdowały się „dziury z ropą". Przez długi czas klasztor był schronieniem dla prześladowanych możnych uciekających z Wołoszczyzny do Transylwanii lub na odwrót. W czasie wojny turecko-austriackiej z lat 1787–1792 monastyr zajęły wojska austriackie, które przed opuszczeniem osady puściły z dymem całe założenie wraz ze świątynią. Prace restauracyjne trwały do 1795 r. Gdy w I połowie XIX w. po zwycięstwie nad zbuntowaną Wołoszczyzną (na czele z Tudorem Vladimirescu) Turcy zajęli Bukareszt, w monastyrze i okolicznych lasach schroniło się ponad tysiąc uciekinierów z wołoskiej stolicy, którzy w ten sposób uniknęli prześladowań ze strony Turków. W latach 1849 i 1850 w klasztorze stacjonowały wojska austriackie i rosyjskie, które zdławiły rewolucję węgierską.

Według pierwotnych założeń klasztor miał być pustelnią z jedną kaplicą i kilkoma celami dla mnichów otoczoną grubymi murami, skąd w razie zagrożenia można było prowadzić ostrzał. Cerkiew na planie krzyża wewnątrz nieistniejących już obwarowań (obecnie niewielkich rozmiarów mur) ma otwarty przedsionek z łukami podtrzymywanymi przez kolumny oraz górującą nad całością dzwonnicę. Świątynia składa się z prezbiterium, nawy i przednawia (dwa ostatnie oddzielone są od siebie czterema kolumnami ozdobionymi reliefami). Nad portalem wejściowym widoczny jest herb rodziny Cantacuzino. Malowidła ścienne datowane na 1694 r. są dziełem słynnego Pârvu Mutu ze znanej w tamtych czasach szkoły w Câmpulungu.

Pośród fresków łatwo rozpoznać scenę donacji przedstawiającą fundatora Michała Cantacuzino w towarzystwie swoich dwóch żon i dzieci.

W północnej części założenia wznosi się kaplica z końca XVIII w. Powstała na tym samym rzucie co cerkiew – prezbiterium, nawa, przednawie i przedsionek.

Dużą cerkiew wzniesiono z fundacji hospodara Gheorghe Bibescu w latach 1843–1846. Historia, choć krótka, nie była dla niej przychylna, jednak świątynia wiele razy dźwigała się z gruzów. Ostateczny wygląd nadał jej w 1903 r. architekt Gheorghe Mandrea. Świątynię utrzymaną w klasycznym stylu bizantyńskim wieńczy kopuła nad nawą i dwie wieże-dzwonnice. Glazurowane cegły i ceramikę, którymi pokryto elewację, sprowadzono z Wiednia i Peczu. Kolumny przedsionka, portal i obramowania okien rzeźbione w kamieniu są utrzymane w stylu epoki Brâncoveanu, ale zawierają też elementy baroku. Dzwonnica przy wejściu do kompleksu powstała na początku XX w. Niewielkie **Muzeul de Istorie** (Muzeum Historyczne; 0,40 €) w jednym z przyklasztornych budynków prezentuje ciekawą kolekcję sprzętów liturgicznych.

W parku na wschód od monastyru (przy blvd Carol I) działa niewielkie, ale bardzo ciekawe **Muzeul Rezervaţiei Bucegi** (Muzeum Rezerwatu Bucegi; 10.00–18.00; 0,40 €, ulgowy 0,20 €); przybliżające florę i faunę gór Bucegi.

Noclegi i gastronomia Z noclegiem nie ma kłopotów, bo w miasteczku działa mnóstwo hoteli i pensjonatów. Największe wrażenia gwarantuje nocleg w kompleksie pałacowym *Peleş*, ale nie wszyscy mogą sobie na to pozwolić.

W Sinai nie brakuje restauracji i barów. Przy **kompleksie *Peleş*** są trzy świetne lokale (*Vânătoresc*, *Furnică* i *Economat*) oraz bar *La Tunuri*, a przy hotelu *Păltiniş* jedna z lepszych pizzerii w mieście (o tej samej nazwie), gdzie smaczna pizza kosztuje od 2 do 3,50 €. Kolejką linową można dojechać do restauracji *Popas Alpin*, z której roztacza się piękny widok na góry (drogo; zupy od 1,20 €, cały obiad od 7 €). Warto zajrzeć do wykończonej w drewnie, czystej i przyjemnej restauracji *Snow* (str. Cuza Vodă, przy kolejce linowej; ☎0244/311 198), gdzie jajka z szynką kosztują 1,10 €, hot dog 0,80 €, 100 g pstrąga 2,50 €, a specjalność lokalu – gulasz z dziczyzny – 10 € (porcja na dwie osoby). Latem można posiedzieć w ogródku lub na tarasie.

Alpin (Cabana Cota – 1400 m n.p.m.). Duże, od dłuższego czasu remontowane, tanie schronisko.

Cabana Bradet (przy drodze do Cota 1400; ☎0244/215491). Wbrew nazwie, nie jest to schronisko, ale klasyczny motel. Pokoje 2-, 3-, 4- i 7-os. Bardzo czysto, pościel wliczona w cenę (9,50 €/os.). Ubikacje i prysznice na korytarzu. Na parterze restauracja z dobrze zaopatrzonym barem.

Cabana Schiorilor (Drumul cotei 7; ☎/fax 0244/313655). Bardzo przyjemne miejsce w zacisznym zakątku przy drodze do Cota 1400 (na górę). Przy motelu świetna restauracja. Pokój 2-os. 24,50 €, miejsce w pokoju 5-os. 12 €.

Caraiman** (blvd Carol I nr 4; ☎0244/315551, fax 310625, www.scpalacesa.ro). Hotel przy parku w pobliżu muzeum. Pokój 1-os. od 30 €, 2-os. 37 €, apartament 60 €.

Cerbul* (blvd Carol I nr 19; ☎0244/312391, fax 311018, www.cerbul.ro). Hotel w centrum, pokoje zadbane i relatywnie tanie. Pokój 2-os. 35 €, 3-os. 50 €.

International**** (str. A. Iancu 1; ☎0244/313 851, fax 314855, www.international-sinaia.ro). Warto zatrzymać się tu poza sezonem (III–VI i IX–poł. XII), kiedy ceny pokoi spadają o około 20% (wtedy pokój 1-os. 60 €, 2-os. 80 €, apartament 170 €).

Kemping Artizana Manej (str. Independenţei 3; ☎0244/315178). Na obrzeżach miasta przy drodze do Buşteni, kilkaset metrów za stacją benzynową Lukoil (ok. 3 km od centrum, 2,5 km od dworca kolejowego). Można tam dojść pieszo, ale lepiej wsiąść w minibus jadący w kierunku Braszowa i wysiąść przy Lukoil. Oprócz miejsca na namioty (2,80 € niezależnie od liczby osób) jest tu też kilka widocznych z drogi bungalowów (2-os. 10 €).

New Montana**** (blvd Carol I nr 24; ☎0244/ 312751, fax 312754, www.newmontana.ro). Jeden z najdroższych hoteli w Sinai. Nowoczesny wystrój. Na miejscu *Vienna Caffe*, *Irish Pub* i *English Bar*. Pokój 1-os. 77 €, 2-os. 95 €, 3-os. 123 €, apartament od 185 do 232 €.

Palace**** (str. O. Goga 4; ☎0244/310122, fax 310625, www.scpalacesa.ro). Kolejny hotel przy parku. Pokój 1-os. 50 €, 2-os. 70 €, apartament 110 €.

Păltiniş** (blvd Carol I nr 67; ☎0244/311022, fax 313234). W wielkiej kamienicy – pałacu miejskim naprzeciwko hotelu *International*. Pokój 1-os. 26 €, 2-os. 30 €, 3-os. 36 €, apartament 45 €.

Peleş (str. Peleşelui 2; ☎0244/310353, fax 311150, www.hotelpaltinis.ro). Kompleks hotelowy. Najdroższym i najlepszym pod względem standardu i klimatu jest *Economat**** (pokój 1-os. 26 €, 2-os. 34 €). *Vila Corpul de Garda*** też robi dobre wrażenie (pokój 2-os. 36 €, bez łazienki 22 €). Najtańsza jest *Vila Floare de Colţ* (pokój 1-os. 17 €, 2-os. 36 €).

Sinaia*** (blvd Carol I nr 8; ☎0244/302900, fax 314898). 461 miejsc w 242 pokojach o wysokim standardzie. Do dyspozycji restauracje, kawiarnia, siłownia, baseni i sala konferencyjna. Pokój 1-os. 35 €, 2-os. 60 €.

Tanţi** (str. O. Goga 35-37, naprzeciwko hotelu *Palace*; ☎0244/314698, fax 312306, www.hotel-tantzi.ro). Nie jest taki tani, na jaki wygląda. Pokój 1-os. 30 €.

Valea cu Brazil (☎0244/313605). Schronisko górskie (1510 m n.p.m.). 4,80 €/os.

Vila Camelia (str. Cantacuzino; ☎0244/311754). Pensjonat godny polecenia ze względu na przedwojenną atmosferę i niskie ceny – tylko 9 €/os.

Vila Turistica Silva (str. Mănăstiri, nieopodal klasztoru; ☎0244/314555). Bardzo tani pensjonat w starej drewnianej willi. Pokój 1-os. 7 €, 2-os. 15 € (w pokojach umywalki; prysznice i ubikacja na korytarzu).

MIĘDZY BRASZOWEM A SIGHIŞOARĄ

Homorod

W samym centrum wioski (węg. Homoród, niem. Hamruden) wznosi się jeden z najpiękniejszych i najstarszych warownych kościołów siedmiogrodzkich. Świątynia ufundowana na początku XIII w. ma typowy układ z kwadratową niewielką nawą oraz węższym i niższym od niej prezbiterium zamkniętym półkolistą absydą. Od zachodniej strony wznosi się wieża na planie kwadratu. Mury obronne wraz z basztami artyleryjskimi pochodzą z I połowy XV w. W tym samym czasie nad prezbiterium dobudowano potężną drugą wieżę-basztę z drewnianą galerią obronną – hurdycją (taką samą dodano do wieży nad wejściem). Od strony południowo-wschodniej zgodnie ze zwyczajem protestantów wydzielono kaplicę katolicką. Do niedawna można było w niej oglądać wspaniałe romańsko-bizantyńskie malowidła z około 1300 r. Niestety, w 2001 r. freski skradziono. Policyjne śledztwo wykazało jedynie, że była to profesjonalna kradzież na zlecenie: nie skuto tynków, a freski ściągnięto ze ścian za pomocą nowoczesnych środków chemicznych. Ołtarz w kościele pochodzi z 1733 r.

Przed II wojną światową wśród ludności wioski dominowali Niemcy. Mieszkało ich wówczas w Homorodzie ponad 800 – obecnie pozostało 15. Największe są Cyganów (1200), Węgrów (450) i Rumunów (200). Kościołem opiekuje się Johann Thome, który mieszka w domu nr 374 (oprowadza on również w języku niemieckim). W dawnej plebanii przygotowano

pokoje gościnne, do dyspozycji gości jest 16 łóżek i węzeł sanitarny (8,50 €/os.).

Rupea

Strategiczne położenie wzgórza nad Rupeą (węg. Kőhalom, niem. Repes) doceniano od zamierzchłych czasów – pierwsze ślady człowieka pochodzą z IV w. p.n.e. Badania archeologiczne dowiodły również, że już w VIII w. stał tam zamek obronny. Ruiny to pozostałość wielokrotnie przebudowywanej warowni z XII w. Twierdza spełniała rolę obronną dla mieszkańców kilku okolicznych gmin. Wewnątrz przygotowano cele dla poszczególnych rodzin, wzniesiono kaplicę i inne budynki konieczne do przetrwania długiego oblężenia. Zamek w Rupei jest malowniczo położony i wspaniale wpisuje się w krajobraz. W samej wiosce warto zwiedzić ewangelicki kościół z końca XV w., w którym na uwagę zasługują renesansowe stalle z 1609 r. 6 km od Rupei w stronę Braszowa leży wioska ze stacją kolejową – Găra Rupea, skąd można dojechać do Rupei i Homorodu.

Viscri

Choć wioska (węg. Szászfehéregyháza, niem. Deutschweisskirch) leży z dala od głównych dróg, warto do niej zajrzeć, zwłaszcza że została wpisana na Listę Światowego Dziedzictwa Kulturalnego i Przyrodniczego UNESCO. Najcenniejszym zabytkiem Viscri jest warowny kościół ewangelicki, ze względu na kolor nazywany niekiedy Alba Ecclesia (Weisskirch, Biały Kościół). Rumuni uprościli nieco niemiecką wymowę – stąd nazwa Viscri. Jego dzieje sięgają czasów Szeklerów, którzy wznieśli w tym miejscu niewielką romańską świątynię, przejętą i przebudowaną pod koniec XII w. przez niemieckich osadników. W obliczu rosnącego od początku XV w. zagrożenia rozpoczęto budowę obwarowań. Mury obronne w obecnym kształcie powstawały stopniowo przez cały XVII wiek i prezentują się imponująco. Skomplikowany system cel wewnętrznych i różnorakich przybudówek tworzy wbrew pozorom harmonijną całość. We wnętrzu kościoła warto zwrócić uwagę na chrzcielnicę wykonaną z kapiteli romańskich.

Po upadku komunizmu większość rodzin o niemieckich korzeniach wyemigrowała, a ich miejsce zajęli Cyganie. Bez dawnych mieszkańców i protestanckiej liturgii klimat takich wiosek jak Viscri zmienił się bezpowrotnie i dziś stanowią one tylko atrakcję turystyczną. We wsi gościł kilkakrotnie angielski książę Karol, który podobno kupił tu jeden z saskich domów.

Z **noclegiem** nie ma najmniejszego kłopotu. Pan Harald (każe mówić do siebie tylko po imieniu i nie zdradza nazwiska), który przyjechał do Viscri z Niemiec i zajmuje się działalnością charytatywną, pomoże w dotarciu do odpowiednich ludzi. Jego dom (nr 57; ☎0744/551204) stoi w pobliżu warownego kościoła. Cena miejsca waha się w granicach 5–15 €/os. bez śniadania (posiłek kosztuje zazwyczaj ok. 5 €, ale jest iście królewski). Gdyby pana Haralda nie było w domu, warto spytać o nocleg w następujących gospodarstwach: Maria i Costel (nr 25), Cuta i Eugen (nr 38), Ramona i Daniel (nr 143; tylko 3 €/os.), Marcela i Aurel (nr 208).

SIGHIŞOARA

Położona w samym sercu Rumunii niewielka Sighişoara (węg. Segesvár, niem. Schässburg; niecałe 40 tys. mieszkańców) to niezwykłe miasto. Średniowieczne Wzgórze Zamkowe, wpisane na Listę Światowego Dziedzictwa Kulturalnego i Przyrodniczego UNESCO, na każdym robi ogromne wrażenie – nieprzypadkowo właśnie tutaj odbywa się słynny festiwal średniowiecza. Otoczona murami i zdominowana przez charakterystyczną wieżę Zegarową starówka bywa nazywana rumuńskim Carcassonne, ale częściej po prostu Perłą Transylwanii.

W lecie w Sighişoarze kłębi się tłum turystów (nieco spokojniej robi się we wrześniu), dlatego w szczycie sezonu może być problem z noclegiem, zwłaszcza w tańszych obiektach.

Historia

Na miejscu dzisiejszego miasta w czasach starożytnych istniała dacka osada, a po niej rzymski obóz. W XIII w. niemieccy koloniści założyli wieś, która szybko się rozwinęła. W 1280 r. źródła wspominają o osadzie Castrum Sex – prawdopodobnie była to już niewielka twierdza na wzgórzu. O jej znaczeniu świadczy fakt, że dominikanie zdecydowali się wznieść w pobliżu klasztor i w 1298 r. otrzymali od papieża Bonifacego VIII list odpustowy. W XIV w. Sighişoara przeżyła nagły rozkwit – w miasteczku działało 25 cechów rzemieślniczych i była tu siedziba saksońskiego okręgu administracyjnego i sądowego podporządkowanego stolicy w Hermannstadt. Ze względów bezpieczeństwa twierdza na wzgórzu została w XV w. rozbudowana, a Dolne Miasto otoczono murem. W latach 1431–1435 w Sighişoarze bawił

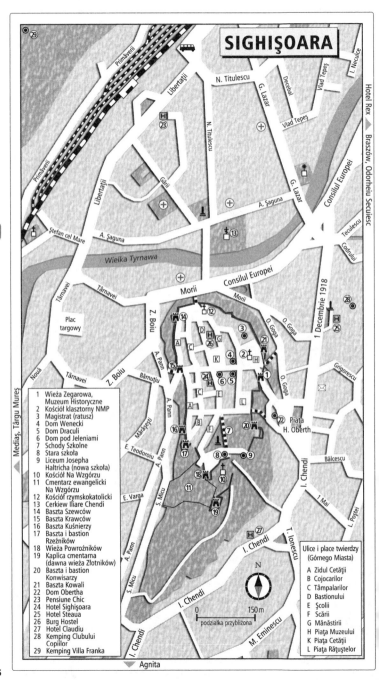

SIGHIȘOARA

Hotel Rex ► Brașów, Odorheiu Secuiesc

◄ Mediaș, Târgu Mureș

1 Wieża Zegarowa, Muzeum Historyczne
2 Kościół klasztorny NMP
3 Magistrat (ratusz)
4 Dom Wenecki
5 Dom Draculi
6 Dom pod Jeleniami
7 Schody Szkolne
8 Stara szkoła
9 Liceum Josepha Haltricha (nowa szkoła)
10 Kościół Na Wzgórzu
11 Cmentarz ewangelicki Na Wzgórzu
12 Kościół rzymskokatolicki
13 Cerkiew Iliare Chendi
14 Baszta Szewców
15 Baszta Krawców
16 Baszta Kuśnierzy
17 Baszta i bastion Rzeźników
18 Wieża Powroźników
19 Kaplica cmentarna (dawna wieża Złotników)
20 Baszta i bastion Konwisarzy
21 Baszta Kowali
22 Dom Obertha
23 Pensiune Chic
24 Hotel Sighișoara
25 Hotel Steaua
26 Burg Hostel
27 Hotel Claudiu
28 Kemping Clubului Copiilor
29 Kemping Villa Franka

Ulice i place twierdzy (Górnego Miasta)

A Zidul Cetății
B Cojocarilor
C Tâmpalarilor
D Bastionului
E Școlii
F Scării
G Mănăstirii
H Piața Muzeului
K Piața Cetății
L Piața Rățuștelor

N
0   150 m
podziałka przybliżona

Agnita

Wład Diabeł (Vlad Dracul), późniejszy hospodar wołoski i ojciec słynnego Draculi, a w 1529 r. zatrzymały się tam na rok oddziały Petru Rareşa.

Wtedy też na miasto zaczęły spadać nieszczęścia, które zdawały się nie mieć końca. W 1601 r. splądrowały je wojska austriackiego generała Jerzego Basty, po czym zajęli je Szeklerzy. Dwa lata później ponad 2 tys. mieszkańców padło ofiarą epidemii dżumy. W 1604 r. żołnierze generała Basty ponownie wkroczyli do Sighişoary, a osiem lat później mieszkańcy musieli bronić się przed armią Gabriela Batorego. Atak udało się odeprzeć, a na cześć tego zwycięstwa wzniesiono małą wieżę La Chip. Spokój nie trwał jednak długo. W 1647 r. Sighişoarę znowu nawiedziła epidemia dżumy, a 20 lat później większość zabudowy zniszczył pożar. W 1704 r. oddziały Istvána Guttiego napadły, splądrowały i spaliły miasto, a kolejny, najstraszniejszy pomór zabrał 4 tys. ludzi, co stanowiło cztery piąte populacji. Na tym się nie skończyło. W latach 1736 i 1788 Sighişoara znów padła ofiarą płomieni i choć trudno w to uwierzyć, w okresie pomiędzy pożarami nawiedziła ją wielka powódź (1771). Warto dodać, że przez cały ten czas potomkowie sascy i węgierskich osadników raz po raz musieli bronić się przed Turkami.

Dopiero z nadejściem XIX w. klątwa przestała działać i Sighişoara zaczęła normalnie funkcjonować. 31 lipca 1849 r. wojska cara rosyjskiego pod wodzą Lüdersa pokonały pod Albeşti (niegdyś pobliska wioska, dziś dzielnica miasta) oddziały generała Józefa Bema. Podczas bitwy prawdopodobnie zginął wielki poeta węgierski Sándor Petőfi (1823–1849) – adiutant generała.

W połowie lipca odbywa się w Sighişoarze **Festivalul de Artă Medievala** (Festiwal Średniowiecza), chyba najbardziej znany festiwal w Rumunii. Towarzyszą mu uliczne występy aktorów, koncerty zespołów muzycznych, pokazy sztukmistrzów i festyny. Impreza trwa przeważnie trzy dni i cieszy się popularnością głównie wśród studentów, którzy w tym czasie często przebierają się w stroje z epoki.

Orientacja i informacje

Sighişoara leży nad Wielką Tyrnawą (Târnava Mare). Śródmieście jest skupione na południowym brzegu, a dworzec kolejowy i autobusowy usytuowane są po północnej stronie. Centrum Sighişoary to Wzgórze Zamkowe (Dealul Cetăţii), czyli starówka (zwana także twierdzą – Cetate), oraz dzielnica po jego wschodniej stronie, zwana Dolnym Miastem (Oraşul de Jos). Główną arterią handlową jest biegnąca z północy na południe str. 1 Decembrie 1918, przechodząca przy Piaţa Hermann Oberth w str. I. Chendi. Z Piaţa Hermann Oberth, dawnego targu, a dziś skromnego skweru, można się dostać do Starego Miasta wyłącznie pieszo – samochody podjeżdżają drugą stroną wzgórza, ale i tak na terenie starówki obowiązuje zakaz ruchu. Po północnej stronie wzniesienia, wzdłuż południowego brzegu rzeki, biegnie przelotowa str. Consiliul Europei.

W mieście brak całorocznej informacji turystycznej, a latem działają zazwyczaj dwa punkty, w których można zasięgnąć informacji o kwaterach i okolicznych atrakcjach. Jeden z nich działa przy głównym parkingu, nieopodal hotelu *Steaua*, drugi w kamienicy na rynku Górnego Miasta (Piaţa Cetăţii, naprzeciw hotelu *Casa cu Cerb*; mona_b77@yahoo.com) i prowadzony jest przez fundację Veritas.

Zwiedzanie

Większość zabytków skupia się w obrębie **Dealul Cetăţii** (Wzgórze Zamkowe; 425 m n.p.m.). Najbardziej charakterystycznym obiektem i symbolem miasta jest wysoka na 64 m **Turnul de Ceas** (wieża Zegarowa) we wschodniej części wzgórza. Wzniesiono ją w XIV w. nad główną bramą broniącą dostępu do twierdzy i do 1556 r. pełniła rolę ratusza. Oryginalny kształt wieży to efekt przebudowy z XVI w. Dwumetrowej grubości mury wzmacniały nie tylko bramę główną, ale również ochraniały kryjący się w środku skład amunicji, skarbnicę i archiwum. Na początku XVII w. wmontowano zegar z dwoma tarczami i drewnianymi figurkami symbolizującymi dni tygodnia. Dach, kilkakrotnie trawiony przez pożar, był wiele razy naprawiany i zmieniany (ostatni raz w 1894 r., kiedy pokryto go glazurowanymi dachówkami z fabryki Zsolnaya w Peczu. Cztery wieżyczki u podstawy spadzistego dachu wieży pomyślane były pierwotnie jako symbol niepodległości i niezawisłości Sighişoary, z czasem jednak stały się jedną z wielu ozdób. Obecnie w wieży mieści się **Muzeul de Istorie** (Muzeum Historyczne; Piaţa Muzeului 1; ☎/fax 0265/771108; wt.–pt. 9.00–15.30, sb. i nd. 9.00–15.30; 1,20 €, ulgowy 0,70 €, fotografowanie 2,50 €, filmowanie 6,40 €) założone przez miejscowego fizyka Josefa Bacona w 1898 r. Uwagę zwraca makieta średniowiecznej Sighişoary, poza tym można obejrzeć mechanizm zegara oraz ciekawy dział dotyczący, związanego z miastem konstruktora rakiet, Hermanna Obertha (zob. dalej).

Nieopodal wieży, również przy Piąta Muzeului, stoi **Biserica mănăstirii Sf. Maria** (kościół klasztorny NMP), założona przez dominikanów w 1298 r. Zabytek odnowiono na przełomie XIV i XV w., a jego dzisiejszy wygląd to efekt renowacji i odbudowy z lat 1677–1678 (został poważnie uszkodzony w wielkim pożarze w 1676 r.). Wybudowany jako świątynia halowa składa się z trzech jednakowej wysokości naw i kwadratowego prezbiterium od strony wschodniej, zamkniętego wielokątną absydą. Na przestrzeni wieków wnętrze mocno ucierpiało, przez co z oryginalnego wystroju z 1678 r. niewiele się zachowało. Najmniej uszczerbku doznała absyda z modelowym gotyckim sklepieniem (barokowy ołtarz pochodzi z 1681 r.). Ocalała także kunsztowna chrzcielnica z 1440 r. wykonana, jak głosi łacińska inskrypcja, przez siedmiogrodzkiego ludwisarza Jakuba. Na uwagę zasługuje ponadto kolekcja ponad 30 orientalnych kobierców, stalle w prezbiterium oraz południowy portal wejściowy. Dzwon w miniaturowej wieżyczce nad chórem wykonano w 1677 r. Kiedy kościół w połowie XVI w. przeszedł w ręce luteranów, a co za tym idzie stał się własnością miasta, do jego piwnic przeniesiono z wieży zegarowej siedzibę władz miejskich. W 1886 r. rozebrano budynki klasztorne, a na ich miejscu powstał **magistrat** (dzisiejszy ratusz), duży budynek sąsiadujący z kościołem od strony północnej.

Na rogu północno-zachodniej pierzei Piąta Muzeului stoi charakterystyczna i ciekawa kamienica – XIII-wieczna **Casa Veneţiană** (Dom Wenecki). Pomalowana na seledynowo, przywodzi na myśl śródziemnomorskie klimaty. Obok, po drugiej stronie ulicy, w południowo-zachodniej pierzei, stoi słynna **Casa Dracula** (Dom Drakuli), jeden z najstarszych budynków w mieście, w którym podczas swego pobytu w Sighişoarze w latach 1431–1435 mieszkał prawdopodobnie Wład Dracul, ojciec Włada Palownika (pierwowzoru Drakuli w powieści Brama Stokera, zob. s. 136–137). Obecnie w XV-wiecznej kamienicy mieści się restauracja. Kierując się na zachód, dochodzi się do Piąta Cetăţii otoczonej zabytkowymi budowlami. Warto zwrócić szczególną uwagę na **Casa cu Cerb** (Dom pod Jeleniami; północno-zachodni róg placu) – nazwa pochodzi od poroża jelenia, do którego na dwóch ścianach domalowano resztę zwierza. Pierwszy drewniany dom stanął w tym miejscu w XIII w., w XV i XVI w. wybudowano nowy, który uległ poważnym uszkodzeniom w pożarach w roku 1676 oraz 1693. W XVII w. kamienica uzyskała obecną renesansową formę.

Biegnąca na południe od Domu pod Jeleniami str. Şcolii prowadzi na wzgórze, gdzie stoi kościół, najcenniejszy zabytek Sighişoary. Najpierw jednak trzeba pokonać osobliwe **Scara şcolarilor** (Schody Szkolne) – 176 stopni wybudowano w 1642 r., a rozpostarty na całej długości dach miał chronić uczniów i profesorów przed kaprysami pogody. Na ich szczycie znajduje się **szkoła** (Şcoala veche; stara szkoła) – niewielki budynek z 1619 r. stoi na wprost wyjścia z klatki schodowej. Po lewej stronie widać nową szkołę, **Liceul teoretic Joseph Haltrich** (Liceum Josepha Haltricha) wybudowane na przełomie XVIII i XIX w.

Kilkanaście metrów wyżej stoi **Biserica din Deal** (kościół Na Wzgórzu; pn.–pt. 10.30–15.00, nd. 11.15–15.00; 0,60 €, ulgowy 0,30 €) wzmiankowana po raz pierwszy w 1345 r. Budowa ruszyła na początku XIV w., a w latach 1400 i 1402 niewielką świątynię znacznie powiększono, zamieniając w trójnawową bazylikę z imponującą wieżą (42 m). Ciekawostką jest fakt, że część romańskiego pierwowzoru przykryto nowym prezbiterium i w ten sposób powstała jedyna w Siedmiogrodzie krypta kościelna. W 1483 r. zakończono kolejną renowację, która nadała świątyni charakter późnogotyckiego kościoła halowego. Pięć lat później powstały malowidła w pomieszczeniu na parterze wieży, a w 1495 r. w nawie północnej pojawił się portal z herbem Sighişoary. Ozdobne wejście w przeciwległej nawie pochodzi z 1525 r. W 1547 r. kościół przejęli luteranie, a 23 kwietnia 1704 r. świątynia ucierpiała na skutek groźnego pożaru. W 1838 r. w wyniku trzęsienia ziemi zawaliło się sklepienie nad prezbiterium i część bocznych pomieszczeń. Dzisiejszy wygląd kościół uzyskał podczas renowacji w 1934 r. Liczne przebudowy sprawiły, że świątynia jest mieszanką wielu stylów, gotyku z pierwszych faz budowy oraz renesansu i baroku. W przeciwieństwie do kościoła klasztornego NMP, wewnątrz zachowało się wiele oryginalnych elementów. Uwagę przykuwają ładne gotyckie okna z maswerkami oraz stalle z 1520 r. z efektownymi intarsjami (metoda zdobienia drewnianej powierzchni drewnem innego koloru lub gatunku) wykonanymi na tylnej ścianie przez

Jana Stwosza, syna Wita. Widnieje tam również napis w siedmiogrodzkim dialekcie: *Wer in dys gestül wil stan und nit latyn reden kann, der solt blyben draus, das man ym nit mit kolben raus*, co można przetłumaczyć: „Kto zechciałby w ławach tychże posiedzieć i nic nie umiał w łacinie powiedzieć, od tego miejsca lepiej niech stroni, bo go ktoś drągiem natychmiast przegoni". Najcenniejsze elementy wyposażenia to misterne tabernakulum z 1483 r., późnogotycka kamienna ambona (1480) oraz poliptyk z 1513 r. w północnej nawie (w środkowej części postać św. Marcina). Przypuszcza się, że ołtarz jest również dziełem Jana Stwosza. Poza tym zachowała się kamienna chrzcielnica z XV w., piękne gwiaździste sklepienie w zakrystii (od południowej strony prezbiterium) i późnobarokowe figury czterech ewangelistów w ołtarzu głównym. Wartościowe freski na ścianach i sklepieniu pochodzą na ogół z końca XV w. Zamalowane w 1777 r., zostały odkryte podczas prac konserwatorskich w 1934 r. Po zachodniej stronie kościoła rozciąga się piękna nekropolia – **Cimiturul Evanghelic din Deal** (cmentarz ewangelicki Na Wzgórzu). Na nagrobkach można odczytać, kim byli i czym zajmowali się spoczywający tam ludzie.

W północnej części twierdzy wznosi się niewielka **Biserica romano-catolică** (kościół rzymskokatolicki) z 1896 r. Można stąd rozpocząć spacer wzdłuż murów, by podziwiać zachowane w bardzo dobrym stanie wieże obronne. **Cetate** (twierdza) powstała grubo przed najazdem Tatarów w 1241 r. i prawdopodobnie była zbudowana z drewna i gliny; kolejną wzniesiono z kamienia. Obwarowania szybko okazały się za ciasne i miasto zaczęło rozrastać się poza murami, dlatego w XIV w. dodano 800-metrowy odcinek z 14 wieżami, z których zachowało się dziewięć (w tym wieża Zegarowa). Rozbudowę murów sfinansowały miejscowe cechy – ich członkowie opiekowali się poszczególnymi basztami i fragmentami umocnień. Najbliżej kościoła stoi **Turnul Cişmarilor** (baszta Szewców) z 1650 r. (wieża stała w tym miejscu już wcześniej, co najmniej od I połowy XVI w.). Idąc na południe str. Zidul Cetăţii, dociera się do XIV-wiecznej **Turnul Croitorilor** (baszta Krawców) na planie kwadratu, w której przebito drugą bramę do miasta. Nad dwoma łukowymi wejściami są dwie kondygnacje z otworami strzelniczymi. W 1676 r. eksplodował przechowywany tam proch, ale wybuch zniszczył tylko północne przejście, które podczas

odbudowy zamknięto i przekształcono w magazyn. Baszta odzyskała pierwotny wygląd w 1934 r. Warto także obejrzeć pozostałe, nieco trudniej dostępne wieże i bastiony. Od zachodniej strony wzgórza stoją: czteropiętrowa **Turnul Cojocarilor** (baszta Kuśnierzy) z XIV w., **Turnul şi Bastionul Măcelarilor** (baszta i bastion Rzeźników) z końca XV w. oraz **Turnul Frânghierilor** (wieża Powroźników) z XIV w. przebudowana dwa stulecia później i następnie zamieniona na mieszkanie dla stróża cmentarza. W najwyższym punkcie Cetate, na miejscu **Turnul Aurarilor** (wieża Złotników) z przełomu XIII i XIV w. stoi **Capela cimitirului** (kaplica cmentarna). Od wschodniej strony wzgórza można obejrzeć **Turnul şi Bastionul Cositorarilor** (baszta i bastion Konwisarzy), które powstały prawdopodobnie w tym samym czasie co pierwsze obwarowania, ale później były wielokrotnie przebudowywane, oraz **Turnul Fierarilor** (baszta Kowali) z przełomu XIV i XV w.

Schodząc ze wzgórza do Dolnego Miasta str. Turnului, dociera się do **Casa Hermann Oberth** (Dom Obertha; Piaţa H. Oberth 47), którą można poznać po ustawionym przed nią popiersiem. Hermann Oberth (1894–1989) był uczonym, wybitnym teoretykiem astronautyki i jednym z pionierów techniki rakietowej (w 1923 r. napisał książkę o podróżach kosmicznych *Rakietą w przestrzeń międzyplanetarną*). W czasie II wojny światowej brał udział w pracach nad konstrukcją pocisku V2 i w końcu wyjechał do USA, aby tam pracować dla NASA.

Noclegi

Hoteli i pensjonatów w Sighişoarze nie brakuje, w dodatku nie są najdroższe, a większość skupia się w granicach twierdzy lub w Dolnym Mieście. Nocleg znajdą zarówno osoby żądne luksusu, jak i turyści z plecakiem i ograniczonym budżetem. Pani Elena Pusztai organizuje noclegi w **kwaterach prywatnych**, nierzadko w obrębie Górnego Miasta (Piaţa Cetăţii 13; ☎0265/775038, pusztaielena@yahoo.com; od 10 do 20 €/os.).

Hotele i pensjonaty

Burg Hostel (str. Bastionului 4–6; ☎0265/778 489, fax 506086, burghostel@ibz.org.ro). Najtańsze noclegi w Sighişoarze. Nowe i czyste schronisko zrzeszone w Hostelling International (posiadacze legitymacji otrzymują zniżkę 10%). Na miejscu pub i kafejka internetowa. Pokój 3-os. z łazienką 17,50 €, miejsce w pokoju 5-os. 3 €.

Casa cu Cerb*** (str. Şcolii 1; ☎0265/774625, fax 777349). Hotel w sercu Cetate w Domu pod Jeleniami, jednym z najstarszych budynków w mieście. Pokój 1-os. 38 €, 2-os. 58 €. Na parterze świetna restauracja.

Casa Wagner*** (Piaţa Cetăţii 7; ☎0265/506 014, fax 506015, office@casa-wagner.com). Jeden z wielu hoteli w samym centrum o przyzwoitym standardzie. Pokój 1-os. 36 €, 2-os. 47 €, apartament 68 €.

Claudiu*** (str. I. Chendi 28; ☎0265/779882). Komfortowy hotel w Dolnym Mieście, kilkaset metrów na południe od Piaţa H. Oberth. Pokój 2-os. 52 €.

Legenda** (str. Bastionului 8 bis, obok schroniska Burg Hostel; ☎0744/632775, contact@legenda.ro). Bardzo przyjemne pokoje o wysokim standardzie, większość 2-os. (27–35 €), jeden 4-os. (44 €).

Nathan's Villa (str. Libertăţii 10; ☎0265/772 546). Około 250 m na zachód od dworca kolejowego, 10 min od centrum. Jak w każdym schronisku tej europejskiej sieci (kilka jest w Rumunii) personel mówi świetnie po angielsku. Miejsce w kilkuosobowym pokoju 11,50 €.

Pensiune Chic** (str. Libertăţii 44, naprzeciwko dworca kolejowego; ☎0265/775901, 0744/518419). Skromne, ale czyste pokoje w standardzie schroniskowym. Pokój 1-os. 15 €, 2-os. 19 €.

Rex** (str. Dumbravei 18; ☎0265/777615, fax 777431, hotelrex@elsig.ro). Niezbyt ciekawy budynek (blok) i jeszcze mniej ciekawa okolica (w pobliżu stacji benzynowej, daleko od centrum). Pokoje o średnim standardzie. Pokój 2-os. 27 €, apartament 37 €.

Sighişoara*** (str. Şcolii 4–6; ☎/fax 0265/771 000, 777788, hotelsighisoara@teleson.ro). Sprawia wrażenie luksusowego; ceny umiarkowane. Pokój 1-os. 45 €, 2-os. 50 €, apartament 70 €.

Steaua* (str. 1 Decembrie 1918 nr 12; ☎0265/771594, fax 773304, www.hotelrestaurant-steaua.home.ro). Zajmuje elegancką kamienicę w Dolnym Mieście. Średni standard; na miejscu dobra restauracja. Pokój 1-os. 12 € (z prysznicem 15 €), 2-os. 16/20 €, 3-os. 21,50/24 €.

Kempingi

Campingul Clubului Copiilor (str. 1 Decembrie 1918 nr 30A; ☎0265/771946, cristub@club.sigedu). Na placu pośród budynków między str. 1 Decembrie 1918 i str. N. Iorga. Działa jedynie w lipcu i sierpniu. Rozbicie namiotu 2,40 €.

Villa Franka (na końcu str. Dealul Gării na wzgórzu ponad dworcem kolejowym; ☎0265/771046, fax 775901). Dojście ścieżką na przełaj przez zbocze wzgórza lub naokoło str. Dealul Gării. Za wiaduktem kolejowym na wschód od dworca trzeba zejść w lewo w dół na ulicę poniżej i iść nią do końca, co zajmie pół godziny,

dlatego leniwi powinni skorzystać z taksówki (ok. 1,50 €). Dojazd autem nieco zagmatwany, za żółtymi strzałkami. Nocleg w sezonie w namiocie kosztuje 0,80 €/os., a w jednym z kilkunastu 2-os. bungalowów 35 € (z łazienką) i 20 € (bez łazienki). Poza sezonem ceny spadają o około 30 %. Na miejscu jest niezła restauracja (fantastyczna panorama miasta), wypożyczalnia rowerów górskich (5 €/dzień) i plac zabaw dla dzieci.

Gastronomia

W Sighişoarze nie można narzekać na brak lokali gastronomicznych. Jak w każdym rumuńskim mieście jest tam mnóstwo pizzerii. Na Wzgórzu Zamkowym dominują ekskluzywne lokale (głównie przy hotelach), taniej jest w Dolnym Mieście.

Żywność można kupować na targowisku przy str. Târnavei, w północno-zachodniej części miasta blisko rzeki. Całodobowy sklep spożywczy znajduje się przy str. I. Chendi, kilkadziesiąt metrów na południe od Piaţa H. Oberth.

Boema (Piaţa Răţutenor 12). Przyjemny zacieniony ogródek oraz dobra międzynarodowa kuchnia.

Cafenea Cofetarie (Piaţa H. Oberth 7). Wbrew pozorom jest to nie tylko kawiarnia, ale również jest pizzeria. Smaczne kanapki.

Casa Wagner (Piaţa Cetăţii 7). W hotelu o tej samej nazwie. Świetna kuchnia (posiłek dwudaniowy od 5 €) i jeszcze lepsze wino, które najlepiej smakować w piwnicach (butelka 4–16 €) przy muzyce na żywo.

Cofetarie Liliacul (str. I. Chendi 32). Tania i dobra kawiarnia oferująca smaczne wyroby cukiernicze.

Hermes Fast Food (str. 1 Decembrie 1918 nr 54, na rogu str. N. Iorga). Schludne bistro z klasycznym menu à la McDonald.

Perla Cetăţii (Piaţa H. Oberth 15). W zaniedbanej narożnej kamienicy. Lokal stylizowany na meksykańską knajpę. Dwudaniowy posiłek około 3 €.

Pizzeria Italiana (Piaţa H. Oberth 1). Włoskie dania w korzystnych cenach (duża pizza 2,50–3 €).

Pizzeria Jo (w trójkącie pomiędzy ulicami 1 Decembrie 1918, Consiliul Europei a Morii, od strony tej ostatniej, w bloku na parterze). Najlepszy tego typu lokal w Sighişoarze. Bardzo dobra pizza i inne włoskie specjały, gustownie urządzone obszerne wnętrze. Pizza 2,60–4 €.

Rustic Restaurant Café (str. 1 Decembrie 1918 nr 7). Jedna z lepszych restauracji w Dolnym Mieście. Wnętrze urządzone w rustykalnym stylu. Kuchnia wyłącznie rumuńska (dwudaniowy posiłek od 5 €), smaczne zupy (0,70–1,80 €).

Vlad Dracul (Dom Drakuli). Stylizowana na średniowieczną karczmę z akcentami nawiązującymi do legendy o Draculi. Jedzenie smaczne, ale dość drogie (obiad od 6 €).

Rozrywki

Dracula's Club B (starówka, przy pomniku Włada Palownika). Sympatyczna knajpka, gdzie można miło spędzić wieczór, słuchając popularnej muzyki i grając w bilard. Na miejscu kafejka internetowa.

El Diablo (str. I. Chendi 20). Jedna z wielu przyjemnych knajpek w Sighişoarze.

Informacje o połączeniach

Pociąg Sighişoara leży na ważnej trasie z północno-zachodniej Rumunii do Bukaresztu. Przez miasto przejeżdża też większość pociągów z Europy Środkowej w kierunku rumuńskiej stolicy. Niestety, nie ma połączeń z Târgu Mureş. Dworzec kolejowy (☎0265/771886) jest usytuowany w północnej części miasta, przy str. Libertăţii. Aby dotrzeć do odległego o 800 m centrum, należy skierować się na południe str. Gării, na jej końcu skręcić w lewo i zaraz w prawo przy dużej cerkwi przejść przez kładkę na drugi brzeg rzeki, skąd jest już tylko około 200 m do wejścia na wzgórze (za kładką trzeba pójść prosto str. Morii).

Z Sighişoary odjeżdża sporo pociągów krajowych i kilka międzynarodowych, m.in. do Budapesztu (3 dziennie; ok. 9 godz.), Pragi (1 dziennie; ok. 20 godz.), Wiednia (1 dziennie; ok. 13 godz.) i **Krakowa** (1 dziennie; 20 godz.). Jeśli chodzi o połączenia krajowe, najwięcej pociągów jeździ do Bukaresztu (kilkanaście dziennie; ok. 4,5–5 godz.) i Teiuş (przez Mediaş; 12 dziennie; ok. 2 godz.; w Teiuş można się przesiąść na pociąg do Alba Iulia). Poza tym kilka pociągów kursuje do Satu Mare, Braszowa (zatrzymują się tam także wszystkie składy do Bukaresztu), Klużu i Oradei. W lecie dwa pociągi jadą do Mangalii (przez Konstancę). Ponadto trzy razy dziennie kursują pociągi w kierunku Odorheiu Secuiesc na Szeklerszczyźnie (linia lokalna).

Agenţie de Voiaj CFR ma siedzibę w południowo-wschodniej pierzei placu z parkingiem (na końcu str. Morii; ☎0265/771820).

Autobus Dworzec autobusowy (☎0265/771260) jest usytuowany przy str. Libertăţii, nieopodal kolejowego. Kursują stamtąd autobusy i minibusy m.in. do Târgu Mureş (6 dziennie), Sybina, Bystrzycy, Făgăraş, Odorheiu Secuiesc i Sovaty (po

1 dziennie). Nie brak też połączeń do okolicznych wiosek z ciekawymi zabytkami, jak Criş (3 dziennie) czy Apold (kilkanaście dziennie).

Informator

Apteki Jedna z niewielu aptek w mieście jest ulokowana przy Piaţa H. Oberth 22, przy Domu Kultury im. M. Eminescu (Casa de kultură Mihai Eminescu), druga – przy tym samym placu (pod nr 45), nieopodal domu Hermanna Obertha.

Internet Kafejka internetowa *O.T.L.* (str. 1 Decembrie 1918 nr 1, w pobliżu Piaţa H. Oberth), inna – w piwnicach domu fundacji Veritas przy Piaţa Cetăţii 8 (0,60 €/godz.), kolejne – w schronisku *Burg* (str. Bastionului 4–6) oraz przy str. I. Chendi 20 przy pubie *El Diablo*. Najbliżej dworca (naprzeciwko stacji) działa kawiarenka w pensjonacie *Chic*.

Poczta i telekomunikacja Główny urząd pocztowy i Romtelecom mają siedziby przy Piaţa H. Oberth 17, obok oddziału Banca Română pentru Dezvoltare.

Wymiana walut i banki Banca Română pentru Dezvoltare (Piaţa H. Oberth 21), Banca Comercială Română i Reiffeisen Bank (str. Justiţiei). Kantor IDM (Piaţa H. Oberth 17, obok restauracji *Perla Cetăţii*).

Zakupy Sklep z ciekawymi pamiątkami działa przy ulicy między Piaţa Cetatii i Piaţa Muzeului.

MEDIAŞ

W oddalonym od utartych szlaków turystycznych miasteczku (55 km na północ od Sybina i 34 km na zachód od Sighişoary) panuje prowincjonalna, nieco senna atmosfera, co pozwala odetchnąć od wszechobecnej komercji.

Mediaş (węg. Medgyes, niem. Mediasch) pojawiło się w źródłach w 1276 r., ale najprawdopodobniej powstało ponad 120 lat wcześniej. Nazwa pochodzi od istniejącego w czasach starożytnych rzymskiego *castrum Media*. Osada otoczona murami przez króla Macieja Korwina szybko zyskała na znaczeniu – w 1529 r. stacjonowały w niej wojska Petru Rareşa i mniej więcej od tego czasu odbywały się tam sejmy ustawodawcze Księstwa Siedmiogrodzkiego. W 1576 r. Stefan Batory zaprzysiągł w Mediaş *pacta conventa* w obecności polskich posłów, co pozwoliło mu przyjąć godność polskiego króla. Równie ważną datą jest 8 stycznia 1919 r., kiedy to Narodowe Zgromadzenie Sasów opowiedziało się za połączeniem Siedmiogrodu z Rumunią, przystając na rezolucję Rumunów uchwaloną w Alba Iulia 1 grudnia 1918 r.

Orientacja i informacje

Z dworca kolejowego i autobusowego do rynku (Piaţa Regele Ferdinand) prowadzi na północ str. Pompierilor (po wyjściu ze stacji kolejowej trzeba najpierw pójść w prawo, a potem od razu w lewo, z dworca autobusowego skierować się prosto, mijąc po prawej synagogę), z której trzeba skręcić w pierwszą ulicę odbijającą w prawo (str. L. Roth). Centrum skupia się wokół Piaţa Regele Ferdinand. Przedłużeniem str. Pompierilor jest str. M. Eminescu.

Biuro podróży Passepartout (str. I.G. Duca 31) udziela **informacji** o okolicznych atrakcjach oraz pomaga znaleźć nocleg.

Zwiedzanie

Najważniejszym i najbardziej charakterystycznym, widocznym z daleka zabytkiem Mediaş jest **Castelul** (zamek miejski), nad którym góruje wysoka wieża kościoła św. Małgorzaty stojącego tuż przy rynku (Piaţa Regele Ferdinand). Obwarowania składają się z grubych murów i czterech wież obronnych (jedna z nich to jednocześnie brama wejściowa) oraz wkomponowanych w nie budynków mieszkalnych. Wieżami opiekowały się cechy rzemieślnicze; najciekawsza, **Turnul Clopotelor** z drewnianą galeryjką, należała do cechu ludwisarzy. Stojąca pośrodku kasztelu **Biserica Sf. Margareta** (kościół św. Małgorzaty; o klucze pytać na plebanii, po północnej stronie budynku) powstała na przełomie XV i XVI w. na ruinach wcześniejszej świątyni jako klasyczna romańska bazylika trójnawowa z dużym prostokątnym prezbiterium i początkowo służyła benedyktynkom. Z pierwotnej budowli zachowała się tylko część nawy północnej z pozostałościami fresków, a obecny wygląd to efekt przebudowy z II połowy XV w. Późnogotyckie wnętrze ze sklepieniem sieciowym i niskimi arkadami pomiędzy nawami odznacza się wyjątkową urodą. Na skrzyżowaniach żeber widnieją m.in. wizerunki apostołów, herby miast oraz herby króla Macieja Korwina i Batorego. Warto zwrócić uwagę na cenny poliptyk w głównej nawie wykonany w latach 1474–1479 przez nieznanego wiedeńskiego mistrza oraz jedną z najstarszych brązowych chrzcielnic w Siedmiogrodzie (XIV w.). Orientalne kobierce z Anatolii podarowali kupcy jako wotum za szczęśliwie zakończoną wyprawę.

Turnul Trompeţilor (wieża Trębaczy) z 1450 r. przy fasadzie zachodniej ma 70 m wysokości. W 1880 r. umieszczono na niej zegar wskazujący oprócz godziny również fazy Księżyca. Kto nie boi się wysokości

i ufa średniowiecznym budowniczym, może wspiąć się na górę. Warto się pospieszyć, bo wieża stopniowo się przekrzywia – miękkie podłoże ustępuje pod ciężarem systematycznie dobudowywanych pięter. Stromy dach z czterema miniaturowymi wieżyczkami pokrywają zielone i żółte glazurowane płytki.

Wokół starówki zachowały się fragmenty obwarowań (w większości z XVI w.) z czterema basztami, które można obejść w niespełna godzinę. Przy zachodnim końcu murów stoi masywna **Turnul Fierarilor** (baszta Kowali) z 1641 r. z otworami strzelniczymi pod samym dachem. Zbudowana na przełomie XV i XVI w. olśniewająco biała **Turnul Forkesch** z bramą zachwyca elegancją. Charakterystycznym elementem jej konstrukcji jest drewniana galeria i wysokie spadziste zadaszenie. Baszta stoi na południowym końcu odchodzącej od rynku str. I.G. Duca. **Turnul Pietruite** (wieża Kamieniarzy) z dwuczęściowym łamanym dachem powstała w tym samym czasie co wieża Forkesch i wznosi się na północnym końcu str. J. Honterus (ulica zaczyna się na wysokości warownego kościoła).

W Mediaş można jeszcze zwiedzić **Muzeul Municipial** (Muzeum Miejskie; str. Mihai Viteazul 46, ok. 500 m na północny zachód od centrum; podczas aktualizacji przewodnika było nieczynne z powodu remontu), **Casa Memoriale Hermann Oberth** (Dom Hermanna Obertha; str. H. Oberth 23; przy wyjeździe na Sybin, po lewej stronie obok rakiety-pomnika; ☎0269/841140) oraz **Casa Memorială Stephan Ludwig Roth** (dom Ludwika Rotha; str. J. Honterus 10, ok. 100 m na północny zachód od centrum; wt.–nd. 9.00–17.00; 0,20 €), wybitnego humanisty i pedagoga.

Noclegi i gastronomia

W miasteczku nie ma zbyt wielu hoteli, ale ponieważ zagląda tam niewielu turystów, nie należy się obawiać problemów z noclegiem. Najlepsze restauracje działają przy hotelach, poza tym jest sporo fast foodów. Nieźly **bar bistro** można znaleźć przy str. L. Roth (po wyjściu z dworca kolejowego trzeba pójść w lewo, potem skręcić w pierwszą przecznicę w prawo). W sąsiedztwie warownego kościoła zaprasza świetna kawiarnia *Café Bar* (Piaţa Enescu 3). Przyjemnym miejscem jest *Art Café* w baszcie Kowali (na końcu str. I.Gh. Duca odchodzącej od rynku na wschód). **Targ miejski** jest usytuowany przy zbiegu str. M. Eminescu i str.

Turnului, na północny zachód od Piąta Regele Ferdinand.

Central*** (str. M. Eminescu 4–7; ☎0269/841 787, fax 831722). W socrealistycznej części miasta, na zachód od rynku. Największy hotel w Mediaş. Pokój 1-os. 18,50 €, 2-os. 28 €, apartament 36,50 €.

Traube*** (Piąta Regele Ferdinand, w zachodniej pierzei rynku). Najlepszy hotel w mieście. Pokój 1-os. 42 €, 2-os. 52 €, apartament 121 €. Na parterze wykwintna restauracja.

Vila Flora*** (str. H. Oberth 43; ☎0269/835 665, fax 838437). Pensjonat oddalony nieco od centrum i dworców w kierunku południowo--wschodnim. Koło muzeum H. Obertha. Pokój 1-os. 23,50 €, 2-os. 32 €.

Informacje o połączeniach

Oba dworce – kolejowy i autobusowy – są usytuowane kilkaset metrów na południe od centrum przy str. Unirii. Przez Mediaş przechodzi ważna linia kolejowa z Bukaresztu przez Braszów, Alba Iulia i Arad do Budapesztu, dzięki czemu miasto ma wiele połączeń, m.in. z Bukaresztem (8 dziennie; ok. 5,5 godz.), Sighişoarą (5 dziennie), Teiuş (kilka dziennie), Klużem (3 dziennie), Oradeą (1 dziennie), Satu Mare (2 dziennie), Sybinem (2 dziennie), a nawet Mangalią (tylko latem i 16–31 XII; 2 dziennie) i **Krakowem** (1 dziennie; 19 godz.). **Agenţie de Voiaj CFR** mieści się przy Piąta Regele Ferdinand 5 (☎0269/841351).

Z dworca autobusowego można dojechać przede wszystkim do Târgu Mureş (kilka kursów dziennie), Sybina (5 dziennie) i Sighişoary oraz okolicznych wiosek (rzadkie kursy do Biertanu, Valea Viilor i Şeica Mică, ale kilkanaście dziennie do Moşny).

Informator

Apteka Przy dworcu kolejowym.

Banki Banca Comercială Română i Reiffeisen – w pobliżu hotelu *Central* (drugi oddział BCR przy rynku).

Internet W kamienicy przy str. S. Petőfi (naprzeciwko pensjonatu *Flora*) oraz *Intim Net Café* na Piąta Regele Ferdinand 4 (0,40 €).

Poczta i telekomunikacja Urząd pocztowy – str. Unirii nieopodal dworca.

Zakupy Dom handlowy Transylvania – str. M. Eminescu w sąsiedztwie Romtelecomu.

OKOLICE MEDIAŞ – WAROWNE KOŚCIOŁY

Biertan

Nie ma wątpliwości, że okoliczni mieszkańcy musieli przed wiekami czuć zagrożenie ze strony najeźdźców. Lokalizacja i obwarowanie kościoła zmieniło świątynię w największy w Transylwanii zamek obronny, który nie został nigdy zdobyty, co świadczy o doskonałości konstrukcji. Pierwsze informacje o wiosce (węg. Berethalom, niem. Birthälm) pochodzą z 1283 r. **Kościół NMP** (otwarty cały dzień; 1 €, ulgowy 0,60 €, poza sezonem zwiedzanie tylko w grupach co najmniej 3-os.) powstał na przełomie XIV i XV w. jako siedziba biskupa (później przejęli go ewangelicy). Gruntowna przebudowa z lat 1520–1522 nadała świątyni kształt trójnawowej hali z gwiaździstym sklepieniem wspierającym się na masywnych ośmiobocznych filarach. Niższe i węższe prezbiterium wyraźnie odznacza się od głównej bryły. Warto zwrócić uwagę na piękne wykończenia portali wejściowych do kościoła i zakrystii oraz gotycko-renesansową kamienną ambonę. Stalle w prezbiterium pochodzą z 1524 r. Zwiedzając kościół, koniecznie trzeba przyjrzeć się niezwykłemu zamkowi w drzwiach zakrystii. Zmyślny mechanizm uruchamiający jednocześnie 15 rygli skonstruował mistrz Johannes Reichmunth. Pamiątką katolickiego okresu w dziejach świątyni jest wspaniały ołtarz w formie tryptyku z lat 1483–1515. Centralną grupę Ukrzyżowania otaczają sceny z życia Jezusa i Maryi. Obwarowanie kościoła powstawały stopniowo: pierwsza linia murów pochodzi z lat 1468–1523, a ostatnią wzniesiono na początku XVII w., tworząc fortecę nie do zdobycia (w najwyższym miejscu mury mają 12 m wysokości). Liczne wieże obronne przetrwały do naszych czasów w niezmienionej formie. W północno-zachodniej baszcie urządzono mauzoleum miejscowych hierarchów. Kamienne nagrobki są bezcennymi skarbami sztuki kamieniarskiej, część z nich historycy sztuki przypisują słynnemu Eliasowi Nicolai (członkowi cechu kamieniarskiego w Sybinie). Wykonał on na pewno płyty Chrystina Bartha (zm. 1652) i biskupa Jerzego Theilesiusa (zm. 1646).

Jedną z baszt (w południowej części) udostępniono katolikom, kiedy większość mieszkańców przeszła na protestantyzm. Wewnątrz zachowały się piękne freski z I połowy XIV w., przedstawiające m.in. pokłon Trzech Króli oraz św. Jerzego.

Widok ze wzgórza zamkowego przywodzi na myśl XIX-wieczną Saksonię: czerwone dachy regularnie rozmieszczonych i podobnych do siebie domów wspaniale wpisują się w krajobraz łagodnych wzniesień porośniętych krzewami winorośli. Zarówno warowny zamek, jak i wieś znalazły się na Liście Światowego Dziedzictwa Kulturalnego i Przyrodniczego UNESCO.

Przy kościele jest niewielkie **schronisko** (kontakt przez panią Beate Pallafy, czerwony dom nr 13, naprzeciwko hoteliku przy murach kościelnych; ☎0269/868225; ok. 9 €/os. ze śniadaniem, z prysznicem 14 €/os.). Za 10 € można także przenocować na plebanii.

Przy wejściu do kościoła działa świetna, ale nie najtańsza **restauracja** *Anglerus* (nie do przeoczenia) o wystroju stylizowanym na średniowieczną karczmę.

Moşna

Atrakcją turystyczną wioski (węg. Muzsna, niem. Meschen) jest ogromny warowny **kościół NMP** (obecnie w trakcie renowacji; 1 €, ulgowy 0,60 €, klucze w domu przylegającym do obwarowań), wzniesiony jako bazylika pod koniec XIV w. W 1485 r. zakończyła się gruntowna przebudowa świątyni pod kierunkiem słynnego Andrzeja z Sybina. Mistrz, zafascynowany rozwiązaniem architektonicznym kościoła św. Elżbiety z Koszyc, przeniósł najlepsze zachodnioeuropejskie wzorce na ziemie siedmiogrodzkie. W efekcie powstała imponująca późnogotycka świątynia halowa (nawa 24,4 na 12,9 m, prezbiterium 13,1 na 7,3 m) z wieżą na planie kwadratu od strony fasady. Pięcioprzęsłową konstrukcję przykrywa sklepienie sieciowe wsparte na filarach o doskonałych proporcjach. Warto zwrócić uwagę na przepiękne detale kamieniarskie. Obecny kształt obwarowań kościoła pochodzi z XVI w. Baszty obronne mają pulpitowe dachy, ukryte według lokalnej mody za prostymi attykami.

W domu pod nr. 531 można zapytać o **nocleg** w pokojach gościnnych na plebanii (ok. 8 €/os.).

Valea Viilor

Nazwa wioski (niem. Wurmloch) pojawiła się pierwszy raz w źródłach historycznych w 1263 r. Obwarowany kościół (klucze u rodziny Schneider w domu nr 211) w centrum jest jednym z siedmiu tego typu zabytków w Siedmiogrodzie, które zostały wpisane na Listę Światowego Dziedzictwa Kulturalnego i Przyrodniczego UNESCO. Uwagę przyciągają nie tyle okazałe mury obronne, co samo ufortyfikowanie świątyni, która jest po prostu potężną warownią (jak głosi niemiecka inskrypcja na tabliczce we wnętrzu: *Ein fester Burg ist unser Gott*, czyli „Solidna twierdza jest naszym Bogiem"). Niemal każdy element architektury został przystosowany do celów

obronnych. Obiekt wniesiono na miejscu starszego kościoła na przełomie XV i XVI w. Prezbiterium jest wysoko nadbudowane w stosunku do nawy głównej i pełni, podobnie jak wieża nad wejściem, funkcję baszty. Obydwie budowle wyposażono w galerie, machikuły i otwory strzelnicze. Podobnie przystosowano obszerny strych nad nawą główną. Zewnętrzne schody miały ułatwić dotarcie na wyższe piętra. Wewnątrz świątyni wykopano studnię (obecnie zasypana).

W latach 60. XX w. w Valea Villor mieszkało ponad 800 Sasów siedmiogrodzkich, w latach 90. już tylko 200, a dzisiaj pozostało ich zaledwie ośmiu. Wciąż jednak w kościele odprawiane są dla nich msze, jednak tylko dwa razy w miesiącu.

Na noc można zatrzymać się w **pokojach gościnnych** na plebanii (nr 417; 9,50 €/os.). Miejsca noclegowe oferuje również rodzina Sevonia (dom nr 114; podobna cena).

Şeica Mică

Atrakcją niewielkiej wsi (niem. Kleinschelken) jest **kościół św. Katarzyny** z częściowo zachowanymi murami obronnymi. Potężnie obwarowana świątynia (klucze u państwa Sary i Martina Draserów w domu nr 369; wypada zostawić kilka lei za fatygę) pochodzi z początku XV w. Wieżę nad wejściem głównym otoczono drewnianą galerią i wykuto w niej otwory strzelnicze. Wewnątrz warto zwrócić uwagę na wspaniałą starą chrzcielnicę odlaną około 1477 r., utrzymaną w stylistyce późnogotyckiej. Charakterystyczną cechą kościoła w Şeica Mică jest potężnie wzmocnione prezbiterium składające się z kilku nadbudowanych pięter z machikułami. Dodatkowe wzmocnienie przyporami upodabnia je do donżonu (baszta budowana wewnątrz zamku lub przylegająca do murów, ostatni punkt oporu załogi) i faktycznie taką funkcję pełniło. Mury obwodowe miały dwa pierścienie, w wewnętrznym kryły się cele dla mieszkańców. Niewielki dziedziniec przed fasadą kościoła powstał poprzez połączenie go murem z rozbudowaną wieżą bramną.

TÂRGU MUREŞ

Największe miasto (węg. Marosvásárhely, niem. Neumarkt am Mieresch) w północno-wschodniej Transylwanii (170 tys. mieszkańców) to wrota do krainy zwanej Szeklerszczyzną, zamieszkanej przez liczną mniejszość węgierską oraz Szeklerów, ludność niewiadomego pochodzenia, ale mówiącą węgierskim dialektem i uważającą się za pełnoprawnych Węgrów. Târgu Mureş, nad rzeką Maruszą (Mureş), nie należy do znanych ośrodków turystycznych, ale może poszczycić się kilkoma ciekawymi zabytkami.

Historia

Okolice dzisiejszego Târgu Mureş były zamieszkane od dawna, w pobliżu istniało nawet rzymskie *castrum*, ale osada o dużym znaczeniu powstała dopiero w XIII w. wraz z osiedleniem się licznych Szeklerów. Pierwszy raz miejscowość wzmiankowana jest w dokumencie z 1332 r., jako *Novo Foro Syculorum*, co można tłumaczyć jako „Szeklerski Targ". Na początku XV w. przedstawiciele powstających właśnie cechów sfinansowali budowę obwarowań. Od początku XVI w. miasto było już bardzo ważnym ośrodkiem gospodarczym Transylwanii, miało liczne przywileje, własną administrację i zarządzało wieloma okolicznymi wioskami.

W latach 1601–1602 Târgu Mureş splądrowali żołnierze austriackiego generała Basty, a później hordy Turków, w wyniku czego wielu mieszkańców uciekło i osiedliło się w Braszowie. Po tych ciężkich doświadczeniach zapadła decyzja o budowie potężniejszych murów z licznymi wieżami i bastionami. I znów część kosztów spadła na cechy, których wówczas było już ponad 30.

Târgu Mureş stało się także ważnym ośrodkiem kulturalnym – powstały renomowane szkoły (pierwsza w XV w.), a od 1786 r. funkcjonowała drukarnia. W mieście urodziło się i działało wiele wybitnych osobistości, m.in. historyk Sebastian Borsos (1520–1584), współczesny mu językoznawca I. Csokás oraz matematycy: Farkas Bolyali (1775–1856) i jego syn János (1802–1860). Târgu Mureş wydało również wielu rewolucjonistów i wybitnych orędowników niepodległości Rumunii.

W okresie XIX-wiecznej industrializacji miasto znacznie się rozrosło – rozwój nabrał tempa po odkryciu pokładów gazu pod koniec stulecia. Po II wojnie światowej powstał w sąsiedztwie duży kombinat przemysłowy. W swoim czasie komuniści zezwolili na istnienie Węgierskiego Okręgu Autonomicznego ze stolicą właśnie w Târgu Mureş, ale wkrótce zakres jego autonomii i terytorium znacznie ograniczono. W 1990 r. w mieście studenci węgierscy wzniecili bunt, domagając się przywrócenia wykładów w ojczystym języku. Zamieszki krwawo stłumiono. Po upadku reżimu wielu Węgrów wyemigrowało i obecnie stanowią oni zaledwie połowę ludności Târgu Mureş.

Orientacja i informacje

Centrum stanowi wydłużony z północnego wschodu na południowy zachód Piaţa Trandafirilor, z obu stron zakończony charakterystycznymi budowlami: od południa dużą katedrą greckokatolicką (przy której zaczyna się Piaţa Victoriei), a od północy równie okazałą katedrą prawosławną. Niedaleko stąd do twierdzy z kościołem reformowanym. Mniej więcej w połowie placu odchodzi na wschód str. Bolyai prowadząca do placu o tej samej nazwie, gdzie stoi liceum i biblioteka.

Oficjalna **informacja turystyczna** działa na rogu Pałacu Kultury (str. G. Enescu 2; ☎0265/404934, turism@cjmures.ro; wt.– sb. 8.00–20.00). Dowiedzieć się tu można o noclegach i atrakcjach okolicy oraz otrzymać przydatne plany miasta. Pomocą służy również personel licznych agencji turystycznych, takich jak **Adonis** (str. I. Maniu 6B; ☎/fax 0265/160068), **Calibra** (str. Bolyai 1A, I piętro, pok. 30; ☎0265/165 137), **Inter Tours** (str. B. Bartok 1–3; ☎0265/164011, fax 166489).

Zwiedzanie

Najważniejszym zabytkiem jest średniowieczna **Cetate** (twierdza; wzgórze we wschodniej części str. Trandafirilor) i stojąca na jej terenie **Biserica reformată** (kościół reformowany). Z pierwszych obwarowań (pięciokątnej cytadeli w kształcie gwiazdy), wzniesionych w XV w. na rozkaz Stefana Batorego, pozostały fundamenty i trzy baszty. W latach 1620–1650 powstały nowe, liczące 800 m w obwodzie i wysokie na 10 m mury z kamienia i cegieł zwieńczone czterema 20-metrowymi basztami. Każdą z nich opiekował się jeden z cechów rzemieślniczych. Od wewnętrznej strony murów pomiędzy wieżami biegły nad arkadowymi niszami galerie z drewnianymi barierkami. Twierdza przetrwała po dziś dzień w prawie niezmienionym stanie.

Przez basztę bramną (od strony zachodniej z nowo otwartą ekspozycją; str. A. Iancu) wchodzi się do wnętrza cytadeli, gdzie w południowo-wschodnim narożu stoi kościół (wejście od Piaţa Bernádi György), jeden z najstarszych i najcenniejszych zabytków regionu, wzniesiony w latach 1316–1442 dla zakonu franciszkanów. Świątynia krótko służyła katolikom, w dobie reformacji przeszła bowiem w ręce kal-

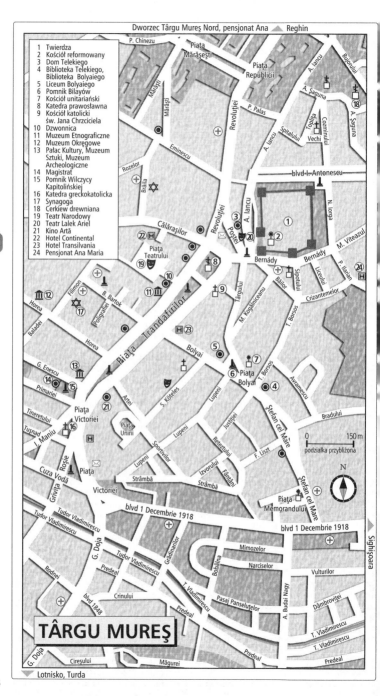

Dworzec Târgu Mureş Nord, pensjonat Ana — Reghin

1 Twierdza
2 Kościół reformowany
3 Dom Telekiego
4 Biblioteka Telekiego, Biblioteka Bolyaiego
5 Liceum Bolyaiego
6 Pomnik Bilayów
7 Kościół unitariański
8 Katedra prawosławna
9 Kościół katolicki św. Jana Chrzciciela
10 Dzwonnica
11 Muzeum Etnograficzne
12 Muzeum Okręgowe
13 Pałac Kultury, Muzeum Sztuki, Muzeum Archeologiczne
14 Magistrat
15 Pomnik Wilczycy Kapitolińskiej
16 Katedra greckokatolicka
17 Synagoga
18 Cerkiew drewniana
19 Teatr Narodowy
20 Teatr Lalek Ariel
21 Kino Artă
22 Hotel Continental
23 Hotel Transilvania
24 Pensjonat Ana Maria

0   150 m
podziałka przybliżona

N

TÂRGU MUREŞ

Lotnisko, Turda

Sighişoara

winów. Kościół w stylu gotyckim składa się z jednej dużej nawy (32,5 na 16,5 m) zakończonej prostokątnym prezbiterium. Wszystkie dobudówki pochodzą z late późniejszych. W 1601 r. został zrujnowany, zawaliło się sklepienie i przewróciło kilka filarów. W latach 1610–1693 świątynię odbudowano w pierwotnym kształcie, który jednak zatarły liczne XVIII-wieczne przeróbki. Masywna 66-metrowa wieża wyposażona w otwory strzelnicze broniła miasta przed oblegającymi je wrogimi wojskami. Pod twierdzą od strony centrum stoi barokowa **Casa Teleki** (dom Telekiego) z 1803 r., z podwójnie sklepionym zadaszeniem. W 1849 r. w budynku urządzono sztab generała Józefa Bema; jego oddziały stacjonowały na górze, w twierdzy.

Târgu Mureş było w przeszłości ważnym ośrodkiem kulturalnym, o czym świadczy **Biblioteca documentară S. Teleki** (Biblioteka Telekiego; Piaţa Bolyai 17) wzniesiona w latach 1799–1804 w stylu empire z inicjatywy siedmiogrodzkiego kanclerza Samuela Telekiego (1791–1822). Zgromadził on imponujący księgozbiór (ponad 40 tys. woluminów), m.in. wiele ksiąg powstałych od XV do XVIII w. W tym samym budynku mieści się założona w 1955 r. **Biblioteca documentară Bolyai** (Biblioteka Bolyaiego), której zbiory pochodzą w większości z miejscowego gimnazjum reformowanego i obejmują ponad 50 tys. woluminów, m.in. wydrukowaną w Bukareszcie w 1688 r. Biblię w języku rumuńskim. Ponadto zgromadzono tam około 20 tys. stron rękopisów wybitnych matematyków – Farkasa Bolyaiego i jego syna Jánosa, twórcy geometrii nieeuklidesowej.

Po zachodniej stronie Piaţa Bolyai stoi duży secesyjny budynek **Liceul Bolyali** (Liceum Bolyaiego) z lat 1908–1909, kontynuującego chlubne tradycje XVI-wiecznej szkoły i późniejszego gimnazjum reformowanego, w którym wykładał Farkas Bolyai. Kto chce dowiedzieć się, jak wyglądali słynni matematycy, może obejrzeć stojący na placu **pomnik** z 1957 r. W pobliżu liceum nie sposób nie zauważyć osobliwej **Biserica unitariana** (kościół unitariański) z XIX w., rozbudowanej w latach 1929–1930.

Kierując się spod liceum na zachód str. Bolyai, wychodzi się na Piaţa Trandafirilor z widoczną po prawej dużą **Catedrala ortodoxă** (katedra prawosławna) wybudowaną w latach 1925–1934 na planie krzyża greckiego. Cerkiew w Târgu Mureş należy do najpiękniejszych XX-wiecznych świątyń prawosławnych w kraju. Ściany wewnętrz-

ne pokrywają malowidła wykonane w latach 70. i 80. Po drodze do katedry mija się po prawej stronie ładną barokową **Biserica romano-catolică Sf. Ioan Botezătorul** (kościół katolicki św. Jana Chrzciciela) wybudowaną przez jezuitów w latach 1728–1764. Po przeciwnej stronie placu stoi samotna **dzwonnica**, pozostałość po XVII-wiecznym kościele Franciszkanów. Obok wieży urządzono **Muzeul de Etnografie** (Muzeum Etnograficzne; Piaţa Trandafirilor 11; wt.–pt. 10.00–16.00, sb. 9.00–14.00, nd. 9.00–13.00; 0,60 €, ulgowy 0,30 €) z ciekawą kolekcją przybliżającą tradycję i kulturę ludową regionu Mureş. **Muzeul Judeţean Mureş** (Muzeum Okręgowe; str. Horea 24; ☎0265/136987; wt.–pt. 10.00–17.00, sb. 9.00–14.00, nd. 9.00–13.00; 0,60 €, ulgowy 0,30 €), kilkaset metrów na zachód od Piaţa Trandafirilor, szczyci się bogatymi zbiorami historycznymi (placówka działa od 1874 r.).

Po wizycie w muzeum warto z Piaţa Trandafirilor skierować się w prawo (na południe), aby po minucie marszu dojść do imponującego **Palatul Culturii** (Pałac Kultury; róg str. G. Enescu i Piaţa Trandafirilor), najwspanialszej secesyjnej budowli w Transylwanii. Trzykondygnacyjny gmach z lat 1911–1913 zaprojektowany przez Jakaba i Komora zdobią liczne reliefy, posągi, mozaiki i okna witrażowe. Ogromne wrażenie wywiera wnętrze, olśniewające przepychem ornamentyki (koniecznie trzeba zajrzeć do Sali Lustrzanej) i po części pokryte freskami. Pałac jest siedzibą instytucji kulturalnych, a także **Muzeul da Artă** (Muzeum Sztuki; III piętro; wt.–pt. 10.00–17.00, sb. i nd. 9.00–13.00; 0,60 €, ulgowy 0,30 €) oraz **Muzeul de Arheologie** (Muzeum Archeologiczne; II piętro; te same godziny otwarcia i ceny biletów). Sąsiedni budynek **magistratu** z lat 1906–1907, utrzymany jest w tym samym stylu. Warto zwiedzić pełne przepychu pomieszczenia, a na zewnątrz rzucić okiem na **pomnik Wilczycy Kapitolińskiej**.

Kolejnym ciekawym obiektem jest **Biserica greco-catolică** (katedra greckokatolicka; na południowym końcu Piaţa Trandafirilor) wybudowana w latach 1926–1936, a wyglądająca niczym miniatura Bazyliki św. Piotra w Rzymie. Po II wojnie światowej świątynia przeszła w ręce prawosławnych.

Nieopodal centrum przetrwały dwie **synagogi** – na uwagę zasługuje ta w pobliżu Muzeum Okręgowego, przy str. A. Filimon 23. Świątynia została wzniesiona w 1900 r. w efektownym stylu tempel. Dru-

TRANSYLWANIA | Târgu Mureş

ga synagoga, oddalona o kilkaset metrów na północ, zbudowana z czerwonej cegły, bardziej przypomina fabrykę.

Noclegi

W Târgu Mureş nawet w szczycie sezonu nie powinno być problemów z noclegiem.
Ana** (str. G. Marinescu 50; ☎0265/214977). Pensjonat dość daleko od centrum, naprzeciwko szpitala. Pokój 1-os. 28 €, 2-os. 26,50 €.
Ana Maria** (str. Papiu Ilarion 17; ☎/fax 0265/264401). Miła domowa atmosfera. Pokój 1-os. 26 €, 2-os. 29 €, apartament 33,50 €.
Complex Camping (Aleea Carpaţi 59; ☎0265/214080, fax 166028, turismms@fx.ro). Kompleks turystyczny w północno-zachodniej części miasta (dojście: z Piaţa Trandafirilor ulicą Călăraşilor; po przejściu kanału skręcić w prawo w Aleea Carpaţii, która prowadzi do kempingu). Domek 2-os. 11 €, rozbicie namiotu 2,60 €. Płatny parking 0,70 €/dobę. Przy kempingu działa dobra restauracja.
Continental*** (Piaţa Teatrului 56; ☎0265/250416, fax 250116, www.continentalhotels.ro). Hotel na tyłach teatru, wysoki standard. Pokój 1-os. 55 €, 2-os. 72 €, apartament 90 €.
Parc** (str. Primăriei 2; ☎0265/264270, fax 260286). W przeciwieństwie do większości rumuńskich hoteli o tej nazwie, wcale nie jest tani. Pokój 1-os. 27 €, 2-os. 27 €, apartament 39 €.
Tineretului** (str. N. Grigorescu 19; ☎0265/217441, fax 218746). Około 1 km na północny wschód od centrum. Pokój 2-os. 40 €, apartament 50 €.
Transilvania** (Piaţa Trandafirilor 46; ☎0265/1265616, fax 266028, www.unita-turism.ro). Niedrogi hotel w centrum. Pokój 1-os. 18 €, 2-os. 45 €, 3-os. 38 €.

Gastronomia

W Târgu Mureş królują fast foody, ale można też znaleźć porządną restaurację. Jest też odpowiednik polskiego baru mlecznego. Lepsze knajpki skupiają się na Piaţa Trandafirilor i w pobliżu.
Sklep spożywczy Minian Market usytuowany jest przy Piaţa Trandafirilor, naprzeciwko Pałacu Kultury.
Bistro-Grill Carmen (w sąsiedztwie hotelu *Continental*). Restauracja o ciekawym wystroju; w lecie obiad można zjeść na tarasie (dwudaniowy posiłek z grilla 4–5 €).
Boema (str. Bolyai 15; ☎0265/160550). Elegancka restauracja przy miłym skwerku. Świetna kuchnia; przyzwoite ceny.
China Blue (str. Bolyai 10; ☎0265/269401). Typowa chińska knajpka: tanio i duże porcje.
Donna Alba (str. 1 Decembrie 1918, na rogu str. G. Doja). Przytulna cukiernia z kilkunastoma rodzajami ciast i ciastek.

Eifel (str. Bolyai 3, obok księgarni Bolyai). Klasyczne fast foody, jak hamburgery (0,80 €) czy kanapki.
Emma (str. Horea 6, po prawej stronie idąc od Piaţa Trandafirilor). Tanio i przyzwoicie. Kuchnia węgiersko-szeklerska.
La Serviciu (str. Primariei, w sąsiedztwie magistratu). W charakterystycznej niebieskiej kamienicy. Kuchnia międzynarodowa z akcentem na włoską.
Lacto-bar (Piaţa Trandafirilor, naprzeciw katedry prawosławnej, od strony Piaţa Teatrului). W typie baru mlecznego – gratka dla miłośników klimatów z filmów Barei. Zestawy obiadowe eksponowane za szybą; tanio (obiad poniżej 2 €).
Leo (Piaţa Trandafirilor 43; ☎0265/214999). Bardzo dobra, nowoczesna jadłodajnia. Smaczne i relatywnie tanie posiłki (obiad ok. 4 €), kuchnia międzynarodowa, również dania typu fast food.
Lido i **Brado** (Piaţa Trandafirilor, obok hotelu *Transilvania*). W jednej kamienicy działają dwie kawiarnie o podobnym standardzie i menu. W obu niezła kawa.
McDonald (Piaţa Trandafirilor 37). W sąsiedztwie kina Artă, naprzeciw Pałacu Kultury.
Panda Pui (Piaţa Trandafirilor 16A, nieopodal Muzeum Etnograficznego; ☎0265/250123). Lokal fastfoodowy, którego specjalnością są kurczaki przyrządzane na różne sposoby. Obok kawiarnia.

Rozrywki

Filharmonia (str. Enescu 2; ☎/fax 0265/162548).
Kino Cinema Artă usytuowane jest przy Piaţa Trandafirilor obok *McDonalda*; drugie kino Tineretului – również przy Piaţa Trandafirilor, ale po przeciwnej stronie (pod nr. 14), nieopodal Muzeum Etnograficznego. Bilety około 1,50 €
Teatr Teatr Narodowy (Teatrul Naţional; Piaţa Teatrului 1; ☎0265/212335) wystawia sztuki po węgiersku i rumuńsku, ale w lecie bywa zamknięty. Teatr Lalek Ariel (Teatrul de Papuşi Ariel; str. Poştei 2; ☎/fax 0265/215184) to dobra propozycja dla maluchów.

Puby i kluby

Afterdark (str. M. Viteazu 29–31). W dzień pizzeria i kawiarnia, wieczorami dyskoteka.
Café & Pub Downtown (Piaţa Trandafirilor 25). Przywoity „piwniczny" pub z dobrą muzyką i dużym wyborem alkoholi.

Informacje o połączeniach

Samolot Z remontowanego lotniska w Târgu Mureş (dzielnica Ungheni Vidrasau, ok. 11 km na południe od centrum; ☎0265/163050) startuje pięć samolotów tygodniowo do Bukaresztu (w obie strony 52 €; ok. 1 godz.). Spod siedziby Taromu

(Piaţa Trandafirilor 6–8; ☎0265/236200, fax 250170; pn.–wt. 8.00–18.00, sb. 8.00–12.00) kursują na lotnisko minibusy.

Pociąg Z dworca kolejowego w południowo-zachodniej części miasta, na południowym krańcu str. Griviţa Roşie (Piaţa Gării 1) kursują do centrum autobusy (#1 i 3) oraz minibusy (tzw. maxi-taxi). Piechotą do Piaţa Trandafirilor dojdzie się w 10–15 minut. Târgu Mureş leży na uboczu ważnych linii kolejowych. Do Bukaresztu odjeżdżają tylko 2 pociągi dziennie, z czego jeden to InterCity, dlatego dobrym rozwiązaniem jest przesiadka w Braszowie (4 połączenia dziennie). Poza tym z Târgu Mureş kursują pociągi m.in. do Gałacza (1 dziennie), Gheorgheni (2 dziennie), Klużu (2 dziennie), Mangalii (1 dziennie), Miercurei Ciuc (2 dziennie), Sybina (2 dziennie) i Timişoary (1 dziennie) oraz kilka dziennie do Râzboieni, gdzie można się przesiąść na pociąg zmierzający na zachód, do Alba Iulia czy Devy.

Agenţie de Voiaj CFR mieści się przy Piaţa Teatrului 1 (☎0265/166203; 8.00–19.30), po jego południowej stronie, ukryta na parterze socrealistycznego budynku.

Autobus Dworzec autobusowy (str. Gh. Doja 143; ☎0265/137774, 121458) usytuowany jest nieopodal kolejowego (na południe od niego), na rogu str. G. Doja i str. Alba Iulia. Ten środek transportu jest zdecydowanie lepszy od pociągu, jeśli chodzi o wydostanie się z Târgu Mureş. Z miasta odjeżdża mnóstwo autobusów i minibusów, m.in. do Alba Iulia (2 dziennie), Botoşani (przez Suczawę; 1 dziennie), Braszowa (3 dziennie), Bukaresztu (8 dziennie), Bystrzycy (przez Reghin; 6 dziennie), Gheorgheni (2 dziennie), Klużu (3 dziennie), Mediaş (5 dziennie), Miercurea-Ciuc (3 dziennie), Odorheiu Secuiescu (kilka dziennie), Piatra Neamţ (2 dziennie), Râmnicu Vâlcea (1 dziennie), Sybina (2 dziennie), Sighişoary (8 dziennie), Sovaty (uzdrowisko; kilkanaście dziennie), Timişoary (1 dziennie) i Târgu Neamţ (2 dziennie). Poza tym miasto ma połączenia z Budapesztem (co najmniej 4 dziennie).

Informator

Apteki Dużo aptek mieści się przy Piaţa Trandafirilor, szczególnie po jej zachodniej stronie. Apteka całodobowa to B&B (Piaţa Trandafirilor 16). Obok znajduje się Royal (blvd 1 Decembrie 1918 nr 86, apt. 6). Inne apteki w centrum: Aesculap 6 (str. Bolyai 18), Firu Farm (str. Horea 43), Europharm (Piaţa Trandafirilor 10).

Internet Kafejka internetowa *Contact* działa przy Piaţa Trandafirilor 57, między kościołem a hotelem *Transilvania* (0,55 €/godz.), inna mieści się w księgarni obok Liceum Bolyaiego (str. Bolyai 3), kafejka *Internet Club* jest przy str. Horea, naprzeciwko Muzeum Okręgowego.

Księgarnie Duży wybór książek (w tym obcojęzyczne przewodniki i mapy) oferuje Humanitas-Pallas (Piaţa Trandafirilor, obok kościoła św. Jana Chrzciciela).

Laboratorium fotograficzne Sklep Kodak Express – na rogu Piaţa Trandafirilor i str. Bernády, między katedrą i twierdzą. Sklep Agfa – str. Bolyai 24, naprzeciwko restauracji *China Blue*.

Poczta i telekomunikacja Jeden z licznych urzędów czynny jest przy str. Revoluţiei 2A (przy Piaţa Trandafirilor).

Taksówki Royal (☎0265/942), Venus (☎0265/160444), Viva (☎0265/211111).

Wymiana walut i banki Banc Post (str. 1 Decembrie 1918 nr 93), Banca Româneasca (Piaţa Trandafirilor 48), Banca Comercială Astra (Piaţa Teatrului 1), Banca Română pentru Dezvoltare (blvd 1 Decembrie 1918 nr 221). Kantor IDM usytuowany jest przy Piaţa Trandafirilor 27, na rogu str. Horea.

MIĘDZY TÂRGU MUREŞ A BYSTRZYCĄ

Reghin

Około 32 km na północ od Târgu Mureş leży niewielkie miasteczko Reghin, wymieniane w źródłach już w 1228 r. pod nazwą Regun. Warto obejrzeć masywną **Biserica evanghelică** (kościół ewangelicki), której pierwszą fazę budowy zakończono w 1321 r. Świątynię wzniesiono na planie romańskiej bazyliki, ale obecnie w jej architekturze dominują elementy późnego gotyku i renesansu. Ponadto w miasteczku można zwiedzić **Muzeul Etnografic** (Muzeum Etnograficzne; str. Vânătorilor 51; pn.–pt. 10.00–17.00, sb. i nd. 10.00–14.00; 0,70 €, ulgowy 0,35 €), na którego tyłach urządzono miniskansen.

Na wschód od Piaţa Pietru Maior odchodzi str. Republicii wiodąca do ronda z pomnikiem Skrzypiec (Reghin słynie z lutnictwa), tuż przy kościele ewangelickim. Stąd droga na południe prowadzi w kierunku Târgu Mureş. Przy Piaţa Pietru Maior i str. Republicii są apteki, poczta, banki i kafejka internetowa (0,60 €/godz.) oraz liczne sklepy spożywcze. Z Reghinu kursują pociągi i autobusy m.in. do Bystrzycy i Târgu Mureş, gdzie można się przesiąść w drodze do innych regionów Rumunii.

Noclegi oferuje **pensjonat** *Central* (str. G. Coşbuc 22, 150 m na północ od rynku;

☎0265/521698). Pokój 2-os. 18,50 €, apartament 31 €. Komfortowy **hotel Marion** (str. Cerbului, Padurea Rotunda; ☎0265/512232, fax 512304, marion@reghin.ro; pokój 1-os. 24 €, 2-os. 31,50 €, apartament 47 €) usytuowany jest również na obrzeżach miasteczka, ale w przyjemniejszej okolicy (dojście z Piaţa Petru Maior, ok. 1 km str. M. Eminescu).

Herina

Nad tą niewielką wioską, kilkanaście kilometrów na południe od Bystrzycy, góruje jeden z ładniejszych i najlepiej zachowanych kościołów romańskich w Transylwanii. Jest to wspaniała masywna bazylika z połowy XIII w., której fasadę stanowi tzw. westwerk (charakterystyczny dla świątyń karolińskich, ottońskich i romańskich), czyli „blok zachodni" składający się z segmentu środkowego i flankujących go dwóch wież. Uwagę przykuwają dwudzielne lub trójdzielne okna biforiowe i triforiowe (dzielone kolumienkami) – wnętrze oświetlają liczne wąskie okienka w górnej części nawy głównej i absydzie oraz nieco szersze w nawach bocznych. Absyda jest półokrągła, nawy boczne oddzielają od głównej zgrabne arkady, nad którymi biegną niskie galerie. Niedawno kościół został pieczołowicie odnowiony. Klucze są u pani Rozy Ferenczy (dom naprzeciw cmentarza).

W Herinie zatrzymują się autobusy z Târgu Mureş (zob. s. 354) zmierzające w kierunku Bystrzycy. Można też przejść się 5 km do stacji kolejowej Sărăţel lub spróbować szczęścia autostopem.

BYSTRZYCA

Do tego niezbyt dużego miasta (rum. Bistriţa, węg. Beszterce, niem. Bistritz; ponad 85 tys. mieszkańców) turyści zaglądają po drodze z Transylwanii na Bukowinę lub odwrotnie. Miłośników Draculi zachęci być może informacja, że właśnie tutaj w drodze do zamku krwiożerczego księcia zatrzymał się na nocleg Jonathan Harker, bohater słynnej powieści Brama Stokera. Poza tym właśnie w okręgu bystrzyckim i jego okolicach miał leżeć majątek Draculi.

Bystrzyca jest stolicą województwa (*judeţul*) Bistriţa-Năsăud, najbardziej na północny wschód wysuniętego skrawka Siedmiogrodu.

Od XIII w. okolice Bystrzycy były zamieszkiwane przez Rumunów, których dawne kroniki określały jako *Vallis vallachis* (Wołochowie). Ale osadę założyli wcześniej sprowadzeni przez króla Gejzę II (1141–1162) niemieccy koloniści, którzy szybko zdominowali autochtonów. Osadnicy mieli za zadanie chronić wschodnie granice Królestwa Węgierskiego przed zakusami wrogów zza Karpat. Niemcy, jak to Niemcy, ciężką pracą i wyrzeczeniami doprowadzili nową ojczyznę do dobrobytu ekonomicznego, a Bystrzyca stała się ważnym ośrodkiem pośredniczącym w handlu między Mołdawią i Węgrami oraz prężnym centrum rzemiosła. Bezpieczeństwa mieszkańców strzegła twierdza ukończona w II połowie XV w. Począwszy od tego stulecia aż do XVIII w., kupcy bystrzyccy zaopatrywali rynki mołdawskich miast. W XVI w. miejscowość stała się również ważnym centrum kulturalnym, założono wówczas bardzo dobrą szkołę i archiwum miejskie.

Od XVII w. miasto zaczęło tracić na znaczeniu. Przyczyniły się do tego wojny z Turkami i opanowanie przez nich Mołdawii oraz zajęcie przez Austrię Siedmiogrodu. Dziś Bystrzyca, mimo statusu stolicy województwa, jest sennym prowincjonalnym miasteczkiem.

Orientacja i informacje

Centrum skupione jest wokół Piaţa Centrala, obok której z północnego wschodu na południowy zachód biegnie główna arteria handlowa – str. G. Şincai, przechodząca w str. Dornei. Ta ostatnia prowadzi do Piaţa Unirii z cerkwią i Piaţa P. Rareş z hotelami *Coroana de Aur* i *Bistriţa*.

Biuro **informacji turystycznej** (Centrul de Informare a Turistilor) mieści się w Domu Kultury (Casa de Cultura; str. Berger 10) na południowy wschód od rynku, w parku (5 min drogi od rynku), i... zazwyczaj bywa nieczynne.

Zwiedzanie

Najciekawszym zabytkiem jest widoczna z daleka **Biserica evanghelică** (kościół ewangelicki) przy Piaţa Centrala, wzniesiona w XIV w. Przebudowy w XV, a zwłaszcza w XVI w. nadały jej renesansowo-manierystyczny styl i w takiej formie przetrwała do naszych czasów. Kościół jest konstrukcją halową (wszystkie trzy nawy o jednakowej wysokości) z galeriami; podczas przebudowy do naw bocznych dodano osobne wejścia boczne oraz podzielony na trzy części, ozdobiony lizenami szczyt. Wieża świątyni ma 75 m wysokości i należy do najwyższych dzwonnic w Rumunii. Z najstarszych elementów zachowało się późnogotyckie sklepienie sieciowo-żebrowe.

Północno-zachodnia pierzeja Piąta Centrala to ciąg zabytkowych średniowiecznych i renesansowych **kamienic** z podcieniami (Şirul sub Gălete), pełniących rolę sukiennic, w których rzemieślnicy wystawiali swoje towary. W domu nr 14, wybudowanym w 1480 r. w stylu gotyckim, mieścił się ewangelicki dom parafialny (na fasadzie można zobaczyć relief przedstawiający biskupa). W południowo-zachodniej pierzei dominuje gotycki **ratusz** z przełomu XV i XVI w.

Kierując się z Piąta Centrala na północ jedną z ulic (blvd L. Rebreanu lub str. Dornei), dochodzi się do Piąta Unirii, przy której stoi **Biserica ortodoxă** (cerkiew prawosławna), jedna z najstarszych budowli w mieście. Świątynia wznoszona w latach 1270–1280 i nieznacznie przerobiona w XIV w. należała pierwotnie do minorytów (franciszkanów). Pomimo przebudowy, zachowała konstrukcję halową, typową dla wczesnogotyckich fundacji cysterskich. Wnętrze zostało całkowicie zmienione w epoce baroku, wtedy też zlikwidowano klasztor Franciszkanów, a kościół przekształcono w cerkiew.

W Bystrzycy przetrwały skromne pozostałości miejskich obwarowań z XV i XVI w. z **Turnul Dogarilor** (wieża Bednarzy; na tyłach teatru, dobrze widoczna od str. Parcului). Mury, zniszczone podczas licznych ataków Turków i Tatarów w XVI i XVII w. i nigdy nieodbudowane, z czasem popadły w ruinę.

Na uwagę zasługuje także barokowa **Biserica romano-catolică** (kościół rzymskokatolicki; str. G. Şincai) z końca XVIII w., zaprojektowana przez Antona Turka.

Podążając kilkadziesiąt metrów na północny wschód za Piąta Unirii, dociera się do ciekawego **Muzeul Judeţean** (Muzeum Okręgowe; str. G. Bălan 19; ☎0263/211 063; wt.–pt. 10.00–18.00; 0,70 €, ulgowy 0,35 €) z działem archeologicznym, historycznym, historii naturalnej, sztuki i etnograficznym. W dużym ogrodzie utworzono miniskansen z marmaroską cerkiewką.

Noclegi

Bystrzyca nie cieszy się popularnością wśród turystów, więc baza noclegowa, choć skromna, wystarcza w zupełności.

Bistriţa** (Piąta P. Rareş 2; ☎0263/231154, fax 231826, www.hotel-bistrita.ro). Średni standard i niezła restauracja. Pokój 1-os. 22 €, 2-os. 38 €, apartament 50 €.

Codrişor*** (str. Codrişor 28; ☎0263/233814, fax 236476). W południowej części miasta. Mimo trzech gwiazdek, jest dość tani (14 €/os.),

ponieważ niektóre pokoje mają standard schroniska (obiekt należy do sieci International Youth Hostel). Pokój 1-os. 22 € (śniadanie 2,80 €), 2-os. 22 €.

Cora*** (str. Codrişor 23, obok hotelu *Codrişor*, 10 min od centrum; ☎0263/233579, fax 227782). Pokój 1-os. 18 €, 2-os. 29 €, apartament 38 €.

Coroana de Aur*** (Piąta P. Rareş 4; ☎0263/ 232470, fax 232667, www.coroanadeaur.bn. ro). W centrum, naprzeciwko hotelu *Bistriţa*. Średni standard oraz niezła restauracja z salonem Jonathana Harkera, bohatera powieści *Dracula*. Pokój 1-os. 30 €, 2-os. 52 €, apartament 130 €.

Decebal** (str. Cuza Vodă 9; ☎0263/212568, fax 233541). W pobliżu targowiska; tanio. Pokój 1-os. 12 €, 2-os. 18 €, apartament 30 €.

Gastronomia

Na brak lokali gastronomicznych w Bystrzycy nie można narzekać. Jak to zwykle bywa, najlepsze restauracje działają przy hotelach. Kilka tanich lokali zaprasza przy blvd Decebal naprzeciwko kompleksu handlowego Decebal. Fast foody skupiają się nieopodal, przy miejskim **targowisku** na tyłach tegoż kompleksu (róg blvd Decebal i str. Cuza Vodă, koło hotelu *Decebal*). Duży **sklep spożywczy** jest w kamienicy na rogu str. Odobescu i G. Şincai.

Blue Café (blvd Independenţei 17; ☎0263/236 218). Jak wskazuje nazwa, lokal mieści się w niebieskiej kamienicy. Na tyłach przytulny taras.

Cofetaria Magnolia (str. Republicii, obok agencji CFR). Przyjemna kawiarnia z dużym wyborem słodkości.

Coroniţa (Piąta P. Rareş, przy hotelu *Coroana de Aur*). Restauracja w stylowej secesyjnej kamienicy, gdzie rzekomo nocował Jonathan Harker, bohater powieści Brama Stokera. Drogo (obiad 5–8 €).

Pattiserie Eiffel (Piąta Centrala, południowo--wschodnia pierzeja). Smaczne i niedrogie ciastka.

Perla (blvd L. Rebreanu, naprzeciwko księgarni Gheorghe Coşbuc). Dobra kawa i ciastka w zadymionym wnętrzu z minionej epoki.

Popeye (blvd L. Rebreanu 36). Standardowe dania bistro. Przestronne wnętrze; tanio.

Primavera Pizza Restaurant (str. Berger). W pobliżu Piąta Centrala. Obszerny lokal specjalizujący się w kuchni włoskiej.

Rozrywki

Kino Cinema Dacia – przy południowym końcu blvd Decebal (ok. 250 m od dworca kolejowego, idąc od strony str. Gării po prawej stronie). Opóźnienia repertuarowe rekompensują, jak to w Rumunii, niskie ceny biletów (1,60 €).

Puby i kluby

Anytime Pub Club (Piaţa Centrala 1, róg str. Coşbuc). „Wampiryczny" wystrój, ale Draculi raczej tam się nie spotka.

Disco Galaxy (blvd Independenţei 11; ☎0263/221594). Przy hotelu *Ştefan*. Dyskoteka i klub nocny.

Metropolis (str. M. Eminescu 1–4; ☎0263/236 301). Duży kompleks rozrywkowy; najhuczniejsze zabawy w mieście w atmosferze komercji i dresiarstwa.

Soho Club (Piaţa Centrala 26, północno-wschodnia pierzeja). Pubowa atmosfera i dobra muzyka.

Informacje o połączeniach

Dworce kolejowy i autobusowy usytuowane są przy str. Rodnei we wschodniej części miasta. Aby dostać się do centrum, po wyjściu z obu dworców należy skierować się w lewo, w str. Rodnei, skręcić w prawo, w str. Gării, dojść do drugiej z kolei przecznicy str. Gh. Şincai, która w lewo prowadzi prosto do Piaţa Centrala.

Ponieważ Bystrzyca leży na uboczu ważnych linii kolejowych, najlepiej pojechać do Sărăţel (kilkanaście dziennie; 15 min) i tam przesiąść na pociąg w kierunku Braszowa (przez Târgu Mureş i Sighişoarę), Klużu i Satu Mare. Bezpośrednio można dostać się do Klużu (2 dziennie; 3 godz.) oraz Deju (2 dziennie).

Agenţie de Voiaj CFR mieści się przy Piaţa P. Rareş 7A (☎0263/213938; pn.–pt. 8.00–17.00).

Połączeń autobusowych jest znacznie więcej – bezpośrednie autobusy kursują m.in. do Târgu Mureş, Sighişoary, Klużu i Vatra Dornei.

Informator

Apteki Jedna z niewielu aptek w centrum znajduje się na rogu blvd Independenţiei i str. Odobescu, w pobliżu hotelu *Ştefan*.

Internet *Sală Internet Café* – str. Berger 14 w barze *Doina*, nieopodal Piaţa Mică (na wschód od Piaţa Centrala; 0,55 €/godz.), *Graffiti Internet Club* – w bloku przy str. Crinilor (0,55 €/godz.).

Laboratorium fotograficzne Sklep Kodak Express działa przy str. L. Rebreanu 46, w sąsiedztwie baru *Popeye*, po południowej stronie Piaţa Unirii. Sklep z produktami Agfy i Kodaka oraz laboratorium – str. Dornei (po prawej stronie, idąc od Piaţa Centrala). Sklep Fuji na str. Berger.

Poczta i telekomunikacja Urzędy pocztowe – Piaţa P. Rareş 2, blvd Independenţei 69 oraz przy dworcu kolejowym. Romtelecom – na rogu str. Crinilor i str. Republicii, w sąsiedztwie poczty.

Wymiana walut i banki Banca Comercială Română (Piaţa P. Rareş 1, w pobliżu hotelu *Bistriţa*), Banca Transilvania Română (str. Republicii, z boku hotelu *Coroana de Aur*); kantor Guliver – str. Dornei.

Zakupy Duży dom towarowy Decebal – na rogu blvd Decebal i str. Cuza Vodă; Magura Magazin Universal – str. Gării, przy Piaţa M. Eminescu, nieopodal dworca kolejowego. Księgarnia Romulus Guga znajduje się na str. Trandafirilor.

NA ZACHÓD OD BYSTRZYCY

Dej

Miasteczko leży mniej więcej w połowie drogi między Bystrzycą i Klużem, nad Samoszem Wielkim (Someşul Mare) nieopodal ujścia Samosza Małego (Someşul Mic). Osada rozwinęła się w pobliżu starożytnego rzymskiego *castrum* (obecnie Căşeiu) i już w XIII w. była znanym ośrodkiem handlowym. Warto zajrzeć na rynek (Piaţa Bobâlna), gdzie stoi ciekawa **Biserica calvină Sf. Ştefan** (kościół kalwiński św. Stefana) wybudowana w stylu gotyckim w XV w. Uwagę przyciąga smukła i bardzo wysoka wieża (ponad 70 m) oraz masywne przypory. **Mănăstirea franciscană** (klasztor Franciszkanów; wejście od Piaţa Bobâlna przez kamienicę nr 16) wzniesiono w XVIII w. w stylu barokowym na miejscu wcześniejszej świątyni gotyckiej. Dysponując czasem, można zajrzeć do **Muzeul de Istorie** (Muzeum Historyczne; wt.–nd. 9.00–15.00; 0,50 €, ulgowy 0,25 €) w zachodniej pierzei rynku.

Większość **sklepów** i placówek usługowych skupia się w okolicach Piaţa Bobâlna. Dej leży przy ważnej trasie kolejowej biegnącej z północno-zachodniej Rumunii w kierunku Bukaresztu i wschodniej części kraju. Ze stacji Dej Călători (ok. 1,5 km na południe od centrum) kursują **pociągi** m.in. do Braszowa (1 dziennie), Bukaresztu (3 dziennie), Bystrzycy (kilka dziennie), Klużu (kilka dziennie), Jass (3 dziennie), Satu Mare (przez Baia Mare; 3 dziennie), Syhotu Marmaroskiego (3 dziennie), a nawet do Mangalii (tylko latem; 1 dziennie), Gałacza (1 dziennie) i Timişoary. **Autobusem** najłatwiej dostać się do Klużu i Bystrzycy oraz okolicznych miejscowości.

Noclegi oferuje **hotel Someş**** (str. Mărăşeşti 1–3; ☎0264/220300; fax 216982, pokój 1-os. 25 €, 2-os. 40 €), w wieżowcu nieopodal Piaţa Bobâlna, oraz hotel **Parc Rex**** (A. Russo 9; ☎0264/213799, fax 222137; pokój 2-os. 36 €).

Mănăstireă Nicula

13 km na południe od miasteczka Dej leży Gherla, skąd niedaleko już do monasty-

ru Nicula, który wraz z pobliską wioską o tej samej nazwie słynie z ikon malowanych na szkle. Z Gherli do Niculi (10 km w kierunku południowo-wschodnim), jeżdżą dwa autobusy dziennie (można pokonać tę odległość pieszo lub skorzystać z autostopu). Klasztor stoi na wzgórzu ponad wsią (stromy podjazd w lewo od drogi na Sic).

Nazwa klasztoru pojawia się w źródłach po raz pierwszy w 1552 r., ale kompleks zasłynął 150 lat później dzięki płaczącej (przez 26 dni) ikonie Matki Boskiej namalowanej przez mnicha Lucę. Od tej pory monastyr stał się celem pielgrzymek z całego Siedmiogrodu. 15 sierpnia, w święto Wniebowzięcia Matki Boskiej, do Niculi przybywa prawie 300 tys. wiernych. Kompleks składa się z dwóch cerkwi i zabudowań przyklasztornych. Niewielka drewniana **Biserica Sf. Treime** (cerkiew św. Trójcy) w stylu marmaroskim powstała w 1650 r. w miejscowości Nasal-Fânăte, a w 1973 r. przeniesiono ją tutaj, na miejsce spalonej drewnianej świątyni. Dużą cerkiew wzniesiono w latach 1875–1905. Warto obejrzeć oryginalny ikonostas z 1938 r., w którym umieszczono cudowny obraz odsłaniany za pomocą specjalnego mechanizmu. Matka Boska ukazuje się w środku krzyża, od którego koncentrycznie rozchodzą się promienie zakończone wizerunkami świętych. Trwa budowa trzeciej cerkwi – uczestniczą w niej m.in. pragnący odkupić się winy więźniowie.

Założona w XVII w. szkoła malarstwa na szkle (dająca zajęcie wielu mieszkańcom wioski) działa po dziś dzień. W klasztorze urządzono **muzeum**, w którym można podziwiać zabytkowe ikony oraz stare księgi (najstarsza, z 1649 r., została wydrukowana w Jassach).

Bonţida

Jeszcze dalej w kierunku Klużu, kilka kilometrów na wschód od głównej drogi, leży wioska Bonţida z pieczołowicie odbudowywanymi ruinami **zamku Bánffy** (wstęp 0,50 €), wzorcowego przykładu siedmiogrodzkiego baroku. Okrągłe baszty i część pomieszczeń mieszkalnych pochodzą z lat 70. i 80. XVII w. Podczas rozbudowy przeprowadzonej w kolejnym stuleciu powstał kwadratowy dziedziniec. Otaczające całość tarasy zdobiły liczne posągi, które niestety uległy zniszczeniu. W 1780 r. dodano monumentalną bramę wjazdową. W czasie II wojny światowej kompleks został spalony przez Niemców. Traktowany po macoszemu przez władze komunistyczne, po-

padał w ruinę do lat 90. ubiegłego wieku, aż wreszcie zajęła się nim fundacja na rzecz odnowy zabytków – Transilvania Trust. W bramie można obejrzeć tablice ze zdjęciami i schematami ukazującymi postęp prac.

SZEKLERSZCZYZNA

Ta górzysta kraina (rum. Ţara Secuilor, węg. Székelyföld) rozciąga się pomiędzy Târgu Mureş a Karpatami Wschodnimi. Jest tam kilka uzdrowisk i niewielkich miast, w których Rumuni stanowią zdecydowaną mniejszość – wśród mieszkańców przeważa ludność węgierskojęzyczna, przybyli przed wiekami Szeklerzy.

Turystów zwiedzających Szeklerszczyznę fascynuje specyficzna kultura niezasymilowanego ludu oraz przepiękne krajobrazy, niezeszpecone na szczęście fabrykami wznoszonymi licznie w czasach komunizmu w innych regionach Rumunii.

MIERCUREA CIUC

Niezbyt duże miasto (węg. Csíkszereda, niem. Szeklerburg) jest kulturowym i handlowym centrum Szeklerszczyzny (a także stolicą województwa Harghita). Spośród niespełna 50 tys. mieszkańców ponad 80% używa węgierskiego dialektu i określa siebie jako Szeklerów.

W Miercurea Ciuc nie ma wprawdzie imponujących zabytków, ale warto zatrzymać się na kilka godzin, by poobcować z inną niż rumuńska kulturą.

Ślady osadnictwa w okolicy pochodzą z epoki kamienia łupanego, ale nigdy nie rozwinął się tam szczególnie ważny ośrodek handlowy czy polityczny. Nazwa Miercurea pojawia się w źródłach po raz pierwszy w 1558 r., ale wioski, które później zostały scalone w jeden organizm miejski, były wzmiankowane znacznie wcześniej. W I połowie XVII w. wybudowano zamek i Miercurea stała się stolicą okręgu Ciuc (węg. Csík), obejmującego ośrodki Gheorgheni i Caşin. W 1661 r. miasteczko zostało splądrowane przez Turków i Tatarów, ale już w 1668 r. zasłużony dla miejscowej kultury franciszkanin János Kájoni założył tu szkołę, a kilka lat później drukarnię, co stało się impulsem do rozwoju kultury w regionie.

Obecnie Miercurea słynie przede wszystkim z browaru, z którego pochodzi znane (i smaczne) piwo Ciuc, oraz jako rumuński biegun zimna (średnia temperatura w lecie wynosi zaledwie 16°C). Okolice miasta obfitują w źródła mineralne.

Orientacja i informacje

Centrum miasta skupia się wokół socrealistycznej Piaţa Libertăţii, przez którą z północy na południe przebiega blvd Timişoarei wiodący do zamku Mikó. Niewielka str. S. Gál odchodząca z placu na wschód prowadzi do deptaka str. S. Petőfi z mnóstwem knajpek i sklepów.

Oficjalna **informacja turystyczna** znajduje się w budynku urzędu miasta (*primaria*) na str. Sandor Petőfi (naprzeciw zamku Mikó). Informacjami służy również personel hotelu *Fenyő* oraz agencja turystyczna **Itas** (str. Florilor 26A; ☎/fax 0266/ 311555, tourism@itas.ro).

Zwiedzanie

Najważniejszy zabytek, **Cetatea Mikó** (zamek Mikó; Piaţa Cetăţii 2; ☎0266/311727, www.csszm.ro; wt.–nd. 9.00–17.00, XI–III 9.00–16.00; 1,30 €, ulgowy 0,65 €, fotografowanie 2,60 €, filmowanie 5,20 €) jest oddalony o kilkaset metrów na południe od centrum. Warownię wzniósł w 1621 r. szeklerski komes Ferenc Mikó, prawdopodobnie na fundamentach wcześniejszego kasztelu. W 1661 r. zamek został zniszczony przez Tatarów, ale już w 1714 r. odbudowano go na zlecenie gubernatora Transylwanii, austriackiego generała Stefana Steinvilla. Nazwę „Złoty Bastion" twierdza zawdzięcza wspaniałej renesansowej architekturze i luksusowemu wyposażeniu wnętrza. Warownia zbudowana na planie kwadratu ma obszerny dziedziniec i niewysokie, ale masywne baszty w narożach. Obecnie mieści się tam **Muzeul Secuiesc** (Muzeum Szeklerskie Csík) z bogatą kolekcją etnograficzną i archeologiczną. Obok zamku znajduje się kilkanaście wspaniałych bram szeklerskich, a także niewielki skansen (dojście z dziedzińca zamku bramą na południe, następnie w lewo).

W Miercurei Ciuc można zaobserwować efekty słynnej systematyzacji przeprowadzanej w rumuńskich miastach, miasteczkach i wsiach na rozkaz Nicolae Ceauşescu. Starą zabudowę centrum skupionego wokół Piaţa Libertăţii zastąpiono wysokimi blokami i charakterystycznymi bezdusznymi gmachami Domu Kultury i biblioteki. Nieodparcie nasuwa się skojarzenie z działaniami kambodżańskiego dyktatora Pol Pota, który na siłę przesiedlał ludność miejską na wieś – w Rumunii zachodził proces odwrotny: marzeniem

Ceauşescu było przekształcenie każdej wsi w minimiasteczko, a każdego większego miasta w nowoczesną, w jego mniemaniu, socjalistyczną metropolię.

Około 3 km na północ od miasta, w dzielnicy Csíksomlyó, zachowała się **Mănăstirea Franciscanilor** (klasztor Franciszkanów; z centrum trzeba iść na północ str. G. Coşbuc i za dużym budynkiem liceum Mártona Árona skręcić w lewo) z barokowym kościołem, wzniesionym w XVIII w. na miejscu świątyni z połowy XV w. O znaczeniu klasztoru świadczy fakt, że pierwszy kościół miał aż osiem ołtarzy. Na skutek napadów Turków i Tatarów w latach 1563, 1661 i 1694 budowla ucierpiała na tyle, że podjęto decyzję o postawieniu nowego barokowego kościoła. We wnętrzu warto zwrócić uwagę na wysoką XVI-wieczną figurę Matki Boskiej. Na wzgórzu ponad klasztorem powstała **kalwaria**, na którą składają się trzy kaplice: Szent Antal-kápolna (św. Antoniego), Salvator kápolna (Zbawiciela; najciekawsza, o cechach romańskich, istniejąca już za czasów Jana Hunyadyego) i Szenvedő Jezus-kápolna (Ukrzyżowania). Jest to najważniejsze sanktuarium pielgrzymkowe dla Szeklerów i górali Csango, które rokrocznie odwiedzają tłumy wiernych.

Noclegi

W Miercurei nie ma zbyt dużego wyboru, jeśli chodzi o miejsca noclegowe, na szczęście nie brakuje wśród nich również tańszych hoteli.

Fenyő*** (str. N. Bălcescu 11; ☎0266/316120, fax 372176, www.hunguest-fenyo.ro). Dawniej hotel nosił nazwę *Bradul* – obecna, węgierska, ma przypominać gościom, jaka narodowość stanowi w Miercurei większość. Wysoki standard. Pokój 1-os. 43 €, 2-os. 55 €, apartament 75 €.

Mercur** (str. Cântarului 1; ☎/fax 0266/316 829). Hotel, schowany nieco pomiędzy blokami, oferuje średni standard w rozsądnych cenach. Pokój 1-os. 20 €, 2-os. 25 €.

Sport* (str. Patinoarului 1; ☎0266/316161). Najtańsze noclegi w centrum. Pokoje obskurne, toalety na korytarzu, ale personel zapewnia, że ciepła woda jest przez całą dobę. 8 €/os.

Gastronomia

Najwięcej lokali gastronomicznych, zarówno tych tańszych, jak i droższych, działa przy str. S. Petőfi.

Targ miejski znajduje się między ulicami Florilor, Pieţii i M. Eminescu, dwie przecznice na zachód od Piaţa Libertăţii. Duży supermarket Szuper usytuowany jest przy Piaţa Károly G. Majláth, nieopodal jedynego kina (Transilvania) w mieście.

Alzo (str. S. Petőfi; ☎0266/171682). Parterowy narożny budynek przy Piaţa Károly G. Majláth. Luksusów tu nie ma, ale jedzenie (kuchnia rumuńska i międzynarodowa) jest smaczne i warte swojej ceny (obiad 4 €).

Aranyhapca (str. S. Petőfi 13; ☎0266/116828). Naprzeciwko restauracji *Alzo*. Tanio.

Flora (str. Florilor 11; ☎0266/115520). Przestronny nowoczesny lokal; bardzo smaczne zupy.

Hockey Club (str. S. Petőfi, na rogu str. S. Gál). Jedna z droższych restauracji (dwudaniowy posiłek ok. 7 €). Wieczorem służy jako pub.

Pizzeria Plusz (róg Piaţa Károly G. Majláth i blvd Timişoarei). Przestronny lokal z dobrą i tanią (ok. 2,20 €) pizzą.

Puby i kluby

Bachia Blue Teehouse (str. J. Venczel, na piętrze). Pub z przyjemną atmosferą, popularny wśród młodzieży.

Rodeo Saloon (str. S. Petőfi). Obok restauracji *Aranyhapca*. Jeden z wielu barów przy tej ulicy, duży wybór alkoholi.

Tilos Café (str. S. Petőfi; ☎0266/171714). Naprzeciwko *Hockey Club*. Ascetyczny wystrój, dobra nastrojowa muzyka oraz tanie piwo.

Western Pub (str. Harghita). Nieco oddalony od centrum, największy i jeden z lepszych pubów w mieście o atmosferze przywodzącej na myśl Dziki Zachód, mimo że lokal mieści się w bloku.

Informacje o połączeniach

Sąsiadujące ze sobą dworce kolejowy i autobusowy usytuowane są w zachodniej części miasta, około 1,5 km na zachód od centrum, przy str. Braşovului. Aby dotrzeć do śródmieścia, należy skierować się na zachód str. Florilor prowadzącą prosto na Piaţa Libertăţii (z dworca kolejowego trzeba iść na wprost, a z autobusowego wyjść na str. Braşovului, skręcić w lewo i przy dworcu kolejowym znowu w lewo, w str. Florilor).

Dworzec kolejowy (str. Braşovului 1; ☎0266/115102) nie jest zbyt duży, ale miasto ma sporo połączeń, najwięcej w kierunku Braszowa (9 dziennie; ok. 1 godz. 40 min) i Târgu Mureş (5 dziennie; ok. 3 godz.), a także Bukaresztu (3 dziennie) oraz Baia Mare, Deju, Gheorghieni, Jass, Mangalii (tylko w lecie), Syhotu Marmaroskiego i Suczawy (po 1 dziennie). **Agenţie Voiaj CFR** mieści się przy str. Florilor 11 (☎0266/311924).

Z dworca autobusowego (str. Braşovului 7; ☎0266/124334) kursuje kilka autobusów dziennie do Târgu Mureş, Odorheiu Secuiesc, Gheorghieni, Sovaty, Piatra Neamţ i Băile Tuşnad. Można się stamtąd dostać również bezpośrednio do Budapesztu. Aby dojechać do Buchareszt-tu, najlepiej przesiąść się w Braszowie (dużo pociągów).

Informator

Apteki Jedna z większych aptek mieści się obok supermarketu Plusz przy Piaţa Károly G. Majláth.

Internet Kafejka *Soho* – przy pizzerii *Plusz* (Piaţa Károly G. Majláth; 0,65 €).

Laboratorium fotograficzne Sklep Fujifilm Image Service – str. S. Petőfi, nieopodal domu handlowego Tulipan.

Poczta i telekomunikacja Główny urząd pocztowy – str. Leliceni 1; poczta bliżej centrum – str. Florilor, naprzeciwko Banca Comercială Română.

Wymiana walut i banki Banca Comercială Română – str. Florilor 17–19, naprzeciwko poczty; Banca Transilvania Română – na rogu str. Florilor i blvd Timişoarei; Banca Română pentru Dezvoltare – blvd Timişoarei 25. Kantor – str. S. Petőfi.

Zakupy Duży dom handlowy Tulipan stoi na rogu Piaţa Károly G. Majláth i str. S. Petőfi.

BĂILE TUŞNAD

Ta popularna miejscowość uzdrowiskowa (węg. Tusnádfürdő, niem. Bad Tuschnad) przyciąga gości malowniczym położeniem nad jeziorkiem Ciucaş oraz leczniczymi właściwościami wód i czystego powietrza. Băile Tuşnad jest też dogodnym punktem wypadowym nad Jezioro św. Anny (Lacul Sf. Ana; kilka kilometrów na wschód od uzdrowiska), które powstało na skutek zalania krateru wygasłego wulkanu. Obecnie ten przepiękny teren objęto ochroną jako rezerwat przyrody. Na północnym brzegu jeziora stoi kapliczka św. Anny, do której 26 lipca przybywają pielgrzymki Szeklerów i Csango. Do akwenu prowadzi szlak zaczynający się przy hotelu *Tuşna*, oznakowany czerwonymi, a od parkingu (tu pobiera się opłatę) – niebieskimi krzyżami (ok. 2 godz.). W 2005 r. do jeziora można się było dostać jedynie na piechotę, ze względu na zniszczoną podczas ulewy drogę z Bixad.

Miejscowość jest typową ulicówką skupiającą się wzdłuż przelotowej str. Ołtului biegnącej z północy na południe. Równolegle do niej (po stronie wschodniej) ciągnie się deptak str. Sf. Ana, przy którym zachowały się resztki starej zabudowy uzdrowiskowej. Centrum rozciąga się między dużym hotelem *Tuşnad* na południu a stacją benzynową Petrom na północy (przy tej ostatniej usytuowane jest niewielkie targowisko oraz przystanek autobusowy).

Biuro informacji turystycznej Info-Tour (oferta noclegowa i wycieczkowa) znajduje się w drewnianym budyneczku naprzeciw hotelu *Tuşnad*. Informacji udziela także biuro **Univers Tourist** (str. Voinţa 18; ☎0266/335415, fax 335447, universtourist@kabelkon.ro), które również organizuje noclegi w mieście i okolicach oraz wycieczki do najciekawszych miejsc w regionie.

W Băile Tuşnad warto zajrzeć do **kościoła** katolickiego i ciekawej **cerkwi**, ale większość osób przybywa tam po to, by obcować z przyrodą, wdychać świeże powietrze oraz zażywać leczniczych kąpieli. Gorące wody nasycone dwutlenkiem węgla obfitują w związki żelaza i sodu oraz wiele innych składników mineralnych. Kto chciałby skorzystać z **kąpieli zdrowotnych**, powinien odwiedzić kompleks Ştrand Mezotermal Univers (dwa baseny; 1,40 €/dzień).

Najważniejsze urzędy, banki i sklepy skupiają się przy głównej str. Oltului. Centrum handlowe znajduje się w pobliżu hotelu *Tuşnad*. Jest tam kilka sklepów spożywczych, sklep z pamiątkami, a także niezła **restauracja** *Valentine Club*. Jedyny bank z bankomatem to **Banc Post** w niewielkim domu nieopodal biura Univers Tours (koło kościoła katolickiego, w pobliżu także **apteka**). Obok hotelu *Ciucaş* (róg str. Oltului i str. Sf. Ana) działa **poczta**, a w budynku przy str. Oltului, na południe od centrum (blisko hotelu *Tuşnad*), **kafejka internetowa** (0,60 €/godz.).

Do Băile Tuşnad można dostać się bezpośrednio autobusami z Miercurei Ciuc (kilka dziennie) lub ze Sfântu Gheorghe (1 dziennie). Miasto ma także połączenia z Braszowem (5 dziennie). Pociągi dojeżdżają do Miercurei Ciuc (4 dziennie; ok. 40 min) oraz Braszowa (2 dziennie; ok. 1 godz. 15 min). Dworzec kolejowy mieści się niemal w samym centrum.

Noclegi i gastronomia

Hoteli w Băile Tuşnad nie brakuje, ale niewiele wśród nich tanich obiektów (najtaniej jest oczywiście na polu namiotowym). Jest też dużo **pensjonatów** (*vila*; np. *Vila Raza Soarelui* lub *Vila Univers*), w których można pytać o nocleg lub wcześniej zarezerwować miejsca przez biuro Univers Tourist. Nocleg w pokoju dwuosobowym kosztuje tam od 13 do 21 € (poza sezonem o połowę taniej). Planując przyjazd w lecie, koniecznie trzeba wcześniej zarezerwować pokój. Przy większości hoteli są znakomite restauracje, oprócz tego kilka niezłych lokali można znaleźć przy deptaku.

Cabana Lacul Sfânta Ana (przy parkingu powyżej Jeziora św. Anny). Przyjemny hotelik przypominający schronisko. Rezerwacje przez biuro Univers Tours. Pokój 2-os. 13 €.

Ciucaş** (str. Sf. Ana 7; ☎0266/335004, fax 335252, hbhotels@hotmail.com). W północnej części uzdrowiska. Czasy świetności hotelu dawno minęły, ale obiekt utrzymuje przyzwoity standard. Pokój 1-os. 14 €, 3-os. 36 €.

Kemping Univers (nad jeziorem Ciucaş). Prowadzi tam str. Ciucaş odchodząca od głównej str. Oltului. Nocleg w namiocie 2,60 €, a w jednym z licznych bungalowów 8 €.

Olt** (str. Sf. Ana 2; ☎0266/135474, fax 135261). Architektura budynku (potężnego, ale przytulnego) nawiązuje do tradycji góralskich. Pokój 1-os. 14 €, 2-os. 18 €, apartament 25 €.

Tuşnad** (str. Oltului 87; ☎0266/335558, fax 335259, www.tusnad.ro). Jeden z bardziej obleganych hoteli w Băile Tuşnad. Na miejscu dobra restauracja. Pokój 1-os. 23 €, 2-os. 32 €.

SFÂNTU GHEORGHE

Mimo że to niewielkie miasto (niespełna 60 tys. mieszkańców) jest stolicą województwa Covasna, zachowało prowincjonalny charakter, jaki miało od wieków. Tereny nad rzeką Alutą (Olt) były zasiedlone od czasów starożytnych przez Daków, a następnie Rzymian. Miasteczko powstałe z połączenia dwóch wiosek pojawia się w źródłach po raz pierwszy w 1332 r. i to pod nazwą stosowaną do dziś: „Sancto Georgio". W średniowieczu miejscowość ulegała znacznie silniejszemu ekonomicznie Braszowowi i zawsze żyła w jego cieniu, pomimo wielu przywilejów handlowych wydawanych przez kolejnych władców.

W XVII w. Sfântu Gheorghe zostało kilkakrotnie splądrowane przez Turków i Tatarów, ale nie przeszkodziło to w jego rozwoju kulturalnym. Miasto odegrało ważną rolę w rewolucji 1848 r. i do dzisiaj jest ostoją węgierskości w Transylwanii. Na ulicach słyszy się niemal wyłącznie język węgierski, a dokładniej jego szeklerski dialekt.

Centrum skupia się wokół parku Centralnego (Parcul Central). Głównymi arteriami handlowymi są przylegająca do wschodniej strony parku str. Libertăţii oraz odchodząca od niej na wschód (w stronę dworców) str. I. Mikó przechodząca około 200 m dalej w str. 1 Decembrie.

Największą atrakcją Sf. Gheorghe jest **Muzeul Naţional Secuiesc** (Szeklerskie Muzeum Narodowe; węg. Székely Nemzeti Muzeum; str. K. Kós 10; ☎/fax 0267/312442; 15 V–14 IX wt.–nd. 10.00–18.00, 15 IX–14 V wt.–nd. 9.00–17.00; 1,20 €, ulgowy 0,60 €, fotografowanie 2,60 €, filmowanie 5,20 €), oddalone o kilkaset metrów na południe od centrum. Gmach zbudowany w latach 1911–1913 zaprojektował wybitny węgierski architekt Károly Kós (1883–1977). Na dziedziniec prowadzi duża drewniana brama z kolorową dachówką firmy Zsolnay z Peczu, a wejście do głównego budynku zdobi romański portal umieszczony w wieży. Całość nawiązuje do architektury siedmiogrodzkiej o korzeniach węgierskich, saskich i szeklerskich. Ekspozycja obejmuje zbiory etnograficzne, a także ciekawy dział historyczny i archeologiczny.

W odległości kilometra na północ od centrum wznosi się warowna **Biserica reformată** (kościół reformowany). Aby tam dotrzeć, trzeba z parku Centralnego (Parcul Central) pójść str. L. Kossuth, następnie skręcić w prawo, w str. Şoimului i przy Piaţa Kalvin skierować się w lewo, na zachód. Obwarowana masywnymi murami gotycka świątynia datowana na XV w. jest najstarszą budowlą w Sfântu Gheorghe (powstała na miejscu wcześniejszego romańskiego kościoła). Jej obecny wygląd to wynik XVI-wiecznej przebudowy oraz późniejszych nieznacznych przeróbek. Z dwóch pierścieni murów zachował się tylko wewnętrzny (zewnętrzny miejscowi rozebrali na własne potrzeby).

Noclegi

W mieście nie ma zbyt wielu hoteli, wszystkie skupiają się w pobliżu centrum. Najtańsze noclegi (tylko latem) oferuje Szkoła im. Károla Kósa (15 VI–1 IX; str. Á. Gábor 18, po zachodniej stronie parku Centralnego; ☎0267/315536, fax 314067, office@lkk.educv.ro; 2,50 €/os.).

Bodoc** (str. 1 Decembrie 1918 nr 1; ☎0267/351 787, 311291, www.bodochotel.proturism.ro). Największy hotel w mieście; w samym centrum. Pokój 1-os. 29 €, 2-os. 32 €, apartament 55 €.

Consic* (blvd G. Bălan 31; ☎0267/310301). Najtańszy hotel w mieście; nie ma co liczyć na luksusy. Aby do niego trafić, trzeba kolejno minąć kilka podobnych budynków – hotel mieści się w tym najbardziej obskurnym. Pokój 2-os. 12 €.

Park** (str. Á. Gábor 14; ☎0267/311058, www.hotelpark.planet.ro). Pokój 1-os. 25 €, 2-os. 28 €, apartament 55 €.

Gastronomia

W Sfântu Gheorghe jest kilka dobrych lokali gastronomicznych (te lepsze przy hotelach). Najwięcej restauracji i fast foodów zaprasza przy str. 1 Decembrie 1918. Nie brak także budek serwujących hot dogi i inne szybkie przekąski.

W Sfântu Gheorghe targowisko jest usytuowane u zbiegu ulic Bánki Dónat i Crângului, kilkaset metrów na południowy wschód od centrum, a sklep spożywczy Ilka (czynny do 23.00) – przy str. I. Mikó, niedaleko agencji CFR.

O.K. (róg str. 1 Decembrie 1918 i str. L. Kossuth, obok hotelu *Bodoc*). Tradycyjne dania szeklerskie po rozsądnych cenach (obiad 2–3 €).

Sugáskert (str. 1 Decembrie 1918 nr 12). Najlepsza restauracja w mieście z tradycyjną kuchnią szeklerską. Działa tu także komfortowy hotel*** (wejście od podwórka). Pokój 1-os. 35 €, 2-os. 40 €, apartament 58 €.

Tribel FF (str. 1 Decembrie 1918, naprzeciw restauracji *O.K.*; ☎0267/352353). Restauracja i pizzeria w jednym. Smaczne i niedrogie jedzenie.

Mata Hari Bardzo dobra kawiarnia naprzeciw hotelu *Sugáskert*.

Rozrywki

Kino Artă (str. S. Kőrösi 10; ☎0267/352768). Nieco spóźniony repertuar, ale filmy wyświetla się z napisami.

Teatr Szczycący się chlubną tradycją Teatrul Maghiar de Stat „Tamási Áron" (str. Libertăţii 1; ☎0267/313886) wystawia sztuki niemalże wyłącznie w języku węgierskim. W tym samym budynku działa rumuński Teatrul „Andrei Mureşanu" (☎0267/315324).

60's Karaoke Club (str. 1 Decembrie 1918, obok restauracji *O.K.*). Niezły pub ze stylowym wnętrzem i dobrym piwem (przede wszystkim oczywiście marki Ciuc).

Excalibur (str. K. Kós 30). Bardzo popularny wśród miejscowej młodzieży. Dyskoteki do 5.00.

Informacje o połączeniach

Dworce kolejowy i autobusowy są usytuowane przy str. Gării, około 1,5 km na wschód od centrum. Aby dotrzeć do śródmieścia, należy skierować się prosto na zachód str. 1 Decembrie 1918.

Ze Sfântu Gheorghe kursują pociągi do Bukaresztu (3 dziennie; ok. 3,5 godz.), Braszowa (kilka dziennie; ok. 30 min), Târgu Mureş (2 dziennie; a nawet do Baia Mare, Syhotu Marmaroskiego, Suczawy i Mangalii (po 1 dziennie, do Mangalii tylko latem). Ponadto jest jeden bezpośredni pociąg do Budapesztu. **Agenţie de Voiaj CFR** mieści się przy str. I. Mikó 13, na rogu str. 1 Decembrie 1918 (☎0267/311680).

Najwięcej autobusów odjeżdża w kierunku Braszowa i Odorheiu Secuiesc oraz Miercurei Ciuc. Są też bezpośrednie kursy do Budapesztu.

Informator

Apteka Przy str. 1 Decembrie 1918 oraz w budynku ratusza (północna strona parku Centralnego).

Internet *Internet cafe* na str. 1 Decembrie 1918, naprzeciw poczty.

Poczta i telekomunikacja Urząd pocztowy – str. Oltului 2; Romtelecomu – str. 1 Decembrie 1918 (w zabytkowym budynku dawnego hotelu *Hungaria*).

Wymiana walut i banki Banc Post (z bankomatem) – str. 1 Decembrie 1918 nr 18. Kilka banków koło trójkątnego ryneczku (Piaţa Sf. Gheorghe) z ekscentrycznym pomnikiem św. Jerzego.

Zakupy Dom towarowy Profi obok wspomnianego wyżej pomnika. 2 km od centrum (kierunek Braszów) znajduje się market Billa.

ODORHEIU SECUIESC

Odorheiu Secuiesc (węg. Székelyudvarhely, niem. Hofmarkt), zamieszkane niemal wyłącznie przez ludność węgierskojęzyczną, leży mniej więcej w połowie drogi pomiędzy Sighişoarą a Miercurea Ciuc.

Miejscowość, zasiedlona już przez Rzymian, którzy założyli tam obóz, pojawia się w źródłach w 1334 r. Osada rozkwitała pod panowaniem węgierskich władców z dynastii Arpadów i od XVI w. była nie tylko ważnym ośrodkiem gospodarczym i handlowym, ale również kulturowym oraz naukowym (w 1593 r. powstała szkoła, której cenny księgozbiór zachował się w znacznej części do dziś). Od XVII w. datuje się prężny rozwój gospodarczy Miercurei Ciuc, przez co Odorheiu Secuiesc podupadło i nigdy nie odzyskało dawnego znaczenia.

Orientacja i informacje

Centrum skupia się wokół Piaţa Á. Márton (dawniej Piaţa Libertăţii) – tam też jest większość ciekawych obiektów (tylko zamek wznosi się kilkaset metrów na północ od placu). Główne arterie to, odchodząca na południowy zachód od Piaţa Áron Márton, str. L. Kossuth oraz biegnąca w przeciwnym kierunku (w stronę dworców) str. G. Béthlen.

Przy południowo-zachodniej pierzei rynku, w budynku urzędu miejskiego, działa oficjalna informacja turystyczna **Tourinfo** (Piaţa Á. Márton 1; ☎/fax 0266/217 427, www.tourinfo.ro), gdzie można dowiedzieć się co nieco o okolicznych atrakcjach, dostać foldery i mapy, a także zapytać o nocleg. Profesjonalne usługi przewodnickie oraz rzetelną informację turystyczną oferuje biuro **Herr Travel** (Piaţa Á. Márton 2, naprzeciw Tourinfo; ☎0266/102342).

Zwiedzanie

Do najciekawszych zabytków Odorheiu należy **Cetatea** (zamek; str. L. Tompa), obecnie siedziba szkoły rolniczej. Na ruinach rzymskiego obozu wzniesiono w średniowieczu niewielką twierdzę, która była zamieszkana przez mnichów do 1562 r., kiedy to Szeklerzy wraz z siedmiogrodzkimi Sasami wzniecili bunt przeciwko władcy Transylwanii Janowi Zygmuntowi Zápolyi i zebrali się na zamku, aby obradować nad dalszym postępowaniem. Powstańcy rozproszyli się po Siedmiogrodzie w poszukiwaniu sojuszników, czego skutkiem był upadek rewolty i zburzenie twierdzy. Zamek szybko odbudowano, ale w 1600 r. Michał Waleczny zniszczył go ponownie. Nową warownię wzniesiono dopiero w 1880 r. według planów poprzedniej budowli z XVI w.

Pośrodku Piaţa Á. Márton stoi **Biserica reformată** (kościół reformowany), zbudowana w 1781 r. na miejscu wcześniejszej drewnianej świątyni z połowy XVI w. Naprzeciwko, we wschodniej pierzei rynku uwagę przyciąga **ratusz** z końca XIX w. Na wzgórzu ponad Piaţa Á. Márton króluje barokowa **Biserica romano-catolică** (kościół rzymskokatolicki) wzniesiona przez jezuitów w latach 1787–1793 na ruinach świątyni z XIV w. Od połowy XVI w. kościół był użytkowany wspólnie przez katolików i protestantów. We wnętrzu warto obejrzeć cenny drewniany ołtarz i ambonę. Duży secesyjny budynek nieco dalej na zachód to **Liceum im. Árona Támasiego**. Barokowa **Biserica călugărilor franciscani** (kościół i klasztor Franciszkanów) przy północno-zachodnim krańcu Piaţa Libertăţii powstała w latach 1712–1779. Detale portalu zdradzają wpływy renesansowe.

W **Haáz Rezsö Muzeum** (str. L. Kossuth 29; pn.–pt. 10.00–17.00, sb. i nd. 9.00–13.00; 1 €, ulgowy 0,50 €, fotografowanie 2,30 €, filmowanie 3,60 €) można podziwiać kolekcję etnograficzną gromadzoną od 1900 r. przez miejscowego nauczyciela Rezsó Haáza.

W południowo-zachodniej części miasta, przy drodze do Sighişoary (ok. 2 km od centrum) stoi najstarszy zabytek Odorheiu Secuiesc – urocza romańska **Capela lui Isus** (kaplica Jezusowa). Wybudowano ją w XIII w. jako rotundę krytą stożkowym dachem i pierwotnie służyła prawdopodobnie jako kaplica cmentarna.

Noclegi

Najtańsze noclegi w sezonie organizuje się w szkołach: im. A. Támasiego (piąta Á. Márton 4; ☎0266/218379) oraz im. I. Palló (str. L. Kossuth 41; ☎0266/218240). Nocleg w takim miejscu kosztuje około 6 €.

Korona** (Piąta Á. Márton 12/2; ☎0266/217 227, 216946, fax 218061, korona@speednet. ro). Pensjonat w starej kamienicy przy rynku. Ładnie urządzone i stosunkowo niedrogie pokoje. Pokój 1-os. 23 €, 2-os. 36 €.

Lilla*** (str. L. Tompa 23; ☎0266/212531, fax 212532). Pensjonat w sąsiedztwie zamku. Pokój 1-os. 25 €, 2-os. 36 €, 3-os. 47 €.

Maestro** (Piąta Á. Márton 3; ☎0266/215600, maestro@udv.topnet.ro). Pensjonat w samym centrum. Pokój 2-os. 23 €, 3-os. 33 €, 4-os. 42 €.

Târnava–Külküllő*** (Piąta 16; ☎0266/213 963–4, fax 218371, www.kulkullo.ro). Największy i najbardziej luksusowy hotel w mieście, w wysokim budynku w północnej części rynku. Pokój 1-os. 41 €, 2-os. 45 €, apartament 63 €.

Gastronomia

ABC (Piąta Libertăţii 19, obok banku BCR). Sympatyczna cukiernia.

Bohem Bar & Fastfood (Piąta Harghitei). Całkiem nieźle „szybkie dania".

Harmonia (Piąta Á. Márton 6). Kawiarnia.

Taverna (str. L. Kossuth 23). Smaczna kuchnia szeklerska i międzynarodowa (dwudaniowy posiłek 2–4 €).

Informacje o połączeniach

Dworce kolejowy i autobusowy znajdują się na północny wschód od miasta, kolejowy przy str. G. Béthlen (☎0266/212916), autobusowy 100 m dalej, przy str. Târgului (☎0266/212034). Aby dojść do centrum, należy skierować się na południe str. G. Béthlen prowadzącą do Piąta Á. Márton.

Odorheiu Secuiesc leży na uboczu ważnej linii kolejowej Braszów–Kluż-Napoka, dlatego pociągiem można pojechać właściwie tylko w kierunku Sighişoary (3 dziennie; ok. 1,5 godz.) i stamtąd kontynuować podróż (zob. s. 345). **Agenţie de Voiaj CFR** mieści się przy str. Beclean 5 (☎0266/212916).

Autobusy kursują nie tylko do Sighişoary (kilka dziennie), ale również do Târgu Mureş (kilka dziennie), Miercurei Ciuc i Gheorgheni.

Informator

Apteki Kilka przy str. L. Kossuth oraz przy str. G. Béthlen.

Internet Kafejki internetowe – przy bistro *Bohem* (Piąta G. Béthlen, na wschód od Piąta Á. Márton) oraz na str. S. Petőfi 17.

Poczta i telekomunikacja Urząd pocztowy – str. L. Kossuth 37 (niedaleko muzeum). Placówka Romtelecomu – Piąta Libertăţii w pobliżu hotelu *Târnava*.

Wymiana walut i banki Banca Comercială Română z bankomatem (Piąta Libertăţii); kantory – str. L. Kossuth oraz przy pensjonacie *Lilla*.

SOVATA

To niewielkie miasteczko (węg. Szota, niem. Sowata), 45 km na północ od Odorheiu Secuiesc, od II połowy XIX w. słynie ze słonych jezior termalnych.

Pierwsza wzmianka źródłowa o Sovacie (wówczas mało znaczącej wsi) pojawia się w 1578 r. Dzięki zdrowotnym właściwościom wód osada szybko stała się znanym miejscem wypoczynku siedmiogrodzkich elit (ale prawa miejskie otrzymała dopiero w 1952 r.). Badania geologiczne i hydrologiczne przeprowadzone w 1878 r. nadały miejscowości status uzdrowiska. W okresie międzywojennym często gościli tu członkowie rodziny królewskiej.

Największe **Jezioro Niedźwiedzie** (Lacul Ursus), nazwane tak od zarysu linii brzegowej, ma powierzchnię 40 tys. m² i około 18 m głębokości. W obecnym kształcie powstało dopiero w XIX w., po przerwaniu naturalnej tamy oddzielającej depresję od dwóch mniejszych jezior. W latach 1870–1880 zbiornik uległ zasoleniu wskutek wymywania przez wodę podziemnych złóż soli. Temperatura wody tuż pod powierzchnią wynosi prawie 36°C i maleje wraz z głębokością. Wody Jeziora Niedźwiedziego, a także pobliskich mniejszych zbiorników, m.in. **jeziora Aluniş**, obfitują w składniki mineralne, przede wszystkim sód. W obu jeziorach można zażywać kąpieli, co kosztuje 2,50 € za cały dzień.

Zapaleni piechurzy mogą wybrać się na wędrówkę po okolicznych wzgórzach – oznakowanych szlaków nie brakuje i wciąż powstają nowe.

Centrum Sovaty jest wciśnięte pomiędzy trzy wzgórza – Kicsi (694 m n.p.m.) na wschodzie oraz Zoltán (537 m n.p.m.) i Sököze na zachodzie. Główna ulica, str. Trandafirilor, wiodąca z południowego zachodu na północny wschód, prowadzi obok Jeziora Niedźwiedziego, a potem odbija na wschód. Równolegle do niej od strony zachodniej biegnie str. Bradului, a od wschodniej str. Vulturului. Najwięcej pensjonatów skupia się przy str. Trandafirilor i str. Vulturului.

Informacja turystyczna (tylko w sezonie; pn.–sb. 8.00–18.00) znajduje się u zbiegu ulic Trandafirilor i Bradului, na południe od centrum, przy skrzyżowaniu ze str. Lacului.

Dworzec kolejowy oddalony jest o około 3 km na południowy zachód od Sovaty (str. Gară Mare 3; ☎0265/570215) w kierunku na Târgu Mureş. Pociągiem można dotrzeć do Sovaty tylko od strony miasteczka Târnaveni (kilka dziennie). Dopiero w Teiuş można przesiąść się na pociągi do ważniejszych rumuńskich miast. O wiele sprawniej działa komunikacja autobusowa. Z dworca (przy str. Trandafirilor, w samym centrum; ☎0265/570954) kursują autobusy do Târgu Mureş (kilka dziennie), Odorheiu Secuiesc (kilka dziennie), Miercurei Ciuc (4 dziennie) i Sighişoary (1 dziennie).

Noclegi i gastronomia

W Sovacie jest wiele stosunkowo tanich hoteli i jeszcze więcej (co najmniej kilkadziesiąt) pensjonatów (*vila*), reklamujących się tylko tabliczką przy drodze wskazującą na dom (jeden z nich prowadzi rodzina pana Rusu Andrei, str. Bradului 32; ☎0723/009186; pokój 2-os. 19 €).

Dobre restauracje działają przy hotelach. W pobliżu Jeziora Niedźwiedziego stoi kilka budek z przekąskami. Targowisko usytuowane jest naprzeciwko dworca autobusowego, kilka sklepów spożywczych działa przy głównej ulicy str. Trandafirilor.

Faget** (str. Trandafirilor 82; ☎0265/570651, fax 570258, sovatahotel@szovata.ro). Na wzgórzu nad Jeziorem Niedźwiedzim. Pokój 1-os. 24 €, 2-os. 35 €.

Hanul Ursul Negru (str. Principală 152; ☎0265/ 570987). Przyjemny i tani hotel w południowej części uzdrowiska, przypominający schronisko górskie. Pokój 1-os. 9 €, 2-os. 19 €.

Kemping Stâna de Vale (str. Vulturului 39; ☎0265/570311). W północnej części miejscowości. Ceny podobne jak na kempingu *Vass Kert*.

Kemping Vass Kert (str. Principâla 129; ☎0265/ 570902). Najczystszy i najporządniejszy (ciepła woda całą dobę) kemping w Sovacie. Nocleg w namiocie 2,80 €/namiot.

Mureşul (str. Trandafirilor, naprzeciwko *Villa Klein*, informacje w hotelu *Faget*). Skromnie i tanio. Pokój 1-os. 14,50 €.

Sovata*** (str. Trandafirilor 82; ☎0265/570151, fax 570258, sovatahotel@szovata.ro). Na wzgórzu nad Jeziorem Niedźwiedzim, obok hotelu *Faget* (zarządzany przez tego samego właściciela – węgierską grupę Danubius Hotels), ale droższy i bardziej luksusowy od niego. Pokój 1-os. 51 €, 2-os. 90 €.

Villa Szőke (str. Trandafirilor, w pobliżu Jeziora Niedźwiedziego; ☎/fax 0265/371395). Kilka schludnych pokoi. Pokój 2-os. 22 € (w lecie) lub 13 € (w zimie).

Informator

Apteki Przy str. Trandafirilor 82 (naprzeciwko pensjonatu *Lebăda*) oraz nieco dalej od centrum przy str. S. Petőfi G1.

Banki Banca Comercială Română (z bankomatem) – str. Trandafirilor 125.

Poczta Urząd pocztowy – na południe od centrum, niedaleko dworca autobusowego (str. Trandafirilor 72).

PRAID

Jedna z najstarszych (eksploatowanych od średniowiecza) i największych rumuńskich żup solnych – kopalnia w Praid (Salina Praid; str. Gării 44; ☎0266/240200; 3,90 €, dzieci 1,95 €) jest licznie odwiedzana przez turystów i wczasowiczów zarówno rumuńskich, jak i węgierskich. Większość z nich przyjeżdża nie po to, by podziwiać plątaninę chodników, ale leczyć choroby układu oddechowego (m.in. astmę).

Pod ziemią kryje się niewielki kościółek (dla pięciu wyznań!) oraz muzeum z ekspozycją na temat historii kopalni i właściwości geologicznych okolicznych ziem. Jest tam także wszystko, co potrzebne kuracjuszom i turystom: biblioteka, sklepy spożywcze i pamiątkarskie (głównie wyroby z soli), miniszpital, plac zabaw, stoły z ławkami i toalety. Do kopalni można się dostać autobusem (w lecie co 10 min, w zimie co 1 godz.), który przedziera się przez ciemności łagodnie opadającego tunelu długości kilku kilometrów. Kolejne paręset metrów w dół pokonuje się stromymi schodami.

W Praid jest też basen z naturalnie zasoloną wodą termalną o temperaturze około 36°C (1 VI–15 X; 1,40 €, ulgowy 0,70 €). Miejscowość najlepiej odwiedzać poza sezonem, bo w lecie w kopalni przebywa niekiedy jednocześnie nawet 4 tys. osób (!), co powoduje „pocenie się" podłoża i ścian, a wdychanie wilgotnego powietrza nie należy do najprzyjemniejszych rzeczy na świecie.

Noclegi organizuje biuro Trans-Tur (str. Principală 211; ☎0265/240272, transtur@ fx.ro), które ma w ofercie własny dwugwiazdkowy hotel (pokój 2-os. 23 €) oraz ponad 200 miejsc w gospodarstwach agroturystycznych.

Do Praid można dostać się pociągiem z Sovaty (kilka dziennie; ok. 10 min) lub autobusem z Odorheiu Secuiesc.

CORUND

Miejscowość, 25 km na północ od Odorheiu Secuiesc, słynie z **wyrobów ceramicznych**, które można kupić na kilkudziesięciu straganach rozstawionych wzdłuż drogi przez okrągły rok (sprzedawcy bywają czasem natarczywi). Tradycje garncarskie w okolicy liczą kilkaset lat, ale Corund zyskał sławę dopiero w XX w. Niektóre przedmioty to prawdziwe dzieła sztuki – będą nie tylko pamiątką i ozdobą, ale także przydadzą się w domu (wazy, misy, kubki, talerze itp.). Właściciele kramów korzystają z dużego ruchu turystycznego i wystawiają na sprzedaż inne przykłady rękodzieła oraz imitacje. Są tam wyroby z wełny i drewna oraz wszystko to, co spotyka się na straganach w całej Rumunii.

Do Corundu można się dostać tylko autobusem z Odorheiu Secuiesc lub autostopem, z czym nie powinno być problemów (spory ruch na trasie).

GHEORGHENI

Oddalone o 62 km na północ od Miercurei Ciuc, Gheorgheni (węg. Gyergyósentmiklós, niem. Niklasmarkt) liczy 24 tys. mieszkańców, w zdecydowanej większości (jak to na Szeklerszczyźnie bywa) węgierskojęzycznych. Miasteczko – dobry punkt wypadowy w pobliskie góry (zob. dalej) – słynie z długich i mroźnych zim.

Centrum to Piaţa Libertăţii i jej bezpośrednie okolice. Na północ od placu odchodzi krótki deptak Mauron Cristea prowadzący do blvd Lacu Roşu, a na południe biegnie str. Á. Gábor.

Informacja turystyczna **Tourinform** działa na osiedlu (*cartier*) Florilor przy str. N. Bălcescu 11 (wyjazd w kierunku Lăzarei, po lewej stronie) i oferuje informacje na temat zakwaterowania i okolicznych atrakcji. Pracownicy biura **Plus Tours** (Piaţa Libertăţii 6; północna pierzeja rynku; ☎/fax 0266/165062; pn.–pt. 9.00–17.00) pomogą znaleźć nocleg w samym mieście, a także w okolicy.

Najciekawszym zabytkiem Gheorgheni jest barokowa **Biserica armeană** (kościół ormiański; blvd Lacu Roşu) wybudowana w latach 1730–1734. Świątynię otaczają fortyfikacje z ładnymi okrągłymi basztami. Najstarszym elementem założenia jest kaplica po stronie północnej. We wnętrzu warto zwrócić uwagę na cenne ołtarze i ambonę.

Przy zachodniej pierzei Piaţa Libertăţii wznosi się niezbyt ciekawa XVIII-wieczna

Biserica reformată (kościół reformowany). O wiele bardziej interesująca jest widoczna z daleka **Biserica romano-catolică** (kościół rzymskokatolicki; str. Á. Márton) na wschód od Piaţa Libertăţii. Świątynia, zbudowana w 1498 r., była wielokrotnie niszczona – jej obecny wygląd to efekt barokizacji przeprowadzonej w 1756 r. (portal i chrzcielnica to XV-wieczne oryginały). Mury okalające kościół, ołtarze oraz freski datowane są na schyłek XVIII w.

Idąc dalej str. Á. Márton, dotrze się do **Muzeum Tarisznyás Márton** (str. Rakoczy 1), gdzie można obejrzeć eksponaty etnograficzne z regionu Szeklerszczyzny. Placówka zajmuje barokowy budynek z 1787 r., który do 1848 r. służył jako koszary austriackich wojsk granicznych.

Noclegi i gastronomia

W Gheorgheni nie ma zbyt wielu hoteli czy pensjonatów, podobnie jak dobrych restauracji, ale trudno się dziwić – turyści rzadko tam zaglądają.

Oprócz restauracji w hotelu *Rubin*, warto polecić lokale *Limpex* i *Rozmaring*, oba przy str. Băii (odchodzi od południowo-zachodniej pierzei Piaţa Libertăţii). Przy rynku działa również kilka fast foodów. Restauracja *Bella* przypomina co prawda bar mleczny, ale można ją polecić. W mieście funkcjonuje dom towarowy Magazin General (Piaţa Libertăţii 18), ale na zakupy lepiej wybrać się na miejskie targowisko, do którego prowadzi str. Băii.

Motel Patru** (4 km od centrum przy drodze do Lacu Roşu; ☎0744/399160). Czysto i schludnie. Pokój 1-os. 9 €, 2-os. 16 €.

Rubin*** (str. Á. Gábor 1; ☎0266/365554, fax 365556). Najdroższy i jedyny względnie ekskluzywny hotel w mieście. Świetna restauracja. Pokój 1-os. 16 €, 2-os. 25 €, apartament 40 €.

Sport* (str. Stadionului 11; ☎0266/161270). Dość obskurny (za to wyjątkowo tani) hotel nieco oddalony od centrum. Pokój 2-os. 6,50 € (łazienka na korytarzu).

Szilágyi** (Piaţa Libertăţii 17; ☎0266/364591). Najtańsze noclegi w centrum; coś dla mało wymagających. Pokój 2-os. 16,50 € (bez śniadania).

Informacje o połączeniach

Dworzec kolejowy jest przy str. Gării, około 1,5 km na zachód od centrum. Gheorgheni leży na trasie kolejowej łączącej południową Rumunię z północną Transylwanią, dzięki czemu ma wiele połączeń z największymi miastami kraju, m.in. Bukaresztem (2 dziennie; 6 godz.), Târgu Mureş (5 dziennie; 3,5 godz.), Braszowem (3 dziennie; 2,5 godz.), Miercureą Ciuc

(2 dziennie; 1 godz.) oraz Baia Mare, Satu Mare, Syhotem Marmaroskim, Timişoarą i Gałaczem (po 1 dziennie). **Agenţie de Voiaj CFR** ma siedzibę przy Piaţa Libertăţii 10 (☎0266/364666).

Dworzec autobusowy znajduje się w pobliżu stacji kolejowej. Autobusy kursują do Târgu Mureş (kilka dziennie), Klużu (2 dziennie), Braszowa (3 dziennie), Piatra Neamţ, Miercurei Ciuc oraz Odorheiu Secuiesc.

Aby dojść do centrum, należy skierować się na wprost blvd Frăţiei, który wiedzie do blvd Lacu Roşu, skąd niedaleko już do Piaţa Libertăţii.

Informator

Apteki Na Piaţa Libertăţii są dwie apteki (jedna pod nr. 28 w zachodniej pierzei).

Banki Banca Română pentru Dezvoltare (z bankomatem) – na rogu Piaţa Libertăţii i str. Mauron Cristea.

Internet Kafejka internetowa *Web House* znajduje się na zachód od centrum przy drodze na Lăzaręę (cartierul Florilor 12A; 0,40 €)

Poczta Przy Piaţa Libertăţii 24, obok kościoła reformowanego.

Z GHEORGHENI DO BORSECU

Na trasie z Gheorgheni do Borsecu, znanego rumuńskiego kurortu, z którego pochodzi najlepsza w kraju woda mineralna, leżą trzy interesujące miejscowości – Lăzarea, Ditrău oraz Topliţa.

Z dojazdem do nich nie powinno być większych problemów. Do Lăzarei kursuje z Gheorgheni 6 pociągów dziennie (5 min), a do Topliţy – 10 (ok. 30 min), większość zatrzymuje się również w Ditrău (14 min z Gheorgheni). Do Lăzarei, Ditrău i Topliţy docierają także autobusy, ale trzeba wziąć pod uwagę, że kursy nie są zbyt częste (wszystkie autobusy zmierzające do Topliţy zatrzymują się w Lazărei i Ditrău). Do Borsecu najlepiej wybrać się z Topliţy autostopem – nie ma połączenia kolejowego, a autobus jeździ bardzo rzadko (średnio dwa kursy dziennie).

Lăzarea

Warto zwiedzić ciekawy **zamek** (*cetate*), którego dzieje sięgają początków XVI w., kiedy to wybudowano w tym miejscu rezydencję mieszkalną (w 1532 r. otoczono ją fortyfikacjami). Niemal od początku warownia należała do szeklerskiego rodu szlacheckiego Lázárów, od którego wywodzi się nazwa miejscowości. Mimo licznych przebudów, twierdza zachowała późnore-

nesansowy charakter. W Lăzarei spędził dzieciństwo Gábor Bethlen, wybitny siedmiogrodzki książę panujący w latach 1613–1629 – był on wnukiem właściciela zamku Stefana II Lázára, notabene ożenionego z Polką. Ona to właśnie namówiła męża na dodanie do bryły tzw. polskiej attyki, zachowanej do dziś.

W pobliżu zamku wznosi się barokowa **Mănăstirea franciscană** (klasztor Franciszkanów) z przełomu XVI i XVII w. oraz **Biserica romano-catolică** (kościół rzymskokatolicki) z gotyckimi elementami, której budowę rozpoczęto prawdopodobnie we wczesnym średniowieczu, chociaż współczesny wygląd zabytku już na to nie wskazuje.

Noclegi w Lăzarei zapewnia **pensjonat Kastély** (str. Principală 1087; ☎0266/352 736, kastely@mail.nextra.ro) z kilkoma pokojami dwuosobowymi (24 €). Można skorzystać z pomocy pani Emy Pap (dom nr 1285; ☎0266/364695, 352700), która działa w ramach organizacji **Operation Villages Roumains** i dysponuje adresami ponad 25 gospodarstw agroturystycznych, gdzie koszt noclegu powinien wynieść pomiędzy 8 a 12 €/os.

Ditrău

Na tę niewielką wioskę nikt nie zwróciłby większej uwagi, gdyby nie imponująca **neogotycka Biserica romano-catolică** (kościół rzymskokatolicki) wybudowana w latach 1908–1913 według planów architekta Stipe Kladeka z Jugosławii. Świątynia ma 58 m długości, 23 m szerokości, a wysokość wież (obie z zegarami) zakończonych szpiczastymi hełmami otoczonymi czterema miniwieżyczkami sięga 75 m. Warto przyglądnąć się wspaniałej rozecie między wieżami nad portalem.

W 1658 r. na polach Ditrău rozegrała się krwawa bitwa pomiędzy Turkami a miejscową ludnością, zakończona zwycięstwem Szeklerów. Na wzgórzu wznosi się pomnik ku czci poległych.

Topliţa

W prowincjonalnym miasteczku (11 tys. mieszkańców) na północnym krańcu Szeklerszczyzny przetrwała ciekawa drewniana **Biserica ortodoxă Sf. Ilie** (cerkiew św. Eliasza) – część klasztoru pod tym samym wezwaniem. Świątynię wybudowano w 1847 r. we wsi Stânceni, a później przeniesiono do Topliţy. Miasteczko często odwiedzają kuracjusze zażywający kąpieli zdrowotnych w **źródle termalnym** na pobliskim wzgórzu Bradul (Băile Bradul; 650 m n.p.m.), niecały kilometr od dworca kolejowego (drogo-wskazy na Staţiunea Bradu).

Przy basenie (26°C; 1,70 € za cały dzień, ulgowy 1 €) jest znakomita **restauracja** *Bradul*, której właściciele zarządzają pobliskim polem namiotowym z bungalowami (☎0266/341508; 3,20 €/namiot, 2-os. bungalow 12 €). Na wzgórzu nieopodal kompleksu powstało kilka **pensjonatów** i drugie pole namiotowe. Dobrym miejscem na nocleg jest pensjonat *Jessica*** (str. Vilelor 5; ☎0266/343433; 7 €/os. ze śniadaniem). Inne niezłe obiekty to m.in. *Platon* i *Ruxandra* (oba dwugwiazdkowe). Można także zatrzymać się w skromnym **motelu** *Ancona*** (str. N. Bălcescu 59, przy skrzyżowaniu z drogą na Borsec; ☎/fax 0266/141735; pokój 2-os. 16 €).

Borsec

Uzdrowisko słynie z doskonałych wód mineralnych oraz krystalicznie czystego i bogatego w ozon powietrza. Choć czasy świetności kurortu dawno minęły i z ponad 60 pensjonatów działa tylko połowa (wiele budynków pochodzi sprzed II wojny świa-

towej), w miasteczku przetrwała wyjątkowa atmosfera. Eksperci zbierający się od 14 lat w Berkeley Springs w USA uznali produkowaną w Borsecu Regina Apelor Minerale (Królowa Wód Mineralnych) za najlepszą wodę gazowaną na świecie. Można ją kupić w każdym sklepie i restauracji w Rumunii, a w Borsecu spróbować bezpośrednio z licznych rozrzuconych po kurorcie studzienek (*izvorul*).

Z **noclegami** nie ma najmniejszego problemu. Spośród kilku hoteli i pensjonatów na wyróżnienie zasługuje pensjonat *Muskátli*** (7 Izvoare 35A; ☎0266/337 169; pokój 2-os. 33,50 €), hotele *Stadion*** (str. Primaverii; ☎0266/337033; pokój 1-os. 19 €, 2-os. 26 €) i *Palma*** (str. Toplita 4, przy krzyżówce dróg do Piatra Neamţ i Topliţy; ☎0266/337210; pokój 2-os. 21 €) oraz *pensiunea turistică Intim**** (Aleea Rotundă 48; ☎0266/337 638, fax 337275; pokój 2-os. 30 €). Po południowej stronie głównego parku nieopodal pensjonatu *Intim* jest kilka **pól namiotowych** z bungalowami. Cena z nocleg w domku wynosi około 4 €.

8

Góry

Miłośnikom górskich wycieczek Rumunia oferuje wiele atrakcji. Karpaty, które zajmują około 30% powierzchni kraju, zawdzięczają popularność niezwykłej różnorodności ukształtowania terenu. Można tam znaleźć formacje przypominające zarówno Tatry Wysokie i Zachodnie, jak i Bieszczady oraz Beskidy. Mnóstwo jaskiń oraz głębokie wąwozy z drogami wspinaczkowymi to dodatkowe atrakcje. Często się zdarza, że na szlaku przez kilka, a nawet kilkanaście dni nie spotyka się nikogo prócz pasterzy opiekujących się stadami owiec pasących się na soczystych karpackich łąkach. Pomimo bariery językowej, kontakty z bacami i juhasami są bardzo miłe, choć pilnujące stad psy mogą potraktować obcego jak intruza.

Karpaty rumuńskie można zwiedzać nie tylko pieszo. Niektóre partie doskonale nadają się na rajdy rowerowe. Miłośnicy wspinaczek również znajdą coś dla siebie wśród wielu trudnych i pięknych dróg. Panują tam ponadto bardzo dobre warunki do uprawiania turystyki zimowej zarówno na nartach biegowych, jak i turowych, a na amatorów freeride'ów (zjazdy na snowboardzie lub nartach ze szczytów i grani, na których nie ma nartostrad) czeka wiele dziewiczych terenów.

POŁOŻENIE I BUDOWA GEOLOGICZNA

Patrząc na mapę Europy, nie sposób przeoczyć potężnego łańcucha Karpat ciągnącego się otwartym łukiem od przełęczy pod Bratysławą do Żelaznej Bramy. Masyw dzieli się na Karpaty Zachodnie i Południowe, a granicę między nimi stanowi Przełęcz Łupkowska (640 m n.p.m.). W zachodniej części łuku karpackiego wyróżnia się Zewnętrzne Karpaty Zachodnie, Centralne Karpaty Zachodnie i Wewnętrzne Karpaty Zachodnie. Południowa część obejmuje Zewnętrzne Karpaty Wschodnie, Wewnętrzne Karpaty Wschodnie, Karpaty Południowe (Alpy Transylwańskie), Góry Zachodniorumuńskie (Apuseni) i położoną między nimi Wyżynę Transylwańską.

Na terenie Rumunii wznosi się 55% masywu: Wewnętrzne Karpaty Wschodnie i Karpaty Południowe. Te pierwsze składają się z Karpat Marmaroskich (Munţii Maramureşului), Gór Rodniańskich (Munţii Rodnei), Gór Bystrzyckich (Munţii Bistriţei) oraz wygasłych wulkanów ciągnących się od Wyhorlatu przez Góry Gutyjskie (Gutâi), Góry Cybleskie (Munţii Ţibleşului), Góry Kelimeńskie (Munţii Căliman) i Harghita do Kotliny Braszowskiej (Depresiunea Braşovului). W Karpatach Południowych wyróżnia się pięć grup górskich: Fogarasze (Munţii Făgăraşului), Parângu, Godeanu-Retezat, Góry Banackie (Munţii Banatului) oraz położony na północ od Karpat Południowych masyw Poiana Rusca.

W podziale geologicznym Karpat wyróżnia się dwie wielkie jednostki: Karpaty Zewnętrzne (fliszowe), powstałe w trzeciorzędzie i zbudowane głównie z naprzemianległych warstw piaskowców i łupków ilastych (flisz) oraz Karpaty Wewnętrzne pochodzące z górnej kredy, a składające się w większości z wapiennych skał krystalicznych (granitoidy i łupki krystaliczne).

Karpaty stanowią dział wodny między zlewiskami Morza Bałtyckiego i Morza Czarnego. Z północnych części Karpat Wschodnich wody spływają do Morza Czarnego za pośrednictwem Dniestru i jego dopływów. Pozostała część Karpat Południowo-Wschodnich oraz południowa część Karpat Zachodnich należy do dorzecza Dunaju. Energetyczne wykorzystanie zasobów wodnych Karpat nie jest duże; największe sztuczne jeziora zbudowano w Rumunii w Żelaznej Bramie (Porţile de Fier), Bicazie, na Bystrzycy i Ardžeszu.

Na terenie Karpat występuje około 500 naturalnych jezior górskich w większości o polodowcowym pochodzeniu, a także akweny osuwiskowe, krasowe i wulkaniczne.

KIEDY JECHAĆ

Opady śniegu zaczynają się mniej więcej w tym samym czasie co w Polsce. W wyższych partiach gór śnieg zalega nawet do połowy czerwca. Nie oznacza to jednak, że do tego czasu trzeba siedzieć w domu – wędrówka z widokiem na górskie zbocza z płatami topniejącego śniegu to wspaniałe przeżycie. W całych Karpatach panuje górski klimat z ujemną średnią temperaturą roczną i dużą ilością opadów. Pogoda zależy od wysokości względnej i położenia geograficznego. Roczna średnia temperatura waha się w granicach 6–8°C u podnóży i 0–2°C na wierzchołkach. Nawet w środku lata zdarzają się deszcze ze śniegiem. Różnice wysokości i kumulacja wilgotnych mas powietrza na zachodnich i południowo-zachodnich zboczach powodują, że na 1600–1800 m n.p.m. suma opadów rocznych jest największa i wynosi nawet 1300 mm. Czerwiec i lipiec są miesiącami z największą liczbą dni deszczowych, najbardziej suchy jest październik. Mgły spowijają górskie grzbiety przez 260 dni w roku. W wysokich partiach gór prędkość wiatru może dochodzić do 100 km/godz. Najbardziej wietrzny miesiąc to luty, a najspokojniejszy – sierpień. Na wyprawę z namiotem najlepiej się wybrać w sierpniu i wrześniu, a z ciepłym śpiworem nawet w październiku.

NOCLEGI

Z noclegiem w górach nie ma absolutnie żadnego problemu, niezależnie od pory ro-

Zdobywcy Karpat

W 1980 r. pięciu Polaków: Andrzej Wielocha, Piotr Kurowski, Zdzisław Piecul, Wiesław Tomaszewski oraz Jerzy Montusiewicz przeszło cały łuk Karpat, pokonując trasę o długości ponad 2 tys. km. Wyczyn ten powtórzyło w 1984 r. trzech Słowaków, choć z przyczyn politycznych musieli ominąć góry Ukrainy. Śladami poprzedników ruszyli latem 2002 r. trzej młodzi ludzie – znowu Polacy. Przebycie całej trasy zajęło im 94 dni. W górskim światku słychać już o kolejnych grupach marzących o podobnym wyczynie.

Od 1999 r. kilku śmiałków z Polski realizuje program „X-Carpatia". Jego celem jest przejechanie na rowerach całych Karpat od zachodu na południe – dotychczas nikt tego nie dokonał. W górach Rumunii latem 2002 i 2003 r. poddały się kolejno Góry Marmaroskie i Alpy Rodniańskie. Poniżej zamieszczono fragment relacji z tej wyprawy – całość można przeczytać w Internecie pod adresem www.bikeboard.wyd.pl. Planuje się wytyczenie szlaku rowerowego wiodącego przez wszystkie kraje karpackie.

Kiedy wreszcie osiągamy granicę, zapada już zmierzch. Obiecana, szeroka na dwa czołgi graniczna droga jest schowana po stronie ukraińskiej. Przestało padać, za to doskwiera chłód. Ale da się nareszcie jechać. Z najbliższego szczytu podziwiamy przecinkę wyrżniętą od linijki w lesie na całej długości granicy. Wygląda absurdalnie i niesamowicie. Do schroniska w linii prostej mamy 4 km – „luzik". Parę minut po szóstej. Akurat jestem na zjeździe. Kiedy zakładam kurtkę, bo znowu zaczęło padać, słyszę krzyki Maćka. Nie widać go już – jest ciemno i mglisto. Nieco zdenerwowany pyta, czy jest ktoś przede mną. Zbiegam niżej – spotykam Stawia, Dagmarę i Andrzeja. Wyglądają jak zmokłe kury. Zgubiliśmy się? Nie, tu na tym rozwidleniu musimy dać w prawo przez kosówkę. To już blisko, jakieś 3 km – „luzik". Dopiero trzy godziny później zapada decyzja o powrocie tą samą drogą. Próby znalezienia jakiejkolwiek ścieżki lub drogi w kierunku schroniska okazały się daremne. Na całą grupę mamy tylko trzy mocne czołówki i trzy diodowe. Nie spodziewaliśmy się błądzenia po nocy. Idę ostatni, jest bardzo zimno, zbliża się północ. Przedzieramy się na żywioł wśród drzew. Gałęzie zamykające się za ostatnim w szeregu powodują, że idąc na samym końcu, mam wrażenie samotności w tym gąszczu. Przewrócone drzewa, bardziej niż za dnia strome stoki, ostre trawersy po przykrytych warstewką lodu skatach. Zmęczenie dopada wszystkich. Polana, a na niej szałas! Jest na tyle porządny, że musimy się do niego włamać. Aż trudno uwierzyć – jest piecyk, łóżka wyścielone sianem, drewno. Jest wszystko... oprócz zapałek. Siedzenie tutaj bez rozpalenia w piecu nic nam nie pomoże. W ostatniej chwili, kiedy chcieliśmy już wyjść w noc, Maciek przypomniał sobie, że ma rakietnicę. Koza została obficie załadowana sianem. Huk wystrzału i mamy ogień.

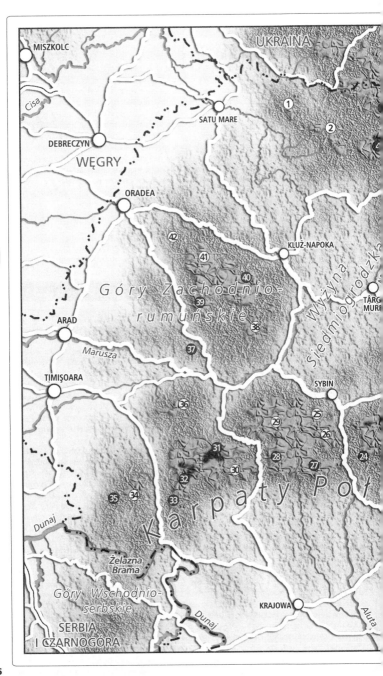

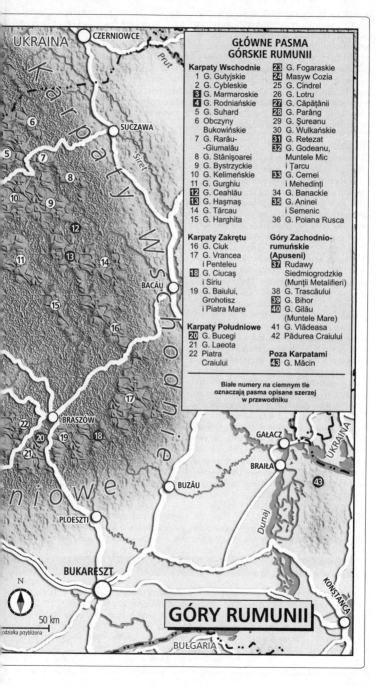

GŁÓWNE PASMA GÓRSKIE RUMUNII

Karpaty Wschodnie
1 G. Gutyjskie
2 G. Cybleskie
3 G. Marmaroskie
4 G. Rodniańskie
5 G. Suhard
6 Obczyny Bukowińskie
7 G. Rarău-Giumalău
8 G. Stânişoarei
9 G. Bystrzyckie
10 G. Kelimeńskie
11 G. Gurghiu
12 G. Ceahlău
13 G. Haşmaş
14 G. Tărcau
15 G. Harghita

Karpaty Zakrętu
16 G. Ciuk
17 G. Vrancea i Penteleu
18 G. Ciucaş i Siriu
19 G. Baiului, Grohotisz i Piatra Mare

Karpaty Południowe
20 G. Bucegi
21 G. Laeota
22 Piatra Craiului

23 G. Fogaraskie
24 Masyw Cozia
25 G. Cindrel
26 G. Lotru
27 G. Căpăţânii
28 G. Parâng
29 G. Şureanu
30 G. Wulkańskie
31 G. Retezat
32 G. Godeanu, Muntele Mic i Ţarcu
33 G. Cernei i Mehedinţi
34 G. Banackie
35 G. Aninei i Semenic
36 G. Poiana Rusca

Góry Zachodniorumuńskie (Apuseni)
37 Rudawy Siedmiogrodzkie (Munţii Metaliferi)
38 G. Trascăului
39 G. Bihor
40 G. Gilău (Muntele Mare)
41 G. Vlădeasa
42 Pădurea Craiului

Poza Karpatami
43 G. Măcin

Białe numery na ciemnym tle oznaczają pasma opisane szerzej w przewodniku

GÓRY RUMUNII

N

50 km

podziałka przybliżona

ku, celu podróży czy zasobności portfela. W licznych schroniskach turysta znajdzie smaczną kuchnię, zasobne barki, czystą pościel i miłą obsługę. Poza tym Rumunia jest jednym z ostatnich krajów europejskich, w których biwakowanie na dziko to reguła, a nie łamanie przepisów. Możliwość budzenia się w pięknej górskiej scenerii, nierzadko przy dźwięku owczych dzwonków, jest jednym z wielu powodów popularności rumuńskich Karpat.

Schroniska

W niektórych rejonach (np. Bucegi) funkcjonuje bardzo dużo schronisk, w innych (np. Góry Marmaroskie) nie ma ich wcale. Obiekty tego typu dzielą się na dwa podstawowe rodzaje: zagospodarowane schroniska (*cabană*) i niezagospodarowane schrony turystyczne (*refugiu*). Standard *caban* jest bardzo różnorodny. Czasami są to zapuszczone budynki z kilkoma mikroskopijnymi pokoikami, tętniące gwarem tłumów turystów. Ich atmosferę tworzą dźwięki gitary, nierzadko piosenki Starego Dobrego Małżeństwa, dym z papierosów i kilka kropli wina. Niekiedy warunki sanitarne pozostawiają wiele do życzenia – trzeba być na to przygotowanym. Z kolei tam, gdzie łatwo dojechać samochodem, *cabany* upodobniły się do małych hoteli, co automatycznie spowodowało wzrost cen. W większości schronisk działa bufet z kilkoma ciepłymi potrawami i barkiem, a w niektórych także mały sklepik z najpotrzebniejszymi produktami. Ceny za nocleg kształtują się w granicach 2–4 €. Warto mieć ze sobą śpiwór, bo pościeli przeważnie nie ma w ofercie. Wybierając się w góry poza sezonem, należy sprawdzić, czy obiekt, w którym planuje się odpoczynek, jest czynny. Takie informacje najłatwiej znaleźć w Internecie (np. pod adresem www.alpinet.org lub na grupie dyskusyjnej pl.rec.gory).

Namiot

Rozległe połoniny, duże odległości między schroniskami i osadami, czysta woda oraz liberalne przepisy sprzyjają wędrowaniu po rumuńskich Karpatach z własnym namiotem, który daje możliwość noclegu w każdym niemalże miejscu. W wielu wypadkach (np. Góry Marmaroskie) jest to zwykła konieczność ze względu na brak infrastruktury turystycznej. Nocleg pod szczytem czy w kotle polodowcowego jeziora będzie z pewnością niezapomnianym przeżyciem.

Jedynymi rejonami, gdzie wolno rozbijać się tylko w wyznaczonych miejscach, są parki narodowe.

Schrony górskie, szałasy pasterskie, leśne chaty

Inną możliwością noclegu są specjalnie przygotowane dla turystów schrony, które utworzono w niektórych rejonach (np. w Górach Fogaraskich), przeważnie w pobliżu szczytów. Podczas wakacji cieszą się one dużym powodzeniem i czasami brakuje w nich miejsc. Z dużym prawdopodobieństwem spotka się tam rodaków, a także Czechów i Słowaków.

W awaryjnych sytuacjach noclegu należy szukać w pasterskim szałasie (*stâna*), gdzie można również kupić mleko i ser lub wysuszyć przemoczone ubrania. Najlepszym sposobem podziękowania za gościnę będzie poczęstowanie gospodarza papierosami. W górach są one towarem deficytowym, tym bardziej, że palą prawie wszyscy dorośli mężczyźni.

ZNAKOWANE SZLAKI CZY DZIKIE ŚCIEŻKI?

Z oznakowaniem szlaków w rumuńskich Karpatach bywa różnie. Można spotkać się z sytuacją, że znaki oddalone są od siebie o zaledwie kilkanaście metrów, jak gdyby osoba, która je malowała, miała za dużo farby. Niestety, zdarzają się też całkiem długie odcinki bez jakichkolwiek znaków, gdzie przed zabłądzeniem może uratować tylko traperska intuicja. Szlaki turystyczne w Rumunii występują w czterech kształ-

---

Drogocenny tytoń

W Rumunii tytoń był w cenie od zawsze, o czym świadczy relacja z pierwszej wyprawy w Czarnohorę, jaką zorganizował w 1906 r. Akademicki Klub Turystyczny we Lwowie.

„...Przy Kluzie były pomieszczenia mieszkalne dozorcy, rodziny huculskiej, gdzie otrzymaliśmy nocleg, a jak na wstępie zaznaczyłem, że będziemy za wszystko płacili (było nas przecież 25 osób) przyjęto nas bardzo gościnnie. Obiad był wspaniały – kwaśne mleko, jaja, nabiał – a gospodarz zachwycony, bo dodatkowo otrzymał parę paczek tytoniu do fajki...".

Mieczysław Orłowicz, *Moje wspomnienia turystyczne*, 1970

Terminem tym (rum. *stâna*) tradycyjnie określa się całokształt sezonowej działalności hodowlanej w górach. Oznacza on zarówno teren z zabudowaniami, jak i zwierzęta, ludzi, sprzęty oraz wszystkie wykonywane tam prace. Najczęściej znaczenie słowa „szałas" ogranicza się do budynków związanych z gospodarstwem pasterskim.

Szałasy stanowią nieodłączny element kultury i krajobrazu Karpat rumuńskich. Te najczęściej drewniane budowle wznoszone przez miejscowych cieśli wyróżniają się doskonałymi proporcjami przy zachowaniu funkcjonalnej prostoty rozwiązań. Nakryta czterospadowym lub dwuspadowym dachem bryła harmonijnie wpisuje się w otoczenie. Najłatwiej spotkać je na płasienkach osłoniętych od wiatru, w miejscach omijanych przez zimowe lawiny, zwykle w pobliżu lasu i wody, ale zdarzają się także sterczące na grzbietach w pobliżu najlepszych pastwisk, do których drewno na opał trzeba wciągnąć końmi, a po wodę na dół biegają z *gieletami* młodzi *honielnicy*. Szałasy dają pasterzom ciepło i schronienie przed kaprysami karpackiej pogody podczas kilkumiesięcznego pobytu w surowych górach. To w ich wnętrzu nad niewygasającą watrą ogrzewa się składane mleko do produkcji smakowitych serów, które po przerobieniu na bryndzę stanowią jeden z podstawowych składników tradycyjnego pożywienia mieszkańców rumuńskiej wsi.

Warto pamiętać o ochronie szałasów – nie tylko jako zabytków tradycyjnego budownictwa. Nawet te nieużytkowane mogą w zimowej zadymce uratować życie wyczerpanym wędrowcom.

Dariusz Czerniak

tach (pionowy pasek, krzyżyk, kółko i trójkąt) i trzech kolorach (żółty, niebieski i czerwony), zawsze na białym tle. Kolory szlaków nie mają związku ze stopniem trudności. Nieprzyzwyczajony do takich oznaczeń turysta powinien zachować szczególną czujność na skrzyżowaniach dróg, gdzie łatwo o pomyłkę, jeżeli ktoś będzie sugerował się tylko kolorem szlaku (trzeba zawsze zwracać uwagę na kształt).

W górach można też spotkać tablice informacyjne, często ze schematycznymi mapkami i podanym czasem przejścia poszczególnych odcinków. Do ostatniej informacji należy podejść z dużym dystansem. Przed podjęciem decyzji o kontynuowaniu lub zaprzestaniu marszu, trzeba przestudiować dokładnie mapę, rozważyć stopień nachylenia terenu, pogodę, porę dnia i własną kondycję. Nie bez znaczenia jest także filozofia uprawiania górskiej turystyki. Ci, którym chodzi o pokonanie jak najdłuższych odcinków i zaliczenie kolejnych szczytów, przeważnie śmieją się z podanych czasów i dzielą je przez dwa albo nawet trzy. Inną kategorię stanowią miłośnicy piękna przyrody, czystego powietrza i niezakłóconego kontaktu z naturą, którzy potrafią godzinami wpatrywać się w falujące morze gór czy rozbić namiot po dwóch godzinach marszu od ostatniego noclegu. Na szczęście rumuńskie Karpaty są uniwersalne i zadowolą zarówno pierwszych, jak i drugich.

Doświadczeni turyści mogą zejść z oznakowanych szlaków, aby dotrzeć w mało dostępne tereny i w ten sposób urozmaicić trasę. Do tego niezbędna jest jednak umiejętność czytania mapy i posługiwania się busolą. Dużym ułatwieniem są płaje, czyli pasterskie ścieżki prowadzące bardzo często wzdłuż górskich grzbietów. Nie wolno wędrować poza szlakami na terenach chronionych, takich jak parki narodowe czy rezerwaty, ale turyści nagminnie łamią ten zakaz. W razie spotkania ze strażnikiem trzeba liczyć na własne zdolności negocjacyjne, a najlepiej udawać zagubione owieczki.

TURYSTYKA NARCIARSKA

W okresie zimowym Karpaty rumuńskie mogą dostarczyć doświadczonemu turyście niezapomnianych wrażeń. Jednak z uwagi na znaczne oddalenie siedzib ludzkich wyprawy takie muszą być podejmowane z dużą rozwagą. Wprawdzie współczesny turysta ma do dyspozycji nowoczesny sprzęt, lekką „oddychającą" odzież i specjalistyczny ekwipunek biwakowy, ale góry i zima pozostały te same – śnieżne, mroźne, wietrzne i mgliste. Latem pełne życia i gwaru hale i polany zamieniają się w odludne pustkowia, na których turysta-narciarz zdany jest wyłącznie na własne siły. Większość schronisk w zimie jest nieczynna, nie ma też możliwości uzupełnienia zaopatrzenia i nie działają telefony komórkowe. Dlatego wyprawy narciarskie należy podejmować w kilkuosobowych zespołach oraz być przygotowanym na dźwiganie sprzętu biwakowego i zapasów żywności (pamiętając o rezerwowej porcji na wypadek nieprzewidzianego przedłużenia pobytu w górach). Oprócz w miarę dokładnej mapy terenu trzeba mieć mapę w mniejszej skali, przydatną, gdy załamanie pogody odetnie drogę powrotną i zmusi do wycofania na przeciwległy skłon gór. Powrót na drugą stronę pasma środkami transportu publicznego może bowiem okazać się niemożliwy albo zająć całą dobę.

Jeśli kogoś nie zniechęcił powyższy opis trudności, to znaczy, że jest odpowiednio przygotowany, by podjąć wyzwanie rzucone przez zimowe Karpaty. Być może umęczony przedzieraniem się przez zaspy, walką z zaciekłą śnieżycą w szalejącej wichurze, przemarznięty do szpiku kości, dotrwa rozpogodzenia. Uciszy się wiatr, a zza mgieł odsłoni się widok otulonych śnieżnym puchem gór i lasów jarzących się tysiącami iskier. Jaskrawe słońce na granatowym niebie oświetli promieniami skały pokryte pióropuszem szadzi. Ze szczytu roztoczy się rozległa, ponadstukilometrowa panorama bezkresnych gór. Dopełnieniem szczęścia będzie godzinny nieprzerwany zjazd w miękkim puchu, w zmieniającej się scenerii grzbietów, kotłów, progów, skał, polan i szałasów. To w takich chwilach zapadają decyzje o następnym wyjeździe.

Najdogodniejsze do wędrówki przez głębokie karpackie śniegi są narty turowe zaopatrzone w foki. Należy unikać gór najwyższych, najbardziej stromych i skalistych, ponieważ najkorzystniejsze warunki śniegowe panują na wysokościach poniżej 1800 m n.p.m. Wyżej wiatr zwiewa śnieg, a grzbiety pokryte są lodem i szadzią. Ponadto przez większą część zimy kryją się w chmurach, a zdradliwa mgła jest najgorszym wrogiem narciarza. Ograniczeniem z drugiej strony jest poziom 1200–1300 m n.p.m., powyżej którego nawet w ostatnie ciepłe zimy utrzymywała się pokrywa śnieżna. Ważne, by trasa wiodła ciągami polan i niewysokich hal, co pozwoli uniknąć przedzierania się przez lasy, szczególnie uciążliwego zimą. Ponieważ zimowe znakowanie szlaków powyżej granicy lasu właściwie nie istnieje, turysta zdany jest na mapę i własną intuicję. Wyraźniejsze grzbiety Karpat Wschodnich będą bardziej czytelne od rozległych powierzchni grzbietowych Karpat Południowych.

Idealna do turystyki narciarskiej trasa wiedzie wododziałowym grzbietem **masywu Hăşmaş**, tzw. **grzbietem Hăghimaşului** od przełęczy Pângăraţi (1250 m n.p.m.; przy-

stanek autobusowy na linii Gheorgheni–Piatra Neamţ; pomysłowy wyciąg zaczepowy napędzany z wału traktora) do Poiana Tarcău (1300 m n.p.m.). Dość dobre letnie znakowanie (czerwone paski) prowadzi przez ciągi widokowych polan z szałasami pasterskimi. Po drodze mija się malownicze dolomitowe ostańce: Ciofronca (Piatra Lunaş; 1607 m n.p.m.) i Piatra Sânguratică (1587 m n.p.m.; letnie schronisko turystyczne) oraz usiane skałkami szczyty z rozległymi widokami, m.in. Hăghimaşu Mare (1792 m n.p.m.) oraz Piatra Ascuţita (1707 m n.p.m.). Zachodnia krawędź grzbietu opada urwiskami w stronę doliny źródłowego odcinka Aluty (Olt). Z największej polany (Poiana Alba), położonej u stóp dolomitowego urwiska Muntele Rotund (1675 m n.p.m.), warto zrobić wycieczkę na drugi co do wysokości szczyt Hăghimaşu Negru (1773 m n.p.m.). Na przebycie całej trasy potrzeba mniej więcej trzech dni.

Z Poiana Tarcău można zjechać na zachód do wsi Bălan lub kontynuować wędrówkę wododziałem w **północnej części gór Ciucului tzw. grzbietem Noşcolatului**. Na dotarcie do linii kolejowej Miercurea Ciuc–Adjud przebiegającej tunelem pod górami potrzeba jednego–dwóch dni. Kolejny dzień zajmie osiągnięcie szosy na przełęczy Ghimeş (1150 m n.p.m.). Na tym odcinku pokrywy wapieni mezozoicznych po raz ostatni pojawiają się na powierzchni, by ostatecznie schować się pod fliszem płaszczowiny Tarcău.

Ciągnąca się dalej na południe główna część **gór Ciucului** warta jest osobnej wycieczki. Pokryty bezkresnymi połoninami masyw tworzy rodzaj rozrogu – składa się z wielu grzbietów rozchodzących się gwiaździście z okolic Viscolula (1494 m n.p.m.). Każdy liczy od kilkunastu do ponad 30 km długości i razem stwarzają wiele możliwości układania dogodnych tras. Letnie znakowanie całkowicie skrywa się pod śniegiem, ale dostępna dobra mapa w skali 1:50 000 (zob. dalej) rozwiązuje problem orientacji w terenie.

Łatwy dojazd zachęca do odwiedzenia najdalej na południe wysuniętego pasma Karpat Wschodnich – **gór Baiului (Gârbova)**. Wędrówka ich południkowym grzbietem ciągnącym się nad uzdrowiskami położonymi w dolinie rzeki Prahova wzdłuż międzynarodowej linii kolejowej z Braszowa do Bukaresztu, gwarantuje fantastyczne widoki na imponujące urwiska gór Bucegi. Wycieczkę można zacząć w miejscowości Posada, a zakończyć na przełęczy Predeal lub kontynuować w masywie Piatra Mare.

W Karpatach Południowych wielodniową wycieczkę narciarską warto odbyć grzbietem **Gór Wulkańskich** (Vâlcan). Dobrym punktem wyjścia jest położona na południowych przedmieściach Petroşani miejscowość Iscroni. Wędrówkę można zakończyć w dowolnym momencie zjazdem na północ do gęsto zamieszkanej doliny rzeki Jiu de Vest.

Wycieczki w najwyższe rejony górskie wymagają odmiennej taktyki. Celem wyjazdu może być któryś ze szczytów. Narty turowe w znakomity sposób ułatwiają długie podejścia dolinami (niektóre doliny na południu Fogaraszy liczą aż 50 km długości!) oraz powroty tą samą drogą. Trzeba pamiętać o **dużym zagrożeniu lawinowym** w wyższych partiach Karpat. Z tego powodu czasami lepiej zdjąć narty przy przekraczaniu niebezpiecznego stoku lub nawet zawrócić z drogi.

Dariusz Czerniak

BEZPIECZEŃSTWO

Choć zdanie to może wydawać się tanim frazesem, górskie wędrówki przeznaczone są dla ludzi rozsądnych. Przed wyjazdem warto krytycznie ocenić swoją kondycję fizyczną, zgromadzić odpowiedni sprzęt oraz dokładnie zaplanować trasę wyprawy. Niezastąpioną pomocą są internetowe grupy dyskusyjne. Zawsze znajdzie się ktoś, kto na podstawie własnych doświadczeń udzieli kilku cennych rad.

Pogoda w górach

Bezchmurne niebo w górach nie oznacza, że sprzyjająca aura utrzyma się przez cały dzień. Załamanie pogody przeważnie zaczyna się od silnego wiatru, następnie nadciągają chmury i na koniec deszcz albo burza. Taka sytuacja bywa bardzo niebezpieczna w wyższych partiach gór. Należy wtedy szybko poszukać schronienia, a nawet miejsca na przymusowy nocleg. Ogromnym zagrożeniem mogą okazać się dwumetrowe metalowe słupki, na których maluje się znaki szlaków. Ze względu na wyładowania atmosferyczne, lepiej unikać przebywania w ich sąsiedztwie. Trzeba również pamiętać o zmianach temperatury. Nawet latem noce powyżej 2000 m n.p.m. są bardzo zimne. Na wędrówkę zimową czy zjazdy freeride'owe powinni decydować się tylko bardzo doświadczeni turyści.

Spotkania z górskimi zwierzętami

Bezludne i rozległe rumuńskie Karpaty są prawdziwym rajem dla dzikich zwierząt –

zamieszkuje je około 30% populacji dużych drapieżników naszego kontynentu. W czasie wędrówki można spotkać żbiki, rysie, borsuki, kuny leśne czy lisy. W takiej sytuacji należy tylko wykazać się refleksem, aby zrobić efektowne zdjęcie. Gorzej, gdy ktoś natknie się na **niedźwiedzia brunatnego** – te ogromne ssaki zamieszkują każde pasmo górskie, a ich populację w Rumunii szacuje się na 5,5 tys. sztuk. W poszukiwaniu jedzenia potrafią zapuścić się nawet na obrzeża wsi i miast. Jeden sposób postępowania podczas spotkania z niedźwiedziem to odstraszenie intruza hałasem – krzykiem, piskiem, uderzaniem w menażki itp. Drugi polega na zachowaniu całkowitego spokoju, położeniu się na brzuchu i zakryciu głowy rękoma (ochrona twarzy przed pazurami). Warto pamiętać, że misia interesuje przede wszystkim zawartość plecaka, dlatego w ostateczności należy rzucić go na pożarcie, by samemu uratować skórę. Przerażonych perspektywą spotkania z królem gór na pewno uspokoi informacja, że żadna relacja z pobytu w Rumunii nie wspomina o skonsumowaniu turysty przez niedźwiedzia. Innymi pięknymi drapieżnikami zamieszkującymi Karpaty są wilki, których populację szacuje się na 3 tys. sztuk.

Jeśli chodzi o **niebezpieczne gady**, łatwo natknąć się na żmiję zygzakowatą i żmiję rogatą, które w ciepłe dni lubią wygrzewać się w słońcu na kamieniach, ale na widok człowieka czmychają w zarośla. Z tego względu lepiej nie chodzić w sandałach, tylko w wysokich butach. Konsekwencje ewentualnego ukąszenia (ślad w postaci dwóch niewielkich ukłuć w odległości 1 cm) zależą od dwóch czynników – masy ciała i podatności na alergie. Przykrego spotkania ze żmiją nie wolno lekceważyć, a osobie poszkodowanej powinno się jak najszybciej podać surowicę. Można spróbować samemu usunąć jad poprzez nacięcie ukąszonego miejsca, aby wypłynął wraz z krwią. Przystępując do takiego zabiegu, należy zadbać o dezynfekcję zarówno fragmentu ciała, jak i narzędzia (najbardziej odpowiedni będzie jednorazowy skalpel).

Jedyne realne niebezpieczeństwo to **psy**. Mowa tu zarówno o tych pasterskich, jak i na wpół zdziczałych, łączących się w stada. W poszukiwaniu pożywienia robią się agresywne, bywa że atakują nawet przy pasterskim obejściu. Dlatego zawsze warto się upewnić, czy pupilek gospodarza jest uwiązany (co rzadko się zdarza), a przynajmniej czy właściciel ma go na oku. W sytuacji zagrożenia w większości przypadków pomaga gest udający podniesienie kamienia. Skutecznym sposobem odstraszenia intruzów jest rozpylenie gazu pieprzowego (do kupienia w sklepach z militariami) lub użycie petard (trudno je przechować podczas wędrówki, bo muszą być zabezpieczone przed wilgocią). Na szlaku spotyka się niekiedy stada pasących się byków, które należy spokojnie obejść. Do palpitacji serca może doprowadzić widok skorpiona karpackiego, ale jego jad jest szkodliwy tylko dla osób z alergią.

Niebezpieczne rośliny

Kontakt z niektórymi roślinami może narazić na duże kłopoty. Szczególnie należy uważać na **barszcz Sosnowskiego** i **dyptam jesionolistny**. Wydzielane przez nie olejki eteryczne wywołują poważne zmiany na skórze, a ich działanie wzmaga się w upale. Z tego względu romantyczny spacer przez dziką łąkę może okazać się tragiczny w skutkach. Planując przeprawę przez wysoką trawę, zawsze trzeba pamiętać o zabezpieczeniu odkrytych części ciała. Oparzenia tymi roślinami wymagają interwencji lekarza, a zmiany na skórze bardzo często pojawiają się dopiero po kilku dniach.

PODSTAWOWE WYPOSAŻENIE

Przy pakowaniu plecaka warto kierować się kilkoma zasadami. Bagaż nie może być bardzo ciężki, bo wędrówka ma sprawiać przyjemność, a nie katusze – 20–25 kg na plecach to spory ciężar nawet dla mężczyzny. Najlepiej sporządzić listę potrzebnych rzeczy, dzieląc je na ubrania, prowiant i sprzęt. Gotowy spis należy ponownie przeanalizować i wykreślić wszystkie zbędne elementy.

Odzież

Ilość ubrań zależy od długości wyprawy. Przydadzą się trzy warstwy: bielizna, warstwa wewnętrzna oraz zewnętrzna. Idealna byłaby odzież z nowoczesnych tkanin termoaktywnych, lekkich i szybko schnących. Aby zaoszczędzić na wadze, warto się zaopatrzyć w długie spodnie z odpinanymi nogawkami, które będą służyły zarówno w czasie upału, jak i w chłodniejsze dni. Dobrze zabrać dwie pary obuwia – trekkingowe do marszu i sandały lub klapki na postój i do kąpieli. Warto kupić specjalistyczne skarpety przeznaczone do butów turystycznych. Technologia outdoorowa osiągnęła taki stopień specjalizacji, że produkuje się je w kilku rodzajach. Dzięki temu można dopasować skarpety do pory roku, dyscypliny sportu, a nawet rodzaju

zabezpieczającej membrany zastosowanej w butach (ale nie należy dać się zwariować). Trzeba też pamiętać o ochronie głowy przed promieniami słonecznymi oraz zimnem. Nawet latem nie wolno zapominać o ciepłej czapce i rękawiczkach.

Sprzęt i przydatne drobiazgi

Sprzęt na wyprawę górską można podzielić na dwie kategorie: osobisty i grupowy. Do **ekwipunku osobistego** zalicza się latarkę (najwygodniejsze są małe czołówki), wielofunkcyjny scyzoryk, sztućce, menażkę, pojemnik na wodę, przybory do mycia, śpiwór, okulary przeciwsłoneczne, kilka metrów mocnego sznurka, torebki foliowe, karimatę. Koniecznie należy zabrać ze sobą stuptuty, czyli ochraniacze na buty i łydki, przydatne podczas marszu w błotnistym terenie, śniegu, wysokiej mokrej trawie oraz deszczu. Nie można ufać nieprzemakalnym materiałom plecaków – wszystkie rzeczy należy spakować do foliowych torebek oraz zaopatrzyć się w specjalny pokrowiec na plecak. Niezwykle przydatną rzeczą są kijki teleskopowe, które zresztą zyskują coraz większą popularność – naukowcy udowodnili, że ich używanie odciąża stawy (szczególnie kolan) i kręgosłup. Bardzo ułatwiają zarówno wchodzenie, jak i zejście ze szczytów.

Zniszczenie dokumentów wiąże się z poważnymi problemami, dlatego należy je przechowywać w foliowej torebce mocno ściśnięte gumką. W tym samym miejscu należy umieścić część pieniędzy, bo w górach nie przydają się zbyt często.

Do **ekwipunku grupowego** należą przede wszystkim namioty i kuchenki turystyczne. Na górską wyprawę nie wolno zabierać rzeczy nowych, niewypróbowanych; należy je przetestować jeszcze w Polsce, bo może się zdarzyć, że w worku z namiotem brakuje śledzi. Na górskiej wyprawie da się przygotowywać posiłki na ognisku, ale ze względu na czasochłonność tej metody, najlepiej zarezerwować ją dla obiadokolacji. Poza tym nie zawsze udaje się znaleźć odpowiednią ilość drewna na opał, a rozpalanie ognisk na dzikich biwakach w parkach narodowych jest oficjalnie zabronione. Przyda się zatem maszynka turystyczna – najbardziej popularna to Campingaz (charakterystyczne niebieskie butle z gazem są dostępne w sklepach sportowo-turystycznych). Dokupywanie ich na miejscu powinno się traktować jako ostateczność, należy mieć odpowiedni zapas ze sobą. Istnieją też maszynki na inne paliwa (gaz, nafta, spirytus, benzyna), ale ich cena jest o wiele wyższa od zwykłej gazowej (najtańsza kosztuje około 350 zł). Nie rozpali się ognia bez zapałek – każdy uczestnik powinien mieć ich kilka paczek bardzo dobrze zabezpieczonych przed wilgocią, np. w pudełeczkach po filmach fotograficznych. Warto je przechowywać w różnych miejscach. W Karpaty rumuńskie nie można wyjechać bez busoli (oraz umiejętności posługiwania się nią). Przydatną rzeczą jest czerwona lampka sygnalizacyjna (w normalnych warunkach używa się jej do nocnej jazdy na rowerze). W górach, przypięta do plecaka osoby prowadzącej, może okazać się niezastąpiona we mgle lub po zmierzchu.

Nie wolno zapominać o apteczce. Muszą się w niej znaleźć środki przeciwbólowe i przeciwgorączkowe, węgiel lub loperamid, komplet plastrów z opatrunkiem, bandaż elastyczny, altacet (od niedawna dostępny w postaci żelu), woda utleniona, mały skalpel i kilka igieł jednorazowych. Warto pamiętać o kremie z filtrem przeciwsłonecznym oraz środki odstraszającym kleszcze i komary.

JEDZENIE NA TRASIE

Najlepiej korzystać z rad doświadczonych traperów. Na stronach Klubu Karpackiego (**www.klub-karpacki.org.pl**) zamieszczono spis potrzebnych produktów i ciekawą „książkę kucharską". Spośród podanych tam wskazówek sprawdza się np. pakowanie prowiantu w osobne woreczki (każdy na jeden dzień wyjazdu), co zabezpiecza przed wilgocią i usprawnia przygotowanie posiłków. W dziennym zestawie należy uwzględnić śniadanie, coś w rodzaju lanczu i obiadokolację. Pierwsze i ostatnie danie musi być ciepłe. I jeszcze jedna ważna zasada – każdy nosi jedzenie dla siebie, nie warto wprowadzać podziału: „ja biorę tuńczyki, a ty chińskie zupki". Przy takim rozwiązaniu konflikt gwarantowany.

Liofilizaty – żywność XXI w.

To propozycja dla zamożniejszych turystów. Od niedawna można się w Polsce zaopatrzyć w specjalną żywność przeznaczoną na wyprawy, gdzie liczy się zarówno każdy gram bagażu, jak największa wartość

8

GÓRY | Jedzenie na trasie

Przykładowy dzienny jadłospis

Śniadanie
Kakao lub kawa
Sposób przyrządzenia: 1 łyżka stołowa kakao lub kawy rozpuszczalnej, 3–4 łyżki stołowe mleka w proszku, 1–2 czubate łyżki stołowe glukozy spożywczej, cukier według uznania. Całość dokładnie wymieszać i zalać gorącą wodą.

Muesli
Skład i sposób przyrządzenia: kaszka owocowa mleczno-ryżowa (dla niemowląt), mleko w proszku, płatki owsiane błyskawiczne, płatki jęczmienne błyskawiczne. Wsypać do menażki po 2–3 czubate łyżki poszczególnych składników, zalać gorącą wodą i wymieszać.

Drugie śniadanie
Ten posiłek powinien mieć charakter pożywnej przekąski, dodającej sił na trasie. Może to być garść bakalii, kilka kostek czekolady, baton energetyczny lub kawałek suszonej kiełbasy. Warto także schrupać jeden lub dwa suchary, np. z dżemem lub czekoladą do smarowania. Innym rozwiązaniem jest przygotowanie „gorącego kubka" lub zupki chińskiej, której smak urozmaici tarty (najlepiej zrobić to jeszcze w Polsce) żółty ser lub serek topiony.

Obiadokolacja
Wieczorny posiłek jest niezwykle ważny – dlatego najlepiej na chwilę zapomnieć o odchudzaniu. Obiadokolacja to klasyczny „zapychacz" wzbogacony w składniki odżywcze. Do jej przygotowania idealnie nadaje się kaszka kuskus, makaron błyskawiczny czy purée ziemniaczane w proszku. Urozmaica się je na wiele sposobów: dodając kostkę rosołową, suszone warzywa, kawałek konserwy mięsnej czy sos błyskawiczny. Smak potrawy zależy od inwencji kucharza. Całość najlepiej popić słodką herbatą.

odżywcza i łatwość przechowywania. Do dyspozycji są hermetyczne zestawy śniadaniowe, obiadowe, a nawet owoce. Przygotowanie pełnowartościowego obiadu zajmuje zaledwie kilka minut i polega na zalaniu zawartości opakowania gorącą wodą. Wartość energetyczna stugramowej porcji obiadowej to około 160–300 kcal (dla porównania: 100 g dania instant typu „gorący kubek" to około 30–80 kcal). Proces liofilizacji nie pozbawia produktów spożywczych witamin, białka i soli mineralnych. Liofilizowane jedzenie nie zepsuje się w żadnych warunkach – nawet w wilgoci i ekstremalnych temperaturach zachowa wartości odżywcze oraz walory smakowe. Jedynym mankamentem jest wysoka cena – całodzienny zestaw to koszt około 50 zł. Szczegółowe informacje można znaleźć na stronie jednego z polskich dystrybutorów: www.sztukaprzetrwania.pl/liofilizaty.

Woda pitna

Nie ma z nią żadnego problemu, jest czysta i bardzo smaczna. Noclegi najlepiej planować w pobliżu ujęcia wody. Jeżeli wyrusza się na szlak prowadzący grzbietem gór, należy rano zaopatrzyć się w odpowiedni zapas (minimalna ilość to 1,5 l na osobę dziennie). Wodę powinno się nabierać tylko z płynących strumyków, które wielokrotnie przecinają szlaki. Im wyżej zostanie nabrana, tym będzie czystsza. Należy się wystrzegać nabierania wody z górskich jeziorek, bardzo często zanieczyszczonych przez pasące się w pobliżu zwierzęta.

Przegotowywanie wody przed spożyciem nie jest konieczne. Osoby o wyjątkowo wrażliwych żołądkach mogą zaopatrzyć się w Polsce w specjalny preparat do uzdatniania wody, np. Certesil, który występuje w postaci tabletek lub kropli. Jedno opakowanie w zupełności wystarczy na kilkuosobową wyprawę.

KOSZTY WYJAZDU

Koszt wyprawy zależy w dużej mierze od wydatków na prowiant kupiony w Polsce oraz na przejazd. Jeżeli zamierza się spać tylko w namiotach, koszty noclegu będą naprawdę niewielkie (drobne opłaty za rozbicie namiotu, np. przy stacjach meteorologicznych lub schroniskach, wynoszą około 1–1,50 €). Przy dość oszczędnym trybie życia na nizinach (butelka znakomitego wina Cotnari kosztuje około 1,50 €) koszt 10-dniowego wyjazdu powinien zamknąć się w kwocie 600 zł na osobę (bez wydatków związanych z zakupem i obróbką materiałów fotograficznych).

GRUPY GÓRSKIE OPISANE W PRZEWODNIKU

Rumuńskie Karpaty obejmują kilkanaście osobnych pasm górskich – przez większość z nich prowadzą znakowane szlaki, a dobre mapy sprawiają, że każde nadaje się na trekkingowy wyjazd. W dalszej części przewodnika opisano masywy znajdu-

jące się w różnych rejonach Rumunii. Wybór ten nie wynika z ich największej atrakcyjności czy dostępności. Podstawowym kryterium była różnorodność krajobrazowa, zagospodarowanie i odległość od granicy Polski. Kolejne rozdziały mają ułatwić poruszanie się po górach, jak też przybliżyć charakter i bogactwo rumuńskich Karpat.

Słowa przydatne podczas górskich wędrówek

baca	baciul
bryndza	rânză (de oaie)
cerkiew, kościół	biserică
cis	tişa
czarna jagoda	afinul
dolina	valea, vale
domek myśliwski	casă de vinătoare
droga	drum, cale
dzik	mistreţul
góry	munţii
grań	creastă
grzbiet górski, grań	piciorul, muchie
iglica skalna	colţ
jałowiec	ienupărul
jarzębina	scoruşul
jaskinia	peştera
jeleń	cerbul
jezioro górskie, staw	lacul, iezerul
jezioro zaporowe	lacul de baraj
jodła	bradul
wąwóz	cheile
kij, laska	cârja
kocioł	căldarea, zănoagă
kółko (czerwone, żółte, niebieskie)	punct (rouşu, galben, albăstru)
kosodrzewina	jneapănul
kozica	capră neagră
kruk	corbul
krzyżyk	crucie
las, lasek	forestul, pădurea
limba	zâmbrul
linia kolejowa	cale ferată
lis	vulpea
malina	zmeură
mały (częste w nazwach terenowych)	mic
mapa turystyczna	hărfa turistica
miasto	oraşul
mleko	lapte
monastyr, klasztor	mănăstirea
namiot	cort
niedźwiedź	ursul
orzeł	pajură
owca	oaie
owczarz (juhas)	oier
pasek	banda
pasterz	cioban
pastwisko	păşune
polana, łąka, hala	poiană
przełęcz	şaua, curmătură, fereastră
przesmyk, żleb	strungă
przewodnik	ghid turistic
ryś	râsul
rzeka	râul
sarna	căprioară
schron leśny	cabană forestiera
schron turystyczny	refugiu
schronisko turystyczne	cabană
skała	stânca, colţ
skała, kamień	piatră
staw	tăul
strumyk, potok	pârâu
świerk	molidul
szałas pasterski	stâna (wym. styna)
szczyt	vârful (w skrócie vf.)
szlak turystyczny (znakowany)	traseu turistic (marcat)
trawa	iarbă
trójkąt	triunghu
wielki (częste w nazwach terenowych)	mare
wieś	satul
wiewiórka	veveriţă
wilk	lupul
woda	apă
wodospad	cascadă
wycieczka	excursie
wysokość	altitudine (alt.)
wzgórze	dealul
z dołu (dolny; częste w nazwach miejscowości)	de jos
z góry (górny; częste w nazwach miejscowości)	de sus
zabytek	monument
żętyca	zânţiţa
źródło, zdrój, krynica	izvorul

GÓRY MARMAROSKIE

„W kołach turystów lwowskich utarła się nazwa Karpat Marmaroskich dla niewielkiej, lecz pięknej grupy gór, położonych w czworoboku między Białą Cisą, Wyszowem i Ruskową Rzeką, a łączącej się w szczycie Stohu (1655 m) na południu od czarnohorskiego Popa Iwana z grzbietem granicznym galicyjsko-węgierskim. Grupa to bardzo malownicza. Coś jakby Tatry w miniaturze. Szczególnie kilka szczytów najwyższych przykuwa oko swą oryginalnością, a więc stożkowaty Petrosul (1784 m), potężny Pop Iwan (1940 m), skalisty Farcheń (1961 m), poszarpany i stromy od północy, a otoczony jeziorami od południa Michałek (1920 m), a wreszcie przypominająca swym kształtem Giewont niewielka skała Petricea (1546 m). Ludność miejscowa jest ruska. Szałasów jest mało i bardzo prymitywnych. Ścieżek przez las stosunkowo dużo i dobrze wydeptanych, a ciągną się one również grzbietami".

Mieczysław Orłowicz,
Ilustrowany przewodnik po Galicyi, Bukowinie, Spiżu, Orawie i Śląsku Cieszyńskim, 1914

POŁOŻENIE I BUDOWA GEOLOGICZNA

Góry Marmaroskie (Munţii Maramureş) to najbardziej na północ wysunięta część rumuńskich Karpat Wschodnich (Carpaţii Orientali). Nazwa pasma pochodzi prawdopodobnie od komitatu marmaroskiego – dawnej węgierskiej jednostki administracyjnej ze stolicą w Syhocie Marmaroskim (Sighetu Marmaţiei). Grzbiet Marmaroszy układa się w rozległy łuk o długości ponad 90 km. Ich geograficznym początkiem na zachodzie jest ujście rzeki Wyszów (Vişeu) do potoku Cisy, a na wschodzie ujście potoku Cibo do Złotej Bystrzycy. Od północy graniczą z Czarnohorą przez Przełęcz Szy-

beńską oraz Połoninami Hryniawskimi przez dolinę Czarnego Czeremoszu i przełęcz Szyję. Południowa część Marmaroszy łączy się z Górami Rodniańskimi przełęczą Przysłop i dolinami rzek: Złotej Bystrzycy i Wyszowa. Góry Marmaroskie składają się z trzech masywów: Farcaula, Budyjowskiej Wielkiej i Torojagi. Wyróżniają się ciekawą budową geologiczną – obok lesistych grzbietów spotyka się wapienie i dolomity (grzbiet Mihailecula), zlepieńce, skały wulkaniczne (Farcaul i Torojaga), a także gnejsy. Pasmo to obfituje ponadto w źródła mineralne.

HISTORIA REGIONU

Nestorzy polskiej turystyki w Karpatach Wschodnich

Zarówno Góry Marmaroskie, jak i sąsiadujące z nimi od południa Góry Rodniańskie były celem wypraw Polaków od końca XIX w. Ich pierwszy odkrywca, **Wincenty Pol** (1807–1872), odnalazł rzekomo na jednym ze szczytów – Hnitessie (Ihnatasia; 1795 m n.p.m.) – kamień z literami F.R. (Finis Reipublicae – Granica Rzeczypospolitej), ustawiony w miejscu, gdzie przez długie wieki schodziły się granice Polski, Mołdawii i Węgier. W 1880 r. **Hugo Zapałowicz** wraz z czterema towarzyszami odbył dwutygodniową wycieczkę przyrodniczo-turystyczną od Czarnohory przez Karpaty Marmaroskie do Gór Rodniańskich. Ogromne zasługi dla propagowania regionu położył **Mieczysław Orłowicz**, który w latach 1906–1908 poprowadził kilka wycieczek lwowskiego Akademickiego Klubu Turystycznego. Relacje pierwszych podróżników są niezwykle ciekawym źródłem wiedzy o początkach polskiego ruchu krajoznawczego oraz opisywanym terenie – na ich podstawie powstały pierwsze przewodniki.

Hugo Zapałowicz

Doktor prawa, absolwent Uniwersytetu Jagiellońskiego, całe życie poświęcił swojej pasji – botanice. W latach 1880–1888 pracował jako porucznik-audytor w Wiedniu, kontynuując jednocześnie badania nad roślinami. Swoje zainteresowanie skoncentrował na terenach Karpat Wschodnich, którym poświęcił książki: *Roślinna szata gór Pokucko-Marmaroskich* oraz *Krytyczny przegląd roślinności Galicji*. Opracował mapę geologiczną Karpat Marmaroskich. W latach 1888–1890 odbył podróż naukową dookoła świata, którą opisał w *Jednej z podróży naokoło Ziemi*. Po powrocie mieszkał kolejno we Lwowie, Krakowie, a także w Zawoi u podnóża Babiej Góry (tam powstała praca *Roślinność Babiej Góry pod względem geograficzno-botanicznym*). Dzięki jego wielkiemu zaangażowaniu zbudowano pierwsze schronisko na Markowych Szczawinach u stóp Babiej Góry (turystów przyjmuje od 1906 r.). Ostatnie lata życia spędził we Lwowie. W czasie I wojny światowej, po kapitulacji twierdzy Przemyśl, dostał się do niewoli rosyjskiej. Zmarł w obozie jenieckim w 1917 r.

Kolejne lata aż do wybuchu II wojny światowej przyniosły rozkwit popularności regionu wśród turystów (zwłaszcza mieszkańców Lwowa i województw wschodnich) – jego apogeum przypadło na lata 30. Wielokrotnie przemierzał Marmarosze słynny geograf prof. Jerzy Kondracki, a także autor znakomitych przewodników Henryk Gąsiorowski.

Dwie narodowości

Od wielu wieków Karpaty Marmaroskie zamieszkują obok siebie Rumuni i Ukraińcy. Siedziby tych ostatnich zaznaczono na węgierskiej mapie Siedmiogrodu z 1495 r. Obecnie Ukraińcy zamieszkują pięć wsi oddalonych od siebie o kilkanaście kilometrów: Bystrą (Bistra) i Krasną (Petrova) nad rzeką Wyszów oraz Ruszkową (Ruscova), Krywą (Repedea) i Ruską Polanę (Poienile de Sub Munte) nad rzeką Ruszkową (rum. Ruscova, ukr. Ruskowa Rika). Pochodzenie etniczne Ukraińców marmaroskich do dziś nie zostało wyjaśnione: jedni badacze widzą w nich przodków Hucułów, inni przypisują im związki z Bojkami czy nawet Łemkami. Najprawdopodobniej ich protoplaści przywędrowali z Rusi Zakarpackiej, a nie z doliny Czeremoszu. Choć przez wieki żyli obok Rumunów, zachowali swój język i tradycje. Obie społeczności odróżnia także religia: większość Ukraińców to grekokatolicy, a Rumuni wyznają prawosławie.

Zmiany granic

Od średniowiecza Marmarosze stanowią umowną granicę między Węgrami, Rusią i Bukowiną. Powstanie niepodległych państw po 1918 r. wymusiło precyzyjne wytyczenie granic. Do dziś można spotkać żeliwne słupki lub granitowe cokoły wyznaczające ówczesne terytorium Polski, Rumunii i Czechosłowacji. Granice trzech krajów schodziły się na Stogu. Zmianę granic przyniósł rozpad Czechosłowacji w 1938 r., a następnie wybuch II wojny światowej. W październiku 1939 r. na Górach Marmaroskich oparła się granica ZSRR. Na mocy II arbitrażu wiedeńskiego (1940) Węgrzy otrzymali północny Siedmiogród wraz z Marmaroszami. Po II wojnie światowej przebieg granicy się nie zmienił, ale utracone na rzecz Węgier terytoria powróciły do Rumunii. Od powstania w 1991 r. niepodległej Ukrainy północna część Gór Marmaroskich należy do tego kraju.

Arena działań wojennych

Podczas wojen światowych Góry Marmaroskie były świadkiem krwawych starć zbrojnych. Jesienią 1914 r. Austriacy przegrali dwie bitwy pod Lwowem i wycofali się na zachód, nie obsadzając przełęczy karpackich. Wykorzystali to Węgrzy, przerzucając na Węgry kawalerię kozacką. Zajęcie przez Rosję Niziny Węgierskiej byłoby końcem monarchii habsburskiej, dlatego pośpiesznie sformowano grupę ofensywną, w której skład weszła również II Brygada Legionów Polskich. W trakcie zaciętych walk udało się do końca października wyprzeć Rosjan za Karpaty (na przełęczy Legionów w Gorganach stanął krzyż i tablica upamiętniająca poległych Polaków). Legioniści brali także udział w kampanii zimowej w kierunku zajętej

Mieczysław Orłowicz

Był człowiekiem wszechstronnie wykształconym: doktor prawa, adwokat, absolwent Uniwersytetu im. Jana Kazimierza we Lwowie, studiował także historię sztuki i archeologię. Jego największą pasją była turystyka, krajoznawstwo i sport, dla których zrezygnował z zawodu prawnika. Wędrówki turystyczno-krajoznawcze rozpoczął już w 1897 r. Początkowo odbywał je po Galicji, później zwiedził Czechy, Szwajcarię i Francję.

Orłowicz każdą wolną chwilę poświęcał na organizowanie wypraw górskich i wycieczek w różne zakątki Polski. Pozostawił imponujący dorobek pisarski: ponad sto artykułów o tematyce krajoznawczo-turystycznej i szereg przewodników, z których najbardziej znane są: *Ilustrowany przewodnik po Galicji, Śląsku, Spiszu, Orawie i Bukowinie* (1914), *Przewodnik po ziemiach dawnej Polski, Litwy i Rusi* (1914) oraz *Ilustrowany przewodnik po Lwowie* (1920).

Interesował się również rozwojem Zakopanego i turystyki tatrzańskiej, a w 1922 r. zainicjował powstanie Polskiego Komitetu Olimpijskiego. Bogate zbiory biblioteczne, rękopisy i archiwum fotograficzne Orłowicza zostały zniszczone po powstaniu warszawskim.

Po II wojnie światowej był członkiem Komitetu Redakcyjnego *Słownika geografii turystycznej Polski*. Wędrował do ostatnich lat – w ciągu całego życia przemierzył pieszo trasę przekraczającą trzykrotną długość równika! Zmarł 4 października 1959 r. w Warszawie; został pochowany na cmentarzu Powązkowskim.

Gąsiorowski był z wykształcenia nauczycielem, a z zamiłowania turystą górskim, etnografem, krajoznawcą i fotografem. Przemierzył Karpaty Wschodnie, gromadząc przebogaty materiał krajoznawczy, etnograficzny i fotograficzny. Wyprawy te zaowocowały dwutomowym *Przewodnikiem po Beskidach Wschodnich*. Jeżeli chodzi o opis tras górskich, dzieło to – mimo że od wydania upłynęło prawie 70 lat – niewiele straciło na aktualności i dla miłośników Karpat Wschodnich do dziś pozostaje niezastąpionym źródłem informacji.

Lata 1918–1926 to wojskowy okres w życiu Gąsiorowskiego, który zaprowadził go wraz z rodziną do Grudziądza. Po przewrocie majowym jako zwolennik generała Hallera został przeniesiony w stan spoczynku w stopniu kapitana i poświęcił się całkowicie propagowaniu turystyki i krajoznawstwa.

Wielką pasją Gasiorowskiego była również fotografia. Wykonał wiele tysięcy zdjęć – głównie w Karpatach Wschodnich i na Pomorzu. Część z nich opublikowano jako widokówki, poza tym z jego prac wielokrotnie korzystały wydawnictwa książkowe i czasopisma. Zmarł 16 grudnia 1947 r. w Grudziądzu. Pokaźna część jego zbiorów huculskich znalazła się w tamtejszym muzeum, dając początek całej kolekcji.

przez Rosjan Bukowiny. 18 stycznia 1915 r. grupa majora Mariana Januszajtisa zajęła przełęcz Przysłop, następnie zdobyła Breazę, Câmpulung Moldovenesc i Selatyn. Nowe walki rozgorzały w 1916 i 1917 r. podczas wielkich ofensyw rosyjskiej armii pod wodzą Aleksieja Brusiłowa i Aleksandra Kiereńskiego. Pomimo lokalnych sukcesów, nie udało im się sforsować dobrze umocnionych Karpat. Pamiątką tamtych czasów są widoczne do dziś linie okopów, usytuowane przeważnie poniżej górskich grzbietów i ciągnące się równolegle do nich czasami przez kilkaset metrów. Zygzakowate rowy, dziś mocno zarośnięte trawą, mają najwyżej metr głębokości, dlatego łatwo je przeoczyć. Gdzieniegdzie można się natknąć na nieco głębsze stanowiska artyleryjskie.

Po raz kolejny wojna powróciła w Karpaty w 1944 r. Od połowy sierpnia do połowy października przez Marmarosze przebiegała linia frontu radziecko-węgierskiego. Oskrzydleni z północy i południa Węgrzy zostali zmuszeni do odwrotu.

PRZEWODNIKI, MAPY, NAZEWNICTWO

Literatura przedmiotu jest dość skromna jak na ponadstuletni okres zainteresowania turystów tą grupą górską. Z pewnością przyczyniła się do tego kilkudziesięcioletnia przerwa spowodowana ścisłą kontrolą granic w czasach komunizmu.

W 1911 r. Mieczysław Orłowicz opublikował sprawozdanie z działalności Akademickiego Klubu Turystycznego na terenie Karpat Marmaroskich. Jego rozszerzona wersja weszła w skład przewodnika *Karpa-*

ty *Wschodnie* z 1914 r. Kilkanaście stron zajmują opisy Gór Marmaroskich w II tomie (*Pasmo czarnohorskie*) *Przewodnika po Beskidach Wschodnich* Henryka Gąsiorowskiego (1933–1935). Dostępny jest również reprint tego wydawnictwa z 2000 r. z czterema mapami i trzema panoramami. Kolejna pozycja – *Romania, Karpaty Marmaroskie* autorstwa Adama Kulewskiego i Andrzeja Wielochy – ukazała się dopiero w 1985 r. nakładem Studenckiego Koła Przewodników Beskidzkich z Warszawy.

Ze względu na to, że omawiany rejon leży na granicy dwóch państw, map współczesnych nie ma. Wyjątek stanowi wydana przez rumuński Publiturism w 1990 r. *Trasee turistice în zona Borşa – Vişeu* (skala 1:75 000), której zdobycie graniczy z cudem. Planując wyjazd w Góry Marmaroskie, najlepiej zaopatrzyć się we współczesne reprinty (wydawnictwa pTR Kartografia) przedwojennych „setek", czyli map Wojskowego Instytutu Geograficznego w skali 1:100 000. Góry Marmaroskie znajdują się na arkuszach *Burkut* (1932) i *Hryniawa* (1934). Choć od publikacji tych map minęło prawie 70 lat, zachowują one aktualność i doskonale się sprawdzają. W Internecie krążą także dwie doskonałe radzieckie „setki". Opracowano je na potrzeby sztabu Armii Czerwonej po 1940 r. i po zakończeniu wojny kilkakrotnie wznawiano. Według oryginalnej nazwy przedstawiają one *USSR Region Zakarpacki, Rumunia Region Maramuresz*.

Jak każdy region nadgraniczny, tak i Marmarosze nie mają jednolitego nazewnictwa geograficznego. Na terminologię rumuńską nakłada się ukraińska, w naszej literaturze stosuje się spolszczenia, a autorzy map posługują się nazwami węgierskimi lub niemieckimi. Takie samo zamieszanie dotyczy pisowni. Dodatkowym utrudnieniem jest częste powtarzanie się nazw (zjawisko charakterystyczne dla całych Karpat) – przy dobrej widoczności z Farcaula widać cztery Pietrosule i dwa Popy Iwany!

W GÓRY

W Karpatach Marmaroskich nie ma dużych ośrodków turystycznych, ale można wskazać kilka miejsc, z których najlepiej rozpoczynać wędrówkę. Zależy to przede wszystkim od rejonu będącego celem wycieczki.

Poienile de Sub Munte (Ruska Polana) to dogodny punkt startu na Popa Iwana, Farcaul i do osady Bardău w dolinie Wazeru (Vaser). Sama miejscowość, ciągnąca się przez kilka kilometrów wzdłuż rzeki Ruszkowa (Ruscova), jest mało interesująca. Centrum wyznacza niewielki plac z kilkoma czynnymi do późna sklepikami i dwoma barami oferującymi przede wszystkim alkohol. Za dnia działa tam niewielki targ owocowo-warzywny. W wiosce nie ma hoteli, ale ze znalezieniem miejsca do spania nie będzie żadnego kłopotu – wystarczy oddalić się o kilkaset metrów od centrum i zapytać przesiadujące przed domami kobiety o nocleg lub możliwość rozbicia namiotu. Bardzo często gospodarze odmawiają przyjęcia zapłaty, ale warto mieć w pogotowiu papierosy, aby poczęstować pana domu. W zamian szczęśliwcy zyskają szansę spróbowania doskonałego domowego bimbru, np. z gruszek (aby pokazać, że nie jesteś żółtodziobem, wylej kilka kropel trunku na dłonie, rozetrzyj i powąchaj). Poienile de Sub Munte zamieszkują w większości Ukraińcy, a zatem znajomość kilku słów w tym języku na pewno się przyda.

Na oficjalne rozkłady jazdy nie ma co liczyć – autobusy kursują bardzo nieregularnie, ale na szczęście nie ma problemu z autostopem i busami.

W Poienile de Sub Munte warto obejrzeć drewnianą cerkiew greckokatolicką, piękny zabytek budownictwa sakralnego regionu. Uwagę przyciąga niespotykany w innych cerkwiach baniasty hełm wieży oraz wieszaki przymocowane na zewnętrznej południowej ścianie (uczestniczący w liturgii mężczyźni zostawiali na nich nakrycia głowy). Świątynia, otoczona starym cmentarzem z misternie rzeźbionymi krzyżami, wznosi się około 400 m na południe od centrum obok nowej murowanej

cerkwi. Klucze można otrzymać w jednym z domów w bezpośrednim sąsiedztwie.

Repedea (Krywa) również leży nad Ruszkową, kilka kilometrów na zachód od Poienile de Sub Munte. Obie wioski są do siebie podobne pod każdym względem: bazy noclegowej, ludności, komunikacji i zaopatrzenia. Z Repedei wychodzą dwa dogodne szlaki (bez znaków) na Popa Iwana.

Baia Borşa, niewielka górnicza miejscowość z brzydką industrialną architekturą i wyjeżdżonymi drogami, leży w dolinie rzeki Ţişla, około 4 km na północ od Borşy (zob. s. 253) i tylko stamtąd można do niej dojechać (autobusem, busem lub autostopem). Baia Borşa jest dogodnym miejscem startu dla udających się w kierunku Torojagi.

Z **przełęczy Przysłop** (Pasul Prislop; 1418 m n.p.m.), będącej geograficznym łącznikiem Gór Marmaroskich i Rodniańskich, rozpościera się wyjątkowo piękny widok. Na północ i północny zachód rozciągają się grzbiety Marmaroszy z kulminacjami Torojagi i Kreczeli. Na południu widać masywy Gór Rodniańskich z najbliższymi szczytami: Gargalau i Ineu. Na wschodzie piętrzy się Obczyna Mestecani z najwyższym szczytem Capu (grzbiet ten stanowi fragment Obczyn Bukowińskich). Ze względu na łatwy dojazd (zimą konieczne łańcuchy na koła) przełęcz Przysłop stanowi popularną atrakcję turystyczną. Co roku w drugą niedzielę sierpnia odbywa się tam słynny festiwal folklorystyczny **Hora de Prislop** (Hora na Przysłopie) wywodzący się z tradycyjnych targów owiec (*nedeie*). W występach biorą udział zespoły ludowe z okręgu Maramuresz, Bukowiny i Bystrzycy. Tancerzom towarzyszą dźwięki *zongora* (rodzaj altówki), *centera* (piskliwe skrzypce) i *doba* (bębenek z klonu lub jodły obity koźlą albo owczą skórą). O historycznym znaczeniu tego miejsca przypomina przydrożny obelisk upamiętniający bitwę stoczoną z oddziałem Tatarów podczas ich ostatniego najazdu w 1717 r. Na przełęczy powstaje nowa murowana cerkiew.

Z Przysłopu można wyruszyć w stronę masywu Kreczeli i głównej grani Gór Rodniańskich (zob. s. 393).

Noclegi i posiłki oferuje czynny w lecie *Motel Popas Prislop* (16 miejsc; ☎0744/934687) i całoroczna *cabana Alpin* (7 miejsc; 5/7 €; ☎0262/342425; duży wybór alkoholi, możliwość niedrogiego wyżywienia, rozbicia namiotu za 1,50 € i rozpalenia ogniska).

Propozycje tras

Planując wyprawę w Góry Marmaroskie, należy koniecznie zaopatrzyć się w busolę i mapy oraz dokładnie przemyśleć trasę. Ze względu na **brak znakowanych szlaków**, góry te są bardzo trudne orientacyjnie (szczególnie w dolnych partiach), a duże odległości między siedzibami ludzkimi uniemożliwiają wezwanie ewentualnej pomocy. W Marmarosze powinni wybierać się tylko doświadczeni turyści, dysponujący umiejętnością czytania mapy i przewidywania zmian pogody oraz bardzo dobrą orientacją w terenie. Po drodze nie ma żadnych schronisk – można spróbować zatrzymać się na nocleg w którymś z licznych pasterskich szałasów. Latem są one zamieszkane, ale właściciel, widząc przemoczonych turystów, na pewno nie odmówi pomocy. W przypadku załamania pogody należy zejść poniżej grani i jeśli zbliża się wieczór, poszukać miejsca na nocleg. Nie ma z tym żadnego problemu – wybór zależy wyłącznie od turysty. Na szlaku jest zwykle kilkadziesiąt punktów, gdzie można nabrać wodę, ale im wyżej, tym źródła występują rzadziej. Opisane niżej trasy można dowolnie modyfikować – liczba dni dotyczy marszu z pełnym plecakiem (podany czas może ulec skróceniu lub wydłużeniu w zależności od przyjętej filozofii wędrowania).

Trasa 1
Repedea (Krywa) ➜ Pop Iwan ➜ Szczawul ➜ Farcaul ➜ jezioro Vanderel ➜ Poienile de Sub Munte
Przejście tej trasy powinno zająć 3 dni.

Pierwszy dzień: Repedea (Krywa) ➜ Pop Iwan
Początek trasy jest łatwy orientacyjnie: do Ruszkowej wpada w centrum wsi jej mniej-

sza odnoga, wzdłuż której prowadzi droga na północ wyznaczająca początek szlaku. Następnie należy skręcić na północny zachód w jedną z wyraźnych dróg leśnych. Pierwszym szczytem widocznym za granicą lasu jest **Tomnatecul** (1621 m n.p.m.). Przy dobrej widoczności widać z niego dwa Popy Iwany: na północnym zachodzie cel wycieczki – Pop Iwan Marmaroski (oznaczony wysokim żelaznym słupem), a na północnym wschodzie – Czarnohorski z charakterystycznym budynkiem na wierzchołku (są to ruiny wzniesionego w latach 1936–1938 polskiego obserwatorium astronomicznego – zob. ramka poniżej).

Na dalszym odcinku orientacja nie powinna stanowić problemu dzięki dobrze widocznemu celowi wyprawy. Ścieżka trawersuje kolejne wzniesienia i prowadzi na przełęcz od wschodniej strony **Popa Iwana** (Pop Ivan; 1940 m n.p.m.). Wejście na szczyt jest łagodne i łatwe. Przed wojną przez wierzchołek przebiegała granica rumuńsko-czechosłowacka. Widok z Popa Iwana zapiera dech w piersiach – na północy ciągnie się pasmo Świdowca i Czarnohory, na południowym wschodzie rozpościera się panorama Marmaroszy, a dalej Gór Rodniańskich.

Drugi dzień: Pop Iwan ➜ Szczawul (szlak graniczny)
Orientacja na trasie jest wyjątkowo łatwa ze względu na rumuńsko-ukraińskie słupki graniczne, które choć rozmieszczone nierównomiernie, są doskonałymi drogowskazami. Najlepiej trzymać się południowej strony zboczy i w miarę możliwości trawersować je płajami. Ostatni odcinek marszu – od skalistego wierzchołka **Wielkiej Nieneski** (Mica Mare; 1817 m n.p.m.) – wiedzie szeroką graniczną drogą podcho-

---

Zamilkłe obserwatorium

W latach 1936–1938 na południowo-wschodnich rubieżach ówczesnej Polski powstało obserwatorium astronomiczne i stacja badawcza. Architekci mieli wzorować się na przemyskim zamku z czasów Kazimierza Wielkiego – efektem była imponująca budowla zaprojektowana z iście królewskim rozmachem. Obserwatorium składało się z dwóch budynków wzniesionych na planie litery „L". Od strony południowej stanęła masywna wieża zwieńczona kopułą astronomiczną. Placówka służyła także wojsku. W latach 1938–1939 w obserwatorium stacjonował II Oddział Sztabu Generalnego zajmujący się wywiadem i kontrwywiadem, a ponadto stałą służbę pełnił patrol straży granicznej. Wspaniale zapowiadającą się działalność naukową przerwał wybuch II wojny światowej – 17 września 1939 r. załoga otrzymała rozkaz ewakuacji. Praca obserwatorium nigdy nie została wznowiona, ale niszczejące ruiny do dziś wywierają duże wrażenie. W nastrój zadumy wprowadza umieszczona nad wejściem płaskorzeźba z polskim orłem z wyraźnymi śladami kul karabinowych.

dzącą aż pod sam **Szczawul** (Stiavul; 1768 m n.p.m.). Ze szczytu należy zejść na południe, a zanocować można przed Farcaulem, aby rozpocząć wspinaczkę z nowymi siłami.

Trzeci dzień: Szczawul ➜ Farcaul ➜ jezioro Vanderel ➜ Poienile de Sub Munte

Wejście na **Farcaul** (Fărcăul; 1961 m n.p.m.) od strony północnej jest bardzo strome. Można wprawdzie minąć szczyt trawersem po stronie wschodniej, ale warto zadać sobie trud zdobycia wierzchołka ze względu na fantastyczny widok oraz malownicze urwiska samego Farcaula. Szczególnie piękna jest panorama w kierunku południowym na jeziorko Vanderel (uwaga – zanieczyszczona przez zwierzęta woda nie nadaje się do picia!). Niesamowite wrażenie sprawiają strome wschodnie zbocza **Mihailecula** (1918 m n.p.m.), do którego dochodzą wody jeziorka. Orientacja na kolejnym odcinku jest łatwa: wystarczy wyznaczyć azymut na południe i podążać w tym kierunku. Za Mihaileculem trasa wiedzie przez rozłożystą połoninę **Rogoż** (Rugaşul; 1817 m n.p.m.). Z jednego z ostatnich wzniesień widać w linii prostej zabudowania wsi **Poienile de Sub Munte** (Ruska Polana). Aby do niej dojść, trzeba kierować się na wschód w stronę dużej osady pasterskiej. Za nią rozpoczyna się droga wiodąca przez las do samej wioski.

Trasa 2
Poienile de Sub Munte ➜ Farcaul ➜ Szczawul ➜ Stog ➜ Budyjowska Wielka ➜ Komanowa ➜ Coman (stacja kolejki leśnej) ➜ Bardaul (stacja kolejki leśnej) ➜ Pietros Budyjowski ➜ Poienile de Sub Munte

Na tę wyczerpującą, ale bardzo ciekawą trasę należy przeznaczyć 7–8 dni. Jedną z największych atrakcji jest podróż leśną kolejką wąskotorową, nazywaną przez miejscowych Mocaniţa.

Pierwszy dzień: Poienile de Sub Munte (Ruska Polana) ➜ Farcaul

Trasa rozpoczyna się w centrum osady i wiedzie cały czas na północ. W wiosce należy kilkadziesiąt metrów iść wzdłuż odnogi rzeczki, przy której wznosi się szkoła. Aby niepotrzebnie nie kluczyć, wystarczy zwrócić się do pierwszej napotkanej osoby z pytaniem: *Unde este Fărcăul?* („Gdzie jest Farcaul?"). Trasa wznosi się początkowo bardzo stromo i dochodzi do lasu, w którym wyraźna droga prowadzi do sporej osady pasterskiej. Na północnym za-

chodzie widać rozłożystą połoninę **Rogoż** (Rugaşul; 1817 m n.p.m.). Po jej osiągnięciu należy zmienić azymut na północ w stronę **Mihailecula** (1918 m n.p.m.). Na przełęczy między nim a Farcaulem leży wyjątkowo malownicze **jeziorko Vanderel**. Jest to doskonałe miejsce na nocleg, należy tylko pamiętać, by nie pić wody ze zbiornika (zanieczyszczonego przez zwierzęta), tylko nabrać ją z któregoś z płynących w pobliżu niewielkich potoków.

Drugi–trzeci dzień: Farcaul ➜ Szczawul ➜ Stog ➜ Budyjowska Wielka

Podana trasa rozpisana jest na dwa dni. Wybór miejsca na biwak zależy przede wszystkim od kondycji turystów i zapału w realizacji planu. Po drodze nie ma problemów z wodą pitną, ale należy zaopatrzyć się w jej zapas przed wejściem na główny grzbiet. Trzeba również pamiętać, że przez kolejne trzy do pięciu dni szlak prowadzi pasmem granicznym.

Farcaul (Fărcăul; 1961 m n.p.m.) zdobywa się stromym południowym zboczem, następnie schodzi się równie stromym skalistym zboczem północnym. Aby ominąć stromizny, można strawersować szczyt od wschodu. Po osiągnięciu pasma granicznego jako pierwszy osiąga się **Szczawul** (Stiavul; 1768 m n.p.m.), gdzie należy obrać azymut na północny wschód. Wyraźna ścieżka przez połoniny prowadzi w kierunku **Korbulu** (Corbul; 1700 m n.p.m.), a następnie **Stogu** (Stogul; 1656 m n.p.m.). Ostatni szczyt jest łatwy do rozpoznania, bo jego wierzchołek do złudzenia przypomina kopkę siana. Na wierzchołku zachował się granitowy słup graniczny (tripleks) z okresu międzywojennego, na Stogu bowiem schodziły się granice Polski, Rumunii i Czechosłowacji. Widok we wszystkich kierunkach jest imponujący – turysta odnosi wrażenie, że otacza go morze gór. Warto jeszcze raz zwrócić wzrok w stronę Mihailecula (południowy zachód), którego pionowa zerwa jawi się teraz w całej okazałości.

Trasa skręca na południowy wschód. Po 5–6 km marszu na południowym zachodzie ukazuje się dolina, którą wiódł niegdyś stary szlak pasterski. Przed wojną dukt nazywany był drogą Mackensena, a dziś wykorzystuje go rumuńska straż graniczna. Po stronie ukraińskiej wznosi się wieża strażnicza, z której doskonale widać całą okolicę. Po strawersowaniu po stronie północnej szczytu **Kapilaszu** (Capilaşul; 1599 m n.p.m.), należy rozejrzeć się za noclegiem. Granica lasu nie jest daleko i najlepiej udać się właśnie tam – oczywiście na stronę rumuńską!

Dalszy odcinek trasy (podobnie jak poprzedni) biegnie połoninami przez kolejne kulminacje. Po zdobyciu **Ledescula** (Lădescul; 1580 m n.p.m.) można wycofać się ze szlaku, schodząc w dolinę Ruszkowy (w ciągu jednego dnia dochodzi się do przysiółka Ruskiej Polany – Łuhy, czyli Luhi). Szlak graniczny wiedzie teraz w kierunku **Budyjowskiej Wielkiej** (Budescul Mare; 1678 m n.p.m.). Wejście z podszczytowej przełęczy jest strome i uciążliwe, a wierzchołek, niestety, trudno ominąć trawersem. Dobre miejsca na nocleg (z ujęciami wody) znajdują się w okolicach **Budyjowskiej Małej** (Budescul Mic; 1678 m n.p.m.) – odbicie od głównego szlaku w kierunku południowo-zachodnim. Dalszy marsz tym azymutem doprowadzi do rejonów bardziej cywilizowanych.

Czwarty–piąty dzień: Budyjowska Wielka → Komanowa

Kolejny dzień nie powinien sprawiać większych kłopotów orientacyjnych: należy trzymać się strony południowo-zachodniej i nie dać się skusić szerokiej granicznej drodze wiodącej cały czas po stronie ukraińskiej. Połowa trasy biegnie w okolicy **Wielkiego Łostunia** (Lostunul Mare; 1654 m n.p.m.), którego wierzchołek trawersuje się od strony zachodniej. Po mniej więcej 3 km marszu na południowy wschód osiąga się przełęcz, gdzie warto poszukać miejsca na nocleg (po stronie ukraińskiej bije źródło).

Z przełęczy można zejść bezpośrednio do doliny Wazeru (kierunek południowo-zachodni) i tam poczekać na pociąg. Trasa ta wiedzie przez las i w początkowym odcinku jest uciążliwa.

Szlak graniczny od przełęczy również prowadzi początkowo przez las, z którego wyłaniają się dwa szczyty – **Purul** (1617 m n.p.m.) i **Sterviora** (1617 m n.p.m.). Po drodze mija się kolejną ukraińską wieżę strażniczą. Wspinaczkę na **Koman** (Coman; 1721 m n.p.m.) utrudniają resztki kosówki i pozostałości zarośniętych okopów z I wojny światowej. Na szczycie stoi słupek graniczny oznaczony numerem

526. Z tego miejsca do Komanowej pozostaje mniej więcej godzina marszu. Miejsca na nocleg najlepiej poszukać nad strumieniem na przełęczy między **Palenicą** (1758 m n.p.m.) a Komanową. Innym rozwiązaniem jest zejście w kierunku początkowej stacji kolejki (Coman) ze szczytu **Komanowej** (1731 m n.p.m.; azymut na południowy zachód) i poszukanie miejsca na biwak w tamtych rejonach.

Szósty dzień: Komanowa → Coman (stacja kolejki leśnej) → Bardaul (stacja kolejki leśnej)

Szósty dzień wyprawy przeznaczony jest na zregenerowanie sił, bo większą część trasy pokonuje się kolejką. Porę pobudki można dostosować do własnych upodobań, ponieważ pociąg odjeżdża dwa razy dziennie – około 8.00 i 15.00. Jeżeli miejscem noclegu była przełęcz, droga z Komanowej do stacji zajmie mniej więcej półtorej godziny (ponadto należy zarezerwować czas na wejście na Komanową). Niezależnie od tego, czy podróż odbędzie się przed południem czy po południu, na noc trzeba zatrzymać się w maluteńkiej osadzie **Bardăul**. W sprawie noclegu można zapukać do każdego domostwa (z rozbiciem namiotu nie ma żadnych problemów). Innym rozwiązaniem jest przedłużenie podróży do stacji **Cozia** – warto wziąć je pod uwagę, zwłaszcza że właśnie z Cozii prowadzi wygodniejsze (choć dłuższe) podejście na Pietros Budyjowski stokami Baicy.

Siódmy–ósmy dzień: Bardăul (stacja kolejki leśnej) → Pietros Budyjowski → Poienile de Sub Munte

Ostatni dzień wędrówki jest bardzo wyczerpujący ze względu na strome podejścia i konieczność przedzierania się przez kosówkę. Dlatego warto zdecydować się na dodatkowy nocleg (szukając odpowiedniego miejsca już po zdobyciu Pietrosa Budyjowskiego). Z osady szlak wiedzie na północny zachód szeroką kamienistą drogą wzdłuż potoku. Po wyjściu powyżej granicy lasu rzuca się w oczy porośnięty kosówką szczyt **Pietrosa Budyjowskiego** (Bardăul Pietrosul; 1854 m n.p.m.). Wierzchołek oznaczony jest słupkami: betonowym i drewnianym. W pobli-

---

Stacje kolejki od wschodu na zachód:

Coman (posterunek straży granicznej) → Valea Babei → Ştevioare → Lostun (posterunek straży granicznej) → Făina → Şuligul (posterunek straży granicznej) → Botizu → Bardăul → Novicior → Cozia → Viseu de Sus

„...Budzi mnie wycie kilku alarmów w telefonach naraz. Wyjazd za godzinę, mamy jechać na stację kolejki wąskotorowej i nią dalej 28 km w głąb doliny. Potem wjazd albo podejście na grzbiet, którym dotrzemy do schroniska – tutaj mówią na nie *kabana*. Szeroki pas drogi granicznej na pewno będzie przejezdny, w sumie jakieś trzy godziny – „luzik". Dwie godziny później jest zimno i siąpi deszcz. Na stacji leniwie zaczyna się dzień. Jak się okazuje, pociąg odjeżdża trzy godziny później niż myśleliśmy. Światło sodowych latarni buduje klimat lekkiego niepokoju. W końcu podjeżdża pociąg – nieduży parowóz zaprzęgnięty do zbitego z desek wagonu dla pasażerów i kilku do przewozu drewna. Na nich układamy rowery. Maszynista coś nam tłumaczy. Chyba na najbliższej stacji podstawią inny skład. Rozumiemy tylko mowę ciała, bo nasz zasób rumuńskich słów praktycznie nie istnieje. No nic, ruszamy – rowery zawieszone na niewielkich hakach pomiędzy wagonami. Po dwóch godzinach podróży zaczynamy się niecierpliwić – już dawno powinniśmy pokonać te 28 kilometrów. Pociąg wyczynia przedziwne rzeczy – rozpędza się, przetacza jakieś wagony i maszyny pozostawione na torach, cofa, zjeżdża na boczne tory, mija się z pociągami jadącymi z naprzeciwka. Wagon z rowerami, odczepiony od naszego składu jakiś czas temu, podciągnęła w końcu drezyna zrobiona na bazie Aro – rumuńskiej terenówki. A tymczasem w naszym dziurawym wagonie zagościła wilgoć. Zjedliśmy niemal cały prowiant przeznaczony na dzisiejszą KRÓTKĄ wycieczkę. Niespokojnie przysypiam na stercie brudnych chodników, którymi usłany jest wagon. Drzemkę przerywa ostateczna decyzja o przesiadce na rowery. Jest już druga po południu i na dodatek wysiedliśmy trochę za wcześnie. Jedziemy wzdłuż torów. Siąpi coraz mocniej. Toniemy w błocie...".

Fragment relacji *X-Carpatia 2002/2003 – upadki i wzloty*

żu można się natknąć na liczne ślady umocnień z czasów I wojny światowej. Panorama rozpościerająca się ze szczytu na północ obejmuje prawie całą trasę wyprawy. Ze szczytu należy skierować się na południowy zachód do przełęczy, a tam odbić na północ (droga na południe prowadzi do osady Cozia). W wyższych partiach trasa często wiedzie przez kosówkę, przez co jest bardzo nużąca. Na szczęście nie ma żadnego problemu ze znalezieniem miejsca na ewentualny nocleg. Po zdobyciu ostatniej kulminacji – **Pecialula** (1729 m n.p.m.) – do pierwszych domostw Poienile de Sub Munte pozostaje około pięciu godzin marszu.

Wąskotorowa kolejka (Mocaniţa) w dolinie Vaseru Trasa Mocaniţy wiedzie prawie całą doliną Vaseru. Budowę drogi żelaznej rozpoczęto w 1927 r., a w latach 30. położono tory w kilku bocznych dolinach – Novee, Stavioara i Pisentului. Podstawową funkcją kolejki do dziś pozostaje transport drewna wycinanego w lasach Gór Marmaroskich, a jednocześnie jest ona idealnym środkiem transportu dla turystów. Jedzie się w kierunku wschodniej części Marmaroszy, m.in. Pietrosa Budyjowskiego, Torojagi i pasma granicznego. Na niektórych stacjach są posterunki straży granicznej, która może być zainteresowana celem przybycia podróżnych. Ze stacji Viseu de Sus i Coman wyruszają w dni powszednie dwa skła-

dy – około 8.00 i 15.00. W weekendy kolejka rusza na trasę, jeżeli zbierze się komplet pasażerów. Jazdę, z prędkością około 30 km/godz. przerywają częste postoje – czasami z niewiadomych dla pasażerów przyczyn. Większość używanych lokomotyw pochodzi z lat 40. XX w., choć zdarzają się także nowocześniejsze maszyny. Od czasu do czasu widzi się nieco szybsze drezyny domowej konstrukcji, budowane najczęściej na bazie samochodów rodzimego przemysłu – aro lub dacii. Budynki stacji są w opłakanym stanie i niszczeją z roku na rok. Dwie osady na trasie kolejki – Şuligul i Făina – były w przeszłości niewielkimi uzdrowiskami prowadzonymi przez Żydów z Borszy i Wyszowa. Kres ich działalności położyła I wojna światowa – jedyną pamiątką po tamtych czasach są źródła i dwa niewielkie cmentarze w Făinie – Żydów i austriackich żołnierzy.

GÓRY RODNIAŃSKIE

„Rodniańskie Alpy stanowią północną krawędź Karpat Siedmiogrodzkich. Nazwę swą zawdzięczają miasteczku Stara Rodna (Rodna vecchia), niegdyś niemieckiemu, dziś rumuńskiemu, leżącemu nad Samoszem u ich podnóża po południowej stronie. Północną ich granicę stanowią doliny rzek Wyszowa i Złotej Bystrzycy; za pośrednictwem, oddzielającej źródła tych rzek, przełęczy Przysłopskiej (1418 m), łączą się z Beskidami Wschodniemi. Najwyższe to pasmo Karpat od Tatr po Alpy Transylwańskie, a zarazem jeden z najbardziej pustych, dzikich i samotnych ich zakątków. Długość pasma wynosi 45 km. Oparciem dla turystów może być wieś Borsza na Węgrzech, Kirlibaba na Bukowinie (Deutsches Gasthaus) i Stara Rodna w Siedmiogrodzie. Najwyższe szczyty są: Verfu Pietrosu (Skalisty Wierch) 2305 m, Ineul (Krowi Róg) 2280 m i Verfu Roszu (Czerwony Wierch) 2225 m. W dolinie Bukujeski pod Pietrosem znajduje się ogromny wodospad; na szczycie Korongisului piękne skały wapienne, a pod Verfu Sacca (Suchy Wierch), jaskinia".

Mieczysław Orłowicz,
Ilustrowany przewodnik po Galicyi, Bukowinie, Spiżu, Orawie i Śląsku Cieszyńskim, 1914

POŁOŻENIE I BUDOWA GEOLOGICZNA

Góry Rodniańskie (Munţii Rodnei) wchodzą w skład rumuńskich Karpat Wschodnich (Carpaţii Orientali). Jest to najbardziej imponujący i najwyższy masyw górski w tej części Karpat. Od północy ograniczają go doliny rzek Wyszowa (Vişeu) i Złotej Bystrzycy (Bistriţa Aurie), pomiędzy którymi wznosi się przełęcz Przysłop (Pasul Prislop; zob. s. 389), rozdzielająca Góry Rodniańskie od Marmaroskich (zob. s. 386). Od południa rozciąga się dolina Samoszu Wielkiego (Samoşul Mare), zachodnią granicę pasma stanowi przełęcz Sefret (Pasul Şefret), wschodnią – przełęcz Rotunda (Pasul Rotunda, Pasul Rodnei). W polskiej literaturze mogą ten określa się często mianem Alp Rodniańskich ze względu na typowo alpejski krajobraz (poszarpane granie, strome zbocza i piarżyska przywodzą na myśl Tatry Zachodnie). W morfologii gór widać wyraźny podział na grzbiety – główny, liczący 45 km długości, biegnie od przełęczy Sefret (na zachodzie) do przełęczy Rotunda (na wschodzie). Odchodzą od niego boczne, krótsze, ale wyższe masywy z najwyższą kulminacją – Pietrosulem. Góry Rodniańskie zbudowane są w większości z granitów i łupków krystalicznych. Występują tam również nierównomierne skupienia wapieni oraz skał wulkanicznych.

Polodowcowe jeziorka, wodospady i jaskinie

36 niewielkich jeziorek – pamiątka po lodowcu – to jedna z wizytówek Gór Rodniańskich. Największy zbiornik (poniżej Ineu) ma 0,7 ha; wyjątkowym urokiem wyróżnia się Iezer u stóp Pietrosula. Region obfituje w malownicze wodospady. Najwyższe i najpiękniejsze to: Cascada Cailor (ponad 90 m), Cascada Buhăescu Mare (Wodospad Orłowicza; ponad 20 m) i Cascada Puzdra (ponad 20 m). Także speleolodzy znajdą w Górach Rodniańskich coś dla siebie – najsłynniejszą jaskinią jest Izvoru Tăuşoarelor o długości ponad 16 km i głębokości około 461 m, co daje jej pierwsze miejsce w kraju. Sporą popularnością cieszą się także Jgheabul lui Zalion (4513 m długości), Zănelor (4368 m), Izei (2440 m) i wreszcie Cobăşel i Schneider (po około 500 m). Teoretycznie jaskinie można zwiedzać tylko po uzyskaniu specjalnego pozwolenia, choć tak naprawdę nie bardzo wiadomo, kto miałby je wydać.

TURYSTYKA W GÓRACH RODNIAŃSKICH

Polacy wędrowali po Górach Rodniańskich od końca XIX w. Pierwszy był niestrudzony Hugo Zapałowicz (zob. s. 386), którego tropem ruszył później Mieczysław Orłowicz (zob. s. 387). Masyw idealnie nadaje się na pierwszy wyjazd w góry typu alpejskiego (rzecz jasna, latem) jako poligon doświadczalny dla początkujących turystów. Góry Rodniańskie pokrywa dogodna sieć szlaków; orientacja nie sprawia żadnych kłopotów, wody jest pod dostatkiem, a eksponowanych odcinków niewiele. Należy jednak zapomnieć o planowaniu trasy od schroniska do schroniska, bo nie ma ich prawie wcale. Trzeba przygotować się na noclegi w niezagospodarowanych schronach turystycznych (*refugiu*), które oferują jedynie dach nad głową, platformę z desek jako posłanie i piecyk typu koza. Trudno przewidzieć, jak będzie funkcjonował dany schron, choć latem często ktoś się nimi opiekuje.

Warto również zaznaczyć, że Góry Rodniańskie są objęte ochroną rumuńskiego pogotowia górskiego – Salvamontu. Masyw podzielono na trzy części, za które odpowiedzialnia są trzy różne oddziały pogotowia. Południe należy do Rodnej (☎0263/ 377090 lub 0740/652854), północ do Borşy (☎0262/342322), a zachód do Năsăud (☎0740/651941). Wprawdzie trudno stwierdzić, w którym miejscu przechodzi linia podziału, czy ratownicy mówią w jakimś zachodnim języku i na ile są mobilni, ale ważny jest sam komfort psychiczny, że ktoś nad turystami czuwa.

Pasterstwo w Górach Rodniańskich ma długie tradycje. Stado owiec czy koni nie należy do rzadkich widoków (trudniej spotkać pasterza). Alpinistyczne umiejętności owiec budzą prawdziwy podziw. W poszukiwaniu pożywienia potrafią wspinać się w miejsca, gdzie człowiek o zdrowych zmysłach z pewnością by nie wszedł. Gwoli ścisłości trzeba dodać, że nie wszystkim owieczkom udają się te sztuczki i w każdym stadzie widać co najmniej kilka mocno kulejących zwierząt.

PRZEWODNIKI I MAPY

W 1880 r. Hugo Zapałowicz zwiedził Góry Rodniańskie, spisując swoje spostrzeżenia w niewielkiej książeczce *Z Czarnohory do Alp Rodneńskich*. Często bywał w tych rejonach nestor polskiej turystyki górskiej Mieczysław Orłowicz, co zaowocowało wydaniem w 1912 r. przez lwowski Akademicki Klub Turystyczny *Przewodnika po Alpach Rodniańskich*. Choć minęło prawie 100 lat, dzieło to wciąż cieszy się popularnością wśród miłośników Karpat. Czytelników urzeka kwiecisty język, zwłaszcza w opisach górskich krajobrazów i miejscowości. Trudno uwierzyć, ale od tego czasu ukazało się niewiele opracowań na temat Gór Rodniańskich – kilka artykułów można znaleźć w periodykach poświęconych Karpatom, krajoznawstwu i turystyce.

Jeśli chodzi o mapy, fragment masywu obejmują publikacje wydawnictwa Publiturism: *Invitaţie în Carpaţ* (skala od 1:400 000 do 1:75000) z 1983 r. i *Trasee turistice în zona Borşa – Vişeu* (skala 1:75000) z 1990 r. W 1994 r. Tipocart Brasovia wydała mapę *Munţii Rodnei* w skali 1:80 000. Doskonała, najbardziej aktualna i najłatwiej dostępna w Polsce jest mapa węgierskiego wydawnictwa Dimap z 2003 r. *Munţii Rodnei (Radnai-havasok, Rodnei Mountains)* w skali 1:50 000. Na odwrocie zamieszczono mnóstwo przydatnych informacji w trzech językach (angielski, rumuński, węgierski), m.in. czasy przejścia poszczególnych tras, adresy schronisk i numery telefonów do Salvamontu. Publikacja ta jest dostępna m.in. w sieci Sklep Podróżnika.

KIEDY JECHAĆ

Góry Rodniańskie mają typowo wysokogórski klimat. Średnie roczne temperatury zależą od wysokości: u podnóża gór wynoszą 6–7°C, a w partiach szczytowych oscylują wokół 1,3°C. Średnia suma opadów to 1200–1400 mm w wyższych partiach masywu, a u podnóża 750–800 mm. Najbardziej deszczowymi miesiącami są czerwiec i lipiec. Gwałtowne, choć krótkotrwałe burze nadciągają zwykle około 17.00, dlatego warto odpowiednio wcześniej rozejrzeć się za schronieniem, a nawet miejscem na nocleg. Pierwszy śnieg spada na przełomie września i października, a w wyższych partiach gór biały puch utrzymuje się do końca czerwca.

Ze względu na duże otwarte przestrzenie w Górach Rodniańskich wieją silne wiatry. W porywach ich siła dochodzi do 35 m/s. Najbardziej wietrznym miesiącem jest luty, mocno wieje także w czerwcu i lipcu.

Idealnym czasem na wędrówkę po Górach Rodniańskich jest koniec lata i początek jesieni, ale jeśli pomyśli się o ciepłym śpiworze i dobrych butach, można także wybrać się tam w maju, kiedy bywa słonecznie i niezbyt wietrznie, choć powyżej 1700 m n.p.m. leży jeszcze śnieg.

W GÓRY

Przede wszystkim warto zastanowić się nad tym, skąd rozpocząć wędrówkę. Od tej decyzji zależy bowiem miejsce przekroczenia granicy z Rumunią i czas dojazdu.

U podnóża Gór Rodniańskich nie brak dogodnych punktów startowych, do których stosunkowo łatwo dojechać z Polski. Najwięcej turystów wyrusza na trasę w miejscowości Borşa (zob. s. 253) i Rodna, z kompleksu sportowego Staţinea Borşa oraz przełęczy Şetref, Przysłop (zob. s. 389) i Rotunda.

Nazwa pasma pochodzi od **Rodnej**, niewielkiej starej miejscowości. Wzmiankowana po raz pierwszy w węgierskich dokumentach w 1235 r., 10 lat później została doszczętnie spalona przez Tatarów, ale szybko ją odbudowano. Odkryte w okolicy pokłady złota należały do Stefana Wielkiego oraz Petru Rareşa. Swego czasu w Rodnej funkcjonował także punkt celny między Transylwanią a Mołdawią. Dziś miejscowość nie wywiera na turystach szczególnego wrażenia, choć cieszy oko ogólny ład i porządek. W centrum wznosi się duża murowana cerkiew, a na jej tyłach można zwiedzić kościół katolicki z 1859 r. oraz pozostałości dominikańskiej bazyliki z XIII w. Najłatwiej dotrzeć do Rodnej koleją (stacja Rodna Veche jest oddalona około 1,5 km na zachód od centrum), ale trzeba pamiętać, że do pociągów nie kursuje zbyt wiele (pierwszy ok. 5.00, ostatni ok. 18.00). Najwygodniej będzie zaczynać stąd wędrówkę tym turystom, którzy przybywają do Rumunii od strony Suczawy (zob. s. 205). Należy na dworcu kolejowym zapytać o połączenie do Ilva Mică (ważny węzeł, dlatego pociągów jest sporo), a następnie przy odrobinie szczęścia przesiąść się na pociąg osobowy do Rodnej (4.35, 8.25 i 15.40). W razie niepowodzenia pozostaje wynająć któryś ze stojących przed stacją samochodów osobowych (wielu właścicieli aut dorabia jako prywatni taksówkarze). Cena za przejazd nie powinna być wysoka, bo trasa liczy zaledwie 27 km. Turyści wysiadający w Suczawie mogą również wyruszyć na szlak od strony przełęczy Rotunda (najłatwiej dostać się tam przez Vatra Dornei).

Zarówno do kompleksu sportowego Staţinea Borşa, jak i na przełęcz Przysłop najszybciej można dojechać od strony Borşy. Przełęcz Şetref jako punkt startu warto polecić tym, którzy przygodę z Rumunią zaczynają od Maramureszu. Odległość od miejscowości Săcel do przełęczy wynosi 6 km.

Propozycje tras

Trasę trekkingu warto zaplanować (przynajmniej z grubsza) jeszcze w Polsce. Góry Rodniańskie dają turyście naprawdę wiele możliwości, poza tym łatwo przedłużyć wędrówkę, wybierając się w sąsiedni masyw Gór Marmaroskich (zob. s. 386). Najciekawszą propozycją jest przejście części głównej grani, dające możliwość zmiany trasy w trakcie wycieczki lub wycofania się w przypadku kłopotów. Szlaki są na ogół bardzo dobrze oznaczone, należy jednak pamiętać o innym niż w Polsce sposobie znakowania (zob. s. 378). Liczba dni w szczegółowym opisie trasy, o ile nie zostało to wyraźnie zaznaczone, dotyczy marszu z pełnym plecakiem. Nie ma żadnego problemu z wodą do picia, bo źródeł jest pod dostatkiem, ale zawsze należy nosić odpowiedni zapas, bo schodzenie z grzbietu w dolinę po całym dniu marszu nie należy do przyjemności. Z tego względu warto zatrzymywać się na nocleg w pobliżu ujęć wody.

Trasa 1

Borşa ➜ stacja meteorologiczna ➜ Pietrosul ➜ Rebra ➜ przełęcz Tarniţa „La Cruce" ➜ Repede ➜ przełęcz Puzdlerol ➜ Gărgalău ➜ przełęcz Tarniţa lui Putredu ➜ Ineu ➜ schronisko Salvamontu ➜ Valea Vinului ➜ Rodna

Przejście tej trasy powinno zająć 4–5 dni. Pierwszy dzień można potraktować jako rozgrzewkę, choć pokonanie prawie 1600 m różnicy wzniesień daje mocno w kość. Kolejne dni, poza mozolnym wejściem na kulminacje pod Pietrosulem, nie powinny sprawić trudności.

Pierwszy dzień: Borşa ➜ stacja meteorologiczna

Niebieskie paski

Wędrówka rozpoczyna się w Borşie – kilkaset metrów za motelem *Perla Maramureşului* (w kierunku Staţinea Borşa) należy przejść przez most na Wyszowie. Na zachodzie raz po raz wyłania się cel wycieczki – Pietrosul.

Wkrótce zaczyna się mozolne podejście na grań. Pokonując kolejne poziomice, warto spoglądać na północ: góry (na pierwszym planie widać Marmarosze) ciągną się aż po horyzont. Koniec pierwszego dnia wędrówki zwiastuje dach budynku i urządzenia pomiarowe. Jest to **stacja meteorologiczna** wzniesiona u wylotu malowniczej doliny otwartej w kierunku północnym. Przenocować można w niewielkiej chatce (2–3 €) mieszczącej najwyżej 10 osób lub we własnym namiocie (ok. 1,50 €). Wodę do picia i mycia nabiera się z pobliskiego potoku.

Dla rozprostowania kości warto przespacerować się w głąb doliny i tam odpocząć w polodowcowym kotle nad malowniczym jeziorem Iezer (drugiego lub trzeciego dnia będzie się je oglądać z innej perspektywy).

Drugi dzień: stacja meteorologiczna ➜ Pietrosul ➜ Rebra ➜ przełęcz Tarniţa „La Cruce" ➜ Repede ➜ przełęcz Puzdlerol

Niebieskie paski, dalej czerwone paski

Trasa drugiego dnia marszu biegnie główną granią na wschód. Aby zdobyć najwyższy szczyt Gór Rodniańskich, trzeba z wierzchołka (gdzie można zostawić plecaki) skręcić na północ i kierować się wzdłuż zdewastowanych metalowych barierek. Na samym szczycie **Pietrosula** (2303 m n.p.m.) stoi opuszczona stacja meteorologiczna. Budynek jest w opłakanym stanie – zrujnowany i zaśmiecony. A szkoda, bo taki schron byłby niezwykle przydatny.

Widok z Pietrosula zapiera dech w piersiach. Na najbliższym planie w kierunku północnym rozciąga się opisywane przez Mieczysława Orłowicza pięć skalistych żeber. W dole widać Borşę, a dalej szczyty Gór Marmaroskich i ukraińskich Czarnohory. Po południowej stronie rysuje się najbliższy cel marszu, Rebra, a za nią na wschód główna grań Gór Rodniańskich z kulminacją Ineu na horyzoncie.

Niebieskie znaki kończą się na przełęczy za **Rebrą** (2268 m n.p.m.) – od strony południowej jest wygodne wejście na szczyt. Dalej trasa biegnie szlakiem czerwonym, ciągnącym się przez całą główną grań. **Przełęcz Tarniţa „La Cruce"** jest idealnym miejscem na dłuższy odpoczynek i posiłek. Od szczytu **Cormaia** (2033 m n.p.m.) odbija na południe również czerwony szlak, ale oznaczony trójkątem, a dalej, z przełęczy Saua Între Izvoare, również na południe, żółte krzyże. Choć przełęcz jest dobrym miejscem na nocleg, warto podejść kawałek dalej, bo między wierzchołkiem **Negoiasa Mare** (2041 m n.p.m.) a **przełęczą Puzdlerol** (odbijają przed nią na południe żółte paski) czeka więcej pięknych miejsc na rozbicie namiotu.

Trzeci dzień: przełęcz Puzdlerol → Gărgalău
Czerwone paski

Z kolejnej mijanej przełęczy – **Laptelui** – można zejść w stronę Staţinea Borşa. Szlak oznaczony niebieskimi kółkami wiedzie obok nieczynnego schroniska Puzdrele (okolice ruin to świetne miejsce na biwak). Do schroniska można także odbić kilometr dalej – tym razem należy trzymać się niebieskich trójkątów.

Z przełęczy **Gărgalău** odchodzą dwa kolejne szlaki. Idąc w kierunku północnym (niebieskie paski), dotrze się do przełęczy Przysłop, skąd można rozpocząć wędrówkę po Górach Marmaroskich (od polany Stiol szlak jako czerwone trójkąty wiedzie do największego wodospadu w Górach Rodniańskich – Cascada Cailor liczącego ponad 90 m wysokości). W kierunku Rodnej odbijają stąd niebieskie krzyże. Główny szlak prowadzi granią w stronę **Gărgalău** (2159 m n.p.m.). Na nocleg najlepiej zatrzymać się na szerokim siodle pod szczytem.

Czwarty dzień: Gărgalău → przełęcz Tarniţa lui Putredu → Ineu → schronisko Salvamontu
Bez znaków, następnie niebieskie kółka

Aby dotrzeć na czas na nocleg pod dachem, trzeba wstać trochę wcześniej. Po kilku dość łatwych odcinkach, wędrowców czeka wzmożony wysiłek przy podejściu pod **Ineu** (2279 m n.p.m.). Trud się jednak opłaca, bo widok pionowej ściany tego iście tatrzańskiego szczytu od strony wschodniej na długo zostaje w pamięci. Aby przedłużyć pobyt w malowniczej okolicy Ineu, można z przełęczy Cu Lac zejść na nocleg do największego jeziora polodowcowego w masywie. Atrakcyjność miejsca sprawia, że wyznaczono tam nawet miejsce na biwak.

Dalsza droga prowadzi od przełęczy Cu Lac za niebieskimi kółkami w stronę **schroniska Salvamontu**. Nie należy oczekiwać wygód, bo jest to typowy schron turystyczny, choć sporych rozmiarów. W kilku pomieszczeniach nocleg może znaleźć 25 osób. Jeśli akurat nie ma gospodarza, należy samemu zatroszczyć się o siebie.

Piąty dzień: schronisko Salvamontu → Valea Vinului → Rodna
Czerwone trójkąty

Kto nie planuje dłuższego pobytu w Rodnej (zob. wyżej), powinien wyruszyć ze schroniska wcześnie rano. Do miasteczka prowadzą stąd czerwone trójkąty. Po około dwóch godzinach dociera się do żelbetowych pozostałości dawnej kopalni – to początek górniczej osady **Valea Vinului**. W wiosce, malowniczo położonej w dolinie potoku Băilor, jest kilka gospodarstw agroturystycznych, a także sezonowe prywatne schronisko (3 €). W siedzibie Salvamontu (str. Principala 7) można zasięgnąć informacji dotyczących zwiedzenia jaskiń i wynająć przewodnika do pobliskiej jaskini Schneider. Za wioską (w kierunku Rodnej) jest sporo dogodnych miejsc na bi-

Wejście na Pietrosul

„...O godzinie 5 stanęliśmy na najwyższym cyplu Piatra alba około 2.150 m wzniesionym, a przed nami pojawił się w całej okazałości szczyt Pietrosu. Między nami a szczytem znajdowała się głęboka kotlina o ścianach prawie prostopadłych, na której dnie błyszczało zwierciadło jeziora. Od miejsca, gdzieśmy stali, biegł ku szczytowi wąski grzbiet, wyginający się łukiem na lewo i obniżający się w środku dość znacznie. Poczęliśmy się przeto zniżać, lecz grzbiet stawał się tak wąskim, że droga była już niebezpieczna. Na prawo otwierała się ku owej kotlinie tak straszna przepaść, nad której brzegiem bezpośrednio teraz stanęliśmy, że, aby spojrzeć w jej głąb, musieliśmy się pokłaść na ziemi. Spoglądając tak czuliśmy straszliwy chłód, który wiał ku nam z głębi, a jezioro tam na dnie położone, wydawało nam się to bliskim, to znowu gdzieś w nieskończoność oddalało – tak wielka była przepaść i tak strome jej ściany, na których oko nie mogło spocząć i znaleźć punkt oparcia...".

Hugo Zapałowicz, *Z Czarnohory do Alp Rodneńskich*, 1881

wak. Z centrum Valea Vinului do stacji **Rodna Veche** jest około 7 km (przy odrobinie szczęścia można natknąć się na autobus, bus lub złapać autostop).

Trasa 2

Śladami Mieczysława Orłowicza (opcja dwudniowa): Borşa → stacja meteorologiczna → Pietrosul → przełęcz Pietrosului → Rebra → przełęcz Tarniţa „La Cruce" → Jeziora Buhăescului → Wodospad Orłowicza (Cascada Buhăesu Mare) →
Borşa Repede

Trasa spodoba się piechurom, którzy nie mogą sobie pozwolić na kilkudniową wędrówkę, a chcą zasmakować Gór Rodniańskich. Mimo kilku odcinków nieznakowanych, ścieżki są na tyle wyraźne, że nikt nie powinien zabłądzić.

Część drogi pokrywa się z marszrutą pierwszych dwóch dni trasy 1 (zob. wyżej). Po dotarciu na **przełęcz Tarniţa „La Cruce"** należy zejść ze znakowanego szlaku na północny zachód wyraźną ścieżką, trawersującą zbocza Rebry. Po około 2 km ukazują się ułożone kaskadowo **Jeziora Buhăescului**. Nie dochodząc do nich, na rozwidleniu drogi należy skręcić na wschód, a po dotarciu do strumienia (Buhăescu) pójść wzdłuż niego. Szum spadającej wody sygnalizuje, że niedaleko już do słynnego wodospadu **Buhăescu Mare**, zwanego **Wodospadem Orłowicza**. Trasa powrotna wiedzie cały czas wzdłuż strumienia Buhăescu, który wpada do większego potoku Repede. Od tego ostatniego wzięła nazwę wieś, a dziś dzielnica Borşy – **Borşa Repede**.

Trasa 3

Śladami Mieczysława Orłowicza (opcja jednodniowa): Borşa → stacja meteorologiczna → Pietrosul → przełęcz Pietrosului → jeziora Buhăescului → Wodospad Orłowicza (Cascada Buhăescu Mare) →
Borşa Repede

Jednodniowa (ok. 10 godz.) wycieczka śladami Mieczysława Orłowicza to coś dla osób lubiących szybki marsz, a nieprzepadających za ciężkimi plecakami. Należy przygotować się na ostre podejścia, bo trzeba będzie pokonać ponad 1600 m różnicy wzniesień (pod Pietrosulem). Trud wędrówki z nawiązką zrekompensują fantastyczne widoki.

Wybierając się w tak długą trasę, należy kontrolować czas za pomocą mapy i widząc duże dysproporcje, wycofać się.

Szlak, aż do osiągnięcia kulminacji pod **Pietrosulem** (2303 m n.p.m.), pokrywa się z marszrutą pierwszego dnia trasy 1 oraz trasy 2. Przejście tego odcinka powinno zająć około 5 godz. W razie dużego spóźnienia można zrezygnować z wejścia na Pietrosul, choć droga tam i z powrotem zajmuje niecałe 20 min. Ze szczytu niebieski szlak sprowadza na **przełęcz Pietrosului**. Jeszcze przed nią odbija na południowy wschód wyraźna nieoznakowana ścieżka, w którą należy skręcić. Wiedzie ona w kierunku ułożonych kaskadowo **jezior Buhăescului**. Na rozwidleniu dróg trzeba odbić na wschód, do strumienia Buhăescu. Końcowy etap pokrywa się z ostatnim fragmentem drugiego dnia trasy 2.

GÓRY CEAHLĂU, HĂŞMAŞ I WĄWÓZ BICAZ

Niewielki masyw gór **Ceahlău** (Munţii Ceahlău), zwanych popularnie Olimpem Mołdawii, to jeden z najpiękniejszych zakątków rumuńskich Karpat Wschodnich. Skalne turnie wyrastające na wysokość 1400 m nad poziomem zaporowego jeziora Izvorul Muntelui (Lacul Izvorul Muntelui; w polskiej literaturze występuje jako jezioro Bicaz) to popularny cel wycieczek. Najbardziej interesujący jest centralny płaskowyż z najwyższymi szczytami: Ocolaşul Mare (1906 m n.p.m.) i Toaca (1900 m n.p.m.).

Ciągnący się na południowy zachód od gór Ceahlău **wąwóz Bicaz** (Bicaz Chei) to prawdziwy cud natury. Wyrzeźbiony przez rzekę kanion, otoczony skalnymi ścianami dochodzącymi do 400 m wysokości, ustępuje pod względem głębokości w Europie tylko francuskiemu wąwozowi Verdon, dlatego chętnie odwiedzają go także miłośnicy wspinaczki. W najwęższym odcinku ledwie mieści się kręta droga i rzeka. Do tej głębokiej studni rzadko zagląda słońce, dzięki czemu w wąwozie panuje niesamowita mroczna atmosfera. Niestety, popularność ma także negatywne konsekwencje w postaci komercjalizacji (niezliczone kramy z pamiątkami). Zwiedzając wąwóz Bicaz – samochodem lub pieszo – warto zadzierać od czasu do czasu głowę do góry, aby nie przegapić wyjątkowo malowniczych samotnych skał. Do najbardziej znanych należy Piatra Altarului z potężnym krzyżem na wierzchołku. Skała została pierwszy raz zdobyta przez Ervina Csallnera i Waldemara Goldschmidta w 1934 r. Na południe od Bicazu wznoszą się góry

Hăşmaş z najwyższym Hăghimaşu Mare (1792 m n.p.m.). Pasmo to znane jest z pięknych form skalnych oraz rozległych widoków. Góry Hăşmaş to rejon dzikszy i bardziej wymagający niż opisywane wcześniej. Na rozległych połoninach tętni pasterskie życie, a turyści pojawiają się tu raczej rzadko.

POŁOŻENIE, BUDOWA GEOLOGICZNA I KLIMAT

Od północnego wschodu masyw Ceahlău jest ograniczony doliną Bistricioary i sztucznym zbiornikiem Bicaz, za którym rozciągają się malownicze góry Stănisoarei. Od południa przepływa rzeka Bicaz, a za nią wznoszą się góry Tarcău. Dolina Bystrej (Bistra Mare) oddziela Ceahlău od zachodu od masywu Giurghiu. Położenie wąwozu Bicaz nastręcza geografom sporo problemów, ale najczęściej przypisuje się go do gór Hăşmaş. Ciągną się one południkowo i przechodzą w pasmo Noşcolat (1491 m n.p.m.). Od wschodu oddzielone są od gór Tarcău doliną rzeki Bicăjel, a ich zachodnią granicę tworzą obniżenia wzdłuż górnego biegu Maruszy (Mureş).

Szczytowe partie gór Ceahlău z charakterystycznymi samotnymi turniami są zbudowane przeważnie ze zlepieńców wapienno-dolomitowych, niżej spotyka się także skały fliszowe. W wąwozie Bicaz przeważają wapienie. Budowa gór Hăşmaş jest nieco bardziej skomplikowana. Składają się z jądra zbudowanego ze skał metamorficznych, które zostały przykryte osadami mezozoicznymi, głównie wapieniami i dolomitami.

Klimat gór Ceahlău zależy od wysokości względnej i położenia geograficznego. Średnia roczna temperatura waha się w przedziale od 7°C do 1°C (od -1°C do -10°C w styczniu, od 23°C do 9°C w lipcu). Deszcz lub śnieg pada średnio aż 280 dni w roku. Na wypłaszczonych grzbietach masywu często wieją bardzo silne wiatry (do 40 m/s).

PRZEWODNIKI I MAPY

Góry Ceahlău nie mogą pochwalić się dużą liczbą opracowań kartograficznych. W 1981 r. rumuńskie wydawnictwo Publiturism wydało mapę *Masivul Ceahlău* w skali 1:50 000, ale zawarte tam informacje praktyczne znacznie straciły na aktualności. W 2002 r. ukazała się doskonała mapa *Masivul Ceahlău* (*Csalhó, Ceahlău Massif*) węgierskiego wydawnictwa Dimap w skali 1:50 000. Główną część masywu przedstawiono dodatkowo w zbliżeniu 1:30 000, a na odwrocie umieszczono mnóstwo przydatnych informacji w trzech językach (angielski, rumuński, węgierski). Od niedawna można też kupić bardzo dokładną mapę okolic wąwozu Bicaz *Zona Lacul Roşu şi Cheile Bicazului* (*A Gyilkos-tó és a Békás-szoros környéke*) w skali 1:15 000, również wydawnictwa Dimap. Publikacja ta przyda się szczególnie amatorom wspinaczki, ponieważ zaznaczono tam 11 najciekawszych dróg z podaniem skali trudności, a także sześć dokładnie rozrysowanych skałoplanów. Niestety, informacje na odwrocie podane są tylko w języku rumuńskim i węgierskim. Pozycja *Munţii Giurgeu şi Hăşmaş* tegoż wydawnictwa w skali 1:60 000 pojawiła się w 2004 r. Mapy wydawnictwa Dimap można kupić m.in. w sieci Sklep Podróżnika.

W GÓRY

Uroki gór Ceahlău odkryto dość wcześnie i już w 1906 r. w miejscu obecnego schroniska *Dochia* powstał pierwszy schron, a w 1914 r. stacja turystyczna z prawdziwego zdarzenia. Masyw pokrywa gęsta sieć szlaków, a baza noclegowa jest bardzo rozbudowana. Aby zwiedzić najciekawsze miejsca gór Ceahlău, wystarczy jeden dzień, drugi można poświęcić na leżakowanie nad Czerwonym Jeziorem. Aby na długo zapamiętać widoki z Bicazu, warto pokonać sześciokilometrowy odcinek do tego niezwykłego akwenu (niestety, droga udo-

Hydroelektrownia na Bystrzycy

W 1960 r. po 10 latach budowy zaczęto napełniać sztuczny zbiornik na Bystrzycy (Bistriţa). Długość akwenu przekracza 20 km, a wysokość betonowej tamy wynosi 80 m. Bezpośrednio za zaporą rzekę ujęto w podziemne sztolnie – na powierzchni zostało niemal całkowicie wyschnięte koryto. Spiętrzenie wody zasila potężną elektrownię wodną: turbiny o mocy 220 MW mogą wytworzyć 500 mln kWh energii rocznie. W późniejszych latach zbudowano kilka mniejszych elektrowni, co na trwałe zmieniło sielski krajobraz doliny Bystrzycy.

W dwudziestoleciu międzywojennym Polska i Rumunia utrzymywały przyjazne stosunki przypieczętowane kilkoma układami o charakterze polityczno-wojskowo-kulturalnym. Po napaści Niemiec, a następnie ZSRR na Polskę w obliczu bezpośredniego zagrożenia ze strony Armii Czerwonej, 17 września 1939 r. prezydent **Ignacy Mościcki** (1867–1946), korpus dyplomatyczny i rząd polski wjechali do Rumunii przez most na Czeremoszu i zostali skierowani do pobliskich Czerniowiec. Wcześniej minister spraw zagranicznych Józef Beck otrzymał od rumuńskiego ambasadora zapewnienie, że król Karol II (1893–1953) ofiaruje prezydentowi i rządowi *l'hospitalité ou droit de passage* („gościnę lub prawo przejazdu"). Wysłane już z Czerniowiec orędzie prezydenta do narodu stało się jednak dla władz rumuńskich pretekstem do internowania Polaków. Jako powód podano naruszenie konwencji haskiej, ale prawdziwą przyczyną były naciski ze strony Niemiec, ZSRR i prawdopodobnie również Francji. W grudniu 1939 r. Ignacy Mościcki wyemigrował do Szwajcarii, gdzie oddał się pracy naukowej.

stępniona jest także dla samochodów ciężarowych). Na pobieżne poznanie gór Hăşmaş wystarczy jeden dzień. Opisywane grupy górskie można dość dokładnie zwiedzić w ciągu tygodniowej wędrówki.

Rejon gór Ceahlău otoczony jest opieką **pogotowia górskiego** Salvamont, którego główna siedziba znajduje się w Piatra Neamţ (str. Alexandru cel Bun 27; ☎0233/ 212890, fax 236290, mrcneamt@ambra. ro, www.salvamont.ceahlau.ro). Stała baza ratowników funkcjonuje przy schronisku *Dochia* – w razie potrzeby należy dzwonić na jeden z trzech numerów: ☎0788/615 490 – baza ratowników; ☎0744/579068 – dowódca oddziału ratowniczego; ☎0722/ 235503 – schronisko. Placówki Salvamontu można także znaleźć przy schronisku *Izvoru Muntelui* i *Durău*.

Cały opisywany teren objęty jest ochroną w dwóch parkach narodowych. Rejon gór Ceahlău zamknięto w **Parku Narodowym Gór Ceahlău** (Parcul Naţional Ceahlău; wstęp 2,50 €), dlatego na obszarze 5800 ha obowiązują zaostrzone przepisy dotyczące wędrówki czy biwakowania. Warto o tym pamiętać, ponieważ widok pracowników parku wcale nie jest rzadki. Niedawno utworzono **Park Narodowy Wąwozu Bicaz i Gór Hăşmaş** (*Parcul Naţional Cheile Bicazului-Hăşmaş*), ale fakt ten nie utrudnia na razie życia turystom. Na powierzchni 6937 ha ochrania się obok wspaniałych form skalnych także niezwykle cenną szatę roślinną.

Wybierając się na szlak podczas weekendu, trzeba się liczyć z tłumami spragnionych odpoczynku wczasowiczów. Trasy są na tyle łatwe, że można je polecić także rodzinom z małymi dziećmi. Większość jest dostępna cały rok, ale zimowe wędrówki wymagają doświadczenia gór-

skiego i podstawowego sprzętu (niezbędne minimum to raki i czekan).

Dojazd i noclegi

Komunikacja w górach Ceahlău nie funkcjonuje zbyt sprawnie. Lokalnymi środkami lokomocji można dostać się do miejscowości na obrzeżach regionu: Bicazu i Gheorgheni, a do wioski Ceahlău najłatwiej dojechać autostopem (ruch samochodowy jest na tyle intensywny, że ze złapaniem okazji nie ma problemu). Wędrówkę po masywie można zacząć od południa lub północy. Podróżując od strony Vatra Dornei (zob. s. 224) lub Târgu Neamţ (zob. s. 228), dojeżdża się do wioski **Ceahlău** położonej nad brzegami jeziora Bicaz. Stąd pozostaje jeszcze około 6–7 km do dużego kurortu **Durău**, doskonałej bazy wypadowej na wycieczki. Zarówno na trasie Ceahlău–Durău, jak i w samym kurorcie nie brak obiektów noclegowych. Pensjonat *Turism Montan Ceahlău**** (2 km za Ceahlău w stronę Durău; od 20 €/os.) dysponuje kilkunastoma miejscami; kilkaset metrów dalej zaprasza pensjonat *Loly* (10 miejsc; 10 €/os.) i **motel** *Orchidea* (30 miejsc plus 10 w domkach kempingowych, możliwość rozbicia namiotu). Po drodze mija się kolejne dwa motele: *Colţ de Rai* (8 miejsc) i *Stamachiş* (tylko 4 miejsca plus 4 w drewnianych domkach). W Durău znajdą coś dla siebie zarówno turyści bardziej wymagający (hotele *Brânduşa*, *Bistriţa* i *Bradul* dysponują łącznie 237 miejscami, w kilkunastu willach jest ponad 200 łóżek), jak i oszczędni globtroterzy. Ci ostatni mogą skorzystać z ofert agroturystycznych, domków kempingowych lub kilku prywatnych pól namiotowych. Za miejscowością przy szlaku oznakowanym czerwonymi paskami, na wysokości 1220 m n.p.m., wznosi się **schronisko** *Fântâle* z 11 pokojami i 4 drewnianymi bungalowami (☎0744/186360; 3–4 €/os., w bungalowie 3 €, te ostatnie czynne tylko latem).

Turyści podróżujący od południa przez miasteczko Bicaz mogą zatrzymać się w nim na chwilę, aby zwiedzić pałacyk myśliwski króla Karola II, gdzie od 19 września do 4 listopada 1939 r. był internowany prezydent Ignacy Mościcki (zob. ramka). Przypomina o tym niewielka marmurowa tabliczka w języku polskim i rumuńskim.

Z Bicaz dojeżdża się do niewielkiego **kompleksu turystycznego** *Izvoru Muntelui* ze schroniskiem o tej samej nazwie (☎0233/234269, 0745/648584; 48 miejsc, latem dodatkowo 20 miejsc w drewnianych domkach; 3,50 €/os.). W pobliżu są ponadto trzy motele i pensjonaty (łącznie ponad 50 miejsc; 8–17 €/os.). Schronisko *Izvoru Muntelui* to doskonały punkt startu do zwiedzania gór Ceahlău od południa.

Nad **Czerwonym Jeziorem** (Lacul Roşu) leży miejscowość **Lacul Roşu** – gwarne skupisko pensjonatów, parkingów, restauracji, kramów z pamiątkami i kiosków z przekąskami. Smaczny i nie najdroższy obiad można zjeść w restauracji *Florea de colţ* lub *Lacul Roşu* (drugie danie 4 €) w pobliżu niewielkiej Piaţa Piac z pocztą i parkingiem. Wzdłuż trzykilometrowego odcinka drogi jest co najmniej 10 miejsc oferujących noclegi (przy pensjonatach *Bucar* i *Univers* można rozbić namiot). Jeśli ktoś chciałby zaznać trochę spokoju, a przy okazji zaoszczędzić, powinien się udać do oddalonego o niespełna 1,5 km od jeziora **schroniska** *Suhard* (55 miejsc, w budynku 4 €/os.; domki kempingowe 3,50 €/os.; możliwość rozbicia namiotu 2 €/os.) z sympatyczną i niedrogą restauracją (piwo Ursus 0,40 €). W rejon Czerwonego Jeziora można dotrzeć od zachodu (z Gheorgheni; zob. s. 371) oraz od wschodu (z Bicazu). W górach Hăşmaş funkcjonuje tylko jedno skromne schronisko **Cabana Piatra Singuraticâ**

(warunki jak w chatce studenckiej; cena symboliczna: 0,80 €/os.), ale za to pięknie położone u podnóża trójwierzchołkowej skały Piatra Singuraticâ (Samotna Skała). Woda znajduje się w źródle przy szlaku czerwonym.

Propozycje tras

Góry Ceahlău zasługują na miano rodzinnych lub weekendowych. Trasy są bardzo dobrze oznakowane, należy jednak pamiętać, że symbole szlaków różnią się od stosowanych w Polsce (zob. s. 378).

Trasa 1

Bicaz → kompleks turystyczny *Izvoru Muntelui* → płaskowyż Ocolaşul Mic → schronisko *Dochia* → Toaca → schronisko *Dochia* → Bicazu Ardelean → Bicaz Chei (wąwóz Bicaz) → Lacul Roşu

Przejście tej trasy powinno zająć 2 dni. Propozycja jest przeznaczona dla turystów wędrujących z plecakami. Kto nie ma ochoty na nocleg w górach, może przejść tylko odcinek przeznaczony na pierwszy dzień wędrówki. Należy pamiętać, że na znacznej części głównego płaskowyżu utworzono zamknięty dla turystów ścisły rezerwat, chroniący skały i rzadkie rośliny, m.in. stanowiska szarotki alpejskiej, przylaszczki i gnidosza. Chroniony obszar rozpoczyna się niedaleko Toacy i obejmuje skały Cabanului, centralną kulminację Bâtca lui Ghedeon (1845 m n.p.m.) oraz najwyższy szczyt masywu Ocolaşul Mare do wysokości 1650 m n.p.m.

Pierwszy dzień: Bicaz → kompleks turystyczny *Izvoru Muntelui* → płaskowyż Ocolaşul Mic → schronisko *Dochia* → Toaca → schronisko *Dochia*
Czerwone paski, niebieskie krzyże: 8 godz.

Początkowo trasa biegnie drogą 155F z Bicazu na północ w stronę wsi Izvoru Muntelui. Po 4 km od głównego skrzyżowania dochodzi się do rozwidlenia dróg. Trasa prowadzi na zachód (droga w przeciwną stronę wiedzie do zapory – zob.

Czerwone Jezioro

W 1837 r. koryto rzeki Bicaz i potoku Suhard zostało zatarasowane przez osuwisko z pobliskiego zbocza. W ten sposób powstało niezwykłej urody jezioro, którego nazwa pochodzi od czerwonej barwy skał odbijających się w tafli wody. Czerwone Jezioro jest największym w Karpatach zbiornikiem o genezie osuwiskowej. Leży na wysokości 983 m n.p.m., jego powierzchnia wynosi 12 ha, a głębokość dochodzi do 15 m. Pamiątką po geologicznej katastrofie są wystające z toni kikuty zatopionych sosen. Można je obejrzeć z bliska podczas przejażdżki łódką (5 €/godz.).

Po zwycięstwie nad Dakami i samobójczej śmierci Decebala cesarz Trajan zapragnął poślubić piękną córkę nieżyjącego już rywala – Dochię. Ta jednak schroniła się w górach Ceahlău, gdzie zamieszkiwał dacki bóg Zamolkses, aby wieść spokojny żywot pasterki. Niestety, pościg Trajana dopadł Dochię w jej kryjówce. Zrozpaczona dziewczyna poprosiła boga, aby zamienił ją w skałę. Dziś można oglądać piękną Stânca Dochia (dojście od schroniska *Dochia* szlakiem niebieskiego trójkąta; 1100 m różnicy wzniesień), spod której wypływa obfite źródło – łzy nieszczęśliwej córki ostatniego króla Daków.

ramka s. 399) wśród zabudowań wsi **Izvoru Muntelui**. Około 7 km dalej jest schronisko o tej samej nazwie. Teoretycznie można tu dojechać autobusem, ale ponieważ kursują bardzo rzadko, lepiej liczyć na autostop lub własne nogi.

Od schroniska *Izvoru Muntelui* do schroniska *Dochia* idzie się prawie 4 godz., pokonując przy tym 1000 m różnicy wzniesień. Początkowo droga prowadzi przez las za czerwonymi paskami do polany Maicilor, doskonałego miejsca na drugie śniadanie (w pobliżu źródełko). Dalej oznakowana niebieskimi krzyżami ścieżka (dochodząca z południa od wioski Neagra) wspina się dość stromo na **płaskowyż Ocolaşul Mic**. Szlak zostawia z tyłu kulminację Turnul lui Budu (1728 m n.p.m.) i wkracza w rejon wyróżniający się pięknymi formacjami skalnymi. Po zachodniej (lewej) stronie mija się najwyższy szczyt gór Ceahlău – **Ocolaşul Mare** (1907 m n.p.m.; nieudostępniony turystom) i dochodzi do **schroniska Dochia** (1,5 godz. od polany Maicilor; latem 100 miejsc, zimą 70; ☎0722/235503, 0723/469271; 3,50 €/os.), którego nazwa pochodzi od imienia legendarnej córki wodza Daków Decebala (zob. ramka).

Schronisko wznosi się na głównym grzbiecie na wysokości 1790 m n.p.m. 300 m na południe od budynku powstało skromne pole namiotowe z dwoma metalowymi stołami i ławkami oraz drewnianym szaletem. Aby się umyć, należy podejść do strumyka ujętego obok schroniska w specjalne korytko.

Nieopodal, po drugiej stronie grzbietu stoi drewniana cerkiew uwieczniana na większości zdjęć z regionu. Świątynię ufundował na początku lat 90. XX w. bogaty Szwajcar rumuńskiego pochodzenia, a przy jej budowie trzeba było korzystać ze śmigłowca. Jak informuje tablica pamiątkowa, konsekracji dokonał 28 lipca 1993 r. metropolita Mołdawii i Bukowiny Daniel.

Dla turystów planujących nocleg w górach, zatrzymanie się w *Dochii* będzie naj-lepszym rozwiązaniem. Można tu zostawić bagaże i bez obciążenia wyruszyć na oddaloną o prawie 2 km na północ **Toacę** (1900 m n.p.m.). Szlak oznakowany czerwonymi paskami mija po prawej obserwatorium meteorologiczne. Na wierzchołek prowadzi około 410 zniszczonych drewnianych schodków, które bardziej utrudniają niż ułatwiają wspinaczkę (najlepiej popatrzeć, którą drogę wybierają turyści, i pójść za nimi). Na szczycie można podziwiać tablicę umieszczoną tam w czasach Ceauşescu, informującą, że okolica to *zona libera comunisme* (strefa wolna od komunizmu).

W sezonie wakacyjnym wspinaczka na Toacę nasuwa nieodparte skojarzenia z próbą wejścia na Giewont. Warto się jednak przemóc, bo widok na jezioro Bicaz i otaczające je góry nie ma sobie równych. Szlak trawersuje szczyt od strony wschodniej i prowadzi do schroniska *Fântâle* w pobliżu ośrodka turystycznego *Durău* od schroniska *Dochia* 1 godz. 15 min.).

Komu zostało trochę siły, powinien wybrać się jeszcze na godzinny spacer do **wodospadu Duruitoarea** (od schroniska czerwone krzyże, później wspólnie z niebieskimi krzyżami) jednego z najwyższych w rumuńskich Karpatach (woda spada dwustopniowo z wysokości prawie 30 m). Oba szlaki biegną dalej do *Durău* (ok. 3 godz.).

Drugi dzień: schronisko *Dochia* → Bicazu Ardelean → wąwóz Bicaz → Lacul Roşu
Niebieskie paski: 7 godz.

Początkowy odcinek wiedzie wśród wspaniałych formacji skalnych. Następnie ścieżka zagłębia się w las i rozpoczyna się długie (ok. 5 godz.) zejście do doliny. Pierwszym większym przysiółkiem jest Telec (w centrum stale otwarty sklepik). Znaki kończą się w wiosce **Bicazu Ardelean**, gdzie warto zwiedzić drewnianą cerkiew św. Demetriusza z końca XVII w. (na niewielkim wzniesieniu w północno-zachodniej części osady).

Bicazu Ardelean leży przy drodze 12C wiodącej od Bicazu w stronę Gheorgheni. Do Czerwonego Jeziora jest stąd ponad 10 km, dlatego warto złapać autostop lub przy odrobinie szczęścia autobus kursowy, aby podjechać nim przynajmniej 4 km do wylotu **wąwozu Bicaz** (Bicaz Chei; łatwo go rozpoznać po kramach z pamiątkami). Kolejne 6 km drogi obfituje w piękne widoki i szkoda byłoby je przeoczyć, jadąc samochodem. Wśród formacji skalnych wyróżnia się **Piatra Altarului** (1147 m n.p.m.) z potężnym krzyżem na wierzchołku.

Kto nie chce przepłacać za nocleg, powinien wybrać się do schroniska *Suhard* oddalonego o niecałe 2 km na północ od centrum miejscowości – od dużego parkingu prowadzi do niego szlak oznakowany niebieskimi trójkątami. W razie problemów należy poprosić o wskazanie drogi do pensjonatu *Bicaz* lub *Bucur* usytuowanych przy drodze do schroniska.

Trasa 2
Durău → schronisko Fântânele → Piatra Lată → Toaca

Oznakowany czerwonymi paskami szlak podejściowy z letniskowej miejscowości Durău na główny grzbiet masywu to trasa w sam raz dla turystów rozpoczynających przygodę z górami Ceahlău od północy. Z Durău prowadzą na główny grzbiet aż trzy szlaki – poniżej opisano najbardziej atrakcyjny biegnący przez drugi co do wysokości szczyt pasma – Toacę.

Wycieczka rozpoczyna się w centrum Durău obok stacji Salvamontu za hotelem *Bistriţa*. Po mniej więcej 500 m polna dróżka przecina asfaltową drogę i zaczyna piąć się w górę aż na wysokość 1250 m n.p.m. gdzie znajduje się **schronisko Fântânele**. Warto nabrać wody w pobliskim źródełku, ponieważ do samego grzbietu takiej okazji już nie będzie. Szlak wiedzie dalej doliną i około 1,5 km dalej zaczyna się wznosić w otoczeniu kilku ładnych formacji skalnych na dominujący w krajobrazie szczyt **Piatra Lată** (1737 m n.p.m.) z odsłoniętą na południe ścianą. Zaraz za kulminacją szlak opada na przełęcz Muntelui (Şaua Muntelui) skąd doskonale widać **Toacę** (1900 m n.p.m.). Pół godziny później osiąga się szczyt, a dalszą wędrówkę można dowolnie modyfikować, np. według opisu trasy 1.

Trasa 3
Schronisko Suhard → Suhardul Mic → schronisko Suhard

Ta krótka trasa, oznakowana niebieskimi trójkątami (1 godz. w obie strony) może być ciekawym uzupełnieniem wyjazdu autokarowego lub rodzinnego wypadu.

Po drodze można podziwiać wysiłki alpinistów wspinających się południową ścianą **Suhardul Mic** (1345 m n.p.m.). Szczyt słynie z fantastycznej panoramy: ze skalnego urwiska roztacza się widok na Czerwone Jezioro, od którego na północ i południe ciągną się góry Hăşmaş. Z punktu widokowego można podziwiać panoramę gór Ceahlău. Powrót do schroniska tą samą drogą.

Trasa 4
Bălan → Piatra Singuratică → trawers Hăghimaşu Mare → Poiana Albă → dolina Pârâul Oilor → jezioro Bicaz

Niezwykle urokliwe jednodniowe przejście grzbietu gór Hăşmaş łączące miasteczko Bălan z jeziorem Bicaz. Należy uważać na nieodnawiane od dawna znaki. Czas przejścia: około 6–7 godz.

Do przemysłowego miasteczka **Bălan**, w którego krajobrazie dominują upadające fabryki i kopalnie, dotrzeć można kilkoma autobusami dziennie z miejscowości Sândominic. Szlak oznaczony niebieskim paskiem zaczyna się obok kościoła w centrum miejscowości. Początkowo prowadzi na wschód str. Pârâul Fierarului aż do niewielkiej polany przy ostatnich zabudowaniach, gdzie znajdują się ławki i panel informacyjny parku narodowego. Szlak wznosi się obok panelu i wchodzi w las. Po 20 min wspinaczki grzbietem po prawej stronie widać Vf. Ascuţit (Ostry Szczyt; 1707 m n.p.m.). Po przekroczeniu błotnistego potoku dochodzi się do źródła pod skałą (świetne miejsce na krótki odpoczynek). Odtąd szlak prowadzi trawersem. Po osiągnięciu polany trzeba się przygotować na bardzo strome podejście do schroniska na **Piatra Singuratică** (z lewej dołącza dawno nieodnawiany szlak czerwonego trójkąta z górnej części Bălan). Ta część wyprawy zajmuje mniej więcej 1,5 godz.

Obszedłszy skałę od północy (parę metrów poniżej źródło z pitną wodą), wychodzi się na rozległą polanę z szałasem. Teraz idzie się na północ, podchodzi lewą (zachodnią) stroną hali, a po przejściu przez świerkowy las osiąga się skraj wspaniałej polany. Brakuje tu znaków: należy kierować się wydeptaną w gęstej trawie ścieżką w kierunku widocznych skałek (kierunek północny zachód).

Tu zaczyna się trawers obchodzący szczyt **Hăghimaşu Mare** (1792 m n.p.m.) od wschodu. Warto nań podejść dla pięknej, dookolnej panoramy, zbaczając ze ścieżki w lewo i lawirując pomiędzy dorodnymi jałowcami (15 min).

Po dotarciu do rozległej polany **Poiana Albă** trzeba iść w kierunku widocznego na północnym zachodzie szałasu (uwaga na psy!). Z siodła polany strzałka widoczna na samotnym świerku kieruje w prawo. Następnie przechodzi się obok stawów pełniących funkcję wodopoju i idzie w kierunku północno-wschodnim do źródła, a potem wzdłuż ogrodzenia szałasu na północ do drogowskazów, umieszczonych na jedynym na grzbiecie, uschniętym drzewie. W lewo biegnie słabo utrzymany szlak na przełęcz Pângătaţi, oznaczony czerwonym paskiem.

Teraz trzeba zejść do widocznego na skraju błotnistej polany szałasu (północny zachód), a stąd na dół do drogi, którą trawersuje się Piatra Potoavei. Droga dotarłszy do bocznego grzbietu, gwałtownie skręca w lewo i sprowadza do **doliny Potoku Owczego** (Pârâul Oilor). Do południowego brzegu Lacul Roşu pozostała jeszcze godzina wędrówki.

GÓRY CIUCAŞ

Leżące w Karpatach Zakrętu (*Carpaţii Curburi*, południowo-wschodnia część Karpat Wschodnich) góry Ciucaş to jeden z najbardziej malowniczych zakątków Rumunii. Okoliczne góry uchodzą za bardzo dzikie, szlaków turystycznych jest niewiele, a ich jakość pozostawia sporo do życzenia. Być może dlatego, a także ze względu na znaczną odległość od Polski są raczej rzadko odwiedzane przez naszych turystów. Masyw Ciucaş jest wyjątkiem w tej części Karpat dzięki gęstej sieci dobrze wyznakowanych szlaków, ktora pozwala na dokładne poznanie gór w ciągu kilku wycieczek. Z racji położenia blisko Bukaresztu i Braszowa – największych miast kraju – ruch turystyczny jest spory i skupia się głównie w turystycznej miejscowości Cheia w dolinie rzeki Teleajen. Ciucaş słynie z rozległych panoram oraz ogromnych formacji skalnych w górnych partiach masywu, którym wyobraźnia ludzka nadała dość niezwykłe nazwy, np. Goliat, Plotkujące Baby czy Diabelska Ręka.

POŁOŻENIE, BUDOWA GEOLOGICZNA

Masyw Ciucaş rozciąga się na powierzchni około 200 km^2 pomiędzy przełęczami Bratocea (1263 m n.p.m.) na zachodzie a Bon-

cuţa (1078 m n.p.m.) na wschodzie. Najwyższa w Karpatach Zakrętu grupa górska odznacza się wysokością i formami rzeźby od otaczających ją masywów: Grohotiş w górach Baiului na zachodzie i Tătaru na wschodzie (część gór Siriu). Najwyższym szczytem Ciucaş jest Vf. Ciucaş (1954 m n.p.m.). Powyżej górnej granicy lasu występują tu malownicze formacje skalne w kształcie głów cukru, zbudowane z szarego zlepieńca, wewnątrz którego dają się zauważyć otoczaki. Wspaniałe turnie urozmaicają krajobraz zielonych hal i nadają górom bajkowy wygląd.

W GÓRY

Główną bazą wypadową jest miejscowość Cheia leżąca przy drodze DN1A Braszów–Ploeszti po stronie wołoskiej. Kursuje tędy kilka autobusów dziennie, w sezonie również busy. Spośród bogatej bazy noclegowej warto polecić hotele: *Cheia**** (☎0244/294331, fax 294300, www.nicoltana.ro; pokój 2-os. 27 €, 4-os. 42 €) i *Zăganu*** (☎0244/294294, fax 294300, www.nicoltana.ro; pokój 2-os. 27 €, apartament 44 €). Uwaga! Zaznaczane nawet na nowych mapach schronisko Ciucaş pod Muntele Chiruşca od kilku lat nie funkcjonuje, budynek zaś chyli się ku ruinie.

Mapę wydawnictwa Dimap *Piatra Craiului, Bucegi, Postăvarul, Piatra Mare Ciucaş* w skali 1:70 000 z 2003 r. można kupić w księgarniach Sklepu Podróżnika. Dokładniejsze, choć starsze pozycje znajdują się w Internecie, np. na www.carpati.ro.

Trasa 1

Przełęcz Bratocea → Culmea Bratocea → przełęcz Şaua Tigăilor → Vf. Ciucaş → Tigăile Mari → Pârâul Berii → Podul Berii

Piękna, jednodniowa wycieczka zapoznająca z urokami najwyższej części gór Ciucaş. Trasa prowadzi wśród ciekawych formacji skalnych na najwyższy szczyt masywu. Dobre znakowanie: początkowo szlak czerwonego paska do dawnego schroniska Ciucaş, potem niebieski krzyżyk. Możliwa kombinacja z trasą 2. Czas przejścia: 6 godz.

Autobusem lub autostopem trzeba dotrzeć na **przełęcz** (1263 m n.p.m.). Droga idąca na wschód prowadzi do nadajnika. Po kilkudziesięciu metrach znaki czerwonego paska skręcają w lewo i przez las ścinają zakręt drogi. Wychodzi się na rozległą polanę z szałasem po prawej i idzie w kierunku trawiastego grzbietu, gdzie napotyka się drogę. Na niej trzeba skręcić w pra-

wo (na wschód) i kierować się na widoczny maszt oraz imponującą skałę Sfinxul Bratocei ponad nadajnikiem. Po przekroczeniu mostku należy opuścić drogę i rozpocząć mozolną wspinaczkę łąką. Po przecięciu drogi dociera się do masztu, a po chwili pod skalną bramę, która wyprowadza (bardzo stromo) na porośnięty jałowcem grzbiet **Culmea Bratocea**.
Dalsza trasa biegnie grzbietem w kierunku północno-wschodnim. Szlak trawersuje grzbiet początkowo od północy (ładny widok na odosobnione stoliwo Vf. Tesla; 1613 m n.p.m.), później od południa. Po 2 godz. wędrówki od przełęczy Bratocea dociera się do **przełęczy Şaua Tigăilor** (1745 m n.p.m.), skąd roztacza się panorama najwyższego szczytu pasma, dzikich turni Tigăile Mari i skały Goliat. Odchodzi stąd znakowany czerwonym krzyżem wariant szlaku doprowadzający malowniczym trawersem do budynku nieczynnego schroniska. Z przełęczy znowu wspinaczka stromymi łąkami na panoramiczny szczyt **Vf. Ciucaş** (40 min). Szlak kieruje się następnie na południe. Schodząc stromo po wschodniej stronie grani mija się sylwetki Plotkujących Bab (*Babele la Sfat*) i wkracza w nieprzyjemny wąwóz na trawersie szczytu **Tigăile Mari**. Po 30 min od Vf. Ciucaş dociera się do łagodnej połoniny Chiruşca z wodopojem dla bydła. Niedaleko stąd do zrujnowanego schroniska. Przy nim należy opuścić dotychczasowy szlak i wejść na znakowaną niebieskim krzyżykiem i żółtym paskiem ścieżkę. Najpierw łąkami, a potem bardzo stromą drogą trzeba zejść do doliny **Pârâul Berii** (Piwny Potok). Po kilkunastu minutach marszu suchym zazwyczaj korytem dociera się do źródła „Nicolae Ioan". Nazwa upamiętnia działacza przedwojennej organizacji turystycznej România Pitorească, który zasłużył się w zagospodarowaniu masywu Ciucaş. Szlak żółtego paska (trasa 2) opuszcza po chwili dno doliny i wznosi się łagodnie do schroniska *Muntele Roşu*. Do drogi została jeszcze godzina marszu. U wylotu doliny mija się stawy rybne. Po dotarciu do drogi, do centrum wsi Cheie pozostaje jeszcze 6 km (można dojechać autostopem lub przejść na piechotę).

Trasa 2
Cheia → schronisko *Muntele Roşu* → Pârâul Berii → dawne schronisko *Ciucaş*
Krótki szlak dojściowy do trasy 1 pozwalający na bezpośrednie dojście z centrum wsi Cheia.
Znaki żółtego paska. Czas przejścia: 3 godz.
Szlak zaczyna się w północnej części miejscowości i po przekroczeniu głównej drogi

DN1A wspina się, ścinając serpentyny zmodernizowanej drogi dojazdowej do **schroniska *Muntele Roşu*** (1281 m n.p.m.). Obiekt dzięki ułatwionemu dojazdowi (samochodem) zmienił się w popularny wśród niedzielnych turystów hotel (**; ☎0244/294141), z huczącą w weekendy dyskoteką. Lepiej więc zatrzymać się w schronisku *Silva* z domkami kempingowymi (trochę wyżej, obok stacji pomiarów sejsmiki; 10 €/2 os.). Szlak schodzi spod schroniska łagodnie do doliny **Pârâul Berii**, gdzie spotyka się z trasą 1 niedaleko źródła „Nicolae Ioan". Razem ze znakami niebieskiego krzyża idzie się odtąd doliną, a następnie stromą, zniszczoną drogą dociera w 30 min do budynku schroniska.

GÓRY BUCEGI

Na południu Wyżyny Transylwańskiej wznosi się zwarty łańcuch przepięknych gór Bucegi (Munţii Bucegi) wyznaczających wschodnią granicę Karpat Południowych. Mają one charakterystyczną formę płaskowyżu o trzech grzbietach opadających w kierunku południowym. Z przecinających je dolin najgłębszą wyżłobiła rzeka Jałomica (Ialomiţa). Najwyższe szczyty liczą ponad 2000 m n.p.m., w układzie południkowym masyw ma 25 km długości, a w równoleżnikowym nie przekracza 15 km. Najbardziej charakterystyczną cechą gór Bucegi są wapienne urwiska osiągające 1500 m wysokości względnej. Z tego powodu górna granica lasu jest obniżona do poziomu 1400–1500 m n.p.m. Na osobach przybywających tu po raz pierwszy góry wywierają piorunujące wrażenie: sielankowe łąki, niespotykane na takich wysokościach, niemal w każdym kierunku opadają potężnymi zerwami.
Zasadnicza część masywu ma kształt podkowy otwierającej się w kierunku południowym. W centralnej części wznosi się najwyższy szczyt Omul (2507 m n.p.m.), od którego odchodzi kilka niewiele niższych grzbietów. Na północny wschód ciągnie się piękna skalista grań Bucşoiula (2492 m n.p.m.) prowadząca do przełęczy Pichetul Roşu. Grzbiet Scary (2422 m n.p.m.) na zachód od Omula rozdziela się na masywy Pântacele (1705 m n.p.m.) i Ţigăneşti (2019 m n.p.m.). Główna grań z wieloma szlakami biegnie od Omula w dwóch kierunkach, na południowy zachód i południowy wschód. Od szczytu Babele (2292 m n.p.m.) wznoszącego się

na południe od Omula odchodzą dwa równoległe ramiona rozdzielone doliną Izvorul Dorului, tworzące najważniejszą część płaskowyżu (szczególną malowniczością wyróżnia się jego wschodnia krawędź). Coştila (2490 m n.p.m.), Caraiman (2284 m n.p.m.), Jepi Mari (2071 m n.p.m.), Furnica (2103 m n.p.m.) i Vârful cu Dor (2030 m n.p.m.) opadają ku dolinie Prahovy stromymi ścianami przywodzącymi na myśl krajobrazy alpejskie. Z tego powodu Bucegi stały się centrum rumuńskiego alpinizmu. W okolicy wytyczono kilkaset **dróg wspinaczkowych** o różnej skali trudności. Miłośnicy wspinaczki zatrzymują się najczęściej w schronisku *Camin Alpin*, skąd łatwo dotrzeć do niezagospodarowanych schronów turystycznych *Coştila* i *Schiara* pod najbardziej eksponowanymi ścianami (Caraiman, Coştila i Moraru). Wiele przydatnych informacji o wspinaczce można znaleźć na stronie internetowej www.romaniaclimbing.ro.

W centrum masywu leży niezwykle ciekawa polodowcowa **dolina Ialomiţa**, wcinająca się weń poniżej 1500 m n.p.m. Płynie nią rzeka o tej samej nazwie, której źródła tryskają na południowych stokach Omula. Początkowa część doliny to wapienny kocioł wciśnięty między dwie skały: Doamnele na zachodzie i Obârşiei na wschodzie, kończący się progiem z kaskadą. Na dalszym odcinku rzeka płynie skalnym wąwozem i wpada do sztucznego zbiornika Balboci (Lacul Balboci) z niewielką hydroelektrownią. W środkowej części doliny na wysokości około 1600 m n.p.m. są dwa ciekawe miejsca – **pustelnia Peştera** (w zasadzie jest to klasztor) oraz **jaskinia Ialomiţei**. Obie atrakcje leżą w łatwo dostępnej okolicy z kompleksem turystycznym, nad którym dominuje betonowy hotel *Peştera*.

POŁOŻENIE, BUDOWA GEOLOGICZNA I KLIMAT

Góry Bucegi są częścią Karpat Południowych (Carpaţii Meridionali), ze względu na położenie i budowę określanych czasie jako **Alpy Transylwańskie** (Alpi Transilvanici). Na północnym wschodzie pasmo łączy się poprzez przełęcz Pichetul Roşu z niewielkim masywem Dihamu (1582 m n.p.m.), na południu opiera się o źródła rzeki Izvorului i liczne dopływy Jałomicy. Najwyraźniejsza jest granica wschodnia, którą stanowi dolina Prahovy (za nią rozciągają się góry Baiului). Na południowym zachodzie Bucegi stykają się z mało znanym i uczęszczanym pasmem

Leoata, a na północnym zachodzie stoki masywu opadają ku miasteczku Bran (zob. s. 336). Leży ono w północnej części obniżenia znanego pod nazwą Kuluaru Rucăr-Bran – na zachód od niego ciągnie się skalisty grzbiet Piatra Craiului.

Góry Bucegi zbudowane są w przeważającej części z wapiennych zlepieńców, gdzieniegdzie występują również piaskowce. Mróz, woda i wiatr wyrzeźbiły w miękich skałach fantastyczne twory, m.in. Sfinksa (Sfinxul).

Góry Bucegi mają typowo wysokogórski klimat ze średnią roczną temperaturą 3°C. Połacie śniegu zalegają tu do końca czerwca, który jest również najbardziej deszczowym miesiącem. Niektóre szlaki, zwłaszcza podejścia od strony Sinai i Buşteni, są dostępne tylko latem.

PRZEWODNIKI I MAPY

Ogromna popularność masywu nie przekłada się na liczbę publikacji o nim, co dotyczy także map. Co prawda w 1974 r. ukazał się w Bukareszcie przewodnik V. Velcea *Bucegi*, ale dziś jest on niemal nieosiągalny. Dobrą, ale trudno dostępną mapą jest wydana przez rumuński Publiturism w 1984 r. *Munţii Bucegi şi împrejurimi* w skali 1:75 000, warto także poszukać mapy *Munţii Bucegi* z 1992 r. (wydawnictwo Abeona) w skali 1:45 000 (na odwrocie tej ostatniej umieszczono opisy szlaków, niestety, tylko w języku rumuńskim). Do nowszych pozycji należą: opracowana przez Octaviana Arsene'a *Munţii Bucegi* w skali 1:53 000 (wydana w 1999 r. przez Bel Alpin Tour) oraz mapa V. Margarit w skali 1:80 000. Dostępna w Polsce publikacja węgierskiego wydawnictwa Dimap *Piatra Craiului, Bucegi, Postăvarul, Piatra Mare Ciucaş* w skali 1:70 000 z 2003 r. może pełnić funkcję mapy poglądowej całego regionu, bo oprócz gór Bucegi obejmuje okoliczne masywy (niestety, pominięto kilka ważnych szczytów). Zaznaczono na niej wszystkie szlaki, a na odwrocie umieszczono lakoniczny opis poszczególnych tras, za to w czterech językach (rumuński, węgierski, angielski i niemiecki). Wiele punktów w Sinai i Buşteni (hotele, biura informacji turystycznej, kasy biletowe kolejek i muzeów) sprzedaje lub rozprowadza bezpłatnie mapy poglądowe masywu, wydawnictwa te mogą jednak służyć wyłącznie jako miła pamiątka. Na szczęście orientacja w górach Bucegi nie sprawia kłopotu, szlaki są dobrze oznakowane, a dodatkową pomocą służą tablice informacyjne.

Schroniska w górach Bucegi

Część schronisk w górach Bucegi przekształciła się w eleganckie (i drogie!) motele, ale niektóre zachowały górską atmosferę i przyjazne ceny (4–5 €/os.). W niektórych schroniskach używa się gazu – w czym nie byłoby nic dziwnego, gdyby nie fakt, że do wysoko położonych obiektów (np. *cabany* pod Omulem na wysokości 2507 m n.p.m.) dostarcza się go z dolin systemem stalowych rurek. Schroniska są łatwo dostępne; do niektórych można dojechać samochodem.

Babele (2200 m n.p.m.), ☎0244/314415, 125 miejsc; restauracja na 70 osób; z Buszteni szlak niebieskiego krzyża, przy stacji kolejki linowej; możliwy dojazd samochodem.

Bolboci (1460 m n.p.m.), ☎0245/772204; 60 miejsc latem i 20 zimą; restauracja na 60 osób; nad brzegiem jeziora Bolboci; możliwy dojazd samochodem.

Căminul Alpin (950 m n.p.m.), ☎0244/320167, 100 miejsc; restauracja na 140 osób; centrum alpinistyczne w górach Bucegi, na obrzeżach Buszteni; bez szlaku, możliwy dojazd samochodem.

Caraiman (2025 m n.p.m.), 40 miejsc; restauracja na 30 osób; przy trudnym szlaku niebieskiego krzyża prowadzącym z Buszteni na główny grzbiet; możliwy wjazd w pobliże kolejką linową.

Mioriţa (1990 m n.p.m.), ☎0244/311551, 64 miejsca; restauracja na 120 osób; w pobliżu szlaku czerwonego paska prowadzącego z Sinai na główny grzbiet; możliwy wjazd kolejką linową.

Omul (2507 m n.p.m.), 28 miejsc; bufet; nieczynne w zimie, możliwy nocleg w pobliskiej stacji meteorologicznej; kilka szlaków.

Padina (1525 m n.p.m.), ☎0244/314331, 120 miejsc latem i 60 zimą; kilka szlaków, możliwy dojazd samochodem.

Piatra Arsă (1950 m n.p.m.), ☎0244/311911, duży kompleks sportowy, 90 miejsc; restauracja na 100 osób, nowy hotel w budowie; stacja pogotowia górskiego Salvamont; przy trudnym szlaku niebieskiego trójkąta z Buszteni.

Valea cu Brazi (1510 m n.p.m.), ☎0244/313605, 42 miejsca; restauracja na 80 osób; przy szlaku czerwonego paska z Sinai na główny grzbiet; możliwy dojazd samochodem lub wjazd kolejką linową.

Valea Dorului (1810 m n.p.m.), ☎0244/312898, 40 miejsc; restauracja na 32 osoby; przy szlaku czerwonego paska z Sinai na główny grzbiet; możliwy wjazd kolejką linową.

Zănoaga (1400 m n.p.m.), ☎0245/772176, 43 miejsca; restauracja na 40 osób; w pobliżu jeziora Bolboci, możliwy dojazd samochodem.

W GÓRY

Wędrówkę po górach Bucegi ułatwiają dwie kolejki linowe: z Sinai i Buszteni. Patrząc z doliny Prahovy na pionowe ściany, trudno sobie odmówić wydania kilku lei, co pozwoli uniknąć bardzo mozolnego i miejscami niebezpiecznego marszu.

W masywie i okolicznych dolinach czeka na turystów ponad 25 schronisk. Część z nich to obiekty typowo turystyczne, ale spotyka się także betonowe hotele i nawet spadziste dachy nie zmienią panującej tam dansingowej atmosfery. To jedna z konsekwencji dostępności masywu, a zwłaszcza niewielkiej odległości od Bukaresztu. W czasach komunizmu władze chciały zmienić Bucegi w ogromny kurort, co po części się udało, o czym świadczy liczba turystów. Oferta noclegowa jest tak bogata, a rozmieszczenie schronisk tak gęste, że prawie nie ma pól namiotowych.

Znaczna część gór Bucegi podlega ochronie jako park narodowy. Jego powierzchnia wynosi 18 794 ha i obejmuje południową część (płaskowyż) wraz z doliną Ialomiţa, wschodnie i zachodnie urwiska z pięknymi bukowo-jodłowymi lasami oraz cały rejon Omula z bocznymi grzbietami. W parku można spotkać kilka gatunków zagrożonych roślin oraz przedstawicieli wszystkich drapieżników karpackich (wilki, niedźwiedzie, rysie, żbiki), a także kozice.

Na terenie masywu działa **górskie pogotowie Salvamont** – główne bazy znajdują się na obrzeżach Sinai (☎0244/313131) i w Buszteni (☎0244/320048). Ratownicy dyżurują także przy niektórych schroniskach (*Piatra Arsă*, ☎0244/311911, oraz *Babele*, ☎0244/314415), schronach turystycznych (*Mălăeşti* na północny zachód od Omula) i na końcowej stacji kolejki linowej z Buszteni (kontakt do hotelu *Peştera*; ☎0244/311094).

Na zwiedzenie najciekawszych miejsc w górach Bucegi wystarczą dwa–trzy dni. Warto także poświęcić trochę czasu zabytkom w okolicznych miejscowościach. Miłośnicy górskich wędrówek mogą przejść cały masyw równoleżnikowo z Sinai (Buşteni) do Branu lub odwrotnie.

Góry Bucegi leżą przy ważnej transkarpackiej szosie oraz linii kolejowej Braszów–Bukareszt, dzięki czemu dojazd do nich jest bardzo łatwy. Najważniejszymi ośrodkami turystycznymi są Sinaia i Buşteni, skąd najlepiej rozpocząć wędrówkę, a raczej wjazd koleją linową. Można także podejść od strony zachodniej (z Branu). Łatwo i szybko dojedzie się do podnóża gór od północy z Braszowa (zob. s. 327) oraz od południa z Bukaresztu (zob. s. 93).

Propozycje tras

Wśród podanych niżej propozycji wyróżniono trasy wycieczkowe i trekkingowe. Z pierwszych może skorzystać każdy, także rodziny z małymi dziećmi, drugie polecane są dla plecakowców, którzy chcieliby poczuć atmosferę rumuńskich schronisk górskich. Trzeba mieć na uwadze, że niektóre szlaki w górach Bucegi prowadzą przez niebezpieczne odcinki (zimą trasy te są zamknięte). Najbardziej eksponowane miejsca zabezpieczono łańcuchami i stalowymi linami. Nie powinni się tam wybierać turyści niedoświadczeni oraz osoby cierpiące na lęk wysokości.

Trasa 1
Sinaia ➜ Furnica ➜ Sinaia
Trasa wycieczkowa (dwa warianty): 1,5 godz. (wariant łatwiejszy) lub 4,5 godz. (wariant trudniejszy).

W **wariancie łatwiejszym** kolejka wywozi turystę (ok. 15 min) niedaleko schroniska *Miorița* (1990 m n.p.m.), gdzie należy odszukać szlak oznakowany żółtymi paskami wyprowadzający po kilkunastu minutach na wierzchołek **Furnicy** (2103 m n.p.m.). Roztacza się z niego malowniczy widok na góry i dolinę Prahovy. Powrót do Sinai tą samą drogą.

Trudniejszy wariant daje dużo satysfakcji, a nie powinien nikomu sprawić kłopotów. Pierwsza część jest taka sama jak w wariancie łatwiejszym, ale z Furnicy należy iść dalej szlakiem oznakowanym żółtymi paskami. Ścieżka wyraźnie się obniża, mijając po wschodniej stronie szczyt **Piatra Arsă** (2001 m n.p.m.) i po około 20 min doprowadza do rozwidlenia szlaków. W tym miejscu należy zostawić żółte

paski i skierować się w dół szlakiem oznakowanym niebieskimi paskami. Po początkowym stromym odcinku (wspaniałe widoki pionowych ścian po stronie północnej) droga zagłębia się w las i po mniej więcej 2,5 godz. doprowadza do asfaltowej drogi. Do centrum jest stąd jeszcze około 1 godz. Marsz można sobie urozmaicić podziwianiem ciekawej willowej zabudowy.

Trasa 2
Buşteni ➜ schronisko *Peştera* ➜ Sfinks ➜ schronisko *Babele* ➜ Buşteni
Trasa wycieczkowa (dwa warianty): 3,5 godz. (wariant łatwiejszy), 4,5 godz. (wariant trudniejszy)

Na dolnej stacji kolejki linowej w Buşteni należy kupić bilet do końcowej stacji przy kompleksie *Peştera*. Przejazd trwa pół godziny i pozostawia niezapomniane wrażenia. Wagonik pnie się po linie zawieszonej w kanionie skalnym, aby po kilkunastu minutach wyjechać nad płaskowyż w okolice dużego i niedawno wyremontowanego hotelu *Peştera* w dolinie Ialomița. Warto zejść kilkadziesiąt metrów w dół do jaskini Ialomiţei i przyklejonego u jej wejścia niewielkiego klasztoru Peştera. Powrót ułatwi kolejka, którą trzeba dojechać do stacji **Babele**. W pobliskim schronisku o tej samej nazwie funkcjonuje restauracja (droga: za słabą kawę przy barze trzeba zapłacić 1 €). Po chwili odpoczynku można ruszać dalej (5–10 min), by obejrzeć ciekawe **twory skalne** – słynne Baby (Babele) i Sfinksa (Sfinxul; uwieczniony na banknocie o nominale 50 tys. lei). Wycieczka kończy się w wagoniku kolejki, ale tym razem jadącym w dół do stacji w Buşteni.

W **wariancie trudniejszym** nie dojeżdża się kolejką do końcowej stacji (hotel *Peştera*), ale wysiada przy Babele. Tam należy odszukać szlak oznakowany niebieskim krzyżem prowadzący w dół prawie do samego kompleksu *Peştera*. Ta krótka i łatwa trasa jest bardzo atrakcyjna widokowo: na północy otwiera się panorama doliny Ialomița, a na zachodzie ciągnie się wyniosłe boczne pasmo gór Bucegi. Po dojściu w okolice hotelu należy kontynuować wycieczkę zgodnie z opisem łatwiejszego wariantu.

Trasa 3
Buşteni ➜ schronisko *Caraiman* ➜ Crucea Caraiman ➜ Omul ➜ Scara ➜ grań Ţigăneşti ➜ Bran
Trasa trekkingowa: 2–3 dni. Ze względu na trudne odcinki (stromizny ubezpieczone łańcuchami i metalowymi linami) jest to propozycja dla turystów obytych co nieco z górami. Naj-

lepiej zaplanować ją na lato, ponieważ w zimie niektóre szlaki są zamknięte. Pierwsza część trasy to głównie bardzo mozolne podejścia, bo trzeba pokonać aż 1800 m różnicy wzniesień (wjeżdżając kolejką z Bușteni do schroniska *Babele*, można zaoszczędzić 4–5 godz. męczącego marszu). Środkowy etap jest najłatwiejszy i obfituje w najpiękniejsze widoki. Podczas zejścia z Omula należy przygotować się na trudności (zwłaszcza na początku grani Țigănești). Na nocleg trzeba zatrzymać się w którymś z trzech schronisk na trasie: *Caraiman, Omul* lub *Babele*. Ze względu na górską atmosferę i mniejsze zagęszczenie niedzielnych turystów warto polecić dwa pierwsze obiekty.

Pierwszy dzień: Bușteni → schronisko Caraiman → Crucea Caraiman → Omul

Czerwone krzyże, żółte paski, niebieskie paski (wariant łatwiejszy); niebieskie trójkąty, czerwone krzyże, żółte paski, niebieskie paski (wariant trudniejszy): 6–6,5 godz.

Wybierając **łatwiejszy wariant**, należy wjechać kolejką do stacji Babele (2200 m n.p.m.), skąd szlak czerwonego krzyża prowadzi w kierunku **Crucea Caraiman** (2284 m n.p.m.) z monumentalnym, oświetlonym nocą krzyżem ustawionym na wschód od szczytu (1 godz.). Dalsza część trasy pokrywa się z opisem poniżej.

Wariant trudniejszy rozpoczyna się za stacją kolejki w Bușteni, skąd droga prowadzi do rozwidlenia szlaków. Na południe (w lewo) odbijają niebieskie trójkąty do schroniska *Piatra Arsă* (4,5 godz. bardzo trudnym szlakiem). Należy iść zgodnie ze znakami niebieskiego krzyża, które prowadzą wzdłuż malowniczego kanionu strumienia Jepilor trasą kolejki linowej. Po początkowym łatwym odcinku pojawia się ścieżka, która omija kaskady strumienia, wijąc się stromo w górę. Chwilę odpoczynku daje niewielkie wypłaszczenie, za którym przebiega granica lasu. W okolicy absolutnie **nie wolno nabierać wody do picia**, ponieważ odprowadza się tędy ścieki ze schroniska. Po kilkunastu minutach marszu rozpoczyna się pierwszy skalisty stok ubezpieczony w kilku miejscach stalowymi linami. Ten etap jest najtrudniejszy, ale wysiłek (ok. 1 godz.) wynagradza widok pięknie położonego na wysokości 2025 m n.p.m. **schroniska** *Caraiman* w stylu tyrolskim (z Bușteni 3,5 godz.). Przy dobrej pogodzie można udać się na Crucea Caraiman szlakiem oznakowanym czerwonymi kółkami eksponowaną ścieżką w lewo (zimą zamknięta ze względu na zagrożenie lawinowe). W razie jakichkolwiek wątpliwości co do bezpieczeństwa dalszego marszu (wynikających z załamania pogody, braku sił czy pogorszenia samopoczucia), należy koniecznie wybrać drogę na zachód w kierunku schroniska *Babele* (nadal niebieskie krzyże), które osiągnie się po około 45 min marszu. Można tam odpocząć, posilić się i wypić kawę, a nawet zatrzymać się na nocleg.

Od schroniska czerwone krzyże wskazują drogę na **Crucea Caraiman** (2284 m n.p.m.; 1 godz.), skąd rozciąga się wspaniały widok na dolinę Prahovy i góry Baiului. Od krzyża należy skierować się na północ, wciąż za czerwonymi krzyżami, które prowadzą obok szczytu **Coştila** (2490 m n.p.m.) z charakterystyczną telewizyjną stacją przekaźnikową pomalowaną w czerwono-białe pasy. Po kilkunastu minutach marszu dochodzi się do krawędzi urwiska doliny Cerbului, a chwilę dalej do siodła **Şugărilor** (Şaua Şugărilor). Czerwone krzyże kończą się, a dalej trasa biegnie zgodnie ze znakami żółtego paska. W tym miejscu rozpoczyna się bardzo trudny i eksponowany odcinek (zimą zamknięty – nie należy tego zakazu lekceważyć). Do

Nasi tam byli

Poniżej kilka adresów internetowych, pod którymi można poszukać inspiracji (przed wyprawą w rumuńskie góry) lub wspomnień (po powrocie). Relacje, porady, fotografie itp.
http://www.highandlowmountains.com/galeria/200007_rumunia/
http://maluch.elka.pw.edu.pl/wspomnienia/Rumunia95.html
http://kornel-1.webpark.pl/omupla.htm
http://arete.ibb.waw.pl/private/wierzbicki/rumunia/
http://halny.put.poznan.pl/relacje/Rum00.html
http://www.mailbox.olsztyn.pl/users/mail0070/karpaty/texts/tw012.htm
http://szczutek.republika.pl/wyprawy/rodna_2000.html
http://www.t17.ds.pwr.wroc.pl/~pga/turystyka/rumunia98/index.html
http://panda.bg.univ.gda.pl/~dbart/wypr/rum99_p.html
http://www.skg.uw.edu.pl/skg/wyprawy/transylwania/transylwania.html

wyboru są dwie ścieżki: bardzo trudna biegnąca w lewo stromym stokiem oraz łatwiejsza w kierunku widocznej grani, która prowadzi do szerokiego traktu. Szlak biegnie cały czas na północ, po kilkunastu minutach obniża się, osiągając kolejne siodło z drogowskazem: niebieskie paski prowadzą w lewo do hotelu Peştera, w prawo zaś w stronę celu wędrówki – szczytu **Omula** (2507 m n.p.m.) ze stacją meteorologiczną i niewielkim, ale przyjemnym schroniskiem (4–5 €/os.; słabo zaopatrzony bufet, ale alkoholi sporo). Schronisko czynne jest od końca maja do końca września – dokładny termin zależy od ilości śniegu. W sytuacji podbramkowej można przenocować w stacji meteorologicznej (cena do ustalenia z personelem).

Drugi dzień: Omul → Scara → grań Ţigăneşti → Bran
Czerwone paski: 7,5 godz.

Choć trasa wiedzie prawie cały czas w dół, na początkowym odcinku może sprawić kłopoty, zwłaszcza w trudniejszych warunkach pogodowych. Początkowo czerwone paski biegną razem z czerwonymi krzyżami i żółtymi trójkątami. Warto pilnować tych oznaczeń, aby nie zejść do Buşteni okrężną drogą przez Bucşoiul. Z przełęczy Hornurilor odbijają na południe (w lewo) czerwone krzyże, a po kilku minutach ścieżka oznakowana czerwonymi paskami i żółtymi trójkątami osiąga kulminację pod szczytem **Scary** (2422 m n.p.m.), na który nie ma wejścia. Po paru minutach dochodzi się do kolejnego rozwidlenia, gdzie żółte trójkąty odbijają prosto do Branu (ok. 5 godz.).

Czerwone paski prowadzą w dół (w prawo) **granią Ţigăneşti**. Początkowy jej odcinek (1,5 godz.) przypomina mniej eksponowane odcinki Orlej Perci (stalowe liny, łańcuchy). Wraz z obniżaniem się terenu szlak staje się coraz łatwiejszy, po kolejnej godzinie marszu powinno się dojść do granicy lasu i podążając wyraźną ścieżką, zobaczyć pierwsze zabudowania Branu (zob. s. 336).

Trasa 4
Sinaia → schronisko Piatra Arşă → schronisko Babele (schronisko Caraiman) → Crucea Caraiman → schronisko Caraiman → Buşteni

> Ta niezbyt trudna dwudniowa trasa trekkingowa, przeznaczona na dwa dni, pozwala na poznanie wyjątkowego charakteru gór Bucegi. Po drodze jest kilka schronisk, w których można niedrogo przenocować i zjeść posiłek.

Pierwszy dzień: Sinaia → schronisko Piatra Arşă → schronisko Babele (schronisko Caraiman)
Czerwone paski, żółte paski: 5 godz.

Szlak rozpoczyna się przy stacji kolejki w Sinai, którą warto podjechać do stacji Cota 1400, co pozwala uniknąć mozolnego podejścia asfaltem. Po minięciu po prawej stronie niewielkiego schroniska Valea cu brazi (4–5 €/os.; skromna jadłodajnia) wchodzi się w gęsty las, aby następnie zacząć żmudną wspinaczkę wzdłuż dalszej trasy kolejki. Po 1,5 godz. osiąga się schronisko Miorița i drugą stację kolejki (1990 m n.p.m.), pięknie położone w szerokiej dolinie między dwoma szczytami, Furnicą (2103 m n.p.m.) na północy i Vârful cu Dor (2030 m n.p.m.) na południu. Od rozwidlenia szlaków obok schroniska trasa wiedzie zgodnie z żółtymi paskami na północ. Jest to bardzo malowniczy i urozmaicony odcinek prowadzący raz w górę, raz w dół, z widokami (po prawej, wschodniej stronie) na dolinę Prahovy z zabudowaniami Sinai, do której za szczytem **Piatra Arşă** (2001 m n.p.m.) odbija szlak niebieskiego paska. Ścieżka oznakowana żółtymi paskami wchodzi wkrótce w obszar porośnięty jałowcem, skąd niedaleko już do **schroniska** (a właściwie kompleksu sportowego) **Piatra Arşă**. Z tego miejsca opada do Buşteni (4 godz.) jeden z najbardziej eksponowanych szlaków w górach Bucegi (zimą zamknięty), polecany wyłącznie doświadczonym turystom, którzy chociaż raz przemierzyli z plecakiem tatrzańską Orlą Perć. Kto chce, może zatrzymać się tu na nocleg, ale lepiej podejść do **schroniska Babele** (żółte paski), a przy dużym tłoku zejść do fantastycznie położonego **schroniska Caraiman** (niebieskie krzyże; 30 min).

Drugi dzień: schronisko Babele (schronisko Caraiman) → Crucea Caraiman → Omul → schronisko Babele (schronisko Caraiman) → Buşteni
Czerwone kółka/czerwone krzyże, niebieskie paski: 7 godz.

Bez względu na to, w którym ze schronisk spędziło się noc, warto zostawić tam plecaki i bez obciążenia ruszyć w dalszą drogę do słynnych tworów skalnych – Bab i Sfinksa. Przy dobrej pogodzie można od schroniska Caraiman przejść pięknym eksponowanym szlakiem czerwonych kółek na **Crucea Caraiman** (2284 m n.p.m.; od schroniska Babele łatwiejsza trasa oznakowana czerwonymi krzyżami). Dalszy odcinek trasy (od Crucea Caraiman do **Omula**) pokrywa się z opisem pierwszego dnia trasy 3, ale wędrując bez obciążenia, uda się ją przebyć w mniej więcej 3 godz. Z najwyższego szczytu gór Bucegi można wrócić po plecaki tą samą drogą lub piękną doliną Ialomiţa (niebieskie paski). Odcinek między Omulem a hotelem Peştera powinien zająć nie więcej niż 2 godz. Po zwiedzeniu okolic (niewielki monastyr i jaskinia) należy kierować się zgodnie z niebieskimi krzyżami w stronę schroniska Babele. Ten fragment trasy można wprawdzie przejechać kolejką, ale warto wykrzesać z siebie jeszcze trochę sił, by móc podziwiać fantastyczne widoki. Po odebraniu bagaży ze schroniska zjeżdża się kolejką do Buşteni (amatorzy mocnych wrażeń mogą wybrać eksponowane zejście za znakami niebieskiego krzyża, zob. trasa 3, pierwszy dzień).

GÓRY FOGARASKIE

Góry Fogaraskie (Munţii Făgăraşului), zwane Fogaraszami, leżą w środkowej Rumunii pomiędzy Niziną Rumuńską na południu a Wyżyną Transylwańską na północy. Stanowią najwyższe pasmo Karpat Południowych i są zarazem najwyższymi górami kraju. Zajmują obszar około 2000 km², a ich najwyższym szczytem jest Moldoveanu (2544 m n.p.m.).

Na zachodzie Góry Fogaraskie graniczą poprzez przełom Aluty (Olt), zwany przełomem Czerwonej Wieży (Turnu Roşu) z górami Lotru, ku północy opadają do Kotliny Fogaraskiej, a na północnym wschodzie doliny Sebeş, Izvorul Lupului, Izvorul Cenuşei i Bârsa Groşetului oddzielają je od masywu Ţaga. Od wschodu Fogarasze graniczą przełęczą Curmătura Foii i dolinami potoków Bârsa Tămaşului i Dragosloveni ze skalistym wapiennym pasmem Piatra Craiului, a górna Dâmboviţa, potok Boarcăş, przełęcz Curmătura Oticului, potok Văsălatu i rzeka Râul Doamnei oddzielają je od gór Iezer-Papuşa. Południowe stoki opadają do podłużnego obniżenia tektonicznego Culoarul Loviştei, które dzieli je od wąskiego skalistego pasma Cozia.

BUDOWA GEOLOGICZNA I RZEŹBA

Na obraz Gór Fogaraskich wpłynęło wiele elementów, z których decydującą rolę odegrał rodzaj budujących je skał, ruchy fałdowe i wypiętrzające oraz zlodowacenie plejstoceńskie.

Po raz pierwszy obszar ten sfałdowany był w orogenezie hercyńskiej. Z tym okresem związany jest rodzaj skał budujących Fogarasze i ich ułożenie. Są to stare skały metamorficzne: gnejsy, paragnejsy, łupki mikowe, serycytowo-chlorytowe z soczewkami wapieni krystalicznych oraz skały głębinowe reprezentowane przez granity. Ponowne ruchy górotwórcze wystąpiły podczas orogenezy alpejskiej. Wysokość pasm oraz układ dolin związane są właśnie z tymi najmłodszymi ruchami tektonicznymi, ale decydujący wpływ na rzeźbę środkowej części Fogaraszy wywarło zlodowacenie plejstoceńskie, które nadało jej charakter alpejski. Lodowce rozmieszczone były po obu stronach głównego grzbietu i dochodziły po północnej stronie do 8 km długości. Wietrzenie mrozowe, podcinając stoki górskie wznoszące się nad lodowcem, wytworzyło miejscami ostre granie i turnie, nie doprowadzając jednak, z powodu właściwości skał, do powstania ścian podobnych do tatrzańskich. Głębokie doliny erozyjne tworzą liczne skalne bramy i gardziele. Najwspanialszy jest głęboki na ponad 200 m skalny **wąwóz Ardeşszu** (Argeşul) poniżej zaporowego jeziora Vidraru. Zbocza dolin pocięte są głębokimi wciosami albo dolinkami korazyjnymi, u wylotu których rozciągają się rozległe stożki napływowe. Doliny rozdzielają skłony na liczne ostre grzbiety opadające stromo ku północy i dłuższe, łagodniejsze – na południe.

Główne pasmo Gór Fogaraskich ma około 70 km długości, przy czym w środkowej części na długości 35 km grzbiet nie opada poniżej 2000 m n.p.m. Wysokość 2500 m n.p.m. przekracza sześć szczytów: Moldoveanu (2544 m n.p.m.), Negoiu (2535 m n.p.m.), Viştea Mare (2527 m n.p.m.), Lespezi (2522 m n.p.m.), Vânătoarea lui Buteanu (2507 m n.p.m.) i Dara (2500 m n.p.m.).

W cyrkach polodowcowych oraz na niższych piętrach dolin glacjalnych występują liczne jeziorka polodowcowe (w sumie ok. 70). Część z nich jest okresowa, a powierzchnię powyżej 1 ha ma tylko dziewięć. Największe to: Bâlea (4,65 ha; 11,3 m głębokości), Podragu Mare (2,86 ha; 15,5 m głębokości), Urlea (2,02 ha; 4 m głębokości), Capra (1,83 ha; 8 m głębokości), Mănăstirii (1,60 ha; 2,5 m głębokości) Avrig (1,48 ha; 4,3 m głębokości). Potoki spływające z górnych pięter dolin tworzą na progach wspaniałe wodospady. Do najbardziej znanych należą: Bâlea, Şerbota i Capra (Iezerului).

Szosa transfogaraska

Droga transfogaraska zawsze wzbudza niemałe emocje wśród podróżnych, jest bowiem drugą pod względem wysokości drogą jezdną Rumunii (tunel na wysokości 2042 m n.p.m.), a pod względem widoków nie ma sobie równych. Powstała z inicjatywy Nicolae Ceauşescu. Początkowo jako droga leśna miała m.in. otworzyć dostęp do zasobów leśnych i umożliwić budowę ośrodka sportów zimowych, a przede wszystkim miała być manifestacją możliwości technicznych Rumunii. W trakcie prac nastąpiła zmiana projektu na drogę krajową o dwóch pasach ruchu. Wykonawcami morderczych prac byli głównie żołnierze (podczas budowy zginęło 20 osób), roboty trwały pięć lat, do wysadzania skał zużyto 6 mln kg dynamitu. Oddana do użytku w roku 1974 jako droga tłuczniowa, do 1980 została pokryta asfaltem.

Uwaga! Szosa transfogaraska na całej długości jest dostępna od 15 czerwca do 15 września. Kursują nią autobusy z Sybina do Bâlea Cascadă oraz z Căpăţânenii do Curtea de Argeş. Zimą nie zamyka się wprawdzie odcinka z Cârtişoary do Bâlea Cascadă i z Piscul Negru do Curtea de Argeş, ale jest duże prawdopodobieństwo, że po intensywnych opadach śniegu dotarcie do celu będzie niemożliwe. Dlatego chcąc dojechać zimą np. do schroniska Bâlea Cascadă, lepiej zostawić samochód na dole i skorzystać z transportu publicznego.

KLIMAT

Wysoki wał Fogaraszy tworzy barierę klimatyczną między wnętrzem łuku karpackiego a nizinami południowymi. Klimat masywu charakteryzuje się dużą ilością opadów (najwięcej wiosną), dochodzącą na wysokości 1500–1600 m n.p.m. do 1400 mm rocznie. Powyżej 1900 m n.p.m. nawet latem zdarzają się opady śniegu. Niżej pokrywa śnieżna utrzymuje się od listopada do kwietnia, a w żlebach i na zacienionych stokach pojedyncze płaty zalegają przez cały rok. Zimy są śnieżne, stąd **duże zagrożenie lawinowe**. Średnia roczna temperatura w niższych partiach wynosi 6°C, w okolicach szczytowych -2°C. Najcieplejsze miesiące to lipiec i sierpień, najzimniejsze – styczeń i luty. Nieprzyjemną cechą klimatu Fogaraszy są niezwykle silne wiatry wiejące przez cały rok i przynoszące nagłe zmiany pogody.

FAUNA I FLORA

Roślinność Fogaraszy układa się piętrowo, a granice poszczególnych pięter osiągają tutaj najwyższe poziomy w całych Karpatach. Do 650 m n.p.m. dochodzą pola uprawne, wyżej występuje regiel dolny z lasami liściastymi, w których dominują buki i dęby. Powyżej 1450 m n.p.m. pojawia się regiel górny z przewagą świerka. Piętro to osiąga wysokość 1800 m n.p.m., a miejscami przekracza 1900 m n.p.m. Piętro subalpejskie (do 2100 m n.p.m.) składa się z kosodrzewiny, jałowca halnego oraz różanecznika, podszytych obfitym runem. Porośnięte bujnymi łąkami hale dochodzą do najwyższych szczytów. Intensywny wypas owiec (szczególnie rozwinięty po stronie południowej) doprowadził w wielu miejscach do redukcji piętra subalpejskiego oraz znacznego obniżenia granicy lasu.

Przedstawicielami fauny wysokogórskiej są kozice i świstaki. Ponadto w Fogaraszach występują niedźwiedzie, rysie, żbiki, wilki i jelenie. Uważny wędrowiec być może dostrzeże na niebie majestatycznego orła przedniego.

Na północnych stokach pomiędzy szczytami Suru i Podragu utworzono **Park Krajobrazowy Piętra Halnego Gór Fogaraskich** (Parcul Natural Golul Alpin Făgăraş) o powierzchni 6989 ha. Ochroną rezerwatową objęta jest dolina Arpăşelului (Rezervaţia Naturală Arpăşel) oraz kocioł jeziora Bâlea (Rezervaţia Naturală Bâlea). U podnóża gór, na południe od miasta Făgăraş, leży kolejny interesujący rezerwat przyrody – **Poiana Narciselor** – urocza łąka narcyzów, która najpiękniej wygląda w maju, w okresie kwitnienia kwiatów.

W GÓRY

Fogarasze, mimo bardzo łatwego dojazdu samochodem tuż pod główną grań na wysokość ponad 2000 m n.p.m., nie są odpowiednim miejscem do stawiania pierwszych kroków w turystyce górskiej. Nawet jeśli zapowiada się piękna pogoda, niezwykle silne wiatry wiejące w partiach grzbietowych mogą błyskawicznie sprowadzić gęstą mgłę, deszcz, a czasami i śnieg w środku lata. Znaczne odległości i różnice wzniesień wymagają od turysty dobrego przygotowania kondycyjnego.

Mniej zaawansowani turyści mogą wybrać się na łatwą i piękną wycieczkę doliną

Sâmbetei z kompleksu turystycznego *Sâmbăta* do schroniska *Valea Sâmbetei* lub wyżej, do któregoś z jej kotłów lodowcowych (zob. trasa 1, pierwszy dzień).

Tym, którzy mają za sobą Orlą Perć i inne wysokogórskie szlaki tatrzańskie, Fogarasze oferują nie tylko ekscytującą wędrówkę w alpejskiej scenerii, lecz także możliwość nieskrępowanego ograniczeniami prawnymi obcowania z pierwotną przyrodą, biwakowania nad urokliwymi stawami polodowcowymi przy płonącym ognisku – słowem, podróż w czasie w epokę Stolarczyka i Chałubińskiego.

Propozycje tras

Opisane niżej trasy należą do trudnych technicznie, są długie i uciążliwe, z eksponowanymi odcinkami (miejscami ubezpieczonymi).

Na górską eskapadę warto przeznaczyć minimum siedem dni (trasa 1). Jeżeli ktoś zamierza spędzić w Fogaraszach więcej czasu, może połączyć proponowane wycieczki w całość. Osobom, które chciałyby ukoronować swój pobyt w innych rejonach gór Rumunii wejściem na jeden z dwóch najwyższych szczytów kraju, warto polecić trzydniową wycieczkę na Moldoveanu (trasa 2) lub dwudniową na Negoiu (trasa 3) – w obu przypadkach bardzo przydatny okazuje się własny środek transportu. Mając do dyspozycji tylko jeden dzień, najlepiej wybrać trasę 4.

Trasa 1
Sâmbăta de Jos → schronisko *Valea Sâmbetei* → dolina Rea Buduri →

dolina Rea → szałas *Stâna din Moldoveanu* → schronisko *Podragu* → Victoria

Trasa, na pokonanie której należy przeznaczyć 7 dni, pozwala poznać przyrodę wszystkich pięter klimatyczno-roślinnych Gór Fogaraskich, zarówno po ich stronie północnej, jak i południowej, oraz typowe formy polodowcowe (kotły i stawy, wiszące doliny oraz wodospady spadające z wysokich progów). Sporo emocji dostarczy wspinaczka na najwyższy szczyt Rumunii – Moldoveanu. Miasteczka są okazją do zwiedzenia kilku zabytków, a wyższe partie gór dają sposobność do kontaktu z tradycyjną kulturą pasterską. Trasa prowadzi głównie znakowanymi szlakami, ale zdarzają się też nieznakowane perci owcze, co wymaga od turysty umiejętności posługiwania się mapą oraz znajomości podstaw orientacji w terenie. Wędrówka z dala od schronisk ma szczególny urok, ale wymaga noszenia namiotu i zapasu żywności.

Pierwszy dzień: Sâmbăta de Jos → kompleks turystyczny *Sâmbăta* → schronisko *Valea Sâmbetei*

Znaki czerwonego trójkąta: 2,5 godz. (z wycieczką do Piatra Caprei 3,5 godz.)

Wieś Sâmbăta de Jos leży przy szosie DN1 (Sybin–Braszów), 13 km na zachód od miasta Făgăraş (stacja pociągów pospiesznych), z którym ma połączenia autobusowe, oraz kilometr na zachód od wsi Voila (stacja pociągów osobowych).

Szlak czerwonego trójkąta zaczyna się na skrzyżowaniu szosy DN1 (km 246,1) z lokalną drogą asfaltową DJ105A wiodącą do kompleksu turystycznego *Sâmbăta*

Baza turystyczna w Górach Fogaraskich

Główny grzbiet Gór Fogaraskich oraz większość dolin pokrywa sieć znakowanych szlaków. Bazę noclegową stanowi kilkanaście schronisk turystycznych; niemal wszystkie (z wyjątkiem trzech) usytuowane są po północnej stronie grzbietu. Należą do nich: *Cabana Suru* (1450 m n.p.m.; spłonęła w 1996 r., obecnie tymczasowy schron), *Cabana Poiana Neamţului* (706 m n.p.m.), *Cabana Bârcaciu* (1550 m n.p.m.), *Cabana Negoiu* (1546 m n.p.m.), *Cabana Bâlea Cascadă* (1234 m n.p.m.), *Cabana Bâlea Lac* (2034 m n.p.m.), *Paltinul* (2037 m n.p.m.), *Cabana Arpaş* (600 m n.p.m.), *Cabana Turnuri* (1520 m n.p.m.), *Cabana Podragu* (2136 m n.p.m.), *Complexul Turistic Sâmbăta* (690 m n.p.m.), *Cabana Popasul Sâmbetei* (730 m n.p.m.), *Cabana Valea Sâmbetei* (1401 m n.p.m.) i *Cabana Urlea* (1533 m n.p.m.). Po stronie południowej działają: *Cabana Valea cu Peşti* (950 m n.p.m.), *Cabana Cumpăna* (920 m n.p.m.) i *Cabana Pârâul Caprei* (1520 m n.p.m.).

Prócz schronisk istnieje kilka niezagospodarowanych schronów turystycznych: *Refugiul Scara* (2146 m n.p.m.) na przełęczy Scării; *Refugiul Căltun* (2175 m n.p.m.) nad jeziorem Călţun; *Refugiul Fereastra Zmeilor* (2100 m n.p.m.) w kotle Căldăruşa Fundul Caprei; *Refugiul Portiţa Viştei* (2310 m n.p.m.) na wschodniej przełęczy Portiţa Viştei; *Refugiul din Curmătura Zârnei* (1923 m n.p.m.) na przełęczy Curmătura Zârnei oraz *Refugiul din Muntele Berevoescu* (2190 m n.p.m.) około 800 m na południowy zachód od szczytu Brivoiu Mare.

Żłoby lodowcowe są dolinami rzecznymi przeobrażonymi wskutek niszczącej działalności języka lodowca. Mają prostszy przebieg niż doliny rzeczne i niewyrównany profil podłużny. Ponieważ lodowiec nie wypełniał całego przekroju doliny, przeobrażenie ograniczone było do jego dolnej części. W efekcie stoki mają dwa wyraźne odcinki: dolny, stromy lub urwisty, będący zboczem żłobu lodowcowego, i górny, łagodniejszy. Skalne dno żłobu przykrywa gruba warstwa osadów lodowcowych, rzeczno-lodowcowych lub jeziornych. U wylotów bocznych dolinek wciosowych i żlebów gromadzą się kamieniste stożki napływowe.

i prowadzi nią na południe koło dawnego pałacu gubernatora Siedmiogrodu Samuela Brukenthala z XVIII w. Po około 5 km szosa mija wioskę **Sâmbăta de Sus**. Warto zatrzymać się tu, by obejrzeć z zewnątrz dom bojara wołoskiego Grigirie Brâncoveanu z 1800 r. postawiony na miejscu pałacu Constantina Brâncoveanu, po którym pozostała brama i fragmenty kamiennych rzeźb.

Asfalt kończy się po 15 km koło obiektów noclegowo-rekreacyjnych **kompleksu turystycznego Sâmbăta**. Do tego miejsca dojeżdża kursowy autobus z Făgăraş. Z uwagi na niewielką odległość (28 km) oraz umiarkowane ceny można na tej trasie skorzystać z taksówki, szczególnie gdy do Făgăraşu dojeżdża się nocnym pociągiem.

Koło kompleksu w jabłoniowym sadzie obok studni Izvorul Tămăduirii (Źródło Uzdrawiające), wzmiankowanej w dokumentach z XVI w., stoi **monastyr Sâmbăta de Sus** ufundowany przez słynnego hospodara Constantina Brâncoveanu. Z pierwotnego założenia zachowała się tylko trójkonchowa cerkiew wzniesiona w latach 1696–1698 w stylu Brâncoveanu z typowymi kamiennymi kolumnami, obramieniami okien i balustradami. Oryginalną polichromię wykonali w 1766 r. rumuńscy malarze siedmiogrodzcy: Pana i Jonascu. W latach 1785–1926 cerkiew znajdowała się w ruinie. Rekonstrukcja jest dziełem ostatnich lat. W przyklasztornym muzeum wystawiono ciekawą kolekcję ikon malowanych na szkle z XVIII–XIX w.

Trasa wiedzie szutrową drogą leśną, która jest przedłużeniem szosy, w górę doliny Sâmbăta. 800 m dalej z prawej strony dochodzi druga droga z odległego o 11 km miasta Victoria.

Wycieczkę można rozpocząć także w Victorii – taki wariant będzie korzystny dla tych, którzy muszą powrócić do samochodu (miasto jest punktem zakończenia wędrówki). Z centrum należy udać się w stronę torów, przejść na ich drugą stronę

obok rampy w prawo, drogą przez zagajnik. Po 300 m dochodzi się do betonowej drogi wiodącej na południe. 2 km dalej, w miejscu, gdzie droga skręca w prawo do zakładów chemicznych „Victoria", należy zboczyć w szutrową drogę leśną, która po 3 km dociera do rozwidlenia.

Drogą w prawo dnem doliny Viştea Mare biegnie szlak czerwonego trójkąta do głównej grani na przełęcz Portiţa Viştei (2310 m n.p.m.; 7 godz.). Należy skierować się w lewe odgałęzienie, którym po 2 km osiągnie się most na rzece Viştişoara. Po drugiej stronie koło pojedynczych zabudowań wsi Viştişoara jest skrzyżowanie. Droga w prawo, w górę doliny Viştişoara, (oznaczona niebieskimi kółkami) wiedzie do jeziora polodowcowego Viştişoara (2100 m n.p.m.; 3,5 godz.). Należy kontynuować marsz drogą na wprost, która po około 2 km doprowadza do miejsca zwanego Izvorul Călugărului (Źródło Mnicha).

W prawo odbija szlak czerwonego kółka wspinający się na grzbiet Muchia Drăguşului, oddzielający doliny Viştişoara i Sâmbăty.

Podążając dalej drogą, dochodzi się do skrzyżowania w **dolinie Sâmbetei**, gdzie szlak łączy się z wariantem podstawowym z Sâmbăta de Jos.

Mniej więcej 500 m od krzyżówki po lewej stronie drogi wznosi się *Popasul Sâmbăta*, należące do wspomnianego wyżej kompleksu turystycznego. Za schroniskiem szutrowa droga zagłębia się w dolnoreglowy las bukowy, mija hotel *Floarea Reginei* i około 5 km za monastyrem kończy się, przechodząc w ścieżkę, która wspina się brzegiem płynącego kamienistym korytem bystrego potoku tworzącego małe kaskady zwane La Vâltori (U Wirów). W wąskiej, głęboko wciętej V-kształtnej dolinie panuje duża wilgotność sprzyjająca bujnej wegetacji. Dróżka dwukrotnie przekracza potok po kładkach, a las stopniowo zmienia się w górnoreglową świerczynę (na dnie chłodnej doliny pojawia się ona poniżej przeciętnej granicy, przebiegającej na północnym skłonie Fogaraszy na poziomie 1300 m n.p.m.). Po około 2 godz. od opuszczenia asfaltu dociera się do odgałęzienia szlaku oznakowanego czerwonymi kropkami, który prowadzi w prawo na grzbiet Muchia Drăguşului. Będzie to trasa powrotna wycieczki po górnych partiach doliny Sâmbetei.

Po wyjściu z lasu rzuca się w oczy zmiana wyglądu doliny. Jej dno rozszerzyło się znacznie, a profil poprzeczny przybrał charakterystyczny dla żłobu lodowcowego (zob. ramka) kształt litery U. Wkrótce kolejna odnoga szlaku odbija w lewo, na widoczną powyżej wapienną skałkę Piatra Caprei (Kamień Kozicy). Aby wyjść na ten świetny punkt widokowy, należy skierować się ścieżką na wschód za znakami niebieskiego trójkąta do połączenia potoków Valea Sâmbetei i Piatra Caprei, a następnie w górę, brzegiem tego ostatniego. Dróżka dociera na boczny grzbiecik i po około 30 min podejścia osiąga Piatra Caprei – wapienną ostrogę skalną ponad granicą lasu, skąd roztacza się widok na otoczenie doliny Sâmbăty.

Po powrocie do odgałęzienia szlaków w 15 min ścieżka doprowadza do schroniska Valea Sâmbetei (1401 m n.p.m.) otwartego 30 sierpnia 1936 r. W sierpniu 1968 r. budynek został uszkodzony przez potężne osunięcie gruntu, ale już w roku następnym odnowiono go i powiększono. Jest to pierwsze rumuńskie schronisko spełniające standardy ekologiczne, wyposażone w agregat prądotwórczy, a zimą ogrzewane piecami opalanymi drewnem. Pełni nie tylko rolę bazy wypadowej na szlaki w okolicy doliny Sâmbăty, ale także jest ośrodkiem narciarstwa wysokogórskiego i snowboardu (mimo braku wyciągów i zagrożenia lawinowego) oraz alpinizmu. Do najpiękniejszych narciarskich tras wysokogórskich należą: zjazd z przełęczy Fereastra Mare przez La Cruce do schroniska (różnica wzniesień 800 m), bardzo stromy i trudny zjazd korytem spadającym z Portiţa Drăguşului, z kotła Căldarea Răcorelor de Sus oraz zjazd z przełęczy Curmătura Răcorelor do doliny Viştişoara (dość niebezpieczny, szczególnie w przypadku grubej pokrywy śnieżnej). Z kolei alpiniści mogą tu zmierzyć się z najtrudniejszymi ścianowymi drogami wspinaczkowymi Fogaraszy. Największą sławą cieszy się turnia Colţul Bălăceni (róg Bălăceni), zwana również Sfinksem (Sfinxul) lub – z powodu niewątpliwego podobieństwa – rumuńskim Matterhornem.

300 m od schroniska ma bazę pogotowie górskie Salvamont. Miejscowi często wybierają się na 20-minutowy spacer do Chilia Părintalui Arsenie Boca (pustelnia ojca Arsenie Boca), by zaczerpnąć wody słynącej z cudownych właściwości. Równie smaczna (ale całkiem zwyczajna) woda tryska ze źródła koło schroniska. Namiot można rozbić nieopodal lub nieco dalej za marnym szałasem, u zbiegu potoków spływających z wyżej położonych kotłów.

Drugi dzień: schronisko Valea Sâmbetei → przełęcz Fereastra Mare → dolina Izvorul Bândei → dolina Rea Buduri

Znaki czerwonego trójkąta, dalej bez znaków: 4,5 godz. (wycieczka na grzbiet Muchia Drăguşului: 4 godz.)

Warto zostawić bagaże w schronisku i pierwszą część dnia przeznaczyć na wycieczkę na grzbiet Muchia Drăguşului. Od budynku ścieżką na południe oznakowaną czerwonymi trójkątami należy się kierować w górę żłobu lodowcowego doliny Sâmbetei. Dolne partie stromych zboczy porasta las świerkowy poprzerywany stromymi wciosami i usypanymi u ich wylotów stożkami torencjalnymi ze śladami lawin. Po około 15 min dochodzi się do węzła szlaków w pobliżu połączenia potoków. W lewo odbija szlak czerwonego trójkąta na przełęcz Fereastra Mare, prosto biegnie szlak żółtego trójkąta na przełęcz Fereastra Mică.

Należy podejść prawym odgałęzieniem oznaczonym niebieskim kółkiem w stronę progu wiszącej doliny. W dolnej części przecina go ukośny upłaz, którym przechodzi się pod spadającą z wysokości około 100 m siklawą Răcorele na drugą stronę progu. Stroma ścieżka oddziela ścieżkę od głębokiego koryta opadającego z kotła Căldarea Răcorelelor de Sus. Szlak wydostaje się nią do piętra pośredniego doliny, powyżej wodospadu i po godzinie podejścia doprowadza do kolejnego rozwidlenia.

Warto podejść kawałek szlakiem niebieskiego kółka, by zobaczyć Lacul Răcorele, jedyne jeziorko w rejonie doliny Sâmbetei. Zasadnicza trasa biegnie w prawo zgodnie ze znakami czerwonego kółka, przecina dwa koryta potoku Răcorele i dociera na grzędę ograniczającą kocioł od północy. Roztacza się stąd ciekawy widok w stronę głównej grani zamykającej dolinę Sâmbetei. Ścieżka kontynuuje trawers wschodnich stoków Muchia Drăguşului, przecinając żleby i urwiste wciosy (w pewnym miejscu ubezpieczone stalową liną) i wychodzi na grzbiet już poza jego skalistą częścią, na północ od szczytu Claia Codrei (2225 m n.p.m.). Na zachód otwiera się widok na dolinę Viştişoara, której dnem płynie potok o tej samej nazwie.

Ścieżka zbiega w dół szerokim i płaskim trawiastym grzbietem i koło okazałej skałki ze słupem szlaku zagłębia się w gęsty łan kosówki, która towarzyszy górnej granicy lasu. Za pasem drzew wychodzi się na **polanę La Golu** z malutkim domkiem myśliwskim po lewej (1596 m n.p.m.; 2,5 godz. od schroniska), który czasami bywa otwarty (wodę znaleźć można nieopodal, przy ścieżce schodzącej do doliny Sâmbetei).

Ścieżka oznaczona czerwonymi kropkami biegnie grzbietem na północ, do miejsca zwanego Izvorul Călugărului przy drodze z Victorii do kompleksu turystycznego *Sâmbăta*, a zasadnicza trasa wiedzie w prawo, do doliny Sâmbetei, również za znakami czerwonej kropki. Zbocze doliny staje się coraz bardziej strome i doprowadza w końcu na jej dno, do szlaku czerwonego trójkąta. Znanym z poprzedniego dnia podejściem w 20 min osiąga się schronisko.

Po zabraniu bagaży można ruszyć w dalszą drogę, ponownie podchodząc do węzła szlaków u zbiegu potoków powyżej schroniska. Tym razem trzeba wybrać oznaczoną czerwonymi trójkątami ścieżkę w lewo prowadzącą na przełęcz Fereastra Mare. Szlak wspina się zakosami wśród krzewów jałowca, czarnych jagód i różaneczników (ich piękne różowe kwiaty podziwiać można w czerwcu i lipcu) i po 30 min stromego podejścia osiąga próg głównej osi doliny. Po kolejnym kwadransie łagodniejszego marszu suchym korytem dociera się do odgałęzienia szlaku w miejscu zwanym **La Cruce** (ok. 1750 m n.p.m.).

W lewo odchodzi szlak czerwonego kółka pod szczyt La Cheia Bândei (2383 m n.p.m.), nieco dalej w prawo odbija szlak niebieskiego paska na przełęcz Fereastra Mică (2196 m n.p.m.), a zasadnicza trasa oznaczona czerwonymi trójkątami wspina się po kamieniach na próg kotła Căldarea La Fereastra Mare (Căldarea Buna). Po lewej pozostają zerwy Colţul Bălăceni (2286 m n.p.m.) odgradzające od kotła Căldarea Mare a Sâmbetei; szlak biegnie łagodniej pod ścianami północnego żebra odchodzącego od północno-zachodniej grani szczytu Budru (2268 m n.p.m.) i zakosami wyprowadza na główną grań Fogaraszy na **przełęczy Fereastra Mare** (2188 m n.p.m.), spotykając na grani szlak czerwonego paska (w lewo do przełęczy

Curmătura Foii, w prawo do stacji kolejowej Valea Mărului).

Z przełęczy otwiera się widok na południową stronę Gór Fogaraskich. U stóp turysty ciągnie się dolina Izvorul Bândei, lewa odnoga doliny Rea, która łącząc się w miejscu Între Ape z doliną Zârna, tworzy najrozleglejszą walną dolinę Fogaraszy – Râul Doamnei. Dolina Izvorul Bândei od południa ograniczona jest grzbietem Fundul Bândei–Dara–Brâul Darei i jego zachodnim ramieniem schodzącym do zbiegu potoków Izvorul Bândei i Valea Rea. Na wschodzie i na północy opiera się o główną grań, na odcinku od Fundul Bândei po główny wierzchołek Gălăşescu Mare. Odchodzący od niego na południe grzbiet Culmea Gălăşescu Mare stanowi zachodnie ograniczenie doliny, dzielące ją od górnych pięter doliny Valea Rea.

Z przełęczy należy udać się pasterską percią wiodącą trawiastym zboczem na dół na południe, początkowo łagodnie, później nieco bardziej stromo. Po drodze mija się łany różanecznika poprzerastanego jałowcem i kosówką (uwaga na wygrzewające się w słońcu ospałe żmije). Po osiągnięciu płaskiego dna doliny należy skierować się w prawo w stronę lasu, pozostawiając po przeciwnej stronie doliny duży szałas pasterski stojący na morenie na granicy lasu. Wyraźna ścieżka pasterska biegnie stromym zboczem wzdłuż dzikiego potoku. Wapienie krystaliczne nadają podłożu żółtawą barwę. Strumień spływający po skałach przeciwległego zbocza to znak, że przechodzi się właśnie poniżej progu niewidocznego stąd kotła zawieszonego pod Brâul Darei. Droga prowadzi teraz obsuwającym się (ale zupełnie bezpiecznym) piarżystym stokiem i w końcu dochodzi do wylotu rzadko odwiedzanej przez turystów **doliny Rea Buduri** (Valea Rea Buduri).

Należy skierować się w prawo w dolinę traktem pasterskim, który od razu zaczyna się wspinać na dolny próg doliny. Po wyjściu z lasu warto rozejrzeć się za miejscem na biwak.

Trzeci dzień: dolina Rea Buduri → dolina Izvorul Bândei → dolina Rea → szałas *Stâna din Valea Rea*

Bez znaków, dalej znaki czerwonego trójkąta: 2 godz. (wycieczka do jeziora Buduri: 2 godz.; wycieczka do jezior w kotle Căldarea Galbena: 4 godz.)

Przed wyruszeniem w dalszą drogę warto wybrać się na krótką wycieczkę do jeziorka Buduri. W tym celu z miejsca biwaku należy skierować się w górę doliny. Po pozostawieniu po prawej strumienia płynącego z kotła Căldăruşa Gălăşescului ścieżka wspina się na drugi próg doliny. Po pokonaniu czwartego progu dochodzi się do **jeziorka Buduri** (Lacul Buduri) pod przełęczą Fereastra Răcorelelor. W drodze powrotnej można jeszcze zajrzeć do kotła Căldăruşa Gălăşescului.

Zasadnicza trasa sprowadza do ścieżki na dnie doliny Izvorul Bândei, którą należy kontynuować marsz w stronę doliny Rea. Na tym odcinku droga oddala się znacznie od potoku, który drąży głęboką niedostępną gardziel, i podąża lekkim wypłaszczeniem stoku tuż nad linią jego załamania przez świerkowy las z pojedynczymi starymi drzewami liściastymi. W końcu ścieżka stromymi zakosami opada na polanę w widłach potoków Izvorul Bândei i Valea Rea.

Z mostku ścieżki prowadzącej na ramię grzbietu (ograniczającego dolinę Izvorul Bândei od południa) otwiera się widok w głąb gardzieli, którą wcześniej trasa obchodziła górą. Na środku polany stoi stara dwuizbowa chata myśliwska.

Po drugiej stronie potoku Valea Rea biegnie droga leśna ze znakami czerwonego trójkąta. W lewo dojdzie się nimi do wsi Slatina (ok. 7 godz.) – zasadnicza trasa prowadzi w prawo, w górę doliny Rea, w stronę przełęczy Portiţa Viştei.

Górna część **doliny Rea** (Valea Rea, Zła Dolina) jest jednym z najwspanialszych przykładów rzeźby alpejskiej w Górach Fogaraskich z licznymi kotłami polodowcowymi i jeziorkami (za najpiękniejsze uchodzi Lacul Galbena-Scărişoara położone u stóp Scărişoary na wysokości 2200 m n.p.m.).

Droga przechodzi u wylotu dwóch żlebów przecinających zalesione stoki grzbietu Culmea Nisipuri, którymi często schodzą lawiny śnieżne. Aby ominąć niebezpieczną strefę, zimowe drogi podejścia pod główną grań wytyczono nie dnem dolin, lecz bocznymi grzbietami, na których zagrożenie lawinowe jest mniejsze.

Po 30 min marszu od domku myśliwskiego droga przechodzi w ścieżkę, która prowadzi do mostku na potoku Galbena. Obecność zawieszonej wyżej doliny zdradza tylko huk wielkiego wodospadu Galbenei, spadającego z porośniętego gęstym lasem świerkowym skalnego progu. Przed udaniem się na biwak w okolice widocznego już szałasu Stâna din Valea Rea warto wybrać się na interesującą wycieczkę do pięknych **Jezior Galbena**, położonych 800 m wyżej (amatorzy biwaków na dużych

wysokościach mogą pójść tam z całym bagażem, a inni zostawić plecaki w tym miejscu lub pod opieką pasterzy w szałasie i zabrać tylko cieplejsze ubranie).

Pasterska perć wiodąca **do kotła Căldarea Galbena** biegnie żebrem Muntelui Nisipuri, po lewej stronie potoku Galbena. Po wyjściu z lasu i pokonaniu wysokiego progu widać po lewej niską przełęcz oddzielającą wschodnią grzędę Muntelui Scărişoara od poprzecznie ułożonego skalistego grzbietu Culmea Nisipuri. Warto podejść w lewo na pobliskie siodło, by zobaczyć otoczenie Valea Pojarna, prawego dopływu Valea Rea. W stokach zamykającego dolinę od zachodu grzbietu Culmea Scărişoara wydrążone są wiszące kotły Căldarea Mieilor i Căldarea Măcrişul.

Podążając w górę wzdłuż potoku Galbena, mija się najpierw jeziorka Galbena II i Galbena III, by wreszcie dotrzeć do najpiękniejszego – **Lacul Galbena-Scărişoara**. Lacul Galbena IV leży nieco niżej, w kierunku północno-wschodnim.

Po powrocie na dno doliny Rea, należy skierować się w stronę **szałasu Stâna din Valea Rea** (przed nim, w korycie Valea Rea można dostrzec pokład żółtego marmuru). Zrębowa konstrukcja ma charakterystyczny dla południowofogaraskich szałasów ganek, na którym zazwyczaj suszą się wyprane płótna używane do odcedzania udojonego mleka, zbierania i wyciskania grudy sera.

Na biwak można zatrzymać się w okolicy szałasu (pyszne sery!) lub nieco dalej na zachód, w okolicach wylotu kotła Căldăruşa lub ujścia kotła Căldarea Valea Rea a Gălăşescului.

Czwarty dzień: szałas Stâna din Valea Rea → przełęcz Portiţa Viştei → Viştea Mare → przełęcz Orzănelei → szałas Stâna din Moldoveanu
Znaki czerwonego trójkąta, dalej znaki czerwonego paska i ponownie czerwonego trójkąta: 5 godz. 45 min (wycieczka na szczyt Moldoveanu: 1 godz.)

Z miejsca biwaku należy skierować się kamienistą ścieżką w górę doliny, mając po lewej stronie potok Valea Rea. Szlak mija ostatnie fragmenty lasu, miejscami schodzące ze stoków na dno doliny, po czym wznosi się w skos progu kotła Căldarea Valea Rea a Gălăşescului, wygodnym mostem odbudowywanym przez pasterzy po zimowych zniszczeniach przecina potok i rozpoczyna długie i mozolne podejście na niezwykle wysoki próg doliny Rea. Odchodzące w lewo dróżki pozwalają podejść pod imponujący, spadający wieloma kaskadami **wodospad Valea Rea** (Cascada Valea Rea). Po prawej stronie pozostaje niewielka skalna koleba przykryta gontowym dachem, w której pasterze znajdują schronienie w czasie niepogody. Wreszcie po 2 godz. podejścia, przechodząc pod ścianami Buduri z widokiem na ostatni wodospad, osiąga się rygiel kotła Căldarea Valea Rea a Moldoveanului. Niegdyś rozlewało się w nim jezioro, o czym świadczą wypełniające dno torfowiska i miejscami bagnisty teren. Można tu również natrafić na porozrzucane przed laty przez lawinę pozostałości po schronie turystycznym (największe wrażenie robią sprasowane stalowe kształtowniki, na których opierała się konstrukcja). Z przodu piętrzy się trapezowa sylwetka najwyższej grani Moldoveanu – Viştea Mare, z prawej wierzchołek Hârtopul Ursului, a pomiędzy nimi **przełęcz Portiţa Viştei** (2310 m n.p.m.).

Za jeziorkiem **Triunghiular** trasa skręca w prawo, na przełęcz z węzłem szlaków. Granią biegnie szlak oznakowany czerwonym paskiem – w prawo do przełęczy Curmătura Foii, w lewo do przystanku kolejowego Valea Mărului, prosto szlak czerwonego trójkąta prowadzi do miasta Victoria. Należy skierować się w lewo zgodnie ze znakami czerwonego trójkąta, które stromo wyprowadzają na zwornikowy **Viştea Mare** (2527 m n.p.m.; od węzła szlaków 45 min), trzeci co do wysokości szczyt Rumunii. Warto zboczyć wąskim grzbietem na południe na **Moldoveanu** (2544 m n.p.m.), najwyższy szczyt kraju (20–30 min; znaki czerwonego kółka). Dzięki pewnemu wysunięciu na południe w stosunku do głównej grani, roztacza się z niego bardzo rozległy i atrakcyjny widok o charakterze alpejskim.

Być może w panoramie brakuje zieleni, ale morze stromych szarych wierzchołków wywiera niesamowite wrażenie.

Krótkie żebro południowo-zachodnie – Piciorul Moldoveanului – opada do wideł potoków Orzănelei i Izvorul Moldoveanului. Ku południowemu wschodowi i dalej na południe biegnie długi grzbiet Muchia Galbenei, który w zworniku Scărişoary dzieli się na dwa ramiona: zachodnie – Muchia Coastele Mari i wschodnie – Culmea Scărişoara.

Po powrocie na szczyt Viştea Mare rozpoczyna się długie (222 m różnicy poziomów), zejście szlakiem graniowym na **przełęcz Orzănelei** (Şaua Orzănelei; 2305 m n.p.m.) z węzłem szlaków. Prosto granią biegnie szlak czerwonego paska do przystanku kolejowego Valea Mărului (dysponując godziną wolnego czasu, można podejść tam na przełęcz Ucişoarei, skąd otwiera się widok na wąską i dziką dolinę Ucişoara). Zasadnicza trasa prowadzi w lewo, na południe, za znakami czerwonego trójkąta i opada po piargach do kotła Căldarea Orzăneaua Mare, po czym obniża się mocno na kolejnych progach. Schodząc na piętro, w którym z prawej dochodzi dolina Orzăneaua Mică, mija się na progu żółtopomarańczową skałę – wychodnię wapienia krystalicznego. Dalej na dnie rozległego piętra doliny da się dostrzec spore bloki wielobarwnej pasiastej skały pozostawione przez lodowiec wśród znacznie drobniejszych ciemnych głazów z łupków krystalicznych.

Szlak wytyczono prawą stroną potoku Izvorul Orzănelei, lecz kto chciałby odwiedzić **Stâna din Moldoveanu**, powinien wcześniej przedostać się na lewy brzeg. Miejsce na budowę szałasu zostało ideal-

Życie w szałasie

Na początku lata, kiedy owce mają dużo mleka, dzień w szałasie zaczyna się około czwartej od porannego udoju. Owce przechodzą pojedynczo przez specjalny otwór w ogrodzeniu, tzw. strągę (*strunga*), przy której siedzi owczarz i doi mleko do naczynia zwanego gieletą (*gălata*). W szałasach południowych Fogaraszy owe strągi przypominają niziutki zadaszony domek z trzema–czterema otworami w dłuższej ścianie, otwarty na zewnątrz. Pasterze siadają w środku na ławeczce po obu stronach każdego otworu i doją równocześnie nawet sześć do ośmiu owiec. Następnie owce wychodzą na pastwisko, a baca zabiera się za wyrób sera, przygotowanie posiłku i wszelkie prace domowe. Z jednego udoju powstają dwa podstawowe gatunki sera: *brânză* i *urda*. *Brânză* jest tłusta i zbiera się ją zaraz po skladaniu mleka. Podczas długiego ogrzewania pozostałej serwatki wytrąca się delikatna i słodka *urda*. Jedzona z mamałygą stanowi jeden z podstawowych składników codziennego menu – nadwyżkę soli przeznacza na konserwacji i przygotowuje do późniejszego transportu na wsi. Żętyca (*zer*, *zântiţa*) służy jako napój dla ludzi i zwierząt. Owce doi się także w południe i wieczorem – pasterze kładą się na spoczynek dopiero około jedenastej wieczorem po przerobieniu mleka z ostatniego udoju.

nie dobrane, ponieważ omijają je potężne lawiny zimowe (niestety, turyści korzystający z obiektu poza sezonem wypasowym kilkakrotnie przez swoją lekkomyślność wywołali pożar, który doszczętnie strawił budynek). Szałas ma czterospadowy dach kryty potrójną warstwą cienkiego gontu łupanego siekierą z kloców świerkowych. W okolicy nie ma problemu ze znalezieniem dobrego miejsca biwakowego z pięknym widokiem na próg wiszącej doliny Izvorul Moldoveanului.

Piąty dzień: szałas Stâna din Moldoveanu → szałasy Stânele din Podul Giurgiului → przełęcz Podragului → schronisko Podragu
Znaki czerwonego trójkąta, dalej znaki niebieskiego trójkąta: 3 godz. 45 min (wycieczka do kotła Căldarea Moldoveanului: 2 godz.)

Najlepiej zacząć dzień od wycieczki do kotła **Căldarea Moldoveanului**. Od szałasu trzeba pójść w dół, do ścieżki znakowanej żółtymi trójkątami, która prowadzi w stronę skalistego progu. W prawo szlak żółtego trójkąta wiedzie do szałasów Stânele din Podu Giurgiului. Należy skierować się takim samym szlakiem w lewo, mając po prawej potok Izvorul Moldoveanului, spływający z niedostępnie wyglądającego progu. Po lewej, ponad lasem rośnie grupa limb (spora osobliwość w tym miejscu). Podchodząc zakosami w lewo, mija się skaliste zwężenie doliny i przez strefę kosówki i jałowca dociera na wspaniałe alpejskie łąki. Malowniczości dodaje im struga krystalicznej wody spływająca po ceglastej ścianie spod grzbietu Muchia Coastele Mari. Horyzont na wprost zamyka grzbiet Muchia Galbena, zakończony z lewej szczytem Moldoveanu, wznoszącym się 500 m ponad dno kotła Căldarea Moldoveanu. W tym miejscu należy zawrócić.

Po powrocie w okolice szałasu Stâna din Moldoveanu rozpoczyna się zejście zalesioną doliną Orzănelelor. Szlak żółtego trójkąta prowadzi lewą stroną potoku, a szlak czerwonego trójkąta – prawą. Potok opada wieloma progami, a w jego korycie widać białe i żółte marmury. Szlaki łączą się na prawym brzegu, na polanie w pobliżu **szałasów Stânele din Podul Giurgiului**. Z dołu doliny można tu dotrzeć leśną drogą.

Zarośnięta szczawiem alpejskim polana, podobnie jak okolice innych szałasów, jest miejscem koszarowania owiec. W dzień wypędza się je na wysokogórskie pastwiska, a na polanie zostają konie i osiołki. Te ostatnie są najważniejszym i najpowszechniej wykorzystywanym jucznym zwierzęciem transportowym w Karpatach Południowych. Na ich grzbietach dostarcza się do szałasów niezbędne produkty, a na dół zwozi ser. Osły zaopatrują ponadto większość fogaraskich schronisk.

Przy zakończeniu drogi leśnej znajduje się węzeł szlaków. Prosto, przez most nad Izvorul Podul Giurgiului, w dół doliny Izvorul Mircii i dalej doliną Buda biegnie szlak niebieskiego trójkąta do Gura Oticului nad jeziorem zaporowym Vidraru. Zasadnicza trasa (również oznakowana niebieskimi trójkątami) wiedzie w prawo w górę, zakosami po grzędzie Muntelul Podu Giurgiului, ograniczającej dolinę z prawej strony. Po około 20 min podejścia szlak odbija w lewo i wchodzi na terasę stoku ponad progiem, będącą pozostałością moreny lodowcowej. Od tego miejsca w górę doliny ciągną się rozległe hale. Podążając terasą w stronę osi doliny, dostrzega się **szałas** na przeciwległej terasie, w zatoczce na granicy lasu. Budynek jest bardzo stary, o czym świadczy data „1910" na jednym z płazów (pasterze mają zwyczaj corocznego wycinania w belkach zrębu nazwisk zespołu wypasowego).

Szlak przebiega w sporej odległości od szałasu dnem żłobu lodowcowego wzdłuż potoku, pokonuje jeden próg, a następnie skręca w prawo, by zakosami wznieść się wysoko na zbocza Muntelui Podu Giurgiului. Następnie ścieżka wykonuje bardzo długi trawers w lewo i dociera do kotła Căldarea Podul Giurgiului, powyżej kolejnego progu. Z lewej strony wyłania się zakręt doliny, gdzie za górnym progiem w kotle Căldarea Iezerului de la Podul Giurgiului, pod szczytem Arpaşu Mare kryje się jeziorko Podul Giurgiului. Znaki wyprowadzają skośnie w prawo na **przełęcz Podragului** (Şaua Podragului; 2307 m n.p.m.) pomiędzy szczytem Podragu (2462 m n.p.m.) na zachodzie a Tărâţa (2414 m n.p.m.), zwanym Tărâţa Mare lub Conradt, na wschodzie. Na wprost otwiera się widok na północną stronę Gór Fogaraskich, do kotła Căldarea Podragu – górnej części doliny Podragu. Jest ona prawą gałęzią doliny Arpaşu Mare, jednej z najbardziej alpejskich w całym paśmie.

Na siodle jest węzeł szlaków. Granią biegnie szlak czerwonego paska – w prawo do przełęczy Curmătura Foii, w lewo do przystanku kolejowego Valea Mărului. Należy skierować się prosto do doliny Podragului zgodnie ze znakami czerwonego trójkąta. Szlak opada na północ ziemistym kominem do skośnego zachodu, którym

W 1885 r. z inicjatywy sybińskiej sekcji Siedmiogrodzkiego Towarzystwa Karpackiego (Siebenbürgische Karpatenverein – SKV) zbudowano po wschodniej stronie jeziora Podragu kamienny schron turystyczny, który wkrótce uległ zniszczeniu. Dopiero w latach 1937–1939 Turing Clubul României zdecydował o wzniesieniu nad akwenem schroniska. W tym celu wydzierżawiono od mieszkańca wsi Urlea de Sus teren i sporządzono plany. Budowę rozpoczęto w miejscowości Tălmaciu z zamiarem przetransportowania obiektu w kawałkach i zmontowania go na ustalonym miejscu. Jednocześnie Towarzystwo zabrało się za wytyczanie drogi transportu wzdłuż doliny Podragu. Z powodu rozmaitych trudności TCR zrezygnowało z początkowego projektu i przeniosło schronisko w okolice szczytu Suru, montując je w miejscu zwanym Fruntea Moaşei. Obecny budynek został wzniesiony w latach 1948–1949 przez Bancă Naţională României i przekazany do użytkowania w roku 1950 z przeznaczeniem dla pracowników banku.

Murowany dwupiętrowy budynek główny wzniesiono z kamienia. Obiekt ma agregat prądotwórczy, a kuchnia i sanitariaty wyposażone są w bieżącą wodę. Schronisko jest czynne od maja do listopada, a w zimie działa przybudówka-schron.

Schronisko *Podragu* jest najwyżej położonym tego typu obiektem w Górach Fogaraskich (2136 m n.p.m.). Zimą i wiosną w pobliskim kotle można uprawiać narciarstwo, ale należy uważać na lawiny na drodze dojścia doliną Podragu.

---

w lewo trawersuje wschodnie stoki Podragu. Trzymając się cały czas lewej strony kotła, w 20 min dociera się do rozwidlenia dróg na niewielkim garbie, 300 m przed **schroniskiem** *Podragu*.

W lewo biegnie szlak niebieskiego paska do przełęczy Portiţa Arpaşului. Prosto prowadzi szlak czerwonego trójkąta do schroniska *Arpaş*, mijając po drodze schroniska *Podragu* oraz *Turnuri*.

Na nocleg można zatrzymać się w schronisku lub nad jeziorem.

Szósty dzień: schronisko *Podragu* → **ujście doliny Podragu do doliny Arpaşu Mare** → **jezioro Podrăgel** → **schronisko** *Podragu*
Znaki czerwonego trójkąta, dalej znaki czerwonego kółka i niebieskiego paska: 7 godz.

Całodniowa wycieczka rozpoczyna się od zejścia doliną Podragu do doliny Arpaşu Mare za znakami czerwonego trójkąta. Po drodze, po prawej stronie, mija się dwa jeziorka.

Ścieżka obchodzi północno-wschodnie żebro szczytu Cocoaşa Podragului (2287 m n.p.m.), zamykające wylot kotła Căldarea Podragului i obniża się lewą stroną doliny mającej postać klasycznego żłobu lodowcowego z wyraźnie podciętymi dolnymi odcinkami zboczy. Mijając środkowy próg z wodospadem potoku Podragu, na pewnym odcinku szlak pozostaje dość wysoko na wschodnich zboczach grzbietu Piscul Podragului. Jego druga nazwa, Muchia Turnurilor Podragului, pochodzi od niewysokich turni Turnurile Podragului

(Baszty Podragu), wznoszących się naprzeciwko schroniska *Turnuri*, którego okolicę osiąga się poniżej kolejnego progu. Ścieżka letnia podąża dalej w dół doliny, ale należy przejść na prawy brzeg potoku do zimowego wariantu szlaku, który doprowadza do niedużego **schroniska** *Turnuri* (*Cabana Turnuri*) i węzła szlaków.

W prawo biegnie szlak niebieskiego kółka do miasta Victoria przez La Şipot. Należy skierować się prosto w dół za znakami czerwonego trójkąta, które za schroniskiem kierują do lasu i wiodą prawym brzegiem potoku. Za mostkiem szlak łączy się z wariantem letnim i opada zakosami, mając po prawej stronie kaskady potoku Podragu. Ścieżka jeszcze raz na krótko przechodzi na prawy brzeg. Od powrotu na lewą stronę potoku, stale się obniżając, oddala się od opadającego szybko dna doliny i po 15 min dociera do rozgałęzienia szlaków w dolnej części zalesionego grzbietu Piscul Podragului.

Grzbiecikiem stromo w dół prowadzi szlak czerwonego trójkąta do schroniska *Arpaş*. Należy skierować się w lewo słabo oznakowaną (czerwone kółka), ale wyraźną ścieżką obniżającą się do potoku Arpaşu Mare. Szlak przechodzi na drugi brzeg i zaczyna się wspinać w górę doliny jej zachodnią stroną. Wiedzie przez stary bukowy las, a strome zbocza doliny rzecznej stają się łagodniejsze. Kontynuując wędrówkę odludną doliną, przechodzi się przez świerkowe piętro regla górnego. Mijając dwie polany, można zaobserwować charakterystyczne dla tej strefy żleby lawinowe opadające spod grzbietu Muchia Albotei. Po godzinie marszu dociera się na zajmującą całe dno żłobu halę otoczoną lasem na stokach, a po chwili do **domku myśliwskiego w dolinie Arpaşu** (ok. 1250 m n.p.m.) po prawej stronie. Ten niewielki dwuizbowy obiekt przykryty czterospadowym dachem z gontu nie jest udostępniony dla turystów. Szczawiory i łopuchy porastają nierówne kamieniste dno doliny tak gęsto, że momentami można mieć wątpliwości co do przebiegu ścieżki. Wkrótce dochodzi się do dość dużego prymitywnego szałasu pośród ogromnych want. W osi doliny widać bardzo wysoki próg schodkowego kotła Căldarea Vârtopului ujęty między grzbiety Piciorul Arpaşul Mic i Coama Podrăgelui.

Szlak ciągle się wznosi, mijając wapienną ostrogę po zachodniej stronie doliny, przechodzi na wschodni brzeg potoku i zagłębia się w las. Skręcając w lewo, wydostaje się ponad dolny wspólny próg kotłów doliny Arpaşu Mare, osiągając punkt połączenia potoków Pârâul Podrăgel z Arpaşu Mare. Ścieżka wychodzi z lasu i kontynuuje podejście wschodnim brzegiem Pârâul Podrăgel w stronę wysokiego progu. Po 1 godz. 15 min od połączenia potoków można już podziwiać brzeg pięknego **jeziora Podrăgel** (Lacul Podrăgel; 2030 m n.p.m.) o wydłużonym kształcie. Wyżej, na południe do ścieżki, która trawersuje górne partie progu, spotyka się znaki niebieskiego paska, prowadzące w prawo (na zachód) do przełęczy Portiţa Arpaşului, a w lewo do schroniska *Podragu*.

Przed powrotem do schroniska *Podragu*, warto podejść w prawo, na **przełączkę Strunga Podrăgelului** (2135 m n.p.m.) w grzbiecie Coama Podrăgelului (Coama Vârtopului) odchodzącym na północ od szczytu Arpaşu Mare (2467 m n.p.m.). Mimo groźnego wyglądu, podejście nie jest trudne, a wyraźna ścieżka omija skaliste zerwy. Po drodze dobrze widać główną grań pomiędzy Arpaşu Mare a Podragu. Ten postrzępiony odcinek nazywa się Creasta Podrăgelului, a przełączka w jego środku to Şaua Podrăgelului.

Po drugiej stronie Strunga Podrăgelului otwiera się widok na otoczenie kotła Căldarea Vârtopului. Naprzeciwko widać grzędę Piciorul Arpaşul Mic, odchodzącą na północ od szczytu Arpaşu Mic (2460 m n.p.m.). W jej wschodnim zboczu zawieszony jest niewielki kocioł Căldăruşa Frunţii. Można zaobserwować dalszy odcinek ścieżki, która wspina się na ów próg i z kociołka podchodzi na przełęcz Portiţa Frunţii na grzędzie Piciorul Arpaşul Mic. Na południu rysuje się fragment głównej grani, w którym kolejno od zachodu wznoszą się: szczyt Arpaşu Mic, pomnik Nerlingera (zob. ramka), La Parul de Fier, przełęcz Vârtopului i szczyt Arpaşu Mare. Wyraźnie widać ścieżkę graniową trawersującą pod wierzchołkiem Arpaşu Mic od pomnika Nerlingera do miejsca na grzędzie Piciorul Arpaşul Mic położonego powyżej przełęczki Portiţa Frunţii.

Po powrocie do węzła szlaków nad jeziorem Podrăgel trasa przechodzi na wschodnią stronę kotła Căldarea Podrăgel i wznosi się na **przełęcz Curmătura dintre Lacuri** (2270 m n.p.m.) położoną na grzbiecie Piciorul Podragului. Oglądając się za siebie, można zobaczyć grzbiet Muchia Albotei, ograniczający od zachodu dolinę Arpaşu Mare, oraz fragment najtrudniejszej grani Creasta Arpaşelului, z której ów grzbiet wyrasta. Wyżej, na dalszym planie rysuje się szczyt Vânătoarea lui Buteanu (2507 m n.p.m.), a przy dobrej widoczności, bardziej w lewo da się rozróżnić dwa kolejne spośród najwyższych kulminacji masywu: Negoiu (2535 m n.p.m.) i Lespezi (2522 m n.p.m.). Dla jeszcze lepszego widoku na główną grań, można podejść nietrudnym grzbietem na południe, na wierzchołek Cocoaşa Podragului (Garb Podragu; 2287 m n.p.m.).

Szlak sprowadza z przełęczy na wschód do węzła szlaków 300 m przed schroniskiem *Podragu*.

Siódmy dzień: schronisko *Podragu* → Muchia Tărâţa → La Şipot → Victoria

Znaki niebieskiego trójkąta, dalej znaki niebieskiego kółka: 6,5 godz.

Sprzed schroniska należy skierować się za znakami niebieskiego trójkąta na wschód, w stronę odległego o 200 m jeziora Podragu. Ścieżka biegnie wzdłuż jego północnego brzegu, mijając po lewej stronie jezioro Podragu Mic i podchodzi pod zachodnie zbocza grzbietu **Muchia Tărâţa**. Szlak zaczyna wspinać się stokiem na ukos w lewo, by wyprowadzić na przełęcz Curmătura Calea Carelor (Droga Furmanek; 2190 m n.p.m.). Na wschodnią stronę przełęczy opada stara nieznakowana ścieżka, która biegnie doliną Ucea Mare, przecina główną grań przełęczą Corabiei (2364 m n.p.m.) i jako Drum al Dorobanţilor (Droga Piechurów) zstępuje grzbietem Muntelul Podul Giurgiului na południową stronę Fogaraszy, łącząc Transylwanię z Wołoszczyzną (jej fragment stanowiły zakosy powyżej szałasów *Stânele din Podu Giurgiului*). Szlak podchodzi grzbietem Muchia Tărâţa na północ w stronę południowego wierzchołka **Prelucilor Sudic** (2232 m n.p.m.). Przed osiągnięciem szczytu ścieżka skręca w lewo, by rozpocząć trawersy po zachodniej stronie grzbietu. Zanim opuści się grzbiet, warto zatrzymać się na chwilę w tym najlepszym punkcie widokowym ostatniego etapu wędrówki.

Po stronie wschodniej rozciąga się dolina Ucea. Grzbiet Muchia Tărâţa stanowi jej zachodnie ograniczenie, a na wschodzie grzbiet Muchia Viştea Mare oddziela ją od doliny Viştea Mare. Na południu dolina podchodzi pod główną grań pomiędzy zwornikowymi szczytami tych grzbietów: Tărâţa (2414 m n.p.m.) na zachodzie i Ucişoara (2418 m n.p.m.) na wschodzie. Z głównego, północno-wschodniego wierzchołka szczytu Ucea Mare (2434 m n.p.m.) odchodzi na północ długi grzbiet Muchia Gârdomanului, który dzieli dolinę Ucea na dwie części. Zachodnia, leżąca w osi doliny Ucea, nazywa się Ucea Mare, wschodnia dolina, długa i niezwykle wąska, to wspomniana wyżej Ucişoara.

Szlak prowadzi trawersem na **przełączkę Curmătura Prelucilor** (2180 m n.p.m.), obchodząc nieznacznie od zachodu dwa wierzchołki szczytu Prelucilor: Sudic (2232 m n.p.m.) i Nordic (2228 m n.p.m.). Kontynuując trawers zachodnich zboczy, przechodzi się w pobliżu grani pod wierzchołkiem La Pârâul Cheii (2196 m n.p.m.), a następnie zakosami w dół dociera na grań La Custuri pomiędzy kulminacją Custuri (2170 m n.p.m.) zwanego Capul Bunei Speranţe (Koniec Dobrej Nadziei) a szczytem Serpentinelor (szczyt Zakosów; 2120 m n.p.m.) nazywany też Edelweiss. Szlak zbliża się do przełęczy Curmătura Afundă (Przełęcz Pogrążona; 2050 m n.p.m.), a następnie, cały czas zachodnim stokiem, mija szczyt La Pârâul Jneapănului (2104 m n.p.m.) i przełęcz Mică, osiągając za kolejną kulminacją (1950 m n.p.m.) przełęcz Lespezilor (Şaua Lespezilor, Przełęcz Złomisk; 1908 m n.p.m.). Podążając dalej trawersem, dociera na przełęcz Babei (Şaua Babei, Przełęcz Baby), obchodzi wierzchołek Baba Sudic (1955 m n.p.m.) oraz Baba Nordic (1962 m n.p.m.), a następnie wspina na czubę Piscul lui Ban (1925 m n.p.m.). Odtąd ścieżka trzyma się okolicy grzbietowej i stopniowo się obniżając, przecina strefę jałowcą, mija pierwsze drzewa i wyprowadza na **przełęcz Boldanului** (Şaua Boldanului; 1615 m n.p.m.).

Z przełęczy szlak opada na zachód na pobliską polanę Boldanu z węzłem szlaków.

W lewo biegnie szlak niebieskiego kółka do schroniska *Turnuri*. Należy skierować się w prawo zgodnie ze znakami niebieskiego trójkąta i niebieskiego kółka. Szlaki wchodzą w las i wkrótce doprowadzają do **polany La Şipot** (1470 m n.p.m.) – dobrego miejsca na biwak dla tych, którzy chcą zejść do miasta dopiero następnego ranka. Bijące na polanie źródło daje początek potokowi Ucişoara Seacă, lewego dopływu rzeki Ucea. Na polanie znajduje się rozgałęzienie szlaków. W lewo szlak niebieskiego trójkąta wiedzie do schroniska *Arpaş*.

Schronisko *Turnuri*

Schronisko *Turnuri* zostało zbudowane w 1964 r. przez Przedsiębiorstwo Eksploatacji Bazy Turystycznej „Paltiniş" z Sybina. Kamienno-drewniany budynek na małej terasie lodowcowej wschodniego brzegu doliny Podragu na wysokości 1520 m n.p.m. mieści pod blaszanym dachem zbiorową sypialnię. Ogrzewanie zapewniają piece kaflowe opalane drewnem. Schronisko stanowi dobry punkt wypadowy do wycieczek narciarskich w dolinę Podragu – należy pamiętać o zagrożeniu lawinowym i zalecanym szlaku zimowym prowadzącym wschodnią stroną doliny, u podnóża grzbietu Muchia Tărâţa.

Schronisko *Bâlea Lac*

Historia schronisk nad jeziorem Bâlea (Lacul Bâlea) sięga 100 lat. Pierwsza, jednoizbowa konstrukcja kamienna na półwyspie powstała w roku 1904 staraniem Siedmiogrodzkiego Towarzystwa Karpackiego (Siebenbürgische Karpatenverein – SKV). Budynek był solidny i przetrwał wiele lat. W 1937 r. SKV dostawił drugi budynek, z drewna. Kolejne, znacznie większe schronisko zbudowano w latach 1948–1949. Obiekt służył wiele lat, aż został zniszczony przez pożar w roku 1995. Schronisko zrekonstruowano i unowocześniono sześć lat później.

Należy skierować się w prawo zgodnie ze szlakiem niebieskiego kółka w stronę grzbietu Muchia La Aşchii, na polanę La Aşchii (Polana przy Drzazgach; 1427 m n.p.m.). Trzeba iść ścieżką wytyczoną środkowym ramieniem grzbietu, mając po lewej dolinę potoku Ucişoara Seacă, a po prawej – dolinę potoku Fântâna. Po drodze można podziwiać do woli piękne bukowe lasy, a na którejś z polan – Poieniţa, La Şeuţa (zwaną La Fruntea Boului – U Czoła Wołu) i La Comandă (U Dowództwa) zrobić sobie małą przerwę w wędrówce.

W dolinie Ucişoara Seacă szlak łączy się z leśną drogą, a 1,5 km dalej w dolinie Ucea – z drogą przychodzącą z prawej strony, od wylotów dolin Ucea Mare i Ucişoara. Po pokonaniu kolejnego kilometra na południe osiąga się maleńki przysiółek Sumerna ze skrzyżowaniem dróg.

Należy skierować się na północ, drogą wzdłuż lewego brzegu rzeki Ucea i przejść przez most na drugą stronę. Po pokonaniu 2 km od skrzyżowania dochodzi się do kombinatu chemicznego Victoria. Kierując się w lewo (na północ) betonową drogą, po 1,5 km dociera się do dworca autobusowego w Victorii.

Trasa 2

Schronisko *Bâlea Lac* → schronisko *Podragu* → Viştea Mare → schronisko *Podragu* → schronisko *Bâlea Lac*

Na pokonanie trasy trzeba przeznaczyć 3 dni. Wyprawa na najwyższy szczyt Rumunii – Moldoveanu jest typową wycieczką wysokogórską. Prawie cały czas wędruje się główną granią lub w jej pobliżu (cały czas powyżej 2000 m n.p.m.), schodząc kilkakrotnie do górnych pięter dolin lodowcowych. Na nocleg można zatrzymać się w dwóch najwyżej położonych schroniskach górskich w Fogaraszach (latem warto wcześniej zarezerwować nocleg).

Punktem wyjścia i zarazem zakończenia trasy jest **schronisko *Bâlea Lac***, usytuowane po północnej stronie grani w górnej części walnej doliny Cârtişoarei w kotle Căldarea Bâlei nad jeziorem Bâlea, na wysokości 2034 m n.p.m.

Można do niego dotrzeć na kilka sposobów. Dojazd samochodem umożliwia szosa transfogaraska, przechodząca w pobliżu tunelem pod główną granią masywu. Kto nie dysponuje własnym środkiem transportu, ma do wyboru łapanie okazji, skorzystanie z kolejki linowej (od położonego niżej przy tej samej szosie schroniska *Bâlea Cascadă*) oraz wędrówkę którymś ze szlaków turystycznych.

Przy okazji, warto przypomnieć **pierwsze polskie zimowe przejście grani głównej Gór Fogaraskich**, którego dokonał zespół Polskiego Klubu Górskiego w składzie: Bernard Uchmański (kierownik), Andrzej Gardas i Paweł Kubalski, w dniach 5–25 marca 1982 r., idąc od przełęczy Şaua Suru do przełęczy Fereastra Mare a Sâmbetei. Podczas trzytygodniowej wspinaczki alpiniści dwukrotnie przeczekiwali załamania pogody, a kluczowy odcinek pokonywali przy silnym mrozie, huraganowym wietrze, śnieżycy i mgle. Szczególnie męczące okazały się fragmenty przepaścistej grani, gdzie niemożliwa była asekuracja, oraz niebezpieczne nawisy. Jako pierwszy zagraniczny zespół, Polacy dokonali przejścia ściśle ostrzem, zdobywając wszystkie wyodrębniające się turnie i szczyty. Był to pierwszy wyjazd zagraniczny polskich alpinistów od wprowadzenia stanu wojennego.

Pierwszy dzień: schronisko *Bâlea Lac* → przełęcz Caprei → przełęcz Podragului → schronisko *Podragu*

Znaki niebieskiego paska, dalej czerwonego paska i czerwonego trójkąta: 5 godz. 15 min–6 godz. 15 min

Szlak biegnie sprzed schroniska wygodną ścieżką wzdłuż brzegu akwenu na wschód. Wkrótce rozpoczyna się mozolne podejście wśród rozległych piargów podnóżem szczytów Văiugi i Iezerul Caprei. Końcowy bardziej stromy odcinek wyprowadza na **przełęcz Caprei** (Şaua Caprei; 2315 m n.p.m.) z węzłem szlaków, z której otwiera się widok na południe, na otoczenie doliny Izvorul Iezerul Caprei należącej do doliny Ardżeszu.

Granią w prawo wiedzie szlak czerwonego paska do przystanku kolejowego Valea Mărului, w lewo – szlak niebieskiego krzyża na szczyt Vânătoarea lui Buteanu przez Caprę. Należy skierować się w dół na wprost (na południe), by wkrótce, podążając za znakami czerwonego i niebieskiego paska, znaleźć się nad **jeziorem Capra**.

Nad brzegiem stoi **obelisk** upamiętniający czterech alpinistów, którzy zginęli w lawinie śnieżnej 7 lutego 1963 r. podczas powrotu po pierwszym udanym zimowym przejściu grani Creasta Arpăşelului – najtrudniejszego odcinka grani głównej.

Trasa wiedzie na wschód w stronę małej przełęczy w bocznym grzbiecie Piciorul Caprei, mijając po drodze kilka małych oczek wodnych (w pewnym momencie szlak niebieskiego paska odbija na południe). Przed oczami turystów otwiera się widok na najbardziej niedostępny odcinek grani Fogaraszy pomiędzy szczytami Capra i Arpaşu Mic, który ścieżka omija u podnóża ścian.

Szlak opada do kotła Căldarea Fundul Caprei i trawersuje go pod południowymi ścianami grani, przekraczając piargi i utrzymujące się do późnego lata śniegi. Wreszcie ze wschodniego kociołka Căldăruşa Fundul Caprei wznosi się w lewo w skos na przełęcz Portiţa Arpaşului, zwaną również Strunga Mică. Poniżej ścieżki (ok. 200 m na południe) można znaleźć schron turystyczny *Refugiul Fereastra Zmeilor*, a wodę jeszcze 5 min dalej, w kotle. Na grani, na lewo od przełęczy widać wychodnię wapienia krystalicznego, a w niej ciekawą formację – otwór Ferastra Zmeilor (Okno Smoków). Jest tu również węzeł szlaków.

Na wprost schodzi szlak niebieskiego paska do **schroniska** *Podragu* przez kotły doliny Arpaşu Mare, a zasadnicza trasa biegnie w prawo zgodnie ze znakami czerwonego paska. Niżej, po stronie północnej leży kocioł Căldarea Pietroasă a Arpaşului, jedna z górnych części doliny Arpaşu Mare. Ścieżka wykonuje eksponowany, lecz w normalnych warunkach pogodowych nietrudny trawers po północnej stronie Custura Arpaşului. W trzech miejscach założone są łańcuchy i poręczówki, a odcinek ten określa się jako „La trei paşi de moarte" – „Trzy kroki od śmierci". Przed szczytem Arpaşu Mic szlak na moment wychodzi na grań i zaraz rozpoczyna trawers na północną grzędę Piciorul Arpaşul Mic.

W przypadku złych warunków (np. oblodzenie, mgła, niepewna pogoda), lepiej obejść ten odcinek, kierując się z przełęczy Portiţa Arpaşului na dół, do kotła Căldara

Pietroasă a Arpaşului, a następnie, cały czas za znakami niebieskiego paska, podejść na przełęcz Portiţa Fruntii w grzędzie Piciorul Arpaşul Mic, lecz poniżej szlaku graniowego. Od przełęczy Portiţa Fruntii grzędą do ścieżki graniowej prowadzi szlak czerwonego kółka, którym należy podejść.

Ścieżka trawersuje północno-wschodnie zbocza szczytu Arpaşu Mic w stronę głównej grani, przechodzi powyżej wiszącego kociołka Căldăruşa Fruntii oraz rozległego kotła Căldarea Vârtopului, a następnie kominem krótko wspina się na grań koło pomnika Nerlingera (2287 m n.p.m.). Z tyłu pozostaje dolina Arpaşu Mare, a po stronie południowej widać kocioł Căldarea Budei z jeziorem Buda.

Od pomnika szlak podchodzi na szczyt **La Parul de Fier** (2380 m n.p.m.), po czym obniża się na **przełęcz Vârtopului** (Şaua Vârtopului; 2287 m n.p.m.) i rozpoczyna trawers południowych stoków góry Arpaşu Mare (2467 m n.p.m.), zwanej też Vârtopu. Po dotarciu na przełęcz w grzbiecie Piciorul Mircii pomiędzy Arpaşu Mare i Mircii (2461 m n.p.m.) rozpoczyna się zejście w stronę jeziora Podul Giurgiului, położonego w kotle Căldarea Podul Giurgiului. Trasa biegnie u południowych podnóży postrzępionej grani Creasta Podrăgelului, która łączy Arpaşu Mare z Podragu. Przełęcz w środku tej grani to Şaua Podragului. Od jeziorka ścieżka wznosi się trawersem i doprowadza do węzła szlaków na **przełęczy Podragului** (Şaua Podragului; 2307 m n.p.m.).

Opis zejścia do schroniska *Podragu* – zob. trasa 1, piąty dzień.

Drugi dzień: schronisko *Podragu* → przełęcz Podragului → Viştea Mare → przełęcz Podragului → schronisko *Podragu*

Znaki czerwonego trójkąta, dalej znaki czerwonego paska i czerwonego trójkąta: 6,5 godz. (wycieczka na Moldoveanu: 1 godz.)

Z przełęczy Podragului (opis trasy ze schroniska – zob. trasa 1, piąty dzień) należy skierować się na wschód graniową ścieżką biegnącą długimi trawersami południowymi, trawiastymi stokami pod wierzchołkiem Tărâţy (2414 m n.p.m.) zwanej Conradtem, dalej przełęczą Podul Giurgiului (2340 m n.p.m.) oraz szczytem Podul Giurgiului (2358 m n.p.m.). Następnie (ciągle trawersem) trasa obniża się o 120 m na **przełęcz Ucei Mari** (2220 m n.p.m.). Ku północy otwiera się widok na

Dolina Arpăşelului

Na obszarze doliny powstał florystyczno-faunistyczny **rezerwat przyrody Arpăşel** (Rezervaţia Naturală Arpăşel). Na powierzchni 736 ha, obejmującej całą górną i środkową część doliny, od wysokości 1000 m n.p.m. w górę, występują cztery piętra roślinne, od regla dolnego z lasami bukowymi i mieszanymi przez świerkowy regiel górny i pas kosodrzewiny po piętro alpejskie. Oprócz powszechnych łupków krystalicznych, na grzbietach Muchia Buteanului i Muchia Albotei trafiają się wychodnie wapieni krystalicznych. Na terenie rezerwatu rośnie 219 gatunków roślin kwiatowych w 20 zespołach roślinnych. W dolinie Arpăşelului żyje aż 80% licznej fogaraskiej populacji kozic. W 1973 r. reintrodukowano świstaki i obecnie mieszka ich tu około 40 sztuk. Ponadto można spotkać pojedyncze „egzemplarze" niedźwiedzia brunatnego, a w locie ujrzeć majestatycznego orła przedniego.

kocioł Hârtopul Ucei Mari oraz dolinę Ucea Mare. Kocioł po stronie południowej to Căldarea Orzăneaua Mică. Nadal trawersując południową stroną grani, szlak przechodzi pod szczytem Corabii (2407 m n.p.m.) i pod przełęczą Corabiei (2364 m n.p.m.; w lewo odchodzą na tę przełęcz zakosy starego traktu z Wołoszczyzny do Transylwanii, zwanego Drum al Dorobanţilor – Droga Piechurów). Ścieżka dociera na drugą stronę południowej grzędy południowo-zachodniego wierzchołka Ucea Mare (2421 m n.p.m.) ponad kocioł Căldarea Orzăneleaua Mare i mijając główną kulminację Ucea Mare (2434 m n.p.m.), wyprowadza trawersem na **przełęcz Ucişoara** (2312 m n.p.m.). Południowymi stokami szczytu Ucişoara (2418 m n.p.m.; inne nazwy: Orzănelei i Văgăuna) dochodzi się do przełęczy Orzănelei (2305 m n.p.m.). Dolina po północnej stronie nosi nazwę Viştea Mare, a jej górne piętro poniżej szlaku to kocioł Căldarea Turistilor. Ścieżka z przełęczy zmierza granią, długim i mozolnym podejściem (222 m różnicy poziomów) na **Viştea Mare** (2527 m n.p.m.), trzeci co do wysokości szczyt kraju. Jest on ważnym zwornikiem wododziałowego południowego grzbietu, który przez najwyższą kulminację Moldoveanu oraz kolejne odcinki: Muchia Galbenei, Muchia Coastele Mari, Coastele Mici i Culmea Tulica schodzi do obniżenia tektonicznego Culoarul Loviştei, a dalej łączy się z górami Ghiţu. Rozległa dolina Râul Doamnei na południowym wschodzie, oraz jej źródłowe odcinki zostały opisane w trasie 1 (dolina Râul Doamnei i dorzecze Izvorul Bândei – drugi dzień, dorzecze Valea Rea – trzeci dzień).

Z Viştea Mare wąskim grzbietem na południe, za znakami czerwonego kółka, mijając po drodze szczerbinę Spintecătura Moldoveanului (2496 m n.p.m.), w 20–30 min zdobywa się najwyższy szczyt Rumu-

nii – **Moldoveanu** (2544 m n.p.m.; zob. trasa 1, czwarty dzień).

Powrót do schroniska *Podragu* tą samą drogą.

Trzeci dzień: schronisko Podragu → przełęcz Portiţa Arpaşului → przełęcz Caprei → przełęcz Văiugii → Vânătoarea lui Buteanu → przełęcz Văiugii → schronisko Bâlea Lac

Znaki niebieskiego paska, dalej czerwonego paska, niebieskiego krzyża i niebieskiego kółka: 7,5–8 godz.

Od schroniska *Podragu* szlakiem niebieskiego paska przez przełęcz Curmătura dintre Lacuri, koło jeziora Podrăgel dociera się do głównej grani, na przełęcz Portiţa Arpaşului. Odcinek pomiędzy schroniskiem a jeziorem stanowi fragment trasy 1 (dzień szósty, w odwrotnym kierunku). W tym samym miejscu opisano wejście na przełęczkę Strunga Podrăgelului. Z przełęczy lekko w lewo szlak przechodzi na drugą stronę kotła Căldarea Vârtopului, a następnie wznosi się na próg wiszącego kotła Căldăruşa Frunţii i dalej na grzędę Piciorul Arpaşul Mic, którą osiąga w wyraźnym siodle Portiţa Frunţii (grzędą tą z lewej strony dochodzi szlak czerwonego kółka, pozwalający ominąć odcinek „Trzy kroki od śmierci"). Zgodnie ze znakami schodzi się na kamieniste dno kotła Căldarea Pietroasă a Arpaşului, a następnie wspina na przełęcz Portiţa Arpaşului w głównej grani.

Odcinek do **przełęczy Caprei** (Şaua Caprei; 2315 m n.p.m.) pokonuje się szlakiem graniowym w kierunku przeciwnym do opisanego w pierwszym dniu.

Z przełęczy należy skręcić w prawo, zaczynając podejście szlakiem niebieskiego krzyża na stronę Văiugi (2443 m n.p.m.), której wierzchołek zostawia się po lewej stronie. Następnie szlak obniża się na **przełęcz Văiugii**, wciętą w grani ponad kotłem Căldarea Vaiugii i ponownie prowadzi w górę w kierunku Capry (2494 m n.p.m.), od której w lewo (na północ) odgałęzia się grzbiet Muchia Buteanului. Oddzielony głęboką szczerbiną, wznosi się w nim jeden z najwyższych szczytów Fogaraszy – **Vânătoarea lui Buteanu** (2507 m n.p.m.). Z wysuniętego z głównej grani ku północy wierzchołka roztacza się fantastyczny widok na najciekawszy rejon Gór Fogaraskich i to od ich najbardziej przepaścistej strony. Na wschodzie widać dolinę Arpăşelului, zamkniętą na południu granią Creasta Arpăşelului. Od doliny Arpaşu Mare na wschodzie oddziela ją postrzępiony grzbiet Muchia Albotei, który odchodzi na północ od grani Creasta Arpăşelului. Zachodnim ograniczeniem jest grzbiet Muchia Buteanului, skąd rozpościera się wyżej opisana panorama. W jego wschodnich zboczach wydrążone są dwa nieduże kotły polodowcowe: pierwszy, Căldarea Coruga, opada spod turni Turnul Plecat, drugi, północny, to Căldarea Pietroasă.

Ze szczytu tą samą drogą należy wrócić na **przełęcz Văiugii**. Stąd w prawo, na północ, odchodzi szlak niebieskiego kółka, za którego znakami rozpoczyna się zejście stromym stokiem do kotła Căldarea Văiugii. Ścieżka wije się pomiędzy ścianami turni Turnul Plecat po prawej a północno-zachodnią ostrogą Văiugi. W miejscu, gdzie potok Văiuga wydostaje się z przewężenia dolinki, dochodzi się do poprzecznej ścieżki oznakowanej czerwonymi trójkątami. Podążając tą dróżką w lewo po piargach opadających spod ścian Văiugi, dociera się do jeziora Bâlea Lac i stojącego na półwyspie schroniska.

Trasa 3
Schronisko *Bâlea Lac* → Negoiu → schronisko *Negoiu* → jezioro Călţun → schronisko *Bâlea Lac*

Pokonanie trasy zajmuje 2 dni. Ta wysokogórska wycieczka należy do najtrudniejszych, jakie można odbyć w Karpatach rumuńskich. Szlak prowadzi główną granią lub w jej pobliżu, schodząc kilkakrotnie do górnych pięter dolin lodowcowych. Na trasie występuje największe nagromadzenie odcinków trudnych technicznie, a także wyposażonych w sztuczne ułatwienia. Na nocleg można zatrzymać się w schroniskach (latem warto dokonać wcześniejszej rezerwacji, bo bywają przepełnione). Namiot daje wprawdzie sporą niezależność, ale zwiększone obciążenie zdecydowanie podnosi trudność trasy.

Pierwszy dzień: schronisko *Bâlea Lac* → przełęcz Paltinului → Negoiu → Şerbota → schronisko *Negoiu*

Znaki niebieskiego paska, dalej czerwonego paska i niebieskiego paska: 9,5 godz.

Sprzed schroniska trasa prowadzi na wschód, okrąża jezioro i rozpoczyna podejście w kierunku zachodnim. Długim zakosem powyżej akwenu i nad tunelem, a następnie północnym stokiem szczytu Paltinu (2398 m n.p.m.) szlak doprowadza do punktu, w którym wrasta w niego grzbiet Muchia Bâlei (otwiera się stąd widok do doliny Doamnei). Należy skręcić w lewo, by szlakiem graniowym dojść na płaskiej i szerokiej **przełęczy Paltinului** (Şaua Paltinului).

W lewo odchodzi szlak graniowy czerwonego paska do przełęczy Curmătura Foii, a zasadnicza trasa skręca w prawo i biegnie przez trawiastą łąkę na południe, pomiędzy kulminację Lepşiţa (2391 m n.p.m.), zwaną Pisica (Kotka), po lewej a ciemną skalistą turnią Turnul Paltinul (Jaworowa Baszta; 2372 m n.p.m.) w grani głównej po prawej. Ścieżka wkracza do obfitującej w źródła górnej części rozległego kotła Căldarea Mare a Paltinului z rozwidleniem dróg.

W lewo (na południe) prowadzi szlak niebieskiego kółka do gajówki *Canton Piscul Negru*. Należy skręcić w prawo za znakami czerwonego paska, trawersując pod południowym zboczem Turnul Paltinului (w eksponowanym miejscu zamocowana jest poręczówka), a następnie przedostać się na północną stronę grani, ponad kocioł Căldarea Pietroasă a Vaii Doamnei i trawersem dojść do **przełęczy Doamnei** (2294 m n.p.m.). Ścieżka wraca na stronę południową i trawiastymi stokami szczytu Laiţa (2397 m n.p.m.) dociera na siodełko w grani po jego południowo-zachodniej stronie, po czym biegnie nieco urwistym trawersem (ubezpieczonym linami) do przełęczy Laiţei. Kolejny etap to strome podejście zakosami na zaokrąglony szczyt **Lăiţel** (2390 m n.p.m.), z którego roztacza się ciekawy widok. Na północ ciągnie się dolina Laiţa, opierająca się o główną grań od szczytu Negoiu Mic (2485 m n.p.m.) na zachodzie po Laiţę na wschodzie. Od Negoiu Mic na północ odgałęzia się grzbiet Muchia Tunsului, zwany też Muchia Scoreiului. Wschodnie ograniczenie stanowi grzbiet Piscul Laiţa (Muchia Doamnei). Górnym piętrem w głównej osi doliny jest rozległy kocioł Căldarea de la Strunga Dracului (kocioł Diabelskiego Przechodu), spadający do kotła Căldarea Mare a Laiţei. Ostroga Piscul Lăiţel (nie mylić z grzbietem Piscul Laiţa), odchodząc na północ z południowo-zachodniego

W II połowie XIX w. Negoiu (2535 m n.p.m.) uważany był za najwyższy szczyt Karpat Południowych (późniejsze pomiary palmę pierwszeństwa oddały Moldoveanu). Nic zatem dziwnego, że stanowił popularny cel wypraw XIX-wiecznych turystów. Pierwszego wejścia dokonał M. Ackner w 1837 r. W owym czasie panowało z kolei przekonanie, że najwyższym szczytem Karpat rumuńskich jest Suru (2283 m n.p.m.), wznoszący się w zachodniej części Gór Fogaraskich. Kiedy 3 września 1841 r. Reissenberger, Kaiser i Schoger weszli na Negoiu nową ambitną drogą przez grzbiet Muchia Tunsului, ze zdziwieniem stwierdzili, że znajdują się... powyżej Suru. Fakt ten potwierdzili dwa lata później topografowie wojskowi.

wierzchołka Lăiţel, stanowi wschodnie ograniczenie tych kotłów. Ograniczeniem zachodnim jest północno-wschodni filar Negoiu (2535 m n.p.m.). Zamknięcie południowe tworzą kolejno: przełączka Strunga Dracului (Diabelski Przechód), skalisty Dintre Strungi (2476 m n.p.m.), zwany La Strunga Dracului, przełączka Strunga Doamnei (2342 m n.p.m.), główny zwornik Călţun (2418 m n.p.m.), przełęcz Portiţa Călţunului (2190 m n.p.m.) oraz rozstrzępiona grań Creasta Crenelate, która przez Lăiţel Mic przechodzi w południowo-zachodnią grań szczytu Lăiţel. Kocioł pomiędzy ostrogą Piscul Lăiţel a grzbietem Piscul Laiţa to Căldarea Superioară a Laiţei, a kocioł na północ od północno-wschodniego filara Negoiu nosi nazwę Căldarea Ciobanului (Owczarski Kocioł) lub Căldarea Scoreiului. Podchodzi on pod główną grań pomiędzy szczytami Negoiu i Negoiu Mic oraz pod przechód Strunga Ciobanului (2308 m n.p.m.) w grzbiecie Muchia Tunsului. Od północy ogranicza go wschodnia ostroga szczytu Podeiu (2408 m n.p.m.). Patrząc na grzbiet Muchia Tunsului, widać w prawo od Podeiu kolejno: przełęcz Podeiului (2355 m n.p.m.) i kocioł Căldarea Podeiului, szczyt Steghiilor (2378 m n.p.m.), przełęcz Curmătura Steghiilor (2260 m n.p.m.) i kocioł Căldarea Sudica Burianului Mare, szczyt Burianul Mare (2352 m n.p.m.), przełęcz La Pârâul Rau i kocioł Căldarea Nordica Burianului Mare, szczyt Burianul Mic (2306 m n.p.m.), kocioł Căldarea Burianului Mic, szczyt Ferastraul (2228 m n.p.m.), a za nim nieco dalej szczyt Furca Tunsului (1993 m n.p.m.), gdzie grzbiet rozdwaja się na wododziałowy Culmea Scoreiului oraz Culmea Sărăţii. Kotły grzbietu Muchia Tunsului zawieszone są ponad żłobem lodowcowym doliny Laiţa i opadają do niego progami. Potok płynący spod szczytu Burianul Mare zmierzając do głównego potoku Laiţa, tworzy na progu wodospad. Dolina jest

bardzo dzika, a ścieżki turystyczne wytyczono tylko w jej górnej części u stóp masywu Negoiu.

Patrząc na zwornikowy szczyt Călţun (2418 m n.p.m.), dostrzega się odchodzący od niego na południe grzbiet, który wyprowadza na jeden z najwyższych i najbardziej niedostępnych szczytów Fogaraszy i najtrudniejszy do zdobycia – Lespezi (Szczyt Złomisk; 2522 m n.p.m.). U podnóża ściany Călţun–Lespezi, po południowej stronie grani w kotle Căldarea Călţunului połyskuje tafla jeziora Călţun, a obok niego stoi schron turystyczny *Refugiul Călţun*.

Ścieżka opada stromo do początku grani Creasta Crenelate (w pokonaniu trudniejszych miejsc pomagają sztuczne ułatwienia), wreszcie skręca w lewo i schodzi do węzła szlaków nad pięknym jeziorem Călţun. Jest to świetne miejsce na biwak.

Szlak niebieskiego trójkąta wiedzie do gajówki *Canton Piscul Negru*, niebieskie krzyże do tunelu szosy transfogaraskiej, a czerwone kółka do schronu *Refugiul Călţun* (50 m).

Należy skierować się na zachód pomiędzy dużymi blokami skalnymi na **przełęcz Portiţa Călţunului** (2190 m n.p.m.), przechodząc na północną stronę grani. Na końcu piarżystego stoku jest kolejny węzeł szlaków.

W prawo odbija szlak czerwonego krzyża do wanty Piatra Prânzului przez przechód Strunga Ciobanului, umożliwiający dojście do schroniska *Negoiu* z ominięciem trudności dalszej trasy.

Należy kontynuować marsz zakosem w lewo aż do kolejnego rozwidlenia szlaków u wylotu komina opadającego z grani. W lewo odchodzi szlak żółtego paska wiodący przez przechód Strunga Doamnei. Zaleca się skorzystanie z tego wariantu (45 min na szczyt), jeśli na najbliższym odcinku zalega śnieg.

Zasadnicza trasa pnie się za znakami czerwonego paska do podstawy głębokiego

8

GÓRY | Góry Fogaraskie

Najstarsze w Fogaraszach schronisko *Negoiu* (*Cabana Negoiu*) wznosi się na polanie grzbietu Muchia Şerbota, w pobliżu granicy lasu, na wysokości 1546 m n.p.m. Zbudowano je z inicjatywy Siedmiogrodzkiego Towarzystwa Karpackiego (Siebenbürgische Karpatenverein – SKV), aby ułatwić turystom wejście na najwyższy, jak się wówczas wydawało, szczyt Karpat Południowych. 10 września 1881 r. otwarto pierwsze schronisko Negoi-Hütte. Dziewięć lat później zastąpił je większy obiekt, który następnie dwukrotnie rozbudowywano (w 1907 i latach 1914–1915). Trzecie, tzw. stare schronisko, uruchomiono w roku 1937. Budowę obecnego dwupiętrowego budynku rozpoczęto 20 lat później, a 10 maja 1963 r. oddano do użytku.

komina we wschodniej ścianie góry Negoiu, zwanego Hornul la Strunga Dracului (Komin Diabelskiego Przechodu) lub Hornul Turistilor (Komin Turystów). Korzystając z poręczówek, bez większych trudności można wydostać się na przechód Strunga Dracului, pomiędzy szczytem Dintre Strungi po lewej i Negoiu po prawej. Po drugiej, południowo-zachodniej stronie, poniżej, rozciąga się jeden ze źródłowych kotłów doliny Izvorul Negoiului – Căldarea Mioarelor. Idąc granią na północny zachód, dociera się do połączenia wariantu głównego z wariantem przez przechód Strunga Doamnei, który dołącza z lewej strony. Po 15–20 min podejścia ścieżka doprowadza na drugi co do wysokości szczyt Rumunii – **Negoiu** (2535 m n.p.m.).

Od południa podchodzi pod niego walna dolina rzeki Topolog. Jej północnym ograniczeniem jest odcinek głównej grani od szczytu Ciortea II (2422 m n.p.m.) na zachodzie po Cǎlţun na wschodzie. Od Ciortea II biegnie na południe długi grzbiet Culmea Mâzgavului stanowiący zachodnie obrzeże doliny. Widać w nim szczyty: Capul Bâlei (2426 m n.p.m.), zwany Boiu, oraz Mâzgavu – Petriceaua – Titescu – Sf. Ilie, dalej grzbiet przecina obniżenie tektoniczne Culoarul Loviştei i łączy się z górami Cozia. Granicę wschodnią wyznacza grzbiet odchodzący od Cǎlţun w stronę gór Frunţi, dzielący zlewisko Topologu od zlewiska Ardżeszu.

Dolina Izvorul Negoiului oddzielona jest od doliny Izvorul Scǎrii grzbietem Piscul lui Cazan, który odchodzi od szczytu Musceaua Scǎrii (2277 m n.p.m.) na południe. Pod główną granią lodowiec wykształcił cztery kotły: Căldarea Mieilor, Căldarea Pietroasa a Negoiului, Căldarea Mioarelor i Căldarea Berbecilor (Barani Kocioł).

Ze szczytu szlak prowadzi stromo w dół granią na zachód do małego przechodu pomiędzy wierzchołkami Negoiu i Negoiu Mic. Ścieżka nieco się wznosi, a następnie

trawersuje południowymi stokami tego drugiego na **przełęcz Popasul lui Mihai** z węzłem szlaków.

W lewo prowadzi szlak czerwonego trójkąta do jeziora Vidraru, w prawo szlak niebieskiego trójkąta do schroniska *Negoiu*, pozwalający ominąć trudności trasy i skracający ją; trasa wiedzie obok malowniczych skałek Acul Cleopatrei (Igła Kleopatry), Colţul Elefantului (Kieł Słonia), Foarfeca (Nożyce) i innych.

Z przełęczy otwiera się widok na północ na dolinę Sǎrǎţii, ograniczoną na zachodzie grzbietem Muchia Şerbota (na polanie tego grzbietu, w pobliżu granicy lasu znajduje się schronisko *Negoiu*), na południu granią Custura Sǎrǎţii, a na wschodzie grzbietem Muchia Tunsului oraz niżej grzbietem Culmea Sǎrǎţii. Pod główną granią wykształciły się dwa kotły lodowcowe: Căldarea Micǎ a Şerbotei i Căldarea Mare a Şerbotei. Grzbiet Muchia Şerbota oddziela dolinę Sǎrǎţii od doliny Şerbota – płynący nią potok o tej samej nazwie tworzy najwyższy w Rumunii **wodospad Şerbotei** (Cascada Şerbotei) liczący 110 m wysokości (dojście ze schroniska *Negoiu* szlakiem niebieskiego trójkąta).

Z przełęczy Popasul lui Mihai należy skierować się na zachód, początkowo szerokim trawiastym grzbietem. Po 10 min grań staje się ostrzejsza, skalista i zaczyna się jej najtrudniejszy i wyjątkowo piękny odcinek o nazwie Custura Sǎrǎţii. Grań kończy się kominkiem, który wyprowadza na szeroki wierzchołek **Şerboty** (2331 m n.p.m.). Kilkadziesiąt metrów dalej szlak niebieskiego paska odbija w prawo, na północ, do schroniska *Negoiu*.

Z początku łatwa ścieżka dociera do kominka, gdzie rozpoczyna się trudniejszy, skalisty odcinek zejścia. Miejscami obchodząc skałki wystające z grani, dochodzi się do kamienistego przechodu, za którym grzbiet się rozszerza. Mijając wielkie złomiska łupków krystalicznych, ścieżka obniża się grzbietem lub w jego pobliżu wśród traw i krzewów różanecznika, po czym nieco w lewo przez las doprowadza do węzła szlaków.

W lewo wiedzie szlak czerwonego kółka do schroniska *Bârcaciu* i szlak niebieskiego krzyża do wsi Sălătruc przez przełęcz Scării.

Należy skręcić w prawo – po około 5 min dochodzi się do kolejnego węzła szlaków, 150 m przed schroniskiem *Negoiu*.

Drugi dzień: schronisko *Negoiu* → wanta Piatra Prânzului → jezioro Călţun → południowy wylot tunelu szosy transfogaraskiej → schronisko *Bâlea Lac*

Znaki niebieskiego trójkąta, dalej czerwonego krzyża, niebieskiego krzyża i bez znaków: 8–9,5 godz.

Od węzła szlaków 150 m za schroniskiem należy skierować się w lewo ścieżką wznoszącą się łagodnie wschodnimi stokami Muchia Şerbota. Po drodze w lesie mija się kilka koryt dopływów potoku Valea Sărăţii. Odcinek ten, zwany Drumul Zmeilor (Droga Smoków) zajmuje mniej więcej 15 min. Po wyjściu z lasu trasa wkracza w strefę kosówki, po następnych 30 min przechodzi na drugą stronę potoku Valea Sărăţii koło skałki Piatra Caprei. Szlak wznosi się na wschód po piargach dolinki, w której płynie potok spod kotła Căldarea de Est a Sărăţii. Pnąc się wśród kamiennych złomisk pokrytych żółtozielonymi porostami, ścieżka zatacza lekki łuk w kierunku południowym i po godzinie od Piatra Caprei dociera do węzła szlaków w pobliżu **wanty Piatra Prânzului**.

W prawo prowadzą niebieskie trójkąty na szczyt Negoiu (warto zrobić krótki wypad tym szlakiem do groty Peştera de sub Negoiu i „fotogenicznych" skałek).

Zasadnicza trasa biegnie w lewo zgodnie ze znakami czerwonego krzyża po złomiskach pokrywających zachodnie stoki grzbietu Muchia Tunsului do podstawy komina spadającego spod przełączki Strunga Ciobanului, głęboko wciętej pomiędzy ścianami Podeiu po lewej a urwiskiem Negoiu Mic po prawej. Korzystając z lin poręczowych, należy zejść kominkiem na wschodnią stronę, do kotła Căldarea Ciobanului. Przed oczami turysty wznosi się najtrudniejsza północno-wschodnia ściana Negoiu, ograniczona z lewej strony północno-wschodnim filarem.

Szlak obchodzi kocioł pod ścianą, przewija się na drugą stronę filara i skręca w prawo na trawiastą morenę kotła Căldarea de la Strunga Dracului. Na wprost widać szczyt Călţun, a nieco w lewo, ponad kotłem Căldarea Mare a Laiţei, piętrzą się urwiska Lăiţel Mic. Teraz należy pokonać odcinek trudny orientacyjnie w czasie mgły, prowadzący po piarżysku kotła na jego przeciwległy kraniec do węzła szlaków na ścieżce graniowej.

Należy skierować się ścieżką graniową Fogaraszy w lewo, w górę, za znakami czerwonego paska na przełęcz Portiţa Călţunului (2190 m n.p.m.), skąd w 10 min dociera się do **jeziora Călţun** (Lacul Călţunului; 2135 m n.p.m.).

Od jeziora należy pójść za znakami niebieskiego krzyża na wschód. Ścieżka trawersuje południowe zbocza góry Lăiţel do kotła Căldarea Mare a Paltinului, mijając odcinki z kosówką i jałowcem i przecinając liczne strugi wody. Przez potok Izvorul Paltinului płynący przez środek kotła szlak dociera do jego wschodniej części.

Po drodze, z dołu, z prawej strony dołącza szlak niebieskiego kółka, którym można dotrzeć do gajówki *Cantonul Piscul Negru*. Aby uniknąć przejścia tunelem szosy transfogaraskiej, można skierować się nimi w górę w lewo na przełęcz Paltinului, a z niej znaną już drogą zejść nad **jezioro Bâlea**.

Przez jakiś czas obie trasy biegną wspólnie pod górę, pokonując kilka stromych uskoków. Następnie szlak niebieskiego krzyża skręca w prawo i podchodzi

Jezioro Bâlea

Polodowcowe jezioro Bâlea jest największym naturalnym zbiornikiem Gór Fogaraskich. Jego powierzchnia wynosi 4,65 ha, a głębokość 11,3 m. Do wybudowania szosy transfogaraskiej uważane było za najpiękniejszy akwen całego pasma, dzisiaj jest gwarnym, tłocznym i zaśmieconym miejscem, nad którym unosi się charakterystyczna ostra woń spalin rumuńskiej benzyny.

Paradoksalnie, na tym obszarze utworzono **rezerwat przyrody Bâlea** (Rezervaţia Naturală Bâlea), powołany dla ochrony całokształtu zjawisk i form geomorfologicznych, wodnych, florystycznych i faunistycznych na obszarze górnej części doliny objętej zlodowaceniem plejstoceńskim.

Pierwsze schronisko koło wodospadu Bâlea powstało bardzo wcześnie, bo w roku 1883 i służyło turystom przez 19 lat do czasu pożaru. Odbudowany w 1905 r. obiekt został zniszczony w czasie I wojny światowej. Nowe schronisko wzniesiono w latach 1924–1925. Z rejonem tym wiąże się ważna data z historii turystyki fogaraskiej. W roku 1700 G. Lindner odbył pierwszą znaną wycieczkę turystyczną do dolin Bâlea oraz Doamnei.

na ramię Piciorul Paltinului, oddzielające dorzecze Valea Paltinului od dorzecza Valea Caprei. Po przekroczeniu grzbietu Piciorul Paltinului ścieżka skręca na północ i przecinając liczne żleby, dochodzi do **południowego wylotu tunelu szosy transfogaraskiej**.

Tunelem w 20 min dociera się do jeziora Bâlea i schroniska *Bâlea Lac*.

Trasa 4
Schronisko *Bâlea Cascadă* → grzbiet Muchia Buteanului → schronisko *Bâlea Lac* → dolina Doamnei → schronisko *Bâlea Cascadă*

Wycieczka zajmuje 8 godz. Należy kierować się znakami czerwonego trójkąta, a dalej znakami czerwonego krzyża.

Ta średnio trudna wysokogórska trasa jest bardzo zróżnicowana i obejmuje niezwykle widokową wędrówkę grzbietową, trawersy oraz odcinek biegnący doliną. Pozwala poznać podstawowe formy rzeźby lodowcowej łącznie z największym jeziorem Fogaraszy – Lacul Bâlea (zob. ramka). Szlak przecina dwa rezerwaty przyrody, być może więc uda się spotkać kozice, a przy odrobinie szczęścia także świstaki. Dojazd do punktu startu i zakończenia umożliwiają środki komunikacji publicznej. Wycieczka może stanowić rozszerzenie trasy 2 lub 3.

Spod dolnej stacji kolejki linowej Telecabina Bâlea należy ruszyć za znakami czerwonego trójkąta na wschód do bocznej dolinki Vâlcelului Dracului. Szlak wznosi się stromo wzdłuż żlebu, przecinając szosę. W miejscu odgałęzienia się drogi do Piatra Dracului trzeba skierować się w prawo w górę, idąc wśród kosówki w stronę **grzbietu Muchia Buteanului**. Ścieżka osiąga go w przełęczy pomiędzy szczytami Jneapănului (1834 m n.p.m.) na północy a Lăcuţului na południu. Wschodnią stroną grzbietu szlak doprowadza do bardzo ciekawego oczka wodnego **Lăcuţul Buteanului**, zwanego Tăul Buteanului. W odróżnieniu od polodowcowych jezior fogaraskich, ma ono odmienną genezę. Woda wypełnia dno niecki niwacyjnej – formy powstałej w wyniku procesów niszczących

spowodowanych naprzemiennym działaniem topniejącego i zamarzającego śniegu. Proces niwacji osiąga największe natężenie w strefie pomiędzy górną granicą lasu a granicą wiecznego śniegu.

Znad brzegu jeziorka roztacza się rozległy widok na dolinę Arpăşelului i grzbiet Muchia Albota (*Dolina Arpăşelului* – zob. ramka s. 425).

Od jeziorka ścieżka przeciska się przez kosówkę, omijając niektóre wzniesienia, lub podąża grzbietem. Należy uważać, by nie zboczyć w którąś z perci pasterskich w stronę doliny Bâlea. Pierwszym większym szczytem na trasie jest **Piramida Buteanului** (2036 m n.p.m.). Dalej można iść grzbietem przez sześć kolejnych kulminacji lub wybrać obchodzącą je ścieżkę. Po trzech godzinach podchodzenia osiąga się najwyższy szczyt na trasie – **Netedu** (2351 m n.p.m.). Roztacza się z niego wyjątkowa panorama centralnej części Fogaraszy. Na zachód widać kocioł Căldarea Bâlei z jeziorem oraz linię grani głównej, zamykającej kocioł od Vâiuga przez Iezerul Caprei po Paltinu. Za nim, zza szczytów Laiţa i Lăiţel wyziera druga co do wysokości góra Rumunii – Negoiu. Widok na wschód i północny wschód emanuje surowością. Do doliny Arpăşelului otwiera się kocioł Căldarea Coruga ze stojącą ponad nim turnią Turnul Plecat. Po drugiej stronie piętrzą się urwiska postrzępionego grzbietu Muchia Albotei oraz przepaścistej grani Creasta Arpăşelului. W głębi rozciąga się morze szczytów aż po Gălăşescu Mare.

Szlak opada na szeroką przełęcz Netedului, a następnie (na południowy zachód) na dno doliny Văiugii, gdzie koło przecięcia potoku Văiugii odbijają w lewo znaki niebieskiego kółka na przełęcz Văiugii. Dalej po piargach pod ścianami Văiugi dociera się do **jeziora Bâlea Lac** i stojącego na półwyspie **schroniska** o tej samej nazwie.

Od schroniska należy podążać za znakami czerwonego krzyża (na zachód) drogą obok górnej stacji kolejki linowej i schroniska *Paltinu* w stronę tunelu szosy transfogaraskiej, a następnie ścieżką pnącą się wschodnim stokiem grzbietu Muchia Bâlei na przełęcz Curmătura Bâlei (2201 m n.p.m.). Szlak schodzi z niej przeciwnym zboczem w stronę doliny Doamnei do kotła Căldarea cu Iarbă. Stojąc na jego progu, widzi się w dole dwa jeziorka Lacurile Doamnei, rozlokowane na piętrze kotła Căldarea Lacului. Po drugiej stronie spod grzbietu Muchia Doamnei opada wyrzeźbiony w białych wapieniach krystalicznych żleb Jgheabul Văros.

Ścieżka przekracza próg i przechodzi przez piętro z jeziorkami do dolnego progu doliny. Spływający po nim potok Pârâul Doamnei wydrążył gardziel w kształcie litery S, w której woda tworzy na progach niewielkie wodospady. Dalej szlak mija domek myśliwski w **dolinie Doamnei** i zanurza się w las. Przez mniej więcej 15 min droga biegnie w dół wzdłuż potoku, następnie skręca w prawo i w końcu opuszcza dno doliny. Po kolejnych 15 min, przekraczając ponownie grzbiet Muchia Bâlei, dochodzi się do rozejścia dróg.

W lewo odgałęzia się ścieżka wiodąca na skały Piatra Vulturului (Orla Skałka), z której rozpościera się interesujący widok na dolinę Bâlea i grzbiet Muchia Buteanului.

Zasadnicza trasa prowadzi na wschód do **doliny Bâlea**, napotykając ścieżkę znakowaną niebieskimi paskami (dysponując wolną godziną, warto podejść nią do najpopularniejszego wodospadu Gór Fogaraskich – Cascada Bâlea; po około 30 min podejścia odchodzi do niego w lewo kilka wyraźnych ścieżek).

Na rozejściu szlaków należy skręcić w lewo i wspólnie ze znakami niebieskiego paska w 10 min zejść do mostu na potoku Bâlea. Po przejściu na drugą stronę pomiędzy przybudówkami schroniska *Bâlea Cascadă* dociera się do dolnej stacji kolejki linowej.

MASYW COZIA

Góry Cozia z najwyższym szczytem o tej samej nazwie (1667 m n.p.m.), zakończenie długiego grzbietu Fogaraszy, wybijając się znacznie wysokością ponad okoliczne wierzchołki, traktowany jest jako osobny mezoregion geograficzny.

POŁOŻENIE, GEOLOGIA

Masyw Cozia flankuje od wschodniej strony wylot przełomu Aluty (Olt) przez Karpaty Południowe. Zachodnie stoki gór opadają błyskawicznie kilkoma skalistymi grzbietami (*muchia*) do doliny Aluty, tracąc na dystansie kilku kilometrów ponad 1300 m wysokości. Wspomniane granie mają profil schodkowy – odcinki o stosunkowo łagodnym nachyleniu przerywane są urwiskami skalnymi i turniami. Konsekwencją tego faktu jest konieczność prowadzenia szlaków turystycznych malowniczymi trawersami omijającymi niedostępne partie.

Masyw został wydźwignięty o około 1200 m we wczesnym neogenie – świadczą o tym skały osadowe w partiach szczytowych (wapienie, zlepieńce), a także w dnie doliny Aluty. Głównym budulcem gór są gnejsy tworzące wspaniałe formacje skalne oraz grube piarżyska pod skalnymi ścianami, które zamaskowane są obecnie glebą i wspaniałą roślinnością. Spłaszczenia grzbietów najczęściej pokrywają malownicze polany pełne głazów i borówek.

FLORA

Flora masywu Cozia nawiązuje do ogólnych prawidłowości występujących w górach środkowej Europy. Dzięki sporej wysokości masywu wykształciły się tu piętra klimatyczno-roślinne znane także z polskich Karpat. Buczyny i jaworzyny (rosnące w trudno dostępnych miejscach) tworzące regiel dolny sięgają do wysokości 1400 m n.p.m. Powyżej znajdują się lasy świerkowe budujące regiel górny. Specyficzne cechy klimatu submediterańskiego spowodowały podwyższenie granic stref klimatyczno-roślinnych o mniej więcej 150 m. Największą osobliwością masywu Cozia są lasy grądowe. Dąb bezszypułkowy występuje koło klasztoru Stânişoara na rekordowej wysokości około 1350 m n.p.m., co jest najwyższym zasięgiem tego gatunku w Rumunii. Botanicy opisali w masywie 930 gatunków roślin wyższych. Spośród najciekawszych, które można spotkać podczas wycieczki, warto wymienić szarotkę alpejską, pięknego i rzadkiego wawrzynka Blagaya (uwaga trujący!) oraz gatunki endemiczne – chabry nadreńskie i urokliwe goździki.

W celu ochrony unikalnych cech przyrody powołano w 2000 r. **Park Narodowy Cozia** (*Parcul Naţional Cozia*) o powierzchni 17 100 ha, z czego około 16 000 ha porastają lasy. Park obejmuje zasięgiem całe góry Cozia oraz położone na prawym brzegu Aluty grzbiety Narăţu o bardzo urozmaiconej rzeźbie, należące już do gór Căpăţâni.

W GÓRY

Masyw Cozia oferuje sporo możliwości podejmowania wycieczek w oparciu o gęstą sieć nieźle z reguły utrzymanych szlaków turystycznych. Pomimo łatwej dostępności z drogi Sybin–Râmnicu Vâlcea oraz bliskości kurortów Călimăneşti i Căciulata szlaki są zazwyczaj puste. W wymienionych ośrodkach bez trudu znajdzie się zakwaterowanie. Wędrowcy spragnieni prawdziwie górskiego noclegu mogą zatrzymać się w podszczytowym schronisku Cozia, które oprócz niedrogich pokoi oferuje także skromny bufet. Nagrodą za wysiłek są bajkowe panoramy – masyw jest bowiem amfiteatralnie usytuowany w stosunku do pasm górskich środkowej części Karpat Południowych. Widok ze szczytu Cozia przy dobrej pogodzie to doskonała lekcja topografii. Dodatkowym atutem jest możliwość zwiedzenia malowniczo położonych monastyrów prawosławnych. Jedynym wymogiem koniecznym do podejmowania wycieczek jest minimum przeciętna kondycja. Należy pamiętać, że w ciągu marszu trzeba pokonać ponad 1300 m przewyższenia. Dlatego dobrym rozwiązaniem jest rozłożenie wędrówki na dwa dni, z noclegiem w podszczytowym schronisku.

Najlepsza **mapa** masywu dołączona została do magazynu *Munţii Carpaţi* nr 28. W Internecie można znaleźć sporo map w gorszych skalach, które jednak wystarczają w zupełności podczas wędrówek (np. na www.carpati.org/harti_harta.php?harta_hartiCozia).

Trasa 1

Klasztor Turnu → Muchia Tureanu → Vf. Cozia → nocleg w schronisku Cozia → klasztor Stânişoara → klasztor Turnu

Dwudniowa wędrówka z noclegiem w podszczytowym schronisku, przybliżająca najciekawsze zakątki masywu Cozia. Po drodze dwa interesujące, malowniczo położone zabytki kultury materialnej: klasztory Turnu i Stânişoara. Trasa możliwa do przejścia w ciągu jednego dnia (ok. 10 godz.).

Pierwszy dzień: klasztor Turnu → Muchia Trăzniţa → trawers Muchia Scorţaru → Muchia Tureanu → schronisko Cozia → szczyt Cozia

Czas przejścia 5,5 godz.

Do klasztoru Turnu można dotrzeć ze stacji kolejowej Mănăstirea Turnu (zatrzymują się tu jedynie pociągi osobowe; 5 min) lub od strony drogi głównej. Nale-

ży przejść przez zaporę zbiornika Turnu i podejść w górę doliny Aluty około 1 km wygodną drogą (po drodze tunel). Skręca się pod wiaduktem i po chwili dochodzi do malowniczo położonego monastyru.

Klasztor Turnu (Mănăstirea Turnu) został założony w XVI w. przez mnichów z nieodległego klasztoru Cozia, którzy pragnęli prowadzić niezakłócone niczym życie zakonne. Początkowo asceci mieszkali w wykutych w skale i widocznych do dziś celach. W 1676 r. przy pomocy metropolity wołoskiego Varlaama wzniesiono kamienne zabudowania klasztorne oraz piękną cerkiew pod wezwaniem Wejścia Najświętszej Maryi do Świątyni. Wewnątrz warto rzucić okiem na polichromię z XVII w. Pod koniec XIX stulecia wybudowano nową świątynię o nietypowym rozwiązaniu architektonicznym – w piętrowym budynku umieszczono dwie cerkwie oraz cele mnichów. Projektantem założenia był Polak Antoni Łapiński, którego podobiznę można zobaczyć na polichromii w dolnej cerkwi.

Z parkingu przy klasztorze (można tu zostawić samochód) idzie się za znakami czerwonego paska i obok ogrodzenia podchodzi stromą ścieżką do drogi, na której trzeba skręcić w lewo. Trakt prowadzi łagodnie wśród lasów bukowych obok dwóch drewnianych schronów. Po godzinie dociera się na polanę z drewnianym budynkiem (w środku kaplica). Dochodzą tu szlaki żółtego paska do zapory Turnu (1 godz.) i niebieskiego paska do wsi Păuşa (1,5 godz.). Droga obniża się nieznacznie i zbliża do rozgałęzienia szlaków (tabliczka). Tutaj trzeba skręcić w lewo, zostawiając wygodny trakt prowadzący do klasztoru Stânişoara (zostanie wykorzystany następnego dnia).

Ścieżka zwęża się i prowadzi malowniczym trawersem grzbietu **Muchia Scorţaru**. Od czasu do czasu wyprowadza na widokowe skałki – dolina Aluty wygląda jak z lotu ptaka. Mija się obfite źródło (obok solidny schron nadający się na biwak) i nadal podążając trawersem, schodzi do potoku (ostatnia woda ze schroniska). Tu należy iść w górę koryta (słabe znakowanie) i dalej dnem doliny stromo do polany **Tureanu** ze zrujnowanym szałasem na grzbiecie. W lewo odchodzi dawno nieodnawiany szlak czerwonego trójkąta do klasztoru Turnu (2 godz.). Zaczyna się tu stromie i niezwykle widokowe przejście malowniczym ciągiem polan. Po prawej pojawia się poszarpana sylwetka turni Colţii Foarfecii (Turnie Nożyczki).

Warto zatrzymać się na popas na mijanych skałkach Pietrele Vulturilor (Orle Skały) i pobuszować wśród borówek. W panoramie na wschodzie pojawia się zwieńczony ogromnym masztem wierzchołek Ciuha Mică (1629 m n.p.m.) oraz jeden z budynków schroniska. Trawersując od południa najwyższy szczyt masywu, dochodzi się do schroniska.

Położona na przełęczy 1573 pomiędzy Cozia i Ciuha Mică, *Cabana Cozia* (☎0722/721922; nocleg 4 €/os.; brak wody bieżącej, kran na zewnątrz budynku) to bardzo sympatyczne, choć nieco spartańskie miejsce. Schronisko oferuje 50 miejsc noclegowych w dwóch budynkach. We wschodnim znajduje się bufet serwujący proste dania i napoje (głównie alkohol). Stroma ścieżka wyprowadza w 10 min na główny wierzchołek masywu **Cozia** (1667 m n.p.m.) ze stacją nadawczą i krzyżem.

Drugi dzień: schronisko *Cozia* → trawers Vf. Bulzul → klasztor Stânişoara → Muchia Trăzniţa → klasztor Turnu

Pod schroniskiem trzeba wejść na drogę prowadzącą w poprzek stoku Ciuha Mică (szlak niebieskiego paska). W prawo odchodzi szlak czerwonej kropki na skaliste Colţii Foarfecii. Po 5 min należy opuścić trakt na zakręcie i skierować w dół, na grzbiet porośnięty lasem. Po dotarciu pod **Vf. Bulzul** trzeba zejść pod urwistymi skałami. Wędrując dalej skalistym miejscami grzbietem Muchia Vlădesei, dochodzi się wkrótce do rozgałęzienia szlaków. Teraz w prawo i początkowo stromo, potem łagodniej wąską ścieżką schodzi się do polany ze schronem i niedalekiego monastyru.

Klasztor Stânişoara został założony, podobnie jak Turnu, przez grupę pustelników z monastyru Cozia, którzy zapragnęli odizolować się od świata zewnętrznego. Do zacisznej doliny u stóp dzikich turni Colţii Foarfecii przybyło w 1671 r. trzech mnichów: Meletie, Neofit i Izajasz, którzy wznieśli tu drewnianą cerkiew i żyli w wykutych w skale celach. W 1747 r. przy pomocy miejscowych bojarów wybudowano murowaną cerkiew pw. św. Jerzego i pomieszczenia mieszkalne. Podczas wojny austriacko-tureckiej w 1788 r. klasztor został zniszczony przez Turków. Opuszczone ruiny służyły później pasterzom jako szałas (stąd pochodzi nazwa monastyru – „szałasik"). W latach 1807–1850 klasztor został odbudowany przez przybyłych ze Świętej Góry Athos mnichów: Serba Savę

i Rumuna Teodozjusza. Warto zatrzymać się tu na moment podczas wędrówki i przypatrzyć się nieśpiesznemu życiu rozmodlonych mnichów.

Spod bramy klasztoru trzeba skierować się w dół do potoku i wygodną drogą dojść do rozwidlenia szlaków, gdzie zamyka się pętlę. Do monastyru **Turnu** zostaje nieco ponad godzina zejścia trasą znaną z dnia poprzedniego.

GRUPA PARÂNGU – GÓRY PARÂNG I CĂPĂŢÂNII

Środkową część Karpat Południowych stanowi **grupa Parângu**, węzeł orograficzny o odśrodkowym układzie sieci rzecznej, zamykający się między doliną Streiu i przełomem Jiu na zachodzie, a przełomem Aluty na wschodzie. Dwie równoleżnikowe doliny rzek Jieţ i Lotru, będące częścią tektonicznego obniżenia ciągnącego się od doliny Czerny do kotliny Lovistei, dzielą masyw na dwie grupy wzniesień. W strefie południowej wyrastają pasma **Parâng**, **Căpăţânii** i **Latoriţei**, a w północnej rozchodzą się promieniście góry **Şurianu** (lub Sebeş), **Cindrel** (Cibin, Sibin) i **Lotru**.

GÓRY PARÂNG

Góry Parâng są drugą pod względem wysokości grupą górską w rumuńskich Karpatach, osiągającą wysokość 2518 m n.p.m. Objęte zlodowaceniem plejstoceńskim, wytworzyły po północnej stronie kotły polodowcowe ze skalistymi zboczami, wysokimi progami i dolinami korytowymi. Niewątpliwego uroku dodają im liczne stawy, a na peryferiach mocno zaznaczają się w krajobrazie imponujące przełomy rzek. W pasie wapieni mezozoicznych w południowej części masywu wykształciły się liczne zjawiska krasowe z ciekawymi jaskiniami. Niewielki ruch turystyczny stanowi istotny argument przemawiający za wyborem tych nieco zapomnianych, lecz wyjątkowo pięknych gór na cel wyjazdu.

Geografia

Góry Parâng (Munţii Parâng) w południowo-zachodniej części grupy Parângu, w kształcie zbliżonym do kwadratu o bokach nieznacznie przekraczających 30 km, zajmują około 1100 km². Na północy droga DN7A z doliny rzeki Jieţ przez Pasul Groapa Seacă do Obârşia Lotrului oddziela je od gór Şureanu; przez kotlinę Petroşani na północnym zachodzie sąsiadują z górami Retezat, a przełom Jiu na zachodzie odcina je od gór Vâlcan. Południowa granica wiedzie u ich podnóży wzdłuż linii wyznaczonej przez miejscowości Bumbeşti, Stănceşti, Crasna, Cărpiniş, Radoşi, Novaci, Cernădia, Baia de Fier i Polovragi. Na wschodzie dolina rzeki Olteţ, przełęcz Curmătura Olteţului i potok Curmăturii oddzielają masyw od gór Căpăţânii. Górny odcinek Latoriţy, przełęcz Ştefanu oraz fragment drogi DN67C do Obârşia Lotru wyznaczają na północnym wschodzie granicę z górami Latoriţei.

Budowa geologiczna i rzeźba

Parâng odznacza się złożoną strukturą geologiczną ze względu na silne przefałdowanie i nasunięcia warstw skalnych. Stary trzon hercyński, zwany autochtonem dunajskim, zaznacza swoją obecność w dwóch rejonach. Najwyższą, północną część gór tworzy grupa Drăgşan zbudowana z amfibolitów i gnejsów mikowych, w których tkwi granitowe jądro – tzw. granit Parângu. Równolegle do niej na południu rozciąga się grupa Lainici – Păiuş, w której dominują gnejsy kwarcowe z biotytami, ściśle związane z granitami (granit Şuşiţa i granit Cărpiniş – Novaci). Wymienione skały pochodzą z ery prekambryjskiej. Nieco młodsza, z okresu dewońskiego, jest formacja Latoriţa. Należące do niej przeobrażone piaskowce, wapienie krystaliczne, łupki serycytowe i zmetamorfizowane zasadowe skały wylewne budują część grupy Dragşan w rejonach źródłowych Lotru i Latoriţy.

W czasie orogenezy hercyńskiej ponad autochtonem została przesunięta na północ płaszczowina getycka, stanowiąca tzw. jednostkę Lotru. W Parângu występuje jedynie na północnym obrzeżu, w rejonie wylotu przełomu Jieţu oraz w okolicach Obârşia Lotru; budują ją mocno zmetamorfizowane łupki mikowe, paragnejsy, gnejsy kwarcowo-skaleniowe i amfibolity wieku prekambryjskiego. W południowo-wschodniej części masywu jest pas wapieni jurajskich i kredowych.

Główny grzbiet gór Parâng wyrasta w północnej części masywu – ma układ równoleżnikowy i liczy 40 km długości. Ciągnie się od okolic miasta Petroşani na zachodzie po przełęcz Curmătura Olteţului (1615 m n.p.m.). Niemal na całej długości, począwszy od Parângul Mic (2074 m n.p.m.), wszystkie wierzchołki przekraczają 2000 m n.p.m.; kulminacja

to Parângul Mare (2518 m n.p.m.), od którego w Rumunii jest wyższych tylko kilka szczytów Gór Fogaraskich. Charakterystyczne jest występowanie spłaszczeń grzbietowych, odpowiadających paleogeńskiej powierzchni zrównania Borăscu. Na odcinku Parângul Mic–Pleşcoaia (2250 m n.p.m.) miejscami pojawiają się fragmenty o charakterze graniowym, a szczyty przybierają postać piramidalną. Wododział wysyła na południe długie, łagodne grzbiety, rozdzielone trudniej dostępnymi, głębokimi dolinami. Północne grzbiety są krótkie. Odchodzący od szczytu Coasta lui Rus (2301 m n.p.m.) przez Pasul Groapa Seacă (1598 m n.p.m.) łączy się z górami Şureanu. Łącznik z górami Latoriţie odgałęzia się w szczycie Iezerul (2157 m n.p.m.) i przechodzi przez Şaua Ştefanu (1860 m n.p.m.).

Najwyższa część Parângu uległa zlodowaceniu plejstoceńskiemu, które nadało jej charakter alpejski. Typowe doliny glacjalne z zespołem dobrze wykształconych kotłów polodowcowych zajmują obszary źródłowe Jieţu, Lotru i Latoriţy. Skaliste ściany, piarżyska, piętra dolinne z licznymi jeziorami polodowcowymi pooddzielane progami, po których spływają wodospady, przypominają niektóre rejony Tatr Wysokich. Odmienne są okolice kotła Găuri, gdzie rzeźba alpejska rozwinęła się na wapieniach krystalicznych.

Rzeźba krasowa zaznacza się w strefie wapieni w rejonie działu wodnego pomiędzy Jiu, Sadu i Polatiştea, ale najpełniej rozwinęła się w południowej strefie wapiennej, pomiędzy dolinami rzek Cernădia i Olteţu. Pas wapieni mezozoicznych, usytuowany poprzecznie do sieci hydrograficznej, tworzy rodzaj płaskowyżu rozciętego przełomami rzek, które wykształciły piękne wąwozy: Cheile Galbenului i Cheile Olteţului. Największą atrakcją turystyczną okolicy jest Peştera Muierilor.

Rzeki Parângu wyżłobiły w skałach krystalicznych imponujące przełomy – największy jest **Defilul Jiu**, który na długości około 30 km zagłębia się między ciasne skalne ściany. Pierwszą drogę, częściowo wykutą w skale zbudowano dopiero w XIX stuleciu, a linię kolejową przechodzącą przez ponad 30 tuneli ukończono w 1948 r. 4 km poniżej Aninoasa-Iscroni odgałęzia się na wschód dolina potoku Polatiştea, który przebija się przez skały krystaliczne wąwozem **Cheile Polatiştei** o długości 5,5 km. W jego kontynuacji, powyżej leśnej osady Polatiştea, potok przecina pas wapieni, tworząc przewieszoną

Peştera Muierilor

Peştera Muierilor (Babska Jaskinia; 650 m n.p.m.) znajduje się na północ od wsi Baia de Fier, w orograficznie prawym zboczu wąwozu **Cheile Galbenului**, pod wzgórzem Garba. Znaleziska w postaci krzemiennych narzędzi oraz ceramiki dowodzą, że grota była zamieszkana w okresie paleolitu i neolitu. W czasach najazdów tureckich w jej wnętrzu kryła się „babska" część wsi wraz dziećmi, czego świadectwem pozostała nazwa.

Grotę tworzy system korytarzy o łącznej długości 3566 m, leżących na trzech poziomach. Przypuszcza się, że istnieje również czwarty poziom, ale dotychczas nie został zbadany. Najważniejsza jest **Galeria Electrificată** (Galeria Zelektryfikowana) o długości 573 m, przechodząca tunelem na drugą stronę góry. W 1963 r. wytyczono trasę do zwiedzania z przewodnikiem (700 m), zakładając na tym odcinku oświetlenie.

Północne wejście otwiera się 40 m powyżej dna doliny. Po pokonaniu kilkudziesięciu metrów przyciągają uwagę stalagmity: **Orga** (Organy), **Domul Mic** (Mała Kopuła) oraz **Bazinele Mici** (Małe Niecki). W lewo odgałęzia się **Sala Altarului** (Sala Ołtarzowa) z szeregiem kolumn, a w stropie otwiera się **Horn** (Komin) o wysokości 20 m. Dalej można podziwiać **Piatra Însângerată** (Krwawiąca Skała), czerwoną od limonitu draperię.

Idąc Galerią Electrificată przez 120 m, dochodzi się do sali z rekonstrukcją szkieletu niedźwiedzia jaskiniowego (*Ursus spelaeus*) z okresu paleolitu. Znalezisko pochodzi z dolnego poziomu jaskini, w którym utworzono rezerwat naukowy.

Podążając dalej, mija się formację białego kalcytu z popielatymi smugami – **Cascada Împietruită** (Skamieniały Wodospad). Następna jest **Sala Turcului** (Sala Turecka) z **Cadână** (Odaliska), **Domul Mare** (Wielki Dzwon), za nim **Moş Crăciun** (św. Mikołaj), **Orga** (Organy), **Candelabrul** (Kandelabr) zwisający nad **Bazinele Mari** (Wielkie Niecki), **Dropia** (Drop), **Uliul Rănit** (Zraniony Jastrząb) i najważniejszy – **Turcul** (Turek). Skręcając w lewo, mija się **Dantela de Piatră** (Kamienna Koronka) i po schodkach wchodzi się do **Sala Minunilor** (Sala Cudów).

Kierując się z Sala Turcului w stronę wyjścia, przechodzi się przez bramę **Poatră** do **Sala cu Guano** (Sala z Guanem), będącą zimowym schronieniem dla nietoperzy. Oprócz nich żyją tu wije, pseudoskorpiony, pająki i inne bezkręgowce jaskiniowe. Dalej korytarz na odcinku 15 m obniża się do wysokości metra. Kolejna **Sala Bolţilor** (Sala Sklepień) ma strop wsparty na półcylindrycznych arkadach. Z prawej strony widać otwór prowadzący do nieudostępnionej części groty.

Południowy odcinek dolnego poziomu ma 1500 m długości. W **Galeria Urşilor** (Galeria Niedźwiedzia) odnaleziono kości niedźwiedzi, hien, lwów jaskiniowych, a także wilków, lisów i dzików.

Betonowa ścieżka sprowadza od wyjścia przez rzadki sosnowy las na łąkę po południowej stronie masywu. Zwiedzanie (ok. 1 €) zajmuje niecałą godzinę.

Do groty można dojechać od szosy DN67 Târgu Jiu–Râmnicu Vâlcea przez wieś **Baia de Fier** u wylotu Cheile Galbenului. Osada licząca przeszło 500 lat jest zamieszkana przez Olteńczyków oraz osadników z Transylwanii. Mieszkańcy trudnią się pasterstwem i rolnictwem, a część pracuje w tartaku lub przy eksploatacji grafitu w dolinie Galbenul.

Po północnej stronie skalnego wąwozu na orograficznie prawym brzegu jest duży parking (bufet) oraz *Cabana Peştera Muierilor*. Po przeciwnej stronie doliny, u stóp niewielkiego kamieniołomu wapienia stoi **siedem wapienników**, w których wypala się wapno.

ścianę stumetrowej wysokości. Przepiękny jar **Cheile Jieţului** o długości 7 km utworzył Jieţ. Intensywna erozja wgłębna spowodowała, że ujścia jego dopływów zostały zawieszone ponad korytem rzeki, tworząc wodospady; największy – Cascada Muncelui – ma ponad 30 m wysokości.

Hydrografia

Sieć rzeczna gór Parâng należy do dorzecza Jiu oraz Aluty (Olt). Północny skłon odwadnia Jieţ oraz Lotru. Na zachód, do Jiu płyną: Polatiştea, Chiţul i Sadul. Głów-

nymi rzekami po południowej stronie jest Gilort (wpada do Jiu) oraz Olteţ (dopływ Aluty). Na wschód, do Lotru, płynie Latoriţa, na wysokości 1450 m n.p.m. tworząca spieniony **Cascada Moara Dracilor**, który efektownie spada z 20 metrów.

Parâng charakteryzuje obfitość wód – mnogość jezior stawia masyw na trzecim miejscu w Rumunii. Oprócz stawów polodowcowych, z których największym i najgłębszym jest **Lacul Roşiile** (3,76 ha, 17,6 m gł.), a najpiękniejszym **Lacul Gâlcescu** (lub Câlcescu; 3,02 ha, 9,3 m gł.), **435**

Transalpina, najwyżej poprowadzona droga w Karpatach, łączy miasteczko Novaci w Oltenii z Sebeş w Transylwanii. Po drodze przecina główny grzbiet Parângu przez przełęcz **Pasul Urdele**, gdzie osiąga maksymalną wysokość – 2145 m n.p.m., po czym schodzi do doliny Lotru i z **Obârşia Lotru** ponownie się wspina, by przez przełęcz **Pasul Tărtărău** (1665 m n.p.m.) dostać się do doliny Sebeşu. Od najdawniejszych czasów obie krainy łączyły szlaki prowadzące łagodnymi górskimi grzbietami. Wykorzystywali je pasterze z okręgu Mărginimia Sibiului do pędzenia stad do Oltenii, gdzie wielu z nich osiadło na stałe. Oni też wytyczyli pierwszą ścieżkę prowadzącą wzdłuż doliny Sebeşu (z węgierskiego: *sebes* – szybki). Wyznaczony w przepaścistym terenie trakt, dostępny wyłącznie dla karawan koni i osłów, był nazywany **Poteca Dracului** (Diabelska Ścieżka). W latach 1880–1900, wraz z postępującą eksploatacją lasów, zastąpiła go droga wzdłuż rzeki. Po I wojnie światowej zaczęto ją poszerzać i przedłużać aż do Novaci. Pierwotnie miała pełnić rolę strategiczną. Pod nazwą **Drumul Regului** (Droga Królewska) była znana do roku 1947 (istotnie, korzystała z niej rodzina królewska, zdążając do Colonia Bistra Păltinei, gdzie lubiła spędzać wakacje). Później próbowano zastąpić ją nazwą **Drumul Republici**. Dziś **Transalpina** – droga krajowa DN67C (w tym przypadku oznacza to ni mniej, ni więcej, że mogą się na niej minąć dwa samochody) – na jednych odcinkach zmodernizowana, na innych pamiętająca króla Karola II, pozostaje wielkim wyzwaniem dla kierowców. Jej łączna długość to 135 km.

W **Novaci** (460 m n.p.m.), od skrzyżowania z drogą do Baia de Fier, zaczyna się długi i jednostajny podjazd o równomiernym nachyleniu, który wyprowadza na przełęcz **Florile Albe** (Białe Kwiaty; 1530 m n.p.m.), na północny zachód od szczytu Cerbul (Jeleń; 1586 m n.p.m.) z wieżą przekaźnika telewizyjnego. Do tego miejsca szosa jest szeroka i ma dobrą nawierzchnię. Za przełęczą jeszcze asfaltowa, ale znacznie węższa, utrzymując się w pobliżu grzbietu, doprowadza niemal poziomo do osady **Rânca** (1580 m n.p.m.). Tu, na 32. km kończy się asfalt, a za ostatnimi domami, na 34. km, u stóp stromego podjazdu na główny grzbiet Parângu zaczyna się odcinek formalnie wyłączony z ruchu publicznego aż do połączenia z DN7A w dolinie Lotru (na 61. km).

Odcinek jest przejezdny dla samochodów terenowych i ewentualnie wysoko zawieszonych osobowych od 1 lipca do 15 września, kiedy nie ma śniegu. Najwspanialszy widokowo fragment ciągnie się między przełęczami Urdele a Ştefanu. Stromy podjazd wyprowadza serpentynami na wododziałową przełęcz **La Coasta Crucii** (2015 m n.p.m.), osiągając w pobliżu grzbietu najwyższy punkt – **Pasul Urdele** (2145 m n.p.m.). Następnie efektownie poprowadzona trasa obniża się do polodowcowego kotła **Căldarea Urdelor**, przekracza **grzbiet Muntinului** (2060 m n.p.m.) i przez płaskowyż (2095 m n.p.m.) pod Vf. Gărbenului sprowa-

występują jeziora pochodzenia niwacyjnego, np. **Lacul Mare al Huluzului** (0,02 ha, 0,8 m gł.). Na obrzeżu północno-wschodnim leży zaporowe **Lacul Galbenul**, należące do systemu hydroenergetycznego Vidra–Ciungeţu.

Klimat

Klimat Parângu jest typowy dla wysokich gór karpackich. Wyróżnia się dwie strefy: pierwsza, wysokogórska, obejmuje obszar powyżej 1850 m n.p.m., a druga, średniogórska, zawiera się w przedziale 1850–800 m n.p.m.

Średnia temperatura roczna w pierwszej strefie spada poniżej 0°C, a amplitudy roczne oraz dzienne są stosunkowo niewielkie. Najniższe wartości mogą przekroczyć -25°C, a ilość dni z ujemną temperaturą oscyluje pomiędzy 250 a 265. Dominują wiatry północno-zachodnie i za-

chodnie. Z powodu konwekcji dynamicznej tworzą się mgły i chmury, które zakrywają góry przez 250–300 dni w roku. Opady są częste i osiągają 1400 mm rocznie. Pokrywa śnieżna utrzymuje się przez 180–200 dni, a jej grubość w miejscach zawietrznych dochodzi do 7–8 m.

W drugiej strefie temperatury są nieco wyższe, a ilość opadów i zachmurzenie maleje wraz z oddalaniem od głównego grzbietu.

Sezon chłodny trwa od października do maja, a towarzyszy mu zwarta pokrywa śnieżna. W kwietniu pojawiają się wiatry typu fenowego, które niosą niebezpieczeństwo lawin.

Flora i fauna

Piętro lasów liściastych po stronie południowej występuje na wysokości 500–1400 m n.p.m., a na północy sięga 1200 m n.p.m. W dolnej strefie piętra rosną: dąb dza ponad Lacul Muntinu Mic i Căldarea Latiriței de Mijloc do skrzyżowania z drogą z 1916 r. na **Culmea Ştefanu** (1915 m n.p.m.). Od krzyżówki trasa opada w dół do doliny Lotru i nią do skrzyżowania z DN7A. Obie drogi wspólnie w prawo dochodzą do **Obârşia Lotru** (1340 m n.p.m.).

Dalszy odcinek, dostępny od 15 maja do 1 listopada, jest równie emocjonujący. Dość monotonny podjazd utwardzoną gruntową drogą wyprowadza na **Pasul Tărtărău** (1665 m n.p.m.). Następnie trasa sprowadza do połączenia doliny Tărtărău z doliną Frumoasa (Piękna). Po lewej stronie przyciąga uwagę długi drewniany kanał doprowadzający wodę do młyna i odgałęzienie do zniszczonego prymitywnego folusza – *vâltoare*. Dalszy odcinek jest zawieszony wysoko ponad lustrem zaporowego **Lacul Oaşa** (przy drodze *Cabana Oaşa Mică*; 1280 m n.p.m.), przechodząc ponad bocznymi dolinami po imponujących estakadach. W ich pobliżu są fragmenty dobrego asfaltu; pojawiają się na krótko również na dalszej trasie. 10 km dalej droga dochodzi do kolejnego zbiornika akumulacyjnego – **Tău Bistra** (zajazd *Hanul Miraş*; 950 m n.p.m.). Po kolejnych 18 km zaczyna się miejscowość **Şugag** (480 m n.p.m.). Odcinek szosy od Obârşia Lotru do tego miejsca liczy 58 km, a na jego przebycie samochodem osobowym trzeba przeznaczyć 4–5 godzin!

W Şugagu jest odgałęzienie w prawo do wiosek regionu Mărginimea Sibiului. Ponieważ droga wiedzie śladem dawnej „diabelskiej ścieżki", najlepiej właśnie tutaj zakończyć wycieczkę Transalpiną. Należy zaznaczyć, że droga jest dostępna wyłącznie dla kierowców o mocnych nerwach i samochodów o dość wysokim zawieszeniu. Wrażenia wyniesione z trasy rekompensują poniesione trudy.

Zaraz po wjeździe w boczną dolinę rzeki Dobra zaczynają się zabudowania wsi **Dobra**. Po minięciu centrum należy skręcić ostro w lewo, w drogę wspinającą się stromo do wsi Jina. Przykład występujących na trasie trudności widać już na pierwszych 100 m podjazdu, więc łatwo podjąć decyzję o kontynuowaniu podróży. Dalej, z uwagi na wąskość drogi, zawrócenie może się okazać trudne do wykonania. Długie zakosy wspinają się po bardzo stromym stoku, porosłym rzadkim dębowym lasem. Na ostatniej serpentynie stoi drewniana kapliczka. Tuż za nią droga pokonuje krawędź stoku i wyprowadza na płaskowyż gór Cindrel, na którym przycupnęły pasterskie wioski **regionu Mărginimea Sibiului**. Pierwsza z wsi – **Jina** (950–980 m n.p.m.) – jest jedną z najwyżej położonych w kraju. Doskonała asfaltowa droga prowadzi pośród trawiastych wzgórz przez osady **Poiana Sibiului** (820–950 m n.p.m.) i **Rod** (700–840 m n.p.m.), a następnie sprowadza do doliny Pârâul Negru (Czarny Potok), gdzie przez **Tilişcę** (580–660 m n.p.m.) i **Galeş** doprowadza do **Sălişte** (525–600 m n.p.m.) w pobliżu szosy DN1 Sebeş–Sibiu (39 km z Şugagu).

8

GÓRY | Góry Parâng

szypułkowy (*Quercus robur*) i grab zwyczajny (*Carpinus betulus*), a w strefie górnej buk zwyczajny (*Fagus silvatica*), jesion mannowy (*Fraxinus ornus*) i brzoza brodawkowata (*Betula pendula*). Na łąkach kośnych występują typowe dla nich skupiska roślinne. W wilgotnych miejscach można spotkać owadożerną rosiczkę okrągłolistną (*Drosera rotundifolia*).

Piętro lasów iglastych na południowym skłonie zajmuje obszar między 1200 a 1800 m n.p.m., podczas gdy na północy jego zasięg jest szerszy: 1000–1750 m n.p.m. Piętro jest zdominowane przez świerk pospolity (*Picea excelsa*), a w zacisznych dolinach spotyka się jodłę pospolitą (*Abies alba*). Granica lasów po południowej stronie w wielu miejscach jest sztucznie obniżona pod tereny wypasowe.

Piętro połoninne (1750–2518 m n.p.m.) zajmują pastwiska subalpejskie i alpejskie,

a miejscami piargi i skały. Rozległe przestrzenie między lasem a połoninami zajmuje kosówka (*Pinus montana*), a sporadycznie można się natknąć na jałowiec halny (*Juniperus nana*). Spośród innych krzewinek wyróżniają się: różanecznik wschodniokarpacki (*Rhododendron Kotschyi*) oraz naskałka pełzająca (*Loiseleuria procumbens*). W okolicach jezior Gâlcescu, Păsări i Setea Mare rośnie bażyna czarna (*Empetrum nigrum*). Wiosną zakwita szafran Heuffela (*Crocus heuffelianus*), o dużych fioletowych kwiatach z sercowatymi plamkami na końcach płatków. Z rzadkich roślin alpejskich godna uwagi jest szarotka alpejska (*Leontopodium alpinum*), pojawiająca się na wapienniach kotła Găuri.

Fauna jest typowa dla Karpat Południowych. Z gatunków śródziemnomorskich w południowej części masywu można spotkać żmiję nosorogą (*Vipera ammodytes*), **437**

żółwia greckiego (*Testudo hermanni*) i jadowitego wija – skolopendrę paskowaną (*Scolopendra cingulata*). Spośród gatunków alpejskich żyje tutaj kozica (*Rupicapra rupicapra*). W szczytowych skałach gnieździ się orzeł przedni (*Aquila chrysaetos*) i kruk (*Corvus corax*), na skałkach kotła Mândra mieszka pomurnik (*Tichodroma muraria*), a czasami można również spotkać orłosępa (*Gypaetus barbatus*).

Lacul Gâlcescu jest jedynym jeziorem, w którym pstrąg potokowy (*Salmo trutta fario*) żyje w naturalnym środowisku. Zarybiono nim również m.in. Iezerul Latoriței, Setea Mare, Ghereşul, Roşiile, Mija, Mândra i Lacul Verde; występuje również w Jieţu oraz górnych odcinkach rzek Gilort, Olteţ i Lotru.

Ochrona przyrody W górach Parâng jest kilka rezerwatów przyrody. Gâlcescu obejmuje ochroną zespół roślinności, fauny i krajobrazu w otoczeniu kotłów polodowcowych Zănoaga Mare, Iezer i Gâlcescu. Rejon doliny Găuri stanowi rezerwat, chroniący kozicę i niedźwiedzia. Na dolnym poziomie Peştera Muierilor utworzono rezerwat speleologiczny, natomiast w Cheile Jieţului – geologiczny. Ochronie podlega limba, której pojedyncze egzemplarze rosną w dolinach Mija Mare, Roşiile, Ghereşul, Zănoaga Verde, Gâlcescu oraz na stokach Muntinul i Iezerul Latoriței.

Propozycje tras

Trzy jednodniowe trasy pozwalają na wszechstronne poznanie bogactwa krajobrazowego gór Parâng, odsłaniając tajemnice ozdobionych malowniczymi stawami obszarów o charakterze alpejskim. Ogromne przestrzenie z gęstą siecią ścieżek pasterskich pozwalają na swobodną włóczęgę pośród skał, progów i łanów kosówki. Należy jednak wziąć pod uwagę problemy z orientacją, gdyż widoczność ogranicza niski pułap chmur i mgła.

Mapy Chociaż Parâng, jak dotąd, leży poza zasięgiem zainteresowań wydawnictwa Dimap-Erfatur, to jednak nie ma problemu ze znalezieniem w Internecie kilku map z lat 80. XX w. Są one wystarczającym uzupełnieniem do poniższego opisu tras.

Dojazd Dojazd w góry Parâng jest dogodny, zarówno pociągiem, jak i samochodem, za sprawą linii kolejowej relacji Simeria–Petroşani–Târgu Jiu oraz towarzyszącej jej szosie DN66/E79. Dobrym punktem wyjścia od zachodu może być górnicze miasto

Petroşani lub, sugerowane w opisie trasy 1, Lainici – stacja kolejowa w pobliżu monastyru Lainici. Dostęp do wysokogórskich kotłów, wrzynających się w główną grań od północy, ułatwia szosa DN7A Petroşani–Obârşia Lotru–Voineasa–Brezoi. Na odcinku pomiędzy przełęczą Pasul Groapa Seacă a doliną Lotru, powyżej osady Obârşia Lotru, jest pozbawiona asfaltowej nawierzchni, ale przejezdna dla samochodów osobowych (przełęcz jest otwarta od 1 maja do 1 listopada). Od południowej arterii DN67 Târgu Jiu–Râmnicu Vâlcea odchodzą w kierunku Parângu następujące asfaltowe połączenia: Bălăneşti–Grui (15 km), Câmpul Mare–Săcelu (niewielkie kąpielisko, gdzie można przeczekać załamanie pogody w wysokich górach)–Crasna (15 km), Poienari–Baia de Fier–Peştera Muierilor (7 km) oraz Polovragi (skrzyżowanie)–monastyr Polovragi (4 km). U podnóża gór, bardziej na północ od trasy DN67 prowadzi szosa DJ665, łącząca wioski Curtişoara, Tetila (asfaltowe połączenie z Bumbeşti Jiu; 7 km), Grui–Muşeteşti, Crasna, Cărpiniş, Novaci, Baia de Fier, Polovragi, Vaideeni i Horezu. Natomiast DN67C Bumbeşti-Pitic–Novaci–Rânca–Obârşia Lotru–Şugag–Sebeş, zwana Transalpiną, znacznie wykracza poza miano drogi dojazdowej – może stanowić cel sam w sobie.

Noclegi Schroniska skupiają się na obrzeżu gór i pozwalają na dotarcie do partii centralnych w czasie całodniowych wycieczek. Są nimi: *Cabana Groapa Seacă* (1208 m n.p.m.), *Cabana Obârşia Lotru* (1340 m n.p.m.), *Cabana Petrimanu* (1130 m n.p.m.), *Cabana Muierii* (585 m n.p.m.) i *Cabana Rusu* (1168 m n.p.m.). Poniżej kotła Roşiile stoi niezagospodarowany schron *Refugiul Agăţat* (1800 m n.p.m.). Kemping działa w Lainici. Przydatnym miejscem biwakowym w Cheile Jieţului może być łąka powyżej ujścia Mija Mare.

Trasa 1

Lainici → Piatra Argelelor → Vf. Sapa → Cheile Polatiştei → Przełom Jiu → Lainici

Czas przejścia: około 10 godz. Na podejściu słabe znakowanie czerwonej kropki, dalej bez szlaku. Bardzo dogodny dojazd koleją i szosą prowadzącą przez przełom Jiu. Trasa należąca do najpiękniejszych w zachodniej części gór prowadzi do jednego z trzech wapiennych rejonów Parângu i pozwala obejrzeć imponujący przełom rzeki Jiu oraz wąwóz Cheile Polatiştei. Daje również okazję do spotkania z pasterzami owiec, odwiedzenia ich szałasów i spróbowania znakomitych serów. W pobliżu startu/mety warto zobaczyć wspaniały monastyr Lainici.

Ze stacji kolejowej Lainici (tylko pociągi osobowe) należy zejść stromą ścieżką do szosy prowadzącej poniżej torów. Przy drodze jest źródło, a naprzeciw zjazd na nadrzeczną łąkę, gdzie turyści zwyczajowo rozbijają namioty. Do monastyru Lainici (szosą w prawą stronę) jest stąd niecały kilometr. Za nim działa oficjalny kemping z bungalowami (*Popasul turistic Lainici*; 440 m n.p.m.).

Na szosie należy skręcić w lewo, a po chwili w prawo na stary betonowy most wiszący (lata 60. XX w.) i za nim ponownie w prawo na leśną drogę. Po chwili odchodzi w lewo znakowana (słabo) ścieżka, która zaczyna wspinać się stromo w zakosy pomiędzy skałkami i po 15 min wyprowadza na polanę leżącą na ostrym grzbiecie **Fąta Babei** (widok na rzekę wijącą się w pobliżu skał Babei). Dalsze podejście prowadzi grzbietem na wschód, przez serię polan oddzielonych lesistymi odcinkami. Po drodze mija się kilka góralskich chat oraz **Stâna Baba** (780 m n.p.m.). Mniej wyraźna ścieżka wchodzi w las i mija po prawej stronie wierzchołek **Vf. Baba** (1002 m n.p.m.), a w okolicy przełęczy (972 m n.p.m.) zmienia kierunek na północny. Trasa prowadzi zalesionym grzbietem równoległym do doliny Jiu (orientację ułatwia znakowanie – czerwony pasek). Teraz następuje seria wzniesień i obniżeń. Za szczytem **Cheafa** (1204 m n.p.m.) ścieżka sprowadza na przełęcz (1114 m n.p.m.), powyżej której leży widokowa polana. Na dalszym odcinku przez las nie należy skręcać w pasterską ścieżkę, która sprowadza w prawo do doliny Strâmbele. Właściwa droga prowadzi trawersem łagodnie zakręcającym w prawo, na wschód. Po wyjściu na polanę należy trzymać się owczarej perci, które doprowadzają do szałasu obok **Piatra Argelelor** (Skała Krosien; 1345 m n.p.m.). Od szałasu schodzi się w prawo do źródła potoku Pietrele Albe i dalej poziomo na **Poiana Văcăriei** (Polana Wolarska), gdzie stoi *Stâna Vălăreanu* (szałas Waleriana; 3–3,5 godz.). Powyżej w kierunku północnym leży przełęcz **Şaua Argelelor** (1270 m n.p.m.).

Od szałasu należy się kierować starą drogą na wschód, u podnóża góry Petriceaua (1422 m n.p.m.), i nie dochodząc do źródeł potoku Pârleele, już bez szlaku podejść w lewo na grzbiet. Rozdziela się on na dwa ramiona; pierwsze odbija w prawo

i przez Şaua Recii prowadzi na Vf. Recii (1468 m n.p.m.), by dalej połączyć się z główną granią w najwyższym wierzchołku Parângul Mare. Drugie ramię wspina się w lewo, w stronę Vf. Sapa (Motyka; 1548 m n.p.m.). Na krystalicznym podłożu pomiędzy Petriceaua a doliną potoku Curteasa spoczywa wapienna pokrywa. W całej okolicy spod kwietnych dywanów, obfitujących w wapieniolubne gatunki roślin, wyzierają białe, skrasowiałe skały. Między wierzchołkami Vf. Sapa i Vf. Gropu (1559 m n.p.m.) rozciąga się niewielki płaskowyż, który opada na wschód stromymi ścianami. Z rozgałęzienia grzbietów należy wspiąć się na **Vf. Sapa**, a stąd na drugą stronę płaskowyżu, który kulminuje w **Vf. Gropu**. Nie dochodząc do krawędzi stromych zboczy, należy skręcić pod kątem prostym w lewo, na północ, i rozpocząć strome zejście do niewidocznej z początku przełęczy. Z prawej, bardziej stromej strony pod same siodło podchodzi bukowy las. Pierwsze wzniesienie za siodłem sięga 1481 m n.p.m. Obniżający się stopniowo grzbiet zatacza łuk w północno-zachodnim kierunku. Wreszcie po jego prawej stronie pojawia się szałas, stojący w pobliżu granicy lasu – należy zejść ku niemu jedną z kamienistych perci. Tuż obok zaczyna się droga wozowa, którą należy się zagłębić w młody las – schodzi ona do drogi stokowej. Stokówką w prawo, bardzo długim zakosem osiąga się dno doliny potoku Căpriorul (Sarni Potok). Tu trasa łączy się z drogą, która wiedzie od szałasu spod Şaua Recii. Odtąd cały czas idzie się w dół dnem doliny. Potok Căprioru łączy się z płynącym z prawej potokiem Surpata i tworzy rzekę Polatiştea. Z prawej strony pojawia się 100-metrowa, gładka wapienna ściana, nakryta potężnymi okapami.

Po drugiej stronie zwężenia, obok ujścia potoku Curteasa (790 m n.p.m.) stoją dwie chaty leśnej osady Polatiştea. Zaczyna się **Cheile Polatiştei** – głęboki wąwóz w krystalicznych skałach, przez który rwąca rzeka z hukiem skacze z licznych progów. 6 km dalej przez wąską bramę wydostaje się z wąwozu i uchodzi do rzeki Jiu (520 m n.p.m.; 7 godz.).

Dalsza droga do Lainici prowadzi szosą DN66 w dół doliny (15 km). Odcinek można przejechać okazją, ale z uwagi na piękno dzikiego przełomu Jiu warto wybrać pieszą opcję.

Po 800 m trasa przechodzi na prawy brzeg rzeki, natomiast linia kolejowa, przebijająca się przez skały licznymi tunelami, zmienia brzeg na lewy. Następuje najwęższy i najbardziej widowiskowy odcinek rzeki, tak zwany zacisk **La Surduc**. Za zwężeniem szlak wraca nowym mostem na lewy brzeg. Za nim odchodzi w lewo droga do stacji kolejowej **Pietrele Albe**, oddalonej o około 300 m (4 km od ujścia Polatiştei).

W stronę Lainici skały ustępują miejsca drzewom, ale nadal jest stromo i pięknie. Pętla zamyka się w pobliżu stacji kolejowej **Lainici**.

Trasa 2

Cabana Groapa Seacă ➜ kocioł **Zănoaga lui Burtan** ➜ kocioł **Pârleele** ➜ kocioł **Cârja** ➜ **Lacul Verde** ➜ **Stâna Roşiile** ➜ **Lacul Roşiile** ➜ **Cabana Groapa Seacă**

Czas przejścia: 8–10 godz. Podejście szlakiem żółtego krzyża, odcinek pod główną granią nieznakowany; zejście szlakiem czerwonej kropki. Celem wyprawy jest polodowcowa część doliny Jieţu. Alpejska trasa przechodzi przez wachlarz kolejnych kotłów polodowcowych, składających się na obszar źródłowy rzeki. Po drodze czekają liczne jeziora i wodospady, przedzieranie się przez kosówkę i odcinki po skalnych złomiskach.

Obszar źródłowy rzeki Jieţ stanowi jeden z dwóch rejonów gór Parâng wyróżniających się alpejską rzeźbą. Na południu wspiera się o półkoliście wygiętą główną grań na odcinku od szczytu Cârja (2405 m n.p.m.) do Coasta lui Rus (2301 m n.p.m.). Od Cârjy następują kolejno: Şaua Stoieniţa (2360 m n.p.m.), Vf. Stoieniţa (2421 m n.p.m.), Şaua Gemănării (2378 m n.p.m.), Vf. Gemănărea (2426 m n.p.m.), Şaua Tecanul lub Şaua Parângul Mare (2410 m n.p.m.), najwyższy – Parângul Mare (2518 m n.p.m.), zwany dachem Oltenii, Şaua Gruiul (2305 m n.p.m.), Vf. Gruiul (2345 m n.p.m.), Şaua Pâcleşa (2225 m n.p.m.), Vf. Pâcleşa (2335 m n.p.m.), Şaua Ieşul (2310 m n.p.m.), Vf. Ieşul (2375 m n.p.m.), Şaua Ghereşul (2113 m n.p.m.) i Coasta lui Rus. Zachodnim ograniczeniem doliny jest północny grzbiet Cârjy, prowadzący na Vf. Mija (2390 m n.p.m.). Na wschodzie od źródłowej doliny rzeki Lotru północny grzbiet oddziela Coasta lui Rus, w którym następują: Curmătura Ţiganului (2200 m n.p.m.), Vf. Gauri (2244 m n.p.m.), Vf. Pietrele (2155 m n.p.m.), Coasta lui Rus Mică (1949 m n.p.m.), Şaua Huluzul lub Şaua Ciobanul (1825 m n.p.m.), Vf. Ciobanu Mare (1944 m n.p.m.), Şaua Coricia, Vf. Coricia (1883 m n.p.m.) i Pasul Groapa Seacă (1598 m n.p.m.). Dolina dzieli

się na trzy koryta lodowcowe: Slivei, Roşiile i Ghereş; pierwsze dwa rozdziela Muchia Sliveiului – ramię odchodzące od Vf. Gemănărea. Dwa ostatnie są oddzielone od siebie grzbietem Muchia Gereşul. Z kolei ponad głównymi osiami wielopiętrowych dolin są zawieszone boczne kotły polodowcowe z górskimi stawami – to właśnie one są celem wycieczki.

Cabana Groapa Seacă (1208 m n.p.m.) stoi obok szosy DN7A, powyżej górnego końca wąwozu Cheile Jiueţului. Od schroniska należy zejść drogą kilkaset metrów do mostu na Jieţu. Tuż za nim, na południe (w lewo) odchodzi leśna ścieżka, która wspina się dnem doliny. Towarzyszą jej znaki czerwonego kółka, czerwonego krzyża i żółtego krzyża. Idzie się nią niecały kilometr do miejsca, gdzie na polanie zaczyna się pasterski płaj Plaiul lui Dăncilă – odtąd trzeba się kierować w prawo wraz ze znakami czerwonego i żółtego krzyża, najpierw krótkim podejściem przez las na grzbiet oddzielający od doliny potoku Dăncila, a następnie grzbietem w lewo. Z czasem grzbiet rozmywa się w porośniętym młodnikiem świerkowym zboczu. Znakowana ścieżka wyprowadza na polanę, przez którą przepływa potok Burtan. Szlak czerwonego krzyża odbija w prawo, na grzbiet, i nim wspina się na Vf. Mija.

Dalsza droga prowadzi płajem za znakami żółtego krzyża, jednak wcześniej można odbyć krótką wycieczkę do jeziorka **Lacul Zănoaga Lui Burtan** (Staw Kotła Burtana; 2010 m n.p.m., 0,03 ha, 0,5 m gł.). W tym celu trzeba przebić się przez łany kosodrzewiny, kierując się do środkowej części kotła.

Następną doliną, którą przecina płaj, wije się potok Pârleele, wypływający wodospadem z kotła o tej samej nazwie. Warto podejść obok kaskady na próg kaldery, na dnie której widać dwa jeziorka: większe **Lacul Pârleele** (staw Spalone; 2025 m n.p.m., 0,075 ha, 1 m gł.), a zanim mniejsze **Lacul Sec Pârleele** (Suchy Staw Spalone; 2040 m n.p.m., 0,015 ha, 0,3 m gł.). W tym zakątku łatwiej o spotkanie kozicy, niż drugiego człowieka.

Szlak obchodzi wschodnią grzędę Vf. Mija i wyprowadza ponad łany kosówki. Poniżej, po lewej stronie stoi szałas *Stâna Slivei*, a powyżej ścieżki, niedaleko źródełka z drewnianą rynienką, znajduje się niewygodna koleba zbudowana z kamieni i blachy. Zagradzający drogę próg pokonuje się na prawo od wodospadu. Po prawej stronie widać wiszący kocioł ze stawem **Lacul Ingheţat** (Zmarzły Staw; 2120 m n.p.m., 0,15 ha, 5 m) i niewielkim **Lacul Ascuns** (Ukryty Staw) lub Lacul Secat (Wyschnięty Staw; 2120 m n.p.m., 1 m gł.). Kocioł podchodzi pod szczyty Mija i Custura Cârjei.

Kontynuując bez szlaku trawers północno-zachodnich zboczy koryta Slivei, należy się kierować ku Vf. Stoieniţa. U jego stóp leży **Căldarea Slivei**, a w nim pod ogromną wantą znajduje się skalna koleba. Zachodnią gałąź kotła zamyka śmiała sylwetka Vf. Cârja. Warto podejść po złomiskach w prawo do **Lacul Cârja** (staw Laska; 2115 m n.p.m., 0,5 ha, 2,8 m gł.; ok. 4–5 godz.).

Dalsza wędrówka prowadzi trawersem wzdłuż głównej grani na południowy wschód. U północno-zachodniego podnóża Muchia Slivei (2273 m n.p.m.) jest grupa stawów, m.in. najpiękniejszy w całej odnodze doliny **Lacul Verde** (Zielony Staw; 2020 m n.p.m., 0,615 ha, 6,5 m gł.), **Lacul Mic** (Mały Staw; 2010 m n.p.m., 0,01 ha, 0,6 m gł.) i **Lacul Slivei** (staw Slivei; 2005 m n.p.m., 0,05 ha, 1 m gł.). Należy kierować się pomiędzy dwa ostatnie, a następnie podejść wśród kęp kosówki i złomisk, z odchyleniem w lewo, na oznaczone kopczykami siodło (2090 m n.p.m.) w północno-wschodnim ramieniu Muchia Slivei. Po przeciwnej stronie jest koryto polodowcowe potoku Roşiile. Z siodła pasterską ścieżką trzeba się kierować w prawo, do stojącego na progu glacjalnym szałasu **Stâna Roşiile** (1925 m n.p.m.). Z prawej strony widać **Lacul Zănoaga Stânei** (Staw Szałaśnego Kotła; 1910 m n.p.m., 0,60 ha, 1,5 m gł.), a obok niego resztki rozbitego samolotu. Okolica jest zwyczajowym miejscem biwakowania.

Obok szałasu widać znaki czerwonego kółka, za którymi należy schodzić do schroniska, wcześniej jednak warto podejść szlakiem w przeciwną stronę, na południe, do Lacul Roşiile. Znakowana ścieżka wspina się z zachodniej strony Lacul Zănoaga Stânei na środkowe piętro doliny i rozdwaja się. W kotle połyskują cztery nieduże stawy – **Zănoagele Ursului** (Niedźwiedzie Kotły; 2095–2100 m n.p.m.). Na południowy zachód, za wysokim progiem kryje się Căldarea Gemănarea, który podchodzi pod Parângul Mare; na jego dnie połyskuje Lacul Zănoaga Gemănarii (Staw Kotła Bliźniaczego). Prawa odnoga ścieżki za znakami czerwonego krzyża wyprowadza na przełęcz (2250 m n.p.m.) w Muchia Slivei i przez Vf. Slivei (2420 m n.p.m.) i Şaua Slivei osiąga główną grań koło Vf. Gamănarea

(Bliźniaczy Szczyt). Należy pójść lewą odnogą za znakami czerwonej kropki, obejść urwisko Muchia Pontului Roşu – północno-wschodniego ramienia szczytu Parângu Mare, docierając nad brzeg **Lacul Lung** (Długi Staw; 2005 m n.p.m., 0,017 ha, 3 m gł.) – również tutaj jest dobre miejsce na biwak. Teraz trzeba porzucić znakowaną ścieżkę, która wspina się na próg najwyższego piętra doliny, w którym pod ścianą Parângul Mare ulokował się Lacul Mândra (Pyszny Staw; 2148 m n.p.m., 1,12 ha, 8,3 m gł.) – najwyżej położony w masywie, a za nim wyprowadza stromo na grań w przełęczy Şaua Gruiul. **Lacul Roşiile** (staw Czerwone) lub Tăul fără Fund (Jezioro bez Dna; 1980 m n.p.m., 3,76 ha, 17,6 m gł.) leży nieco na wschód od Lacul Lung i jest największym i najgłębszym ze wszystkich zbiorników Parângu. Do Stâna Roşiile najbezpieczniej wrócić tą samą drogą.

Od szałasu zaczyna się zejście wśród kosówki na lewym orograficznie brzegu potoku Roşiile. Tuż poniżej granicy lasu, nieco na zachód od ścieżki widać schron turystyczny *Refugiul Agăţat* (1800 m n.p.m.), ulokowany na szczycie ogromnej wanty. Niżej ścieżka przechodzi na prawy brzeg rzeczki, a następnie przecina ujście potoku Ghereş (1440 m n.p.m.). Z połączenia strumieni powstaje rzeka Jieţ. Ścieżka przechodzi w drogę dla traktorów. Na rzece jest zbudowany jaz, z którego znaczna część wody jest kierowana tunelem pod górami do doliny Lotru. Poniżej jazu ścieżka przechodzi na lewy brzeg Jieţu (1310 m n.p.m.) i doprowadza do mostu na szosie koło *Cabana Groapa Seacă* (ok. 2,5–3 godz. od szałasu).

Trasa 3

Cabana Obârşia Lotru ➝ Şaua Huluzu ➝ kocioł Murgoci ➝ kocioł Găuri ➝ Piatra Tăiată ➝ Coasta lui Rus ➝ kocioł Zănoaga ➝ Lacul Gâlcescu ➝ kocioł Dracului ➝ *Cabana Obârşia Lotru*

Czas przejścia: 9–11 godz. Podejście bez szlaku, powrót za znakami czerwonego krzyża. Celem wycieczki jest alpejska dolina źródeł Lotru. Po drodze mija się jeziora zróżnicowane pod względem genezy, a wśród nich to najpiękniejsze – Lacul Gâlcescu. W kotłach Murgoci i Găuri występuje nietypowa dla Karpat rzeźba glacjalna rozwinięta w wapieniach, z ogromnym bogactwem gatunkowym roślinności. Polodowcowa dolina Lotru dochodzi od północy do głównej grani Parângu na odcinku pomiędzy Coasta Lui Rus a Vf. Iezer

(2157 m n.p.m.). W grani od zachodu wyróżnia się: Piatra Tăiată (2299 m n.p.m.), Şaua Piatra Tăiată (2255 m n.p.m.), Vf. Setea Mică (2278 m n.p.m.), Vf. Setea Mare (2365 m n.p.m.), Şaua Pleşcoaia (2229 m n.p.m.), Vf. Pleşcoaia (2250 m n.p.m.), Şaua Mohorului (2175 m n.p.m.), Vf. Mohorul (2335 m n.p.m.), Şaua Iezerului (2090 m n.p.m.) i Vf. Iezer. Zachodnim ograniczeniem doliny jest uwzględniony w poprzednim opisie grzbiet Coasta lui Rus – Pasul Groapa Seacă. Od wschodu dolinę zamyka łącznik z górami Latoriţei: Vf. Iezer, Şaua Cărbunele Mare (2140 m n.p.m.), Vf. Cărbunele Mare (2172 m n.p.m.), przełęcz (2080 m n.p.m.), Vf. Cărbunele II (2162 m n.p.m.), Şaua Ştefanu (1860 m n.p.m.) oraz, już w górach Latoriţei, Vf. Ştefanu (2051 m n.p.m.) i grzbiet Mieruţu (1945 m n.p.m.). Polodowcowa dolina ma cztery główne odnogi: Căldarea Găuri, Căldarea Zănoaga Mare, Căldarea Gâlcescu i Căldarea Iezerului. Dwie pierwsze oddziela grzbiet Muchia Stâncilor, który odgałęzia się od Piatra Tăiată. W głównej osi doliny leży odnoga Gâlcescu, która ma dobrze wykształcone piętra: dolne – Căldarea Gâlcescu, środkowe – Căldarea Vidal i dwa górne – Căldarea Dracul-ui oraz Căldarea Nordica Setea Mare. Od sąsiednich gałęzi separują ją: na zachodzie Creasta Păsarii – północno-wschodnia grzęda Vf. Setea Mare, a na wschodzie Muchia Gâlcescu – północna grań wschodniego plateau spod Vf. Setea Mare.

Od *Cabana Obârşia Lotru* przy DN67C należy pokonać 100 m do skrzyżowania z DN7A. Po 1,5 km szosą w prawo, w górę doliny Lotru, drogi się rozchodzą. W czasie wędrówki mija się dobre miejsca na rozbicie namiotu i wylot sztolni, z której wypływa Jieţ. Kierując się na skrzyżowaniu w lewo, Transalpiną podchodzi się w okolice mostu na rzece Lotru (1400 m n.p.m.; 4 km od schroniska). „Szosa alpejska" skręca w lewo na most, a trasa wiedzie w dotychczasowym kierunku, prosto do **dawnej gajówki** *Găuri* (1410 m n.p.m.). Na serpentynie powyżej odgałęzia się w prawo droga dla traktorów – od schroniska do tego miejsca wiodą znaki czerwonego krzyża.

Teraz należy skręcić w prawo i udać się traktem dla traktorów przez świerkowy las wzdłuż Pârâul Spânzurat (Wiszący Potok). Po prawej stronie, tuż obok potoku, jest śródleśne jeziorko osuwiskowe o zielonkawej barwie wody – **Tăul dintre Brazi** (Stawek Wśród Jodeł; 1610 m n.p.m.).

Droga podchodzi doliną Huluzu; na jej szerokim dnie po jakimś czasie pojawiają się łąki zwiastujące koniec lasu. Ponad lasem pojawia się dość pokraczny szałas – *Stâna Huluzul* (1740 m n.p.m.). Moczar u jego stóp jest pozostałością po zamulonym jeziorku **Tăul de Jos al Huluzului** (Dolny Stawek Huluzu; 1735 m n.p.m., 0,01 ha, 0,5 m gł.). Nieco powyżej, w lewo od ścieżki, leży jeziorko krasowe **Tăul Fără Fund al Huluzului** (Stawek bez Dna Huluzu; 1750 m n.p.m., 0,005 ha, ok. 8 m gł.), wypełniające zatkany gliną krasowy lejek. Pasterska ścieżka wyprowadza na przełęcz **Şaua Huluzul** lub Şaua Ciobanul (Przełęcz Pasterza; 1825 m n.p.m.). Leżą tu dwa malutkie **Lacurile Huluzului** (0,3 m gł.), a 100 m w prawo (na północ) największy w tej grupie **Lacul Mare al Huluzului** (Wielki Staw Huluzu; 0,02 ha 0,8 m gł.), przykład jeziora niwacyjnego (wypełnia tzw. nieckę niwacyjną, powstałą w wyniku cyklicznego zamarzania i rozmarzania wilgotnego gruntu w miejscu długotrwałego zalegania płata śniegu). Płaski teren jest dogodny do biwakowania, a krajobraz pięknie harmonizuje ze szczytami na południu.

Grzbietem przez przełęcz prowadzi słabo znakowany szlak niebieskiego paska z Pasul Groapa Seacă na Vf. Coasta lui Rus. Z przełęczy należy się udać szerokim, łagodnym grzbietem w lewo, na południe. Kierunek marszu wyznaczają wapienne skały spłaszczonego szczytu **Coasta lui Rus Mică** (1949 m n.p.m.) – to dobry punkt widokowy na leżące na północy góry Şureanul, z charakterystyczną trójkątną sylwetką Vf. lui Pătru (2130 m n.p.m.), oraz na góry Lotru z kulminacją Vf. Ştefleşti (2212 m n.p.m.). Na wschód, poniżej szczytu, w korycie polodowcowym Găuri stoi *Stâna Găuri* (1790 m n.p.m.). Po zejściu śniegów okolica niebieszczy się z powodu wapieniolubnej goryczki wiosennej (*Gentiana verna*). Grzbiet podchodzący na Vf. Pietrele (2155 m n.p.m.) porasta kosówka. U jego stóp leży **Lacul Ciobanu** (Staw Pasterza; 1980 m n.p.m., 0,012 ha, 1 m gł.). Żeby do niego dojść, należy się kierować przez **Căldarea Murgoci**. Dno kotła jest nieregularne, pełne lejów krasowych i kopulastych wzniesień. Trzymając się lewego skraju karłowatych zarośli, trzeba podejść w okolice niecki małego stawu i odszukać zarośniętą ścieżkę.

Od Lacul Ciobanu trasa przechodzi na wschodnią stronę kotła Murgoci, do podnóża wapiennej ściany grzbietu **Muchia Murgoci**. Jest to zwieńczenie północno-

8

-wschodniego ramienia Vf. Găuri, wokół którego należy iść do **Căldarea Găuri** (Przedziurawiony Kocioł). Muchia Murgoci opada do kotła Găuri białymi ścianami **Peretele Albe**, które kontrastują z czernią ścian Vf. Coasata lui Rus w zamknięciu doliny. W niektórych miejscach pojawiają się pola żłobków krasowych i lejki, a wystające białe skałki noszą nazwę **Bisericile din Găuri** (Cerkwie z Găuri). W górnej części kaldery leżą: Lacul Găuri (staw Găuri; 2080 m n.p.m., 0,016 ha, 0,5 m gł.), zarastający **Lacul Secat din Gâuri** (Suchy Staw w Găuri; 2102 m n.p.m.) i dwa oczka wodne. Odbijane od ścian pod różnymi kątami promienie słoneczne zwiększają nasłonecznienie kotła, co stwarza dogodne warunki dla rozwoju wegetacji. Trawiaste przestrzenie pomiędzy skałami barwią się na różowo w czasie kwitnienia pierwiosnki maleńkiej (*Primula minima*). Duże wrażenie robią różowe murawki skalnicy naprzeciwlistnej (*Saxifraga oppositifolium*), uczepione białych, pionowych ścian o wystawie północnej. Rośnie tu również szarotka alpejska (*Leontopodium alpinum*) i wiele innych rzadkich roślin. W urwistych ścianach środkowego piętra doliny Gâuri gniazduje jerzyk (*Apus apus*), stąd ich nazwa – **Peretele cu Lăstuni** (Ściany z Jerzykami).

W kotle Găuri pojawia się wyraźna ścieżka, przecinająca go na ukos i znaczona kopczykami, która wyprowadza na **Şaua Stăncior** (Przełęcz Kawek; 2220 m n.p.m.) w grzędzie Muchia Stăncior. Z Şaua Stăncior idzie się początkowo grzędą do góry, a następnie percią w prawo w skos na główną grań Parângu pomiędzy **Vf. Piatra Tăiată** (Rozcięty Kamień; 2299 m n.p.m.) z lewej a **Vf. Coasta lui Rus** (Żebro Rusina; 2301 m n.p.m.) z prawej, na który pozostaje kilka minut podejścia.

Wysunięty na północ zwornikowy szczyt Coasta lui Rus góruje nad całą alpejską częścią Parângu. Pod względem atrakcyjności krajobrazu przewyższa Parângula Mare, oferując widoki na byłe lodowce Jieţu i Lotru, połyskujące taflami stawów. Ponad nimi horyzont zamykają inne pasma gór grupy Parângu oraz Retezat.

Z wierzchołka należy się skierować z powrotem w stronę Vf. Piatra Tăiată i za znakami niebieskiego paska zejść obok skał **La Foi** (U Miecha) na **Şaua Piatra Tăiată** (2255 m n.p.m.). Stąd trzeba iść na północ do kotła Căldarea Zănoaga Mare za znakami czerwonego krzyża, trzymając kierunek na południowy brzeg **Lacul Zănoaga Mare** (Staw Wielkiego Kotła;

2030 m n.p.m., 0,97 ha, 1,05 m gł.). Od stawu idzie się na wschód przez złomiska, łączki, a wreszcie pomiędzy płatami kosówki do stóp **Creasta Păsării** (Ptasia Grań) i nad północny brzeg **Lacul Gâlcescu** lub Lacul Câlcescu (1935 m n.p.m.; 3,02 ha, 9,3 m gł.).

Lacul Gâlcescu, uważana za najpiękniejszy spośród stawów grupy Parângu, leży na dolnym stopniu kotła Căldarea Gâlcescu, w piętrze kosodrzewiny. Trawiasto-kwieciste łączki nad jego brzegiem są ulubionym miejscem biwakowym turystów.

Warto odbyć godzinną wycieczkę do górnych pięter Căldarea Gâlcescu: szlakiem czerwonego trójkąta na północ, wschodnim brzegiem Lacul Gâlcescu, a następnie przez próg środkowego piętra doliny dochodzi się do stawów **Lacul Pencu** (1991 m n.p.m.; 0,16 ha, 2,9 m gł.) po lewej i **Lacul Vidal** (1987 m n.p.m.; 0,59 ha, 3,6 m gł.) po prawej stronie. Na zachód od zbiorników wznosi się wysoki próg wiszącej doliny – **Căldarea Dracului** (Diabelski Kocioł). Żeby się tam dostać, należy najpierw wspiąć się szlakiem na górny próg doliny, do kociołka **Căldarea Nordica Setea Mare** (2060 m n.p.m.); rozchodzą się tutaj ścieżki: pierwsza za znakami czerwonego trójkąta w lewo, do wylotu Hornul Lacului (Komin Stawów) i nim na grań, w rejon płaskowyżu pomiędzy Vf. Setea Mare a Şaua Plęscoaia, druga – w prawo – trawersuje na próg kotła Dracului. Z progu nieoczekiwanie otwiera się dość rozległy kocioł z kilkoma malowniczymi stawami; pierwszym jest **Lacul Setea Mare** (2090 m n.p.m., 0,008 ha, 1 m gł.), a za nim, na dnie, **Lacul Păsări** (Ptasi Staw; 2078 m n.p.m., 0,30 ha, 3 m gł.). Do węzła szlaków nad Lacul Gâlcescu wraca się tą samą drogą.

Od stawu do schroniska *Obârşia Lotru* schodzi się szlakiem czerwonego krzyża – początkowo prawym brzegiem potoku Gâlcescu, później przez próg doliny z lewej strony wodospadu na płaską łąkę najniższego piętra glacjalnego (ok. 1780 m n.p.m.). Można tu łatwo dojść z Căldarea Zănoaga Mare. Znakowana ścieżka przechodzi na prawy brzeg strumienia, a z lewej strony wpada potok Zănoaga (1756 m n.p.m.). W pobliżu granicy lasu szlak ponownie zmienia brzeg na lewy, pokonując jar wycięty w morenie. Stroma i niewygodna dróżka przez świerkowy starodrzew mija w oddali połączenie potoków Gâlcescu i Iezeru (z prawej), tworzących rzekę Lotru, i koło **Cascada Dracului** (Diabelski Wodospad) sprowadza do kładki z pni ponad rzeką Lotru (1600 m n.p.m.). Stąd krótkie podejście wyprowadza na skraj polanki na prawym brzegu rzeki (1615 m n.p.m.), gdzie zaczyna się droga traktorowa.

Ostatnie dwa miejsca, w których trzeba przekroczyć potok, mogą się okazać zbyt głębokie w okresie wiosennym, kiedy przepływ zwiększa się nawet dziesięciokrotnie. Wtedy nie należy schodzić do jaru, lecz skierować się trawersem w prawo do granicy lasu. Stara ścieżka przewija się u czoła Muchia Gâlcescu do doliny Iezerul i wyprowadza na Poiana Iezerului na prawym brzegu potoku (ok. 1690 m n.p.m.). Dalej idzie się zanikającą dróżką do połączenia z pierwszym wariantem na polance z drogą traktorową.

Trasa przecina potoki Petreasa i Carbunele, a następnie przez **Podul Lotrului de Sus** (Górny Most Lotru; 1490 m n.p.m.), tuż poniżej ujścia potoku Găuri (z lewej), ostatecznie plasuje się na lewym brzegu rzeki (od mostu jest przejezdna dla wysoko zawieszonych samochodów), doprowadzając do **byłej gajówki Găuri**, gdzie zamyka się pętla trasy. Od niej do *Cabany Obârşia Lotru* pozostaje 1 godz. marszu (3 godz. od Lacul Gâlcescu).

Trasa 4 (sześciodniowa)
Lainici → Piatra Argelelor → Parângul Mare → kotły polodowcowe górnego Jieţu → kotły polodowcowe górnego Lotru → Pasul Urdele → Curmătura Olteţului

> Trasa jest propozycją połączenia trawersowania grani głównej Parângu ze zwiedzaniem najatrakcyjniejszej polodowcowej części gór wraz z obszarami północnej strefy występowania wapieni. Wymaga od turysty umiejętności poruszania się w terenie wysokogórskim oraz zmysłu orientacji. W czasie częstych mgieł i niskiego pułapu chmur może być mylna, a nawet niebezpieczna. Wyprawę można kontynuować w górach Căpăţânii.

Pierwszy dzień: Lainici → Piatra Argelelor → Şaua Prisloapele → Stâna Mormântul Florii
Słabo znakowany szlak czerwonego kółka. Czas przejścia: 6–7 godz.

Od Lainici do źródeł potoku Pârleele należy iść zgodnie z opisem trasy 1. Dalej starą drogą na **Şaua Recii** (Zimną Przełęcz); stamtąd obok **Tăul Porcului** (Świński Stawek) trzeba strawersować ścieżką od północy Vf. Recii (1468 m n.p.m.) do siodła po jego wschodniej stronie. Stąd droga traktorowa zagłębia się w stary bukowy las, trzymając się grzbietu, bądź trawersując po północnej stronie. Za **Şaua Prisloapele** (przełęcz Przysłopy; 1286 m n.p.m.) roz-

ciąga się polana, na której stoi **Stâna Prisloapele** (1367 m n.p.m.). Za szałasem szlak podchodzi przez świerkowy las i wyprowadza na połoniny koło **Stâna Mormântul Florii** (1555 m n.p.m.) z metalowym krzyżem. W pobliżu dobre miejsce na biwak.

Drugi dzień: Stâna Mormântul Florii → Vf. Mândra → Parângul Mare → Stâna Roşiile
Słabo znakowany szlak czerwonego kółka. Czas przejścia: 4–5 godz.

Od Stâna Mormântul Florii połoninny grzbiet podchodzi na szczyt **Ciocârliul Grivelor** (2028 m n.p.m.). Wierzchołek omija się od południa, by wyjść na **Şaua Ţapul** (Koźla Przełęcz; 2000 m n.p.m.). Dalsze podejście przez **Vf. Ţapul** (2160 m n.p.m.) wyprowadza na zwornikowy **Vf. Mândra** (Pyszny Szczyt; 2360 m n.p.m.), gdzie z prawej dochodzi grzbiet wododziału Jiu – Gilort. Teraz trzeba się skierować na północ, przez **Şaua Mândra** (2310 m n.p.m.) na najwyższy **Parângul Mare** (2518 m n.p.m.). Stamtąd schodzi się za znakami czerwonego paska na wschód, na **Şaua Gruiul** (Żurawia Przełęcz; 2305 m n.p.m.) – tu zaczyna się najtrudniejszy odcinek trasy: zejście stromym żlebem na północ do **Căldarea Mândra** (Pyszny Kocioł), nad **Lacul Mândra**. Nad **Lacul Lung** można zejść ścieżką na prawo lub na lewo od progu kotła. Ostatni odcinek do **Stâna Roşiile** jest opisany przy trasie 2 (czerwone kółka).

Trzeci dzień: pętla trasy 2

Czwarty dzień: Stâna Roşiile → Vf. Gemănarea → Parângul Mare → Coasta lui Rus → Hornul Lacurilor → Lacul Gâlcescu
Czas przejścia: 6–7 godz.

Od **Stâna Roşiile** za znakami czerwonego krzyża przez **Vf. Slivei** na **Vf. Gemănarea** należy iść zgodnie z opisem podanym w trasie 2. Odcinek od Vf. Gemănarea przez **Parângul Mare**, **Coasta lui Rus**, **Vf. Setea Mare** do płaskowyżu pomiędzy Vf. Setea Mare a Şaua Pleşcoaia prowadzi wygodnym graniowym szlakiem czerwonego paska. Z płaskowyżu nad **Lacul Gâlcescu** schodzi się przez Hornul Lacurilor za znakami czerwonego trójkąta (opis przy trasie 3).

Piąty dzień: pętla trasy 3

Szósty dzień: Lacul Gâlcescu → Hornul Lacurilor → Vf. Iezer → Pasul Urdele → Vf. Papuşa → Galbenul → Micaia → Curmătura Olteţului

Podejście na grań szlakiem czerwonego trójkąta, dalej szlakiem czerwonego paska. Czas przejścia: 8–9 godz.

Na główną grań Parângu wraca się znanym już szlakiem czerwonego trójkąta. Następnie należy się udać graniowym szlakiem czerwonego paska przez **Vf. Pleşcoaia** i przysadzisty **Vf. Mohorului** do zwornikowego **Vf. Iezer**. Szlak wraz z głównym grzbietem skręca pod kątem prostym w prawo i pokonuje trudne zejście na **Şaua Urdele** (2040 m n.p.m.), za którą osiąga Transalpinę (2085 m n.p.m.). Niezmodernizowana DN67C podchodzi serpentynami na **Pasul Urdele** (2145 m n.p.m.) – najwyższy punkt „szosy", obchodzi wierzchołek Vf. Urdele (2228 m n.p.m.) i schodzi na **Şaua Dengherul** (2035 m n.p.m.). Za **Vf. Dengherul** (2069 m n.p.m.) na przełęczy **La Coasta Crucii** (U Żebra Krzyża; 2015 m n.p.m.) Transalpina opuszcza główny grzbiet i schodzi w prawo do letniska Rânca, podczas gdy szlak wspina się drogą traktorową w stronę **Vf. Papuşa** (2136 m n.p.m.), który zostawia po prawej stronie. Następnie ścieżka grzbietowa przechodzi kolejno przez **Şaua Cioara** (2090 m n.p.m.), **Vf. Cioara** (2123 m n.p.m.), **Şaua Tidvele** (2070 m n.p.m.), **Galbenul** (2137 m n.p.m.; po północnej stronie, w kotle Bălescu leży ostatni ze stawów polodowcowych – Lacul Singuratic – 1990 m n.p.m., 0,2 ha, 1 m gł.), **Vf. Bălescu** (2120 m n.p.m.), **Şaua Muşetoaia** (2020 m n.p.m.), **Vf. Muşetoaia** (2058 m n.p.m.), **Şaua Micaia** (1950 m n.p.m.) z jeziorkiem niwacyjnym **Lacul Micaia** (1910 m n.p.m.), **Vf. Micaia** (2170 m n.p.m.), przełęcz (2030 m n.p.m.), **Vf. Pristosul** (2075 m n.p.m.), **Muntelui Curmătura** (1830 m n.p.m.) i **Curmătura Olteţului** (1615 m n.p.m.) – przełęcz oddzielająca góry Parâng od gór Căpăţânii (dogodne tereny biwakowe).

GÓRY CĂPĂŢÂNII

Góry Căpăţânii (Munţii Căpăţânii) to kontynuacja gór Parâng w kierunku wschodnim, które z racji mniejszych wysokości nie były objęte zlodowaceniem. Oprócz typowego dla Karpat Południowych łagodnego głównego grzbietu o zaokrąglonych formach i spłaszczonych powierzchniach szczytowych, wyróżnia się tutaj dwie dzikie wapienne granie po północnej i południowej stronie, a także strefę poszarpanych skał gnejsowych na wschodzie. Towarzyszy im bogactwo florystyczne, na które – oprócz wiekowych lasów o charakterze naturalnym – nakłada się mnogość gatunków roślin. Wschodnia część,

zwana górami Naraţu, wchodzi w obręb Parku Narodowego Gór Cozia.

Chociaż góry Căpăţânii można zaliczyć do grona najatrakcyjniejszych karpackich masywów, pod względem turystycznym pozostają dziewicze. Walory krajoznawcze uzupełniają wspaniałe olteńskie monastyry i obronne domy – cule – u południowego podnóża, jak również uzdrowiska powstałe przy źródłach mineralnych.

Geografia

Góry Căpăţânii wyrastają w południowo-wschodniej części grupy Parângu. Na zachodzie od masywu Parâng dzieli je dolina Olteţu, Curmătura Olteţului oraz potok Curmăturii. Północną granicę wyznacza rzeka Latoriţa (z górami Latoriţei) oraz rzeka Lotru (z górami Lotru). Przełom Aluty na wschodzie oddziela je od gór Cozia, będących ich geologicznym przedłużeniem. Południowa granica jest mniej wyraźna i prowadzi w poprzek grzbietów łączących z Subkarpatami. Wyznacza ją umowna linia przechodząca przez miejscowości Muereasca, Cheia, Bărbăteşti, Pietreni, Bistriţa, Romani de Sus, Vaideeni i Polovragi.

Budowa geologiczna i rzeźba

W zachodniej części przeważają formacje autochtonicznego trzonu krystalicznego, na który został nałożony krystalik płaszczowiny getyckiej. Na zewnątrz granitów, granodiorytów i wylewnych skał głębinowych spotyka się łupki serycytowe, chlorytowe, gliny z grafitem, wapienie krystaliczne oraz – rzadziej – kwarcyty.

W części środkowej i wschodniej przeważają skały płaszczowiny getyckiej, reprezentowane przez gnejsy mikowe z wkładkami amfibolitów i łupki mikowe. Skalny blok gór Naraţu jest zbudowany w głównej mierze z gnejsu typu Cozia, świat wapieni krystalicznych reprezentuje urwista grań Piatra Târnovului na północnym zachodzie, a skalisty masyw Buila-Vânturariţa na południu budują wapienie mezozoiczne. Podobne skały tworzą barierę mezozoiczną, ciągnącą się z Parângu do okolic potoku Cerna na południowym zachodzie gór.

Główny grzbiet ma przebieg równoleżnikowy. Wierzchołki w jego zachodniej części przekraczają 2000 m n.p.m.; tam też wyrasta najwyższy szczyt – **Vf. Nedeia** (2130 m n.p.m.). Na wschód od Vf. Ursu (2124 m.n.p.m.) wysokości bezwzględne maleją i dość monotonny grzbiet doprowadza do Vârful Lui Stan (1450 m n.p.m.).

Za Vârful lui Stan, przez głębokie obniżenie zalesionej przełęczy La Mocirlă (ok.

1000 m n.p.m.) wododział łączy się z **górami Narățu** (Munții Narățu) – gnejsowym masywem kulminującym w **Vf. Narățu** (1509 m n.p.m.). Gniazdo górskie wysyła we wszystkie strony szereg poszarpanych ramion, z których sterczą trudno dostępne skaliste turnie, baszty i kazalnice, urywające się gwałtownie nad przełomem Aluty, bądź doliną Lotru w okolicy Brezoi. Tym sposobem w wierzchołku Foarfeca Narățului (831 m n.p.m.) kończy się główny grzbiet gór Căpățânii.

Zupełnie odmienny charakter ma **grzbiet Piatra Târnovului** (1879 m n.p.m.), który odgałęzia się w Vf. Negovanu w kierunku północno-wschodnim. Mur krystalicznych wapieni przeorany żlebami, z polami piargów u podnóża, tworzy ostrą jak brzytwa grań, wystającą ponad granicę lasu na podobieństwo Piatra Craiului.

Masyw Buila-Vânturatița, często wyodrębniany jako samodzielna jednostka orograficzna, a od głównego grzbietu oddzielony przez przełęcz Hădărău (1322 m n.p.m.), tworzy nieprzerwaną grań zbudowaną z jurajskich wapieni, która ciągnie się z północnego wschodu na południowy zachód na długości 14 km, pomiędzy Vf. Stogu (1494 m n.p.m.) a Muntele Arnota (1184 m n.p.m.). Składa się na nią ciąg lśniących bielą baszt, kop i igieł porozdzielanych trudno dostępnymi przełęczami i przechodami. Ma budowę asymetryczną, z 200-metrowymi urwiskami od północnego zachodu i łagodniejszymi, skrasowiałymi stokami po przeciwnej stronie. W mniej nachylonych miejscach powierzchnię wapieni rozcinają żłobki krasowe – najciekawszym przykładem są ich pola na Muntele Albu (1802 m n.p.m.). Na wypłaszczeniach stoków i bocznych ramion występują krasowe lejki – niektóre wypełnia woda, tworząc niewielkie, ale stosunkowo głębokie jeziorka. Interesującym zjawiskiem jest zamknięta ze wszystkich stron głęboka kotlina, biegnąca równolegle do grani po zachodniej stronie Curmătura Builei – systemem pęknięć w dnie odprowadza do podziemi całość wód opadowych, które spływają z kilku hektarów. Sama przełęcz Curmătura Builei (1540 m n.p.m.) to pozostałość dawnego przełomu rzecznego przebiegającego w poprzek grzbietu.

Dzisiaj rzeki przebijają się przez masyw czterema przełomami, z których najbardziej spektakularny jest **Cheile Recea** (Cheile Cheii). Płynący spod głównego grzbietu gór Căpățânii potok Cheia, natrafiając na poprzeczną barierę wapieni wycina w niej jeden z najbardziej dzikich wąwozów w Rumunii. Na kilometrowym odcinku tworzy progi, kaskady i kotły eworsyjne, a jego przeszło 300-metrowe ściany zbliżają się miejscami na odległość 2 m. Woda osiąga otwór jaskini Sorbul Mare, gdzie rozpoczyna podziemny przepływ na długości 800 m, i wydostaje się na powierzchnię w sporym wywierzysku La Izbuc po przeciwnej stronie masywu. Pokonanie jaru oraz przełęczy ponad niedostępnym podziemnym odcinkiem jest możliwe wyłącznie przy niskim stanie wody i wymaga brodzenia po dnie, a także pewnych umiejętności wspinaczkowych. Wą-

---

Rânca

Stațiunea Rânca po południowej stronie Parângu, przy górnej granicy lasu, na wysokości 1600 m n.p.m., to niewielka osada letniskowa, słynąca z łagodnego górskiego klimatu i wspaniałych widoków, która powstała przed laty wokół starej *Cabany Rânca*, na Poiana Rânca, ciągnącej się na zachód od grzbietu Cornești Mare.

Niedawno zadecydowano o zlokalizowaniu tutaj wielkiej stacji alpejskiej o zasięgu krajowym – wydano 400 pozwoleń na budowę domów i powstał ogromny plac budowy. Jak grzyby po deszczu wyrosły okazałe wille, pensjonaty, hotele, ośrodki wypoczynkowe, ale także małe domki kempingowe, cerkiew oraz stacja ratunkowa Salvamontu.

Prace ruszyły pełną parą do doprowadzenia do osiedla wody. Budują się tutaj ludzie biznesu, politycy, policjanci, prawnicy i urzędnicy państwowi. Swoje hotele stawiają m.in. zakłady petrochemiczne Petrom oraz zrzeszenie górnictwa okręgu Gorj. Krajowa Agencja Dróg kończy okazałą willę. Być może jest to znak zapowiadający modernizację Transalpiny?

Tymczasem władze mają ambicje zbudowania ośrodka sportów zimowych. Jak dotąd na północno-zachodnim stoku Cornești Mic (1696 m n.p.m.) istnieje jeden wyciąg narciarski o długości 600 m.

Są niezależne plany budowy centrum sportów zimowych w Obârșia Lotru, gdzie pokrywa śnieżna utrzymuje się przez pół roku. Konkurs na projekt ma zostać ogłoszony w najbliższej przyszłości. Tylko czy ktoś się zastanowił, jak tam dotrzeć zimą?

wozy Cheile Mânzului na potoku Olăneşti i Cheile Bistriţei są dostępne drogami leśnymi, a dziki Cheile Costeştilor można przejść w bród.

Wnętrze masywu kryje jaskinie Caprelor, Munteanu-Murgoci, Pagodelor, Arnăuţilor, Rac, Clopot, Peştera cu Lac, Peştera cu Perle i wiele innych. Turystom udostępniono grotę Peştera Liliecilor. Najbardziej znaną jaskinią gór Căpăţânii jest **Peştera Polovragi** w wąskim, przepaścistym Cheile Olteţului. Przez jar o długości 2 km można przejść zarówno wykutą w ścianie drogą, jak i dnem, brodząc w zimnej wodzie.

Hydrografia

Wszystkie rzeki płynące z gór Căpăţânii są dopływami Aluty, a część z nich spływa bezpośrednio, jak np. Lotrişor, Căciulata, Muereasca, Olăneşti, Bistriţa i Luncavăţul. Północną stronę masywu odwadniają dopływy Lotru i Latoriţy, wśród nich: Repedea, Mălaia, Pârâul Satului, Valea lui Stan. Olteţ zbiera dopływy zarówno z Parângu, jak i z gór Căpăţânii (Tărâia i Cerna).

Wody tworzą wodospady, progi i przecinają atrakcyjne wąwozy – do najciekawszych należą wypreparowane w krystalicznych skałach Cheile Latoriţei oraz Cheile Lotrişorului. Listę krasowych jarów opisanych w poprzednim rozdziale uzupełnia Cheile Tărâiei. Szczególnie godny uwagi jest przełom Aluty, jedynej rzeki, która przecina w poprzek Karpaty. Jego najbardziej imponująca częścią przypada na odcinek pomiędzy Golotreni a monastyrem Cozia, rozdzielając góry Naraţu od gór Cozia.

Spośród naturalnych zbiorników godne odnotowania są jeziorka krasowe w masywie Buila-Vânturariţa. W najwyższej, krystalicznej części gór występuje kilka zbiorników pochodzenia niwacyjnego. Na obrzeżach masywu powstało również szereg jezior zaporowych, tworzących kilka systemów hydroenergetycznych; należą do nich: zbiornik Petrimanu na Latoriţy, Malaia i Balindru na Lotru oraz Turnu, Călimăneşti i Dăeşti na Alucie.

Klimat

Klimat gór Căpăţânii jest łagodniejszy niż w sąsiednim Parângu. Średnie roczne opady osiągają 1200 mm na wysokości 1400 m, a przeciętne temperatury wynoszą: w styczniu -7°C, a w lipcu 12°C.

W górach Căpăţânii jest 6 miesięcy zimnych (listopad–kwiecień) i 6 miesięcy umiarkowanych (maj–październik). Powyżej 1500 m n.p.m. pierwszy śnieg spada

pod koniec października i topnieje w maju. Sezon sprzyjający wyjściom w góry przypada od lipca do września.

Flora i fauna

Piętro lasów liściastych to królestwo buka (*Fagus silvatica*). W wielu miejscach, m.in. na Stogu, Buila, Târnovu Naraţu i innych, zachowały się starodrzewy tego gatunku, liczące po 300, a nawet 400 lat. Często towarzyszą mu: wiąz górski (*Ulmus montana*), jesion wyniosły (*Fraxinus excelsior*) i grab zwyczajny (*Carpinus betulus*). Na niższych wysokościach – na wzgórzach Călimăneşti, Fraşinet oraz w dolinach Olăneşti, Cheia i Tărâia – rozwija się dąb bezszypułkowy (*Quercus petraea*), rosnący w grupach lub pojedynczo.

Piętro lasów iglastych, opanowane przez świerk pospolity (*Picea excelsa*), jest mocno zredukowane po południowej stronie, tworząc nieciągły pas na wysokości 1700–1800 m n.p.m. W rejonie Târnovu na granicy lasu zachowały się rzadko występujące w Rumunii drzewostany modrzewia polskiego (*Larix decidua var. polonica*).

Powyżej linii lasów znaczne obszary zajmuje **piętro połoninne**. Na bezwapiennym podłożu nie brakuje krzewów rózanecznika wschodniokarpackiego (*Rhododendron Kotschyi*), a nawet naskałki pełzającej (*Loiseleuria procumbens*) i bałkańsko-karpackiej zwartki brukentalii ostrolistnej (*Bruckenthalia spiculifolia*). Niezależnie od podłoża występuje kosówka (*Pinus montana*), jałowiec halny (*Juniperus nana*) i olsza zielona (kosa olcha; *Alnus viridis*). Na wapieniach Târnovu oraz Buila-Vânturariţa rośnie dereń właściwy (*Cornus mas*), dziki bez koralowy (*Sambucus racemosa*), tawuła wiązolistna (*Spirea ulmifolia*), róża dzika (*Rosa canina*), wawrzynek *Daphne blagayana*, goryczka żółta (*Gentiana lutea*), goryczka wiosenna (*Gentiana verna*), skalnica gronkowa (*Saxifraga aizoon*), skalnica nakrapiana (*Saxifraga aizoides*), żółty mak *Papaver pyrenaicum* i wiele innych rzadkich roślin kwiatowych.

Prawdziwym rajem botanicznym są góry Naraţu. Na ich trudno dostępnych stokach i grzbietach, podobnie jak w górach Cozia, zachowały się niezwykle cenne zespoły roślinne. W wiekowych drzewostanach rosną potężne buki zwyczajne, dęby bezszypułkowe (*Quercus petraea*) i dęby *Quercus dalechampii*. Występuje również wiele roślin endemicznych, wśród nich: przytulia *Galium baillonii*, róża *Rosa argesana*, lepnica *Silene dinarica*, ostrożeń *Cirsium boujarti*, goździk *Dianthus henteri*, goździk *Dianthus spiculifolius*, głodek *Dra-*

Jaskinia Polovragi

Jaskinia Polovragi (Peştera Polovragi) leży na lewym zboczu wąwozu Cheile Oltețului, wyciętego w barierze wapieni mezozoicznych, przegradzających odpływ wód z gór Parâng i Căpăţânii na południe. Jej wejście otwiera się w pobliżu wsi Polovragi, 200 m od wrót wąwozu. Grota była znana od najdawniejszych czasów i odwiedzana już w średniowieczu. Okresowo mieściła pustelnię (Peştera lui Pahomie) monastyru z Polovragi.

Jaskinia należy do najdłuższych w kraju, a łączna długość jej korytarzy to 10 350 m. Pierwsze 400 m jest zelektryfikowane i udostępnione do zwiedzania z przewodnikiem (0,50 €). System korytarzy, wydrążony przez wody Oltęu, przebiega jakieś 20 m ponad dnem doliny, równolegle do ściany jaru.

Odcinek udostępniony turystom jest przestronny, pokryty gliną i kamieniami. W prawo odgałęzia się krótki **Culoarul Liliecilor** (Nietoperzowy Korytarz). Na końcu sali, po lewej stronie na ścianie wytworzyła się pokrywa martwicy wapiennej z gliniastymi wtrąceniami, zwana skórą leoparda (*piei de leopard*). Następne 250 m korytarza ma ubogą szatę naciekową, na którą składają się pojedyncze stalagmity, nacieki naścienne i niecki z wodą. Z prawej strony odgałęzia się korytarz prowadzący do **Sala Lacului** (Sala Jeziorna). Woda z jeziora pojawia się w źródle krasowym na dnie jaru, poniżej wejścia do groty. W dalszym ciągu korytarza głównego pojawia się na ścianie wizerunek śmierci, wykonany przed wielu laty przez pewnego mnicha techniką odymiania. Z lewej strony odgałęzia się **Culoarul Stâlpului** (Korytarz Słupów) z grupą stalaktytów, stalgmitów i stalagnatów. Trasa zwiedzania kończy się w tym miejscu – dalej strop głównego korytarza obniża się tak bardzo, że zmusza do czołgania się.

Dojazd do groty: od szosy DN67 Târgu Jiu–Râmnicu Vâlcea przez wieś Polovragi. Na rozwidleniu dróg przez monastyrem należy skręcić w prawo (ok. 5 km).

ba stellata ssp. *simonkaiana*, janowiec barwierski (*Genista tinctoria* ssp. *oligosperma*), strzęplica *Koeleria macrantha* ssp. *transsilvanica*, macierzanka *Thymus comosus*, *Alyssoides utriculata* ssp. *micrantha*. Do roślin rzadkich należą: szarotka alpejska (*Leontopodium alpinum*), storczyk *Limodorum abortivum*, pięciornik skalny (*Potentilla rupestris*), dzwonek *Campanula grossekii*, janowiec *Genista januensis*, olszewnik kminkolistny (*Selinum carvifolia*), lilia *Lilium carniolicum* ssp. *jankae*, pierwiosnka Hallera (*Primula halleri*), jarząb *Sorbus graeca*, liczydło górskie (*Streptopus amplexifolius*), *Symphyandra wanneri* i wiele innych.

Fauna gór Căpăţânii jest typowa dla Karpat Południowych. Z gatunków alpejskich w masywach Buila-Vânturarița oraz Narăţu żyją kozice (*Rupicapra rupicapra*). W odludnych rejonach skalnych łatwo się natknąć na żmiję zygzakowatą (*Vipera berus*), a na południu nawet na żmiję nosorogą (*Vipera ammodhytes*).

Na obszarze gór Narăţu oraz oddzielonych przełomem Aluty gór Cozia powołano **Park Narodowy Cozia** (Parcul Naţional Cozia) o powierzchni 17 tys. ha.

Propozycje tras

Pięć jednodniowych tras pozwala na zapoznanie się ze wszystkimi typami krajobrazów gór Căpăţânii oraz całym ich bogac-

twem przyrodniczym, a siedmiodniowa trasa łączy je w jedną długą wyprawę. Szczególnie interesujące może być połączenie wędrówki przez alpejski Parâng z nieco niższymi, lecz bardziej urozmaiconymi górami Căpăţânii. Chociaż proponowane trasy wiodą znakowanymi szlakami, poza nielicznymi wyjątkami jest to znakowanie stare, bardzo słabe, a czasami istniejące tylko na mapie, dlatego od turysty wymaga się dobrej orientacji w terenie i odpowiedniego przygotowania. W przypadku niskiego pułapu chmur lub mgły przebycie trasy może się okazać w ogóle niemożliwe.

Mapy W Internecie można odnaleźć skany map Munţii Căpăţânii oraz Buila-Vânturarița, wydanych w latach 70. XX w. Rejon doliny Latoriţy przedstawia mapa Munţii Latoriţei z lat 80.

Dojazd Góry Căpăţânii są stosunkowo łatwo dostępne zarówno dla zmotoryzowanych, jak i korzystających ze środków komunikacji publicznej. Od wschodu przełomową doliną Aluty prowadzi linia kolejowa Podu Olt–Piatra Olt ze stacjami Lotru, Turnu, Călimăneşti, Râmnicu Vâlcea, oraz szosa DN7/E81 Sibiu–Râmnicu Vâlcea.

Dojazd od północy umożliwia szosa DN7A Gura Lotru–Obârşia Lotru–Petroşani (w Obârşia Lotru przecina Transalpinę). Obie drogi zostały opisane w części dotyczącej gór Parâng. Autobusy z Râmnicu Vâlcea dojeżdżają przez Brezoi (335 m n.p.m.) do Voineasa (650 m n.p.m.).

Do Polovragi łatwo się dostać, zbaczając z szosy DN67 Râmnicu Vâlcea–Târgu Jiu. Można też dojechać drogą DJ665 Horezu–Vaideeni–Polovragi–Novaci–Curtişoara.

Dojazd do uzdrowiska Bâile Olăneşti z Râmnicu Vâlcea umożliwia szosa DN64A. W Păuşeşti-Măgleşi odgałęzia się tłuczniowy dukt wiodący południową granicą gór przez Neghineşti, Gruiu, Dobriceni, Bărbăteşti i Pietreni do Costeşti. Nawierzchnia nie jest najlepsza, ale przejezdna dla samochodu osobowego. Wszelkie niewygody rekompensują widoki na góry, wzgórza Subkarpat oraz wioski na wyniosłych grzbietach i w dolinach.

Kolejne odgałęzienie na szosie do Bâile Olăneşti jest w Valea Cheii. W lewo, na północny zachód, prowadzi droga do wsi Cheia. Jej przedłużeniem jest leśny dukt prowadzący w górę doliny Cheia, umożliwiający dojazd do żeńskiego skitu Iezer (5 km) i męskiego skitu Pahomie (12 km).

W Gura Vaii od DN7 odchodzi droga, która doliną Muereasca prowadzi do monastyru Frasinei (10 km; zgodnie z życzeniem fundatora cerkwi kobietom nie wolno wchodzić za bramę klasztoru).

Noclegi W dolinie Latoriţy, nad jeziorem o tej samej nazwie funkcjonuje *Cabana Petrimanu* (1200 m n.p.m.). W Buila-Vânturariţa u zbiegu potoków Cheia i Comarnice od 2004 r. zaprasza *Cabana Cheia* (890 m n.p.m.). W górnej części Poiana Frumoasă stoi schrony turystyczny – *Refugiul Vioreanu* (ok. 1640 m n.p.m.). W górach Narăţu można przenocować w *Refugiul Puturoasa* (720 m n.p.m.). W rejonie Târnovu, na polanie Târnovu Mic stoi stara gajówka, wykorzystywana czasami jako noclegownia. Schrony *Lespezi* (na łączniku głównego grzbietu gór Căpăţânii i Buila-Vânturariţa) oraz dawny schron na Curmătura Builei zostały przekształcone w szałasy. Pasterze są gościnni i w razie niepogody można liczyć na nocleg oraz znakomite sery. Z rozbiciem namiotu nie ma żadnych problemów – można to zrobić w każdym płaskim miejscu. Listę miejsc noclegowych uzupełniają motele *Lotrişor* (292 m n.p.m.) i *Cozia* (300 m n.p.m.) w przełomie Aluty.

Trasa 1
Curmătura Olteţului ➜ Şaua Negovanu ➜ Stâna Gropiţa ➜ Stâna Groapa ➜

Vf. Funicel ➜ Vf. Nedeia ➜ Şaua Negovanu ➜ Curmătura Olteţului

Czas przejścia: 7–8 godz. Na głównym grzbiecie szlak czerwonego paska, dalej niebieskiego kółka i żółtego kółka (niemal całkowity brak znaków w terenie); powrót szlakiem czerwonego paska. Bardzo widokowa trasa przez najwyższy rejon gór Căpăţânii, łącznie z wejściem na najwyższy szczyt – Vf. Nedeia. Wycieczkę można przedłużyć, zaczynając ją i kończąc w *Cabana Petrimanu* (dodatkowe 2 godz.).

Przełęcz **Curmătura Olteţului** (1615 m n.p.m.), przez którą przechodzi droga Ciungetu–Polovragi, oddziela góry Căpăţânii od gór Parâng. Ścieżka, która wiedzie od *Cabana Petrimanu* doliną potoku Curmătura ścina zakosy, trzymając się słupów byłej linii energetycznej. Szerokie trawiaste siodło może być dogodnym miejscem do biwakowania, jednak wiatry wiejące z północno-zachodniego kierunku mogą zmusić do postawienia namiotów niżej, np. w zakolach serpentyn po północnej stronie lub w okolicach szałasu po południowej stronie. Jeszcze lepsze miejsce jest 10 min dalej, kierując się drogą traktorową podchodzącą za znakami czerwonego paska z przełęczy na wschód północnymi stokami Vf. Bou na **Şaua lui Maxim**. Jest to płaska łąka w Culmea lui Maxim – północnym grzbiecie Vf. Bou. Na końcowym odcinku podejścia, tuż poniżej drogi bije **Izvorul lui Petricu**. W pobliżu rośnie świerkowy las. Łatwo odnaleźć pozostałości po eksperymentalnej elektrowni wiatrowej, która powstała tu pod koniec lat 70. XX w. Z okolic Vf. Bou roztacza się doskonały widok na góry Latoriţei z ich najwyższymi, skalistymi wierzchołkami: wapiennym Vf. Fratoşteanu Mare (2053 m n.p.m.) na północy i Vf. Puru (2049 m n.p.m.) na lewo od tego pierwszego.

Na Şaua lui Maxim droga zakręca pod kątem prostym w prawo, przechodzi poniżej wierzchołka Vf. Bou (1908 m n.p.m.) i wyprowadza z powrotem na główny grzbiet na przełęczy **Turcinu Mic** (ok. 1830 m n.p.m.), obok niewielkiego krzyża. Trasa wykorzystywana przez samochody terenowe, wożące sery z okolicznych szałasów, prowadzi na południowy wschód, pozostawiając wierzchołek Turcinu Negovanului (1963 m n.p.m.) po lewej stronie, mija przełęcz ponad kotłem Zănoaga Turcinului i wyprowadza na **Şaua Negovanu** (1925 m n.p.m.).

W pobliżu przełęczy Negovanu drogi się rozchodzą: szlak grzbietowy podchodzi ścieżką w stronę Vf. Negovanu, jedna droga jezdna skręca w prawo do szałasu na Picio-

U ujścia rzeki Latoriţy do Lotru (przystanek Gura Latoriţei) odgałęzia się droga do wsi **Ciungetu** (540 m n.p.m.; 6 km). Stara osada słynie z jednej z największych hydroelektrowni w Karpatach (większa jest tylko na Dunaju w Żelaznej Bramie). Na pięknie utrzymanym zieleńcu stoi ogromna turbina Peltona, identyczna jak trzy umieszczone pod ziemią, które zamieniają energię spadającej wody na ruch obrotowy generatorów prądu o mocy 170 MW każdy. Za elektrownią zaczyna się dziewięciokilometrowy **Cheile Latoriţei** – jeden z ładniejszych wąwozów w Rumunii (rezerwat przyrody). Jego dnem prowadzi asfaltowa, miejscami dość wąska leśna droga, którą można dotrzeć do *Cabana Petrimanu* nad jeziorem zaporowym o tej samej nazwie (18 km). W miejscu **Prejbeni** (780 m n.p.m.) droga przechodzi na orograficznie prawy brzeg rzeki. Od lat 30 XX w. znajdowała się tutaj klauza. Zgromadzona w zbiorniku woda po otwarciu zastawek unosiła ze sobą powiązane w tratwy pnie drzew. Flisaków i kolejkę leśną w dolinie Lotru zastąpił transport samochodowy, który rozwinął się w 1962 r., z chwilą wybudowania pierwszej drogi wzdłuż rzek Lotru i Latoriţy. Za rozszerzeniem doliny, w którym stoją opuszczone zabudowania gajówki *Borogeana*, następuje krótki odcinek podniszczonej nawierzchni. Po przeciwnej stronie rzeki stoi mogiła **La Şapte Crucii** – siedem pięknie rzeźbionych krzyży, upamiętniających tragiczną śmierć grupy budowniczych zapory pod lawiną, która zeszła żlebem z lewej strony drogi. Później następuje odcinek **La Jgheaburi** (U Koryt). Rzeka wydrążyła w skalnym łożysku progi, koryta i kotły eworsyjne, zwane Szmaragdowymi Stopniami Latoriţy. Boczne potoki spadają do wąwozu wodospadami. Najwspanialszy z nich – **Apa Spânzurată** (Zawieszona Woda) – utworzył Turcinu Mar, potok płynący spod Vf. Fratoşteanu Mare (2053 m n.p.m.) – najwyższego szczytu gór Latoriţei. Odkąd woda została skierowana podziemnym tunelem do Lacul Vidra, siklawa straciła na efektowności.

Za wodospadem ukazuje się betonowy łuk zapory Petrimanu. **Lacul Petrimanu** (1130 m n.p.m.) oprócz wód Latoriţy zbiera również wody z potoków spływających na południową stronę gór Căpăţânii i Parâng. Połączone sztolnią, a następnie tunelem spływają do jeziora Petrimanu. Po drugiej stronie zapory widać ruy, którymi trzy potężne pompy tłoczą wodę z akwenu do kolejnej sztolni, 185 m wyżej. Łączy się w niej woda z Lacul Galbenu (górne dorzecze Latoriţy) i południowych potoków gór Latoriţei (m.in. Turcinu Mare) i spływa do Lacul Vidra. Stąd płynie tunelem pod dwoma grzbietami gór Latoriţei (gigantyczną rurę betonową widać z szosy DN7A w dolinie Mănăileasa, pomiędzy Lacul Vidra a Voineasa) do elektrowni Ciungetu, 813 m w pionie niżej.

Nad jeziorem, po lewej stronie, za leśniczówką jest *Cabana Petrimanu* (1200 m n.p.m.). Za schroniskiem odchodzi ostro w lewo tłuczniowa droga przez przełęcz **Curmătura Oltețului** (1615 m n.p.m.) do wsi Polovragi (31 km) po południowej stronie gór Căpăţânii. Trasa do przełęczy (6 km) jest przejezdna dla wysoko zawieszonych samochodów osobowych od 15 maja do 1 listopada. Odcinek zjazdu do doliny Oltęţu jest mocno zniszczony przez spływające wody i dostępny tylko dla samochodów terenowych, no i może nieśmiertelnych dacii.

rul Negovanu, a dotychczasowa trasa kieruje się w lewo, by strawersować północne zbocza Vf. Nagovanu (należy podążać właśnie w lewo, za sporadycznie pojawiającymi się znakami niebieskiego kółka). Szlak opuszcza drogę w lewo do szałasu *Huluzu*, i wyprowadza na ścieżkę, która wiedzie północno-wschodnim grzbietem Negovanu. Pojawiają się płaty kosówki, a z grzbietu **Gropiţa** (1780 m n.p.m.) wystają skalne wychodnie. Z przodu zaczyna dominować profil wapiennej grani Piatra Târnovului, a z prawej zwarta grupa wysokich wierzchołków: Vf. Balota, Vf. Căpăţâna, Coşeana i Vf. Ursu. Jeszcze bardziej w prawo, niemal za plecami wyrasta najwyższy Vf. Nedeia, którego trójkątna sylweta będzie towarzyszyć przez 2–3 godziny marszu.

Grzbiet staje się wąski. Poniżej, z prawej strony widać wyjątkowo brzydki **szałas Gropiţa** (ok. 1600 m n.p.m.). Aby do niego dotrzeć, po osiągnięciu granicy lasu należy porzucić dotychczasowy szlak (1,5–2 godz. od Curmătura Oltețului) i skręcić w prawo, na ścieżkę wiodącą w stronę zabudowań. Teoretycznie aż na Vf. Funicel prowadzi szlak żółtego kółka, lecz znaki można dojrzeć w zaledwie kilku miejscach.

Płaj za szałasem przecina potok Gropiţa. Za nim należy opuścić wygodną ścieżkę i podejść w kilka zakosów na polanę na ramieniu **Dintre Gropi**. Tymczasem ścieżka zanika w trawach i trzeba wyszukać dogodne zejście do porosłego kosówką dna doliny **Groapa**. Po jej przeciwnej stronie można dostrzec ukośną linię biegnącą przez świerkowy las, która zdradza obecność ścieżki – zawczasu należy wypatrzeć przejście przez kosodrzewinę w jej stronę. Ścieżka podchodząca w skos stromego stoku przez omszały, świerkowy las nie przysparza problemów orientacyjnych. Jak na ironię, właśnie tutaj namalowano kilka znaków. Na granicy lasu stoi bardzo zgrabny budynek *Stâna Groapa* (1710 m n.p.m). Kawałek dalej obok źródła otwiera się fantastyczny widok na Piatra Târnovului i otoczenie doliny Repedea. Horyzont zamyka koronka Gór Fogaraskich i skalne gniazdo Cozia.

Wygodna ścieżka podchodzi kawałek na grzbiet Groapa, przewija się na drugą stronę i trawersuje wschodnie stoki Vf. Nedeia, po czym mija kolejne źródła, potoki, boczne ramiona grzbietów, stoki porosłe łanami kosodrzewiny oraz kamieniste kociołki. Dwa najwybitniejsze grzbiety noszą nazwy **Senănările** i **Zănoguţa**. Ostatni z potoków – Roşia – wrzyna się głęboko w płaskowyż Beleoaia, który opada urwiskiem Roşia Mare. Pasterski płaj wyprowadza na główny grzbiet w pobliżu Vf. Funicel (1950 m n.p.m.; 2,5–3 godz.). Na wschodzie, za przełęczą Şaua Funicel (1820 m n.p.m.) wznosi się stromy, kopulasty wierzchołek Vf. Balota (2113 m n.p.m.) – oglądany z tego miejsca sprawia wrażenie najwyższego w paśmie. Przed laty obniżenie przełęczy Funicel było wykorzystywane przez mieszkańców wsi Voineasa i Ciungetu jako droga do olteńskich osad targowych. Karawany niewielkich górskich koni przemierzały płaj wiodący doliną Repedea do szałasu *Funicel* i dalej na przełęcz Funicel. Stąd kierowały się grzbietem Căşăriei i Piscu Puţului do Vaideeni lub podchodziły na Curmătura Beleoaia, gdzie skręcały na grzbiet Corşorul i schodziły do Polovragi.

Ze Vf. Funicel należy się skierować grzbietowym szlakiem czerwonego paska na zachód, w stronę Vf. Nedeia. Szeroka ścieżka podchodzi do rozdroża obok krzyża na siodle **Curmătura Beleoaia**. Pomiędzy garbami **Vf. Beleoaia** (2109 m n.p.m.) na południu i **La Nedei** (2108 m n.p.m.) na północy rozciąga się **płaskowyż Beleoaia**, pozostałość najstarszej powierzchni zrównania – tzw. platformy Borăscu, od wschodu podciętej urwiskiem kotła niwacyjnego **Roşia Mare**. Na wysokogórskiej równinie w środku sezonu wypasowego pasterze z gór Căpăţânii, Parâng, Lotru, a nawet Şureanu zbierali się na pasterskim święcie, zwanym *nedeia*. Dziś *nedeia* odby-

wa się we wsi Polovragi w dzień św. Eliasza (20 lipca).

Szlak grzbietowy przecina płaskowyż na północ, pozostawiając wzniesienia Vf. Beleoaia i La Nedei po lewej stronie, a następnie osiąga **Şaua Nedeia** (ok. 2074 m n.p.m.). Warto opuścić w tym miejscu znakowaną drogę i podejść trawiasto-kamienistym grzbietem na **Vf. Nedeia** (2130 m n.p.m.). Nowością w stosunku do wcześniej oglądanych panoram są góry Parâng, dźwigające się na zachodzie nad Curmătura Olteţului.

Zejście na przełęcz oddzielającą od Vf. Negovanu jest strome i kamieniste. W grzbiecie po prawej stronie pozostają **Colţii Nedei** (Rogi Nedei) oraz **Vf. Negovanu** (2064 m n.p.m.). Szlak sprowadza na **Şaua Negovanului**, gdzie zamyka się pętla trasy. Dalej tą samą drogą idzie się na **Curmătura Olteţului**.

Trasa 2

Curmătura Olteţului → Şaua Negovanu → Curmătura Gropiţei → Stâna Târnovu Mic → Stâna Târnovu Mare → Vf. Târnovu Mare → Piatra Târnovului → Curmătura Gropiţei → Şaua Negovanu → Curmătura Olteţului

Czas przejścia: 8–10 godz. Trasa jest kombinacją szlaków czerwonego paska, niebieskiego kółka i czerwonego kółka (uwaga: znakowanie tego ostatniego pozostawia wiele do życzenia). Celem wycieczki jest wapienna grań Piatra Târnovului, którą prowadzi jeden z najtrudniejszych szlaków turystycznych, jakie kiedykolwiek wyznaczono w Karpatach. Grań jest wąska, eksponowana, z uskokami, których pokonanie wymaga użycia rąk. Najtrudniejszy z nich odpowiada II stopniowi w skali tatrzańskiej. Trasę łatwo zmodyfikować, gdy bazą jest Cabana Petrimanu.

Odcinek od **Curmătura Olteţului** do rozgałęzienia szlaków na grzbiecie Gropiţa, obok szałasu o tej samej nazwie, jest wspólny z początkiem trasy nr 1 (1,5–2 godz.). Kontynuacja szlaku niebieskiego kółka prowadzi w dotychczasowym kierunku, lecz wejście w las jest nieco na prawo. Pośród świerków o imponujących obwodach pni schodzi się na **Curmătura Gropiţei** (1599 m n.p.m.) z polaną bez widoku – stąd wiedzie zalesiony odcinek grzbietu, doprowadzający do przełęczy **Curmătura Pietrei** (1645 m n.p.m.), skąd odchodzi w lewo graniowy szlak czerwonego kółka, który dogodniej przebyć w przeciwnym kierunku.

Z Curmătura Pietrei należy kontynuować marsz za znakami niebieskiego kółka.

Wyraźna ścieżka trawersuje strome stoki pod skałami Piatra Târnovului, przecina piarżyska i żleby, zbliżając się do gładkich ścian południowego filara. Prócz świerków rosną tu modrzewie i jawory. Nieoczekiwanie wychodzi się na rozległą, u dołu płasko zakończoną polanę **Târnovu Mic** (1540 m n.p.m.). W dole poniżej stoi cała grupa szałasów – to *Stâna Târnovu Mic*.

Szlak trawersuje polanę, utrzymując dotychczasową wysokość, mija koryto źródła i przechodzi ponad drewnianym budynkiem byłej gajówki, który bywa wykorzystywany przez turystów. Na dużym obszarze sterczą kikuty grubych pni – pozostawiono je po wycince modrzewiowego lasu w celu umocnienia stoku.

Szlak wkracza na drogę, która wspina się łagodnie i wyprowadza ponad granicę lasu, do szałasów *Stâna Târnovu Mare*. Sprzed szałasów i z wapiennej skały wyrastającej powyżej roztacza się piękny widok na grzbiet Balota – Ursu, Piatra Târnovului oraz szereg masywów z Górami Fogaraskimi na horyzoncie.

Polany w tym rejonie Karpat Południowych od wieków należą do tych samych pasterskich rodzin, które pobudowały na nich całe gospodarstwa. Wizyta w szałasie na ogół jest okazją do spróbowania doskonałych serów i często kończy się wymianą adresów e-mailowych i numerów telefonów komórkowych.

Przy szałasie *Târnovu Mare* najdogodniej porzucić dotychczasową drogę, wspiąć się na skałkę powyżej i podchodzić w prawo w skos na Vf. Târnovu Mare. U podnóża skał na stromej północno-zachodniej stronie grzbietu granicę lasu formują modrzewie polskie. Wierzchołek **Vf. Târnovu Mare** (1846 m n.p.m.) wyrasta z prawej strony, na samym końcu grzbietu.

Od Vf. Târnovu Mare należy podążać wąskim grzbietem w kierunku południowo-zachodnim. Teoretycznie prowadzi nim szlak czerwonego kółka, w praktyce owce perci kluczą po trawach i skalnym podłożu. Bezimienna przełęcz oddziela od kopy **Vf. Târnovu Mic** (1833 m n.p.m.). Kolejne siodło to **Şaua Târnovu Mic** (ok. 1795 m n.p.m.) – gdy ktoś nie czuje się na siłach, by pokonać skalny, mocno eksponowany odcinek trasy, powinien z tego miejsca zejść na polanę Târnovu Mic.

Szeroki, łagodny grzbiet doprowadza do świerkowego lasu. W miarę możliwości należy trzymać się w pobliżu grzbietu, nieco na prawo od niego, osiągając wąską przełęcz u podstawy skalnego uskoku. Jego pierwsze metry można pokonać tuż na prawo od grani, a następnie samym ostrzem kilka metrów pionowo do góry (II w skali tatrzańskiej) – jest to najtrudniejsze miejsce na całej trasie. Grań ma szerokość 1–2 m i opada na obie strony niemal pionowymi ścianami. Jej spłaszczoną powierzchnię dość szczelnie porasta kosówka, przez którą należy się przedrzeć na szczyt **Piatra Târnovului** (1879 m n.p.m.). W żlebach na upłazach można zaobserwować rzadko spotykane bogactwo roślin wapieniolubnych.

Na szczycie grań rozdwaja się. Lewe ramię, południowe, kończy się potężnym gładkim filarem – należy kontynuować wspinaczkę prawym ramieniem na zachód. Teraz najlepsze zejście na **Strunga Pietrei**, przechód oddzielający od grupy dwóch igieł, zwanej **Umărul Târnovului** (ramię Târnovului). Igły obchodzi się od południa i powraca na grań. Jej ostatni odcinek, **Coada Pietrei** (1645 m n.p.m.), urywa się progami. Z początku granią, a następnie obchodząc uskok z prawej strony, schodzi się po płytach i piargach, dochodząc w końcu na **Curmătura Pietrei**.

Z przełęczy należy się kierować w prawo za znakami niebieskiego kółka na **Curmătura Gropiţei**, skąd można zejść na północ do doliny Latoriţy (słabe znakowanie żółtego kółka) i nią w górę do *Cabana Petrimanu* (ok. 2 godz.).

Na **Curmătura Olteţului** wraca się tą samą drogą przez Şaua Negovanu.

Trasa 3

**Pietreni → Muntele Cacova →
Vf. Piatra → Curmătura Builei →
Vf. Buila → Vf. Vioreanu →
Vf. Vânturariţa I → Curmătura din
Oale → Poiana Frumoasă → Poiana de
Piatra → Muntele Cacova → Pietreni**

Czas przejścia: około 12 godz.; pominięcie najtrudniejszego odcinka pozwala zaoszczędzić 3 godz. Trasa jest kombinacją szlaków czerwonego trójkąta, czerwonego kółka i żółtego kółka, a droga powrotna znowu wykorzystuje szlak czerwonego trójkąta (na końcowym odcinku grani stopień I trudności w skali tatrzańskiej). Celem jest pokonanie szlaku graniowego wapiennego masywu Buila-Vânturariţa. Wycieczka należy do najpiękniejszych i najbardziej oryginalnych w Karpatach, jest przy tym niezwykle widokowa. Oprócz grani, turni, iglic, ścian i kominów, Buila-Vânturariţa oferuje ogromne bogactwo przyrodnicze. W całym masywie, a szczególnie w jego najdzikszej części, istnieje duże prawdopodobieństwo natrafienia na żmiję zygzakowatą, a nawet nosorogą. Należy pamiętać o zabraniu zapasu wody.

Punktem wyjścia jest miejscowość **Pietreni**, gdzie zachowały się drewniane olteńskie chałupy. Dogodny dojazd od szosy DN67 ze wsi Costeşti prowadzi początkowo w kierunku osady i monastyru Bistriţa, a następnie w prawo (na końcowym odcinku nie ma asfaltu). Za drugim sklepem w Pietreni należy skręcić w lewo, na północ, w drogę prowadzącą w górę Valea Morii (Dolina Młyńska), którą płynie Pârâul Sec (Suchy Potok). Po minięciu domostw trasa zyskuje status leśnej drogi – należy nią podążać aż do granicy lasu. Znaki starego szlaku czerwonego trójkąta pojawiają się jedynie z rzadka. Przy wycince, która odbywa się w najwyższej części doliny, do transportu pni ze stromych stoków na drogę zwozową używa się kolejki linowej. Wózek z podwieszonym drzewem porusza się po linie rozpiętej między przeciwległymi zboczami doliny – jest to sposób wykorzystywany przy zrywce drewna w rumuńskich Karpatach od dobrych stu lat.

Ponad pasem drzew, po prawej stronie można dostrzec dach szałasu *La Văcărie*. Droga przechodzi w ścieżkę, mija ostatnie drzewa i dnem suchej dolinki wykręca lekko w lewo na wypłaszczenie trawiastego grzbietu Muntele Cacova. Z lewej strony, na południe, obok krasowego jeziorka stoi szałas.

Na siodle należy porzucić dotychczasowy szlak czerwonego trójkąta i rozpocząć podejście grzbietem Muntele Cacova na północ, szlakiem czerwonego kółka. W rzeczywistości w okolicy nie ma ani jednego znaku turystycznego, ale orientacja, gdy nie ma mgły, nie jest skomplikowana. Po pewnym czasie podejście łagodnieje, z lewej strony zaczyna się urwisko, a grzbiet przybiera kierunek z południowego zachodu na północny wschód i doprowadza na wierzchołek **Muntele Cacova**. Na jednym z ramion schodzących w stronę Valea Morii widać kolejny szałas, stojący nad brzegiem krasowego jeziorka.

Teraz czas na zejście na **Şaua Piatra**. Za przełęczą w kolejnym podejściu wzdłuż krawędzi efektownego urwiska osiąga się **Vf. Piatra** (1643 m n.p.m.; 1 godz.). Kawałek dalej, nieco na prawo od grzbietu połyskują dwa krasowe jeziorka. Mur skalny widoczny do tej pory z lewej strony zagradza dalszą drogę. Między trzy kopy wrzynają się dwa niezbyt strome kominy: zachodni – **Bucinişul Mare**, lub jak mówią pasterze: Hududăul Mare, oraz wschodni – **Bucinişul Mic** (Hududăul Mic). Za prawą kopą – Piatra Hududărului, oddzielona głęboką i wąską przełęczą wznosi się baszta

Vf. Ţucla (1581 m n.p.m.). Z trzech stron opada białymi ścianami i dzięki wysunięciu poza linię grzbietu Buila-Vânturariţa, stanowi świetny punkt widokowy.

Na skałach pojawiają się znaki czerwonego kółka, które odtąd będą ułatwiać pokonanie trudniejszych orientacyjnie odcinków. Zwężający się do zaledwie 2 m osobliwy korytarz Bucinişul Mare sprowadza na trawiasty wąski grzbiet przełęczy **Curmătura Builei** (1540 m n.p.m.). Po jej drugiej stronie stoi szałas *Buila*, pierwotnie schron turystyczny (15 min) – w czasie zbierania informacji do przewodnika nieco po lewej powstawał drugi obiekt. Przez przełęcz przechodzi szlak żółtego kółka od skitu Pătrunsa na wschodzie do źródła La Troiţa na zachodzie, gdzie łączy się z powrotną częścią trasy.

Z Curmătura Builei szlak czerwonego kółka podchodzi na północny wschód w stronę świerkowego lasu. Dobrze znakowana ścieżka wije się między drzewami, głazami i skałkami, po czym łukiem w prawo przez przechód wyprowadza na skraj płaskowyżu **Muntele Albu** (1802 m n.p.m.), który opada trawiastymi stokami na wschód, a na zachodzie tworzy skalne urwisko. Znakowanie staje się rzadsze, a ścieżka mniej wyraźna. Należy trzymać się linii grzbietu w pobliżu urwiska towarzyszącego z lewej strony, opadającego do kotliny **Canionul Albu**, którą trzeba przekroczyć w górnej części, kierując się na północ, na szczyt **Vf. Buila** (1848 m n.p.m.). Z lewej strony, u stóp coraz bardziej poszarpanego skalnego muru rozciąga się Poiana de Piatră (Skalna Polana). Teraz następuje odcinek zejściowy na przełęcz (ok. 1790 m n.p.m.), a za nim wyrastają dwa bliźniacze szczyty o trójkątnych sylwetkach: **Vf. Ştevioara I** (Szczawiowy Szczyt; 1847 m n.p.m.) oraz **Vf. Ştevioara II** (1843 m n.p.m.). Ostre zejście sprowadza na wciętą **Şaua Ştevioara** (1780 m n.p.m.; ok. 1 godz.). Przez przełęcz przechodzi szlak niebieskiego kółka od skitu Pahomie na wschodzie do Poiana Frumoasă (Piękna Polana) na zachodzie. Schodząc szlakiem na polanę, można pominąć najtrudniejszą część trasy i znacznie skrócić wyprawę.

Na przełęczy Ştevioara zaczyna się odnowiony odcinek szlaku i łatwo znaleźć znaki. Po 20 min podejścia staje się na ostatnim, łatwo dostępnym wierzchołku **Vf. Vioreanu** (Fiołkowy Szczyt; 1866 m n.p.m.) – jest on zarazem jednym z najlepszych punktów widokowych w górach Căpăţânii.

Dalszy odcinek poszarpanej grani, na pierwszy rzut oka nie do przebycia, pokonuje się dobrze znakowaną, lecz eksponowaną percią (I stopień w skali tatrzańskiej). Jest to jeden z najbardziej efektownych szlaków turystycznych w Karpatach. Dojście do przełęczy Curmătura din Oale zajmuje około 2,5 godz. Należy rozsądnie podjąć decyzję co do kontynuacji wspinaczki, mając na uwadze fakt, że z grani nie ma bezpiecznych wycofów. Żeby pominąć odcinek graniowy Buila-Vânturariţa, należy wrócić na Şaua Ştevioara, a z niej zejść w prawo, na zachód, za znakami niebieskiego kółka na Poianę Frumoasă (1530 m n.p.m.; ok. 45 min), gdzie następuje połączenie z głównym wariantem powrotnym z grani.

Odcinek graniowy zaczyna się zejściem z Vf. Vioreanu stromym przechodem porosłym kosówką. Następnie perć przechodzi pod skalnym murem **Arcada Vioreanu** po południowo-wschodniej stronie (istnieją również znaki starego szlaku po przeciwnej stronie), obchodzi żebra, żleby i kominy, przemyka przechodami, przedziera przez kosówki i mija pojedyncze świerki, to wznosząc się, to obniżając. W prawo opadają trawiasto-skaliste stoki poprzerywanej uskokami Valea Negreă (Czarna Dolina). Po minięciu najwyższego punktu na Arcada Vioreanu, przechodzi się obok krzyża upamiętniającego czterech młodych turystów, którzy zginęli od uderzenia pioruna w II połowie lat 90. XX w. Znaki czerwonego kółka wyprowadzają na piętrzącą się ponad szczerbiną **Spintecătura Vânturariţei** najwyższy **Vf. Vânturariţa I** (Wachlarzyk; 1885 m n.p.m.; 45 min–1 godz.) – jego nazwa jest wypisana farbą na szczytowej skale. Harmonię łagodnych linii rozległej panoramy burzy obraz poszarpanej grani, która biegnie na północny wschód, zaczynając się długim uskokiem, dostępnym tylko dla alpinistów. Za nim, znacznie niższa od dotychczasowej, lecz jeszcze trudniejsza, najeżona turniami i iglicami grań kulminuje w Vf. Vânturariţa II (1655 m n.p.m.), który wznosi się nad głęboką przełęczą Curmătura din Oale. Dalej wystaje baszta Claia Strâmbă (Krzywa Kopa; 1330 m n.p.m.), a po drugiej stronie Cheile Recea Vf. Stogu (1494 m n.p.m.), ostatni w grani Buila-Vânturariţa.

Zejście z Vf. Vânturariţa jest najtrudniejszym odcinkiem trasy. Szlak obchodzi uskok z prawej strony. Początkowo kominkiem na wschód, po śliskich, pozbawionych stopni skałach, przytrzymując się kosówki należy zejść do podstawy ściany.

Teraz następuje ostry zwrot w lewo i podejście na przechód, u stóp pionowego uskoku grani. Z prawej strony przechodu sterczy róg przypominający Zadniego Mnicha. Po drugiej stronie grani rozciąga się dość połogie pole skalnych złomisk. Znaki prowadzą bez ścieżki po głazach początkowo na północ, przechodzą pod mostem utworzonym przez ogromną płaską wantę i skręcają na wschód. Za pasem kosówki schodzi się na polankę, gdzie trzeba uważnie śledzić oznaczenia. Szlak skręca w prawo i długim trawersem przez kosówkę, a następnie przez świerkowy las znów wyprowadza na grań. Dalej idzie się zalesioną granią i na prawo od niej na polanę, do szlaku żółtego kółka, prowadzącego od skitu Pahomie (w prawo; 1,5–2 godz.; złe znakowanie) do byłego szałasu *Comărnice*. Oba szlaki podchodzą ścieżką na widoczną **Curmătura din Oale** (Przełęcz z Garnków; 1615 m n.p.m.). W dalszej, zarośniętej części grani trudności potęguje nieprzebyty gąszcz kosodrzewiny i świerków.

Z przełęczy należy podążać za znakami żółtego kółka w lewo, na zachód. Nikła ścieżka schodzi w skos stoków najpierw przez polanę, a następnie przez świerkowy las. Po przekroczeniu źródeł potoku Comarnice (pierwsza woda na trasie) szlak wyprowadza na skraj polanki, gdzie można dostrzec ślady po *Stâna Comarnice*. Z naprzeciwka (od *Cabana Cheia*, 1,5 godz.) dochodzą znaki niebieskiego paska i czerwonego trójkąta.

Teraz należy skręcić w lewo i przejść przez polankę między pozostałościami szałasu z lewej, a dużą wantą z prawej strony. Po drugiej stronie polanki zaczyna się podejście przez las; towarzyszą mu znaki niebieskiego paska oraz sporadycznie stare znaki czerwonego trójkąta. Podejście kończy się na **Curmătura Comarnice** (1525 m n.p.m.; 30 min z Curmătura din Oale). Szlak niebieskiego paska skręca w prawo i łącznikowym grzbietem przez Curmătura Lespezi doprowadza do głównego grzbietu gór Căpăţânii, na Şaua Zmeuret (3–4 godz.).

Z Curmătury Comarnice należy skręcić za marnymi znakami czerwonego trójkąta w lewo; wiodą one wygodnym płajem poniżej północno-zachodniego urwiska Buila-Vânturariţa. Płaj przecina źródła potoku Piscu cu Brazi, następnie ramię **Piscu cu Brazi** i wyprowadza na **Poiana Frumoasă** (ok. 1530 m n.p.m.); powyżej stoi *Refugiu Vioreanu* (1640 m n.p.m.). W drugiej części polany dochodzi z lewej strony szlak niebieskiego kółka z Şaua Ştevioara (znaki na skałach kilkadziesiąt metrów wyżej), którym można skrócić trasę, pomijając najtrudniejszy odcinek grani.

Za polaną następuje kolejny odcinek przez las, a za nim **Poiana de Piatra** (Skalna Polana; ok. 1610 m n.p.m.). Widok ze wszystkich polan na wapienny mur Buila--Vânturariţa jest niezrównany.

Z Poiana de Piatra szlak kluczy pośród starych buków nieco w dół, w stronę polan, gdzie w dole stoi szałas *Curmătura*. Nie wychodząc z rzadkiego lasu, trasa trawersuje do **La Troiţa**. Tutaj pod skałą, wśród wiekowych świerków bije źródło potoku Curmăturii, ujęte w korycie z ogromnego pnia. W górę odgałęzia się szlak żółtego kółka, który przez przełęcz Curmătura Builei doprowadza do skitu Pătrunsa (ok. 2 godz.).

Od źródła należy kontynuować trawers ścieżką przez las, obchodzącą urwiska Vf. Piatra. W końcu szlak wyprowadza na granicę lasu i dalej bez znaków na wypłaszczenie w grzbiecie **Muntele Cacova**, gdzie zamyka się pętla trasy (ok. 2 godz.). Teraz należy się kierować już znaną trasą do leśnej drogi i nią do **Pietreni** (2 godz.).

Trasa 4

Schitul Pahomie → Schitul Pătrunsa → Vf. Ţucla → Curmătura Builei → Vf. Buila → Şaua Ştevioara → Schitul Pahomie

Czas przejścia: 7–8 godz. Szlaki czerwonego krzyża, żółtego kółka (kiepskie oznakowanie), czerwonego kółka i niebieskiego kółka. Punktem wyjścia, a zarazem zakończenia wycieczki jest skit Pahomie.Wycieczka łączy pokonanie głównego odcinka grzbietu Buila-Vânturariţa ze zwiedzeniem dwóch górskich skitów: Pahomie i Pătrunsa. Dodatkową atrakcją jest wspinaczka na widokową skalną basztę Vf. Ţucla.

Do skitu Pahomie można dojechać samochodem osobowym leśną drogą, która zaczyna się we wsi Cheia. Dobry tłuczniowy trakt prowadzi w górę doliny Cheia, a po 5 km mija po prawej stronie żeński skit **Iezer** (ok. 450 m n.p.m.). 4 km dalej obok krzyża odgałęzia się droga podchodząca w lewo doliną potoku Comarnicele din Cheia (drogowskaz do skitu Pahomie; ok. 680 m n.p.m.); stąd do skitu jest nieco ponad 2 km. Ostatni odcinek bywa zniszczony z powodu prac zrywkowych, prowadzonych we wspaniałym bukowym starodrzewiu, więc może się okazać nieprzejezdny. 200 m przed skitem odchodzi w prawo szlak żółtego kółka na przełęcz Curmătura din Oale

w grani pomiędzy Vânturariţa I a Vânturariţa II. Kawałek dalej z wapiennych skał spływa wodospad **Izvorul Frumos** (Piękne Źródło). Dalej pod przewieszoną skałą stoi biała cerkiew skitu Pahomie (820 m n.p.m.) – obrazek jakby żywcem przeniesiony z greckich Meteorów.

Fundatorami **Schitul Pahomie de la Izvorul Frumos** w 1520 r. byli mnich Pahomie i hajduk (wojskowy) Sava. Owym mnichem mógł być wielki stolnik Popa Postelnicu, natomiast o hajduku Savie nie ma żadnych informacji. Według innej wersji pod imieniem Pahomie kryje się Barbu Craiovescu – ban Olteni, który w pustkowiach masywu Buila-Vânturariţa, u źródła Frumos, w 1509 r. miał znaleźć schronienie przed hospodarem Mihnea cel Rău (Mihnea Zły), którego zresztą wkrótce pokonał. Następnie odbudował zburzony monastyr Bistriţa i jakoby wzniósł skit Pahomie. Pomagać mu miał kapitan Sava – przyjaciel z drużyny. Przeciskając się między murem cerkwi a wapienną ścianą, można przedostać się ponad wodospad, do wywierzyska Izvorul Frumos.

Od skitu Pahomie należy podążać w dalszym ciągu leśną drogą podchodzącą serpentynami (piękny widok na skit i otwór jaskini) i przez las trawersującą południowo-wschodnie podnóża grzbietu Buila--Vânturariţa. Po 3 km droga przechodzi w ścieżkę oznaczoną czerwonymi krzyżami, która przecina dwa grzbiety i wychodzi na polanę, trawersuje mocno nachylone trawiaste stoki oraz żebra i po 30 min, za murowaną kapliczką ze źródłem, osiąga skit Pătrunsa (980 m n.p.m.).

Schitul Pătrunsa Cuvioasa Paraschiva został zbudowany w 1740 r. przez Climenta – biskupa Râmnicu. Jego matka – Paraschiva Modoran – uciekając z Pietrarii de Jos przed Turkami, znalazła tu schronienie i urodziła syna. Skit, zniszczony przez lawinę kamienną, został odbudowany w II połowie XIX w. przez kanclerza Dumitru – starszego popa Pietraru i kanclerza Iona Bărbătescu, prawdopodobnie potomków biskupa Climenta. Wyremontowany w latach 1934–1935, a później w 1963 i 1977 r., dziś jest uznawany za XIX-wieczny zabytek.

Za nową cerkwią (na ukończeniu) odgałęzia się w prawo szlak żółtego kółka (bardzo rzadkie, stare znakowanie), którym należy podchodzić stromym grzbietem Culmea Pătrunsa w stronę potężnej skały. W lesie, w prawo od kamienistej ścieżki widać łuk skalnej arkady – **Casa de Piatră** (Kamienny Dom). Po drugiej stronie portalu otwiera się wejście do jaskini. Trasa zostawia skałę po prawej stronie i wychodzi ponad górną granicę lasu, gdzie zaczyna się najtrudniejszy orientacyjnie odcinek, czyli trawers w lewo, po trawiasto-kamienistym czole Muntele Albu. Szlak, niemal pozbawiony znaków, nieznacznie się wznosi. Na końcowym fragmencie przecina depresję suchej dolinki, z której wyraźna owcza ścieżka doprowadza do przechodu w skałach. Otwiera się stąd widok na amfiteatr kotliny źródłowej potoku Curmăturii, leżącej pod przełęczą Curmătura Builei. Po przeciwnej stronie doliny przybierającej postać szerokiego kanionu wyrasta śmiała baszta Vf. Ţucla.

Od przechodu skalną półką, przecinającą południowo-zachodnią ścianę Albu dochodzi się na dno kotliny. Ścieżka po przeciwnej stronie potoku wspina się w stronę podstawy ściany Piatra Hududăurilor, na prawo od Vf. Ţucla, pozostawiając stary szałas po lewej stronie. 1,5 godz. od skitu jest rozwidlenie ścieżek; teraz szlak podchodzi między świerkami w prawo, na Curmătura Builei. Zanim podąży się jego śladem, warto sobie zrobić wycieczkę na widokowy Vf. Ţucla. W tym celu należy się skierować w lewo, na zachód, do piarżystego żlebu opadającego skośnie z ostro wciętej przełęczy między Piatra Hududăurilor a Vf. Ţucla. Spływa z niej na drugą stronę kamienna rzeka żlebu Scocul Ţuclei. Uskok grani należy obejść od południa, percią ponad żlebem Scocul Ţuclei, a następnie wspiąć się na wierzchołek Vf. Ţula (1281 m n.p.m.; ok. 30 min). Ze szczytu na południe opada grań Muchia Ţuclei. Według legendy, w jednej z jaskiń pod granią spoczywają skarby ukryte przez hajduka Glavă.

Do rozwidlenia wraca się tą samą drogą. Stąd do **Curmătura Builei** (1540 m n.p.m.) pozostaje 20 min. Opis okolic przełęczy i drogi przez **Vf. Buila** do **Şaua Ştevioara** – zob. trasa 3.

Zejściu z Şaua Ştevioara do skitu Pahomie będą towarzyszyć odnowione w 1998 r. znaki szlaku niebieskiego kółka. Ścieżka schodzi na zachód, skręca w lewo na upłaz ponad urwiskiem i wyprowadza pomiędzy pojedyncze świerki na zboczu ramienia opadającego z Vf. Vioreanu, a następnie kieruje się do granicy lasu na dnie suchej dolinki Izvorul Frumos, którą należy się udać w dół. W pewnym momencie szlak wyprowadza w prawo na zalesioną przełęczkę w grzbiecie, przez którą przewija się na drugą stronę, przecina dolinkę i wyprowadza na grzbiet Muchia Frumoasa.

Grzbietem idzie się do leśnej drogi, gdzie należy się skierować w lewo, do pobliskiego **skitu Pahomie** (2 godz.).

Trasa 5

Motel Lotrişor → Cheile Lotrişorului → Plaiul Lotrişorului → Refugiul Puturoasa → Sturii Puturoasei → motel Lotrişor
Czas przejścia: 4–5 godz. Szlaki niebieskiego paska oraz czerwonego krzyża. Z powodu niedostatecznego oznakowania występują trudności orientacyjne w drugiej części trasy. Wycieczkę można odbyć przy okazji przejazdu przez przełom Aluty. Celem wędrówki przez góry Narăţu jest wąwóz Cheile Lotrişorului oraz bastion skalny Sturii Puturoasei. Trasa prowadzi przez wielowiekowe lasy Parku Narodowego Cozia.

Sprzed **motelu** *Lotrişor* (parking; 292 m n.p.m.) w przełomie Aluty, przy DN7, należy się skierować w górę doliny, do wylotu doliny Lotrişor. Leśną drogą w lewo, na zachód, za znakami niebieskiego paska i żółtego krzyża wiedzie podejście wzdłuż dzikiej doliny. Droga dwukrotnie przechodzi ponad rzeką i zagłębia się w wąwóz **Cheile Lotrişorului**. Do południowej ściany jest przyklejona ścieżka, opadająca kamiennym murem do koryta rzeki. Spieniona woda skacze kolejnymi kaskadami – jej średni spadek w wąwozie jest bliski 100‰.

Po 3 km podejścia osiąga się **Cascady Lotrişorului**. Dolina powyżej zwęża się tak bardzo, że nie wystarczyło miejsca na budowę drogi niezbędnej do zwózki drewna z rozległego dorzecza powyżej jaru, w związku z czym przekuto skałę u nasady meandru i skierowano doń wodę z pominięciem wąskiej części doliny. Różnicę poziomów na tym odcinku woda pokonuje sztucznym wodospadem. Osuszonym dnem jaru wiedzie obecnie droga. Po okrążeniu skalnej ostrogi dociera się do miejsca zabezpieczonego kamiennym murem, gdzie rzeka znika w tunelu. 1,5 km dalej wąwóz kończy się i przyjmuje prawy dopływ Scorţaru (ok. 670 m n.p.m.).

Nie dochodząc do mostu na potoku Scorţaru, należy się skierować na ścieżkę podchodzącą w lewo, na południe, na grzbiecik w dorodnym bukowym lesie. Od czasu do czasu pojawiają się na drzewach znaki niebieskiego paska. Na końcowym odcinku pierwszego podejścia dróżka zacza lekko i prawo i przez iglasty las omija gwałtowne spiętrzenie grzbietu. Potężne buki zasłaniają jakiekolwiek widoki, ale znakowana ścieżka wiodąca w kierunku południowo-wschodnim jest wystarczająco widoczna. Należy wypatrywać drugiej dróżki odchodzącej łukiem w lewo przez niewielkie obniżenie, w stronę stromego stoku porosłego buczyną. Jest to zbocze grzbietu Plaiul Lotrişorului, który biegnie równolegle do wąwozu Lotrişorului. Owe nieznaczne obniżenie to **Şaua din Plaiul Lotrişorului** (ok. 800 m n.p.m.).

Dotychczasowa ścieżka, również znakowana niebieskimi paskami, w dalszym ciągu trzyma się grzbietu wododziałowego prowadzącego na południe i pozwala dojść do monastyru Frasinei (ok. 2 godz.) i dalej do uzdrowiska Băile Olăneşti (1 godz.).

Z Şaua din Plaiul Lotrişorului należy podchodzić na grzbiet **Plaiul Lotrişorului** ścieżką w kierunku północno-wschodnim. Na ostrym grzbiecie pojawia się przepiękny las dębowy oraz wychodnie gnejsowych skał, z których po raz pierwszy można zobaczyć panoramę gór Narăţu. Widoczna w dole Aluta i rosnące na skałach sosny przywodzą na myśl pienińską Sokolicę.

Nieoczekiwanie pojawiają się rachityczne znaki czerwonego krzyża, jakby namalowane pędzelkiem. Buki stają się jeszcze potężniejsze, a ścieżka zaczyna trawers po stromym południowym stoku. Zupełnym zaskoczeniem w tej leśnej głuszy jest idealnie płaska polana z drewnianą chatą pośrodku ogrodzonego zagonu warzywnego – to *Refugiul Puturoasa*. Zadbany domek może pomieścić na dwóch pryczach sześć osób. Kierunek do źródła wskazuje namalowana na ścianie strzałka z napisem „izvor". Vis-à-vis jest wiata z paleniskiem.

Od chałupki należy wrócić na skraj lasu i udać się ścieżką w prawo, na północ. Po chwili trawers wyprowadza na opuszczony wcześniej ostry grzbiet. Ścieżka jest teraz lepsza, a znakowanie poprawia się. Grzbiet opada do wąskiej przełączki u stóp skalistego wierzchołka **Sturii Puturoasei** – warto wspiąć się na skałę dla wyjątkowego widoku, jaki się z niej roztacza. Na północ, po drugiej stronie Cheile Lotrişorului widać skalny bastion Foarfeca Naraţului (824 m n.p.m.) – kazalnicy wieńczącej główny grzbiet gór Căpăţânii. Ponad nim rozciąga się łańcuch gór Fogaraskich. U stóp, w głębokim przełomie płynie Aluta, spiętrzona zaporą Turnu. Nitka szosy poprowadzonej estakadą nad lustrem jeziora wije się równolegle do brzegu. Po drugiej stronie przełomu doskonale widać góry Cozia, tworzące geologiczną całość z górami Naraţu. Na południu, po drugiej stronie doliny Puturoasa wznosi się kolejny skalny bastion – Muntele Basarab (880 m n.p.m.).

Ze szczytu należy wrócić na przełączkę i rozpocząć zejście stromym stokiem na północ. Po osiągnięciu podstawy skał szlak skręca w prawo i trawersuje poziomo na grzbiet poniżej skalnego uskoku. Rozpoczyna się bardzo długie i męczące zejście stromą dróżką wijącą się na gwałtownie opadającym grzbiecie. Drewniane poręcze mogą się okazać bardzo pomocne w przypadku deszczu. Ścieżka sprowadza do doliny Lotrişor w miejscu oddalonym od skrzyżowania z DN7 o 100 m.

Trasa 6 (siedmiodniowa)

Curmătura Oltețului → Piatra Târnovului → Vf. Nedeia → Vf. Ursu → Şaua Zmeuret → Poiana Frumoasă → Vf. Buila → Vf. Vâunturariţa → Schitul Pahomie → Schitul Pătrunsa → Vf. Ţucla → Cabana Cheia → Stâna Bătrână → Claia cu Brazi → Şaua Jiliştii → Sturii Puturoasei → Motel Lotrişor

Trasa pozwala na gruntowne poznanie gór Căpăţânii, prowadząc przez połoninne grzbiety, wapienne granie i wśród gnejsowych skał. Może służyć za atrakcyjne przedłużenie wędrówki przez góry Parâng.

Pierwszy dzień: Curmătura Oltețului → Şaua Negovanului → Curmătura Gropiţei → Stâna Târnovu Mic → Stâna Târnovu Mare → Vf. Târnovu Mare → Piatra Târnovului → Stâna Târnovu Mic
Zob. trasa 2.

Odcinek **Curmătura Oltețului**–polana **Târnovu Mic** z plecakami, przejście grani **Piatra Târnovului** i powrót na polanę **Târnovu Mic** bez obciążenia. Całość: 7–9 godz.

Drugi dzień: Stâna Târnovu Mic → Stâna Gropiţa → Stâna Groapa → Vf. Funicel → Vf. Nedeia → Vf. Funicel → Vf. Căpăţâna → Vf. Ursu → Curmătura La Piatra Roşie
Zob. trasa 1. Czas przejścia: 7–8 godz.

Z polany **Târnovu Mic** powrót do rozgałęzienia szlaków koło **Stâna Gropiţa**, dalej zgodnie z opisem trasy 1 do **Vf. Funicel** i bez obciążenia wycieczka na **Vf. Nedeia**. Po powrocie z najwyższego szczytu dalsza droga prowadzi głównym grzbietem gór Căpăţânii na wschód, za znakami czerwonego paska. Dalej następuje zejście obok płatów kosówki na przełęcz **Curmătura Funicel** (1825 m n.p.m.), skąd rozpoczyna się długie podejście na **Vf. Balota** (2113 m n.p.m.), obchodzące od południa spiętrzenie grzbietu. Po drugiej stronie niewielkiego płaskowyżu wyrasta **Vf. Că-**

păţâna (Łepetyna; 1094 m n.p.m.). Grzbiet charakteryzuje się niewielkimi deniwelacjami i spłaszczonymi szczytami. Szlak bez ścieżki przechodzi przez **Şaua Căpăţâna** (2030 m n.p.m.) i **Vf. Coşana** (2041 m n.p.m.), osiągając drugi co do wysokości **Vf. Ursu** (Niedźwiedź; 2124 m n.p.m.). Główny grzbiet opada w kierunku południowo-wschodnim kilkoma stopniami – najpierw na **Şaua Ursu**, a następnie z **Capul Pietrei Roşii** (Czoło Czerwonej Skały; 1910 m n.p.m.) w kierunku wschodnim – na **Curmătura La Piatra Roşie** (1890 m n.p.m.). Na biwak można zejść na północny zachód, za znakami czerwonego trójkąta, do kociołka ze źródłem **Fântâna Bătrână**.

Trzeci dzień: Curmătura La Piatra Roşie → Şaua Zmeuret → Curmătura Lespezi → Curmătura Comarnice → Poiana Frumoasă
Czas przejścia: 6–7 godz.

Z Curmătura La Piatra Roşie idzie się szlakiem grzbietowym na wschód, przez płaskowyż **Piscu Lung** (Długi Wierzchołek; 1915 m n.p.m.), zachodnią przełęcz Cocora (można ją osiągnąć płajem bezpośrednio z Fântâna Bătrână), południowe stoki Vf. Cocora (Żurawi Szczyt; 1899 m n.p.m.), **Şaua Cocora** (ok. 1840 m n.p.m.), południowe stoki Vf. Văleanu (Doliniacki Szczyt; 1847 m n.p.m.) do **Curmătura Rodeanu** (1628 m n.p.m.). Za odgałęzieniem szlaku niebieskiego trójkąta (w prawo, do wsi Bistriţa) szlak grzbietowy wchodzi w las, po południowej stronie obchodzi górę Creasta Cocoşului (Koguci Grzebień) i wyprowadza na polanę na **Curmătura Zănoaga** (Przełęcz Kociołka). Po chwili ponownie wprowadza do lasu i wydostaje się ponad jego granicę. Po północnej stronie obchodzi łysą kopułę Vf. Zmeuret (Maliniakowy Szczyt; 1938 m n.p.m.) i trawersuje **Şaua Zmeuret** (1898 m n.p.m.; ok. 2 godz.). Po jej drugiej stronie wyrasta Vf. Ionaşcu (1979 m n.p.m.). Na przełęczy Zmeuret, w miejscu, gdzie krzyżuje się główny szlak czerwonego paska ze szlakiem niebieskiego paska, należy iść skierować na południe za znakami tego ostatniego, w stronę *Cabana Cheia*. Znaki niebieskiego paska podchodzą w stronę Vf. Govora (1958 m n.p.m.), zostawiając wierzchołek po lewej stronie. Szlak prowadzi grzbietem przez **Curmătura Govora** (1610 m n.p.m.), pasterskim płajem obchodzi od wschodu Vf. Lespezi (Szczyt Złomisk; 1822 m n.p.m.), mija położony w dole schron *Lespezi*, zamieniony na szałas, i za Vf. Netedu

(Płaski Szczyt; 1757 m n.p.m.) wyprowadza na **Curmătura Lespezi** (ok. 1600 m n.p.m.). Z przełęczy idzie się grzbietem na wschód, na **Muntele Scânteii** (Góra Iskier; 1685 m n.p.m.) i przez las płajem Lespezi na południowy wschód, mijając kolejno **Poiana Rotundă** (Okrągła Polana), grzbiet **Groşii Bodeştilor**, **Poiana Lungă** (Długa Polana; 1580 m n.p.m.); na **Curmătura Comarnice** (1525 m n.p.m.) odcinek łączy się ze szlakiem czerwonego trójkąta (3–3,5 godz.). Stąd trzeba się skierować w prawo za znakami czerwonego trójkąta na **Poiana Frumoasă** (opis przy trasie 3).

Czwarty dzień: zob. trasa 3 (pętla grani Bulia-Vânturariţa)

Piąty dzień: zob. trasa 4 (podejście na Şaua Ştevioara, pętla wokół skitów i grzbietu Buila-Vânturariţa, powrót z Şaua Ştevioara na biwak)

Szósty dzień: Poiana Frumoasă → *Cabana Cheia* → Şaua Hădărău → *Stâna Bătrână* → Poiana Cândoaia.
Czas przejścia: 7,5–8 godz.

Niemal cały dzienny odcinek prowadzi szlakiem czerwonego trójkąta. Z **Poiana Frumoasă** do byłego **szałasu** *Comarnice* podąża się w kierunku przeciwnym do opisu przy trasie 3. Dalej, wspólnie ze szlakiem niebieskiego paska, ścieżka sprowadza początkowo w lewo, a następnie w dół na **Poiana cu Bulbuce** (Polana z Pełnikami; ok. 1320 m n.p.m.). Stąd schodzi zakosami na polanę z widokiem na ściany Claia Strâmbă i doprowadza do *Cabana Cheia* (890 m n.p.m.). Od schroniska szlak prowadzi na północ, przechodzi na drugą stronę potoku Cheia i podchodzi torowiskiem około 600 metrów w górę doliny. Następnie skręca w prawo i po zalesionym stoku pokonuje zakosami 400 m deniwelacji. Wychodzi na polanę leżącą na **Şaua Hădărău** (1322 m n.p.m.) w miejscu, gdzie widać fundamenty starej kolejki linowej do transportu drewna, zbudowanej wraz z wąskotorówką w latach międzywojennych przez Spółkę Akcyjną „Carpatina" (ok. 2 godz.). Szeroka ścieżka wchodzi w las po przeciwnej stronie polany i prowadzi na północny wschodnimi stokami Vf. Căprăreaţa (1799 m n.p.m.). Płaj wychodzi z lasu, mija źródło z korytem (ok. 1600 m n.p.m.) i doprowadza do **szałasu** *Căprăreaţa*. W lewo odgałęzia się ścieżka wychodząca na grzbiet pomiędzy Vf. Bogdana Mare (1881 m n.p.m.), a zwornikowym Vf. Gera (1886 m n.p.m.). Należy podążać dalej prosto, przez równinkę, a następnie pod lasem łukiem w prawo, przez dwa źródła potoku Folea. W pobliżu, po lewej stronie widać schron *Lacul Mierlei*. Dalej przez las szlak trawersuje **Curmătura La Stâna Bătrână** (Przełęcz u Starego Szałasu; ok. 1570 m n.p.m.), skąd jest ładny widok na góry Narăţu i Vf. Stogu. Z przełęczy, wspólnie z głównym szlakiem czerwonego paska, droga sprowadza na wschód, do następnej przełączki, pozostawiając Vf. Stâna Bătrână (1581 m n.p.m.) po prawej stronie. Następuje rozwidlenie dróg: prawa obchodzi Vf. Folea (1647 m n.p.m.) od południa, lewa, którą należy podążać, przecina północne stoki obok źródła potoku Şasa i szałasu, a następnie wraca na grzbiet, gdzie na przełączce łączą się oba warianty. Dalej trzeba iść w pobliżu grzbietu, około 2 km na północny wschód, do pozostałości po leśnej kolejce linowej pod górą Cândoaia (1483 m n.p.m.). Tu należy opuścić szlak czerwonego trójkąta, który schodzi w lewo do wsi Săliştea. Od rozwidlenia drogą za znakami czerwonego paska po północnej stronie grzbietu dochodzi się do **Poiana Cândoaia**, leżącej na **Şaua Cândoaia**.

Siódmy dzień: Poiana Cândoaia → Şaua La Suhăioasa → La Mocirlă → Claia cu Brazi → Şaua Jiliştii → leśniczówka Lotrişor → *Refugiul Puturoasa* → Sturii Puturoasei → motel *Lotrişor*.

Czas przejścia: 7,5–9,5 godz.

Z polany Cândoaia droga po południowej stronie Vf. Suhăioasa (1491 m n.p.m.) wyprowadza na **Şaua Suhăioasa** (ok. 1400 m n.p.m.). Na przełęczy jest węzeł szlaków.

Główny szlak czerwonego paska skręca ścieżką w lewo, podchodzi na polanę szczytową **Vf. lui Stan** (1450 m n.p.m.), z której jest doskonały widok na turnie gór Narăţu na wschodzie i białe głowy masywu Buila-Vânturariţa na południowym zachodzie. Spod szczytu sprowadza grzbietem koło *Stâna Mijlocaru* do wsi Valea lui Stan (ok. 2,5 godz.; przystanek autobusowy linii Voineasa–Râmnicu Vâlcea, ok. 10 km do stacji kolejowej Lotru w dolinie Aluty). Jest to standardowy sposób zakończenia wędrówki przez góry Căpăţânii. Drugi szlak, żółtego paska, prowadzi drogą w prawo, głównym grzbietem w góry Narăţu. Jest to bardzo trudny i niezwykle mylny odcinek trasy, wymagający dużej ostrożności w pokonywaniu z pełnym obciążeniem eksponowanych odcinków. Decydując się na kontynuację wędrówki do przełomu Aluty, warto wcześniej zrobić

wypad na Vf. lui Stan. Z Şaua Suhăioasa należy podążać dotychczasową drogą na południowy wschód, za znakami żółtego paska. Po kilkuset metrach droga skręca w lewo, by zejść do wsi Valea lui Stan. Towarzyszy jej szlak czerwonego kółka. Od rozejścia szlaków na zakręcie drogi szlak żółtego paska kieruje się grzbietem na południe i wyprowadza na **Şaua Munţişorul** (ok. 1190 m n.p.m.). Teraz następuje odcinek prowadzący niewyraźną ścieżką przez szereg niewybitnych wierzchołków i zalesionych przełęczy lub w ich pobliżu. Za przełęczą **La Mocirlă** (U Moczaru; ok. 1000 m n.p.m.) zaczynają się góry Narăţu – gnejsowa, skalista część gór Căpăţânii. Szlak skręca na wschód, przechodzi pod skalistym wierzchołkiem (1090 m n.p.m.) przez przechód, a następnie podchodzi na **Şaua Clăii cu Brazi** (Przełęcz Kopy z Jodłami; ok. 1220 m n.p.m.). Ścieżka utrzymuje się na północnych, zalesionych stokach aż do podstawy skalistego komina, który wyprowadza na śródleśną polankę na stromych południowych stokach (3–3,5 godz.). Wspaniale prezentują się urwiska Dosu Pământului na południowym wschodzie oraz Claia cu Brazi. Na północnym wschodzie piętrzy się ostra grań Narăţu, popodcinana urwiskami, ze skałkami wystającymi ponad niskopienną roślinność. Ścieżka ledwie majacząca wśród traw przemyka około 50 m na północ, osiąga grań i w 10–15 min wyprowadza na wierzchołek **Claia cu Brazi** (1416 m n.p.m.). Ze szczytu opadają dwa strome ramiona: na północ – w stronę Narăţu, oraz na południe – w stronę Dosu Pământului.

Z wierzchołka należy się skierować początkowo na północ, a później ostro w prawo obejść szczyt od wschodu, przechodząc w poprzek żeber, schodząc aż do momentu, aż po prawej stronie pojawi się Poiana Jiliştii. Stąd trzeba się kierować na dół, do bliskiej **Şaua Jiliştii** (30 min.). Na przełęczy jest węzeł szlaków. Żółte paski wiodą przez Dosu Pământului do uzdrowiska Căciulata, a niebieskie krzyże na południe przez Dosu Pământului do Băile Olaneşti, a w kierunku przeciwnym do Brezoi. Żółte krzyże sprowadzają na wschód do doliny Lotrişor i przez Cheile Lotrişorului do motelu *Lotrişor*. Należy zejść na wschód (za znakami żółtego krzyża) drogą wiodącą doliną Pârâul Rău (Zły Potok) do **leśniczówki Lotrişor** (680 m n.p.m.; 1 godz.). Kawałek dalej, po przejściu przez most na potoku Scorţaru, odgałęzia się w prawo ścieżka szlaku niebieskie-

8

GÓRY | Góry Căpăţânii

459

go paska, którą według opisu trasy 5 należy podejść do **Refugiul Puturoasa** i na skalisty wierzchołek **Sturii Puturoasei**, po czym skierować się w dół do **motelu Lotrişor**.

GÓRY RETEZAT

Nazwę masywu (Munţii Retezat) można przetłumaczyć jako „Pocięte Góry" lub „Porąbane Góry", co staje się jasne dla wszystkich, którzy choć raz zawitali w te okolice. Retezat zachwyca różnorodnością – spotyka się tu niemalże wszystkie górskie krajobrazy, z przewagą beskidzkich i tatrzańskich – trawiaste wierzchołki z grzbietami porośniętymi kosówką, skaliste kulminacje i szczyty opadające granitowymi ścianami. Charakterystycznym akcentem w panoramach jest mnogość polodowcowych jezior. Urwiste kotły, w których leżą zbiorniki, najeżone są gęsto blokami skalnymi, a kolorytu dodaje im kosówka i krzaki różanecznika. Całości dopełniają rozległe stoki, na skutek intensywnego wietrzenia pokryte skalnym rumoszem. Wszystko to sprawia, że góry Retezat są często i chętnie odwiedzane przez turystów. Zachęca do tego bogata infrastruktura oraz możliwość dojazdu do wielu schronisk samochodem. Na szczęście alpejski charakter i trudne miejscami szlaki sprawiają, że do najciekawszych miejsc docierają tylko wytrawni miłośnicy wędrówek.

Retezat to trzecie co do wysokości rumuńskie góry; najwyższe szczyty: Peleaga (2508,8 m n.p.m.), Papusza (2508 m n.p.m.), Bucura I (2433 m n.p.m.) i Retezat (2482 m n.p.m.). Układ topograficzny masywu z lotu ptaka przypomina poziomą literę H: dwa główne równoległe grzbiety rozdzielone są przełęczą Custurii (2205 m n.p.m.), spod której wypływają dwa ważne potoki: Râu Bărbat na wschód i Lăpuşnicu Mare na zachód. Wyższy jest grzbiet północny wznoszący się z zachodu od jeziora Gura Apei. Jego pierwszymi ważnymi kulminacjami są zalesione i przypominające nieco wierzchołki masywu Babiej Góry – Zlata (2142 m n.p.m.) i Zănoaga (2262 m n.p.m.) – w kotle drugiego szczytu leży najgłębsze polodowcowe jezioro rumuńskich Karpat, Lacu Zănoaga (6,5 ha; 29 m głębokości). Dalej na wschód piętrzą się skaliste wierzchołki Şesele Mici (2278 m n.p.m.), Şesele Mari (2324 m n.p.m.) i Judele (2398 m n.p.m.), krajobraz staje się typowo alpejski i rozpoczyna się główna i najciekawsza część masywu. Skalista grań prowadzi przez Bucurę I i przełęcz Curmătura Bucurei (2206 m n.p.m.) do najwyższego szczytu pasma – Peleagi. Na południe od grani rozlewa się największe polodowcowe jezioro Rumunii – Bucura (ok. 8,8 ha; 15,7 m głębokości). Od Bucury I grań na północ wiedzie w stronę niezwykle malowniczego szczytu Retezat. Z Peleagi grzbiet obniża się do przełęczy Pelegii (2285 m n.p.m.), by za chwilę osiągnąć kulminację Papuszy – drugiego co do wysokości gór Retezat (jego zbocza pokryte dużymi głazami mogą nasuwać skojarzenia z ukraińskimi Gorganami). Z Papuszy odbija na południe grzbiet Culmea Păpuşa–Custura, będący łącznikiem między dwoma głównymi ramionami masywu i dochodzący do szczytu Custura

Park Narodowy Retezat i rezerwat biosfery UNESCO

Centralną i wschodnią część gór Retezat objęto ochroną jako park narodowy (Parcul Naţional Retezat – PNR; opłata w sezonie letnim 0,80 €, ulgowa 0,40 €).

Rezerwat przyrody utworzono na tych terenach w 1927 r., a w 1935 r. przekształcono go w park narodowy – pierwszy w rumuńskich Karpatach. Od 1979 r. PNR figuruje na liście rezerwatów biosfery UNESCO. Powierzchnia parku wynosi 38 tys. ha; w jego skład wchodzi również ścisły rezerwat **Gemenele** (Rezervaţia Ştiinţifică Gemenele; 1630 ha), położony na zachód od głównego masywu. Rezerwat nie jest udostępniony turystom – wstęp na jego teren wymaga pisemnego zezwolenia dyrekcji parku (Deva; str. Mihai Vitezaul 10; ☎0254/218829, fax 224599, pnretezat@smart.ro).

Ponad połowę terytorium parku zajmują lasy – w jednej trzeciej są to pozostałości Puszczy Karpackiej z przewagą świerka. Występuje tam również buk, jodła oraz brzoza, a 8% powierzchni zajmuje limba (rosnąca przede wszystkim w rezerwacie Gemenele). Dzięki planowej ochronie, kosodrzewina – nienarażona na niszczenie przez owce – rośnie w Retezacie całymi połaciami i zajmuje 28% parku, a kolejne 14% stanowi piętro alpejskich łąk z wieloma rzadkimi gatunkami roślin. Pozostała część PNR to skaliste granie, szczyty i rumowiska skalne.

(2457 m n.p.m.). Ten ostatni jest centralnym punktem południowego grzbietu, a jego najciekawsza część odbija na wschód, opadając miejscami na północ skalistymi stokami. Najpiękniejsze widoki rozciągają się na północ ze szczytu Valea Mării (2340 m n.p.m.). Tłumaczenie nazwy jest nie lada zagadką, jako że znaczy ona Wielka Dolina. Na południowy zachód od Custury grzbiet obniża się stopniowo aż do przełęczy Plaiul Mic (1879 m n.p.m.). Miejsce to stanowi topograficzny łącznik z wapiennym Małym Retezatem (Retezatul Mic) – pasmem górskim o przyjemnym połoninowym charakterze przypominającym polskie Bieszczady.

POŁOŻENIE I BUDOWA GEOLOGICZNA

Góry Retezat leżą w zachodniej części Karpat Południowych, w wyodrębnionej grupie górskiej Godeanu-Retezat, a sam masyw Retezatu ma bardzo wyraźnie określone granice geograficzne. Na zachodzie jest to dolina rzeki Râu Mare, za którą wznoszą się góry Țarcu (Munții Țarcu). Charakterystycznym punktem tego rejonu jest zaporowe jezioro Gura Apei. Na północnym wschodzie rozciągają się kotliny Hațeg i Petroșani, za którymi zaczynają się góry Șurenau (Munții Șurenau). Granicę południową wyznacza dolina rzeki Jiu de Vest, na zachód od której wznosi się Mały Retezat.

W budowie geologicznej Retezatu dominują granity i granodioryty, a także skały metamorficzne (gnejsy i łupki zmetamorfizowane). Mały Retezat ma budowę wapienną i z tego powodu jest wyodrębniany z głównego masywu.

PRZEWODNIKI I MAPY

W latach 70. i 80. XX w. ukazało się kilka map i opracowań na temat gór Retezat, choć należy dodać, że ze względu na upływ czasu ich przydatność jest niewielka. W 1974 r. w Colecția Munți Noștrii wydano przewodnik E. Iliescu z mapą *Retezat* w języku rumuńskim, a w 1982 r. ukazały się w Bukareszcie *Munții Retezat* (również po rumuńsku, z mapą). Wśród map rumuńskich na uwagę zasługuje *Trase turistice în masivul Retezat* w skali 1:75 000 (Publiturism, 1984). Najbardziej aktualną i najdokładniejszą mapą jest *Munții Retezat* z 2003 r. węgierskiego wydawnictwa Dimap w skali 1:50 000. Na odwrocie umieszczono wiele przydatnych informacji (także w języku angielskim), nowością jest podanie znaków położenia GPS wraz z tabelką długości i szerokości geograficznej każdego z nich. Wadę publikacji stanowi zbyt duży zakres i brak dokładniejszego zbliżenia głównej części masywu.

Ze względów sentymentalnych można zajrzeć do nielicznych polskich opisów, np. *Szlakami Retezatu* (L. Kossobudzki, „Światowid", nr 47, 1971), *Na turystycznych szlakach Retezatu* (J. Zdebski, „Karpaty", z. 3, 1975), *Zwiad turystyczny w Karpatach Południowych* (A. Krasicki, „Wierchy", 1975), *Na graniach Retezatu* (A. Krasicki, „Poznaj Świat", nr 6, 1976). Choć w zamieszczonych tekstach nie ma wielu informacji praktycznych, dla adepta górskiej turystyki rumuńskiej powinna to być lektura obowiązkowa. Pierwszym z prawdziwego zdarzenia przewodnikiem po Retezacie była zbiorowa praca wydana w 1983 r. przez Studenckie Koło Przewodników Sudeckich z Wrocławia – *Retezat. Przewodnik*. Na 19 stronach zawarto zwięzły opis najważniejszych szlaków.

KIEDY JECHAĆ

W Retezacie panuje typowo wysokogórski klimat z ujemną roczną temperaturą i dużą ilością opadów atmosferycznych. Średnia roczna temperatura u podnóża gór wynosi 6°C, a na wierzchołkach -2°C, ilość opadów również zależy od wysokości i sięga odpowiednio: 900 mm i 1600–1800 mm na rok. Najbardziej mokrym miesiącem jest czerwiec, a najmniej deszczu można spodziewać się w październiku. Na obszarach powyżej linii lasu jest 175–180 deszczowych dni rocznie, co oznacza, że pada średnio co drugi dzień. Na szczytach śnieg zalega nawet latem, a mgła utrzymuje się przez 260 dni w roku. Najsilniejsze wiatry wieją w lutym, najspokojniejszym miesiącem jest sierpień. Reasumując, najlepszy okres do wędrówki po Retezacie to koniec lata i początek jesieni, choć należy uważać na wyładowania atmosferyczne i w razie burzy szukać bezpiecznego schronienia.

W GÓRY

Łatwy dostęp do masywu umożliwia ważna linia kolejowa Deva–Simeria–Petroșani–Târgu Jiu–Krajowa. Rozkład stacji pozwala na dostanie się do gór zarówno od strony północnej, jak i południowej. Od północy najłatwiej dotrzeć do sporej miejscowości Hateg, chociaż z niej czeka wę-

Retezat idealnie nadaje się na kilkudniowy trekking, w czasie którego można nocować zarówno pod dachem, jak i w namiocie. Większość schronisk jest usytuowana na obrzeżach masywu. Największą popularnością cieszy się **Pietrele** (1480 m n.p.m.; 200 miejsc noclegowych latem, 140 zimą; 4,50 €/os., rozbicie namiotu 3 €), a to dzięki dobremu zaopatrzeniu (bar z alkoholami, sklepik z żywnością) i dostępności. Nieco dalej na północ (ok. 2 km) wznosi się skromne schronisko **Genţiana** (1670 m n.p.m.; latem 30 miejsc, zimą 24 miejsca; 3,50 €/os.). Na granicy Retezatu i Małego Retezatu usytuowane jest niewielkie schronisko **Buta** (1580 m n.p.m.) z 24 miejscami (4,50 €/os.), barem i miejscem na rozbicie namiotu (3–3,50 €, cena uzależniona od wielkości). Do kilku położonych niżej schronisk – **Gura Zlata** (749 m n.p.m.), **Rotunda** (1110 m n.p.m.) i **Baleia** (1410 m n.p.m.) – da się dojechać samochodem. Noclegi są tam droższe (ok. 5–9 €/os.), ale można też skorzystać z przyschroniskowych pól namiotowych. W połowie drogi między Câmpu lui Neag a schroniskiem **Buta** powstał nowy obiekt sportowy i wyciąg narciarski – **Cheile Butii** z 130 miejscami noclegowymi (10 €/os.) i przyzwoitą, ale drogą restauracją.

Góry Retezat sprzyjają wędrówkom z własnym namiotem. Ze względu na obszar parku narodowego biwakowanie dozwolone jest tylko w wyznaczonych miejscach. Trzeba przyznać, że wyznaczono je bardzo trafnie, w bardzo malowniczych okolicach, dzięki czemu nawet spora liczba namiotów nie zniechęca do pozostania w nich dłużej niż jeden dzień.

8

GÓRY | Góry Retezat

drowca jeszcze niemały kawałek drogi, zanim zacznie się prawdziwa górska przygoda. W tym celu należy udać się główną drogą krajową (E79) w stronę Petroşani do Sîntămăria Orlea (3 km), następnie skręcić na południe do Ohaba de sub Piatră (9 km). Przy odrobinie szczęścia można się tu dostać pociągiem, choć te kursują dość rzadko (5 dziennie). Ale to jeszcze nie koniec – trzeba kontynuować podróż w tym samym kierunku, mijając po drodze wioski Sălaşu de Jos, Sălaşu de Sus i Mălaieşti (w dwóch ostatnich zachowały się ruiny średniowiecznych twierdz). Dopiero 10 km dalej, w Nucşoarze, można poczuć górski klimat i odpocząć przed prawdziwą wyprawą.

Rozpoczynając wędrówkę od południowej strony masywu, należy dostać się do Petroşani. Dalszy odcinek drogi da się teoretycznie pokonać pociągiem, który jednak kursuje niezwykle rzadko i dojeżdża tylko do stacji Lupeni, dlatego lepiej szukać transportu autobusem, busem lub okazją. Ostatnią większą miejscowością, gdzie można zrobić zakupy, jest Câmpu lui Neag, skąd do schroniska *Buta* jest 5–6 godz. marszu. Na trasie Petroşani–Câmpu lui Neag przebiegającej doliną rzeki Jiu de Vest widać jak na dłoni, jaką katastrofę w środowisku naturalnym spowodowała industrializacja w stylu komunistycznym. Niewielkie złoża węgla skłoniły władze do utworzenia kilku kopalni, po których obecnie pozostały opustoszałe w większości zabudowania i urządzenia.

462

Propozycje tras

Ze względu na strome podejścia góry Retezat nie należą do najłatwiejszych. Trekking głównym masywem przypomina wędrówkę po Tatrach – ale bez wszechobecnych tłumów. W pobliżu wyznaczonych miejsc biwakowych zawsze są ujęcia wody pitnej – warto się tam w nią zaopatrzyć, bo w wyższych partiach może być o nią trudno. Najciekawsza, a zarazem najpopularniejsza trasa wiedzie przez centralną część Retezatu w kierunku południowym.

Masyw objęty jest opieką górskiego pogotowia Salvamont – oddział Hunedoara (☎0254/735405) i Lupeni (☎0254/560 331). Górskie posterunki ratowników funkcjonują w dwóch schroniskach: Piatrele, Buta, a także w kompleksie Râusor. Latem siedziba ratowników znajduje się również w domku nad jeziorem Bucura.

Trasa 1 (wariant I)
Nucşoara → schronisko **Genţiana** → jezioro Bucura → schronisko **Buta**

Na wycieczkę należy przeznaczyć 4 dni. Trasa umożliwia przejście masywu od strony północnej, choć jej przebieg jest tak zaplanowany, że równie dobrze da się rozpocząć ją od końca, czyli od południa. Wędrówka obejmuje najciekawsze partie Retezatu z najwyższymi szczytami.

Pierwszy dzień: Nucşoara → schronisko *Cârnic-Cascadă* → schronisko *Pietrele* → schronisko *Genţiana*
Znaki niebieskiego paska: 3–3,5 godz.

Odcinek z wioski Nucşoara do **schroniska Cârnic-Cascadă** (prawie 7 km) warto w miarę możliwości pokonać autostopem, ponieważ droga wśród lesistych wzgórz jest przyjemna, ale monotonna. Przed rozpoczęciem wędrówki należy wnieść opłatę za wstęp do parku narodowego przy bramie wejściowej za schroniskiem i domkami kempingowymi. Około 1,5 km za schroniskiem kończy się droga jezdna. Trakt w lewo prowadzi do dwóch wodospadów, z których jeden, Lolaia (Cascada Lolaia), ma ponad 15 m wysokości. Szlak wznosi się powoli wyraźną drogą i po ponadgodzinnym marszu doprowadza do **schroniska Pietrele**. Tworzy je zespół niewielkich drewnianych zabudowań; w największym jest bar i dobrze zaopatrzony sklepik, a w pobliżu pole namiotowe. Schronisko *Pietrele* stoi przy ważnym węźle szlaków, z których większość prowadzi na główną grań. Do **schroniska Genţiana** można dojść co najmniej na trzy sposoby, a przebycie każdej z tras nie zajmuje więcej niż 30 min, choć trzeba pokonać około 300 m różnicy wzniesień.

**Drugi dzień: schronisko Genţiana →
przełęcz Curmătura Bucurei →
Bucura II → Bucura I → przełęcz Poarta
Bucurei → jezioro Bucura**
Znaki niebieskiego paska, dalej czerwonego paska i żółtego paska: 6–7 godz.

Dość łatwa trasa prowadzi cały czas doliną potoku Pietrele, początkowo przez świerkowy las. Z czasem trawersy zamieniają się w coraz bardziej strome podejścia. Za niewielkim **wodospadem Pietrele** (Cascada Pietrele), 500 m od schroniska, las powoli ustępuje kosówce. Punktem orientacyjnym jest charakterystyczna skałka Bardu Tomii. Za niewielkim i płytkim **jeziorkiem Pietrele** szlak staje się coraz bardziej stromy i wspinając się wśród piarżysk, wyprowadza ostrym podejściem na **przełęcz Curmătura Bucurei** z węzłem szlaków. Na zachodzie widać szczyt Custura Bucarei (2370 m n.p.m., dojście szlakiem czerwonego paska; 20 min), a na południu wspaniałą dolinę polodowcową z jeziorem Bucura (w razie potrzeby można zejść tam na nocleg; szlak niebieskiego paska; 25 min). Dalej trasa biegnie w kierunku zachodnim zgodnie ze znakami czerwonego paska. Ścieżka wspina się na **Bucurę II** (2378 m n.p.m.), a następnie **Bucurę I** (2433 m n.p.m.), z której rozpościera się jeden z najpiękniejszych widoków w górach Retezat. Od wierzchołka Bucury I odchodzi najciekawszy z opadających na północ bocznych grzbietów (oznakowany żółtymi paskami), który za przełęczą Retezatului ostro się wznosi, tworząc piękną piramidę szczytu Retezat. Ze szczytu Bucury I należy skierować się w dół zgodnie ze znakami żółtego paska przez przełęcz **Poarta Bucurei** do miejsca noclegu nad **jeziorem Bucura** (z Bucury I ok. 1 godz.).

**Trzeci dzień: jezioro Bucura → Peleaga
→ Papusza → Custura → schronisko
Buta**
Znaki żółtego krzyża/niebieskiego paska, dalej znaki żółtego krzyża: 7–8 godz.

Najdłuższy, a zarazem najciekawszy odcinek trasy prowadzi przez najwyższy szczyt masywu – Peleagę.

Od miejsca biwaku nad jeziorem na Peleagę prowadzą dwie drogi: jedna znakowana żółtymi krzyżami, druga – niebieskimi paskami przez przełęcz Curmătura Bucurei. Krótszy jest wariant pierwszy (szlak miejscami zaznaczony jest na metalowych słupkach). Po około 2 godz. niezbyt trudnego, ale chwilami niezwykle mozolnego marszu osiąga się wierzchołek Peleagi. Decydując się na drugi wariant, należy okrążyć jezioro od zachodu i odnaleźć niebieskie paski. Podczas wspinaczki cały czas towarzyszy turyście po wschodniej stronie widok Peleagi z obszernym kotłem polodowcowym. Po 45 min osiąga się **przełęcz Curmătura Bucurei**, przez którą wiódł szlak drugiego dnia trasy. Od przełęczy na-

Jeziora polodowcowe

Są nieodłączną częścią gór Retezat – naliczono ich około 80. Można tu podziwiać największe polodowcowe rumuńskie jezioro – **Bucura** (ok. 8,8 ha i 15,7 m głębokości) oraz najgłębsze – **Zănoaga** (6,5 ha i 29 m głębokości). W lecie okolice jeziora Bucura są popularnym miejscem biwakowym z oficjalnym polem namiotowym i bazą Salvamontu. Również nad brzegiem Zănoaga znajduje się pole namiotowe. Inne ciekawe jeziora to **Negru**, **Gemenele**, **Galeş**, **Ana** i **Lia**. Brzegi akwenów porasta piękny, ale silnie trujący tojad (*Aconitum napellus*) i ciemiężyca biała (*Veratrum album*).

leży skierować się na wschód zgodnie z czerwonymi paskami, które po przejściu przez kolejną **przełęcz Custura Bucurei** (2370 m n.p.m.) prowadzą cały czas eksponowaną granią ze wspaniałymi widokami w każdym kierunku. Charakterystycznym miejscem na trasie są **skały Colţii Peleagi** (Zęby Peleagi), na których od strony północnej wytyczono kilka dróg wspinaczkowych. Po mniej więcej 30 min szlak dociera na najwyższy szczyt Retezatu – **Peleagę** (2508,8 m n.p.m.).

Dalej należy iść główną granią na północny wschód, zgodnie ze znakami żółtego krzyża. Za **przełęczą Peleagi** (2285 m n.p.m.) w mozolnym podejściu zdobywa się drugi co do wysokości szczyt Retezatu – **Papuszę** (Păpuşa; 2508 m n.p.m.). Odbijają od niego na północ dwa niezwykle interesujące boczne grzbiety – stożkowatego szczytu Valea Rea (2311 m n.p.m.) oraz Vîrful Mare (Wielki Wierch; 2346 m n.p.m.) z wielkim kotłem opadającym na wschód. Od Papuszy na Vîrful Mare biegnie bardzo atrakcyjna, ale eksponowana ścieżka (bez znaków). Zasadnicza trasa wiedzie nadal w tym samym kierunku za znakami żółtego krzyża przez **Małą Papuszę** (Papuşa Mică; 2370 m n.p.m.) i **przełęcz Custurii** (2205 m n.p.m.) i po około 3 godz. od punktu startu osiąga wierzchołek **Custury** (2457 m n.p.m.). Ostatni odcinek jest niezwykle atrakcyjny widokowo – na południe przez cały czas rozpościera się piękna panorama Małego Retezatu.

Na pokonanie odcinka od Custury do miejsca noclegu należy zarezerwować jeszcze 4–5 godz. wędrówki za znakami czerwonego paska. Szlak cały czas stopniowo się obniża, a stromizny nie są duże. Charakterystycznym punktem i zapowiedzią rychłego końca mozolnego dnia jest **przełęcz Plaiul Mic** (1789 m n.p.m.), geograficzny początek Małego Retezatu, z dwoma jeziorkami o nazwie Păpuşii. Do noclegu w schronisku *Buta* lub na pobliskim polu namiotowym pozostaje jeszcze 30 min marszu.

Czwarty dzień

Zależnie od upodobań, można rozpocząć wędrówkę po Małym Retezacie lub zejść szlakiem niebieskiego paska (pokrywa się z czerwonymi krzyżami) do **doliny Jui de Vest**. Po drodze mija się ciekawy **wąwóz Butii**, w sąsiedztwie którego powstał ośrodek sportowy *Cheile Butii*. Pierwszą miejscowością, z której można dostać się do większego miasta (np. Petroşani), jest Câmpu lui Neag (ponad 12 km od schroniska *Buta*).

Trasa 1 (wariant II)
Nucşoara → schronisko *Pietrele* → jezioro Bucura → schronisko *Buta*

Ten wariant trasy umożliwia zdobycie bardzo malowniczego szczytu Retezat od północy i przejście całej grani Lolai. Zmianie ulega miejsce pierwszego noclegu (należy się zatrzymać w pierwszym dużym schronisku *Pietrele*) oraz większa część drugiego dnia trasy.

Drugi dzień: schronisko *Pietrele* → przełęcz Ciurila → Lolaia Nord → Lolaia Sud → Retezat → przełęcz Retezatului → Bucura I → przełęcz Poarta Bucurei → jezioro Bucura
Znaki żółtego paska, dalej czerwone i niebieskie paski: 6 godz.

Od schroniska i polany szlak wspina się zakosami wśród drzew ustępujących stopniowo miejsca kosodrzewinie. Ścieżka wyprowadza na piarżysty grzbiet, kierując się nim na południowy wschód. Na niezbyt wyraźnej **przełączce Ciurila** (1780 m n.p.m.) przecina trasę łączącą Pietrele z kompleksem turystycznym *Râusor* (znaki niebieskiego krzyża). Ładna panorama obejmuje z lewej gniazdo górskie będące najwyższą częścią Retezatu. Grzbietem, który przybiera coraz bardziej wysokogórski charakter, a częściowo trawersem, poprzez kulminację **Lolaia Nord** (2180 m n.p.m.) i mijając **Lolaia Sud** (2270 m n.p.m.), szlak dociera do przełęczy pod piętrzącym się groźnie **Retezatem** (2482 m n.p.m.), a następnie pnie się urwistą granią na jego skalisto-piarżysty wierzchołek. Na wprost otwiera się piękny widok na najwyższe partie Retezatu z dominującą Peleagą. Zejście na **przełęcz Retezatului** (2215 m n.p.m.), oddzielającą od masywu Bucury, jest mniej eksponowane. Z przełęczy zbiega w lewo do Pietrele szlak oznakowany niebieskimi trójkątami, zasadnicza trasa wiedzie natomiast poszarpaną granią i wśród piarżysk z widokami na polodowcowe jeziorka wyprowadza (pod koniec bardziej stromo) na **Bucurę I** (2433 m n.p.m.) z węzłem szlaków. Należy skierować się za znakami czerwonego paska, następnie niebieskiego paska, które doprowadzają nad **jezioro Bucura**.

Trasa 2
Schronisko *Gura Zlata* → jezioro Zănoaga → jezioro Bucura

Na pokonanie szlaku należy przeznaczyć 2 dni. Trasa wiodąca do położonego w sercu Retezatu jeziora Bucura od strony zachodniej biegnie przez mniej uczęszczane rejony. Jedynym problemem może być dojazd do schroniska *Gura*

Zlata. Prowadzi tam przyzwoita droga, ale nie kursują nią żadne środki komunikacji publicznej. Najlepiej z miejscowości Hăţeg pociągiem, autobusem, busem lub okazją dojechać do Sarmizegetusy (zob. s. 312), skąd do schroniska jest jeszcze 23 km. Bliżej, bo 14 km, jest ze wsi Clopotiva, do której również można dostać się bez większych kłopotów. W schronisku funkcjonuje przyzwoity bar (obiad ok. 5 €), a po drugiej stronie drogi pole namiotowe (2 €/os.). Początkowy odcinek trasy biegnie wzdłuż granicy ścisłego rezerwatu przyrody Gemenele do polodowcowego jeziora Zănoaga. Od tego miejsca wybór dalszej drogi zależy od preferencji turysty i od pogody – do jeziora Bucura prowadzą dwa szlaki, łatwiejszy i trudniejszy.

Pierwszy dzień: schronisko *Gura Zlata* ➜ *Radeşu Mare* ➜ jezioro *Zănoaga*
Znaki czerwonego paska: 5 godz.

Warto rozpocząć wędrówkę wcześnie rano, bo choć do przejścia jest zaledwie 10 km, to trzeba pokonać ponad 1350 m różnicy wzniesień. Po uiszczeniu opłaty za wstęp do parku narodowego należy skierować się za znakami czerwonego paska. Szlak od początku pnie się wzdłuż potoku Radeş Mare i po 4,5 km marszu i ostrym końcowym podejściu osiąga rozległą polanę, gdzie droga się rozwidla. Cały czas trzymając się szlaku, po około 1 godz. marszu wkracza się w pasmo kosówki. Szlak łączy się z dochodzącymi od południowego zachodu znakami niebieskiego krzyża (od jeziora zaporowego Gura Apei), po czym trawersuje po północnej stronie wyniosły szczyt Radeş Mare (2259 m n.p.m.), przez który przebiega granica rezerwatu Gemenele. Wkrótce dociera się do miejsca, z którego otwiera się widok na wspaniałą polodowcową dolinę z jeziorem Zănoaga – nad jego brzegami powstało pole biwakowe, będące celem wędrówki. Wrażenia z noclegu w tym malowniczym zakątku na długo zostają każdemu w pamięci.

Drugi dzień: jezioro *Zănoaga* ➜ przełęcz Judele ➜ jezioro Bucura
Do jeziora Bucura można dojść na dwa sposoby: drogą krótszą i bardziej eksponowaną (wariant I) i dłuższą, za to o wiele łagodniejszą (wariant II).

Wariant I: znaki czerwonej kropki; 3 godz.

Droga od razu intensywnie się wznosi. Po około 1 godz. dochodzi się do piarżystego terenu, na północy mija się szczyt Şesele Mari (2324 m n.p.m.) i po mniej więcej 1200 m osiąga przełęcz Judele

(Şaua Judele; 2370 m n.p.m.). Warto tam zostawić plecaki i bez obciążenia wdrapać się na pobliski wierzchołek Judele (2398 m n.p.m.), z którego rozciąga się cudowny widok na główną część Retezatu. Dokładnie na północy piętrzy się Retezat (2482 m n.p.m.), a przed nim nieco na wschód widać Bucurę I (2433 m n.p.m.). Na wschodzie rozpościera się malownicza dolina upstrzona kilkoma stawami polodowcowymi, za nimi wznosi się najwyższy szczyt masywu – Peleaga (2508,8 m n.p.m.), a w oddali na południu widać doskonale pasmo Mały Retezat.

Droga oznakowana czerwonymi kółkami obniża się wśród malowniczych jeziorek; przy jednym z nich (Tău Portii) napotyka się szlak żółtego paska. Aby szybko dotrzeć na miejsce noclegu nad pięknym jeziorem Bucura, należy trzymać się dotychczasowych znaków.

Wariant II: znaki niebieskiego krzyża i czerwonego trójkąta; 4–4,5 godz.

Trasa jest dwukrotnie dłuższa od poprzedniej i nie tak widokowa, za to o wiele mnie wyczerpująca (przypomina nieco szlaki masywu Babiej Góry). Przy południowym brzegu jeziora Zănoaga należy odszukać ścieżkę oznaczoną niebieskimi krzyżami i czerwonymi trójkątami. Początkowo prowadzi ona przez kosówkę, łagodnie się wznosząc i opadając. Po mniej więcej 2,5 godz. marszu wychodzi się na skalisty grzbiet Slăveiu o położeniu południowym z charakterystycznym krzyżem (Crucea Trăznitului). Do dwóch szlaków dochodzi trzeci – oznaczony żółtymi kółkami. Od tego miejsca do miejsca noclegu jest prawie 4,5 km marszu grzbietem, z którego roztaczają się piękne widoki, m.in. na Retezat.

Trasa 3
Jezioro Gura Apei ➜ Vf. Zlata ➜ jezioro Zănoaga
Krótka trasa łącząca góry Godeanu z centrum masywu Retezat. Do pokonania spora różnica wzniesień (1200 m).

Czas przejścia: 4,5 godz.

Z zapory trzeba wyruszyć drogą na wschód za znakami niebieskiego krzyżyka. Należy minąć leśniczówkę i po 500 m wejść w las po lewej stronie. Stromą ścieżką o gęstych zakosach pokonuje się 500 m różnicy wzniesień. Trzeba uważnie patrzeć pod nogi, gdyż suchą świerczynę upodobały sobie wygrzewające się na ścieżce węże. Teren staje się płaski, a po chwili osiąga się górną granicę lasu w pobliżu szczytu Lăpuşnicul

Mic (2 godz.; 1852 m n.p.m.). Dalej trasa wznosi się odkrytym terenem z widokiem na góry Godeanu po prawej stronie do płaskiej wierzchowiny **Vf. Zlata**. Teraz trzeba obejść kocioł jeziora Zănoguţa z prawej strony i dotrzeć do szlaku czerwonego paska (trasa 2) i granicy rezerwatu Gemenele. Po chwili pojawia się **jezioro Zănoaga**, do którego schodzi się w 20 min.

GÓRY MUNTELE MIC, ŢARCU I GODEANU

Wymienione grupy górskie to jedne z najbardziej malowniczych i niedostępnych (brak turystów na szlakach) zakątków Rumunii. W tej części Karpat Południowych królują pasterze, warto więc przypatrzeć się ich ciężkiej pracy i skosztować pysznych wyrobów z owczego mleka. Góry te są jednak bardzo wymagające: brak schronisk i niewielka ilość znakowanych szlaków wymaga od turysty dużej samodzielności, noszenia kompletu sprzętu biwakowego i żywności oraz sprawnego posługiwania się mapą i kompasem w przypadku kiepskiej pogody. Wysiłek wynagrodzi sowicie długa wędrówka przez pełne kulturowych i przyrodniczych atrakcji połoniny z rozległymi widokami.

POŁOŻENIE I BUDOWA GEOLOGICZNA

Pasma górskie leżące pomiędzy doliną Jiu na wschodzie a ciągiem obniżeń zwanym kuluarami Temesz-Czerna na zachodzie, w popularnych podziałach turystycznych noszą nazwę grupa Godeanu-Retezat. Masyw **Muntele Mic** to zakończenie grzbietu wysyłanego przez góry Ţarcu na północny zachód. Łagodna kopuła szczytowa pokryta jest rozległą połoniną, co sprawia, iż widoki ze szczytu (1802 m n.p.m.) są dalekie. W latach 70. XX w. zbudowano tu nowoczesną stację narciarską. Na wysokości około 1600 m n.p.m. powstało kilka hoteli, wyciągi oraz kolejka krzesełkowa wspinająca się z doliny Valea Craiului (Królewska Dolina). „Banacki Buczedż" (nawiązanie do największych ośrodków narciarskich w dolinie Prahovy u stóp gór Bucegi) miał w założeniu pełnić rolę głównej stacji narciarskiej w południowo-zachodniej Rumunii. Obecnie zrujnowane budynki kompleksu szpecą wierzchowinę masywu. Od czasu do czasu funkcjonuje natomiast krzesełko, które może oszczę-

dzić turyście nieco trudu podejścia na początku wycieczki.

Rozległy mezoregion **gór Ţarcu** kulminuje w położonym w bocznym grzbiecie szczycie Căleanu (2199 m n.p.m.). Topografia masywu przypomina wielką ośmiornicę, gdyż składa się on z ośmiu grzbietów rozchodzących się z najwyższej części gór. Wierzchowiny, pokryte rozległymi połoninami, urozmaicone są niewielkimi kotłami polodowcowymi, w dnach których znajdują się malownicze jeziorka.

W centralnie umiejscowionych **górach Godeanu** zbiegają się pasma gór Retezat, Cernei, Vâlcan i Ţarcu. Węzłowy grzbiet Godeanu to jeden z najbardziej malowniczych zakątków w całych rumuńskich Karpatach. Powyżej górnej granicy lasu występują tu rozległe połoniny, a ogromne powierzchnie zrównań sprawiają, iż wierzchowiny wyglądają jak ogromne boiska piłkarskie z przystrzyżoną przez owce trawką. Góry ożywają na wiosnę: odwiecznymi płajami ciągną wtedy na olbrzymie hale liczne stada owiec, w towarzystwie opiekunów, czyli pasterzy i psów (te ostatnie stanowią spore zagrożenie dla turystów). Najwyższy szczyt – Gugu (2291 m n.p.m.) znajduje się w biegnącym na północ dzikim grzbiecie.

Opisywane masywy zbudowane są głównie ze skał metamorficznych oraz różnorodnych skał osadowych (wapienie, dolomity i piaskowce) występujących sporadycznie na powierzchni. Nieliczne wychodnie skalne oraz odsłonięta w kotłach polodowcowych zwietrzelina skał metamorficznych nadaje masywowi nieprzeciętnego uroku – jej różowa barwa znakomicie komponuje się z zielenią traw. W rzeźbie zaznacza się obecność powierzchni zrównań, opisanych w górach Godeanu przez francuskiego geografa Emanuela de Martonne. Tego typu wielkoprzestrzenne spłaszczenia w obrębie stoków i grzbietów powstają w długich okresach spokoju tektonicznego w wyniku działania czynników zewnętrznych, które niszczą wypukłe formy gór. W wysokich partiach gór Ţarcu i Godeanu można natknąć się na nieźle rozwinięte pozostałości po plejstoceńskich lodowcach: kotły z jeziorami i U-kształtne doliny.

FLORA

Dobrze rozwinięta jest piętrowość klimatyczno-roślinna. W lasach grądowych rosnących na południu do wysokości około 1000 m n.p.m. występują, obok typowych gatunków, morwa (*Morus alba*), kasztan jadalny (*Castanea sativa*), klon tatarski (*Acer tataricum*) oraz dęby: burgundzki (*Quercus cerris*) i omszony (*Quercus pubescens*). Regiel dolny porastają lasy bukowo-jodłowe, a w reglu górnym można spotkać oprócz świerczyn także piękne okazy limb. Górna granica przebiega na wysokości 1500–1600 m n.p.m. Powyżej stoki porośnięte są kosodrzewiną do wysokości nawet 2100 m na stokach południowych. Ostatnim piętrem roślinnym są rozległe hale, mocno przekształcone przez pasterstwo.

W GÓRY

Mapy

Najlepsza **mapa** gór Godeanu dołączona została do magazynu *Munții Carpați* nr 24, zaś gór Țarcu i Muntele Mic do przewodnika serii *Munții Noștri* nr 51. Ze względu na trudną dostępność obu publikacji warto ściągnąć mapy z Internetu: www.carpati.org/harti_harta.php?harta_harti=Tarcu%20-%20Godeanu.

Trasa 1

Valea Craiului → stacja Muntele Mic → szczyt Muntele Mic → jezioro Cuntu (nocleg) → Vf. Țarcu → wariant Vf. Căleanu → przełęcz Șaua Șuculețului → przełęcz Șaua Hidegul (nocleg) → dolina Șes → Vf. Godeanu → Vf. Gugu → Vf. Branu → jezioro Gura Apei

Trzydniowa wędrówka przez wspaniałe połoniny łączy banacką stronę Karpat Południowych z Retezatem. Trasa prowadzi przez niezamieszkany teren, dlatego wymagany jest namiot oraz odpowiedni zapas żywności. Przyda się także palnik gazowy, gdyż na połoninnych grzbietach brakuje opału. Przy każdej okazji warto uzupełnić wodę. Przyzwoicie utrzymane szlaki występują tylko w masywie Muntele Mic i częściowo w górach Țarcu. Nieznakowana trasa przez grzbiety Godeanu przy dobrej pogodzie nie nastręcza trudności orientacyjnych, wymaga jednak szczególnej uwagi we mgle.

Pierwszy dzień: Valea Craiului → stacja Muntele Mic → szczyt Muntele Mic → jezioro Cuntu (nocleg)

Czas przejścia: 8–9 godz.

Do dolnej stacji kolejki krzesełkowej z Valea Craiului najlepiej dojechać taksówką wynajętą w Caransebeș. Wariant tańszy to dojazd autobusem do wsi Borlova (2 kursy dziennie z Caransebeș) i pokonanie pieszo 11 km asfaltową drogą przecinającą dolinę. Krzesełko w 2005 r. kursowało nieregularnie, zaś bilet w jedną stronę kosztował około 6 €. Jeżeli kolejka będzie nieczynna, trzeba wspiąć się szeroką drogą dojazdową do stacji **Muntele Mic**. Początkowo idzie się za znakami żółtego paska, które odchodzą w prawo i pną się lasem do polany Prisaca (ok. 1,5 godz.; wariant dla osób chcących ominąć masyw Muntele Mare). Po mniej więcej godzinie droga osiąga grzbiet główny na przełęczy Jigoria (1205 m n.p.m.; oznaczane na starych mapach schronisko *Dacia* nie istnieje!). Warto ukryć tu plecaki i „na lekko" skierować się w lewo, ścinając serpentyny drogi, w stronę zrujnowanej stacji turystycznej (45 min; znaki czerwonego paska). Stąd idąc wzdłuż wyciągu i dalej za znakami niebieskiego paska, osiąga się płaską kulminację masywu – szczyt **Muntele Mic** (1802 m n.p.m.; 45 min) z ciekawą, choć ograniczoną na południu i wschodzie górami Țarcu, panoramą.

Zejść można wariantem prowadzącym na południowy zachód do ogromnego krzyża (piękny widok na leżące pod nogami równiny Banatu). Stąd trawersem na południe dociera się do wybudowanej niedawno drewnianej kaplicy skitu Muntele Mic i zabudowań stacji turystycznej. Teraz trzeba wrócić do plecaków, a potem rozpocząć wędrówkę zalesionym grzbietem. Urozmaiceniem są piękne polany z widokiem na coraz bliższy szczyt Țarcu ze stacją meteorologiczną. Po 45 min marszu na polanie Prisaca z prawej dochodzi szlak żółtego paska z dolnej stacji wyciągu. Szlak obchodzi od wschodu Vf. Șeroni i po około godzinie od skrzyżowania dociera do stacji meteorologicznej nad jeziorem Cuntu, gdzie jest sporo miejsca na rozbicie namiotu.

Drugi dzień: jezioro Cuntu → Vf. Țarcu → wariant Vf. Căleanu → przełęcz Șaua Șuculețului → przełęcz Șaua Hidegul (nocleg)

Czas przejścia: 6–7 godz.

Serpentynami drogi trzeba pokonać próg nad jeziorem i podążyć łagodniejszym terenem z widocznymi, dość częstymi metalowymi traserami. Następnie idzie się wygodną, szeroką drogą na południe, mozolnie zdobywając wysokość. Na szczycie **Vf. Țarcu** działa skromna stacja meteorologiczna posiadająca własny rezerwuar wody (warto uzupełnić; w sytuacji awaryjnej można tu także przenocować). Szlak schodzi nisko do przełęczy Șaua Plaiului (2075 m n.p.m.). Można tu odbić na grzbiet biegnący w kierunku północno--wschodnim na najwyższy szczyt w masywie – **Căleanu** (2199 m n.p.m.; łagodne podejście słabo zaznaczonymi ścieżkami, w dwie strony ok. 1 godz.).

Dalej malowniczym trawersem szybko pokonuje się dystans do **przełęczy Şuculeţului** (1910 m n.p.m.). Tu trzeba opuścić znakowany szlak i idąc grzbietem Prislopu na południe, dotrzeć do **przełęczy Hidegul** (po drodze słabo widoczne znaki czerwonego punktu). Namioty najlepiej rozbić pod przełęczą, w rozsądnej odległości od szałasu. Warto, zachowując odpowiednią ostożność (psy!), zaprzyjaźnić się z *ciobanami* i kupić nieco pysznego nabiału.

Trzeci dzień: Şaua Hidegul → dolina Şes → Vf. Godeanu → Vf. Gugu → Vf. Branu → jezioro Gura Apei

Czas przejścia: 7–8 godz.

Z przełęczy **Şaua Hidegul** trzeba zejść wschód do **doliny potoku Şes** (można tu także biwakować, ale miejsca jest raczej mało). Po przejściu rzeki rozpoczyna się mozolna wspinaczka przy wykorzystaniu pasterskich ścieżek biegnących zakosami. Po ponad godzinie dochodzi się do grzbietu w pobliżu Vf. Tucila (2012 m n.p.m.). Widać stąd pięknie trawiastą kopułę Vf. Godeanu z kotłem polodowcowym po północnej stronie. Wędrując w kierunku szczytu, mija się źródło, gdzie warto uzupełnić zapas wody. Z wierzchołka **Vf. Godeanu** rozciąga się wspaniała panorama. Na zachodzie widać wał Gór Banackich z masztem na Piatra Goznei. Na południu perspektywę zamykają położone już za Dunajem Góry Wschodnioserbskie, zaś przed nimi wspaniale prezentuje się głęboka dolina Czerny (Cerna) z połoninnymi górami Cernei po prawej i niższymi, skalistymi górami Mehedinţi. Na północnym wschodzie widoczny jest nieodległy Retezat.

Z Vf. Godeanu strome zejście na przełęcz, gdzie zaczyna się trawers szczytu 2152. Wyraźny grzbiet prowadzi dalej przez kulminację drugiego wierzchołka pasma – Moraru (Młynarz; 2279 m n.p.m.). Pokonując trawersem Vf. Scariţa (2159 m n.p.m.), dociera się do najwyższego **Vf. Gugu** (2291 m n.p.m.). Na wschód od szczytu pięknie prezentuje się umiesczczone w skalistej scenerii spore polodowcowe jezioro Gugu, wspaniale wygląda też U-kształtna dolina potoku Branul. Ze szczytu trzeba kierować się na północ i przez dwie niewielkie kulminacje dotrzeć do przełęczy pod **Vf. Branu** (na końcu jest gęsta kosodrzewina pokrywająca niestabilny rumosz skalny!). Stąd bardzo stromo w dół bez ścieżki w kierunku widocznego szałasu pasterskiego (woda). Biegnie stąd wąski

płaj na północ, którym przez pół godziny wędruje się po łąkach; potem trzeba wejść w las. Po ponad godzinie jednostajnie stromego zejścia dociera się do zarośniętej drogi okalającej zbiornik **Gura Apei**. Drogę trzeba przeciąć i dojść do kamienistej plaży. Teraz, kierując się w prawo, należy przekroczyć w bród odnogi potoku Lăpuşnicul, co przy dużym stanie wody może okazać się zadaniem niebezpiecznym. Wędrówkę do zapory urozmaica... spora ilość rdzewiejącego sprzętu budowlanego.

GÓRY OTACZAJĄCE DOLINĘ CZERNY

Region doliny Czerny (Valea Cernei) w południowo-zachodniej części Karpat Południowych zajmuje szczególne miejsce na turystycznej mapie Rumunii. Najpiękniejsze formy nagiego krasu, zjawiska termalizmu pod postacią gorących źródeł, klimat determinujący występowanie niespotykanych w innych częściach Karpat gatunków roślin i zwierząt, a także wspaniały folklor stanowią o wyjątkowych walorach turystycznych i krajoznawczych tego zakątka. Niezwykłą wartość przyrodniczą i krajobrazową okolic uzdrowiska Băile Herculane doceniono już w 1932 r., powołując jeden z pierwszych rumuńskich rezerwatów przyrody – **Muntele Domogled**. Od 1990 r. na 60,1 tys. ha funkcjonuje **Park Narodowy Domogled – Valea Cernei**, największy w kraju. Ponieważ osią regionu jest dolina rzeki Czerna, wokół której skupia się duża część atrakcji, w rozdziale opisano masywy wyrastające po jej obu stronach: **góry Cernei** po prawej oraz **góry Mehedinţi** po lewej. Uzupełnieniem jest związana kulturowo z regionem **wyżyna Mehedinţi** (Podişul Mehedinţi), na południe i wschód od nich.

GEOGRAFIA

Zachodnią część Karpat Południowych, pomiędzy kotliną Petroşani i przełomem rzeki Jiu na wschodzie, kotliną Hațegu i doliną Bistriţy na północy, bruzdą Temeszu-Czernej na zachodzie i obniżeniem podkarpackim na południu, tworzy **grupa Godeanu-Retezat**, w której centralną pozycję zajmują **góry Godeanu** (Munţii Godeanu), będące głównym węzłem orograficznym, w którym krzyżują się trzy pasy wzniesień: **Vâlcan** (Munţii Vâlcan) oraz **Mehedinţi** (Munţii Mehedinţi) na południowym wschodzie, **Retezat** (Munţii Retezat), **Godeanu** (Munţii Godeanu) i **Cernei** (Munţii Cernei) w środku oraz **Ţarcu** (Munţii Ţarcu) na północnym zachodzie. Dwa pierwsze masywy są oddzielone tektonicznymi dolinami Jiu Zachodniego (Jiu de Vest) i Czerny, ostatni ograniczają doliny Râul Mare i Hideg. Zewnętrzny pas Vâlcan-Mehedinţi jest najniższy i reprezentuje góry typu średniego, najwyższy – środkowy – ma kulminacje w górach Retezat (ponad 2500 m n.p.m.).

Góry Cernei

Góry Cernei są kontynuacją gór Godeanu w kierunku południowo-zachodnim. Oddziela je od nich przełęcz Curmătura Olanelor (1663 m n.p.m.) i płynące z niej potoki: na zachód Hidigelul – dopływ Râul Rece (Hideg), na wschód Olănelul, a dalej Olanul – dopływ Czerny. Wyróżnia się dwa grzbiety rozdzielone kotliną Depresiunea Cornereva: główny, zwany Culmea Vlaşcu, ciągnący się na długości około 40 km od Curmătura Olanelor do zbiegu rzek Belareca i Czerna, który kulminuje szczytem Dobrii (1928 m n.p.m.), oraz boczny, Culmea Cornereva, o długości 15 km, z najwyższym wierzchołkiem Poiana Mare (1364 m n.p.m.), zwanym Cernavârf. Z tego drugiego grzbietu w stronę Poarta Orientală sprowadza wododział karpacki.

Góry Mehedinţi

50-kilometrowe pasmo Mehedinţi, pomiędzy dolinami górnego Motru i dolnej Czerny, jest południowo-zachodnim przedłużeniem gór Vâlcan. Pasul Jiu-Cerna (1330 m n.p.m.) i górna Czerna oddziela je od gór Godeanu, a jej środkowy bieg od pasma Cernei. Na południowym wschodzie ciąg niewielkich obniżeń zajętych przez wsie Obârşia Cloşani, Godeanu, Isverna, Gornenţi, Podeni, Negruşa, Moiseşti i Topleţ wyznacza granicę z wyżyną Mehedinţi (Podişul Mehedinţi). Najwyższymi szczytami są **Vârful lui Stan** (1466 m n.p.m.) oraz **Piatra Cloşanilor** (1421 m n.p.m.).

Wyżyna Mehedinţi

Wyżyna Mehedinţi, niebędąca formalnie częścią Karpat, jest ich przedłużeniem w kierunku Żelaznych Wrót na Dunaju. Z jednej strony przylega do gór Mehedinţi, a wzdłuż linii Drobeta-Turnu Severin–Comăneşti opada wyraźnym progiem ku Wyżynie Getyckiej. Rozległy płaskowyż przekracza 50 km długości i 20 km szerokości, osiągając maksymalnie 887 m n.p.m. (Vf. Paharnicului).

BUDOWA GEOLOGICZNA I RZEŹBA

Zasadniczy rys budowy geologicznej regionu jest typowy dla całych Karpat Południowych. Wyróżnia się przede wszystkim stary trzon hercyński, zwany autochtonem dunajskim, zbudowany ze skał metamorficznych i tkwiących w nim skał jądra krystalicznego, oraz nasuniętą na niego płaszczowinę getycką. Ruchy fałdowe miały miejsce w okresie kredy; zrównany w paleogenie górotwór został wówczas poddany podnoszeniu, które odbywało się w trzech etapach. W konsekwencji powstały trzy powierzchnie zrównania, które opisał francuski geograf Emmanuel de Martonne na podstawie badań przeprowadzonych w górach Godeanu: najstarsza Borăscu na wysokości powyżej 2000 m n.p.m., środkowa Râu Şes na wysokości 1400–1500 m n.p.m. oraz najmłodsza Gornoviţa na wysokości 900–1000 m n.p.m. Elementem odróżniającym region od pozostałej części Karpat Południowych jest pokrywa wapieni mezozoicznych w zachodniej części masywu.

Góry Cernei

Większość formacji skalnych gór Cernei należy do autochtonu dunajskiego i różnych utworów sedymentacyjnych; trzon krystaliczny pojawia się tylko tu i ówdzie na południowych krańcach gór. Osady paleozoiczne budują grzbiet Cornereva, o wysokościach 1000–1300 m n.p.m. Główny grzbiet tworzy szereg szczytów, porozdzielanych głębokimi i szerokimi przełęczami, układających się w dwa wyraźne stopnie; pierwszy reprezentuje **Masivul Vlaşcu** (1700–1600 m n.p.m.), drugi w końcowym odcinku opada do 500 m n.p.m. W górnym stopniu kolejno występują szczyty: Dobrii (1928 m n.p.m.), Vlaşcu Mare (1608 m n.p.m.), Vlaşcu Mic (1733 m n.p.m.), Zglivăr (1708 m n.p.m.) i Arjana (1512 m n.p.m.); w dolnym: Cicilovete (1105 m n.p.m.) oraz grzbiety: Culmea Mare i Culmea Mohornicului (900– 600 m n.p.m.), a także Culmea Seseminului (600–500 m n.p.m.). Osadów jurajskich jest najwięcej w centrum i po zachodniej stronie głównego grzbietu. Wapienie są mocno potrzaskane tektonicznie i zajmują nieciągłe powierzchnie. Pierwszy pas, pomiędzy doliną Iuta a Piatra Galbenă, ma kontynuację na odcinku od Culmea Mare do Băile Herculane; drugi rozciąga się od Valea Prisăcina do Poiana Cicilovete. Spośród pozostałych godne uwagi są wapienne pokrywy w rejonie Prisăcina–Drăstănic oraz w okolicach szczytu Arjana. Wapienie opadają urwiskami w stronę doliny Czerny i są rozcięte dzikimi krasowymi jarami: Iuta, Prisacina, Drăstănic i Bedina. Powierzchnie skał ozdabiają żłobki krasowe, a wnętrza kryją dziesiątki, a nawet setki jaskiń; do najważniejszych należą: Peştera Mare din Muntele Şălitrari, Peştera lui Adam, Peştera Hoţilor, a do najpiękniejszych Peştera lui Ion Bârzoni.

Góry Mehedinţi

Na trzonie krystalicznym autochtonu dunajskiego spoczywa rozległa mezozoiczna powłoka osadowa, składająca się głównie z litych koralowych wapieni. Rozwinęła się na niej rzeźba nagiego krasu, unikalna w Karpatach. Duże zróżnicowanie w szczegółach budowy geologicznej, tektonice i wynikających z nich warunkach orograficznych stanowią podstawę do wydzielenia w głównym grzbiecie gór Mehedinţi trzech części.

Culmea Cernei to północny odcinek, mający około 30 km długości, pomiędzy Şaua Turcineasa a Valea Arşasca. Wierzchołki osiągają tutaj średnio 1000–1200 m n.p.m.: Alunul (1150 m n.p.m.), Milan (1064 m n.p.m.), Ştevaru (1213 m n.p.m.), Cioaca Înaltă (1137 m n.p.m.), Cioaca Glămeii (1046 m n.p.m.), Poiana Mică (1179 m n.p.m.), Poiana Mare (940 m n.p.m.) i Cioaca Lacului (1150 m n.p.m.). Stosunkowo wąski grzbiet tworzy szereg łagodnych spłaszczonych wzniesień zbudowanych z łupków krystalicznych i skał granitowych. W kilku miejscach przybiera on postać grani, co jednak nie utrudnia wędrówki, za to strome, trudno dostępne zbocza powodują, że jedyne dogodne poprzeczne przejście prowadzi z Cerna-Sat przez przełęcz pod Cioaca Înaltă (ok. 1000 m n.p.m.) do doliny Motru Sec.

Masyw Vârful lui Stan – Pietrele Albe, kontynuacja Culmea Cernei, to najbardziej rozwinięty rejon krasowy dorzecza. Najwyższy szczyt – Vârful lui Stan – wyrasta na 850 m n.p.m., dominując nad przełęczą, przez którą poprowadzono szosę z Baia de Aramă do Băile Herculane. Dalej ku południowemu wschodowi w wododziale wyrastają: Bruscan (1308 m m n.p.m.), Poienile Porcului (1278 m n.p.m.), Pietrele Albe (1335 m n.p.m.), Coşteagu Mic (1315 m n.p.m.), Coşteagu Mare (1325 m n.p.m.), Ciolanu Mare (1135 m m n.p.m.) i Inălăţu Mare (1301 m n.p.m.). Elementem charakterystycznym jest równoległa wapienna grań, oddzielona płaskowyżem krasowym składającym się z szeregu kotlin o średniej wysokości 1200 m n.p.m., opadająca w stronę doliny Czerny 400–600--metrowym nagim skalnym urwiskiem. Marele Abrupt jest przecięte tylko dolinami Tâmna, Foeroaga Ploştinei, Ţăsna i Balta Cerbului – wszystkie mają charakter wąskich i trudno dostępnych wąwozów. Do najciekawszych miejsc należą Poienile de Sus ale Cernei (Górne Polany Czerny).

Masywy pomiędzy Hurcu i Domogled wyrastają na południe od kotliny krasowej Balta Cerbului. Wapienny grzbiet rozcina kilka głębokich dolin, tworząc szereg masywów połączonych przełęczami z cofniętym grzbietem wododziałowym. Wyróżnia się kolejno: Masivul Cociu ze szczytami Cociu (1115 m n.p.m.) i Mlăcile (1110 m n.p.m.); Masivul Hurcu (1088 m n.p.m.) – Colţu Pietrei (1229 m n.p.m.); Masivul Şuşcu (1192 m n.p.m.) – Rudina Mare

Cheile Corcoaia

Oryginalny wąwóz Czerny jest pozostałością po jaskini, przez którą niegdyś przepływała rzeka, wypełniając całą objętość korytarza znajdującego się wówczas poniżej poziomu hydrostatycznego i pod ciśnieniem kształtując jego okrągły profil. Wraz z wypiętrzaniem masywu obniżał się poziom erozyjny rzeki, co doprowadziło do pojawienia się swobodnie przepływającej wody. Od tego momentu erozja wgłębna zaczęła drążyć dno korytarza i w efekcie powstał szereg kotłów eworsyjnych. Równocześnie zniszczeniu uległ strop jaskini, otwierając przepaścisty kanion. Cheile Corcoaia ma 300 m długości, a jego przeszło 100-metrowe ściany zbliżają się do siebie na odległość do 5 m. 10–15 metrów nad lustrem wody jest zawieszona półokrągła półka, będąca pozostałością po dawnym kanale ciśnieniowym o średnicy 10 m. Skalna „rura" zabezpieczona balustradą pozwala na eksplorację pierwszych 50 m wąwozu. Przejście całego jaru jest możliwe wyłącznie przy niskim stanie wody. Wejście do wąwozu widać z drogi prowadzącej do zapory Lacul lui Iovanu, 200 m powyżej wsi Cerna-Sat (43 km od Băile Herculane). Od szosy przechodzi się na drugą stronę potoku Naiba i w kilka minut osiąga wylot kanionu. Naprzeciw niego, na rozległej łące wyznaczono miejsce do biwakowania.

Izbucul Cernei

W górze doliny Czerny, u stóp wapiennej góry Ciuceava Chicerii, na wysokości 710 m n.p.m. i 30 m ponad dnem doliny jest **wywierzysko Izbucul Cernei** – najpotężniejsze źródło w Rumunii. W czasie jednej sekundy wydobywa się z niego średnio 1,5 m³ wody, a wartość w czasie silnych opadów może wzrosnąć do 7 m³ na sekundę. Temperatura wody jest stała w ciągu roku i wynosi 6,8–7°C. Badania wykazały, że wody pochodzą z odległego o 9 km dorzecza górnego Jiu de Vest z okolicy Câmpuşel oraz z wyżej położonych rejonów wapiennego Małego Retezatu. Na kontakcie tektonicznym wapieni i skał krystalicznych autochtonu dunajskiego wypływa spod ziemi rzeka, która skacząc po omszałych głazach, spływa z hukiem do połączenia ze znacznie mniejszym potokiem Cernişoara, płynącym wzdłuż głównej doliny.

(1163 m n.p.m.); Masivul Domogled – Domogledu Mare (1105 m n.p.m.) i Domogledu Mic (1099 m n.p.m.), oraz Şărban (1012 m n.p.m.), ograniczony dolinami Jelărău i Ferigari, tworzący skalną grań biegnącą prostopadle do urwiska doliny Czerny. Na południe od masywu Domogled wapienie ustępują zlepieńcom, piaskowcom i łupkom krystalicznym, które budują Culmea Padeşului (702 m n.p.m.) – ostatnie ogniwo gór Mehedinţi. Do najciekawszych jaskiń w tym rejonie należy Peştera Mare de la Şoronişte.

Charakterystycznym elementem orografii regionu jest pas wapieni tworzący skrasowiałą grań na dnie doliny Czerny, towarzyszącą sektorowi Culmea Cernei, częściowo należącą do gór Godeanu. Górny odcinek tego pasa, między Pasul Jiu-Cerna a potokiem Cărbunele, nosi nazwę **Ciuceve**. Rozcinają go na małe masywy wąskie krasowe jary. Do najciekawszych wąwozów należą: Cheile Sturului i Cheile Cernişoarei. Dolny odcinek, pomiędzy wioską Cerna-Sat a potokiem Arşasca, to **Geanţuri**, który również uległ defragmentacji przez głębokie i dzikie krasowe wąwozy; najbardziej oryginalny jest 300-metrowy Cheile Corcoaia.

Imponujący wapienny masyw **Piatra Cloşanilor** w górach Mehedinţi góruje nad przełomowymi dolinami Motru i Motru Sec w linii przedłużenia masywu Vârful lui Stan – Pietrele Albe. Z Culmea Cernei łączy się mało wybitnym grzbietem biegnącym od Ştevaru. Kulminacją skalistej grani, opadającej potężnym urwiskiem w kierunku północno-zachodnim, jest wierzchołek Piatra Mare (1421 m n.p.m.). W dolnych partiach masywu podziemne wody wydrążyły długie jaskinie: Peştera Cloşani, Peştera Martel i Peştera Lazului.

Wyżyna Mehedinţi

Wyżyna Mehedinţi, pod względem litologicznym przedłużenie gór Mehedinţi, jest zaliczana do najważniejszych rejonów krasowych w Rumunii. W płaskowyż zbudowany z mezozoicznych wapieni oraz łupków krystalicznych wcinają się m.in. głębokie doliny rzek Coşuştea i Topolniţa. Najciekawsze zjawiska krasowe skupiają się wokół dwóch punktów. W rejonie wsi Ponoarele można podziwiać naturalny Podul lui Dumnezeu (Boży Most), tunel jaskini Peştera Podului, polje Zăton z rozległym jeziorem okresowym, pola żłobków krasowych oraz wąwóz Cheile Băluţei. W okolicy wsi Balta są ciekawe jaskinie – Balta, Sfodea i Curecea, pola żłobków krasowych oraz pole lejków krasowych. W przełomie rzeki Topolniţa znajduje się zaliczana do największych w kraju Peştera Topolniţa (kompleks o długości przeszło 20 km), a we wsi Iserna czynna Peştera Iserna.

HYDROGRAFIA

Woda oraz – paradoksalnie – jej brak, wpłynęły na swoistą odmienność doliny Czerny, gdzie łączą się wody powierzchniowe, podziemne oraz termalne.

84-kilometrowa Czerna ma charakter górskiej rzeki. Wypływa z największego w Rumunii źródła – wywierzyska **Izbucul Cernei**, po czym wykorzystuje podłużną dolinę wypreparowaną w twardym podłożu, płynąc wzdłuż linii gigantycznego uskoku tektonicznego. Po połączeniu z rzeką Belareca kieruje się na południe, przecina góry i wpada koło miejscowości Orszowa do jeziora zaporowego Porţile de Fier spiętrzonego na Dunaju. Sama Czerna również została przegrodzona dwoma tamami; w jej górnym biegu, powyżej Cerna-Sat powstało jezioro **Lacul lui Iovanu**, należące do systemu hydroenergetycznego Cerna–Motru–Tismana. Podziemnym kanałem są do niego doprowadzane wody dopływów: Balmeşu, Olanu i Craiova. Z kolei 2/3 przepływu Czerny z jeziora Iovanu jest kierowane tunelem pod górami Mehedinți do **Lacul Valea Mare** – sztucznego zbiornika w dolinie Motru, by dalej zasilić turbiny elektrowni w miejscowości Tismana. Na drugiej zaporze, powyżej miejscowości Băile Herculane, powstało **Lacul Prisaca**. Dla zrównoważenia negatywnych skutków nadmiernego osuszenia koryta ma zostać zasilone ze zbiornika spiętrzanego na rzece Belareca po drugiej stronie gór Cernei. Zbiorniki zaporowe jeszcze mocniej podkreślają wyjątkowe walory krajobrazowe regionu oraz stwarzają doskonałe warunki do uprawiania sportów wodnych.

W górnym i środkowym biegu Czerna przyjmuje z prawej dopływy z gór Godeanu i gór Cernei, a z lewej mniej liczne i znacznie krótsze potoki z gór Mehedinți. Dopływy wydrążyły w skałach głębokie i wąskie wąwozy, trudne do przebycia lub niedostępne, a wody natrafiając na wapienne podłoże, w większości znikają w ponorach (stąd takie zagęszczenie suchych oraz ślepych dolin w pasmach Ciuceve i Geanțuri, a zwłaszcza w masywie Vârful lui Stan – Pietrele Albe, który tworzy trzeci pod względem wielkości w Rumunii obszar pozbawiony cieków powierzchniowych). Wody opadowe w całości przenikają systemem szczelin w głąb ziemi; później krążą w wapieniach na dolnym poziomie i łączą się z wodami z potoków, by powrócić na powierzchnię w postaci wywierzysk w pobliżu dna doliny Czerny. Największe z nich – **Şapte Izvoare Reci** (Siedem Zimnych Źródeł) – leży dziś pod lustrem zaporowego jeziora Prisaca.

W górach Cernei szczególne miejsce zajmują zmineralizowane wody termalne. Woda wnika pomiędzy wielkim podłużnym uskokiem Czerny i poprzecznymi pęknięciami na głębokość 1000–2000 m; tam ogrzewa się do temperatury 190°C i wzbogacona o pochodzące z magmy wody juwenilne wraca na powierzchnię w postaci źródeł w Băile Herculane pomiędzy Şapte Izvoare Calde a Parkiem Vicol. W czasie wieloletniej podziemnej wędrówki, w wyniku kontaktu ze skałami wody osiągają wysoki stopień mineralizacji (3–4 g/l), który zwiększa się wraz z oddaleniem źródeł w dół doliny. Wykazują również zróżnicowany skład chemiczny, a w przypadku przecinania skał granitowych, dodatkowo cechują się radioaktywnością. Jednym z podstawowych składników chlorowo-sodowych wód termalnych jest siarczan wodoru w stężeniu do 60 mg/l. Jego obecność zdradza charakterystyczna woń, a także intensywnie niebieskawe glony cyjanowe lub mlecznobiałe bakterie siarkowe z rodzaju *Beggiatoa*, pokrywające instalacje wodne i okolice otworów kanalizacyjnych.

KLIMAT

Bliskie sąsiedztwo Morza Śródziemnego wywiera łagodny wpływ na umiarkowany klimat regionu doliny Czerny – dzięki niemu w okolicach Băile Herculane rosną drzewa i krzewy właściwe strefie śródziemnomorskiej.

Przez blisko połowę roku region znajduje się w zachodniej lub południowo-zachodniej cyrkulacji powietrza, która w porze ciepłej przynosi okresy deszczowe z gwałtownymi burzami, przeplatane długimi porami ciepłymi i słonecznymi. W porze chłodnej dominuje wilgotne powietrze polarne, przynoszące w niskich partiach gór obfite opady ciepłego deszczu. W miarę nabierania wysokości opady przechodzą w śnieg, który przykrywa grubą warstwą wyższe szczyty.

Ostrość arktycznego powietrza zostaje złagodzona przez osłaniające od północy masywy górskie, a średnia temperatura stycznia w Băile Herculane wynosi -0,3°C. Chłodne powietrze powoduje, że pogoda jest niestabilna, z dużym zachmurzeniem i obfitymi opadami.

Średnia roczna temperatura zawiera się w przedziale od 2°C na wysokich grzbietach do 10,5°C w Băile Herculane, co plasuje to uzdrowisko wśród najcieplejszych regionów Rumunii (obok Dobrudży i Niziny Rumuńskiej). Roczna suma opadów wynosi 700 mm w Topleț, 760 mm w Băile Herculane i przekracza 1200 mm na dużych wysokościach. Największe zachmurzenie występuje w styczniu; najwięcej dni

---

Spływ kajakowy Czerną

Rzeka Czerna jest dostępna dla kajakarzy górskich od wioski Cerna-Sat. Spływ można podzielić na trzy etapy: pierwszy do kempingu *apte Izvoare*, drugi w okolice skałki Sfinxul Bănăţian powyżej Topleţ, a trzeci do zatoki Orşova na Jeziorze Żelaznych Wrót. Obok przełomu Nery jest to jeden z najpiękniejszych i najdzikszych górskich szlaków kajakowych Rumunii.

słonecznych rejestruje się w sierpniu, lipcu oraz wrześniu – wtedy też jest najmniej opadów.

Istotnym elementem wpływającym na walory zdrowotne klimatu okolic Băile Herculane jest wysoki stopień jonizacji powietrza – jego wartość porównuje się z alpejskim uzdrowiskiem Davos. Tak dużą koncentrację jonów ujemnych na wysokości zaledwie 160–180 m n.p.m. tłumaczy się występowaniem źródeł radioaktywnych, substancji radioaktywnych w granitach koryta Czerny, ale również rozbryzgiwaniem wody spadającej z licznych kaskad oraz bogatą szatą roślinną, w skład której wchodzą wiekowe buki, sosny czarne i liczne paprocie.

ŚWIAT ROŚLIN I ZWIERZĄT

Flora

Przynależność niżej położonej części dorzecza Czerny do roślinnej prowincji śródziemnomorsko-bałkańskiej objawia się obecnością gatunków, których trudno by szukać w innych częściach Karpat (poza przełomem Dunaju). W lasach i na polanach można znaleźć prawdziwą mozaikę florystyczną, mieszankę roślin środkowoeuropejskich, kaukasko-azjatyckich, a zwłaszcza pochodzenia śródziemnomorskiego. Wśród tych ostatnich są m.in.: lipa srebrzysta (węgierska; *Tilia tomentosa*), jesion mannowy (*Fraxinus ornus*), grab *Carpinus orientalis*, leszczyna turecka (*Corylus colurna*), perukowiec podolski (*Cotinus coggygria*), lilak pospolity (*Syringa vulgaris*), zwany lokalnie *iorgovan*, wiśnia wonna (*Prunus mahaleb*), orzech włoski (*Juglans regia*), kasztan jadalny (*Castanea sativa*), dąb omszony (*Quercus pubescens*), dąb węgierski (*Quercus frainetto*), dąb burgundzki (frędzelkowy; *Quercus cerris*) i ruszczyk kolczasty lub myszopłoch kolczasty (*Ruscus aculeatus*).

Roślinność układa się piętrowo. Typowe zespoły trawiaste pokrywają **piętro alpejskie** powyżej 1800 m n.p.m.; wśród nich można wyróżnić m.in. krzewinki naskałki pełzającej (*Loiseleuria procumbens*). **Piętro subalpejskie**, pomiędzy 1500 a 1800 m n.p.m., to głównie zarośla i łąki; rośnie tu m.in. jałowiec sawina (*Juniperus Sabina*), jałowiec halny (*Juniperus nana*), kosówka (*Pinus mugo*) i borówka czarna (*Vaccinium myrtillus*). Spotyka się również skupiska świerków, jodeł i buków. Poniżej rozciąga się najrozleglejsze **piętro lasów bukowych**, gdzie obok buka zwyczajnego (*Fagus sylvatica*) rośnie buk krymski (*Fagus moesiaca*), wiąz górski (brzost; *Ulmus montana*), jawor (*Acer pseudoplatanus*), jesion wyniosły (*Fraxinus excelsior*), grab zwyczajny (*Carpinus betula*), topola osika (*Populus tremula*), leszczyna pospolita (*Corylus avellana*), jarząb pospolity (*Sorbus aucuparia*), trzmielina zwyczajna (*Evonymus europaea*), dziki bez koralowy (*Sambucus racemosa*) i inne. Najniższą część regionu doliny Czerny zajmuje **piętro lasów dębowych**, gdzie przeważa dąb bezszypułkowy (*Quercus petraea*); występują tu również: dąb węgierski, dąb burgundzki, dąb omszony, lipa szerokolistna (*Tilia platyphylos*), klon zwyczajny (*Acer platanoides*), klon polny (paklon; *Acer campestre*), wiąz pospolity (*Ulmus campestris*), grab zwyczajny, leszczyna pospolita, śliwa tarnina (*Sambucus nigra*), ligustr pospolity (*Ligustrum vulgare*) i jarząb brekinia (*Sorbus torminalis*). W obu piętrach leśnych na skałkach, urwistych wapiennych zboczach i piargach rośnie sosna czarna endemicznej odmiany banackiej (*Pinus nigra* var. *banatica*); jest to odmiana pośrednia pomiędzy sosną czarną (*Pinus nigra*) a krymską (*Pinus pallasiana*). Jej samotną sylwetkę rysującą się na tle wapiennych skał lub nieba łatwo rozpoznać dzięki koronie rozpostartej na kształt parasola.

Spośród ogromnej liczby roślin kwiatowych na odnotowanie zasługują liczne gatunki endemiczne i rzadkie: goździk *Dianthus giganteus banaticus*, mydlnica *Saponaria bellidifolia*, mokrzyca *Minuartia frutescens cataractarum*, mokrzyca *Minuartia graminifolia hungarica*, pszonak *Erysimus banaticum*, jarząb *Sorbus dacica*, janowiec promienisty (*Genista radiata*), len *Linum uninerve*, odmiana pierwiosnki łyszczak *Primula auricula serratifolia*, przytulia *Galium bailloni*, chaber *Centaurea globurensis*, jastrzębiec *Hieracium herculis*, tulipan *Tulipa hungarica undulatifolia*, kosaciec *Iris reichenbachii*. Wśród roślin objętych ochroną gatunkową znalazły się: ciemnogłów wąskolistny (*Nigritella nigra*), pełnik europejski (*Trollius europaeus*), ruszczyk kolczasty lub myszopłoch kolczasty (*Ruscus aculeatus*), różanecznik wschodniokarpacki (*Rhododendron kotschyi*), kosaciec trawolistny (*Iris graminea*), narcyz *Narcissum stellaris*, krokus *Crocus moesiacus*, konwalia majowa (*Canvallaria majalis*), leszczyna turecka (*Corylus colurna*), rogownica *Cerastium banaticum*, dziurawiec *Hypericum rochelii*, jarząb *Sorbus borbassi*, traganek *Astragalus depressus*, kozibród *Tragopogon balcanicus* i zimowit *Colchium haynaldi*.

Fauna

Duże **ssaki** żyją w sercu lasów doliny Czerny, zwłaszcza w górnej połowie dorzecza. Przy odrobinie szczęścia można spotkać jelenia (*Cervus elaphus*), a wśród skał w wysokich partiach gór stado kozic (*Rupicapra rupicapra*). Region zamieszkuje kilkadziesiąt osobników niedźwiedzia brunatnego (*Ursus arctos*), dziki (*Sus scrofa attila*), sarny (*Capreolus capreolus*), wilki (*Canis lupus*), lisy (*Vulpes vulpes*), rysie (*Lynx lynx*) i żbiki (*Felis silvestris*). Z mniejszych ssaków wymienić należy kuny leśne (*Martes martes*), kuny domowe (*Martes foina*), borsuki (*Males males*), tchórze (*Mustela putoris*), a także wydry (*Lutra lutra*). Z gryzoni występują wiewiórki pospolite – odmiany *Sciurus vulgaris fuscoater*, zające szaraki (*Lepus capensis*), popielice (*Glis glis*) i polniki (nornik zwyczajny; *Microtus arvalis*).

Świat **ptaków** jest dość zróżnicowany i liczny. Spośród łownych gatunków wyróżnia się: głuszec (*Tetrao urogallus*), jarząbek (*Tetrases bonasia*) i kuropatwa (*Perdix perdix*). Godne odnotowania są kuropatwa skalna (*Alectoris graeca*), dzięcioł białoszyi (*Dendrocopus syriacus balvanicus*), a w piętrze alpejskim siwerniak (*Anthus spinoletta*). W lasach bukowych gnieżdzi się puszczyk (*Strix aluco*), kowalik (*Sitta europeana*), bogatka (*Parus major*), kukułka (*Cuculus canorus*) i dzięcioł białogrzbiety (*Dentrocopus leucotes*). Dla lasów dębowych charakterystyczne są: kraska (*Coracius garrulus*), sokół wędrowny (*Falco peregrinus*), pustułka (*Falco tinnunculus*), krętogłów (*Jynx torquilla*) i trznadel (*Emberiza citrinella*). Nad wodą czasami udaje się spotkać pliszkę górską (*Motacilla cinerea*), pluszcza (*Cinclus cinclus*), dzierzbę czarnoczelną (*Lanius minor*), jerzyka skalnego (jerzyk alpejski; *Apus melba*) i dzierzbę gąsiorka (*Lanius collurio*).

Gady piętra alpejskiego reprezentuje jaszczurka żyworodna (*Lacerta vivipara*), a piętro lasów zamieszkuje jaszczurka murowa (*Lacerta muralis*) oraz *Lacerta praticola pontica*, żółw grecki (*Testudo hermanni*), zaskroniec rybołów (*Natrix tessellata*) i wąż Eskulapa (*Elaphe longissima*), spotykany na górze Domogled. Na skałkach wapiennych i przy otworach niektórych jaskiń natknąć się można na dwa gatunki jadowitych żmij: zygzakowatą (*Vipera berus*) oraz nosorogą (*Vipera ammodytes*).

Z **płazów** wyżej położone rejony zamieszkuje traszka górska (*Trituris alpestis*) i kumak górski (*Bombina variegata*) z jaskrawożółtym brzuchem. Niżej występuje salamandra plamista (*Salamandra salamandra*), kumak nizinny (*Bombina bombina*) z czerwonym brzuchem i żaba zwinka (dalmatyńska; *Rana dalmatina*).

Ryby powyżej Băile Herculane są reprezentowane przez pstrąga potokowego (*Salmo trutta fario*), lipienia (*Thymallus thymallus*) i brzanę (*Barbus barbus*). Odcinek dolny należy do strefy świnki (*Chondrostoma nasus*), a poniżej Băile Herculane można łowić również klenia (*Leuciscus cephalus*). Górskie wody zostały zarybione narybkiem węgorza tęczowego odmiany *kamloop*, pochodzącego z Ameryki.

Fauna bezkręgowców to liczne gatunki śródziemnomorskie, m.in. skorpion karpacki (*Euscorpius carpathicus*); można się na niego natknąć pod kamieniami na drodze, ale uwaga: przestraszony może ukłuć kolcem z paraliżującym jadem. Skolopendra paskowana (*Scolopendra cingulata*) to duży wij, którego ukąszenie jest bardzo bolesne – dorosłe osobniki mierzą 10– 15 cm, a ich tułów składa się z 21 segmentów, każdy z parą odnóży. Na skolopendrę paskowaną można się natknąć głównie w przełomie Dunaju, a w dolinie Czerny tylko w jednym miejscu, w Toplęt.

Śródziemnomorskimi owadami, których nie sposób przeoczyć w Băile Herculane są świetliki *Luciola mingrelica mehediensis*, rozbłyskujące zielonkawym światłem w letnie noce, oraz hałaśliwa cykada piewik mannik (*Cicada orni*). Żyje tu również ponad tysiąc gatunków motyli.

Ochrona przyrody

Dolina Czerny i masyw Piatra Cloşanilor znalazły się w granicach powołanego w 1990 r. **Parku Narodowego Domogled – Valea Cernei** (60,1 tys. ha). Do elementów, które zadecydowały o jego założeniu zalicza się: uskok tektoniczny doliny Czerny, obecność masywów wapiennych sprzyjających funkcjonowaniu ekosystemu o unikalnym charakterze, łagodny klimat o wpływach śródziemnomorskich, wpływający na duże zróżnicowanie florystyczne i faunistyczne, liczne elementy endemiczne i południowe lasy bukowe Karpat, które rosną tu w warunkach optimum wegetacyjnego, centrum wegetacji sosny czarnej odmiany banackiej, wybitne walory krajobrazowe występujące dzięki efektownym formom krasowym, bogatej roślinności i czystym górskim wodom.

KULTURA LUDOWA

Kultura ludowa mieszkańców regionu wyraża się poprzez architekturę, etnografię i folklor, a na opisywanym terenie ma podwójne pochodzenie: banackie i olteńskie. Wpływy banackie były silniejsze dzięki licznym i łatwym połączeniom z kuluarem Timiş-Cerna oraz dorzeczem Belareca. Przez przełęcze gór Cernei napływali do dorzecza środkowej Czerny osadnicy z Cornerevy i Bogâltinu. Stopniowo powstała rozproszona zabudowa przysiółków Prisacina, Ineleţ, Scărişoara i Ţaţu. W wyniku podobnego procesu powstały osady w górach Mehedinţi, w trudno dostępnych dolinach Arşasca, Râmnuţa Mare i Râmnuţa Vânătă oraz wieś Cerna-Sat, założone przez mieszkańców olteńskich osad Obârşia Cloşanilor, Isverna i innych.

W wioskach wyżyny Mehedinţi, takich jak Podeni, Gorneţi, Prejna, Isverna, Nadanova, Cerna-Vârf i Obârşia Cloşani, spotyka się jeszcze stare drewniane chaty. Zbudowane na kamiennych podwalinach z ociosanych belek, z gankiem od frontu, sąsiadują z typem chat wysokich, wzorowanych na XVIII-wiecznych domach obronnych, z pomieszczeniami gospodarczymi na parterze i mieszkalnymi na piętrze. Coraz rzadsze są małe chałupki typu mehedyńskiego, z gankami zajmującymi tylko część frontu i kominami w przedniej połaci dachowej.

Z urządzeń techniki ludowej zachowały się dość licznie **młyny z poziomym kołem wodnym** (zob. ramka dalej). Rozpowszechnione niegdyś traki wodne, folusze do przeróbki sukna wełnianego czy prasy do tłoczenia oleju znikły z krajobrazu regionu.

Dobrą okazją do zapoznania się z miejscowym folklorem jest majowe święto bzu – Sărbătoarea Liliacului we wsi Ponoarele. Sierpniowy Międzynarodowy Festiwal Folklorystyczny „Hercules" w Băile Herculane ma charakter ponadregionalny i gromadzi zespoły ludowe z kraju i zagranicy.

W GÓRY

Najdogodniejszym sposobem na poznanie gór Cernei i Mehedinţi są jednodniowe wycieczki. Sposób połączenia opisanych tras w dłuższą wędrówkę przedstawiono na końcu rozdziału. Należy pamiętać, że pokonywanie w skalnym terenie i z ciężkim plecakiem znacznych deniwelacji może być uciążliwe. Pięknych miejsc idealnych na biwak na pewno nie zabraknie, za to z wodą jest znacznie trudniej – zawsze należy mieć odpowiedni zapas.

Mapy

Do czasu wydania niniejszego przewodnika nie ukazała się żadna mapa turystyczna regionu doliny Czerny. Brakuje również publikacji w Internecie, nie licząc mało użytecznej graniówki *Munţii Cernei şi Mehedinţi*. Spośród szkicowych map dołączanych do rumuńskiego miesięcznika „Munţii Carpaţi" (ukazywał się w latach 1997–2003) pomocna może być składanka z nr. 37 – środkowa część gór Mehedinţi i gór Cernei, a także z nr. 24 – otoczenie górnej części doliny Czerny. Krążące w środowiskach turystycznych kopie austriackich map w skali 1:75 000 z okresu I wojny światowej: zone 25, kol. XXVII – Kornyareva, i zone 26, kol. XXVII – Mehadia, są mało czytelne i pozbawione istotnych szczegółów rzeźby krasowej. Można jeszcze liczyć na zakupioną w księgarni w Băile Herculane odbitkę schematycznej mapki z zaznaczonymi istotnymi szczegółami topograficznymi i obiektami turystycznymi oraz znakowanymi szlakami.

Dojazd

Dojazd w rejon doliny Czerny jest dogodny dzięki linii kolejowej Timişoara–Drobeta–Craiova–Bukareszt oraz równoległej do niej szosie DN6/E70. Osią komunikacyjną opisywanego obszaru jest droga DN67D (Băile Herculane–Şapte Izvoare Calde–Şapte Izvoare Reci–Motel Dumbrava–Cotu Bobotului (zakręt Bobotu)–główny grzbiet gór Mehedinţi–Godeanu–Obârşia Cloşani–Baia de Aramă–Apa Neagră–Târgu Jiu). Z Cotu Bobotului (28 km od Băile Herculane) odchodzi odgałęzienie w górę rzeki Czerna do Cerna-Sat (14 km) i dalej do zapory Lacul lui Iovanu (8 km). Z asfaltu zostały tylko resztki, ale końcowy odcinek do jeziora jest betonowy. Droga w całości jest przejezdna dla samochodów osobowych, choć krótki odcinek podjazdu powyżej Cerna-Sat może przerazić niejednego kierowcę. Trasa ma przedłużenie w postaci leśnej drogi do Izbucul Cernei (ok. 24 km) i dalej, przez Pasul Jiu Cerna do doliny Jiu de Vest oraz Petroşani; jest dostępna dla samochodów terenowych, a w przypadku ładnej pogody może być przejezdna również dla wysoko zawieszonej osobówki. Druga leśna droga do Izbucul Cernei prowadzi od jeziora Valea Mare w dolinie Motru; jest ona przedłużeniem asfaltówki Apa Neagră–Cloşani–zapora Valea Mare.

Główną arterią przecinającą wyżynę Mehedinţi jest droga Baia de Aramă–Ponoarele–Nadanova–Balta–Bâlvăneşti–Malovăţ, gdzie łączy się z szosą Târgu Jiu–Drobeta. Z wyjątkiem środkowego odcinka droga jest asfaltowa (na wyjeździe

8

GÓRY | Góry otaczające dolinę Czerny

z Baia de Aramă betonowa); prowadzi w większości długimi grzbietami.

Ścieżki przecinające góry Cernei i Mehedinţi są nieliczne i często prowadzą przez tereny z pozoru niedostępne. Trakty wydeptane przez miejscową ludność łączą dolinę Czerny z miejscowościami po drugiej stronie okalających ją gór, nie ma natomiast ciągłej ścieżki wiodącej wzdłuż głównych grzbietów.

Szlaki turystyczne można podzielić na dwie kategorie: stare, nieodnawiane, na znacznych odcinkach bez znaków, i nowe, znakowane, lecz nie zaznaczone na mapach. Ponieważ teren jest skalisty i otoczony urwiskami, należy trzymać się ścieżek i zwracać szczególną uwagę na oznaczenia. W czasie deszczu wapienne skałki stają się śliskie i niebezpieczne, dlatego zaleca się wyjście w góry wyłącznie podczas dobrej pogody.

Noclegi

Oprócz miejsc noclegowych wymienionych w opisie Băile Herculane, warto wziąć pod uwagę kempingi: *Popasul La Plopii Fără Soţ* koło dworca kolejowego w Băile Herculane, *Popasul Flora* w nowej części uzdrowiska, w pobliżu Parcu Vicol, *Campingul Şapte Izvoare* na lewym i pole namiotowe na prawym brzegu Czerny, bardzo schludny *Campingul Cerna-Sat* nad stawem w środku wsi Cerna-Sat oraz *Popasul Turistic Valea Mare* koło zapory w górze doliny Motru. Wszystkie oferują noclegi w domkach oraz, z wyjątkiem ostatniego, dysponują miejscami pod namiot. Gospodarze często udostępniają obozowiczom prywatne łąki w górnej części jeziora Prisaca oraz na polanach koło motelu *Dumbrava*. We wsi Ponoarele na wyżynie Mehedinţi działają pensjonaty.

Namiot można rozstawić na praktycznie każdym płaskim trawiastym skrawku ziemi, na poboczu drogi, a nawet w górnej części Băile Herculane.

Trasa 1: góry Mehedinţi

Băile Herculane → Cheile Prolaz → Domogledu Mare → Domogledu Mic → Peştera de sub Şărban → Cheile Jelărău → Crucea Alba → Băile Herculane

Czas przejścia: 8–10 godz. Stopień trudności: górski odcinek – trudny. Poza fragmentem w dolinie Czerny – szlak żółtego paska. Głównym celem wycieczki jest masyw Domogled. Widokowa trasa pokonuje urwisko Marele Abrupt, przemierza wąwozy Prolaz i Cheile Jelărăului z ich wywierzyskami i pozwala od-

widzieć jaskinię Peştera de sub Şărban. Niemal w całości prowadzi przez rezerwat Domogled, na wstępie zapoznając z zabytkową częścią Băile Herculane.

Punktem wyjścia jest północny kraniec głównego placu w tzw. terezjańskiej części uzdrowiska **Băile Herculane – Piaţa Hercules**. Od kościoła katolickiego należy pójść ci obok statui Herkulesa na południową stronę placu, do Str. Izvorului, którą (prawym brzegiem Czerny) należy się skierować do Podul Roşu – czwarty most, licząc od Piaţa Hercules. Następnie lewą stroną rzeki – Str. Castanilor – idzie się obok budynku Ocolul silvic (okręg leśny), w ogrodzie którego rosną jadalne kasztany i orzechy czarne. Po przeciwnej stronie ulicy mija się *Popasul turistic Flora*, a za nim nową część uzdrowiska. Ulica doprowadza do mostu, po którym należy przejść na prawy brzeg Czerny i podążać dalej Str. Trandafirilor w kierunku stacji kolejowej. Po minięciu małego centrum handlowego chodnik doprowadza do bloków – po przeciwnej stronie doliny widać wyrwę w Marele Abrupt – wąwóz Prolaz, którym prowadzi trasa. Żeby się do niego dostać, należy pokonać most i obok byłych zakładów wapienniczych powędrować do osady Ţigania koło zakrętu szosy DN64D, wiodącej stokami wzdłuż doliny Czerny u podnóża wapiennego urwiska. Do zakrętu można dojechać samochodem, ale za radą miejscowych – pojazd lepiej zostawić przy blokach koło mostu.

Przez wąwóz Prolaz prowadzą cztery znakowane szlaki: czerwonego kółka na drugą stronę głównego grzbietu gór Mehedinţi do wsi Podeni (4 godz.); czerwonego krzyża do głównego grzbietu i dalej przez przełęcz La Şuşoare do miejscowości Podeni (5 godz.); niebieskiego paska przez Şaua Cracu Rădăcinii Mari do Poiana Muşuroaie i dalej przez Cheile Jelărău do Băile Herculane (7 godz); oraz żółtego paska przez Domogled – Crucea Alba do Băile Herculane, którym wiedzie trasa.

Z zakrętu szosy znakowana ścieżka podchodzi łagodnie przez środek cygańskich gospodarstw w stronę widocznego wylotu Prolazu. Mija nieczynny kamieniołom wapienia – w ostatnich latach alpiniści wytyczyli tu kilkadziesiąt trudnych dróg wspinaczkowych. Po chwili dróżka doprowadza do wywierzyska – tutaj można zaopatrzyć się w wodę. Dalej następuje strome podejście suchym, kamienistym łożyskiem do wąskiej gardzieli krasowego jaru **Prolaz** (nazwa ma słowiańskie pochodzenie i chyba nie wymaga tłumaczenia), zwanego też

Cheile Ferigari. Teraz ścieżka wspina się dnem wąwozu otoczonego wysokimi wapiennymi ścianami. 15 m nad jego dnem po obu stronach widnieją otwory **Peştera de la Între-Pietre** (Jaskinia spomiędzy Skał) o długości 18 m – grota jest świadectwem biegu potoku Prolaz przed ostatnią fazą wypiętrzenia gór. Okoliczne ściany przecina szereg dróg wspiaczkowych o zróżnicowanej długości, dzięki czemu są popularnym miejscem treningów alpinistów. Wszelkie płaśnie w ścianach są wykorzystywane przez endemiczną odmianę banacką sosny czarnej (symbol Parku Narodowego Domogled-Valea Cernei), wrośniętą korzeniami w skalne szczeliny. W okolicach Prolazu, zwłaszcza w kwietniu, można się natknąć na żmiję zygzakowatą lub nawet nosorogą.

Powyżej Prolazu dolina przybiera nazwę **Ferigari**. Jest sucha, z wąskim i płaskim dnem, przez który tylko sporadycznie płynie potok Ogaşu Ferigari, wyznaczający południową granicę **rezerwatu Domogled**. Okolicę porasta las, w którym drzewa w niewiarygodny sposób oplatają korzeniami skalne podłoże. Bukom towarzyszą m.in. lilak pospolity, perukowiec podolski i jarząb pospolity, ale spotyka się również zwarte skupiska leszczyny tureckiej i samotne sosny czarne banackie. W poszyciu, pod koronami drzew i krzewów rośnie dość dużo śródziemnomorskich gatunków, jak choćby driakiew *Scabiosa banatica*, len *Linum uninerve*, przytulia *Galium bailloni*, rzadki gatunek tulipanu o falistych liściach i pachnących kwiatach – *Tulipa hungarica undulatifolia*, znany wyłącznie z Cazane i z Domogledu, i gatunek chabru – *Centaurea atropurpurea* i inne. W przerzedzeniach i na polanach kwitnie zimowit jesienny (*Colchium autumnale*).

W miejscu, gdzie z lewej strony uchodzi wąska sucha dolinka, jest rozwidlenie szlaków. Droga skręca dalej za znakami żółtego paska w lewo, do zalesionego jaru, o czym informuje napis – „spre Domogled". Przed podjęciem dalszej wycieczki można podejść jeszcze kawałek doliną Ferigari do źródła w **La Şipot** – poza okresami dłuższej suszy można w nim ugasić pragnienie.

Od rozwidlenia ścieżynka wiedzie dnem dolinki na północ do okresowego źródełka między korzeniami dużego buka, a po 700 m wyprowadza na zalesione szerokie siodło pomiędzy Vf. Domogledu Mare z prawej, a nieodległym **Vf. Şoimului** (Sokoli Szczyt; 771 m n.p.m.) z lewej, na który doprowadza nieznakowana dróżka odchodząca w lewo.

Jakiś kilometr na północ od siodła, po drugiej stronie wiszącej doliny krasowej Padina Şoroniştei, u stóp 10-metrowego urwiska otwiera się wejście do najciekawszej jaskini w górach Mehedinţi – **Peştera Mare de la Şoronişte**. Grota ma 153 m korytarzy i 96 m deniwelacji; składa się z opadającej Galeria Superioară (Galeria Górna), zakończonej kominem o głębokości 31 m, sprowadzającym do Sala cu Prăbuşiri (Sala z Obrywami), wysokiej na 60 m. Stąd 17-metrowy komin schodzi na dolne piętro. W bogatej szacie naciekowej wyróżniają się stalaktyty, wspaniałe draperie, perły jaskiniowe oraz stalagmity, a wśród nich charakterystyczne stalagmity talerzowe. Jaskinia była z znana miejscowej ludności od dawna, a pierwsze badania faunistyczne przeprowadził tu w 1862 r. J. Frivaldsky. Grotę zamieszkują żuki, pająki, pseudoskorpiony i wije. Odkryto również szczątki niedźwiedzia jaskiniowego. Ciekawostką są inskrypcje z 1880 r. na ścianie Sala cu Prabuşirii oraz z 1886 r. na dnie ostatniego komina na poziomie 84 m, które świadczą o eksploracji trudnych jaskiń już w XIX stuleciu. Dojście do groty jest trudne technicznie i praktycznie niemożliwe bez przewodnika, za to pierwsze 100 m korytarza nie przedstawia większych trudności.

Z siodła należy podążać znakowaną ścieżką w prawo, na początku wznoszącą się łagodnie, a na końcowym odcinku podejścia przez bukowy las dość stromą. Powyżej granicy lasu zaczynają się tereny trawiaste z licznymi skupiskami sosen – szczególnie atrakcyjnie jest tu na przełomie maja i czerwca, kiedy krzewy lilaka pospolitego przybierają odcienie jasnego fioletu i bieli, a powietrze jest przepojone silnym zapachem kwiatów. Coraz trudniejsza do wytropienia ścieżka wyprowadza na skalisty **Domogledu Mare** (1105 m n.p.m.) – najwyższy wierzchołek masywu. O jego walorach widokowych świadczy słowiańska nazwa wywodzona od widoku na domy. Na południu można podziwiać Dunaj z przełomem Żelaznych Wrót, a na prawo od niego kolejno: Almaj i Semenic w Górach Banackich; góry Cernei z Vf. Arjana na północy, a ponad nimi góry Godeanu i Retezat. W masywie Mehedinţi widać tylko Şuşcu, Hurcu i Cociu. Na Domogledu Mare rosną m.in.: pszonak *Erysimum banaticum* o żółtych kwiatach; smagliczka *Alyssum petraum* koloru gorczycy, fioletowe dzwonki *Campanula grossekii* oraz *Campanula lingulata*, rogownica *Cerastium banaticum* z pękiem białych kwiatów na szczycie łodygi, żółto-ruda wyka *Vicia* *truncata* oraz znany wyłącznie z Domogledu i Banatu kozibród *Tragopogon balcanicus*. Od końca sierpnia za sprawą owocostanów perukowca podolskiego zbocza masywu przykrywa czerwono-fioletowy dywan. Warto również zwrócić uwagę na bogactwo motyli, należących do najcenniejszych skarbów rezerwatu.

Z Domogledu Mare należy się kierować częściowo skalistym grzbietem w lewo, w stronę widocznego **Domogledu Mic** (1099 m n.p.m.). Otwiera się stąd widok na Băile Herculane, leżące dosłownie u jego stóp, niemal 1000 m niżej. W okolicy wierzchołka można dostrzec znaki starego szlaku czerwonego trójkąta prowadzące na wschód do Poiana Muşuroaie; w przeciwnym kierunku sporadycznie towarzyszą drodze zejściowej przez najtrudniejszy kamienisty odcinek do okolic Crucea Albă. Stroma ścieżka **Cărarea Pisicii** (Kocia Perć) mija po drodze **Vf. Şărban** (1012 m n.p.m.) i sprowadza w okolice **Peştera de sub Şărban** (750 m n.p.m.) – do jej wejścia powyżej szlaku doprowadza wyraźna, trudna do przeoczenia ścieżynka. Jaskinia ma 86 m długości, a oświetlona dziennym światłem niemal na całej długości jest dostępna dla turystów. Od groty kamieniste zakosy sprowadzają stomym zboczem do niemal poziomej, wygodnej ścieżki w okolicy Crucea Albă. Aby zejść do Băile Herculane, należy skręcić w lewo.

Przed ostatnim odcinkiem można z tego miejsca odbyć wycieczkę przez Cheile Jelărău do źródła Fântâna Jelărăului, odległego o około 45 min marszu. W tym celu należy skręcić w prawo i wygodną ścieżką za znakami niebieskiego krzyża (do źródła), niebieskiego trójkąta (na Vf. Şuşcu), niebieskiego kółka (do wsi Podeni) oraz niebieskiego paska (do wąwozu Prolaz przez Poiana Muşuroaie) zejść na suche dno **Cheile Jelărău**, powyżej jego niedostępnego progu.

Okoliczne skały porasta sosna czarna odmiany banackiej, której dobrze wysuszone drewno było niegdyś wypalane w piecu zwanym *făcut* dla uzyskania dziegciu. Smarowało się nim osie wozów i konopaciło łodzie, a w połączeniu ze smalcem był wykorzystywany przeciwko świerzbicy i w leczeniu ran bydła. Rzymianie wykorzystywali żywiczne drewno sosen do budowy akweduktów.

Ścieżka podchodzi łagodnie dnem zalesionego wąwozu. Jego niezbyt wysokie ściany oplatają bluszcze, a buki wyrastające wprost ze skalnego podłoża utrzymują chłód i wilgoć. Niedaleko po wyjściu z gar-

dzieli ukazuje się obmurowane krasowe źródło – **Fântâna Jelărăului** (ok. 600 m n.p.m.) – o temperaturze wody 8–9°C. W pobliżu stoi altana turystyczna. Z tego miejsca w lewo odgałęzia się trudny szlak niebieskiego trójkąta na szczyt Şuşcu. Powrót do rozdroża szlaków u dolnego końca Cărarea Pisicii odbywa się tą samą drogą.

Od węzła szlaków u dolnego końca Cărarea Pisicii należy się skierować za znakami żółtego paska na zachód. Niemal pozioma ścieżka wyprowadza wkrótce na górny skraj **Marele Abrupt**.

Na jednej ze skałek stoi **Crucea Albă** (529 m n.p.m.) – według legendy biały krzyż upamiętnia oficera pograniczników, który zginął w pułapce zastawionej przez nieprzyjaciela. Miejsce jest niezwykle widokowe – szczególnie efektownie przedstawia się stąd zabudowa Băile Herculane. W okolicy, pomiędzy skałkami lub w pęknięciach ścian, można zaobserwować ciekawe rośliny. Schodząc, mija się wielogatunkowy las z dąbrowami i buczynami przenikającymi się z orzechami włoskimi, czereśniami i olbrzymimi gruszami. Liczne pnie są zdominowane przez rośliny pnące, takie jak bluszcz pospolity (*Hedera helix*), winorośl leśna (*Vitis silvestris*) i powojnik pnący (*Clamatis vitalba*).

Ścieżka przecinająca Marele Abrupt jest częściowo wykuta w skale i może być niebezpieczna. Poniżej skalnej partii szeroka i wygodna dróżka opada po zalesionym piargu, mija drewnianą altanę i sprowadza do szosy DN67D tuż nad zabytkową częścią Băile Herculane. Należy skręcić za asfaltówką w lewo, a po 200 m w prawo w dół. Stroma i wąska Str. Domogled doprowadza do altany z ujęciem wody pitnej Izvorul Domogled – punktu, gdzie zbiegają się szlaki z masywu Domogled. Str. M. Eminescu sprowadza do głównej Str. Cernei, którą w prawo, koło Parcul Central do Podul de Piatră (Kamienny Most) lub Podul Acoperit (Zadaszony Most), wyprowadza z powrotem na Piaţa Hercules.

Trasa 2: góry Cernei
Băile Herculane → Peştera Hoţilor → Peştera cu Aburi → Vf. Ciorici → Izvorul Munk → Băile Herculane

Czas przejścia: 2–3 godz. Kombinacja szlaków niebieskiego kółka, niebieskiego trójkąta, żółtego trójkąta i żółtego kółka. Stopień trudności: łatwa. Celem wycieczki jest jaskinia ogrzewana gorącymi parami – Peştera cu Aburi. Na trasie jest również Peştera Despicătura, Peştera Hoţilor, źródło zimnej wody Izvorul Munk oraz kilka punktów widokowych.

Punktem startowym wyprawy jest północny kraniec głównego placu w tzw. terezjańskiej części uzdrowiska Băile Herculane – **Piața Hercules**. Należy się udać na północ Str. Romană; po 500 m po lewej stronie drogi widać otwór **Peștera Despicătura**. W jej korytarzach, liczących łącznie 105 m długości, są dwa źródła wód termo-mineralnych: Izvorul Hercules II alfa i Izvorul Hercules II beta. Pierwotnie cieplice wypływały z jaskini w sposób naturalny – Rzymianie kierowali je akweduktem do łaźni w miejscu dzisiejszej Baia Apollo. Ślady akweduktu przetrwały dzięki doskonałej zaprawie wapiennej i można je odnaleźć w pobliżu. Oba źródła wyschły podczas budowy hotelu *Roman*, którego dziesięciopiętrowa bryła zagradza dalszą drogę, wypełniając przestrzeń pomiędzy korytem Czerny a skalistym zboczem. Przejazd odbywa się na poziomie parteru (na całym odcinku obowiązuje ruch jednokierunkowy w górę doliny).

Tuż za hotelem, po prawej stronie poniżej ulicy wymurowano dwa betonowe baseniki, do których doprowadza się wodę z Izvorul Hercules I. Miejsce, w którym spływa ona do Czerny, zostało otoczone kamieniami i tworzy zatokę – można tu zażyć odświeżającej gorącej lub zimnej kąpieli, w zależności od upodobań i pory roku.

Zaraz za basenikami po lewej stronie wyrasta 120-metrowa skała Roman, na której wytyczono kilkanaście dróg wspinaczkowych o dużym stopniu trudności. U jej stóp odchodzi w lewo droga – należy w nią skręcić i podążyć za znakami niebieskiego kółka w stronę Platoul Coronini (miejscami towarzyszą im stare znaki niebieskiego krzyża). Już po chwili odchodzą w prawo betonowe schodki doprowadzające do środkowego otworu **Peștera Hoților** (Jaskinia Rozbójników; 186 m n.p.m.).

Grota była zamieszkiwana od połowy paleolitu i rzekomo już za czasów rzymskich nosiła nazwę Caverna Latronum. Faktem jest, że niektóre inskrypcje nagrobne na terenie Dacji mówią o śmierci zamożnych mieszkańców prowincji z rąk *latrones* – łotrów lub rozbójników. Co najmniej od początku XIX w. grota stanowi atrakcję turystyczną. Jej pierwszego opisu dokonał Francesco Griselini w roku 1780, a badania prowadzili m.in. M. Munk w 1872 r. i Bódog Milleker w 1894 r. Jaskinia ma trzy otwory, które prowadzą do systemu korytarzy i sal o łącznej długości 143 m. Jest relatywnie ciepła (9–15°C), ale nawiedzana przez przeciągi. Nie ma szaty naciekowej, a wątpliwą atrakcją turystyczną są napisy na jej ścianach – najstarszy zidentyfikowany z 1820 r. Wykopaliska archeologiczne ujawniły oprócz kości niedźwiedzia jaskiniowego narzędzia krzemienne ze środkowego paleolitu (sprzed 30 tys. lat), narzędzia z epipaleolitu (sprzed 14 tys. lat), jak również liczne poziomy stanowisk neolitycznych z ceramiką typu Coțofeni. W wodzie wypełniającej otworki Galeria cu Gururi odnaleziono dwa endemiczne gatunki skorupiaków. Końcowa część jaskini z Sala cu Săpături (Sala z Wykopami) oraz Galeria cu Gururi są niedostępne z powodu prowadzonych badań.

Podążając alejką w stronę Platoul Coronini, po 500 m dochodzi się do zakosu szlaku niebieskiego trójkąta, podchodzącego z Piața Hercules do Peștera cu Aburi – odtąd należy się kierować w tę stronę. Znakowana ścieżka w bukowym starodrzewie zakreśla szereg długich i gęstych zakosów, w poprzek których prowadzą liczne skróty, pozostawiające dużą swobodę wyboru wariantu podejścia. Zakosy kończą się z prawej strony na grzędzie opadającej z Vf. Ciorici, w miejscu, skąd roztacza się widok na dolinę Czerny. Z lewej dochodzi tu również poziomy trawers prowadzący z doliny Ogașul Munk, znakowany żółtymi trójkątami. W prawo na północ nieznakowana ścieżka doprowadza do **Peștera cu Aburi** (Grota Parowa; 375 n.p.m.). Jest to niewielka jaskinia o długości 14 m; na jej dnie ze skalnej gardzieli uchodzi gorąca para wodna o temperaturze 52–56°C i woni siarki. Towarzyszy temu syk podobny do dźwięku wielkiego palnika acetylenowo-tlenowego. Całość sprawia wrażenie, jakby skalna szczelina była otworem diabelskiego czajnika. W atmosferze gorących par siarczanych wytworzyły się warunki do rozwoju niebieskawego mchu *Philonotis schilephackei* – gatunku znanego tylko z tego stanowiska. W I połowie XX w., kiedy ilość pary była większa, tubylcy urządzali tu naturalną saunę.

Nieco niżej, pomiędzy dwoma nagimi urwiskami rozdzielonymi podciętym ruchomym piarżyskiem znajduje się **Peștera lui Adam** (295 m n.p.m.).

Pasowi wapiennych skał ciągnących się od hotelu *Roman* do okolic Peștera cu Aburi towarzyszą ozdobne krzewy zimozielonego ruszczyka kolczastego (*Ruscus aculeatus*), zwanego też myszopłochem kolczastym. Jest to śródziemnomorska roślina chroniona z liściokształtnymi kolczasto zakończonymi gałęziakami o ciemnozielonym zabarwieniu, zakwitająca na przełomie zimy i wiosny, a jesienią wydająca czerwone owoce.

Peştera lui Adam

Wejście do jaskini, która musiała być już wcześniej znana mieszkańcom Bǎile Herculane z powodu gęstych par wydobywających się w okresie zimowym z jej wnętrza, zidentyfikował Nicolae Adam w 1970 r. Zejście prowadzi przez 11-metrowy komin, który można pokonać wyłącznie technikami speleologicznymi. Na dwóch poziomach wiją się galerie o łącznej długości 212 m i deniwelacji 27 m. Dolna Galeria cu Aburi jest ogrzewana gorącymi parami do 45°C. Wytworzyły się w niej oryginalne galaretowate stalaktyty pochodzenia organicznego o długości 4–8 cm i średnicy do centymetra, które falują przy podmuchu gorących par. Górna Galeria cu Guano jest zakończona Salą cu Guano, w której powietrze ogrzewa się od gorących par uchodzących z dolnego poziomu i utrzymuje stałą temperaturę 29–31°C. Mieszkające tu od ostatniej epoki lodowej kolonie nietoperzy przyczyniły się do utworzenia grubej warstwy guana. Jego pokłady oraz specyficzne warunki klimatyczne stworzyły środowisko właściwe jaskiniom strefy tropikalnej. Należy podkreślić, że dojście do tej unikalnej w skali europejskiej groty oraz jej eksploracja przekraczają możliwości techniczne turystów.

Po zwiedzeniu Peştera cu Aburi należy powrócić na grzędę, a następnie podejść ścieżką na pobliski **Vf. Ciorici** (413 m n.p.m.). Na skalnej krawędzi stoi altana, skąd można podziwiać widok na wapienne szczyty gór Cernei, masywy pomiędzy Hurcu i Domogled oraz część gór Almaj. Tą wyjątkową panoramą zachwyciła się cesarzowa Elżbieta, która odbyła tu wycieczkę z dwoma przewodnikami podczas kuracji w 1887 r. Jej marzenie zjedzenia obiadu w tym wspaniałym miejscu zostało natychmiast spełnione: 80 robotników leśnych w czasie jednej nocy wybudowało altanę i przygotowało drogę doprowadzającą do niej z wierzchołka.

Ze szczytu należy się skierować na dół na lewo, na południe, za znakami żółtego kółka doprowadzającymi do altany na **Piscul Jubiliar** (Wierzchołek Jubileuszowy). Nazwa upamiętnia uroczyste obchody otwarcia kanału nawigacyjnego Porţile de Fier, które miały miejsce w Bǎile Herculane w 1896 r. Wzięli w nich udział głowy trzech zaangażowanych w budowę państw: cesarz Austrii Franciszek Józef I, król Rumunii Karol I i król Serbii Aleksander Obrenović.

Krótkie zejście w dwa zakosy doprowadza do **Izvorul Munk**, noszącego imię lekarza, który w 1871 r. opublikował w Wiedniu pracę na temat kuracji zdrojowej w Bǎile Herculane. Obmurowane źródło zimnej wody wypływa spod 30-metrowej skały lubianej przez alpinistów. Pod koniec XIX stulecia jego wody wykorzystywano do systemu wentylacyjnego w Baia Neptun, do klimatyzacji kasyna oraz do zasilania windy hydraulicznej w budynku hotelu *Dacia*.

Dalej należy schodzić za znakami żółtego kółka wzdłuż potoku Ogaşul Munk (od źró-

dła znaki żółtego kółka prowadzą również na zachód, na początku do góry, a następnie na dół do Platoul Coronini i dalej do dzielnicy Zǎvoi). Po chwili w lewo odgałęzia się ścieżka znaczona żółtymi trójkątami do Peştera cu Aburi. Należy kontynuować zejście szlakiem aż do przecięcia poziomo biegnącej alei ze znakami niebieskiego kółka (z Peştera Hoţilor do Platoul Coronini). Idąc nią w prawo, dochodzi się po chwili do stojącej na skałce altany **Chioşcul de Jos**, zwanej też Refugiul Schenneler lub Foişorul Dragalina. Otwiera się z niej widok na Bǎile Herculane i masyw Domogled.

Teraz należy wrócić do węzła szlaków i skierować się aleją w przeciwnym kierunku. Po chwili szlak żółtego kółka wspólnie z drugą nitką szlaku niebieskiego kółka skręcają w prawo i schodzą do **Izvorul Diana III**. W lewo idzie się na Piaţa Hercules, gdzie zamyka się pętla trasy.

Trasa 3: góry Mehedinţi

Motel *Dumbrava* → Cheile Ţǎsnei → Moara Dracilor → Balta Cerbului → Cascada Cociu → Şapte Izvoare Calde → motel *Dumbrava*

Czas przejścia: 8–10 godz. Odcinek górski wykorzystuje kolejno szlaki: niebieskiego krzyża, niebieskiego trójkąta i czerwonego kółka, prowadząc przez ciekawe obszary krasowe. Do największych atrakcji należą: Cheile Ţǎsnei, Poiana Balta Cerbului i Cascada Ciciului. Po drodze mija się stary młyn z drewnianą turbiną wodną i gorące źródła rejonu Şapte Izvoare Calde. W kilku miejscach występują trudności orientacyjne. Pętlę można rozpocząć obok kempingu *Şapte Izvoare*, bądź obok motelu *Dumbrava*. Dziesięciokilometrowy odcinek szosy między tymi punktami można spróbować pokonać autostopem.

Nowy motel **Dumbrava** (260 m n.p.m.) stoi na skraju polany, 14 km od centrum Băile Herculane, przy szosie do Baia Aramă, obok ważnego węzła szlaków wiodących w góry Mehedinţi i Cernei. Szlak niebieskiego krzyża, zaczynający się obok mostu poniżej obiektu, zagłębia się między drzewa i po chwili przechodzi na orograficznie prawy brzeg potoku. Teraz następuje bardzo strome podejście przez bukowy las porastający usłane piargami stoki pod **Marele Abrupt**. U jego podnóża wiedzie stara ścieżka graniczna z czasów Austro--Węgier, którą osiąga się po pokonaniu niemal 200 m przewyższenia. Stąd za znakami w prawo, już łagodniej, dochodzi się nad skraj ściany zawieszonej ponad dnem doliny Ţăsnei. Za przewinięciem w lewo otwiera się najbardziej znany z wąwozów krasowych gór Mehedinţi, **Cheile Ţăsnei**. Roztacza się stąd piękny widok: za plecami, po drugiej stronie Czerny wyróżnia się Vlaşcu Mic – główny, choć nie najwyższy wierzchołek gór Cernei, a poniżej zwracają uwagę wyloty bocznych dolin ujęte w potężne skalne bramy. Największe wrażenie wywiera jednak sam jar – wycięty w wapiennym masywie, tworzy wspaniałą scenerię turni, iglic i kazalnic porozdzielanych piarżystymi żlebami i kominami. Kolorytu dodają mu pojedyncze, ciemnozielone parasole sosen czarnych odmiany banackiej. W dole wije się i spływa z licznych progów wątły potoczek, kierując się do Czerny drogą trudno dostępną dla piechura. Znakowany szlak zagłębia się do wnętrza wąwozu po wykutej w skale półce i sprowadza zakosem na jego dno, gdzie obok wodospadu przechodzi na przeciwległy brzeg. Teraz zaczyna się najpiękniejszy odcinek trasy. Wygodna ścieżka wije się wzdłuż łagodnie wznoszącego się koryta, przechodząc raz z jednej, raz z drugiej strony drogi. Wkrótce następuje pierwsze zwężenie, w którym ściany kanionu zbliżają się do siebie. Ścieżka ostatecznie plasuje się na północnym brzegu i szerokim, skośnym upłazem zaczyna się wznosić, pozostawiając w dole dno doliny. Po przeciwnej stronie można dostrzec ślady dawnej perci patrolowej, wydeptanej przez austriacką straż graniczną – właśnie tędy jeszcze przed kilkuset laty wschodnia granica cesarstwa schodziła z grzbietu wododziałowego do doliny Czerny (stare słupki graniczne można odnaleźć w dalszej części trasy). Z okolicznych ścian wyzierają otwory kilku jaskiń; jedna z nich, do dzisiaj niezidentyfikowana, miała mieścić kryjówkę grupy Tudora Vladimirescu – przywódcy powstania wołoskiego z 1821 r.

Stoki poniżej ścieżki coraz mocniej się nachylają i przechodzą w wąską gardziel, która zakręca w prawo. Warto zejść na jej dno pod zaklinowany gigantyczny głaz, tworzący skalny portal. Woda wypełnia całą szerokość między ścianami, które zbliżają się do siebie na odległość paru metrów. Kręty bieg kanionu przegradzają kolejne progi, na których wirująca woda wydrążyła z pomocą niesionych odłamków skalnych zaokrąglone misy i kotły eworsyjne. Niestety, przebycie tego pięknego, lecz bardzo trudnego fragmentu trasy wymaga brodzenia w lodowatej wodzie oraz użycia odpowiedniego sprzętu asekuracyjnego, dlatego należy raczej powrócić na znakowaną ścieżkę i dojść nią do wodospadu. Woda spada z wysokości 6–7 metrów, a obok stoi niewielki **Moara Dracilor** (Diabli Młyn; ok. 2 godz. od motelu) przytulony do skały. Koniecznie trzeba zejść po piarżystej i obejrzeć jego konstrukcję.

Tuż za młynem wąwóz się kończy i ścieżka doprowadza do **Poiana Ţăsnei**, która z prawej strony podchodzi pod skaliste stoki Inălăţu Mare (1301 m n.p.m.). W lewo odgałęzia się dolina w kierunku Coşteagu Mare (1325 m n.p.m.), przez który przechodzi źle oznakowany wododziałowy szlak czerwonego paska. Można nim dojść przez Coşteagu Mic (1315 m n.p.m.) i Pietrele Albe (1335 m n.p.m.) w rejon krasowych kotlin Poienile de Sus ale Cernei (w orientacji mogą pomóc znaki czerwonego kwadratu).

Na rozwidleniu należy się skierować za znakami niebieskiego trójkąta w prawo, w kierunku Balta Cerbului (szlak niebieskiego krzyża prowadzi do tego samego celu nieco okrężną drogą). Rozpoczyna się podejście na skos Poiana Ţăsnei. W dole po lewej stronie widać sezonowe zabudowania. Ścieżka miejscami zanika w trawie i zaczynają się trudności z wypatrzeniem znaków – dłuższy ich brak może świadczyć o zboczeniu z właściwej drogi! Szczególnie mylny jest fragment łagodnego podejścia między zarośniętym paprociami końcem polany a wspaniałym bukowym lasem, gdzie na stromym trawersie ścieżka jest już wyraźna. Teraz następuje długi odcinek prowadzący przez liściasty las porastający wapienne podłoże pełne krasowych lejów.

Po blisko 2 godz. marszu, licząc od młyna, z lewej strony od Ciolanu Mare (1135 m n.p.m.) dochodzi stara ścieżka graniczna i szlak niebieskiego krzyża. Po lewej zostaje śródleśna Poiana Cerbului i wkrótce oba szlaki wyprowadzają na skraj

Młyny z poziomym kołem wodnym

Moara Dracilor w Cheile Ţăsnei jest jednym z młynów z poziomym kołem wodnym, zachowanym w pierwotnej formie. Składa się z dwóch poziomów: górne piętro tworzy niewielki drewniany zrąb stojący na dwóch ścianach ułożonych z kamieni, przykryty dwuspadowym gontowym dachem. We wnętrzu kryje się mechanizm mielący złożony z leja zasypowego i dwóch niezbyt dużych kamieni młyńskich – dolny spoczywa nieruchomo na podłożu, a górny jest osadzony na końcu pionowego drewnianego wału. Za pośrednictwem wału jest przenoszony moment obrotowy z poziomego koła wodnego znajdującego się piętro niżej. Dolny czop wału opiera się w gnieździe poziomej belki; jeden jej koniec spoczywa nieruchomo, a wysokość położenia drugiego jest regulowana za pośrednictwem drewnianej dźwigni łączącej się z mechanizmem regulacyjnym na piętrze. W efekcie kręcąc korbą mechanizmu, ustawia się wielkość szczeliny pomiędzy kamieniami, od której zależy grubość mielonej mąki. Koło wodne przypomina turbinę Peltona: składa się z szeregu drewnianych łopatek, wyprofilowanych na podobieństwo czerpaków, osadzonych radialnie na wale. Wprawiane jest w ruch obrotowy siłą odrzutu wody doprowadzonej wzdłuż stycznej drewnianą rynną spadającą z krawędzi skalnego progu pod kątem 60°. W tym konkretnym rozwiązaniu koło obraca się w kierunku zgodnym z ruchem wskazówek zegara, który rzekomo jest kierunkiem diabelskim, czym niektórzy tłumaczą nazwę młyna. Koryto rynny może być zamykane klepką sterowaną z góry, co powoduje wyłączenie napędu koła. Zabezpieczeniem urządzenia przed przypadkowym uruchomieniem jest drąg wstawiony między łopatki. W niektórych młynach zamiast rynny wykorzystuje się drewniane rury zbite z klepek na podobieństwo długiej beczki lub wydrążone w środku pnie drzew, a do regulacji siły strumienia wody na końcu rury stosuje się wymienne dysze. Powyżej progu istnieje kanał i zbiornik na wodę, której dopływ można odciąć za pomocą odpowiedniego ułożenia kamieni. W ten prosty sposób wykorzystuje się siłę wody niewielkich potoków krasowych płynących z dużym spadkiem. Oglądana oryginalna konstrukcja jest typowa dla południowo-zachodniego krańca Karpat Południowych. Była bardzo rozpowszechniona w Banacie i Mehedinţi przez wiek XIX i do połowy XX, gdzie jeden młyn stawiany był na potrzeby kilku rodzin. Dziś w wielu przypadkach drewniana turbina została zastąpiona metalową, a w miejsce koła młyńskiego zainstalowano generator prądu.

Balta Cerbului (Jelenia Kałuża; ok. 950 m n.p.m.). Jest to rozległa kotlina o długości 800 m, wciśnięta między wapienne szczyty Inălăţu Mare i Inălăţu Mic (1146 m n.p.m.). Na jej granitowym dnie przykrytym nieprzepuszczalną gliną w czasie opadów tworzą się moczary. Na prawo od szlaku stoi niewielka gajówka, gdzie można przenocować.

Dalej trzeba podążać za znakami niebieskiego trójkąta (towarzyszą mu znaki niebieskiego paska), który jedynie „dotyka" skraju polany i skręca w lewo, a następnie doprowadza do leśnej drogi. W pewnym momencie znaki opuszczają trasę i kierują się ścieżką w prawo do lasu (fragment pomiędzy Balta Cerbului a miejscem, w którym szlak odchodzi od leśnej drogi wymaga pilnego śledzenia znaków). Teraz trasa schodzi dnem suchego jaru, sprowadzając na dno doliny Foeroaga Femea. Po jej przeciwnej stronie podejście, a następnie trawers u podnóża skał doprowadzają do źródła **Fântâna Moşului** (Studnia Dziadka). Dalej trasa prowadzi w pobliżu ścian Vf. Mlacile (1110 m n.p.m.), będącego efektownym zwieńczeniem masywu Cociu – roztacza się stąd fantastyczny widok na wody zaporowego jeziora Prisaca. Nieco niżej dochodzi się do rozdroża. Szlak niebieskiego paska wiedzie dalej prosto do wylotu Ogaşu lui Roşeţ na Poiana Cociului, więc należy skręcić w lewo za znakami niebieskiego trójkąta. Stroma, kręta ścieżka sprowadza do środkowej części **Ogaşu lui Roşeţ**. Wzdłuż doliny prowadzi dróżka znakowana czerwonym kółkiem. Żeby odwiedzić odległy o 30 min marszu Cascada Cociului, należy skręcić w lewo. Po minięciu starego sadu znów zaczyna się las. Koryto potoku staje się suche, jest również bardziej stromo. Na końcowym odcinku, który wśród skalnych bloków doprowadza do podnóża 200-metrowych ścian Cociu, znów pojawia się woda. Z dala dobiega huk wodospadu – **Cascada Cociu** należy do najwyższych w Rumunii. Poza okresem po obfitych opadach kaskada nie jest aż tak efektowna, a wszechobecny las ogranicza widoczność do dolnego 40-metrowego progu. Godny odnotowania jest sam fakt ist-

Góry otaczające dolinę Czerny | GÓRY

nienia siklawy na obszarze niemal całkowicie pozbawionym wód powierzchniowych.

Po obejrzeniu wodospadu należy wrócić tą samą, jedyną drogą do połączenia ze szlakiem niebieskiego trójkąta. Oba szlaki wspólnie doprowadzają do szosy DN67D do **Poiana Cociului**. Z prawej strony dochodzi tu również szlak niebieskiego paska, z którym rozstaliśmy się, schodząc z Fântâna Moşului.

Końcowy odcinek trasy prowadzi szosą w górę doliny Czerny do motelu *Dumbrava*, wcześniej jednak warto poświęcić pół godzinki na obejrzenie grupy źródeł termo-mineralnych Şapte Izvoare. W tym celu należy się skierować w lewo szosą, która przez moment się wspina. Po prawej stronie mija się **Stânca Ghizelei** (Skałka Gizeli) – pierwszy drewniany krzyż na jej wierzchołku zleciła postawić baronowa Gizela Malcomes, przebywająca tu na kuracji w 1892 r. Wyryto na nim kilka wersetów romantycznego poety George'a Byrona. Skręcając za skałką w drogę odchodzącą w prawo, po 300 m dochodzi się do **kąpieliska cieplicowego Şapte Izvoare**. Basen o wymiarach olimpijskich jest napełniany wodą z odwiertu Izvorul Stânca Ghizelei. Temperatura źródła wynosi 34–38,5°C, a jego wydajność – 7 l/sek. – wystarcza na ciągłą wymianę wody w pływalni. Po drugiej stronie rzeki działa zatłoczony latem kemping. Zaczyna się tam szlak żółtego trójkąta, prowadzący na widokową Piatra Băniţei (500 m n.p.m.).

Wracając na szosę, należy się kierować w stronę Băile Herculane. Po 400 m od skrzyżowania, po prawej stronie, dosłownie pod szosą bije **Şapte Izvoare Calde** (Siedem Gorących Źródeł). Gwoli ścisłości warto zaznaczyć, że jest ich tylko cztery i uchodzą na kontakcie granitów i wapieni do jednego zagłębienia w skale (stąd druga nazwa – La Gropan – W Jamie). Woda cechuje się dużą radioaktywnością i ma temperaturę 35–40°C. Źródła były wykorzystywane przez miejscową ludność od czasów dackich. Kąpiel odbywała się w drewnianej skrzyni lub beczce napełnionej wodą termalną doprowadzoną korytem z lipowej kory. Dziś miejscowi nadal się kąpią na świeżym powietrzu – warto pójść w ich ślady i skorzystać z tej najbardziej osobliwej łaźni w Karpatach. 500 m dalej, za **kempingiem Şapte Izvoare** można się wykąpać w dwóch basenikach z **Izvorul Scorilo**, a później poddać się masażowi.

Do motelu *Dumbrava* jest stąd jakieś 10 km. Po drodze mija się niezwykle malownicze zaporowe **Lacul Prisaca** (obok zapory działa hotel *Tierna*, w połowie linii brzegowej jeziora – pensjonat, a w górnej części – prywatne pola biwakowe). W połowie jego długości, pod lustrem wody uchodzi jedno z największych wywierzysk regionu – **Şapte Izvoare Reci** – Siedem Zimnych Źródeł. Kilometr przed końcem trasy, tuż poniżej ujścia potoku Scochina – prawego dopływu Czerny, wiedzie w lewo przez most droga, którą prowadzi szlak czerwonego krzyża do Cascada Vânturătoarea (1 godz.) – końcowy fragment trasy nr 4 (zob. niżej).

Trasa 4: góry Cernei

Motel *Dumbrava* → Cheile Prisăcinei → Şaua Prislop → Vf. Arjana → Poiana Cicilovete → Cascada Vânturătoarea → motel *Dumbrava*

Czas przejścia: 12 godz. Stopień trudności: trudna. Wycieczkę można podzielić na dwa etapy, z biwakiem pod namiotem. Do głównego grzbietu gór Cernei prowadzi szlak żółtego paska, grzbietem – szlak czerwonego paska, a do zejścia szlak czerwonego krzyża. Główne cele to Cheile Prisăcinei – jeden z najpotężniejszych wąwozów w regionie, szczyt Arjana – uchodzący za najpiękniejszy w Banacie, i Cascada Vânturătoarea. Na trasie są liczne działające urządzenia techniki ludowej i porozrzucane po górskich polanach gospodarstwa.

Sprzed **motelu *Dumbrava*** należy się skierować szosą w górę doliny (niecały kilometr; po prawej stronie będzie śródleśna polanka, nadająca się na biwak). W lewo odchodzi droga na drewniany most wysoko zawieszony ponad niedostępnym nurtem Czerny. Po jego drugiej stronie, obok źródła z zimną wodą, szlaki rozchodzą się.

Drogą w lewo żółte kropki wyprowadzają na stronę głównego grzbietu gór Cernei (4 godz.), a bardzo stare niebieskie kropki kierują do przysiółka Prisacina przez Drăstănic. Należy się skierować w prawo za znakami żółtego paska. Na pierwszym odcinku ścieżka prowadzi równolegle do biegu Czerny, jakieś 100–150 m ponad jej korytem. Mija dwa gospodarstwa wśród łąk, wiedzie przez las, w którym rosną piękne graby i w końcu doprowadza do wylotu doliny Drăstănic, tuż poniżej wapiennego **Cheile Drăstănic**. Potem krótkie podejście i schodzi na dno potoku Prisacina (ok. 30 min do motelu). W pobliżu stoi młyn zachowany w dobrym stanie. Skała skręca w lewo i wzdłuż lustra wody zagłębia się w **Cheile Prisăcinei**. Wokół widać przewieszone u góry ściany przeszło 200--metrowej wysokości. Mur skalny z lewej jest rozcięty stromym piarżyskiem na dwie części. Kamienisko osiąga się po 10 min przeprawy dnem wąwozu. Dalej dolina przybiera postać dzikiego kanionu, wymagającego brodzenia w wodzie i pokonania kilku progów, co zabiera 2 godz. Znakowany szlak omija ten trudny odcinek i wspina się bardzo stromo po piargu w lewo. Po uciążliwym podejściu ścieżka skręca w prawo i wyprowadza nad górną przewieszoną krawędź kanionu. Z pokrytych krasowymi żłobkami wapiennych powierzchni roztacza się widok na wąwóz, fragment doliny Czerny i góry Mehedinți. Za odcinkiem wysoko poprowadzonego trawersu szlak ponownie sprowadza na dno doliny powyżej górnego końca jaru. Stoi tu czynny **młyn** z poziomym kołem wodnym (zob. ramka). Obok, w kamiennym budyneczku znajduje się podobne urządzenie hydrotechniczne, zasilające generator prądu dla potrzeb pobliskiego gospodarstwa. Drewniane koło zostało zastąpione metalowym, składającym się z wygiętych płaskowników przytrzymywanych za pomocą obręczy.

Znacznie gorzej znakowany odtąd szlak przechodzi kładką na drugą stronę potoku Prisacina, jednak trasa pozostaje na jego orograficznie prawym brzegu i od młyna podchodzi w lewo, w stronę lasu. Po krótkim stromym podejściu osiąga wygodny płaj, którym w prawo schodzi ponownie na dno doliny. Przy ścieżce widać tzw. *vâltoare* lub *şteaza* – niezwykle prosty typ **wodnego folusza**, stosowany w tej części Karpat od niepamiętnych czasów. Składa się z leja zbudowanego z desek oraz zbrewnianego koryta doprowadzającego doń wodę. We wnętrzu powstaje wir, a nadmiar wody wydostaje się na zewnątrz przez szczeliny pomiędzy deskami pozostawione w górnej części leja. Urządzenie jest osadzone w gnieździe powstałym z ułożenia wapiennych głazów. Do środka wrzuca się wełnianą tkaninę, która wirując, uderza o deszczułki i ulega spilśnieniu – staje się gęsta i zbita. Kilkadziesiąt metrów dalej w górę potoku stoi kolejny działający **młyn**.

Dalsza trasa prowadzi od folusza ścieżką podchodzącą na przeciwny (orograficznie lewy) stok doliny. Na jednym z zakosów mija samotne gospodarstwo i łączy się ze szlakiem żółtego paska, z tym samym, który prowadzi obok mijanej wcześniej minielektrowni. Teraz następuje bardziej strome podejście; trasa wiodąc przez las, osiąga poziomą górską drogę, z którą należy skręcić w lewo. Trzymając się tej drogi, szlak mija kolejne gospodarstwo, a następnie zbliża się do dna doliny, gdzie

na polanie przechodzi pod kablem doprowadzającym prąd z następnej minielektrowni. W lesie mija się jeszcze jeden **młyn** zachowany w świetnej kondycji. Gdy dolina rozszerza się, pojawiają się pojedyncze zabudowania przysiółka **Prisacina**. Znaki wiodą wśród pól i łąk szerokim grzbietem zmierzającym w stronę już widocznego wododziału gór Cernei, podczas gdy główna dolina skręciła w prawo, pod szczyt Iuţii (1582 m n.p.m.). Grzbiet doprowadza na pokryte dorodnym bukowym lasem stoki. Znakowana wyraźna ścieżka łukiem w prawo przecina niewielki potok Izvoru Corbului (ostatnie ujęcie wody przy szlaku na najbliższe 6 godz. marszu) i wspina się do granicy lasu tuż pod **Şaua Prislop** (1252 m n.p.m.), jakieś 7 godz. od motelu. Przełęcz oddziela Vf. Cuşmiţa (1458 m n.p.m.) na północnym wschodzie od Vf. Arjana na południowym zachodzie. Przechodzi przez nią mało uczęszczany szlak czerwonego paska, wiodący głównym grzbietem gór Cernei. Po drugiej stronie przełęczy stoi szałas (istnieje możliwość rozbicia namiotu).

Z przełęczy należy się skierować grzbietem w lewo za znakami czerwonego paska, które będą towarzyszyć przez najbliższe godziny do Poiana Cicilovete. Odcinek do Poiana Lunga jest przyzwoicie oznakowany, ale dalej oznaczeń prawie nie ma. Grzbietowa ścieżka przecina ostatni pas lasu i wyprowadza na tereny porosłe borówką brusznicą. Od zwornikowego szczytu (1446 m n.p.m.) odchodzi na południowy wschód boczny grzbiet Cracu Cerbului. W jego dalszej części pojawiają się znaki żółtego kółka, które było widać koło mostu na Czernie. Główny grzbiet wraz z dalszą trasą skręcają pod kątem prostym w prawo i za przełączką wspinają się na **Vf. Arjana** (1512 m n.p.m.). Jest to wyniosła, mocno wyodrębniona góra, która składa się z głównego granitowego wierzchołka i wapiennej kulminacji. Obie części są połączone grzbietem o przebiegu poprzecznym w stosunku do wododziału, po części skalistym, po części porosłym kosówką. Masywna i lita skalna grań opada z wapiennego wierzchołka w stronę trzeciego szczytu – Biliana (1362 m n.p.m.). Arjana, za sprawą śmiałej sylwetki i niezrównanego widoku, cieszy się opinią najpiękniejszego szczytu Banatu (należy do niego administracyjnie od czasów Cesarstwa Austriackiego). Warto się wdrapać na główny wierzchołek w bocznym, odchodzącym na zachód grzbiecie – jest oddalony od szlaku o 10 min marszu po towarzyszących grani skalnych złomiskach, trawach i kosówce, a na jego szczycie stoi metalowy krzyż.

Wododział, a wraz z nim szlak, po osiągnięciu poprzecznego grzbietu Arjany skręca w lewo i za przełączką rozdzielającą dwie strefy litologiczne wchodzi na wapienny wierzchołek. Panorama gór Mehedinţi i doliny Czerny pozwala zidentyfikować szczegóły dość złożonej rzeźby regionu. Warto przeanalizować przebieg dalszej drogi, ponieważ brak znaków i wyraźnych ścieżek utrudnia orientację. Ze szczytu należy się kierować stromą wapienną granią w prawo, w stronę skalistego szczytu **Biliana**. Znaki czerwonego paska początkowo wiodą ostrzem grani, a końcowy uskok obchodzą z lewej strony. Zejściem z Biliana, równie stromym i początkowo skalistym, kończy się górny stopień gór Cernei. Całe obniżenie zajmuje rozległa **Poiana Lunga**. Dalej trzeba się kierować przez łąki kośne pod kątem prostym w lewo, w stronę zalesionego wododziałowego Culmea Cicilovete, który prowadzi w prawo w bliskim sąsiedztwie doliny Czerny. Po drugiej stronie równiny grzbiet znowu zaczyna się wyodrębniać i pojawia się na nim ścieżka, która zagłębia się w las. Podchodzi się nią do wąskiej zdziczałej polany tuż pod Vf. Fârtanu (1105 m n.p.m.) – najwyższym wierzchołkiem Culmea Cicilovete. Za nią należy się kierować na grzbiet w kierunku południowo-zachodnim. Ścieżka zanika, ale trzymanie się wododziału nie nastręcza trudności. Ten obniża się łagodnie na siodło, po czym podchodzi na zwornik i skręca w lewo – stąd już blisko na skraj **Poiana Cicilovete** (1143 m n.p.m.), gdzie stoją dwa szałasy.

Po wyjściu z lasu należy się trzymać w jego pobliżu z lewej strony polany. Zejście do doliny Czerny odbywa się za znakami czerwonego krzyża, których trzeba szukać w pierwszej zatoce polanki odchodzącej ostro w lewo, na wschód. Drodze zejściowej towarzyszy z prawej strony wapienne urwisko, z początku blisko, później w nieco większej odległości. Po 30 min ścieżka ponownie zbliża się do krawędzi skalnego muru w pobliżu niewielkiego potoczku Scochina, tuż przed miejscem, gdzie spada on z progu. Stroma i kręta ścieżka wykorzystuje wąską przerwę w urwisku, którą sprowadza do podnóża muru – stąd w lewo dochodzi się do **Cascada Vânturătoarea** (ok. 550 m n.p.m.). Woda potoku Scochina spływa niemal pionowo z 20 m, a następnie odbija się od skał i w swobodnym spadku pokonuje 30 m. Szlak efektownie przechodzi po skalnej

półce pod potężną przewieszką z tyłu wodospadu.

Odcinek od kaskady w okolice mostu na Czernie jest bardzo stromy; stąd należy się kierować asfaltówką w lewo – do motelu pozostaje kilometr.

Trasa 5: góry Mehedinţi

Przełęcz → Vârful lui Stan → Poienile de Sus ale Cernei → Bruscan → Poiana Beletina → przełęcz

Czas przejścia: 10 godz. Trasa wymaga orientacji w terenie, gdyż w większości prowadzi ścieżkami nieznakowanymi. Celem wycieczki jest Vârful lui Stan – najwyższy szczyt gór Mehedinţi, oraz ciąg kotlin krasowych Poienile de Sus ale Cernei. Unikalna w skali Karpat rzeźba krasu nagiego powoduje, że trasa jest niezwykle efektowna i wyjątkowa pod względem krajobrazowym. Pętla zaczyna się i kończy w miejscu, gdzie szosa Băile Herculane–Baia Aramă–Târgu Jiu przecina główny grzbiet gór Mehedinţi. Dojazd własnym środkiem transportu lub okazją. Uwaga: przez pierwsze 6 godz. wędrówki nie można uzupełnić zapasów wody.

Szosa przecina główny grzbiet gór Mehedinţi **przełączą** na wysokości około 850 m n.p.m. Wododziałem prowadzi szlak czerwonego paska, za którego znakami należy się skierować na zachód. Z początku leśną drogą, później przecinką, a wreszcie stromą i niewyraźną ścieżyną przez bukowy las wychodzi się ponad jego granicę. Należy dobrze zapamiętać to miejsce i kierunek marszu, by trafić na ścieżkę w drodze powrotnej. Dalszy odcinek szlaku istnieje tylko na mapach. Podchodzi się grzbietem wzdłuż linii urwiska, które opada na północną stronę. Początkowo na powierzchni zalegają wapienne głazy, a z czasem podłoże zamienia się w lity wapień.

Masyw Vârful lui Stan jest zbudowany z wapieni koralowych o bardzo dużej zawartości węglanu wapnia, sięgającej aż 99,7%. Panują tu doskonałe warunki do rozwoju form krasowych, tworzących rzeźbę krasu pełnego. Powstała ona na skutek korozyjnej działalności wód krasowych, czyli rozpuszczania się skały węglanowej pod wpływem wody zawierającej dwutlenek węgla; w efekcie na powierzchni skały powstają żłobki krasowe porozdzielane krasowymi żebrami. Rozróżnia się żłobki spływowe, o przebiegu zgodnym z nachyleniem powierzchni, i szczelinowe, o przebiegu nawiązującym do szczelin (w tym drugim przypadku woda wsiąka w szczeliny, a nie spływa). Żłobki i żebra krasowe zajmujące duże powierzchnie tworzą pola żłobków. Podchodząc po takich polach na Vârful lui Stan, ma się doskonałą okazję do obserwacji ich wszelkich odmian.

Główny szczyt jest oddzielony od przedwierzchołka przełęczą porosłą bukowym lasem. Nie ma tu żadnej ścieżki, ale bliskość szczytu ułatwia orientację. **Vârful lui Stan** (1466 m n.p.m.) jest skalistą kulminacją otoczoną urwiskami i dominującą nad okolicą. Warto stąd rzucić okiem na polanę leżącą na południu – to Poiana Beletina, przez którą wiedzie powrotny odcinek trasy. Wzrok przyciąga rząd lśniących bielą kotlinowych zagłębień, ciągnących się przez 8 km w kierunku południowo-zachodnim, pomiędzy obłym grzbietem wododziałowym po lewej i ostrą wapienną granią opadającą ku dolinie Czerny z prawej. Są to **Poienile de Sus ale Cernei** (Górne Polany Czerny) – żeby się na nie dostać, należy się udać grzbietem w ich kierunku, po wejściu w las kontynuować zejście w jego pobliżu, a gdy stanie się to zbyt uciążliwe i trudne, trzeba odbić w prawo i przedostać się na rozległe piarżyska powstałe w epoce glacjalnej w wyniku wietrzenia mrozowego okolicznych ścian. Głazowisko doprowadza do górnej części dolinki Foeroaga Beletina, którą kierując się w lewo, po chwili wychodzi się na siodło oddzielające od **Poiana Beletina** (1200 m n.p.m.). Pojawia się ogromny amfiteatr – stoki kotliny pokrywają białe żłobki krasowe o fantastycznych kształtach, nasuwające skojarzenie z trybunami. Jej płaskie dno przykrywają gliny pochodzące z rozpuszczenia wapieni. Trasa schodzi na trawiaste dno kotliny i skręca w prawo, w stronę pokrytego żłobkami siodła. Teoretycznie prowadzi tędy szlak żółtej kropki, ale w praktyce natrafienie na jakikolwiek znak graniczy z cudem. Na szczęście kierunek marszu nie budzi wątpliwości, a łagodny trawiasto-skalisty teren pozwala na zupełną dowolność przy doborze wariantu przejścia.

Wydłużona kotlina za siodłem to **Poiana Mare** (1170 m n.p.m.), uwał powstały z połączenia kilku lejów, o dnie przykrytym częściowo gliną, z dwoma dużymi ponorami, otoczona krasowymi żłobkami. Po przejściu na przeciwległe siodło otwiera się widok na **Crovu Mare** (1080 m n.p.m.). Ta piękna kotlina o regularnych kształtach jest lejem krasowym, a jej płaskie dno leży 100 m niżej. W kierunku poprzecznym do przebiegu trasy przecina ją szlak czerwonego krzyża, który łączy dolinę Czerny przez dolinę Tâmna z miejscowością Isverna na wyżynie Mehedinţi.

Piękna dolina Tâmna rozdziela wapienne granie Geanţul Mare po prawej od După Geanţ po lewej. Pod tą ostatnią, w pobliżu wylotu doliny stoi niewielki szałas przykryty gontem i wyposażony w dymnik w kształcie wolego oka.

Kontynuując wycieczkę, podchodzi się na siodło oddzielające **Poiana Porcului** (1110 m n.p.m.). Przechodząc przez uwał na przeciwległą stronę, mija się urwiste zbocza opadające z prawej ze szczytu Cârlig, a z lewej z Bruscan oraz Vf. Poienile Porcului. Urwiste i gładkie ściany tego ostatniego zwieszają się nad kolejną kotliną na trasie – **Crovu Medved** (980 m n.p.m.). Podnóże urwiska jest usłane piargami powstałymi w procesie wietrzenia mrozowego w plejstocenie. Ruchome piarżysko próbują ujarzmić płaty sosny czarnej. Jej pojedyncze egzemplarze zdominowały niewielkie półki skalne, nadając krajobrazowi oryginalny, zgoła nie karpacki wygląd. Ten być może największy w Rumunii lej krasowy zamyka od południa wyniosły Pietrele Albe (1335 m n.p.m.), a od doliny Czerny oddziela go Creasta Ploştinarului.

Z siodła nad Crovu Medved należy się kierować w lewo, na przełęcz w głównym grzbiecie pomiędzy Vf. Poienile Porcului a Pietrele Albe. Można to uczynić, wykorzystując którąś z perci trawersujących piarżysko i upłazy między skałami lub zejść na trawiaste dno kotliny, a następnie wspiąć się ścieżką na przełęcz. Przez wododział przechodzi szlak czerwonego paska – dalej trasa wiedzie w lewo za jego znakami. Chwilę po rozpoczęciu podejścia po lewej stronie, zaraz obok linii grzbietu jest źródło – pierwsze na trasie. Swoje istnienie zawdzięcza obecności niekrasowiejących skał osadowych zalegających na wapieniach. Woda znika po kilkudziesięciu metrach, trafiając na wapienne podłoże.

Szlak podchodzi na **Vf. Poienile Porcului** (1278 m n.p.m.), przecina pozostałość płaszczyzny zrównania i kieruje się na **Bruscan** (1308 m n.p.m.). Z prawej strony rozciąga się widok na wapienne urwiska opadające z bocznego, południowego ramienia szczytu. Skalisty wierzchołek Bruscan wyrasta nieco na lewo od szlaku – warto się na niego wdrapać, by spojrzeć z góry na trasę.

Wracając na szlak, należy się skierować na wschód i zejść na **Şaua Bruscan**. Przełęcz przecina mijany na Crovu Mare szlak czerwonego krzyża, umożliwiający zejście do położonej na granicy z wyżyną Mehedinţi miejscowości Isverna.

Rozpoczyna się podejście w stronę bezimiennego wierzchołka (1341 m n.p.m.). W jego okolicy ścieżka i znakowany szlak zanikają, więc jeszcze przed szczytem należy zboczyć lekko w lewo, na północny wschód, na którąś z dobrze wydeptanych ścieżek, które w parę minut przecinają las i wyprowadzają na **Poiana Beletina**, tym razem w jej górnej części. Podłoże stanowią skały niekrasowiejące; płyną tędy dwa potoki, które wkrótce zanikają – w czasie deszczu tworzą się tutaj mokradła. Na stokach stoi kilka pasterskich szałasów, opuszczanych już w połowie lata z powodu braku przyrostu traw w suchej porze roku. To właśnie dzięki wypasowi owiec polany mają pięknie przystrzyżoną trawę, co podnosi ich walory estetyczne. Warto zwrócić uwagę na zagrody otoczone nachylonym płotem, dającym schronienie zwierzętom przed palącym słońcem.

Dalej należy się kierować do połączenia potoków, a następnie w stronę szałasu stojącego wyżej, po przeciwnej stronie kotliny. Po drodze mija się kilka lejków krasowych, a w jednym z nich – krasowe jeziorko. Od szałasów odchodzi wyraźna ścieżka, która przechodzi przez siodło na na drugą stronę wododziału i zagłębia się w bukowy las. Pasterski płaj schodzi doliną równoległą do grzbietu z lewej strony. W miejscu, w którym dolina i droga skręcają pod kątem prostym w prawo, z przeciwnej strony dołącza drugi dopływ. Należy wejść na ścieżkę odchodzącą lekko w lewo do góry, a po wyjściu z lasu trzeba się skierować w lewo na grzbiet schodzący w Vârful Lui Stan do szosy, obchodząc obszary porosłe ogromnymi paprociami. Następnie należy pójść grzbietem na dół, w miejscu jego przełamania skierować się nieco w lewo, do zapamiętanego wejścia na znakowaną ścieżkę w lesie, a nią do szosy, gdzie kończy się trasa.

Trasa 6: góry Mehedinţi
Motru Sec → Şaua dintre Pietre → Piatra Cloşanilor → Lacul Valea Mare → Cloşani → Motru Sec
Czas przejścia: 8–10 godz. Stopień trudności: trudna pod względem technicznym i orientacyjnym (pokonuje przeszło 1000 m deniwelacji). W całości prowadzi nieznakowanymi ścieżkami, a na grani ma charakter wysokogórski, z tego powodu wycieczka nie powinna być podejmowana przy złej pogodzie. Celem jest Piatra Cloşanilor – samotny szczyt na obrzeżu gór Mehedinţi. Wspaniałym widokom towarzyszy specyficzna roślinność. Po drodze jezioro zaporowe Lacul Valea Mare i możliwość

obejrzenia procesu wypalania wapna w wapienniku. Pętlę można zacząć we wsi Cloşani lub sąsiedniej Motru Sec, jak w poniższym opisie.

Piatra Cloşanilor przyciąga uwagę turystów śmiałą sylwetką oraz odosobnionym położeniem. Składa się z dwóch wierzchołków: Piatra Mare i Piatra Mică, połączonych urwistą wapienną granią.

Trasa zaczyna się przed cerkwią w centrum wsi Motru Sec, do której dojeżdża się najpierw szosą DN67D Băile Herculane–Baia de Aramă–Apă Neagră–Târgu Jiu (autobusy z Târgu Jiu i Drobeta-Turnu Severin do Baia de Aramă). W Apă Neagră skręca się w górę doliny Motru przez Padeş w stronę Cloşani, a po 8 km, przy wjeździe do tej ostatniej – w lewo, do Motru Sec. Sprzed cerkwi należy się kierować w dół doliny, by po 50 m skręcić w lewo, w dróżkę wchodzącą między zabudowania. Za nimi trasa zagłębia się w wąską dolinę Tărnicioara lub Izvoarele, mija dwa źródełka i po 15 min doprowadza do rozwidlenia. Teraz trzeba iść w lewo, w ślad za suchą doliną. Drogą na wprost można podejść w parę chwil na przełęcz, z której widać fragment Piatra Cloşanilor, a w dole wieś Cloşani. Droga towarzysząca dolinie przeciska się między wapiennymi głazami, mijając w rozszerzeniach kolejne polany z łąkami kośnymi i małymi polami, ogrodzonymi szczelnie płotami. Strome stoki polan porastają charakterystyczne dla regionu łany olbrzymich paproci. Ich liście wykorzystuje się przy stawianiu nachylonych płotów dla ochrony zwierząt przed dokuczliwym słońcem. Na drugiej z polan mija się po lewej stronie typowe górskie gospodarstwo – dwuizbowa chałupa zrębowa z werandą wzdłuż frontowej ściany jest kryta czterospadowym dachem z gontu. Z werandy wchodzi się do prawej izby z paleniskiem w pobliżu środka ściany działowej. Mieszkają tu gościnni, szczęśliwi ludzie, żyjący bez pośpiechu i w zgodzie z naturą.

Po 1,5-godzinnym podejściu dochodzi się do źródła ujętego w drewniane koryto, gdzie warto uzupełnić zapasy wody. Dolina ma postać suchego jaru i staje się coraz bardziej dzika. Za ostatnią polaną ścieżka zagłębia się w gęsty las. Teraz trzeba się trzymać głównej gałęzi doliny – czasami w odróżnieniu jej od bocznych jarów pomocne może się okazać znakowanie w postaci pojedynczego pionowego paska w kolorze czerwonym, umieszczone na drzewach. **Şaua dintre Pietre** jest rozległym i płaskim obniżeniem pomiędzy Pia-

8

GÓRY | Góry otaczające dolinę Czerny

487

tra Mică (1163 m n.p.m.) a Piatra Mare. Orientację ułatwia świerkowy zagajnik – należy się kierować wzdłuż niego w prawo i utrzymując kierunek, podchodzić łagodnie na przełaj przez liściaty las. Kiedy teren zaczyna się gwałtowniej podnosić, pojawia się ostroga skalna, a orientacja staje się łatwiejsza. Trzeba podchodzić jej prawą stroną; z lewej z każdą chwilą powiększa się urwisko, jakim Piatra Cloşanilor opada ku północnemu zachodowi.

Po 45 min podejścia (licząc od przełęczy) osiąga się granicę lasu. Rosną tu rozległe zarośla lilaka pospolitego (*Syringa vulgaris*), ozdabiającego stoki w maju. Zwarte łany krzewów janowca promienistego (*Genista radiata*), przypominającego nieco z wyglądu kosówkę, trochę przeszkadzają w marszu. Za pierwszą kulminacją grani (1263 m n.p.m.) zaczynają się pojawiać krzewy perukowca podolskiego (*Cotinus coggygria*), którego czerwono-fioletowe owocostany ozdabiają skały od końca sierpnia. Wśród tutejszej flory występuje wiele gatunków śródziemnomorskich i wapieniolubnych. Całkowite odludzie sprzyja rozwojowi populacji żmij.

Urwisko z lewej strony powiększa się, wapienna grań staje się coraz ostrzejsza i trzeba starannie dobierać sposoby obejścia jej kolejnych spiętrzeń. Efektowna wysokogórska droga wyprowadza na najwyższy wierzchołek – **Piatra Mare a Cloşanilor** (1421 m n.p.m.) – po 2–2,5 godz. marszu od przełęczy. Szczyt wyrasta na 500 m ponad okoliczne wierzchołki. Na północ, ponad Culmea Cernei łączącym masyw Vârful lui Stan z przepięknym masywem Oslea w górach Vâlcan, widać pa-

smo dwutysięczników Godeanu. Na prawo od nich bieleje Piatra Iorgovanului w Małym Retezacie, a na lewo ciągnie się pasmo gór Cernei z trapezowatym Vlaşcu Mic. Na południu leży wyżyna Mehedinţi, a na lewo od niej miasto Târgu Jiu.

Droga zejściowa jest nieco łatwiejsza, ale obfituje w pułapki orientacyjne. Na początku trzeba podążać granią w dotychczasowym, północno-wschodnim kierunku. Po pewnym czasie dochodzi się do punktu, z którego widać zaporowe Lacul Valea Mare. W tym miejscu grań się rozdwaja – należy się skierować lewym odgałęzieniem. Stromy odcinek wyprowadza na dość rozległe wypłaszczenie pokryte roślinnością trawiastą. Pojawia się na nim wyraźna ścieżka pasterska – należy się trzymać lewej krawędzi polany, by znaleźć miejsce, w którym rozdeptana racicami owiec ścieżka skręca pod kątem prostym w lewo i bardzo stromo schodzi w dół. Męczące zejście kończy się na długiej polanie; w jej dolnym końcu, nieco po lewej, stoi stary szałas pasterski. Od niego w prawo prowadzi płaj, którym przez dorodny las idzie się w kierunku grzbietu znacznie poniżej wielkiego uskoku. Ścieżka wyprowadza na skraj polany zajmującej stoki dolinki – to początek **Poienile de Sus** (Górne Polany). Polaną na ukos w dół do dna doliny i wzdłuż potoku dochodzi się do płotu *Popasul Turistic Valea Mare* nad **Lacul Valea Mare**.

Jezioro należące do systemu hydroenergetycznego Cerna-Motru-Tismana jest zasilane wodami Motru oraz górnej Czerny, której spiętrzone w Lacul lui Iovanu wody przepływają tunelem pod górami Mehedinţi. Droga w górę doliny Motru przecho-

Wypalanie wapieni

Celem wypalania wapieni jest uzyskanie wapna palonego, a niezbędnym surowcem – skała wapienna, której głównym składnikiem jest węglan wapnia $CaCO_3$, pod wpływem wysokiej temperatury ulegający rozkładowi termicznemu na tlenek węgla CaO – czyli wapno palone, oraz dwutlenek węgla – CO_2. Do wypalania od dawien dawna wykorzystywano kamienne piece w kształcie ściętego stożka, zwane wapiennikami. Paliwem są kłody bukowe podkładane na dno pieca przez kanał zamykany drzwiczkami. Kamień wapienny pochodzący z pobliskiej odkrywki układa się nad paleniskiem od góry. Po wypełnieniu całej objętości pieca nakłada się na wierzch izolującą warstwę gliny, która zapewnia utrzymanie jednakowej temperatury wewnątrz. Przy ściankach pieca pozostawia się miejsce na swobodne uchodzenie dwutlenku węgla. Pod tak przygotowanym wapiennikiem rozniecia się ogień. Cała sztuka polega na utrzymaniu temperatury 950–1100°C. Gdy jest ona zbyt wysoka, może nastąpić proces powlekania ziarenek wapna palonego nieprzepuszczalnymi dla wody, stopionymi tlenkami zanieczyszczeń – wówczas takie wapno nie lasuje się, czyli nie poddaje się procesowi gaszenia wodą. Gdy temperatura jest zbyt niska, wtedy wapno jest niedopalone i lasuje się bardzo powoli lub tylko częściowo. Obserwacja czynnego wapiennika jest wspaniałą lekcją historii techniki. Ostatnie tego typu piece w Polsce popadły w ruinę w połowie XX w.

dzi na drugą stronę gór Mehedinţi, w pobliże Izbucul Cernei (ok. 5 godz.).

Dalej trasa kieruje się asfaltówką w prawo. Poniżej zapory z lewej strony uchodzi Valea Mare, dolina, która dała nazwę zbiornikowi. Szosa prowadzi malowniczym przełomem Motru między masywem Piatra Cloşanilor a górami Vâlcan. Pierwsze, najpiękniejsze zwężenie tworzy zwieńczenie głównej grani Piatra Cloşanilor po prawej i Şteiu Roşu (695 m n.p.m.) po lewej. Nadrzeczne łąki doskonale się nadają na biwak (na jednej z nich obok drewnianej altany jest źródło). Idąc dalej, dostrzega się na rzece minigenerator prądu elektrycznego – niewielki spadek o znacznym przepływie pozwolił na zastosowanie tradycyjnego koła pionowego.

Po wyjściu z lasu po prawej stronie drogi, tuż poniżej szosy widać **wapiennik**. Zaraz za nim zaczyna się wieś **Cloşani**. Po prawej stronie, w mezozoicznych skałach Cornetul Satului otwiera się **Peştera Cloşani**, którą uformowała rzeka Motru. Woda opadowa przesiąkająca szczelinami przez tysiąclecia wytworzyła wspaniałą szatę naciekową, stawiając jaskinię w rzędzie najpiękniejszych w kraju.

Na końcu wsi Cloşani należy skręcić w prawo, w górę doliny Motru Sec do wsi o tej samej nazwie, gdzie obok cerkwi kończy się trasa.

Kilometr powyżej wioski po prawej stronie drogi jest drugi **wapiennik**. Idąc w górę doliny przez następny kilometr, dochodzi się do dużego otworu **Peştera Lazului**, który jest widoczny na przeciwnym, prawym orograficznie brzegu rzeki. Jaskinia ma 4201 m długości; może być odwiedzana w porze suchej przez odpowiednio przygotowane i wyposażone zespoły grotołazów. Dobre miejsce na biwak czeka na polanie nad rzeką, jakiś kilometr dalej.

Trasa 7: wyżyna Mehedinţi
Ponoarele → Podul lui Dumnezeu → Peştera Podului → Lacul Zăton → Câmpul Cleopatrei → Ponoarele

Czas przejścia: 2–2,5 godz. Zapoznaje z najciekawszymi zjawiskami krasu wyżyny Mehedinţi, skupionymi na niewielkim obszarze; warto obejrzeć naturalny most – Podul lui Dumnezeu, przepływową jaskinię – Peştera Podului, jezioro okresowe – Lacul Zăton i pole żłobków krasowych – Câmpul Cleopatrei. W maju dodatkową atrakcją jest impreza folklorystyczna – Sărbătoarea Liliacului. Skalisty teren, a w jaskini błoto wymagają odpowiedniego obuwia. Do przebycia tunelu groty (gdy nie jest zalany wodą) są konieczne latarki.

Do Ponoarele najwygodniej dojechać betonową drogą z Baia de Aramă (6 km). Przed miejscowością odchodzi w lewo krótki odcinek do rezerwatu **Pădurea de liliac** (Gaj Bzowy; 1,5 km), gdzie w maju, zazwyczaj w pierwszą niedzielę, podczas powitania wiosny – Sărbătoarea Liliacului (Święto Bzu), nadarza się okazja do spotkania z lokalnym folklorem. Piękny teren krasowy doskonale się nadaje do biwakowania (jest nawet źródło).

W środku wsi, tuż przed mostkiem i barem *Mioriţa*, w lewo odchodzi droga prowadząca w górę potoku do **młyna** z poziomym kołem wodnym (500 m), który ciągle jest wykorzystywany (zob. s.482). W górze doliny (300 m), na lewo od potoku, wyrastają wapienne stoki Steiul Ponorii. Drogą do skrzyżowania w lesie i w lewo można dojść do Pădurea de liliac (2 km).

Za mostem krótki i kręty asfaltowy podjazd doprowadza do **Podul lui Dumnezeu** (Boży Most). Tuż przed nim, z lewej strony jest miejsce parkingowe (obok baru). Górą mostu wiedzie szosa w stronę miejscowości Balta i dalej do Malovăţ i Drobeta-Turnu Severin. Naturalny łuk skalny o długości 61 m, szerokości 9,7 m i wysokości 13,7 m ma 27-metrowy otwór, pozostałość jaskiniowego korytarza. Jego strop na odcinku pomiędzy mostem a obecnym wylotem **Peştera Podului**, widocznym z lewej strony, uległ zawaleniu.

Do jaskini prowadzi wygodne wejście o szerokości 15 m i wysokości 3 m. Łączna długość korytarzy wynosi 734 m. Na pierwszych 30 m błotnista Galeria Principală sprowadza w dół. Teraz następuje długi, prosty odcinek o płaskim dnie. W jego środkowej części widać lejkowaty, bardzo błotnisty wchłon o głębokości 6 m, który wypełnia niemal całą szerokość korytarza. W normalnych warunkach woda, która przesiąka szczelinami do jaskini, znajduje w nim ujście, jednak wiosną, kiedy poziom wód gruntowych się podnosi, wydostaje się z leja i tworzy podziemne jezioro. W tym okresie można się przedostać na drugą stronę tylko pontonem lub obchodząc jaskinię górą. Błotnisty wchłon należy pokonywać blisko ściany.

Z jaskini wychodzi się szerokim, kamienistym korytarzem (niski strop). Za grotą otwiera się widok na kotlinę krasową Zăton – polje należące do najciekawszych w Rumunii. W czasie topnienia śniegów, kiedy niewielki ponor nie jest w stanie nadążyć z odprowadzaniem wody, tworzy się na 2 ha okresowe jezioro – **Lacul Zăton** (z serbskiego: jezioro Zatoka). Proces jego kurczenia trawa kilka miesięcy, aż do całkowitego zaniku w porze suchej. Pozostaje tylko niewielki meandrujący potok, który wrzyna się głęboko w podłoże z popękanej gliny.

Aby wrócić do mostu, należy wspiąć się na wapienną krawędź wzgórza **Cracul Muntelui**, pod którym przebiega tunel jaskini. Jego powierzchnię zajmują żłobki krasowe, tworzące **Câmpul Cleopatrei**. Można tu spotkać ich najróżniejsze formy – od szachownicy żłobków szczelinowych po wszelkie możliwe odmiany żłobków spływowych. Niektóre tworzą piękne wachlarze; czasami mają żebra podziurawione owalnymi lub okrągłymi otworami. Powrót nad otwór wejściowy jaskini jest świetną okazją do podziwiania panoramy gór Mehedinţi oraz urokliwej kotliny Ponoarele pod drugiej stronie naturalnego mostu. Równie atrakcyjne widoki towarzyszą szosie wiodącej grzbietami wyżyny Mehedinţi przez Balta do Drobeta-Turnu Severin (pozbawiona asfaltu na środkowym odcinku).

Trasa wielodniowa

Przed podjęciem decyzji o wędrówce niniejszą trasą należy się zapoznać z uwagami poprzedzającymi opis wcześniejszych wypraw. Oto harmonogram eskapady łączącej w jedną całość opisane trasy jednodniowe: punktem wyjścia jest Băile Heculane, a metą wieś Cloşani.

Pierwszy dzień: zob. trasa 1

Drugi dzień: zob. trasa 2

Trzeci dzień: Băile Harculane → Şapte Izvoare Calde → trasa 3 w kierunku przeciwnym do opisu → motel *Dumbrava*

Czwarty dzień: zob. trasa 4

Piąty dzień: motel *Dumbrava* **→ Poiana Ţăsnei → Pietrele Albe → przełęcz pomiędzy Pietrele Albe i Vf. Bruscan → trasa 5 w kierunku przeciwnym do opisu → przełęcz**

Szósty dzień, szlak czerwonego paska: przełęcz → Cioaca Lacului → Poiana Mare → Poiana Mică → Cioaca Glămeii → przełęcz pod Cioaca Înaltă; szlak czerwonego trójkąta (słabo znakowany): przełęcz pod Cioaca Înaltă → dolina Motru Sec → wieś Motru Sec.
Warto z przełęczy pod Cioaca Înaltă zrobić sobie wycieczkę szlakiem czerwonego

trójkąta do wsi Cerna-Sat i odwiedzić unikalny wąwóz Cheile Corcoaia (zob. ramka s. 470), na co potrzeba około 4 godz.

Siódmy dzień: zob. trasa 6.
Ze wsi Cloşani można się wydostać okazją do Baia de Aramă, skąd autobusem do Târgu Jiu lub Drobeta-Turnu Severin. Można też kontynuować wędrówkę górami. W tym celu najlepiej przedostać się drogą wzdłuż doliny Motru do Izbucul Cernei (zob. ramka s. 471) i w górę doliny Cernişoara przez Cheile Cernişoarei na Pasul Jiu-Cerna. Stąd można skierować się przez masyw Oslea w góry Vâlcan lub przez wapienny Mały Retazat w granitowe pasmo Retezatu.

WĄWÓZ NERY

Jedną z największych atrakcji Banatu jest położony w górach Aninei kanion rzeki Nery, której źródła znajdują się w górach Semenic. Dopływając szeroką doliną do Şopotu Nou, rzeka przeciska się na długości 26 km przez wapienne płaskowyże wyjątkowo malowniczym wąwozem. Po opuszczeniu przełomu koło Sasca Română toń Nery ponownie staje się spokojna i niespiesznie zmierza do Dunaju, do którego po 131 km wpada, koło zamieszkanej głównie przez Serbów miejscowości Socol. W wąwozie Nery znajduje się jeszcze kilka miejsc wartych uwagi, np. wspaniałe krasowe Jezioro Diabelskie (Lacul Draculului) ukryte w malowniczej, leśnej scenerii na początku kanionu. Warto też wybrać się do bocznej doliny Beuşniţy, gdzie można zobaczyć przepiękne krasowe jezioro Oko Byka (Lacul Ochiul Boului), a wyścielone martwicą wapienną koryto strumienia doprowadzi do wspaniałego trawertynowego wodospadu Beuşniţy (cascada Beuşniţei). Największą antropogeniczną atrakcją wąwozu Nery jest zagadkowa ścieżka biegnąca wzdłuż rzeki, pokonująca niedostępne ściany ciągiem wykutych ludzką ręką tarasów i długich niekiedy tuneli.

BUDOWA GEOLOGICZNA

Góry Aninei tworzą część największej w całych Karpatach powierzchni zbudowanej z wapieni. Wąwóz wciął się w rozległy krasowy płaskowyż zbudowany z różnowiekowych wapieni, którego wysokość waha się pomiędzy 600 a 800 m n.p.m. Monotonny krajobraz krasowego plateau ożywiają twardzielcowe wzniesienia i wychodnie skał. Rzeźbę o znacznie większej dynamice można zobaczyć w dnie kanionu. Oznacza to, iż rzeka płynęła tu przed wypiętrzeniem płaskowyżu, w który wcinała się podczas wynoszenia terenu, korzystając z linii przebiegu słabszych skał (głównie na uskokach tektonicznych). Zamknięta wysokimi ścianami, szukając skał o mniejszej odporności, wykształciła wiele zakoli. Aby uzmysłowić sobie kręty przebieg Nery, warto dodać, iż odległość od początku do końca kanionu wynosi w linii powietrznej niecałe 18 km, rzeka zaś pokonuje ponad 26 km.

KLIMAT, FLORA I FAUNA

Ciągnące się na południowym przedpolu Karpat góry Aninei znajdują się pod wpływem gorącego i suchego klimatu Wielkiej Niziny Węgierskiej. Ma on charakter submediterański, co przejawia się między innymi w bogactwie flory kryjącym się w dolinie rzeki Nery. Występuje tu wiele roślin charakterystycznych dla północnej części kontynentu, obszaru bałkańskiego i śródziemnomorskiego. Spośród bardziej egzotycznych gatunków warto wymienić spotykaną czasem sekwoję (*Sequoia gigantea*), leszczynę turecką (*Corylus colurna*), akant bałkański (*Acanthus balcanicus*) czy krzewiastą piwonię (*Paeonia mascula*). W dolinie Nery można się także natknąć na, będące endemitami, goździki banackie (*Dianthus banaticus*) czy jarząby (*Sorbus bobasii*). Spośród ciekawszych przedstawicieli miejscowej fauny wyróżnia się skorpion karpacki (*Euscorpius carpathicus*) oraz żmija nosoroga (*Vipera ammotydes*).

Opisywany teren objęty jest od 2000 r. ochroną w ramach **Parku Narodowego Wąwozu Nery-Beușniţy** (Parcul Naţional Cheile Nerei-Beușniţa; www.cheilenerei-beusnita.ro). Obszar chroniony wynosi 36 758 ha i obejmuje teren zawarty w prostokącie: Șopotu Nou–Cărbunari–Oraviţa–Steierdof. W granicach znajduje się sześć rezerwatów ścisłych: Cheile Nerei-Beușniţa (3081 ha), Cheile Susariei (246 ha), Ciclova Ilidia (1865 ha), Ducin (260 ha), Izvorul Bigăr (1865 ha), Lisovacea (33 ha). Poruszanie się po terenie parku narodowego dozwolone jest wyłącznie po oznakowanych szlakach turystycznych. Ograniczenia dotyczą także miejsc biwakowych. Rozbić namiot i rozpalić ognisko wolno tylko koło leśniczówki Damian, Beu oraz przy wejściu do wąwozu w Drriște. Planowane jest wprowadzenie opłat za wstęp do kanionu.

W GÓRY

Trasa 1

Șopotu Nou → Drriștie → Jezioro Diabelskie → leśniczówka Damian (nocleg) → Podul Beiului → wariant do wodospadu Beușniţy → Sasca Română → Sasca Montana

Wzdłuż doliny Nery prowadzi nieźle utrzymany szlak czerwonego paska (ok. 8 godz.). Wariant do doliny Beușniţy za znakami niebieskiego paska (w obie strony 4 godz.).

Na przejście wąwozu Nery oraz zwiedzenie osobliwości doliny Beușniţy należy przeznaczyć dwa dni. Brak obiektów noclegowych na trasie zmusza do zabrania namiotu, który rozbijać należy tylko w miejscach do tego przeznaczonych. Emocjonująca wędrówka pozbawiona jest długich podejść – maszeruje się wszak wzdłuż doliny. Rodzi to kolejną implikację: często trzeba będzie pokonywać rzekę w bród. Warto więc zabrać klapki, choć niektórzy znużeni ciągłym ściąganiem butów po pewnym czasie prawdopodobnie zaczną przeprawiać się przez nurt bez zmiany obuwia. Należy zachować szczególną uwagę na wspomnianych wcześniej półkach skalnych, gdyż są wąskie i eksponowane. Ubezpieczenia szlaku w niektórych miejscach pozostawiają sporo do życzenia. Spływ pontonem możliwy jest przy dużej wodzie po roztopach, najlepiej w maju.

Pierwszy dzień: Șopotu Nou → leśniczówka Drriștie → Jezioro Diabelskie → leśniczówka Damian (nocleg)

Czas przejścia: około 7 godz.

Do **Șopotu Nou** można dotrzeć autobusem (2 kursy dziennie; oprócz niedziel) ze skrzyżowania drogi Timișoara–Orszowa nieopodal wsi Iablaniţa, ewentualnie ze stacji kolejowej Iablaniţa, gdzie zatrzymują się pociągi osobowe i przyspieszone. Dobrze sprawdza się też autostop. Szlak zaczyna się na skraju miejscowości i przez most na rzece Nerze prowadzi w kierunku wąwozu. Po 30 min wędrówki wśród pól uprawnych i polan dochodzi się do **leśniczówki Drriștie**, skąd rozpościera się ładny widok na skalisty początek kanionu zwany Cârșia Babei. Po kilkukrotnym przekroczeniu nurtu rzeki i po około 40 min od wejścia do wąwozu podchodzi się lasem, prawym orograficznie stokiem, do „La Scaune" – skrzyżowania ze szlakiem niebieskiego krzyża, prowadzącym w lewo przez krasowy płaskowyż do wodospadu Susara i wsi Sasca Montana (4,5 godz.). W prawo zejście za znakami niebieskiego krzyża do malowniczo położonego **Jeziora Diabelskiego** (Lacul Dracului; ok. 10 min). Zbiornik o powierzchni około 700 m², zasilany głównie przenikającą przez skały wodą Nery oraz opadami, zajmuje dno jaskini, której strop zapadł się, odsłaniając jeziorko.

Po powrocie do skrzyżowania dalej idzie się czerwonym szlakiem i schodzi do rzeki. Odtąd trasa prowadzi wzdłuż lewego brzegu Nery i od czasu do czasu wznosi na zakończenia skalistych grzbietów, by ominąć niedostępne partie. Po 1,5 godz. marszu wąwóz zwęża się i zaczynają się wykute w skale tarasy urozmaicone dwoma tunelami, przez które wiedzie szlak. Wiszącym mostem trzeba przedostać się na prawy brzeg rzeki, gdzie zaczyna się wspaniały trawers kulminacji La Cârligele, prowadzący głęboko wciętymi tarasami (ubezpieczenia). Następnie dochodzi się do szerokiej drogi, a wkrótce do gwarnego zwykle pola namiotowego przy **leśniczówce Damian**.

Drugi dzień: leśniczówka Damian ➜ Podul Beiului ➜ wariant do wodospadu Beuşniţy ➜ Sasca Română ➜ Sasca Montana

Czas przejścia: około 7 godz.

Wygodną drogą dochodzi się wzdłuż brzegu do mostu **Podul Beiului** (wiata i panel parku narodowego). Można tu też dojechać fatalną drogą prowadzącą ze wsi Potoc. W pierwszą drogę przed mostem skręca szlak niebieskiego paska, który wiedzie koło stawów rybnych (Păstaveria; uwaga na psy) do położonego po prawej stronie drogi jeziora Ochiul Boului o intensywnie turkusowej barwie (od Podul Beiului 1,5 godz.). Zbiornik o powierzchni 284 m² i maksymalnej głębokości 3,7 m pięknie prezentuje się w leśnej scenerii. Teraz trzeba podejść urokliwą dolinką Beul Sec za szlakiem niebieskiego trójkąta. W dole można zaobserwować wspaniałe kotły pokryte wytrącającą się ze zmineralizowanej wody martwicą wapienną. Po około 30 min dochodzi się do położonego w gęstym lesie **wodospadu Beuşniţy**, który wygląda szczególnie imponująco wczesną wiosną: pozbawione liści drzewa otwierają widok na masy wody spadające z wysokiego na 15 m półokrągłego progu. W pozostałych porach roku przez wodospad przelewa się niewielki potoczek. Wtedy podziwiać można tylko pokryte zielonym mchem trawertyny z ciurczącymi gdzieniegdzie strużkami wody.

Po powrocie do Podul Beiului trzeba wejść w skalistą ścieżkę obok altany. Po 20 min urozmaiconego marszu (piargi i piękne widoki) dociera się do ciągu wą-skich i niskich tuneli, którymi wychodzi się na tarasy doprowadzające do końca wąwozu. Teraz idzie się łąkami do **Sasca Română**, gdzie funkcjonuje godny polecenia pensjonat (Sasca Română 55; ☎0721/095591; 9,50 €/os.). Do końca trasy zostało jeszcze pokonanie 2 km do wsi **Sasca Montana**. Po założycielach osady – Szwabach Banackich – pozostał tu interesujący kościół obronny. Autobusem można dojechać stąd do Oraviţy (3 kursy dziennie).

GÓRY ZACHODNIORUMUŃSKIE

Niezwykle urozmaicone Góry Zachodniorumuńskie (zwane również górami Apuseni lub Bihorem) rozciągają się pomiędzy wyżynnym Siedmiogrodem a Wielką Niziną Węgierską. W ich skład wchodzi 10 grup górskich, które niezczęsto są celem wycieczek turystów z Polski. A szkoda, bo mimo iż nie ma tu oszałamiających wysokości (jedynie trzy szczyty przekraczają wysokość 1800 m n.p.m.), góry kuszą pierwotnymi krajobrazami i wspaniałymi fenomenami natury. Najwyższe masywy zgrupowane są w centrum regionu i są to: Curcubata Mare (1849 m n.p.m.), Vlădeasa (1836 m n.p.m.) i dziesięć metrów niższy Muntele Mare. Spośród wszystkich regionów na szczególną uwagę zasługują góry i płaskowyże krasowe, np. Padisz, Trascău, oraz wspaniałe urwisko Scăriţa w masywie Muntele Mare. Równie interesujące są góry proweniencji wulkanicznej, a zwłaszcza zbudowany z bazaltowych ciosów szczyt Detunate.

PADISZ

Płaskowyż krasowy Padisz (Padiş) rozciągający się w północno-wschodniej części gór Bihor jest dziś największą atrakcją turystyczną w zachodniej części Karpat rumuńskich oraz jednym z najbardziej malowniczych zakątków kraju. W wielu miejscach przetrwało pasterstwo, prastare metody wypalania wapna oraz tradycyjne rzemiosła (obróbka drewna). Dla ochrony unikalnych terenów krasowych utworzono w 1990 r. **Park Narodowy Gór Apuseni** o powierzchni 75 784 ha.

Geografia i geologia

Rejon turystyczny Padiszu (Zona turistica Padiş) leży w górach Apuseni (Munţii Apuseni), a dokładniej w północnej części gór Bihor (Munţii Bihor). W jego skład wchodzi zamknięta kotlina zwana Cetăţile Ponorului (Twierdza Ponoru), powiększona o wąwóz Galbeny i Poiana Florilor na południowym zachodzie, okolice wąwozu Cheile Someşului Cald oraz polan Vărăşoaia i Cuciulata na północy. Należy do niego także górna część doliny Boga u stóp urwisk skalnych Pietrele Boghii na północnym zachodzie.

Cały obszar jest zbudowany ze skał wapiennych, a jego podziurawiona niczym szwajcarski ser powierzchnia wchłania wody powierzchniowe spływające do kotliny. Krążą one później w podziemnych systemach szczelin i korytarzy, by pojawić się ponownie kilka kilometrów dalej w dolinach potoków Valea Galbena i Valea Boga. Ta charakterystyczna rzeźba określana jest mianem krasu.

Klimat

Góry Bihor stanowią pierwszą barierę dla nadciągających od zachodu atlantyckich mas powietrza, tworząc wilgotną wyspę pomiędzy suchą Wielką Niziną Węgierską a Wyżyną Transylwańską. Średnia roczna ilość opadów na wysokości 1000 m n.p.m. przekracza 1400 mm – w wiosce Stâna de Vale (na zachodnich stokach masywu Vlădeasy), nazywanej biegunem opadowym Rumunii, sięga 1600 mm. Wprawdzie w słoneczne letnie dni bywa tam gorąco (przeciętna roczna temperatura wynosi 4°C), ale przez dwie trzecie lata niebo jest zachmurzone i w każdej chwili można się spodziewać deszczu. Załamania pogody przychodzą nagle i bywają bardzo gwałtowne. Najlepsza pogoda panuje zwykle na przełomie lata i jesieni. Charakterystycznym zjawiskiem w rejonie Padiszu są gęste mgły utrzymujące się na niewielkich wysokościach, a spowodowane zatrzymywaniem chłodnego powietrza na dnie lejów krasowych.

Fauna i flora

Na terenie Padiszu żyją typowe dla lasów Europy Środkowej gatunki ssaków: dziki, lisy, sarny, zające, wiewiórki, kuny, żbiki, a także jelenie karpackie i sporadycznie wilki oraz rysie. Można się natknąć na reintrodukowanego z powodzeniem niedźwiedzia karpackiego, który w górach Bihor znalazł dogodne warunki bytowania. Latem nieodłącznym elementem krajobrazu polan śródgórskich i hal są swobodnie pasące się konie.

Do cenniejszych przedstawicieli świata ptaków należą cietrzewie, sowy, puchacze, kanie i orły. W niezliczonych jaskiniach gnieździ się wiele gatunków nietoperzy. W potokach żyją pstrągi. Jeśli chodzi o bezkręgowce, turyści zachwycają się unoszącymi się nad łąkami kolorowymi motylami, dla specjalistów zaś największą wartość mają rzadkie organizmy zamieszkujące jaskinie.

Roślinność gór Bihor układa się piętrowo. Na najwyższym piętrze subalpejskim rozciągają się rozległe hale wykorzystywane jako pastwiska – kosówka występuje tylko na szczycie Vlădeasy. Ogromne obszary w strefie regla górnego porastają lasy świerkowe. W reglu dolnym, poniżej poziomu 1300 m n.p.m., pojawiają się lasy mieszane oraz bukowe. Jodła spotykana jest rzadko, a wśród gatunków liściastych dominuje grab, dąb, klon i platan; w niższych partiach trafia się leszczyna. W przerzedzonych lasach obficie rosną maliny, na porębach i wzdłuż potoków jeżyny, a występujące wyżej świerczyny obfitują w borówki. Miłośników kwiatów z pewnością zachwyci Poiana Florilor, w pełni zasługująca na swoją nazwę (Kwiatowa Polana). Endemicznym gatunkiem jest **lilak Josiki** (*Syringa josikaea*) spokrewniony z gatunkami himalajskimi.

Historia

Najstarsze ślady bytności człowieka odnalezione w górach Bihor pochodzą przypuszczalnie sprzed 26 tys. lat. Przez wiele stuleci mało kogo interesowały porośnięte pierwotnym lasem górskie pustkowia – dopiero w XIX w. rozpoczęły się badania jaskiń. Działalność ekspedycji naukowej Wiedeńskiej Akademii Umiejętności zaowocowała w 1861 r. opracowaniem mapy geologicznej gór Apuseni, na której po raz pierwszy pojawiła się nazwa płaskowyżu Padisz. Dwa lata później znany austriacki geograf i speleolog **Adolf Schmidl** opublikował pierwszy obszerny opis krasu gór Bihor w wydanej w Wiedniu książce *Das Bihar-Gebirge*. Sporą część życia i środków poświęcił na badanie i udostępnianie jaskiń węgierski prawnik **Gyula Czárán**, który w 1903 r. wydał kilka przewodników turystycznych popularyzujących bihorski kras. W latach 20. XX w. ogromne zasługi w poznaniu podziemnego świata regionu położył **Emil Racoviţă**, założyciel pierwszego w świecie Instytutu Speleologicznego w Klużu, a zarazem twórca nowej dziedziny nauki – biospeleologii. Począwszy od lat 70., jaskinie Padiszu oraz sąsiednich rejonów krasowych przyciągają **grotołazów z Polski**, którzy także dorzucili swój kamyczek do odkrywania nowych odcinków korytarzy. Mimo systematycznej eksploracji

Słowo **„kras"** pochodzi od nazwy słoweńskiej wyżyny Kras, na której naukowcy po raz pierwszy zbadali i opisali zjawiska oraz formy powstałe w wyniku rozpuszczania skał węglanowych (wapieni i dolomitów) przez wodę zawierającą dwutlenek węgla. Tworzący się w wyniku ich połączenia kwas węglowy wytrąca rozpuszczalny w wodzie węglan wapnia, przez co na powierzchni skał powstają **żłobki krasowe**. Ich szerokość i głębokość waha się od kilku do kilkudziesięciu centymetrów, a długość sięga kilku metrów. Żłobki porozdzielane są **żebrami krasowymi**. Szczególnie charakterystyczną formą rozpowszechnioną w Padiszu są **lejki krasowe** – zagłębienia terenu w kształcie leja lub misy o stożkowym lub płaskim dnie i średnicy od kilkunastu do kilkuset metrów. Woda opadowa spływa w głąb ziemi szczelinami na ich dnie, a kiedy szczeliny zatkają się gliną, gromadzi się w lejku, tworząc **jeziorko krasowe**. Jeśli sąsiadujące ze sobą lejki połączą się, powstają **uwały**. Zamknięte kotliny o płaskim dnie pokrytym nieprzepuszczalną warstwą z podziemnym odpływem to **polja**, w których po opadach powstają **jeziorka okresowe**. Gdy woda spływająca doliną wyżłobioną w nieprzepuszczalnym podłożu osiąga obszar krasowy, znika w otworze szczeliny nazywanej **ponorem**. Sama dolina nie ma ujścia powierzchniowego dla wody, dlatego określana jest mianem **doliny zamkniętej**. Spotyka się **doliny suche**, którymi woda spływa tylko w okresie intensywniejszych opadów oraz **doliny martwe**, trwale pozbawione wody w wyniku **kaptażu** powierzchniowego lub podziemnego. Podziemne rzeki wypływają na powierzchnię w postaci **wywierzysk**, skąd dalej mogą przedzierać się **jarami krasowymi**, popularnie nazywanymi **wąwozami**. Są to głębokie do kilkuset metrów odcinki dolin rzecznych o wąskich i płaskich dnach oraz urwistych ścianach. Rozpuszczanie skał przez wody podziemne powoduje powstawanie **jaskiń krasowych**. Jaskinie pionowe nazywane są **studniami**, a te, których szerokość rośnie wraz z głębokością, noszą nazwę **kominów**. Wzdłuż szczelin poziomych drążone są **korytarze**, a płaskie półki wypreparowane na granicy warstw skalnych to **galerie jaskiniowe**. Na przecięciach szczelin tworzą się **sale** zwane **pieczarami**. W Padiszu można podziwiać bardzo rzadką i efektowną formę krasową – **kotły zapadliskowe**. Powstają one przez zawalenie stropu ogromnych pieczar, mają urwiste ściany i dno wysłane zwałami gruzu skalnego. Niektóre sale wypełniają **podziemne jeziora**, a korytarzami płyną **podziemne rzeki**. Zatopiony odcinek korytarza nazywany jest **syfonem**. Połączone ciągi korytarzy, sal, studni i kominów tworzą **system jaskiniowy**. W jaskiniach w wyniku wytrącania się węglanu wapnia u wylotu szczelin doprowadzających wodę opadową powstają **formy naciekowe**: zwisające z góry **stalaktyty**, rosnące od dołu **stalagmity** oraz tworzące się z ich połączenia kolumny zwane **stalagnatami**. Na dnie niektórych jaskiń gromadzi się śnieg i w wyniku obniżenia temperatury, spowodowanego efektem zastoiskowym, tworzą się **podziemne lodowce**. Ściekająca woda zamarza w postaci **lodowej szaty naciekowej**, utrzymującej się przez okrągły rok.

trwającej już blisko półtora wieku, z pewnością sporo pozostało do odkrycia. Przykładem niech będzie Jaskinia Niedźwiedzia (zob. s. 262), jedna z najpiękniejszych w Rumunii, odkryta w 1975 r. dzięki eksplozji w kamieniołomie marmuru.

W góry

W rejon Padiszu można dojechać od północy, północnego wschodu oraz od zachodu. Najdogodniejsza jest trasa z północy z miasta **Huedin** częściowo asfaltową drogą powiatową do Răchiţele (27 km), następnie dobrze utrzymaną leśną drogą szutrową przez osadę Ic Ponor i rozwidlenie dróg u ujścia potoku Bătrâna do potoku Călineasa (23 km z Răchiţele) i dalej do schroniska *Padiş* (8 km od rozwidlenia; łącznie 58 km).

Huedin leży w centrum kotliny o tej samej nazwie nad rzeką Szybki Keresz (Crişul Repede) na trasie z Oradei (102 km) do Klużu (50 km). Miasto przecina linia kolejowa i międzynarodowa szosa E60. Z dworca autobusowego (☎0264/351866) do Răchiţele są dwa kursy w dni powszednie (7.00 i 13.30) oraz jeden w niedzielę (12.30).

Malownicza droga z północnego wschodu prowadzi z miejscowości **Gilău** (16 km od Klużu przy szosie E60 w kierunku Oradei) doliną Samoszu Ciepłego (Someşul Cald) koło zaporowych jezior Gilău, Someşul Cald, Tarniţa (betonowa zapora wysokości 92 m) przez osadę Mărişel do rozwidlenia szos na przełączce ponad czwartym, największym zbiornikiem Fântânele (42 km). Droga w prawo po 5 km doprowadza do ośrodka wypoczynkowego *Staţiunea Fântânele* nad jeziorem po drugiej stronie zapory (wysokość korony zapory wynosi 92 m), a po następnych 19 km łączy się z drogą Huedin–Rǎchiţele, opisaną powyżej (10 km do Huedinu). Dalej trasa wiedzie lewym odgałęzieniem drogi do osady Poiana Horea (15 km), na skraju której opuszcza asfalt wiodący w stronę przełęczy Ursoaia. Droga w stronę Padiszu wiedzie w prawo na drugą stronę potoku Beliş, biegnie przez centrum wsi i wznosi się lasem na przełęcz, by opaść doliną potoku Cǎlineasa do rozwidlenia u ujścia potoku Bǎtrâna, wspomnianego w opisie dojazdu z północy (20 km od Poiana Horea – ostatni odcinek drogi jest trudniejszy do pokonania samochodem osobowym w porównaniu z wariantem z Rǎchiţele). Na rozwidleniu, podobnie jak w trasie pierwszej, trzeba skręcić w lewo w górę potoku do schroniska *Padiş* (łącznie z Gilǎu 85 km).

Trasa od zachodu rozpoczyna się w wiosce **Sudrigu** w dolinie Czarnego Kereszu (Crişul Negru) przy drodze Oradea–Deva (DN76/E79), 73 km od Oradei. Zatrzymują się tam autobusy relacji Oradea–Deva oraz pociągi linii Oradea–Vaşcǎu. Z Sudrigu należy skierować się asfaltową drogą do Pietroasy (dojeżdżają tam prywatne busy; 12 km) i dalej leśną drogą szutrową 22 km do schroniska *Padiş*.

Najbliższe stacje benzynowe znajdują się w Huedinie, Beiuş, Ştei oraz Sudrigu, jest też niewielka stacyjka we wsi Pietroasa.

Mapy Najlepsze mapy Padiszu to *Munţii Apuseni* (skala 1:200 000, wyd. 2001) oraz *Padiş* (skala 1:30 000, wyd. II poprawione i uaktualnione 2001), opracowane przez węgiersko-rumuński duet wydawniczy DIMAP – ERFATUR. Mapa *Padiş* występuje w wersji rumuńsko- (niebieska okładka) i węgierskojęzycznej (*Pádis*; zielona okładka). Obie można bez problemu kupić w specjalistycznych księgarniach w Polsce.

Noclegi Mimo że liczba turystów odwiedzających Padisz dawno przekroczyła 50 tys. rocznie i ciągle wzrasta, okoliczne schroniska i pensjonaty mogą jednorazowo przyjąć niewiele ponad setkę gości.

Schronisko *Padiş* (☎0788/370566) stoi na rozległej polanie na wysokości 1280 m n.p.m. przy głównym węźle 13 szlaków do najciekawszych zakątków rejonu. Mocno zaniedbany (ale zelektryfikowany) budynek oferuje prymitywne warunki (brak urządzeń sanitarnych) dla około 36 osób. Ponadto w wybudowanej w 1980 r. noclegowni dla górników prowadzących wiercenia, tzw. *Cabana Sondorilor*, obecnie wykorzystywanej przez górskie pogotowie Salvamont (dla dzwoniących z komórki ☎0259/982) może przenocować 12–50 turystów. Sytuację ratuje pobliskie niedrogie **pole biwakowe** (jedno z dwóch w Padiszu). W sklepiku można kupić chleb oraz zamówić ciepły posiłek, a w sezonie miejscowi spacerują między namiotami, oferując ciepłe placki z owocami i mleko.

Drugie **pole namiotowe** powstało na **polanie La Grajduri**, zwanej też Poiana Glavoi. Jest to tradycyjne miejsce biwakowania grotołazów. Dla turystów przygotowano toaletę i natryski, a w pobliskim szałasie pasterskim uruchomiono sklep z podstawowymi artykułami spożywczymi i napojami (można tam także kupić literaturę przewodnikową).

Schronisko *Vǎrǎşoaia* na polanie o tej samej nazwie (na wysokości 1267 m n.p.m.) oferuje 10 miejsc noclegowych. Schronisko *Bulz* zbudowano na wysokości 462 m n.p.m. koło szutrowej drogi wiodącej z Pietroasy do schroniska *Padiş* tuż powyżej połączenia potoków Valea Bulz i Valea Galbenei, dających początek Kereszowi Kamienistemu (Crişul Pietros). Obiekt dysponuje 18 miejscami. Schronisko *Boga* stoi na wysokości 520 m n.p.m. na początku osady letniskowej o tej samej nazwie. Oferuje 12 miejsc noclegowych.

Cabana Cetǎţile Ponorului (padis@email.ro), na wysokości 1079 m n.p.m., jest usytuowane około 2 km od szlabanu na polanie La Grajduri, przy leśnej drodze do doliny Seacǎ, tuż za odgałęzieniem do wywierzyska Izbucul Ursului. Oferuje 27 miejsc noclegowych w pokojach 1–10-osobowych (dodatkowe 10 miejsc na składanych łóżkach). Dla gości przygotowano dwie łazienki z umywalkami, prysznicem oraz WC. Na miejscu jest restauracja serwująca potrawy kuchni rumuńskiej, węgierskiej, francuskiej, włoskiej i meksykańskiej oraz bar, a na zewnątrz miejsce na ognisko.

Prócz schronisk, w rejonie Padiszu zapewniają **pensjonaty**. *Ic Ponor* (Ic Ponor, 48 km od Huedinu; ☎0264/353064, 0744/272465, agroturism_icponor@yahoo.com), przy szutrowej drodze z Rǎchiţele

Od drogi leśnej Răchiţele–schronisko *Padiş*–Pietroasa odchodzą następujące odgałęzienia:
* z osady Ic Ponor do wąwozu Samoszu Ciepłego (9 km)
* z polany Şesul Padişului do schroniska *Vărăşoaia* i dalej w okolice Cetăţile Rădesei (4 km)
* z polany Şesul Padişului do gajówki *Padiş* (1 km)
* z przełęczy Scăriţa do obozowiska na polanie La Grajduri (3 km)
* dalszy ciąg drogi (w dół doliny Twierdzy Ponoru i dalej do wywierzyska Izbucul Ursului oraz jej odgałęzienie wiodące do schroniska *Cetăţile Ponorului* i dalej w górę doliny Se- acă) za gajówką *Glăvoi* jest zamknięty dla ruchu kołowego
* z wakacyjnej osady Boga do doliny Boga (3 km)
* z doliny Kereszu Kamienistego do Poiana Florilor (10 km)

Pieszo do centrum rejonu turystycznego Padisz można dojść szlakami turystycznymi:
* od schroniska *Vlădeasa* w masywie Vlădeasy do schroniska *Padiş* – niebieskie paski (35 km; 11–12 godz.)
* z miejscowości Stâna de Vale do schroniska *Padiş* – czerwone paski (20 km; 6–7 godz.)
* z miejscowości Pietroasa do schroniska *Padiş* – niebieskie krzyże (17 km; 5–6 godz.)
* z przełęczy Vârtop do schroniska *Padiş* – czerwone paski (18 km; 9–10 godz.). Do prze- łęczy można dojechać okazją albo własnym samochodem. Z polany, na której jest wy- ciąg narciarski i kilka budynków bufetowo-noclegowych, poprowadzono nowy szlak oznakowany czerwonymi trójkątami wiodący głównym grzbietem przez szczyt Vârtop. Po drodze odbijają w prawo żółte trójkąty do doliny Luncsoarei – stamtąd dojście do wąwozu Galbeny. Następnie po około 1,5 godz. grzbiet przecinają czerwone trójkąty do schroniska *Padiş* – to wymieniony niżej szlak z Arieşeni.
* od jaskini lodowej Scarişoara do schroniska *Padiş* – niebieskie paski (21 km; 6–7 godz.)
* z miejscowości Arieşeni do schroniska *Padiş* – czerwone trójkąty (16 km; 5–6 godz.)
* z miejscowości Gârda de Sus do schroniska *Padiş* – niebieskie trójkąty (23 km; 8–9 godz.)

do schroniska *Padiş*, oferuje 50 miejsc w przyzwoitych warunkach. Przy tej samej drodze w osadzie Doda Pilii działa pensjo- nat *Rustic* (☎0745/437883) dysponujący 24 miejscami w schludnych pokojach (2–8-os.) z łazienkami i bez. Na miejscu jest restauracja.

Propozycje tras Punktem wyjścia czterech opisanych niżej jednodniowych wycieczek jest węzeł szlaków koło schroniska *Padiş*, ale po niewielkiej modyfikacji można je tak- że rozpocząć z obozowiska na polanie La Grajduri. Zapalonym piechurom warto po- lecić dwie siedmiodniowe wędrówki przed- stawione w dalszej części rozdziału.

Oznakowanie szlaków turystycznych w rejonie Padiszu zostało w ostatnim cza- sie odnowione i uzupełnione przy wspar- ciu funduszów europejskich, dzięki czemu korzystnie odbiega od rumuńskiego stan- dardu w tej dziedzinie. Źródłem kłopotów mogą być natomiast zmiany w ich przebie- gu i oznaczeniu. Szczególnie mylące są od- cinki, na których nie usunięto starych zna- ków, a nowych, innego koloru czy kształtu, naniesiono zbyt mało. Wtedy najlepiej po- legać na mapie.

Trasy jednodniowe
Trasa 1

Schronisko *Padiş* → wywierzysko Izbucul Ponorului → kotlina Twierdza Ponoru → La Grajduri → schronisko *Padiş*

Wycieczka zajmuje 6 godz. Należy kierować się znakami niebieskiego kółka. Trasa tworzy pierścień o długości 12 km i sumie podejść około 300 m; podany czas przejścia obejmuje także zwiedzanie części podziemnej. Na po- czątkowym odcinku wiedzie razem ze znakami żółtego kółka (tzw. pętla wąwozu Galbeny), żółtego krzyża (szlak do płaskowyżu krasowe- go Lumea Pierdută) oraz czerwonego trójkąta (do miejscowości Arieşeni – tam autobusy do Câmpeni).

Od schroniska *Padiş* należy skierować się drogą biegnącą doliną potoku Valea Gârjo- aba (z lewej strony budynku). Po przekro- czeniu koryta potoku (niekiedy bywa wy- schnięty) idzie się po lewej stronie głębokiego ponoru potoku Valea Gârjoaba. Woda, która znika w ponorze, wypływa na powierzchnię dużo niżej, w wywierzysku Izbucul Ponorului. Niewiele dalej znakowa- ny szlak odbija od drogi, którą podążał do tej pory, przechodząc wyżej po lewej, na południe. Ścieżka biegnie pomiędzy kilkoma dużymi lejami krasowymi, a następnie wkracza do zamkniętej kotliny (przypominającej kształtem dolinę) z kolejnymi trzema owalnymi lejami krasowymi i doprowadza do drogowskazu pośrodku (jest to miejsce zamykające pętlę, do którego wraca się po zwiedzeniu Twierdzy Ponoru, tam też zamyka się pętla wąwozu Galbeny).

Należy kierować się lewym odgałęzieniem, ciągle na południe. Na końcu kotliny ścieżka wznosi się łagodnie na lewo, zagłębia w las i wkrótce dociera na siodełko Brădeţanului i maleńką polankę Rotundă. Zaraz za polaną odchodzą w lewo znaki żółtego krzyża wskazujące drogę na płaskowyż Lumea Pierdută, a pozostałe trzy trasy rozpoczynają dość strome zejście prawym zboczem doliny potoku Brădeţanului aż do polany Ponor. Na skraju polany nieopodal połączenia strumieni tryska źródło, a z prawej strony płynie zimny potok Ponorului wypływający z **wywierzyska Izbucul Ponorului** (u podstawy ściany skalnej ok. 280 m dalej – warto zboczyć ze szlaku za znakami podwójnego niebieskiego kółka, by je zobaczyć), które odprowadza całą wodę z płaskowyżu Padisz. Pierwszą próbę nurkowania w wywierzysku podjęto w 1972 r. – zakończyła się ona tragicznie, śmiercią jednego z nurków.

Wkrótce po powrocie na szlak oddzielają się znaki czerwonego trójkąta wiodące do Arieşeni. Pozostają one na lewym brzegu potoku Ponorului, podczas gdy ścieżka oznaczona niebieskim i żółtym kółkiem przechodzi na prawy i po dobrych 500 m osiąga centrum kotliny. Na prawo widać wznoszącą się drogę do gajówki Glăvoi na polanie La Grajduri (w 20 min można nią dojść z pola biwakowego La Grajduri, by na Poiana Ponor rozpocząć wycieczkę pętlą Twierdzy Ponoru).

Kotlina to jedyne prawdziwe polje w Rumunii. Nazwą tą (stosuje się także termin „popław") określa się rozległe zagłębienie otoczone ze wszystkich stron wysokimi zboczami, pozbawione powierzchniowego odpływu wód (jego płaskie dno wyściełają nieprzepuszczalne namuły rzeczne). Wody podziemne dostające się do kotliny wywierzyskiem Izbucul Ponorului uchodzą kilometr dalej kilkoma stożkowymi wchłonami – ponorami wypreparowanymi w glinie. Z powodu ich niezbyt dużej przepustowości w czasie ulewnych deszczów na dnie polja powstaje jezioro okresowe (jego zasięg wskazują pozostałości gliniastego osadu na trawie). Z prawej strony kotlinę zamyka półokrągła bariera

skał wapiennych, u stóp której można dostrzec ponory. Znikająca tam woda pojawia się ponownie w jaskini Twierdzy Ponoru.

Ścieżka biegnie na prawo od wchłonów i wspina się stromo przez las na **siodło** (1119 m n.p.m.) w małym grzbiecie, który oddziela polje od doliny potoku Valea Cetăţilor, a następnie szybko sprowadza do zamkniętej dla ruchu samochodowego drogi leśnej (kierując się nią w lewo, po 10 min dojdzie się do obozowiska *La Grajduri*).

Szlak przecina drogę, opada ukośnie w lewo przez las i po 5 min dociera na dno dużego leja krasowego z małą ścianką wapienną po lewej (w tym miejscu odgałęzia się w lewo pętla wąwozu Galbeny biegnąca łukiem z lewej strony Twierdzy Ponoru). Ścieżka biegnie górną krawędzią leja i po 15 min dochodzi do widocznej z daleka, potężnej (największej w Rumunii – 73 m wysokości) bramy jaskiniowej w kształcie gotyckiego okna. Jej rozmiary najlepiej świadczą o intensywności erozji potoku Valea Cetăţilor, która spowodował tak znaczne pogłębienie koryta. Dolina potoku Valea Cetăţilor stanowi szmaniały przykład doliny zamkniętej (ograniczające ją potężne ściany piętrzą się na wprost). Po obu stronach bramy widać dwa wielkie kotły zapadliskowe – po lewej południowy (*dolina sudică*), po prawej północny (*dolina nordică*) – powstałe przez zawalenie się stropów gigantycznych podziemnych sal. Po raz pierwszy Twierdzę Ponoru opisał Sandor Nagy w 1886 r., choć miejscowej ludności musiała być znana od niepamiętnych czasów. Została spopularyzowana przez Gyulę Czárána w jego słynnym przewodniku z 1903 r. i od roku 1952 objęta jest ochroną jako rezerwat przyrody.

Ostatni odcinek zejścia pokonuje się po metalowej drabinie, a następnie schodzi się wśród głazów na dno kotła centralnego, skąd rozpoczyna się zwiedzanie **jaskini**, będącej ponorem doliny Cetăţilor. Główny korytarz długości 1850 m zamyka ostatnie z 14 podziemnych jezior. Z jego dna prowadzi 850-metrowy syfon uchodzący w wywierzysku Galbeny.

Należy iść w prawo po piargu w stronę bocznej bramy wiodącej do kotła północnego, by następnie dotrzeć na dno gigantycznej studni o głębokości 200 m, a średnicy zaledwie 70 m. Dno skalnego kotła usłane jest głazami pochodzącymi z zawalonego stropu pieczary. W ścianie można dostrzec otwór-wejście do podziemnej części jaskini.

Wracając tą samą drogą w stronę kotła centralnego, z prawej strony widzi się drugi wylot jaskini. Woda, która wypływa z potężnego wywierzyska poniżej, pochodzi z potoku Ursului. Płynie on z płaskowyżu Lumea Pierdută, a następnie znika w ponorze jaskini Căput, by na krótko ponownie pojawić się na powierzchni w tym miejscu. Teraz turysta ma do wyboru dwa warianty trasy.

Osoby bardziej doświadczone, wyposażone w latarki i gumowe buty (a najlepiej także kombinezon i kask) mogą zwiedzić pierwszy, 400-metrowy odcinek podziemnej galerii do Sala Taberei (Sala Obozów). Wariant ten wchodzi jednak w grę tylko w przypadku **niskiego poziomu wody** – należy unikać wchodzenia do korytarzy w okresie ulewnych deszczy, które zamieniają podziemny strumień w rwącą rzekę. Zejście przez otwór jaskini po bardzo śliskich stopniach trzymetrowego pionowego uskoku ułatwia stalowa lina (uwaga na rozplecione druty na jej końcach, które mogą poranić ręce!). Po pokonaniu początkowych trudności turysta staje na dnie obszernej galerii o szerokości do 10 m i wysokości do 70 m (przeciętnie 20 m). Jej wyrównane dno jest usłane głazami, po których należy wybierać najdogodniejszą drogę. Po pierwszych 100 m dochodzi się w pobliże okna (z prawej) wychodzącego na kocioł północny. Pod ścianą z prawej strony biją dwa źródła (*nări*). Podziemne wywierzyska niosą wodę z doliny potoku Valea Cetăţilor i polany Ponor. 10 m dalej, za ostrym zakrętem w lewo, pojawia się światło dochodzące z galerii prowadzącej do kotła południowego. Stanowi ona najłatwiejszy dostęp do jaskini i właśnie nią najlepiej wrócić na powierzchnię. Wcześniej można jeszcze zwiedzić 200-metrowy fragment skręcającego koło niej w prawo korytarza do Sali Obozów. Ośmiometrowa kaskada spadająca do pierwszego jeziora zmusza do użycia specjalistycznego sprzętu i dalsza część jaskini dostępna jest jedynie dla doświadczonych grup grotołazów wyposażonych w ponton bądź kombinezony do nurkowania. Wspomniana wcześniej galeria biegnie stromym piarżystym zboczem na dno wielkiego zapadliska.

Ci, którzy nie zamierzają pokonać trasy podziemnej, lub jak kto woli, wykazują się większą dozą zdrowego rozsądku, powinni skierować się ścieżką od bramy w lewo. Wspinaczkę na przełączkę pomiędzy ponorem a kotłem południowym ułatwia metalowa drabinka. Z tego miejsca otwiera się widok na największy kocioł przypominający kształtem trójkąt o bokach dochodzących do 300 m długości. Liczące blisko 200 m

wysokości pionowe ściany rozcina stromy piarżysty żleb Sohodolui Mare (na wprost). Wysoko na krawędzi kotła wiszą dwa z czterech pomostów widokowych, a pod nimi kryje się zejście do podziemnej rzeki, z którego wyłonią się ci, którzy wybrali podziemny wariant zwiedzania (zejście ma 65 m długości i nie powinno sprawić trudności).

Stojąc na dnie kotła południowego, można zaobserwować, jak wydostające się z głębi jaskini wilgotne i zimne powietrze ściera się z dużo cieplejszym, zalegającym na dnie kotła, powodując powstawanie obłoku mgły.

Dalej należy iść ścieżką do wylotu piarżystego żlebu, którym wspina się prosto na krawędź kotła. Podejście jest dość uciążliwe, a na pierwszym odcinku piargu nawet niebezpieczne z powodu spadających kamieni. Zaleca się, by podchodzący turyści łączyli się w większe grupy, tak by nikt w danej chwili nie znajdował się na linii spadających kamieni. Nie zawadzi również ostrzegać głosem osoby schodzące żlebem. Po około 30 min wychodzi się na poziomą ścieżkę, którą należy skręcić w prawo. Na krótkim odcinku trasa biegnie razem z dochodzącymi z lewej strony znakami żółtego kółka prowadzącymi ze schroniska *Padiş* do wąwozu Galbeny, ale wkrótce opuszcza je, skręcając łagodnie w prawo. Ścieżka osiąga krawędź kotła południowego i dalej, po prawej, pierwszą platformę widokową, następnie wije się przez las wśród wapieni z misterną rzeźbą żłobków krasowych. Po drodze mija się (po prawej) jeszcze trzy pomosty widokowe – dwa ostatnie umieszczono nad krawędzią kotła północnego.

Od ostatniej platformy widokowej ścieżka biegnie w górę do leśnej drogi, którą podąża w prawo równolegle do dna doliny potoku Valea Cetăţilor. Po około kilometrze szlak przecina dolinę i dochodzi do głównej drogi leśnej, którą należy skręcić w lewo. 400 m dalej jest gajówka *Glăvoi* i obozowisko na polanie La Grajduri (tuż przed wejściem na polanę dołącza z lewej strony trasa okrężna z wąwozu Galbeny).

Na odcinku od polany La Grajduri do schroniska *Padiş* trasa biegnie wspólnie ze szlakiem oznakowanym żółtymi kółkami. Kawałek za mostkiem nad suchym łożyskiem potoku oba szlaki opuszczają drogę, skręcając w prawo – rozpoczyna się podejście korytem następnej suchej doliny w kierunku północno-wschodnim. Ścieżka mija las, wychodzi na kolejną polanę i wznosząc się wzdłuż koryta, osiąga małą zadrzewioną kulminację. Szlak biegnie w górę i w dół i w końcu dociera do mijanej na początku wycieczki kotliny z trzema owalnymi lejami krasowymi i drogowskazem.

Skręcając w lewo, znaną już drogą koło ponoru potoku Gârjoaba dochodzi się do schroniska *Padiş*.

Trasa 2

Schronisko *Padiş* → ponor w kotlinie Vărăşoaia Nord → polana Rădesei → wylot wąwozu Samoszu Ciepłego → polana Rădesei → ponor w kotlinie Vărăşoaia Nord → jaskinia Padisz → schronisko *Padiş*

Szlak oznakowany czerwonymi kółkami: 8 godz. Trasa wycieczki do tunelu Cetăţile Rădesei i wąwozu Samoszu Ciepłego zwana jest pętlą źródeł Samoszu Ciepłego (*circuitul izvoarelor Someşului Cald*). Jej długość wynosi 15 km, a suma podejść około 600 m. Ten niezwykle ciekawy szlak spodoba się szczególnie miłośnikom osobliwości krasowych, których po drodze nie zabraknie.

Wycieczka rozpoczyna się przed schroniskiem *Padiş* (1 godz. 15 min z obozowiska *La Grajduri*). Odcinek do początku właściwej pętli (koło ponoru w kotlinie Vărăşoaia Nord) oznakowany jest czerwonymi paskami (szlak do Stâna de Vale), którym towarzyszą niebieskie paski (szlak do schroniska *Vlădeasa*). Ponieważ przez kotlinę Vărăşoaia Nord prowadzą obie trasy wielodniowe opisane w dalszej części rozdziału, pętlę źródeł Samoszu Ciepłego można przejść podczas przemarszu którąś z nich. Do ponoru w kotlinie da się dojechać samochodem, wybierając na skrzyżowaniu pięciu dróg w kotlinie Şesul Padiş kierunek północno-wschodni, można także podjechać doliną Samoszu Ciepłego od osady Ic Ponor do wylotu wąwozu Samoszu i rozpocząć wycieczkę w najniższym punkcie trasy.

Od węzła szlaków przed schroniskiem *Padiş* należy skierować się drogą jezdną w stronę wsi Pietroasa za znakami czerwonych i niebieskich pasków. Wkrótce na zakręcie w lewo, tuż za mostkiem na potoku Valea Trânghieşti, trasa opuszcza szosę i podąża leśną drogą w dotychczasowym kierunku. Szlak trawersuje zbocza Măgura Vânătă i przecina suche koryto Valea Arsurii oraz potok Pârâul Renghii, a po wyjściu z lasu, po przekroczeniu suchego łożyska potoku Pârâul Cuţilor ponownie dochodzi do drogi jezdnej. Skręcając w nią w prawo (na północny zachód), po około 500 m dociera się do węzła szlaków (w lewo – na południowy zachód – odbija zaczynający się tutaj oznakowany niebieskimi kółkami szlak do jaskini Padisz). Po około 300 m droga mija po lewej mały prywatny kompleks turystyczny (niezłe noclegi w domkach) i chwilę później dociera do kolejnego węzła szlaków, gdzie w prawo odbija szlak żółtego trójkąta na Măgura Vânătă – najwyższy, choć nie najciekawszy, szczyt w rejonie Padiszu.

W lewo drogowskaz wskazuje nieznakowaną drogę do punktu widokowego nad urwiskiem Pietrele Boghii, gdzie łączy się ona ze szlakiem oznakowanym czerwonymi kółkami (trasa 3).

Zasadnicza trasa biegnie prosto północną stroną kotliny krasowej Vărăşoaia Sud razem ze szlakiem do miejscowości Stâna de Vale (żółte paski; przez Poiana Onceasa i Piatra Tâlharului). Po lewej w jednym z 71 lejów kotliny widać jeziorko krasowe Tăul Vărăşoaia wypełniające tzw. lej sufozyjny, czyli uformowany nie w skale, lecz w zalegającym na wapieniu nieprzepuszczalnym materiale osadowym. Na południowym zachodzie piętrzy się zamykający kotlinę szczyt Piatra Boghii.

Kontynuując wędrówkę na północ, po łagodnym podejściu osiąga się małe siodło Vărăşoaia, które oddziela Măgura Vânătă od wznoszącego się po lewej szczytu Vărăşoaia. Ścieżka obniża się do **kotliny Vărăşoaia Nord**, mijając dwa leje krasowe z głębokim ponorem. Tuż za nimi, w miejscu, gdzie droga jezdna zakręca pod kątem prostym w lewo, szlak opuszcza ją, odchodząc w prawo. Jest to początek właściwej pętli źródeł Samoszu Ciepłego (dalej drogą biegną niebieskie paski do schroniska *Vlădeasa* oraz czerwone i żółte paski do Stâna de Vale).

Ścieżka wznosi się na północ na przełęcz leżącą na granicy lasu, a następnie obniża do rejonu źródłowego potoku Rădesei. Wypływająca z wielu miejsc woda szybko formuje strumień, który po chwili wpada do ponoru: wlotu do jaskini-tunelu Cetăţile Rădesei. Otwór jaskini ma kształt elipsy o wysokości 15 m i szerokości 7 m. Gyula Czárán jako pierwszy opisał jaskinię w wydanym własnym nakładem w 1903 r. przewodniku po krasie bihorskim, nadając jej nazwę Brama Babilonu, a ponadto sfinansował budowę trasy turystycznej.

Tuż przed przekroczeniem Bramy Babilonu znakowana ścieżka rozwidla się (10 min z kotliny Vărăşoaia Nord) – lewym zboczem opada droga powrotna ponad tunelem Cetăţile Răresei. Pokonanie podziemnej galerii nie sprawia trudności przy niskim poziomie wody, lecz w czasie ulewnych deszczów może być bardzo niebezpieczne. Podziemna trasa liczy 212 m. Po około 100 m trawersu po kamieniach, drewnianych schodkach i przerzuconych nad potokiem deskach pojawia się przyćmione światło wpadające przez pięć okien w stropie (przyda się latarka). Obszerna galeria (8 m szerokości, 10 m wysokości) rozszerza się w środkowej części, tworząc salę Dom (38 m szerokości, 25 m wysokości). Jaskinia kończy się na dnie wąskiej gardzieli mrocznego jaru krasowego o nazwie Canion, długiego na 50 m. Z lewej strony przez skalne zwężenie z trzymetrowym wodospadem trasa łączy się z doliną Feredeului. Także z lewej strony dołącza wariant trasy przechodzący ponad tunelem – tę opcję należy wybrać w przypadku wysokiego poziomu wody w jaskini. Jest to także trasa powrotna.

W tym miejscu potok zmienia nazwę na Samosz Ciepły (Someşului Cald). Szlak prowadzi w dół strumienia do malutkiej polanki Rădesei z miejscem na odpoczynek (z lewej wpada duży dopływ Cuciulata).

Poniżej zaczyna się **wąwóz Samoszu Ciepłego**, który nie jest tak efektowny jak trasa podziemna, ale wart zwiedzenia ze względu na liczne atrakcje turystyczne po drodze. Wąwóz tylko miejscami jest skalisty, a wysokość jego ścian sięga 150 m. Strome zbocza porasta pierwotny las świerkowy, miejscami poprzerywany przez piargi.

Na **polanie Rădesei** (Poiana Rădesei) trasa rozwidla się. W lewo odchodzi ścieżka, która nieco dalej dzieli się jeszcze raz na biegnącą lewym brzegiem wąwozu powrotną część pętli oraz mało ciekawy okrężny wariant powrotny przez Piatra Arsă (1488 m n.p.m.). Należy wybrać prawe odgałęzienie, wspinające się na zbocze. Za drugim dopływem daje się słyszeć huk wodospadu, którym minięty przed chwilą strumień spada do doliny (w drodze powrotnej będzie okazja podziwiać kaskadę z przeciwległego stoku). Potok nazwany został przez Czárána imieniem fenickiego boga Molocha, który żądał składania ofiar z dzieci. Wkrótce od szlaku odgałęzia się

w lewo krótka odnoga do **punktu widokowego La Belvedere**, położonego na szczycie kazalnicy o wysokości 150 m (z polany Rădesei 30 min). Roztacza się z niego fantastyczna panorama: daleko z lewej widać szczyt Vărăşoai, pod którym sterczą Pietrele Rădesei, na wprost bieleją urwiska Peretele Cuciulatei, a powyżej ciągnie się grzbiet Briţy i Vlădeasy ze skalistym ostańcem Piatra Tâlharului. Na prawo otwiera się skalna brama Samoszu strzeżona przez wapienne turnie Dosului Căpiţei.

Po powrocie na szlak dociera się do poprzecznej grani skalnej Captorul, za którą rozpoczyna się zejście sprowadzające w 40 min nad rzekę, do podnóży podziwianych z góry turni Dosului Căpiţei. Po przekroczeniu potoku dochodzi się do końcówki drogi leśnej z Ic Ponor – biegnące nią w prawo znaki czerwonego krzyża wskazują kierunek na Jaskini Smoczej (Peştera Zmeilor de la Onceasa). Z tego miejsca szlak odbija w lewo, w górę doliny. Zaraz za końcem drogi zaczyna się stroma wspinaczka przez las. Po 15 min ścieżka skręca w lewo i wznosi się łagodniej. Z prawej strony otwiera się ujście niezbyt interesującej krętej jaskini Honu (długości 75 m), zakończonej zatarasowanymi kominami. Dalej trasa wiedzie wysoko nad doliną u podstawy ścian Peretele Cuciulatei, raz wznosząc się, raz opadając po piargach i złomiskach wśród zwalonych drzew. Po około 500 m dociera się do rozgałęzienia szlaków. Znaki podwójnego (współosiowego) kółka schodzą zakosami w lewo aż do koryta Samoszu. Trudy wędrówki wynagradza fantastyczny widok z dołu na rzekę, a przede wszystkim gardziel wąwozu Moloch (Canion Moloh) z niedostępnym wodospadem na przeciwnym brzegu. Podchodząc dnem wąwozu 100 m w górę rzeki, osiąga się jaskinię Uscată o olbrzymią salą.

Właściwa trasa biegnie w prawo (w lewo dla powracających z dołu) i wkrótce mija odnogę wiodącą w lewo do kolejnego atrakcyjnego punktu widokowego. Bardzo efektownie prezentuje się stąd wąwóz Moloch z wyżłobionymi przez wodę ścianami.

Po powrocie na ścieżkę po około 10 min dochodzi się do drogowskazu w lesie, który kieruje w prawo do Piatra Arsă (wytyczony przez las świerkowy łącznik z trasą 1). Należy iść w lewo, by mniej więcej 30 m dalej napotkać odgałęzienie w prawo prowadzące do Małego Tunelu (Tunelul Mic) przebijającego dolinę potoku Valea Cuciulata, a następnie po powrocie na szlak kontynuować zejście w prawo na dno doliny potoku Valea Cuciulata (poniżej tunelu).

Trasa przecina potok i opada na polankę Rădesei, zamykając tym samym dolną pętlę wąwozu Samoszu.

Teraz należy podejść znaną już ścieżką w pobliże wylotu jaskini Cetăţile Rădesei. Odchodzi stamtąd ścieżka po stopniach (kolejna inicjatywa Czárána) na ramię grzbietu po prawej stronie jaskini. Po pewnym czasie od szlaku odbija pierwsza znakowana odnoga w lewo prowadząca do rodzaju platformy widokowej ponad wylotem jaskini, skąd można z góry podziwiać gardziel Rădesei. Podążając główną ścieżką, po 45 m osiąga się dwa odgałęzienia do leja krasowego z lewej. Jest on zakończony studnią – największym oknem w jaskini. Na kolejnym 50-metrowym odcinku są jeszcze trzy takie studnie, a po powrocie na ścieżkę wyłania się ostatnia, piąta. Szlak wznosi się i 100 m dalej osiąga polankę, z której należy zejść po piargu na dno doliny, na wprost górnej bramy jaskini Cetăţile Rădesei, zamykając tym samym pętlę.

Trasa powrotna wiedzie tą samą drogą aż do odejścia oznakowanego niebieskimi kropkami szlaku do jaskini Padisz (300 m za kompleksem turystycznym w kotlinie Vărăşoaia Sud). W tym miejscu należy skręcić w prawo i podejść ścieżką na zalesioną przełączkę między dwoma wzgórzami, po czym, utrzymując kierunek, skierować się trawersem na kolejne podłużne siodło, gdzie z prawej strony dochodzi południowy język pastwiska kotliny Vărăşoaia Sud. Około 500 m od początku szlaku, na wprost w lesie na dnie leja krasowego kryje się wejście do liczącej 160 m długości jaskini Padisz (Peştera Padiş). Zaczyna się ona pochyłą salą, z której w lewo schodzi się do kolejnej. Z jej dna odchodzi wąski korytarz opadający do najniższego punktu jaskini (-52 m). Stąd wznosi się 20 m w górę i tam się kończy.

Po zwiedzaniu jaskini należy dotrzeć do drogi jezdnej i skręcić na nią w prawo. Około 500 m dalej odbijają w lewo szlaki do przełęczy Vârtop (czerwone paski) oraz jaskini lodowej Geţarul de la Scărişoara (niebieskie paski), którymi można dojść do schroniska Padiş.

Należy kontynuować marsz drogą jezdną, pozostawiając po lewej ponor Cuţilor. Droga zakręca w prawo i dochodzi do dużej kotliny krasowej Şesul Padişului Nord o zadziwiająco płaskiej powierzchni podziurawionej 126 lejami sufozyjnymi (w wielu z nich utworzyły się malutkie jeziorka). Od południowego zachodu dolinę zamyka wapienny grzbiet Cuculeu–Oşelu,

a na północnym krańcu (po prawej) stoi gajówka Padiş. 300 m dalej jest węzeł dróg, w którym zbiega się pięć szos oraz kilka szlaków turystycznych. Ostro w lewo na wschód prowadzi szlak do Stâna de Vale (czerwone paski, do schroniska Padiş wspólnie z niebieskimi krzyżami). W kierunku przeciwnym biegnie, również oznakowany czerwonymi paskami, szlak do przełęczy Vârtop (na odcinku do Jaskini Lodowej Żywego Ognia opisany w trasie 3), a także niebieskie krzyże do wioski Pietroasa oraz czerwone kółka do Cetatia Boghii i jaskini Şura Boghii (opisane w trasie 3). Na południowy wschód drogą jezdną do wsi Pietroasa wiedzie oznakowany żółtymi paskami szlak do Groapa de la Barsa (opisany w kierunku odwrotnym w trasie 3), którym w 45 min można dojść w okolice obozowiska na polanie La Grajduri.

Na rozwidleniu należy skręcić ostro w lewo, by drogą jezdną za znakami czerwonego paska i niebieskiego krzyża w 30 min dojść do schroniska Padiş.

Trasa 3
Schronisko Padiş → uwał Bălileasa → Jaskinia Lodowa Żywego Ognia → Groapa de la Barsa → uwał Bălileasa → schronisko Padiş

Na wycieczkę należy przeznaczyć 6 godz. Szlak oznakowano czerwonymi, a w dalszej części żółtymi paskami. Pętla Groapa de la Barsa liczy 16 km długości. Atrakcją trasy jest wspaniała jaskinia lodowa oraz zjawiska krasowe.

Od węzła szlaków koło schroniska Padiş do skrzyżowania pięciu dróg w pobliżu gajówki o tej samej nazwie należy iść drogą powrotną z wąwozu Samoszu Ciepłego (trasa 2), w kierunku przeciwnym do opisu. Główna droga zakręca ostro w lewo – a wraz z nią żółte paski z Groapa de la Barsa (szlak powrotny). Na skrzyżowaniu należy skierować się na wprost, w stronę widocznych zabudowań gajówki Padiş. Trasa wiedzie przez kotlinę krasową Şesul Padişului na południowy zachód do rozgałęzienia szlaków, kawałek za odbiciem drogi w prawo do gajówki pod lasem. Prawym, zachodnim odgałęzieniem wiodą szlaki do wioski Pietroasa (niebieskie krzyże) oraz Cetatia Boghii i jaskini Şura Boghii (czerwone kółka).

Warto poświęcić dodatkową godzinę na wypad do punktu widokowego nad urwiskami **Pietrele Boghii**. W tym celu trzeba pójść w stronę lasu drogą, która wznosi się do rozwidlenia szlaków na przełęczy Oşelelul. Oznakowana czerwonymi kółkami dróżka prowadzi w prawo, a po pewnym czasie opada w lewo na skraj urwisk, z których roztacza się wspaniała panorama położonego 800 m w dole Amfiteatru Boga.

Słabo widoczna ścieżka sprowadza serią żlebów opadających z bocznego żebra Pietrele Boghii do **jaskini Şura Boghii**. Wejście do niej kryje się po lewej stronie niewielkiej płaśni. Jaskinia ma 212 m długości, jest łatwa do zwiedzania, lecz pozbawiona szaty naciekowej, za to wiodąca do niej ścieżka gwarantuje niezapomniane wrażenia (na jej przejście należy przeznaczyć 30 min).

Po powrocie na górną krawędź urwisk Pietrele Boghii można wybrać się na jeszcze jeden półgodzinny spacer – dalej w lewo (na północ) za znakami podwójnego kółka do punktu widokowego nad urwiskiem Gardul Boghii (powrót tą samą drogą).

Trasa osiąga przełęcz między grzbietem Cuculeului (po lewej) i Oşelu (po prawej), po czym słabo zarysowaną doliną biegnie między rzadkimi świerkami do grupy lejów krasowych na jej dnie i zboczu. Po około 10 min przecina się drogę jezdną łączącą schronisko Padiş z Pietroasą, którą z lewej dochodzą żółte paski ze schroniska Padiş (trasa powrotna).

Schodząc na południe, można podziwiać po prawej stronie **uwał Bălileasa** (Uvala Bălileasa) z 39 lejami krasowymi. Jest to forma powstała z połączenia sąsiadujących ze sobą lejów krasowych w wyniku obniżenia rozdzielających je grzęd. Ukształtowaną w ten sposób kotlinę zamyka od zachodu **przełęcz Scăriţa** (Şaua Scăriţa; 1155 m n.p.m.), zwana też przełęczą Bălileasa, przez którą przechodzi droga jezdna z Pietroasy do schroniska Padiş. Odgałęzia się tam druga droga jezdna (widoczna w dole) wiodąca do polany La Grajduri. Ponad nią wznosi się grzbiet z kulminacją Bălileasy oddzielający uwał Bălileasa od kotliny Groapa de la Barsa. Dalej z lewej widać głębokie obniżenie doliny potoku Valea Cetăţilor z przyjemnym polem biwakowym La Grajduri oraz gajówką Glăvoi.

Szlak obniża się do drogi na dnie uwału, w jego wschodniej części. Z prawej strony dołączają żółte paski z Groapa de la Barsa (trasa powrotna), a w lewo (bez znaków) w 15 min dotrze się do obozowiska La Grajduri. Trasa wycieczki przecina drogę i wspina się na wprost prawym zboczem doliny do dróżki, którą skręca w lewo, a następnie podąża inną dróżką skośnie w prawo. Początkowo wiedzie ona przez las, później przez porośnięte malinami poręby na grzbiecie między doliną potoku Valea Cetăţilor a Groapa de la Bar-

sa. Następnie ścieżka ponownie zagłębia się w las i po 5 min spotyka się z trasą 4 (do wąwozu Galbeny). W lewo odbijają znaki żółtego kółka do schroniska Padiş, którymi w 15 min dojdzie się do obozowiska na polanie La Grajduri. Należy kierować się prosto, zgodnie ze znakami żółtego kółka, do węzła szlaków na skraju trawiastej polany. Po lewej stronie widać w oddali lej krasowy o nazwie Groapa Ştevia Lupii, przedłużenie kotliny Groapa de la Barsa. Odchodząca z polany w lewo ścieżka oznakowana żółtymi kółkami wspina się na Piatra Galbenei (jej opis w kierunku przeciwnym zob. trasa 4). Z prawej rozpoczyna się szlak do Groapa de la Barsa prowadzący dalej do schroniska Padiş, oznaczony żółtymi paskami. W tym miejscu warto na godzinę zboczyć z trasy i zwiedzić Jaskinię Lodową Żywego Ognia. Aby tam dojść, od węzła szlaków należy skierować się prosto wijącą się w górę wyraźną ścieżką oznakowaną czerwonymi paskami. Po około 15 min dociera ona do kolejnego węzła dróg, gdzie z lewej wraca ze szczytu Piatra Galbenei szlak oznakowany żółtymi kółkami (turyści, którzy z jakichś powodów nie wybiorą się na wycieczkę do wąwozu Galbeny, powinni koniecznie zdobyć punkt widokowy na Piatra Galbenei – najlepiej w drodze powrotnej z jaskini – i zejść z niego bezpośrednio do węzła szlaków nad Groapa de la Barsa zgodnie z opisem trasy 4). Od skrzyżowania należy skierować się prosto, wspólnie z pętlą wąwozu Galbeny (żółte kółka). Po około 500 m dochodzi się do punktu odpoczynku w środku lasu, gdzie należy opuścić dotychczasowy szlak i skierować się w prawo ścieżką docierającą po chwili do **Jaskini Lodowej Żywego Ognia** (Gheţarul de la Focul Viu; 1165 m n.p.m.). Na jej dnie zalega podziemny lodowiec, a obrazowa nazwa pochodzi od niezwykłej barwy lodu obserwowanej w chwili, kiedy promienie południowego słońca padają prostopadle przez komin. Jako pierwszy opisał jaskinię w 1903 r. nieoceniony Gyula Czárán. Wprawdzie udogodnienia dla turystów zostały zdewastowane, ale podziemia da się zwiedzić bez większych trudności – trzeba tylko uważać na śliski lód, no i pamiętać o ciepłym ubraniu.

Jaskinię Lodową Żywego Ognia tworzą dwie sale. Galerią i drewnianymi schodami schodzi się do Wielkiej Sali (Sala Mare), na której dnie zalega potężny blok lodu, a przez ogromne naturalne okno w stropie wpadają do środka liczne pnie drzew, mnóstwo liści, a zimą również śnieg, przez co na środku sali powstaje wielki kopiec. Uwięzione w lodzie pnie butwieją, zabarwiając spływający lodowiec. Światło wpadające przez otwór wystarcza, by efektownie oświetlić malownicze grupki lodowych stalagmitów naprzeciw wejścia. Jeden z końców lodowca (całkowita objętość lodu w jaskini wynosi około 25 tys. m³) załamuje się do głębokiej szczeliny obok skał. Galeria za stalagmitami prowadzi do Małej Sali (Sala Mică). Zejście do niej usytuowane jest z lewej strony progu lodowego (konieczna latarka!). Po drodze można dostrzec wiszące nad stalaktytami konkrecje wapienne – skupienia wytrąconych z wody minerałów. Jaskinia kończy się zatarasowanym kominem (jej całkowita długość wynosi 165 m). Wyjście z podziemi jest szczególnie przyjemne latem, kiedy temperatura na zewnątrz znacznie przewyższa tę panującą w środku. Uwaga – w sierpniu 2003 r. jaskinia została zamknięta i rozpoczęto jej sprzątanie – należy mieć nadzieję, że w momencie ukazania się przewodnika jaskinia z wyremontowanymi ubezpieczeniami będzie już udostępniona turystom.

Po powrocie do węzła szlaków należy skierować się ścieżką oznakowaną żółtymi paskami, która opada na północ (dla wracających z jaskini – w lewo) i po 5 min dociera do źródła w zamkniętej kotlinie krasowej Groapa de la Barsa. Na powierzchni zaledwie 1,79 km² doliczono się aż 172 lejów krasowych oraz 17 jaskiń. Trzy z nich (Negră, Zăpodie i Gheţarul de la Barsa) tworzą największy system jaskiniowy regionu i jeden z największych w górach Bihor. Północno-wschodnia część kotliny ma nieprzepuszczalne podłoże. Spływa stamtąd 12 małych strumyków, które po osiągnięciu wapiennego dna znikają nagle w ponorach, by ponownie wyłonić się w wywierzysku Galbeny. 15 min wystarczy, by znaleźć się na dnie kotliny pomiędzy suchymi łożyskami Tiroiul Tavanului. Po lewej widać wapienny mur, u stóp którego otwierają się dwa wejścia Jaskini Czarnej (Peştera Negră) połączonej korytarzami z jaskinią Zăpodie (Peştera Zăpodie; łączna długość korytarzy 10 879 m). Nie powinny się po nich zapuszczać osoby bez doświadczenia speleologicznego i specjalistycznego sprzętu. Od wylotu jaskini ścieżka podąża wzdłuż wapiennej ścianki obok ponoru i podwójnego leja krasowego.

W przeszłości kotlina była miejscem eksploatacji boksytów. Otwory licznych szybów wydobywczych, które dziurawią całą okolicę jak sito, przykryto drewnem.

Ponieważ bale mocno już przegniły, nie należy zbaczać ze ścieżki.

Idąc krawędzią leja, można zobaczyć na prawo od ścieżki ukryte wśród świerków jezioro krasowe Tăul Negru (14 m średnicy), które zawdzięcza nazwę ciemnej barwie wody. Mniej więcej 200 m za nim ponownie pojawiają się po lewej wapienne skałki. Wśród licznych załomów kryje się boczne wejście do jaskini lodowej Gheţarul de la Barsa (długość korytarzy 2750 m). Wejście główne jest 30 m dalej, nieopodal ścieżki. W 1863 r. Adolf Schmidl zbadał pierwsze 170 m korytarzy oraz sporządził opis jaskini, spenetrował ją również Gyula Czárán w roku 1903.

Turyści, którzy mają doświadczenie speleologiczne, mogą się pokusić o zwiedzanie pierwszych 200 m jaskini (pozostała część wymaga specjalistycznego sprzętu i znacznej wprawy). Ze względu na liczne rozgałęzienia korytarzy, należy dobrze zapamiętać drogę powrotną. Od szerokiego głównego wejścia idzie się w dół obok zwałów śniegu i połamanych pni. Korytarz poszerza się, a na dnie pojawia się śliski lód, przez co dalsze schodzenie staje się bardzo niebezpieczne. Kto nie ma 30 m liny asekuracyjnej, którą można zamocować do ringu po lewej stronie, powinien wrócić na powierzchnię i dojść do dalszej części jaskini mijanym wcześniej otworem bocznym. Można nim dotrzeć do Wielkiej Sali (Sala Mare), oświetlonej dodatkowo przez okno w stropie. Prawym korytarzem za nią i jej końcu dojdzie się do głównego wejścia poniżej lodu.

Przed jaskinią zaczyna się kręta ścieżka (oznakowana żółtym kółkiem) do jaskini Zăpodie (ok. 400 m dalej, nieco na południowy zachód od ścieżki). W otworze wejściowym o wysokości 8 m zalega śnieg i lód, a bezpośrednio za nim jest trzymetrowy próg. Jaskinia jest dostępna tylko dla speleologów.

Po powrocie przed jaskinię Gheţarul de la Barsa zaczyna się podejście (żółte paski) w kierunku północno-wschodnim na przełączkę. Otwiera się z niej widok na uwał Bălileasa, do którego schodzi się suchą dolinką. Na drodze jezdnej należy skręcić w prawo w stronę polany La Grajduri – 300 m dalej drogę przecina szlak oznakowany czerwonymi paskami. Idąc dalej drogą, w 15 min dotrze się do obozowiska na polanie La Grajduri. Czerwone paski doprowadzają do drogi jezdnej z Pietroasy. Należy skierować się nią w prawo, aby za znakami żółtego paska wrócić do schroniska Padiş.

Trasa 4

Schronisko Padiş → wywierzysko Ponoru → skrzyżowanie szlaków nad Twierdzą Ponoru → wąwóz Galbeny → Poiana Florilor → Piatra Galbenei → La Grajduri → schronisko Padiş

Pokonanie trasy zajmie 10,5 godz. Należy się kierować żółtymi kółkami, na początkowym odcinku również niebieskimi kółkami, żółtymi krzyżami i czerwonymi trójkątami.

Wycieczka do wąwozu Galbeny tworzy pętlę o długości 19 km i sumie podejść blisko 750 m. Ta klasyczna trasa, będąca swoistą wizytówką Padiszu, jest jednocześnie bardzo męcząca z powodu znacznej długości oraz utrudnień marszu na odcinku prowadzącym przez gardziel wąwozu.

Od węzła szlaków koło schroniska *Padiş* aż do ich rozejścia nad dużego leja krasowego przed zejściem do Twierdzy Ponoru trasa wiedzie wspólnie ze znakami niebieskiego kółka pętli Twierdzy Ponoru (zob. trasa 1). Z obozowiska *La Grajduri* można włączyć się do pętli na Poiana Ponor albo w punkcie przecięcia trasy z drogą leśną La Grajduri–wywierzysko Izbucul Ursului/dolina potoku Valea Seacă (zob. trasa 1).

W punkcie rozejścia się szlaków należy wybrać lewe odgałęzienie okrążające południowy kocioł zapadliska krasowego Twierdza Ponoru. Po około 20 min dochodzi się do początku żlebu Sohodolul Mare, który opada stromo na dno kotła.

Z prawej od strony żlebu dołączają znaki niebieskiego kółka prowadzące z Twierdzy Ponoru – po chwili szlak ponownie oddziela się łagodnym łukiem w prawo do schroniska *Padiş* przez polanę La Grajduri.

Turyści, którzy nie mieli sposobności zwiedzić pętli Twierdzy Ponoru, powinni koniecznie poświęcić pół godziny i zboczyć ścieżką za znakami niebieskiego kółka do pierwszej platformy widokowej. Panorama nie może wprawdzie równać się z wrażeniami związanymi ze zwiedzeniem dna zapadliska, ale daje ich przedsmak.

Na rozgałęzieniu należy skierować się w lewo (dla powracających z platformy widokowej – w prawo) i podejść na grzbiet (30 min) rozdzielający zlewisko płynącego w zamkniętej dolinie potoku Valea Cetăţilor od potoku Valea Galbenei. 20 m za grzbietem odbija w prawo ścieżka, którą w kilka minut można podejść do pionowej **jaskini Avenul Borţig**. Studnia liczy 35 m średnicy i 38 m głębokości, a na jej dnie kryje się drugi co do wielkości podziemny lodowiec w kraju o objętości ponad 30 tys. m^3. Po powrocie na główną ścieżkę

zaczyna się długie (360 m) zejście. Po około 20 min szlak skręca w prawo, w starą leśną drogę wiodącą do łagodną kulminację. Przy drogowskazie należy opuścić trakt i zejść za znakami w lewo do **wywierzyska Galbeny** (Izbucul Galbenei).

Niespodziewanie z lewej strony pojawia się gładka tafla oczka wodnego o średnicy 6–8 m zasłoniętego skalną ścianą. O tym, że jest to wywierzysko, świadczy efektowna kaskada przelewająca się z prawej strony. W ciągu sekundy spod skały wypływa średnio 500 l wody, a w czasie intensywnych opadów ilość ta wzrasta do kilku metrów sześciennych! Tą drogą odwadniane jest 80% powierzchni płaskowyżu Padisz. Jak podają źródła rumuńskie, próby zbadania syfonu prowadzącego do jaskini Twierdzy Ponoru, którym jest wywierzysko Galbeny, zakończono na głębokości 25 m. W 2002 r. polscy nurkowie spenetrowali odcinek syfonu długości 60 m, osiągając głębokość 13 m i nie napotykając na ślady człowieka.

W dół od źródła otwiera się gardziel **wąwozu Galbeny** (Cheile Galbenei), a bardziej precyzyjnie – jaru krasowego, ukształtowana na skutek erozji wstecznej (cofającego źródła) oraz wgłębnej (płynącego dnem potoku). W miarę przesuwania się wywierzyska w górę biegu strumienia, wznoszące się ponad nim skalne ściany zawalają się, a jednocześnie potok wcina się w skały podłoża. W ten sposób powstały pionowe ściany gardzieli o ponadstumetrowej wysokości. W linii prostej wąwóz liczy 700 m długości przy 100 m różnicy wzniesień. Potok spada licznymi kaskadami, drążąc w korycie kotły eworsyjne. Twórca karkołomnej trasy Gyula Czárán nadał poszczególnym wodospadom nazwy. Kolejno od wywierzyska mija się: Minerva vízesés, Ruzitisa vízesés, Tomboló vízesés, Najád vízesés, Bujdosó vízesés i wreszcie ostatni, najpiękniejszy – Wachlarz (rum. Cascada Evantai, węg. Eminenciás vízesés). Wiodący gardzielą skalny szlak wytyczony na początku XX w. pod względem zainstalowanych ułatwień można porównać do poprowadzonej w tym samym okresie Orlej Perci w Tatrach.

Trasa przechodzi na przeciwną (wschodnią) stronę po pniu i trzyma się lewej ściany wąwozu. Jest dość trudna do pokonania, ponieważ udogodnienia zaprojektowane przez Czárána (przerobione w latach 60. XX w.) zostały uszkodzone lub całkowicie zdewastowane. W miarę jak dno gardzieli gwałtownie opada, perć w pewnej chwili prowadzi ponad 60 m ponad korytem potoku. Następnie ponownie obniża się (stalowa lina) przez Poarta Iadului w kierunku wody. Po śliskich mokrych głazach schodzi się obok pięknego wodospadu Wygnańca, za którym woda znika w otworze jaskini.

W tym miejscu zaczyna się najtrudniejszy odcinek, liczący 250 m długości, wymagający na przemian brodzenia po kolana w lodowatej wodzie i wspinania się po skałach na lewym brzegu. W niektórych miejscach wykonanie trawersu jest niemal niemożliwe z powodu pozrywanych lin poręczowych, co zmusza turystów do zanurzenia się w potoku powyżej pasa. W miejscu, gdzie wąwóz skręca pod kątem prostym w prawo, przecina się po piargu wylot opadającej z lewej strony dolinki. Otwiera się stamtąd piękny widok na najwspanialszy **wodospad Wachlarz** (rum. Cascada Evantai, węg. Eminenciás Vízasés) – siedmiometrową kaskadę spadającą do banioru przypominającego małe jeziorko. Gardziel zwęża się jeszcze bardziej, a woda wpływa między urwiste ściany. Szlak przedostaje się wiszącym mostem na prawą stronę potoku.

Ostatnie 150 m można pokonać tunelem skalnym (Tunelul Galbenei) zaczynającym się kilkadziesiąt metrów za wodospadem Wygnańca z prawej strony koryta, a wychodzącym obok mostku, już na prawym brzegu. Warto jednak wziąć pod uwagę, że przejście po stromym piargu zalegającym na dnie tunelu nie jest łatwiejsze od wariantu opisanego wcześniej.

Od mostu trasa wspina się 200 m ponad dno doliny. Zaraz za zakrętem doliny w prawo zaczyna się podejście do małej dolinki, w której ścieżka raptownie skręca w prawo.

W tym miejscu zaczyna się krótszy wariant pozwalający dotrzeć na ukwieconą Poiana Florilor z pominięciem podejścia do platformy widokowej. Nie skręcając w prawo, należy zejść leśną ścieżką zawieszoną ponad dolnym odcinkiem wąwozu do metalowej drabinki, po której schodzi się na drogę z doliny Kereszu Kamienistego (Crişul Pietros) do gajówki Luncşoara. Oznakowana żółtymi trójkątami leśna dróżka w prawo (na północ) wiedzie w górę do Poiana Florilor (i dalej do wsi Pietroasa), a zasadnicza trasa kontynuuje strome podejście do ostrego grzbietu. Stąd już nieco łagodniejsze podejście przez bukowy las wyprowadza na leśną drogę kawałek na zachód od początku zejścia do wywierzyska Galbeny (w przypadku napotkania nadmiernych trudności w wąwozie Galbe-

ny można od wywierzyska wycofać się do tego miejsca). Kierując się drogą w lewo, po 10–15 min dochodzi się do węzła szlaków na środku Poiana Florilor. Obok pięknego źródła krasowego przygotowano miejsce odpoczynku dla turystów. Z dołu dochodzi ścieżka oznakowana czerwonymi paskami (z przełęczy Vârtop; 3 godz.) oraz żółtymi trójkątami (z Pietroasy; 3 godz.; autobusy z Sudrigu), a z lewej szlak żółtych trójkątów z miejscowości Arieşeni (4 godz.; autobusy z Câmpeni).

W tym miejscu zaczyna się ostre i męczące podejście (400 m różnicy wzniesień na odcinku 2 km) ścieżką oznakowaną czerwonymi paskami (będą towarzyszyć trasie w drodze powrotnej do schroniska *Padiş*). Kierunek wyznacza metalowy słup widoczny na polanie. Po półtoragodzinnym marszu wyraźną ścieżką przez las i kilka polan dociera się do miejsca odpoczynku w lesie, gdzie w lewo odchodzi ścieżka do Lodowej Jaskini Żywego Ognia (zob. trasa 3). Ścieżka wspina się dalej na grzbiet oddzielający Groapa de la Barsa od zlewiska Twierdzy Ponoru i 500 m za miejscem odpoczynku osiąga rozgałęzienie szlaków. Na wprost prowadzą znaki czerwonego paska do schroniska *Padiş* przez uwał Bălileasa (2,5 godz.; opis w kierunku przeciwnym zob. trasa 3). Znaki żółtego kółka skręcają w prawo i wiodą obok dwóch lejów krasowych. Pierwszy opada do 40--metrowej studni Avenului Gheţarului, na której dnie zalega niewielki blok lodu. Ścieżka wyprowadza na szczyt **Piatra Galbenei** (1243 m n.p.m.).

Koniecznie trzeba wejść na punkt widokowy po prawej, z którego roztacza się wspaniała panorama na południową część gór Bihor. Na wprost, niemal u stóp wielkiego urwiska rozciąga się Poiana Florilor. W lesie po lewej widać niewielkie pionowe wcięcie gardzieli wąwozu Galbeny. Na środkowym planie panoramę przecina w poprzek dolina potoku Valea Galbenei, do której naprzeciw uchodzi potok Valea Seacă. Potok niesie żółty piasek, od którego pochodzi nazwa doliny Galbeny (Żółta Dolina). Na prawo od Groapa Ruginoasă wznosi się piramida Ţapului.

Za Piatra Galbenei trasa łagodnie skręca w lewo i ponownie łączy się ze szlakiem czerwonego paska na skraju trawiastej polany. Na wprost (na północ) biegnie ścieżka tworząca pętlę Groapa de la Barsa (zob. trasa 3). Na skrzyżowaniu szlaków należy skręcić w prawo i iść lasem za znakami czerwonego paska w stronę schroniska *Padiş*. Po 5 min dociera się do kolejnego rozwidlenia. Ścieżka oznakowana czerwonymi paskami prowadzi dalej prosto w stronę schroniska (2 godz.), a szlak żółtych kółek skręca w prawo i opada do drogi leśnej w dolinie potoku Valea Cetăţilor koło szlabanu na skraju polany La Grajduri. Z kolei z prawej strony dochodzą znaki niebieskiego kółka. Należy skierować się w lewo zgodnie ze znakami niebieskiego kółka prowadzącymi do schroniska *Padiş* (zob. trasa 1).

Trasy wielodniowe
Trasa 5
Stâna de Vale ➜ Padisz ➜ Curcubăta Mare ➜ Arieşeni

Ta przewidziana na 7 dni trasa, należy do najdłuższych, a jednocześnie najprzyjemniejszych w okolicy. Zaczyna się w masywie Vlădeasy, a kończy w środkowej części gór Bihor i obejmuje jeden dzień dojścia, cztery dni pobytu w rejonie turystycznym Padisz (połączone z czterema całodniowymi wycieczkami opisanymi powyżej) oraz dwa dni powrotu (z wejściem na najwyższy szczyt gór Apuseni).

Punktem wypadowym wycieczek w rejon Padiszu może być schronisko *Padiş* lub obozowisko na polanie La Grajduri. Zaletą drugiego wariantu jest możliwość skrócenia trzech wycieczek i zapewne dlatego najczęściej wybierają go zarówno turyści z plecakami, jak i grotołazi. Biwakowanie w rejonie Padiszu (park narodowy!) jest dozwolone wyłącznie w dwóch wymienionych wyżej miejscach, ale poza jego obrębem nie ma żadnych ograniczeń. Osoby planujące pokonanie całej trasy powinny zabrać namiot oraz zapas podstawowych artykułów żywnościowych (możliwości zaopatrzenia się na polach biwakowych są bardzo ograniczone). Niezbędna jest dobra latarka z zapasem baterii oraz odpowiedni ubiór do chodzenia po jaskiniach.

Trasa przeznaczona jest dla doświadczonych turystów górskich, ponieważ znakowanie szlaków poza Padiszem pozostawia wiele do życzenia, a poszczególne odcinki dzienne są długie i męczące. Podane czasy przejść nie uwzględniają odpoczynków.

Pierwszy dzień: Stâna de Vale ➜ przełęcz Bohodei ➜ przełęcz Cumpănăţelul ➜ schronisko *Padiş*

Szlak oznakowany czerwonymi paskami: 6–7 godz. (bez zwiedzania wodospadu Săritoarea Bohodeiului). Na początkowym odcinku biegnie razem ze znakami niebieskiego paska (do schroniska *Boga*), niebieskiego trójkąta (do wsi Pietroasa) oraz żółtego krzyża (pętla Custurii).

Trasa rozpoczyna się koło stacji meteorologicznej przy szosie z Beiuş, w pobliżu hotelu *Iadolina*. Szlak pnie się do góry, mija hodowlę pstrągów i wspina na prawe zbocze doliny potoku Valea Păştrăvări. Ścieżka przecina liczne drogi leśne i po około godzinie podejścia wyprowadza w pobliże hal. Następnie, skręcając w prawo, opuszcza boczny grzbiet i dochodzi do dużej **polany Baia Popii**, położonej na dziale wodnym pomiędzy zlewiskiem rzeki Iad po prawej a doliną rzeki Drăgan po lewej. Początkowo ścieżka podąża grzbietem, by w pewnym momencie skręcić na wschód (w lewo) ponad źródła potoku Valea Ciripa, dopływu rzeki Drăgan. Po około 10 min szlak ponownie powraca na grzbiet, skąd widać bliski szczyt **Poienii** (1625 m n.p.m.). Dróżka obchodzi wierzchołek (zostawiając go po lewej) z początku mocno zerodowanym zboczem do małego wypłaszczenia, po czym łagodnie opada na południowy wschód w poprzek południowo-zachodnich zboczy do źródła. Dla turystów przygotowano tu miejsce na odpoczynek, z którego roztacza się ładna panorama doliny potoku Valea Aleului (po prawej) oraz szczytu Bohodei (na wprost). Od źródła w 10 min dochodzi się do węzła szlaków na **przełęczy Bohodei** (Şaua Bohodei; 1469 m n.p.m.). Poniżej na południu widać najwyższy wodospad gór Apuseni – Săritoarea Bohodeiului. Warto podejść do niego bliżej, ale należy przygotować się na trudności (szlak biegnie skalną percią).

Na przełęczy odbija na zachód szlak żółtego krzyża przez Creasta Custurii do Stâna de Vale. Do wodospadu biegnie na południowy zachód oznakowana niebieskimi trójkątami ścieżka do Pietroasy. Prowadzi ona przez las na ostrze potężnej ostrogi skalnej, którą należy ostrożnie podążać w dół. W pewnej chwili, wysoko nad wodospadem, ścieżka skręca w lewo i stromo opada w jej kierunku. Kaskadę **Săritoarea Bohodeiului** (ok. 1100 m n.p.m.) tworzy gigantyczna płyta skalna z licznymi stopniami o łącznej wysokości 80 m. Mimo że jest to najwyższy wodospad gór Apuseni, nie prezentuje się zbyt efektownie z powodu niewielkiej ilości spływającej wody.

Aby wrócić na szlak inną drogą, należy obniżyć się jeszcze nieco ścieżką w okolice dolnego krańca ostrogi, następnie przewinąć się percią na jej zachodnią stronę, po czym wspiąć do góry u podnóża skał i żlebem stromo na ostrze ostrogi, którą osiąga się w pobliżu miejsca, skąd zaczynało się zejście do kaskady. Dalej znaną już ścieżką należy wrócić na przełęcz Bohodei (1,5–2 godz.).

8

Drugi, łatwiejszy, lecz trochę dłuższy wariant powrotu wymaga zejścia aż do miejsca, w którym znakowana ścieżka przekracza potok Valea Şerpilor płynący spod szczytu Poieni. Stamtąd należy skierować się w prawo, w górę, zachodnim zboczem doliny potoku, dużym zakosem ponad wodospadem Iosefat i dalej doliną do drogi trawersującej południowo-zachodnie zbocza Poieni (znaki żółtego krzyża) na przełęcz Bohodei (tym wariantem można też pójść w kierunku odwrotnym – wtedy najtrudniejszy odcinek skalny powyżej kaskady pokonywać się będzie pod górę).

Z przełęczy Bohodei zasadnicza trasa prowadzi na wschód, zakręca łukiem na południe, pozostawiając wierzchołek Bohodei po prawej, a następnie dociera na rozległe **siodło** (1592 m n.p.m.), pomiędzy Bohodei a Fântâna Rece. W prawo odbija ścieżka oznakowana niebieskimi paskami do schroniska Boga. Z przełęczy roztacza się rozległy widok ponad kotliną Beiuş w stronę lśniącej nitki meandrującego Kereszu Czarnego (Crişul Negru). Przy dobrej widoczności da się dostrzec miejscowości Vaşcău, Ştei i Beiuş. Po drugiej stronie kotlinę zamyka ostatnie pasmo wzniesień przed wielką Niziną Panońską – góry Codru-Moma.

Z siodła idzie się wygodnym trawersem po północno-wschodniej stronie wierzchołka **Fântâna Rece** (1654 m n.p.m.) i po około 15 min dociera do źródła Fântâna Rece, które daje początek potokowi Valea Drăganului. Jest to ostatnia okazja do nabrania zapasu smacznej wody przed wkroczeniem w strefę wapienną.

Mimo że to dopiero połowa drogi, można zatrzymać się w okolicy na biwak, a powstałe opóźnienie nadrobić następnego dnia, zaliczając po drodze wycieczkę do źródeł Samoszu Ciepłego (Someşul Cald). Takie rozwiązanie pozwala uniknąć dwukrotnego pokonywania odcinka między polaną Vărăşoaia Nord a schroniskiem Padiş. Wygospodarowany wolny czas można przeznaczyć na przykład na wycieczkę do jaskini Zmeilor de la Onceasa (znaki niebieskiego krzyża z niedalekiej przełęczy Cumpănăţelului do Poiana Onceasa, a dalej znaki czerwonego krzyża).

Czerwone paski prowadzą dalej szeroką drogą po północnej stronie grzbietu **Cârligaty** (1694 m n.p.m.) na **przełęcz Cumpănaţelu** (Şaua Cumpănaţelu; 1643 m n.p.m.) z ważnym węzłem szlaków. Na wschodzie widać rejon źródłowy Samoszu Ciepłego (Someşul Cald) z bielejącą koronką wierzchołków wapiennego wąwozu.

W prawo od niego (południowy wschód) ciągnie się ciemny grzbiet Măgura Vânătă, całkowicie porośnięty lasem świerkowym. Na południu otwiera się widok na otoczony górami rozległy płaskowyż Padisz. Z płaskich hal sterczą zalesione czapy niewysokich szczytów. Na dalszym planie wznosi się stożek Ţapului, na którym można dostrzec różowy trójkąt potężnej depresji Groapa Ruginoasă. Horyzont zamyka podłużny grzbiet masywu gór Bihor z kulminacją Curcubăta Mare, łatwą do rozpoznania dzięki sterczącemu na wierzchołku przekaźnikowi telewizyjnemu.

Szerokim płaskim grzbietem na północny wschód wiedzie szlak (niebieskie paski) do schroniska Vlădeasa oraz szlak niebieskiego krzyża do jaskini Alunului, który odbija na wschód 1,5 km dalej. Należy skierować się na południowy wschód (razem ze szlakiem niebieskiego paska prowadzącym do jaskini lodowej Gheţarul de la Scărişoara), schodząc na ukos do połączenia z drogą stokową do Poiana Cuciulata. Koło skalnego występu **Piatra Arsă** (1488 m n.p.m.) jest kolejne odgałęzienie szlaków. W lewo odchodzą czerwone kółka do pętli źródeł Samoszu Ciepłego (jest to mniej ciekawy wariant osiągnięcia polanki Rădesei). Trasa wkracza w góry Bihor na teren Parku Narodowego Gór Apuseni i biegnie dalej drogą stokową, która po przecięciu kilku strumieni dociera do starego wiatrołomu w lesie. Droga okrąża go po stronie zachodniej (prawej), wychodząc z lasu już za zatorem.

Do tego miejsca można dotrzeć o 10 min szybciej od północy (po lewej) ścieżką wśród zwalonych pni. Przy odrobinie uwagi z pewnością uda się uniknąć kąpieli w błocie i wodzie. Wiatrołom z cmentarzyskiem wyrwanych z korzeniami drzew nasuwa refleksje o potędze natury. Podobne wiatrołomy spotyka się w wielu zakątkach Karpat rumuńskich.

Leśna droga sprowadza skrajem lasu do Poiana Vărăşoaia Nord. W miejscu, gdzie przechodzi w drogę jezdną, jest kolejne rozejście szlaków. Ostro w lewo (na północ) odbijają żółte paski do Stâna de Vale przez Poiana Onceasa i Piatra Tâlharului (szlak zaczyna się koło schroniska Vărăşoaia). Droga zakręca w lewo, a następnie koło dwóch lejów krasowych z głębokim ponorem pod kątem prostym w prawo. W lewo, dokładnie w osi zakrętu, odbija szlak czerwonego kółka pętli źródeł Samoszu Ciepłego. Kto zatrzymał się na biwak przed granicą parku narodowego, może zostawić plecaki w lesie i wybrać się na wycieczkę (trasa 2) do źródeł rzeki, a na noc zatrzymać się przy schronisku *Padiş* lub na polanie La Grajduri.

Zależnie od wyboru miejscu biwakowania, należy pójść drogą w stronę schroniska *Padiş* (opis tego odcinka w przeciwnym kierunku zob. trasa 2) lub do skrzyżowania pięciu dróg na płaskowyżu Şesul Padiş i dalej do polany La Grajduri (zob. trasa 3).

Drugi dzień: zob. trasa 1, s. 496 – pętla Twierdzy Ponoru

Trzeci dzień: zob. trasa 2, s. 499 – pętla źródeł Samoszu Ciepłego

Czwarty dzień: zob. trasa 3, s. 501 – pętla Groapa de la Barsa i Jaskinia Lodowa Żywego Ognia

Piąty dzień: zob. trasa 4, s. 504 – pętla wąwozu Galbeny

Szósty dzień: schronisko *Padiş* → uwał Bălileasa → Jaskinia Lodowa Żywego Ognia → Poiana Florilor → dolina potoku Valea Galbenei → Ţapu
Szlak oznakowany czerwonymi paskami: 8–9 godz. Początkowy odcinek (do punktu odpoczynku koło Jaskini Lodowej Żywego Ognia stanowi fragment trasy 3, następny (do węzła szlaków na Poiana Florilor) został opisany przy trasie 4 (w kierunku przeciwnym).

Od miejsca odpoczynku koło źródła krasowego na Poiana Florilor trasa podąża (razem ze znakami żółtego trójkąta do wsi Pietroasa) wzdłuż strumienia wypływającego ze źródła i po około 10 min doprowadza do węzła szlaków na bitej leśnej drodze, która w lewo wznosi się w górę doliny potoku Valea Galbenei i biegnie do gajówki *Luncşoara* w dolinie potoku Luncşoareim, a w prawo do wsi Pietroasa. Na wprost widać wylot gardzieli dzikiego wąwozu potoku Valea Seacă opadającego kilkoma kaskadami. U stóp lewej ściany da się dostrzec wejście do zalewanej czasami jaskini cu Aluviuni (448 m długości).

Należy skręcić drogą w prawo, w dół **doliny Galbeny** (Valea Galbenei). 200 m dalej w ścianie po lewej stronie widać wielki otwór **jaskini din Dealul Vârseci** (Peştera din Dealul Vârseci). Mimo że ludzie penetrowali ją od zamierzchłych czasów, po raz pierwszy została opisana w przewodniku Czárana z 1903 r. Wejście, znajdujące się na wysokości 700 m n.p.m., ma kształt regularnego łuku o szerokości 20 m i wysokości 15 m. Szeroki korytarz wznosi się do

głównej sali (Sala Mare), a następnie w trzech etapach obniża się do punktu odległego o 400 m od wejścia.

Wędrując dalej, po niecałym kilometrze mija się po lewej duże wywierzysko Păuleasa. Droga łagodnie zakręca w lewo i zagłębia się w dolinę Valea Păuleasa (drugi dopływ z lewej). W prawo odgałęziają się żółte trójkąty do wsi Pietroasa (12 km, ok. 2,5 godz.; autobusy do Sudrigu).

Kolejny odcinek pokonuje się drogą jezdną, która biegnie początkowo w górę doliny, a następnie skręca ostro w lewo, by dotrzeć do doliny potoku Valea Seacă, już znacznie powyżej gardzieli wąwozu. Po około 2 km od rozgałęzienia szlaków osiąga się połączenie dolin potoków Valea Ţiganului z Valea Seacă. Dalej idzie się wzdłuż strumienia Valea Seacă, to jest lewą doliną, patrząc w kierunku marszu. Ścieżka mija opuszczone budowle górnicze i wspina się ścieżką w prawo, lewym (orograficznie) zboczem doliny przez las, pośród małych ścianek ze skał wulkanicznych. W końcu wyprowadza na grzbiet oddzielający doliny potoków Valea Sibişoara (z prawej) i Valea Seacă na drogę stokową przechodzącą przez przełęcz Ştribina. Łagodne podejście grzbietem na południe wiedzie w stronę bliskiego szczytu **Ţapu** (1475 m n.p.m.) i po około 500 m osiąga węzeł szlaków. W prawo (na zachód) odbija ścieżka oznakowana żółtymi paskami do miasteczka Ştei (26 km, 7 godz.; pociągi i autobusy do Oradei). Opada ona łagodnym łukiem na grzbiet prowadzący w stronę **Târău** (1304 m n.p.m.) i w pewnym przybliżeniu biegnie działem wodnym ograniczającym od północy dolinę potoku Valea Sighiştelului. W połowie drogi do Ştei odgałęzia się na północ krótki szlak (czerwone kropki) do Jaskini Niedźwiedziej (zob. s. 262).

Kierując się drogą stokową z przełęczy Ştribina do jej przecięcia ze ścieżką oznakowaną żółtymi paskami oraz dalej, przewijając się przez grzbiet na południe, po chwili dochodzi się do szlaku oznakowanego niebieskimi trójkątami opadającego na zachód doliną Sighiştelului do wioski Câmpani (16 km, 4 godz.; autobusy). W drodze mija się **jaskinie din Dealul Muncelului**; poniżej niedostępnej gardzieli Cheile Sighiştelului można zwiedzić piękne **jaskinie Măgura i Coliboaia** (w sumie jest 75 jaskiń).

Trasa wiedzie w lewo razem z żółtymi paskami na przełęcz Vârtop. Nieco niżej, w okolicach siodła oddzielającego szczyty

Ţapu od Târău można zatrzymać się na biwak. Wody należy szukać w źródle koło drogi stokowej.

Siódmy dzień: Ţapu → przełęcz Vârtop → Curcubăta Mare → Arieşeni
Na najwyższy szczyt gór Apuseni – Curcubăta Mare – trasa wiedzie planowanym dopiero szlakiem czerwonego paska, zejście do Arieşeni (autobus) oznakowano niebieskimi paskami: 8–9 godz.

Z węzła szlaków pod Ţapu należy skierować się na południowy wschód, cały czas za znakami czerwonego paska, które w kilka minut doprowadzają do południowej krawędzi Groapa Ruginoasă.

Ta ogromna depresja wyżłobiona w północno-wschodnim zboczu Ţapu jest ponadźródłową częścią doliny Seacă. Wcięcie ma regularny profil w kształcie litery „V" i rozciąga się na długości 500 m, wrzynając się 100 m w głąb żółtej, miejscami rdzawej, grubej pokrywy zwietrzelinowej. Takie ukształtowanie terenu nazywa się debrzą. Debrze występują także w polskich górach i na wyżynach, ale żadne z nich nie może równać się wielkością i czytelnością formy z Groapa Ruginoasă. Przyczyną ich powstania jest erozja powodowana opadami oraz roztopami. Zbierająca się w leju woda wymywa żółty piasek, a pozbawione oparcia fragmenty zbocza ześlizgują się w dół po mokrej powierzchni. Gromadzący się u wylotu leja materiał zwietrzelinowy wody potoku Valea Seacă niosą do rzeki Valea Galbenei, nadając jej charakterystyczne żółte zabarwienie utrzymujące się aż do okolic wsi Pietroasa. O tym, że proces zachodzi cały czas, świadczą ostro zarysowane krawędzie pomiędzy powierzchnią stoku rozcinanego a zboczem debrzy. Ponieważ debrze powstają tylko na stokach niezalesionych, można przypuszczać, że Groapa Ruginoasă jest starsza niż pokrywa drzew, czyli ma więcej niż 10 tys. lat. Z krawędzi Groapa Ruginoasă roztacza się rozległy widok na północ, który pozwala prześledzić niemal cały przebieg dotychczasowej trasy.

Po przeskoczeniu ogrodzenia, które zamyka zwierzętom dostęp do dna osuwiska, należy skierować się w stronę lasu (obok dogodne miejsce biwakowe, woda 50 m niżej przy szlaku). Szlak opada prawym zboczem doliny do szosy krajowej DN75 w miejscu, gdzie przecina ona koryto potoku. Należy skręcić na szosie w lewo, by po 10 min dotrzeć do **przełęczy Vârtop** (Şaua Vârtop; 1180 m n.p.m.).

W dół na południowy zachód odchodzi szlak czerwonego trójkąta do wsi Băiţa

(12 km, 3 godz.; autobusy). Ramieniem Dealu Curbăluit sprowadza on na dno doliny Crişul Băiţa, a kilometr dalej odbija w prawo w górę doliny potoku Valea Coşurilor kilkusetmetrowa ścieżka do jaskini Porţile Bihorului (89 m długości) z ogromną studnią ponad salą główną.

Z przełęczy Vârtop trasa skręca w szeroką stokową drogę na południe (szlak nie został jeszcze oznakowany w terenie), a po około kilometrze wspina się leśną drogą w lewo na grzbiet powyżej jego wypłaszczenia zwanego **Gălişoaia** (1395 m n.p.m.).

Do tego miejsca można także dotrzeć inaczej, idąc szosą jeszcze kawałek w stronę Arieşeni (na wschód), a następnie stąd do góry stokiem wzdłuż wyciągu narciarskiego. Od górnej stacji należy skierować się w prawo przez las do drogi biegnącej głównym grzbietem do Gălişoaia.

Kontynuując podejście głównym grzbietem, wychodzi się wkrótce ponad górną granicę lasu i łukiem w prawo wspina na szczyt **Piatra Grăitoare** (1658 m n.p.m.). Od południowego wschodu podchodzą zbocza doliny potoku Valea Vârciorog, na którym 500 m niżej znajduje się 15-metrowy wodospad Vârciorog.

Szlak biegnący długim grzbietem łukiem w lewo wraca do dotychczasowego kierunku wyznaczany przez wieżę przekaźnika telewizyjnego na szczycie Curcubăta Mare. Po minięciu wierzchołka **Biharii** (1579 m n.p.m.) rozpoczyna się podejście na płaską powierzchnię zrównania u stóp kopuły szczytowej bihorskiego olbrzyma. Z usytuowanego tam węzła szlaków ramieniem na północny wschód odchodzą znaki niebieskiego paska do Arieşeni. Będzie to droga powrotna, dlatego ostatni odcinek podejścia po piarżysku można pokonać bez obciążenia, zostawiając plecaki w tym miejscu.

Po 30 min wspinaczki można już podziwiać fantastyczną panoramę z **Curcubăta Mare** (1849 m n.p.m.), najwyższego szczytu gór Apuseni. Na północy, ponad płaskowyżem Padisz, wyraźnym progiem wznosi się płaski masyw z kulminacją Vlădeasy. Na prawo, bardziej na wschód, widać wyniosły, szeroki i również osobliwie płaski wierzchołek Muntele Mare. Horyzont południowo-wschodni zamykają słynące z imponujących wąwozów wapiennych góry Trascău. Przed nimi ponad doliną Arieşul Mic wyrasta gigantyczny bastion skalny Vulcana, osamotnionego szczytu w paśmie gór Bihor. W oddali na południu majaczą zalesione góry Metaliferi przechodzące ku zachodowi w góry Zarand. Wyraźny grzbiet opadający ze szczytu na zachód prowadzi w obfitujące w zjawiska krasowe góry Codru-Moma.

Wznoszące się na prawo od doliny Kereszu Czarnego góry Pădurea Craiului, które odgałęziają się od masywu Vlădeasy na północny zachód, zamykają całą panoramę (widok na tę stronę szpeci wysoki murowany budynek stacji przekaźnikowej z pobliską wieżą telewizyjną). Po północno-wschodniej stronie widać kocioł polodowcowy, pozostałość zlodowacenia plejstoceńskiego (ślady zlodowacenia gór Bihor były tematem badań wybitnego polskiego geomorfologa Ludomira Sawickiego, których wyniki opublikował w 1909 r.).

Ze szczytu Curcubăta Mare można kontynuować wędrówkę głównym grzbietem gór Bihor przez kulminacje **Găina** i **Vulcan** do przełęczy Buceş (bez szlaków, 3 dni) i dalej, np. w stronę wąwozów gór Trascău (początkowo bez szlaków, kolejne 3–4 dni). Zakochani w Karpatach rumuńskich kawalerowie powinni koniecznie wybrać się na Găinę w weekend po 19 lipca na tradycyjny doroczny Targ Dziewczat (Târgul de Fete), odbywający się od 1816 r. (warto wcześniej sprawdzić datę).

Płaskim grzbietem w kierunku wschodnim, w stronę kamienistej kopki **Curcubăta Mică** (1769 m n.p.m.), opada tłuczniowa droga dojazdowa do stacji przekaźnikowej. Dalej, głęboko w dolinie Capelor łączy się ona ze szlakiem oznakowanym niebieskimi paskami i może być potraktowana jako wariant zejścia. Szlak da się również osiągnąć, schodząc stromo do opisywanego wyżej kotła.

Po powrocie do węzła szlaków pod szczytem należy skierować się za rzadkimi znakami niebieskiego paska bocznym grzbietem na północny wschód do granicy lasu, a następnie lekko na ukos w prawo na dno doliny Capelor. Tłuczniowa droga od stacji przekaźnikowej doprowadza w lewo do szosy Ştei–Câmpeni w pobliżu kempingu na skraju osady Galbena, a w prawo w dół doliny Arieşul Mare do wioski Arieşeni (ok. 1 km; autobusy do Câmpeni).

Trasa 6
Răchiţele ➜ Vlădeasa ➜ Padisz ➜ jaskinia lodowa Scărişoara ➜ Gârda de Sus

Pokonanie trasy zajmuje 7 dni. Druga z wielodniowych tras w okolicy wiedzie przez kilka niezwykłych obszarów wapiennych. Podczas wędrówki można podziwiać największy lodowiec jaskiniowy w Europie południowo-wschodniej oraz poznać niezmienioną od wieków kulturę materialną krainy Moţi.

Trasa zaczyna się w krystaliczno-wulkaniczno-wapiennym masywie Vlădeasy, a kończy na płaskowyżu krasowym Scărişoara i obejmuje dwa dni dojścia, cztery dni pobytu w rejonie turystycznym Padisz (połączone z czterema jednodniowymi wycieczkami opisanymi powyżej) oraz jeden dzień powrotu. Punktem wypadowym wypraw w rejon Padiszu może być schronisko *Padiş* lub obozowisko na polanie La Grajduri. Zaletą drugiego wariantu jest możliwość skrócenia trzech wycieczek i zapewne dlatego najczęściej wybierają go zarówno turyści z plecakami, jak i grotołazi. Biwakowanie w rejonie Padiszu (park narodowy!) jest dozwolone wyłącznie w dwóch wymienionych wyżej miejscach, ale poza jego granicami nie ma żadnych ograniczeń. Osoby planujące przebycie całej trasy powinny zabrać namiot oraz zapas podstawowych artykułów żywnościowych (możliwości zaopatrzenia się na polach biwakowych są bardzo ograniczone). Niezbędna będzie dobra latarka z zapasem baterii oraz odpowiedni ubiór do chodzenia po jaskiniach.

Trasa przeznaczona jest dla doświadczonych turystów górskich, ponieważ znakowanie szlaków poza Padiszem pozostawia wiele do życzenia, a poszczególne odcinki dzienne są długie i męczące. Podane czasy przejść nie uwzględniają odpoczynków.

Pierwszy dzień: Răchiţele ➜ Cascada Răchiţele ➜ przełęcz między Pietrele Alba a Vlădeasą ➜ Vlădeasa ➜ Nimăiasa

Na najwyższy szczyt masywu zasadniczo bez znaków (poza krótkim środkowym odcinkiem oznakowanym niebieskimi kółkami), zejście za znakami czerwonych kółek i niebieskich pasków: 7–8 godz. Mimo braku znaków, odcinek nie jest zbyt trudny orientacyjnie (pod warunkiem że nie ma mgły).

Trasa zaczyna się we wsi Răchiţele (autobus z Huedinu). W centrum odchodzi na zachód tłuczniowa droga w górę doliny Stanciului. Wkrótce osiąga się znakowaną niebieskimi kółkami pętlę szlaku do wodospadu Răchiţele. W prawo szlak niebieskiego kółka prowadzi przez doliny Seciu i Răcad oraz wieś Rogojel. Na wprost ten sam szlak wiedzie przez przełęcz pomiędzy Pietrele Albe a Vlădeasą. Obie części szlaku zbiegają się przy schronisku Vlădeasa.

Należy skierować się prosto – po minięciu skalnego zwężenia doliny zwanego Cheile Stanciului dochodzi się do **wodospadu Răchiţele** (Cascada Răchiţele). Opinię najpiękniejszego w całych górach Apuseni zawdzięcza zasobności w wodę, która z impetem spada po dwóch stopniach z wysokości 30 m, rozlewając się na dole szerokim wachlarzem.

Rozpoczyna się podejście w stronę wapiennych urwisk Pietrele Albe. Po półtorej godzinie odbija w lewo szutrowa droga (można nią podejść kilkaset metrów do jaskini Vârfurașu, która znajduje się po prawej stronie, powyżej drogi). Szlak prowadzi dalej w górę szerokimi stokami na lewo od doliny oddzielającej od Pietrele Albe i wychodzi powyżej lasu obok rozsypujących się szałasów pasterskich. Od tej pory wędrowcom towarzyszy imponujący widok białych wapiennych zerw szczytu Grăitoare zwanych Pietrele Albe. Kontrast jest tym większy, że ścieżka biegnie po podłożu ze skał wulkanicznych. Wyraźna granica między obiema strefami (także w roślinności) przebiega koło przełęczy pod potężną kulminacją Vlădeasy. Przez przełęcz przechodzi droga stokowa wraz ze szlakami.

W prawo, z początku na północny wschód, wiodą do schroniska Vlădeasa znaki niebieskiego paska, niebieskiego kółka oraz czerwonego kółka (3 godz.), w lewo szlak oznakowany niebieskimi paskami prowadzi koło schroniska Padiş (9 godz.) do jaskini Ghețarul de la Scărişoara. Drugi szlak odchodzący w lewo (czerwone kropki) biegnie przez Vlădeasę (1 godz. 15 min) do schroniska Vlădeasa.

Od węzła szlaków należy wspiąć się stromo na północ w kierunku wierzchołka Vlădeasy (bez znaków), wybierając dogodne perci owcze, a omijając wielkie łany jałowca i wulkaniczne skałki (po drodze można zaopatrzyć się w wodę). Półtoragodzinne podejście kończy się na szerokiej płaskiej kopule Vlădea (1836 m n.p.m.) – najwyższego szczytu masywu Vlădeasa. To jednocześnie drugi co do wysokości szczyt gór Apuseni. Z wierzchołka północnego opada atrakcyjna, niewysoka grań skalna, do której warto odbyć wycieczkę. Główny grzbiet (na trzecim garbie stoi drewniany budynek stacji meteorologicznej) ma kształt wydłużonej podkowy, otwartej ku północy i rozdzielonej doliną rzeki Drăgan płynącej w dole po stronie zachodniej. Na północy w panoramie wyróżnia się piarżysta kulminacja Tesiturile. Na południowym wschodzie w oddali dostrzec można najwyższy szczyt gór Gilău – Muntele Mare, a na południe główną kulminację gór Bihor i całych gór Apuseni – Curcubăta Mare z przekaźnikiem telewizyjnym na szczycie. Do przyrodniczych osobliwości szczytowych okolic Vlădeasy

należy kosodrzewina, niespotykana w pozostałych częściach gór Apuseni.

Zejście za znakami czerwonego kółka biegnie grzbietem na południe (w przeciwnym kierunku szlak opada do schroniska Vlădeasa) do połączenia ze znakami niebieskiego paska, które będą towarzyszyć trasie do schroniska Padiş i dalej, do jaskini Ghețarul de la Scărişoara.

Kto chciałby wybrać inny wariant wejścia na szczyt, powinien dojść do tego węzła szlaków, skręcając z przełęczy między Pietrele Albe a Vlădeasą zgodnie ze znakami niebieskiego paska i czerwonego kółka w lewo, a następnie, zostawiając plecaki, wspiąć się grzbietem na szczyt i wrócić tą samą drogą. Pozwala to wprawdzie uniknąć mozolnego podejścia z plecakami, ale odbiera przyjemność wędrówki stokiem porośniętym płatami jałowca i kosodrzewiny.

Szlak opada na południowy zachód na przełęcz Intre Munţi, a za nią wiedzie grzbietem zbudowanym ze skał wulkanicznych (kierunek marszu wyznaczają metalowe słupki). Za szczytem Vârfurasu (1688 m n.p.m.), który zostawia się po prawej, należy pilniej śledzić znaki, bo następny szczyt, Buteasę, widoczny na wprost niemal na wyciągnięcie ręki, oddziela przełomowa dolina potoku Crăcium, głęboka na 500 m. Szlak skręca przed nią pod kątem prostym w lewo (na wschód) w stronę Nimăiasy (1589 m n.p.m.), a następnie opada w prawo do potoku Crăcium w jego partii źródłowej. W pobliżu jest dogodne miejsce na biwak.

Drugi dzień: Nimăiasa → Piatra Tâlharului → przełęcz Cumpănăţelul → schronisko Padiş

Szlak oznakowany jest niebieskimi paskami: 6 godz. Trasa przebiega głównym grzbietem masywu Vlădeasy do jego granicy z rejonem turystycznym Padisz i dalej do schroniska Padiş.

Od miejsca biwakowania należy wrócić na grzbiet, którym podchodzi się na Micău (1640 m n.p.m.). Szlak zatacza łagodny łuk w prawo, ponownie osiągając kierunek południowo-zachodni. Znów robi się płasko – drogę wskazuje ostańcowa skałka Piatra Tâlharului stercząca za szczytem Gardul de Piatră. Obok skały jest węzeł szlaków. W lewo (na południowy wschód) odchodzą żółte paski do schroniska Vărăşoaia przez Poiana Onceasa. Ten sam szlak w przeciwnym kierunku (na pewnym odcinku pokrywając się z trasą wycieczki) prowadzi do Stâna de Vale niedaleko wodospadu Moara Dracului.

Grzbiet lekko się wznosi i na szczycie **Briței** (1759 m n.p.m.) łączy się z innym – jeszcze szerszym i jeszcze bardziej płaskim. Jest to dalszy ciąg geologicznej osi pasma przedzielonego przełomem potoku Crăcium. Chociaż szlak pomija wierzchołek zwornika, warto na niego zboczyć, by z nieco większej wysokości spojrzeć na wierzchowinę.

Szlak biegnie dalej połogim grzbietem, cały czas na południowy zachód, obok kulminacji **Piatra Grăitoare** (1692 m n.p.m.) w stronę **przełęczy Cumpănățelu** (Şaua Cumpănățelu; 1643 m n.p.m.). Około 1,5 km przed nią jest rozgałęzienie szlaków. Ostro w lewo (na wschód) opadają niebieskie krzyże do jaskini Alunului przez Poiana Onceasa. W przeciwną stronę szlak ten biegnie wspólnie z trasą wycieczki na przełęcz Cumpănățelu.

Po drodze roztaczają się rozległe widoki ponad doliną potoku Valea Drăganului na północ oraz strefą źródłową Samoszu Ciepłego na południe. Co jakiś czas mija się źródła smacznej wody, ostatnie przed wkroczeniem w obszar krasowy.

Mimo że nie jest to jeszcze połowa trasy, można zatrzymać się w okolicy na biwak, co pozwoli na odbycie następnego dnia wycieczki do źródeł Samoszu Ciepłego. Dzięki temu uniknie się konieczności dwukrotnego pokonywania odcinka między Poiana Vărăşoaia Nord a schroniskiem *Padiş*, a zaoszczędzony czas będzie można przeznaczyć na którąś z wycieczek opisanych w ramce obok (każda z nich zajmie ok. 4 godz.).

Od przełęczy Cumpănățelu aż do schroniska *Padiş* znaki niebieskiego paska biegną razem ze znakami czerwonego paska (opis zob. trasa 5, pierwszy dzień).

Trzeci dzień: zob. trasa 1, s. 496 – pętla Twierdzy Ponoru

Czwarty dzień: zob. trasa 2, s. 499 – pętla źródeł Samoszu Ciepłego

Piąty dzień: zob. trasa 3, s. 501 – pętla Groapa de la Barsa i Jaskinia Lodowa Żywego Ognia

Szósty dzień: zob. trasa 4, s. 504 – pętla wąwozu Galbeny

Siódmy dzień: schronisko *Padiş* → Ghețarul de la Scărişoara → Gârda de Sus
Trasa oznakowana niebieskimi paskami: 9 godz.

Od schroniska, przy którym warto zrobić zapas wody pitnej (w ciągu najbliższych kilku godzin nie ma pewności, że znajdzie się aktywne źródło), należy skierować się na południowy wschód drogą jezdną w stronę Ic Ponor i Huedinu. Po 10 min dochodzi się do **przełęczy Părului** (Şaua Părului; 1344 m n.p.m.), z której otwiera się rozległy widok na otoczenie dolin potoków Valea Izbucului i Valea Batrâna. Szlak opuszcza drogę na ostrym zakręcie w lewo – znaki niebieskiego paska i niebieskiego trójkąta biegną dalej prosto, po czym wspinają się łagodnie lekkim łukiem w lewo obok kilku lejów krasowych. Wkrótce szlaki się rozchodzą.

Znaki niebieskiego trójkąta biegną w prawo, wspinają się dnem suchej dolinki na grzbiet, następnie opadają do Şesul Garzii i dalej biegną cały czas doliną potoku Valea Gârda Seacă (mijając w jej górnym biegu, zwanym Valea Gărdişoara, tuż po-

Szlaki w rejonie płaskowyżu Poiana Onceasa

• Znaki niebieskiego krzyża prowadzą przez wapienny płaskowyż Poiana Onceasa, następnie skręcają w prawo przez przełączkę Poarta Alunului (Şaua Poarta Alunului; 1420 m n.p.m.) do doliny Alunului Mic, a dalej obok wywierzyska w dolinie Alunului do **jaskini Alunului** (po prawej; 150 m długości, wejście 2 m szerokości, 4 m wysokości, wewnątrz mały lodowczyk).

• Kierując się na wschód z Poiana Onceasa za znakami czerwonego krzyża, dochodzi się do **jaskini Zmeilor de la Onceasa** (długość 310 m), w której odnaleziono szczątki niedźwiedzia jaskiniowego. Powrót z Poiana Onceasa za znakami żółtego paska przez Piatra Tâlharului.

• Można także wybrać się na wycieczkę do **wodospadu Moara Dracului** (spada dwoma progami z wysokości 20 m). Ze szczytu Briței należy kierować się znakami żółtego paska na przełęcz (1682 m n.p.m.) pomiędzy Stânişoarą a Buteasą (z siodła warto podejść 30 min grzbietem na północ za znakami czerwonego trójkąta na skalisty wierzchołek Buteasy, z którego roztacza się rozległy widok). Z przełęczy ścieżka (razem ze znakami czerwonego trójkąta) opada na zachód do polanki (20 min) i dalej biegnie w prawo za znakami niebieskiego krzyża do wodospadu (30 min).

Jaskinia Scărişoara

Peştera Ghețarul de la Scărişoara jest największą jaskinią lodową w Rumunii. Wejście do niej znajduje się na wysokości 1165 m n.p.m. na krawędzi płaskowyżu krasowego Scărişoara, na zalesionym grzbiecie Creasta Pârjolii ponad 400 m ponad dnem doliny potoku Valea Gârda Seacă (lewy dopływ Arieşului Mare), na terenie przysiółka Ghețar.

Wejście do jaskini musiało być znane miejscowej ludności od bardzo dawna – już w1847 r. A. Szirtfi wspomina o możliwości dostania się do niej po drewnianych drabinach. Pierwszą naukową informację podał w 1861 r. K.F. Peters, a dwa lata później ojciec speleologii Adolf Schmidl opublikował bardziej szczegółowy opis. Zakrojone na szeroką skalę profesjonalne badania naukowe przeprowadził w latach 20. XX w. Emil Racoviță. W 1938 r. jaskinia została uznana za rezerwat przyrody (pierwszy rezerwat jaskiniowy w Rumunii). W latach 60. założono oświetlenie elektryczne, jednak wzrost zanieczyszczenia atmosfery oraz dokuczliwy hałas wpłynęły na likwidację instalacji. Nowe oświetlenie powstało dopiero w ostatnich latach.

Łączna długość wszystkich korytarzy wynosi 720 m, a najniższy punkt leży 105 m poniżej poziomu wejścia. Do jaskini wchodzi się przez zapadlisko krasowe o głębokości 48 m i średnicy 60 m. Zejście, na początkowym odcinku wykute w skale, ułatwiają metalowe pomosty i drewniane strome schody, przymocowane do skalnych ścian. Na dnie zapadliska leży przez cały rok płat śniegu. Wejście o wysokości 24 m i szerokości 17 m prowadzi do centralnej części jaskini – Sala Mare o średnicy 47 m, na dnie której zalega ogromny płaski blok lodu spływający językami w dwóch kierunkach: na północny zachód do sali Biserica oraz na południe przez korytarz Galeria Maxim Pop obniżający się do sali Rezervația Mare. Z niej, już bez lodu, jaskinia wznosi się do sali Catedrala, by następnie korytarzem Culoarul Coman (najcieplejsze miejsce jaskini) połączyć się ze wspaniałą jaskinią Pojarul Poliței. Powyżej Sala Mare (na północ) za kolejnym progiem wysokości 14 m kryje się sala Rezervația Mică. W salach Biserica, Jaskinia Scărişoara, Rezervația Mare i Rezervația Mică powstała stalagmity lodowe różnej wielkości, od kilku centymetrów do 10 m (w sali Biserica). Łączna objętość lodu w jaskini wynosi 75 tys. m³ – tworzy on największy podziemny lodowiec w Rumunii.

Mikroklimat jaskini ma ciekawe właściwości. W marcu temperatura na zewnątrz podnosi się powyżej zera, ale wzrost temperatury wewnętrznej obserwuje się dopiero od maja. Najwyższe temperatury na powierzchni rejestrowane są w sierpniu, natomiast ich wpływ na temperaturę w jaskini jest znacznie opóźniony (najcieplejszy miesiąc w jaskini to listopad). Ciężkie chłodne powietrze wnętrza jaskini nie dopuszcza bowiem lżejszego powietrza ciepłego, powodując efekt zastoiskowy (brak wymiany powietrza). Podnoszenie temperatury odbywa się zatem wyłącznie przez wymianę ciepła ze skał oraz niewielkie przewodnictwo cieplne powietrza. Z kolei zimą chłodne powietrze wpada do jaskini, wypierając zalegające w niej powietrze cieplejsze. Proces ten trwa zaledwie 24 godziny.

Najlepszą porą do zwiedzania jaskini jest wiosna, kiedy można obserwować największy wzrost stalagmitów, ponieważ jest duża ilość wody pochodzącej z topnienia śniegów, a wewnątrz panują temperatury ujemne. Przy niższych temperaturach powstają formy cienkie o mlecznobiałym kolorze, zawierające wewnątrz pęcherzyki powietrza oraz mikroskopijne kryształki kwarcytu. Przy wyższych, kiedy woda przed zamarznięciem opływa stalagmit, tworzą się formy grube, ze szklistego bezbarwnego lodu.

Trasa turystyczna prowadzi po drewnianym pomoście zatopionym w lodzie Sala Mare do sali Biserica, w której można podziwiać najpiękniejsze stalagmity lodowe. Wychodząc z jaskini, warto zwrócić uwagę na roślinność porastającą zbocza zapadliska krasowego. Wyraźnie widać inwersję pięter roślinnych: od regla dolnego na górnej krawędzi po piętro halne i turniowe na dnie.

wyżej osady Casa de Piatră, wejście do jaskini Coiba Mare, połączonej z jaskinią Coiba Mică, o łącznej długości 5890 m – przy niskim stanie wody dostępna dla doświadczonych turystów na odcinek pierwszych kilkuset metrów powyżej wodospadu), do miejscowości Gârda de Sus (autobus) w dolinie Arieszu (Arieşului; ze schroniska *Padiş* 23 km, 8 godz.).

Znaki niebieskiego paska prowadzą dalej prosto, wspinając się na dział wodny pomiędzy dorzeczem Samoszu Ciepłego po lewej a Arieszu po prawej. Szlak biegnie grzbietem w lewo do przełączki, skąd opada również w lewo do szerokiej drogi, którą dochodzi się do suchej doliny z lejami krasowymi. Nieco dalej u stóp skałki bije źródło Apa din Piatră (w upalne lata czasami wysycha), a drogowskaz obok wskazuje kierunek marszu na wschód do Dealul Peşterii (na grzbiecie na wprost można odnaleźć wylot 100-metrowej studni Avenul din Bătrâna, zwanej Hoanca Mare din Grumazul Bătrânei). Dalej trasa nie przysparza większych problemów w orientacji. Po minięciu **Bătrâny** (1579 m n.p.m.), dochodzi się do Poiana Călineasa, gdzie droga skręca w prawo. Nieopodal z lewej strony przebiega szutrowa droga łącząca Poiana Horea z drogą z Ic Ponor do schroniska *Padiş*.

Szlak biegnie dalej na wprost, przekracza grzbiet w miejscu zwanym Dealul Căţeilor i opada w stronę Poiana Urşoaia. Mimo że granice krainy Ţara Moţi opierają się o rejon Padiszu, dopiero tutaj będzie okazja do zetknięcia się z jej ciekawą kulturą materialną. Ścieżka prowadzi do sezonowej śródgórskiej osady z manufakturą, w której wytwarza się ogromne drewniane stągwie, wykorzystywane później w gospodarstwach do zbierania deszczówki (na obszarach krasowych występuje najczęściej deficyt wody).

Szlak stopniowo obniża się i łączy z drogą dochodzącą z lewej strony – jedynym okrężnym dojazdem do osad położonych na płaskowyżu Scărişoara.

Drogą biegnie szlak czerwonego paska – na północ w stronę przełęczy Urşoaia (w ok. 20 godz. można nim dojść na najwyższy szczyt gór Gilău – Muntele Mare i dalej do ośrodka turystycznego i schroniska *Muntele Băişorii*), a w przeciwnym kierunku do miejscowości Gârda de Sus przez dolinę potoku Valea Gârda Seacă. W prawo opada szlak niebieskiego trójkąta do doliny Gârda Seacă.

Trasa wiedzie na południe wspólnie ze znakami niebieskiego trójkąta wydłużoną kotliną kryjącą polje Ocoale. Niewysokie zalesione grzbiety po bokach stromo opadają do położonych 400 m niżej dolin Gârda Seacă na zachodzie i Ordâncuşa na wschodzie. Po obu stronach na otaczających kotlinę zboczach porozrzucane są pojedyncze gospodarstwa Ocoale, najwyżej położonego w górach Apuseni stałego osiedla (1270 m n.p.m.). Wśród zabudowań przetrwały stare drewniane budynki z czterospadowymi dachami krytymi charakterystyczną dla regionu strzechą, ponaddwukrotnie wyższą od zrębu. Spadzisty dach ułatwia odprowadzanie wody deszczowej oraz zapobiega zaleganiu śniegu. W odległych zakątkach krainy Moţi są jeszcze wioski w całości zabudowane podobnymi chatami, sprawiającymi wraże-

nie, jakby były nakryte gigantycznymi baranimi czapami pasterskimi.

Ścieżka dociera do dużego węzła szlaków niedaleko dawnego schroniska *Scărişoara*. Szlak czerwonej kropki wiedzie do jaskini Gheţarul de la Scărişoara (15 min). Szlak czerwonego krzyża sprowadza do miejscowości Gârda de Sus (ok. 700 m) przez przysiółek Mununa z ciekawą tradycyjną zabudową (2 godz.) – jest to inny, nieco krótszy wariant zejścia do miejsca skąd jeżdżą autobusy. W drugą stronę czerwone krzyże kierują do pobliskiego przysiółka Gheţar. Znaki czerwonego paska wiodą do schroniska *Muntele Băişorii* (22 godz.), a w stronę przeciwną – do miejscowości Gârda de Sus przez dolinę Gârda Seacă. Szlak czerwonego trójkąta do miejscowości Arieşeni (ok. 830 m) przecina po drodze głęboką dolinę potoku Valea Gârda Seacă, a następnie grzbiet Dealul Arsuri (4,5 godz.), wreszcie szlak niebieskiego paska wiedzie do Gârda de Sus przez wąwóz Cheile Ordâncuşei i jaskinię Poarta lui Ioanel (2,5 godz.).

Warto na krótko zboczyć ze szlaku za znakami czerwonej kropki do jaskini lodowej Gheţarul del la Scărişoara (wejście kryje się powyżej, na grzbiecie Creasta Pâriolii oddzielającym płaskowyż od doliny Gârda Seacă; zob. ramka s. 513) słynącej z największego w południowo-wschodniej Europie podziemnego lodowca.

Po powrocie do węzła szlaków, należy skierować się za znakami niebieskiego paska (na krótkim odcinku razem ze znakami czerwonego krzyża). Szlak skręca w lewo i za ostatnimi domami doprowadza do krawędzi płaskowyżu. Następuje zejście stromym zboczem Dealul Mielului, częściowo przez las, do drogi na dnie doliny Ordâncuşa, którą osiąga się w miejscu zwanym Moara lui Ivan (2,5 km od węzła szlaków).

Doliną w dół dochodzi się do gardzieli wąwozu Cheile Ordâncuşei. Droga przekracza rzekę czterema mostami, wypełniając miejscami całą szerokość koryta. W połowie gardzieli natrafia się na miejsce odpoczynku. Naprzeciw wyłania się trawertynowa kaskada, którą wypływająca z jaskini woda spada kilkoma stopniami.

Kto chciałby zwiedzić piękną jaskinię Poarta lui Ioanel, powinien zostawić plecak i przejść przez most przerzucony na prawy brzeg. Ścieżka biegnie stromo do góry obok strumyczka spływającego żlebem koło kaskad i po około 100 m dociera do skalnego amfiteatru z wejściem do jaskini (wysokość 15 m). Tuż za nim jest wywierzysko. Jaskinia ma 130 m długości.

Kontynuując marsz w dół doliny, dostrzega się otwór wejściowy do jaskini lodowej Gheţarul de sub Zguraşti (długość 775 m), usytuowany 100 m powyżej poprzedniej jaskini, również po prawej stronie. Wprawni turyści mogą pokusić się o zwiedzenie początkowego odcinka korytarza wiodącego do sali z ogromnym oknem w stropie (wysoki próg oddziela ją od dużego jeziora).

Wkrótce szlak dociera do połączenia doliny z doliną potoku Valea Gârda Seacă (5,5 km od miejsca odpoczynku) i sprowadza tą ostatnią w dół 1,5 km do miejscowości Gârda de Sus (autobusy do Câmpeni).

GÓRY MUNTELE MARE

Trzecia pod względem wysokości grupa Gór Zachodniorumuńskich słynie z rozległej panoramy z najwyższego wierzchołka Muntele Mare (1826 m n.p.m.). W czasie zimowych inwersji, gdy nad Wyżyną Siedmiogrodzką zalega gruba poducha chmur radiacyjnych, a powietrze powyżej jest niezwykle czyste, można podziwiać stąd przebieg całego łańcucha karpackiego w części rumuńskiej. Równie interesujący jest rezerwat Scăriţa-Belioara, gdzie w malowniczej scenerii wapiennych urwisk warto poobserwować ciekawe rośliny oraz żywą kulturę ludową.

Mapę *Munţii Gilăului şi Muntele Mare* wydawnictwa Dimap w skali 1:50 000 można znaleźć w księgarniach Sklepu Podróżnika.

Trasa 1
Staţiunea Muntele Băişorii ➜ polana Şesul Cald ➜ polana La Mocirle ➜ Muntele Mare

Łatwa wycieczka na najwyższy szczyt masywu. W obie strony 5,5 godz. Szlak czerwonego paska istnieje, lecz w kilku miejscach jego przebieg nie jest dobrze oznaczony. Powrót tą samą trasą.

Do stacji turystycznej Muntele Băişorii (ok. 1400 m n.p.m.) najłatwiej dotrzeć własnym środkiem transportu wygodną asfaltową drogą. W zimowe weekendy jeżdżą tu także autobusy kursowe z Turdy dowożące narciarzy. Zakwaterowanie znaleźć można w komfortowym hotelu *Alpin*** (☎0264/333373, fax 333372; restauracja; pokój 2-os. 17 €) lub w licznych, otwartych zazwyczaj w zimie, pensjonatach.

Od hotelu trzeba iść drogą na południe i wejść w las, gdzie po 5 min podejścia zaczyna się znakowany czerwonym krzyżem trawers szczytu Muntele Buscat. Po około 40 min (stromo) wychodzi się na przełęcz

z **polaną Şesul Cald**. W południowym skłonie znajduje się malownicze osiedle szałasów pasterskich (dobre miejsce biwakowe). Z polany wiodą w kierunku południowym znaki czerwonego paska. Wygodny trawers Pietrele Mărunte doprowadza po 40 min do zabagnionej **polany La Mocirle**, skąd rozpościera się widok na najwyższy wierzchołek masywu z posterunkiem wojskowym. Szlak biegnie teraz drogą południowym stokiem **Muntele Mare**. Po około 20 min należy odbić w prawo i bez szlaku, przechodząc przez porośnięte jałowcem polany, wspiąć się na szczyt. Nie wolno wchodzić na teren egzotycznie wyglądającej jednostki wojskowej odgrodzonej płotem! Powrót tym samym szlakiem.

Trasa 2
Poşaga de Sus ➜ Şesu Craiului ➜ Scăriţa ➜ Poşaga de Sus

Wspaniała pętla biegnąca dookoła południowo-wschodniego urwiska szczytu Scăriţa. Po drodze interesująca roślinność, rozległe panoramy i życie pasterskie na kwitnących halach. Oznakowanie miejscami słabe. Czas przejścia 5,5–6 godz.

Do punktu wyjścia, wsi **Poşaga de Sus**, nie kursują autobusy. Osoby posiadające własny środek transportu dojadą do wsi zniszczoną asfaltową drogą, mijając po drodze ślicznie położony w wąwozie Cheile Poşegii drewniany monastyr Poşaga.

Spod cerkwi w centrum wsi należy się kierować za znakami czerwonego krzyżyka w górę potoku Belioara. Przed oczami wznosi się wysoka ściana wapienna, którą szczyt Scăriţa opada na południowy wschód. Po 30 min marszu dochodzi się do skrzyżowania szlaków koło kamieniołomu i po skręcie w lewo za znakami czerwonego paska i kółka (początkowo znakowanie niedostateczne) rozpoczyna się wspinaczka stromą polaną, na której należy wypatrywać drogi odchodzącej w prawo. Po pokonaniu pierwszego skalistego spiętrzenia i wejściu do pięknego, bukowego lasu następuje stromy odcinek wędrówki prowadzący na przemian malowniczymi polanami (na pierwszej przesychające źródło) i bukowym lasem. Z rozległej polany, gdzie stoją zabudowania pasterskie przykryte ogromnymi słomianymi dachami charakterystycznymi dla Gór Zachodniorumuńskich, jest już parę kroków do grzbietu, skąd rozpościera się ładny widok na niedaleki masyw Muntele Mare. Teraz wspinaczka grzbietem, a następnie trawers biegnący śliczną buczyną, wyprowadzający na płaski grzbiet

Şesu Craiului. Stąd łagodnym podejściem na wschód za znakami niebieskiego krzyża dochodzi się do drewnianego ogrodzenia i tablicy rezerwatu Scăriţa-Belioara (od początku wędrówki 3 godz.).

Warto odpocząć tu chwilę, gdyż widok z krawędzi urwiska jest naprawdę cudowny. Dalej za znakami niebieskiego trójkąta obchodzi się stromą zerwę i dociera do porośniętej starą świerczyną kulminacji **Scăriţa** (1382 m n.p.m.). Teraz bardzo strome zejście świerkowym lasem (odcinek słabo znakowany) do drogi, którą trzeba podejść odrobinę w kierunku przełęczy. Sprowadza z niej na południe kiepsko zaznaczona ścieżka ze starymi znakami czerwonego kółka. Podczas zejścia pojawia się po prawej stronie mroczny otwór jaskini Coşul Boului (Byczy Komin). Dotarłszy do drogi zasłanej rumoszem, trzeba iść w dół do mijanego na początku wycieczki skrzyżowania.

RUDAWY SIEDMIOGRODZKIE

Rozległe i niewysokie Munţii Metaliferi leżą na uboczu wydeptanych szlaków turystycznych. Warto, planując zwiedzanie Gór Zachodniorumuńskich, odwiedzić ten ciekawy region i wspiąć się na niezwykły bazaltowy szczyt Detunata.

Trasa 1
Bucium-Sat → schronisko Fefeleaga → Detunata Goala → Bucium-Sat

Bardzo przyjemna, okrężna wycieczka prowadząca na zbudowany z sześciokątnych ciosów bazaltowych szczyt Detunata. Czas przejścia: 3–3,5 godz.

Do wsi Bucium najlepiej dojechać z Abrud (2 autobusy dziennie; fatalna nawierzchnia). Wieś rozrzucona jest w kilku dolinach bocznych, na Detunatę idzie się z największego przysiółka – **Bucium-Sat**. Szlak czerwonego paska rozpoczyna się obok cerkwi w centrum wsi i prowadzi błotnistą drogą obok cmentarza, która po chwili przekracza potoczek i stromo wspina się na grzbiet po lewej stronie. Wędrując na przemian bukowym lasem i polanami z widokiem na zachód, mija się urocze **schronisko Fefeleaga** (często bywa zamknięte), urządzone w starej drewnianej chacie. Ze schroniska trzeba wyruszyć na wschód, w kierunku widocznego wkrótce szczytu **Detunata** (1258 m n.p.m.). Na skraju łąk dociera się do tablicy informującej o wiecu, na którym w tym miejscu spotkali się siedmiogrodzcy Rumuni w 1866 r. (dobre miejsce biwakowe; woda).

Lasem dochodzi się do rozległego usypiska pod ścianą szczytową. W oczy rzuca się niezwykły kształt skał leżących pod nogami i widocznych w opadającej spod szczytu imponującej ścianie. Podczas powolnego zastygania w bazalcie uformowały się charakterystyczne spękania ciosowe i skała podzieliła się na szereg poukładanych obok siebie słupów o przekroju sześciokąta. Z daleka wygląda to tak, jakby górę zbudowano z poukładanych koło siebie kredek. Podobne miejsca można spotkać w polskich Sudetach (np. Organy Wielisławskie czy Czartowska Skała). Pośrodku usypiska znajduje się tzw. lodowe źródło z zalegającym nawet w środku lata śniegiem.

Teraz trzeba wspiąć się po kamieniach na lewą stronę usypiska, a następnie lasem dojść do skraju rozległej polany po lewej stronie szczytu. W prawo prowadzi stąd wąska ścieżka, która stromo pnie się do szczytowego urwiska, skąd rozpościera się imponująca panorama w kierunku północnym i zachodnim. Po powrocie na polanę trzeba kierować się na południe (bez szlaku), trzymając się niewyraźnych ścieżek. Obok ostatnich wychodni bazaltu należy wybrać lewą drogę odchodzącą na południowy zachód. Utrzymując wymieniony kierunek, przechodzi się potok; następnym grzbietem trzeba zejść w kierunku widocznej wsi Bucium-Sat (na końcu stromo).

GÓRY MĂCIN

Góry Măcin (rum. zmielone, zmiażdżone) to jedyna godna uwagi turysty pozakarpacka grupa górska w Rumunii. Z geograficznego punktu widzenia znajdują się na północno-wschodnim krańcu Półwyspu Bałkańskiego i są jednocześnie najwyższą w Rumunii częścią tego regionu. Wbrew niewielkim wysokościom względnym krajobraz masywu Măcin przywodzi na myśl góry wysokie, co wraz z bogactwem stepowej przyrody jest wystarczającym powodem do, choćby krótkiej, wizyty w tym rejonie. Opisywane poniżej propozycje wycieczek są wspaniałą alternatywą dla tych, którzy pokonując długą drogę do delty Dunaju lub nad czarnomorskie plaże, zapragną rozprostować kości podczas niedługiego (2–3 godz.) marszu.

Klub wspinaczkowy z Gałacza (Clubul Alpin Galaţi) prowadzi na terenie gór Măcin intensywną akcję obijania dróg wspinaczkowych o różnych stopniach trudności. Kto wie, może za parę lat miejscowe granity będą przyciągać do „ogródków skalnych" amatorów wspinaczki.

POŁOŻENIE I BUDOWA GEOLOGICZNA

Opisywany rejon jest pozostałością starych masywów górskich sięgających onegdaj wysokości 3000 m. Część południowa została uformowana w orogenezie kaledońskiej, północna zaś w hercyńskiej. Grzbiet główny ciągnie się na dystansie ponad 40 km z północnego zachodu na południowy wschód. Powierzchnia gór wynosi około 50 tys. ha. Skały budujące masyw są doskonałym świadectwem wieku tych najstarszych gór Rumunii – nigdzie w Karpatach nie ma tak wspaniale wietrzejących granitów, poddanych od milionów lat niszczącym procesom. Góry Măcin wybijają się w monotonnym krajobrazie Wyżyny Dobrudży dzięki sporym wysokościom względnym dochodzącym do 400 metrów oraz prawdziwie górskim formom terenu: głębokim dolinom oraz malowniczym formacjom skalnym. Widać to doskonale w obrębie grzbietu Pricopanu, od zachodu ograniczonego równiną rozciągającą się na wysokości 40–50 m n.p.m., z której pasmo wyrasta gwałtownie na wysokość blisko 400 metrów. Skupiska zwietrzałych granitów widoczne na każdym kroku przypominają monumentalne ruiny zamczysk i formacje skalne występujące w Karkonoszach czy Rudawach Janowickich.

Granitowe skały odznaczają się walorami eksploatacyjnymi – w mieście Măcin i w Greci rozwinęło się kamieniarstwo. Miejscowe kamieniołomy dostarczyły granitowych wykładzin do bukareszteńskiego metra, nowego mostu w Cernavodă oraz olimpijskiego stadionu w Monachium.

KLIMAT, FAUNA I FLORA

Klimat masywu w typie submediterańskim jest bardzo suchy, gdyż pozostaje on, podobnie jak cała Dobrudża, w cieniu opadowym Karpat. Średnie roczne sumy opadów nie przekraczają 400 mm, co powoduje czasowe wysychanie cieków wodnych i konieczność nawadniania pól.

W centralnej części masywu utworzono w 2000 r. **Park Narodowy Gór Măcin** (www.muntiimacin.ro), który obejmuje powierzchnię 11 321 ha w centralnej i zarazem najwyższej części gór. Chronione są więc opisywane w przewodniku grzbiety Măcin z najwyższym w Dobrudży Țuțuiatulem (właściwie Ghiunaltu; 467 m n.p.m.) oraz oddzielony obniżeniem Greci Pricopanu (Sulucu Mare; 370 m n.p.m.). Nieco ponad 10 tys. ha zajmują lasy, reszta to łąki o bogatej wegetacji, usłane głazowiskami. Botanicy odkryli w tym rejonie 562 gatunki roślin wyższych, z których część posiada w górach Măcin swoje granice zasięgu. Sześć rzadkich gatunków znajduje się na Europejskiej Czerwonej Liście zawierającej rośliny zagrożone wyginięciem (m.in. endemiczny dzwonek dobrudżański *Campanulla romanica*, goździk *Dianthus nardiformis* czy śnieżyczka *Galanthus plicatus*).

Najciekawszymi przedstawicielami miejscowej fauny są: chroniony żółw *Testudo greaca ibera*, ogromny niejadowity wąż *Elaphe quatuorlineata sauromates* dochodzący do 2,5 metra długości oraz niebezpieczna żmija nosoroga *Vipera ammotydes*. Góry Măcin słyną też z bogatej awifauny: zaobserwowano tu 187 gatunków ptaków.

W GÓRY

Mapy

Jedyna mapa rejonu została dołączona do przewodnika z serii *Munţii Noştri* wiele lat temu. Z powodu słabej skali i nieaktualnej treści (nieistniejące obecnie szlaki) służyć może jedynie jako źródło ogólnej informacji o rejonie. Znaleźć ją można w Internecie pod adresem: www.carpati.org/harti_harta.php?harta_harti=Macin.

Trasa 1

Greci → przełęcz pod Ghiunaltu → Țuțuiatul (Ghiunaltu) → Greci

> Wędrówka na **Țuțuiatul**, zwany przez miejscową ludność **Ghiunaltu** (nazwa ta stosowana będzie w dalszej części opisu) to prawdziwa wycieczka górska: do pokonania jest 400 m wysokości względnej. Nagrodą za wysiłek są wspaniałe krajobrazy doliny Morsu oraz daleka panorama rozciągająca się z wierzchołka w kierunku zachodnim. Na odcinku Greci–Țuțuiatul za znakami niebieskiego trójkąta, w dół łatwo orientacyjnie bez szlaku. Pętla wymaga 3–3,5 godz. marszu.

Wycieczkę zaczyna się w centrum sporej miejscowości **Greci**, położonej około 3 km od drogi nr 22D. Dojeżdża tu kilka autobusów dalekobieżnych dziennie (m.in. z Tulczy i Braiły). We wsi mieszkają parający się kamieniarstwem Włosi i Friulanie; często można zaobserwować majstrów obrabiających granit bezpośrednio na ulicy. Szlak zaczyna się przed pomnikiem, obok nowego panelu parku narodowego. Po lewej mija się działającą kuźnię i przez 20 min idzie zakurzonymi drogami pośród gospodarstw. Następnie dochodzi się do początku rozległej polany, pozostawiając ostatnie zabudowania (można tu dojechać autem, co skraca czas wycieczki o 30 min). Teraz trzeba przejść obok ruiny zakładu przeróbki granitu, w którym niegdyś zatrudniona była większość mężczyzn ze wsi, i wkroczyć w piękną dolinę Morsu pełną skałek zbudowanych ze złuskowanego granitu.

Przed oczami, w głębi doliny, ukazuje się cel wędrówki, zwany w literaturze „Ţuţuiatul". Miejscowi nazywają najwyższą górę rumuńskich Bałkanów „Ghiunaltu", nazwę „Ţuţuiatul" odnoszą zaś do widocznego po prawej stronie doliny, pozornie wyższego szczytu z kamieniołomem, przez który wiedzie droga powrotna tej wycieczki.

Teraz idzie się dnem doliny, później w lewo, w górę przez trawy do drogi i w prawo do niedalekiego źródła na zakręcie (ostatnia woda na szlaku). Stąd strome podejście drogą i odchodzącą w prawo z zakrętu słabo widoczną ścieżką do **przełęczy pod Ghiunaltu** (368 m n.p.m.). Szlak prowadzi cały czas stromo słabo widoczną ścieżką obok ogrodzenia na zwieńczony skałką „dach" Dobrudży (z przełęczy 15 min), skąd rozciąga się daleka panorama w kierunku zachodnim.

Szlakiem schodzi się do przełęczy na południe od szczytu, gdzie trzeba opuścić znakowany szlak i zejść w dół drogą w prawo do skrzyżowania, na którym należy skręcić w lewo. Następnie drogą przeznaczoną dla ciężarówek zwożących granit pokonuje się trawersem szczyt Ţuţuiatul. Na zakręcie trzeba skręcić w lewo, opuszczając wygodny trakt, i zejść, trzymając się niewyraźnych ścieżek, łąkami w kierunku północno-zachodnim aż do środkowej części doliny Morsu, gdzie zamyka się pętlę i wraca do Greci.

Trasa 2
Măcin → Fântâna lui Leac → Vârful Vraju → Piatra Râioasa

Przedstawiona poniżej trasa jest jedną z wielu propozycji wycieczek w masywie **Pricopanu**. Mimo iż prowadzi w większości nieznakowanym terenem, nie powinna nastręczać problemów orientacyjnych. **Warto jednakże zwrócić szczególną uwagę na kruszyznę granitu oraz ekspozycję fragmentów grzbietu. Wariant podstawowy wymaga 2,5–3 godz.**

Z miasteczka **Măcin** idzie się wzdłuż drogi nr 22D w kierunku wspaniale prezentującego się skalistego masywu Pricopanu. Po około 30 min (3 km) od centrum skręt w lewo na drogę bitą, biegnącą do szpecącego nieco krajobraz kamieniołomu. Nie dochodząc do wyrobiska, trzeba skręcić w prawo (na południe), w kierunku charakterystycznej kępy drzew zwanej przez miejscowych **Fântâna lui Leac** lub Izvorul tămăduirii (rum. Lecząca Studnia lub Lecące Źródło; jest tu szałas pasterski i potok – miejscowi twierdzą, iż woda posiada właściwości lecznicze). Można tu dojechać również samochodem, co oszczędzi nieco czasu i niezbyt przyjemnej, choć okraszonej śliczną panoramą Pricopanu, wędrówki asfaltem. Warto wiedzieć, że identycznie nazwane miejsce znajduje się również kilometr na północ od kamieniołomu, przy szlaku niebieskiego paska. Zbieżność nazw może prowadzić do nieporozumień.

Kontynuując wędrówkę na wschód drogą biegnącą dnem doliny (szlak czerwonego paska), po chwili skręca się za znakami w lewo, na stromą ścieżkę. W ujętym źródle warto uzupełnić zapas wody, o którą trudno na skalistym grzbiecie. Dalej idzie się wzdłuż zanikającego koryta i dociera do wygodnej utwardzonej drogi. Tu trzeba zostawić szlak, wspinający się na szczyt Piatra Râioasa (rum. Parszywa Skała), i pójść drogą w lewo, dochodząc po kilku minutach do podnóża grzbietu **Vârful Vraju**. Okolice obfitują we wspaniałe, granitowe formy. Po opuszczeniu drogi rozpoczyna się wspinaczka żwirową ścieżką na grzbiet Vraju. Najpiękniejszy, pełen rozległych widoków odcinek wycieczki prowadzi skalistą granią (uwaga na kruszyznę; w trakcie pokonywania wysokości przydadzą się ręce).

Ze szczytu kilka minut wędrówki skalnym grzbietem, a następnie obniżenie na widoczną przełęcz pomiędzy Vraju i Piatra Râioasa. Tutaj napotyka się znaną już drogę i letnie obozowisko wspinaczy z Gałacza (namiot wojskowy). Można tędy wrócić do Fântâna lui Leac drogą na południe (30 min) lub wspiąć się na skalisty grzbiet **Piatra Râioasa**.

Słownik architektoniczny

Absyda (apsyda) – półkoliste lub wieloboczne pomieszczenie zamykające prezbiterium lub nawę świątyni.

Alkierz – pomieszczenie o rzucie prostokątnym wysunięte z narożnej części budowli, zazwyczaj kryte osobnym dachem.

Arkada – otwór zamknięty łukiem wspartym na dwóch podporach; jeżeli przylega do ściany, mówi się o ślepej arkadzie.

Attyka – poziomy element architektoniczny ponad gzymsem wieńczącym budowlę, częściowo lub całkowicie zasłaniający dach, często bogato zdobiony. **Attyka polska** składa się z rozczłonkowanej wnękami ścianki (*fryz*) oraz dekoracyjnego zwieńczenia (*grzebień*) z ozdobnego *blankowania*, *wolut*, obelisków, posągów itd.

Babiniec – przednia część cerkwi łącząca się z nawą; w synagogach wydzielona część przeznaczona tylko dla kobiet.

Basteja – niska budowla murowana lub w formie nasypu ziemnego, na planie półkolistym lub podkowiastym, wysunięta poza linię murów lub wałów twierdzy, umożliwiająca ostrzał boczny.

Bastion – wystająca część głównego wału twierdzy, zazwyczaj pięcioboczna, wznoszona na załamaniach obwałowania i umożliwiająca prowadzenie bocznego ostrzału.

Baszta – zwieńczona blankami wieża obronna na rzucie koła, kwadratu lub wielokąta, stojąca wolno lub przy murach zamku albo miasta, wyposażona w hurdycje lub machikuły oraz strzelnice.

Bazylika – świątynia podzielona wewnątrz kolumnami na trzy lub pięć naw, przy czym środkowa jest wyższa i oświetlona oknami ponad dachami naw bocznych.

Biforium (bifora) – podwójne arkadowe okno (okna) przedzielone kolumną albo filarem, charakterystyczne dla budowli romańskich i gotyckich.

Beczkowe sklepienie – odmiana sklepienia kolebkowego z podniesioną linią szczytową podniebienia, tworzącą wycinek łuku.

Bęben – okrągła lub wieloboczna podstawa, na której opiera się kopuła.

Blanki – puste miejsce w górnej części muru obronnego, w formie zębatej koronki, również ozdoba murku nad dachem.

Blenda – ślepa arkada, motyw dekoracyjny fasady budowli.

Cokół – najniższa nadziemna część budynku lub elementu architektonicznego (np. kolumny, filaru, portalu, rzeźby, pomnika).

Cytadela – zwarty obręb umocnień wewnątrz twierdzy lub fortecy stanowiący centrum obrony; w cytadeli, często dominującej nad miastem, mieściły się koszary, magazyny, a także więzienia.

Donżon – w średniowiecznej fortyfikacji potężna wieża w obrębie murów będąca ostatnim punktem obrony, bardzo często pozbawiona schodów w dolnej kondygnacji.

Elewacja – jedna z zewnętrznych ścian budynku wraz ze wszystkimi występującymi na niej elementami.

Epitafium – tablica nagrobkowa z napisem.

Fasada – zewnętrzna ściana budynku, zwłaszcza frontowa, bogato zdobiona, z głównym wejściem.

Fresk – malowidło ścienne wykonane farbami wodnymi na mokrym tynku pokrytym warstwami świeżej zaprawy.

Fronton – ściana zamykająca przestrzeń poddasza dachu dwuspadowego, zazwyczaj w kształcie trójkąta; często stanowi ozdobne zwieńczenie fasady w pałacach i świątyniach.

Fryz – pas dekoracyjny biegnący poziomo.

Girlanda – ornament w formie wieńca lub splotu liści i kwiatów.

Gwiazda Dawida – symbol judaizmu, sześcioramienna gwiazda złożona z dwóch równobocznych przeplecionych przez siebie trójkątów o wspólnym środku; występuje od VII w. p.n.e., od 1897 r. godło syjonizmu, od 1948 r. na fladze państwa Izrael; częsty motyw dekoracyjny na nagrobkach, fasadach synagog, tkaninach liturgicznych itp.

Gwiaździste sklepienie – odmiana sklepienia krzyżowo-żebrowego, którego pola podzielono dodatkowo na kształt dekoracyjnej gwiazdy.

Gzyms – poziomy, zazwyczaj profilowany element architektoniczny, silnie wysunięty poza lico ściany.

Hełm – przykrywający wieżę dach w kształcie ostrosłupa lub stożka, zwykle kryty blachą.

Hurdycja – obronna drewniana nadbudówka w formie zakrytego balkonu wysunięta poza lico muru, z otworami w podłodze, przez które wylewano na atakujących wrażek, gorącą oliwę lub smołę, często z otworami strzelniczymi w ścianie frontowej.

Ikona – obraz przedstawiający świętych, sceny biblijne lub liturgiczno-symboliczne, niezbędny element liturgii chrześcijańskich Kościołów wschodnich, przedmiot kultu jako odzwierciedlenie boskiego istnienia. Ikony wywodzą się m.in. z portretowego i pośmiertnego malarstwa późnoantycznego, najstarsze zachowane pochodzą z VI w. Ikony maluje się na drewnie drzew liściastych techniką temperową, tła dookoła postaci pokrywa się płatkami złota lub rzadziej szlakmetalu, często zdobi się je szlachetnymi kamieniami lub specjalnymi koszulkami. Kompozycja ikony jest ściśle podporządkowana kanonowi ostatecznie ukształtowanemu w IX w. Malarstwo ikonowe rozwinęło się w krajach obszaru kultury bizantyńskiej (Grecja, Bułgaria, Serbia, Rumunia), w szczególności na Rusi, gdzie uformował się nieco odmienny kanon. W niektórych regionach ikony maluje się na szkle.

Ikonostas – bogato zdobiona i dekorowana ikonami ułożonymi według ustalonego kanonu ściana w cerkwi, oddzielająca sanktuarium od pomieszczenia przeznaczonego dla wiernych; ma potrójne drzwi: środkowe – wrota królewskie (tylko dla kapłana) i boczne – diakońskie.

Kalenica – linia przecięcia połaci dachowych, górna pozioma krawędź dachu.

Kartusz – ozdobnie obramowany element dekoracyjny w kształcie tarczy herbowej.

Kaseton – prostokątne wgłębienie u spodu sufitu (stropu), ozdobnie profilowane lub dekorowane rzeźbą.

Katedra – główny kościół diecezji, siedziba biskupa lub arcybiskupa.

Kolebkowe sklepienie – sklepienie w kształcie połowy walca, przeciętego w osi poziomej.

Kolegiata – kościół, przy którym znajduje się zgromadzenie kanoników.

Koncha – półkopuła (ćwierć kuli) zamykająca wnękę.

Kondygnacja – jedno z pięter budynku; także wyodrębniony za pomocą gzymsów lub innych elementów zdobniczych poziomy pas elewacji budowli, niekoniecznie mający odbicie w jej wewnętrznych podziałach.

Krenelaż – zębate zwieńczenie dawnych murów obronnych, element dekoracyjny budowli neogotyckich.

Kruchta – inaczej babiniec; przedsionek w kościele poprzedzający wejście główne, rzadziej boczne, pomieszczenie wyodrębnione wewnątrz kościoła (zwykle pod chórem), niekiedy osobna (przeważnie parterowa) przybudówka.

Krypta – sklepione pomieszczenie pod budowlą sakralną, zazwyczaj z grobami wybitnych osobistości świeckich i duchownych.

Krzyżowe sklepienie – sklepienie utworzone przez przenikające się pod kątem prostym dwa sklepienia kolebkowe.

Krzyżowo-żebrowe sklepienie – sklepienie krzyżowe z podkreślonymi elementami konstrukcyjnymi (żebrami) wzdłuż linii przecięcia kolebek.

Latarnia – cylindryczna lub wieloboczna nadbudówka na szczycie kopuły, z otworami przepuszczającymi światło lub bez otworów (wówczas nosi nazwę ślepej latarni).

Lizena – pionowy pas muru wystający nieznacznie z lica ściany.

Lukarna – małe okienko z daszkiem umieszczone w dachu.

Luneta – w sklepieniu kolebkowym odcinek poprzeczny do głównego, mieszczący otwór okna lub drzwi.

Łamany dach – dach o dwóch kondygnacjach połaci, oddzielonych od siebie ścianką lub gzymsem.

Machikuły – murowane hurdycje.

Monastyr, monaster – klasztor w Kościele prawosławnym.

Namiotowy dach – dach mający tyle płaszczyzn (połaci), ile boków liczy nakryty nim budynek lub część budynku, przy czym wszystkie połacie zbiegają się w centralnym punkcie.

Narteks (pronaos) – kryty przedsionek przed wejściem do nawy w kościołach obrządku wschodniego oraz bazylikach wczesnochrześcijańskich, na ogół w formie prostokątnej przybudówki o szerokości nawy, przeznaczony dla katechumenów (osoby dorosłe przygotowujące się do przyjęcia chrztu) i pokutników; w średniowieczu narteks przekształcił się w kruchtę.

Palmeta – motyw dekoracyjny w formie stylizowanego liścia palmy.

Pendentyw (żagielek) – część sklepienia w kształcie trójkąta sferycznego.

Pilaster – element konstrukcyjny i dekoracyjny (wewnątrz lub na zewnątrz budynku) w postaci pionowego występu ściany, zwykle o ozdobnej podstawie i głowicy.

Polichromia – wielobarwne malowidła pokrywające powierzchnię ścian budowli lub rzeźb.

Portal – otwór wejściowy w ozdobnym obramowaniu.

Portyk – otwarta przestrzeń przed głównym wejściem do świątyni, pałacu lub innej reprezentacyjnej budowli, obudowana kolumnami lub arkadami, zazwyczaj wysunięta przed front budowli.

Postument – podstawa (często przenośna) w formie konsoli, kolumny, graniastosłupa itp., na której ustawia się rzeźbę, wazon, zegar czy świecznik.

Prezbiterium – część świątyni przeznaczona dla duchowieństwa, zazwyczaj oddzielona architektonicznie od nawy.

Pronaos – zob. narteks.

Przedsionek – pomieszczenie usytuowane między wejściem a właściwym wnętrzem.

Rotunda – nakryta kopułą budowla na planie koła, niekiedy z jedną lub kilkoma absydami.

Rozeta – okrągłe okno gotyckie lub neogotyckie z promienistym podziałem, zazwyczaj na fasadzie świątyni.

Ryzalit – wysunięta przed lico elewacji część budynku, najczęściej na planie prostokąta.

Sobór – katedra prawosławna lub greckokatolicka; mianem tym określa się także każdą ważniejszą i okazalszą cerkiew miejską.

Stalle – ozdobne ławy, zwykle umieszczone w prezbiterium, przeznaczone dla duchownych lub możnych.

Sygnaturka – niewielka wieżyczka na kalenicy dachu kościoła.

Tempera – farba o różnych spoiwach organicznych (m.in. klejowych, z jaj ptasich, żywicy) odpowiednio rozmieszanych z wodą; także technika malarska polegająca na posługiwaniu się tymi farbami.

Transept – poprzeczna nawa kościoła przecinająca się z główną.

Tympanon – wewnętrzne pole frontonu, najczęściej trójkątne, zwykle bogato dekorowane.

Woluta – spiralny element dekoracyjny w świątyniach renesansowych i barokowych; potocznie wolutami nazywa się tzw. spływy wolutowe w fasadzie świątyni, wypełniające przestrzeń pomiędzy szczytem budowli a jej niższymi kondygnacjami.

Westwerk – blok zachodni, zachodnia część kościołów karolińskich, ottońskich i romańskich składająca się z niskiego przedsionka, nad którym znajduje się pomieszczenie otwierające się ku nawie głównej, zwykle flankowane bocznymi emporami. Całość wieńczy masywna, szeroka wieża, niekiedy z bocznymi wieżyczkami mieszczącymi schody. W środkowym, górnym pomieszczeniu ustawiano z reguły ołtarz.

Zrąb – masywna ściana drewnianego budynku, wzniesiona z okrąglaków ułożonych jeden na drugim i połączonych ze sobą w narożach.

Ⓓ

Bibliografia

„Gotek. Informator szkoleniowy KKPTG" – wybór

„Munţii Carpaţi" – czasopismo, wybór

„Munţii Noştri" – seria przewodników górskich, wybór

„Pamiętnik PTT", t. 5, Kraków 1996

„Płaj. Almanach karpacki" – wybór

„Polonus. Pismo Związku Polaków w Rumunii" – wybór

Baciu A., Baciu P., *Valea Gradiştei*, Bucarest 1988

Bergel H., *Bukowiner Spuren*, Rimbaud Verlag 2002

Biedrzycki E., *Historia Polaków na Bukowinie*, Kraków-Warszawa 1973

Bielawski M., *Teologia rumuńska w pięciu odsłonach*, Kraków 1999

Bieńkowska D., *Opowieści z Wołoszy, Mołdawii i Siedmiogrodu*, Warszawa 1987

Boia L., *România: ţara de frontiera a Europei*, Bukareszt 2002

Boia L., *Rumunia. Świadomość, mity, historia*, Kraków 2003

Brykowski R., Chrzanowski T., Kornecki M., *Sztuka Rumunii*, Wrocław 1979

Burchard P., *Rumunia*, Warszawa 1976

Câmpeanu P., *Ceauşescu. Lata odliczane wstecz*, Warszawa 2004

Colfescu S., *Bucureşti, ghid turistic, istoric, artistic*, Bukareszt 2003

Collombet F., Paireault J.P., *Wina świata*, Warszawa 1999

Cucu V., Ştefan M., *România. Ghid atlas al monumentelor istorice*, Bukareszt 1979

Cudalb I., Radeş C., Şarambei N., *Ethnic minorities living in Romania*, Bukareszt

Czamańska I., *Drakula. Wampir, tyran czy bohater*, Poznań 2003

Demel J., *Historia Rumunii*, Wrocław 1986

Djuvara N. *O scurtă istoria României povestita celor tâneri*, Bukareszt 2002

Drăguţ V., *Dicţionar enciclopedic de artă medievală românească*, Bukareszt 2000

Dumitrache V., *Mănaăstirile şi schiturile României*, tom 1–4, Bukareszt 2001–2003

Dumitriu P., *Rumänien erzählt*, Fischer Bücherei 1967

Dumitru A., Galusek Ł., Poller T., *Transylwania, Twierdza rumuńskich Karpat*, Kraków 2003

Eliade M., *Od Zalmoxisa do Czyngis-Chana*, Warszawa 2002

Eliade M., *Rumuni, Zarys historii*, Kraków 1999

Fabini H., *Kirchen in Siebenbürgen*, München 1991/Sibiu 2002/2003

Florea V., *Sztuka rumuńska*, Warszawa 1989

Heltmann H., Wendelberger G., *Beiträge zur Flora, Vegetation und Fauna von Siebenbürgen*, Köln 1995

Hoffstadt S., Zippel E., *Reiseland Rumänien*, Edition Aragon 1995

Jedynak A., *Pod jednym niebem. Polacy na rumuńskiej Bukowinie*, Nowy Sącz 2000

Jurecki M., *Bukowina. Kraina łagodności*, Kraków 2001

Kondracki J., *Karpaty*, Warszawa 1978

Marinoiu C., *Itinerare vâlcene*, Bukareszt 1987

Melas E., *Rumänien, Schwarzmeerküste-Donaudelta-Moldau-Walachei-Siebenbürgen: Kultur und Geschichte*, Köln 1977

Noizillle J., *Transylwania. Obszar kontaktów i konfliktów*, Bydgoszcz 1997

Oprescu G., *Die Wehrkirchen in Siebenbürgen*, Dresden 1961

Podlacha W., *Malowidła ścienne w cerkwiach Bukowiny*, Lwów 1912

Przybył E., *Prawosławie*, Kraków 2000

Reinerth K., *Die gründung der evangelischen Kirchen in Siebenbürgen*, Köln 1979

Roberson R.G., *Chrześcijańskie Kościoły Wschodnie*, Bydgoszcz 1997

Roman R.A.*Bucate, vinuri şi obiceiuri româneşte*, Bukareszt 2001

Roth H., *Kleine Geschichte Siebenbürgers*, Böhlau Verlag 1996

Roth H., *Kronstadt*, Universitas Verlag 1998

Spieralski Z., *Awantury mołdawskie*, Warszawa 1967

Tufescu V., *România. Natură, om, economie*, Bukareszt 1974

Williaume M., *Rumunia*, Warszawa 2004

Vlasie M., *Drumuri spre mănăstiri. Ghid al aşezărilor monahale din România*, Bukareszt 2000

Indeks

E

E

INDEKS

NOTATKI